부동산 금융과 투자

17th Edition

REAL ESTATE FINANCE AND INVESTMENTS

17th Edition

William B. **Brueggeman**
Jeffrey D. **Fisher**

부동산 금융과 투자

김영곤 · 노승한 · 이영성 · 지규현 · 진창하 · 현동우 옮김

REAL ESTATE FINANCE AND INVESTMENTS

Mc Graw Hill

REAL ESTATE FINANCE AND INVESTMENTS, SEVENTEENTH EDITION

1 2 3 4 5 6 7 8 9 10 MHE-KOREA 20 23

Original: REAL ESTATE FINANCE AND INVESTMENTS, SEVENTEENTH EDITION
By William B. Brueggeman, Jeffrey D. Fisher
ISBN 978-1-260-73430-0

Korean ISBN 979-11-321-1277-8 93320

Printed in Korea

부동산 금융과 투자 17th Edition

REAL ESTATE FINANCE AND INVESTMENTS

발 행 일	2023년 6월 1일
저 자	William B. Brueggeman, Jeffrey D. Fisher
역 자	김영곤, 노승한, 이영성, 지규현, 진창하, 현동우
발 행 처	맥그로힐에듀케이션코리아 유한회사
발 행 인	SHARALYN YAP LUYING(샤랄린얍루잉)
등록번호	제2013-000122호(2012. 12. 28)
주 소	서울시 마포구 양화로 45, 8층 801호 (서교동, 메세나폴리스)
전 화	(02)325-2351
편집·교정	㈜우일미디어디지텍
인 쇄	㈜성신미디어
I S B N	979-11-321-1277-8
판 매 처	㈜한티에듀
문 의	(02)332-7993, 4
정 가	38,000원

머리말

부동산 금융과 투자의 소개

이 책은 독자들이 주거용 및 상업용 부동산의 자금조달 및 투자와 관련된 위험과 보상을 이해하도록 준비시킨다. 각 장들과 문제 세트들에 포함된 Concept들과 기술들은 부동산과 관련된 많은 작업들에 사용된다. 여기에는 투자, 개발금융, 감정평가, 컨설팅, 부동산 포트폴리오 관리, 임대, 자산관리, 부지와 위치분석, 기업부동산, 부동산펀드 투자관리가 포함된다. 이 자료는 또한 개인적인 투자 및 금융에 대해서 결정을 내릴 때, 부동산을 더 잘 이해하고자 하는 개인들에게도 적합하다.

책이 개정되고 있는 와중에, COVID-19의 영향은 상업용 부동산시장의 다른 분야들에 있을 충격으로 많은 불확실성이 발생될 것이고, 이는 과거보다 대출자와 투자자들에게 위험과 수익률을 평가하는 것이 더 중요하다고 할 수 있게 되었다. 이는 대출자들과 투자자들의 권리에 영향을 끼칠 수 있는 법적인 문제들, 부동산에 대출을 하거나 투자를 하는 다양한 구도의 특징들, 대출 및 투자의 경제적 이득, 대출자들 및 투자자들과 마찬가지로 지역경제가 부동산 투자성과에 미치는 영향에 대한 이해를 요구한다. 부동산 펀드매니저는 펀드의 위험이 어떻게 변할 수 있는지, 현재의 경제상황이 펀드의 미래성과에 어떤 영향을 미칠 수 있는지, 부동산 유형 및 지리적 영역에 걸쳐 할당을 변경해야 하는 필요성을 이해해야 한다.

이 책은 학생들과 다른 독자들이 이러한 많은 요소를 이해하여 필요한 분석을 수행하고 정보에 입각한 부동산 금융과 투자 결정을 내릴 수 있도록 돕기 위해 디자인되었다. 책 제목에서 알 수 있듯이, 부동산 **금융**과 부동산 **투자**를 모두 논의한다. 이러한 주제들은 서로 연관되어 있다. 예를 들어, 부동산을 매입하는 투자자는 투자를 하는 것이다. 이 투자는 일반적으로 담보대출로 자금을 조달한다. 따라서 투자자는 투자를 분석하는 방법과 투자 자금조달이 위험과 수익에 미치는 영향을 평가하는 방법의 양면을 모두 이해해야 한다.

유사하게, 부동산을 매입하는 투자자를 위해 자금을 제공하는 대출자는 대출자금에 대한 수익률을 기대한다는 의미에서 투자를 하고 있다. 따라서 대출자는 대출의 위험과 수익을 이해해야 한다. 실제로 부동산 담보대출과 관련된 위험 중 하나는 채무자가 채무불이행을 할 경우 대출기관이 부동산 소유권을 갖게 될 수 있다는 것이다. 이런 대출기관도 부동산을 매입하는 투자자와 동일한 기법들을 많이 사용하여 부동산을 평가해야 한다는 것을 의미한다.

본 번역서의 구성과 활용

본 번역서의 내용을 읽기 전에 필히 본 번역서의 구성과 활용을 읽도록 권한다.

본 번역서는 한국과 미국의 현황과 실정의 차이를 감안하여 원서의 구성에 변화를 주어 재구성하였다. 원서의 전체적인 내용은 빠지지 않았지만, 주로 국내에 직접 적용되는 내용들을 책자로 출판하고 미국에서 주로 적용되는 내용들은 E-file을 활용하여 읽을 수 있도록 하였다. 그리고 내용들 중에서 좀 더 수준을 높여야 하는 내용이나 자세한 설명이나 예가 필요한 내용들은 E-file의 Concept Box와 부록을 활용하도록 했다.

위의 논의에서 많은 요소가 부동산 투자 및 자금조달에 사용되는 담보대출과 관련된 위험과 수익에 영향을 미친다는 것을 분명히 해야 한다. 이는 투자가 개인 주거용이든 오피스 빌딩과 같은 대형 수익용 부동산 투자이든 마찬가지이다.

Part I. 저당대출(1-4장): 본 파트에서는 부동산 저당대출의 기초가 되는 계산과정, 고정금리와 변동금리저당대출의 내용, 그리고 계산의 예 등을 설명하였으며, 특히 주택금융을 분석하는 방법들에 대한 설명과 예시가 자세하게 설명되어 있다.

Part II. 수익용 부동산(5-11장): 이 파트에서는 수익용 부동산투자 분석과 관련된 많은 주제를 다룬다. 임대아파트, 사무실, 건물, 쇼핑센터 및 창고를 포함하는 심도 있는 사례를 제공한다. 개념이 다른 속성과 유형에 확장될 수 있도록 설명되어 있다. 여기의 주제는 임대차에 대한 이해, 자산평가방법의 시연, 투자의 잠재적 수익 및 위험분석 방법, 세금이 투자수익에 미치는 영향 등이 포함된다. 또한 부동산을 매각해야 하는지 개조해야 하는지 등을 평가하는 방법도 설명하고, 마지막으로 일반기업이 부동산사업 자체는 아니지만 비즈니스의 일부로 부동산에 대한 의사결정을 내리는 방법을 살펴본다. 여기에는 기업운영에 활용해야 하는 자산의 소유 또는 임대 여부와 기타 문제가 포함된다.

Part III. 부동산 개발금융(12-13장): 파트 3의 부분에서는 개발을 위한 제한된 프로젝트를 분석하는 방법에 대해 설명한다. 이러한 개발에는 토지 취득 및 모든 유형의 수익용 부동산 건설부터 기업, 사무실, 공원 등을 위해 분할 및 개선할 토지 취득 또는 주거 지역 건축업자에게 판매하기 위한 토지 취득이 포함될 수 있다. 여기에서는 개발기간 동안 프로젝트에 자금을 조달하는 방법도 포함된다. 건설 및 개발자금조달은 기존의 운영 중인 수익용 부동산에 자금을 조달하는 방식과는 매우 다르다.

Part IV. 부동산 채권과 펀드(14-16장): 이 파트에서는 주거용 및 상업용 모기지대출 풀이 생성되는 방법에 대해서 설명한다. 그런 다음에 모기지 담보증권이 구조화되고, 해당 풀에 대해 증권이 발행되고, 해당 증권이 이차 시장에서 거래되는 방식을 설명한다. 여기에는 이러한 투자가 제기하는 위험에 대한 논의도 포함된다. 그 다음에는 고액 자산가 개인 및 기관투자자를 위해 만들어진 부동산투자 펀드에 대한 설명이 이어진다. 다양한 펀드전략과 구조, 그리고 다양한 산업 벤치마크와 관련된 펀드의 위험과 성과를 분석하는 방법에 대해 설명한다.

Part V. 부동산 금융 관련 법(E-file 17-18장): 부동산 금융 및 투자에서 중요한 법적 개념에 대한 설명을 한다. 부동산 투자자나 대출자는 부동산 거래에서 변호사에게 크게 의존할 수 있지만, 올바른 질문을 할 수 있을 만큼의 충분한 지식은 필수적이다. 여기서는 부동산투자와 금융의 결정과 관련된 법적 문제에만 초점을 맞춘다. 여기서 설명하는 내용은 미국의 부동산 관련 법률이므로 한국의 관련 법과는 내용상으로 상이한 점들이 많아서 원서의 첫 부분임에도 불구하고 E-file로 재구성하였다.

Part VI. 주거용 부동산: 가격과 대출심사(E-file 19-20장): 주택을 투자로 간주하고 주거용 부동산에 대한 감정평가와 담보대출, 그리고 대출실행에 대한 내용을 다룬다. 이는 주택을 소유할지 임대할지 여부와 같은 개인적인 재정 결정을 내리는 개인과 대출자, 그리고 대출자를 모두 평가하는 대출 기간과 관련이 있다. 이 내용들도 단독주택이 위주인 미국의 경우와 아파트가 위주인 한국의 현실적 차이로 재구성하여 E-file에 담았다.

Part VII. 부동산투자 구조와 성과분석(E-file 21-23장): 이 파트에서는 다양한 부동산 금융 및 투자 수단에 대해 설명한다. 합작투자로 시작하여 특정 전문분야를 가진 여러 당사자가 어떻게 함께 부동산에 투자할 수 있는지를 설명한다. 예를 들어, 프로젝트에 대한 자기자본이 필요한 기술, 개발전문 지식을 가진 사람들이 구조를 어떻게 사용하는지를 설명한다. 합작투자는 투자할 자본이 있지만 개발을 수행할 전문 지식이 없는 투자자와 함께 만들어진다. 그런 다음 자산 취득, 운영 및 최종 매각 등에 파트너로부터의 자본출자와 분배를 포함하여 투자에 대한 재무 분석을 설명한다. 다음으로는 부동산 리츠(REITs)에 대한 설명이 이어진다. 한국에도 리츠가 있지만 단지 간접투자방식으로서 의미만 같을 뿐이지 미국의 리츠와는 법적 바탕과 구조가 다르므로, 미국의 리츠에 관심을 가지는 경우라면 별도의 학습이 필요할 것이므로 재구성하여 E-file에 배치하였다. 그리고 마지막에는 주식 및 채권과 같은 다른 투자도 포함하는 부동산 포트폴리오에서 부동산을 평가하는 방법에 대해 설명한다. 여기에는 포트폴리오에 부동산을 포함할 때 다각화 이점과 부동산 포트폴리오(해외 투자 포함) 내에서 다각화하는 방법에 대한 설명이 포함되어 있다.

Part VIII. Concept Box과 부록(E-file): 본서의 내용들 중에서 학부 수준의 학습내용보다 대학원 수준에서 학습할 필요가 있다고 판단되는 내용들을 별도로 정리하여 E-file에 담았다. 학부에서 다루어도 될 내용이지만 대학원 수준에서는 꼭 다루도록 권하는 내용들이 주로 구성되어 있다.

광범위한 독자층

이 책은 많은 주제를 다루고 있다. 특정한 과정의 목적에 따라, 모든 주제 또는 일부 주제를 다룰 수 있다. 원하는 경우, 과정은 또한 투자자 또는 대출자의 관점을 강조할 수도 있다. 선택적으로, 일부 과정은 주택 및 주거용 부동산, 상업용 부동산, 개발 및 건설, 모기지 담보증권, 기업부동산, 또는 투자 펀드와 같은 다양한 산업 부문을 강조할 수 있다. 다시 말하자면, 이 책은 강의자들과 학생들이 포괄적인 범위의 주제를 다루거나 특정 주제의 초점이 되는 주제만을 다룰 수 있는 유연성을 허용하도록 설계되었다.

17판의 변화

이 책의 많은 예들은 현재의 이자율과 세금 환경을 반영하여 개정되었다. Collateral Loan Obligations (CLOs)와 같은 새로운 금융상품이 모기지 담보증권에 대한 논의에 포함되었다.

운용 리스를 자산으로 포함하도록 요구하는 새로운 회계 규정 대차대조표상의 자산과 부채는 기업부동산에 관한 장에 추가되었다.

17판은 다중 자산 포트폴리오를 이용해서 부동산의 역할에 대한 논의를 확장했다. 서로 다른 자산 클래스의 성과에 대한 최신 데이터를 사용하여 “효율적인 프론티어”와 분산 투자를 통하여 위험을 줄이는 것을 보여주었다. 개정판에서는 부동산 펀드가 위험 조정 기준으로 시장을 이기고 알파를 얻을 수

있는지 여부를 결정하는 방법으로 베타의 중요성에 대한 연결을 제공하기 위해 자본자산가격결정모형(CAPM)이 추가되었다.

또한 사모펀드를 다루는 내용을 확장했다. 특정 유형의 펀드에 대해 시간가중 수익률이 내부수익률보다 더 관련이 있는 경우에 대한 논의가 확대되었다. 우선적 수익률 및 향상에 대한 계산은 하나 이상의 부동산 매각과 회수, 보류의 필요성을 기반으로 한 계산을 포함하도록 확장되었다. 펀드가 벤치마크와 다른 성과를 낼 수 있는 이유를 더 잘 이해하기 위한 방법으로 "위험조정속성분석" 개념도 도입되었다.

감사의 말

교재 개발 과정 전반에 걸쳐서 아래에 나열된 교수들과 동료들이 제공한 의견과 건설적인 비평을 통해 도움을 받았다. 수년 동안 도움이 되는 리뷰와 귀중한 피드백을 보내 주신 분들에게 진심으로 감사드린다.

Edward Baryla
East Tennessee State University
Roy T. Black
Emory University
Thomas P. Boehm
University of Tennessee-Knoxville
Thomas Bothem
University of Illinois at Chicago
Wally Boudry
Southern Methodist University
Grace Wong Bucchianeri
Wharton School, University of Pennsylvania
Brad Case
FNMA
Christopher Cain
College of Charleston
Ping Cheng
Florida Atlantic University
Joe D'Alessandro
NCREIF
Ron Donohue
Homer Hoyt Institute
Michael Fratantoni
Mortgage Bankers Association
Eric Fruits
Portland State University
Deborah W. Gregory
Bentley University
Mike Harris
Halstatt Real Estate Partners
Barry Hersh
NYU-SCPS Real Estate Institute
Joshua Kahr
Columbia University
Youguo Liang
Abu Dhabi Investment Authority
W. Keith Munsell
Boston University
Alejandro Rojas
Middle Tennessee State University
Michael Schonberger
Rutgers University-New Brunswick
Rui Shi
L&B Realty Advisors
Robert Singer
Lindenwood University
Carlos Slawson
Louisiana State University
Jan Strockis
Santa Clara University

지난 16번의 개정판을 출판하는 동안 많은 분들이 이 교과서에 기여해 주었다. 특히 이번 17판에서 중요한 변화를 주신 분들에게 감사드린다. Halstatt Real Estate Partners의 애널리스트이자 University of Florida의 MSRE 프로그램을 최근 졸업한 Mike Harris는 현재 세금 및 금리 환경을 반영하기 위해 책과 함께 제공되는 교과서 예제 및 관련 스프레드시트를 갱신하는 데 도움을 주었다. Hoyt Advisory Services의 대표이자 CRE인 Ron Donohue박사는 부동산투자신탁(REITs)에 관한 장의 개정에 크게 기여했다. Lindenwood University 회계학 교수이자 공인회계사인 Robert Singer박사는 부동산 임차인에게 영향을 미친 새로운 임대 회계 규정에 대한 설명을 도와주었다. 또한 텍스트 편집에 도움을 주신 Jeanne Milazzo에게도 감사드린다.

William B. Brueggeman
Jeffery D. Fisher

역자 소개

김영곤
강남대학교 부동산학과 교수

노승한
건국대학교 부동산학과 교수

이영성
서울대학교 환경대학원 교수

지규현
한양사이버대학교 디지털건축도시공학과 교수

진창하
한양대학교 경제학부 교수

현동우
단국대학교 도시계획·부동산학부 교수

역자 서문

2000년도에 본서의 번역본이 처음 출간되었다. 당시에는 외환위기를 극복해 가는 과정 중이었으며 사회적으로나 경제적으로 커다란 변화를 겪고 있던 시절이었다. 부동산업계는 과학적인 시장분석과 합리적인 의사결정, 자본시장과 연계된 부동산 금융기법이 필요한 상황이었고, 이에 따른 전문 인력들은 부족하던 시절이었다. 따라서 본서의 번역본을 처음 국내에 출간할 때도 역시 어려움이 많았다. 그렇지만 시기적으로 절실하게 본서가 필요하다고 판단하여 번역할 용기를 내었던 것이었다.

2000년대 초반을 지나, 특히 2008년의 금융위기는 자본시장과 부동산시장을 더욱 밀접하게 연결시키는 계기가 되었으며, 글로벌화의 환경 하에서 일반 기업들도 경영환경 변화에 맞추어 합리적인 경영의사결정에 한 발 더 다가서게 되었다. 이와 아울러 시장에는 전문적인 지식과 실무경험을 갖춘 인력들도 많이 배출되어 왔다. 그러나 아직도 자본시장과 부동산시장에는 끊임없는 변화에 대응해야 할 것들과 할 수 있는 것들이 산재해 있는 실정이다.

이런 가운데 본서의 최신판인 17판이 출간되었다. 특히 현대 부동산시장과 자본시장의 한 주류로 자리 잡아가고 있는 부동산의 증권화와 펀드 분야가 지난 15판보다 더 자세히 설명되어 있어서 매우 반가운 일이었다. 부동산 금융은 재무적인 지식에 대한 이해를 바탕으로 하여 각 부동산의 특성에 따른 상품의 분석능력이 갖추어져야만 실무에 적용 가능한 분야이다. 자본의 이동이 자유로워지고, 4차 산업혁명이라는 변화로 인하여 정보와 데이터의 홍수 속에서, 한편으로는 COVID-19라는 재앙에 대응하며 경제활동을 해야 하는 현실은 본서가 제공하는 다양한 실마리들을 어떻게 이해하고 응용하느냐에 대한 새로운 고민과 해법을 안겨준다.

이번에 출간된 17판을 보면, 아직도 우리가 응용하거나 조정해야 할 것들이 많이 남아 있다는 것을 느낀다. 그러나 시장의 우수한 인력들이 현장에서 왕성하게 활동을 하고 있기에 발전 가능성에 대한 기대 또한 크다. 본서의 출간을 계기로 국내의 부동산 및 금융 관련 종사자들, 교수님들, 연구자분들, 학생들 간에 이에 대한 학습과 연구가 더욱 활발히 이루어져서 국내 시장의 발전에 도움이 되기를 기대한다.

바쁘신 가운데도 기꺼이 번역진에 참여해 주신 건국대 노승한 교수님, 서울대 이영성 교수님, 한양사이버대 지규현 교수님, 한양대 진창하 교수님, 단국대 현동우 교수님의 수고에 깊은 감사의 인사를 드린다. 참여 교수님들의 실무 경험과 이론 연구를 바탕으로 한 번역이기에 앞서 출간된 번역서보다는 더 좋은 서적일 것으로 확신한다. 옆에서 본서를 위해 응원해 주신 번역진의 가족분들과 동료 교수님들께도 감사드린다. 한편으로 본서의 출간을 제안해 주시고 물심양면으로 지원을 아끼지 않으신 맥그로힐 에듀

케이션의 송은영 이사님, 유혜정 팀장님, 그리고 편집과 수정을 위해 많은 수고를 해주신 우일미디어의 편집 관계자분들께도 감사 인사를 드린다. 마지막으로 원저자 두 분 교수님들의 끊임없는 왕성한 연구 열정에 깊은 경의를 표하고 싶다.

2023년 봄의 문턱에서
대표 역자 김 영곤 드림

McGraw Hill connect®

맥그로힐Connect®: 학생들의 성적향상을 위한 3년 연속 US CODiE 수상에 빛나는 가장 안정적이고 사용하기 편리한 개인맞춤형 학습

Adaptive Learning(개인 맞춤형 솔루션)

- Connect를 통한 과제 수행은 내용과 연관 있는 내용부터 적용 할 수 있게 함으로써 내용 이해와 비판적 사고를 도와 줍니다.
- Connect는 SmartBook 2.0® 을 통해 각각의 개인에 맞추어진 개별화된 학습 방향을 제시합니다.
- SmartBook 2.0® 의 개인 맞춤 하이라이팅과 연습문제 출제는 학생들로 하여금 양방향 학습경험을 제공하여 더욱 효율적인 학습을 도와줍니다.

Connect를 이용한 후 학생들의 성적향상

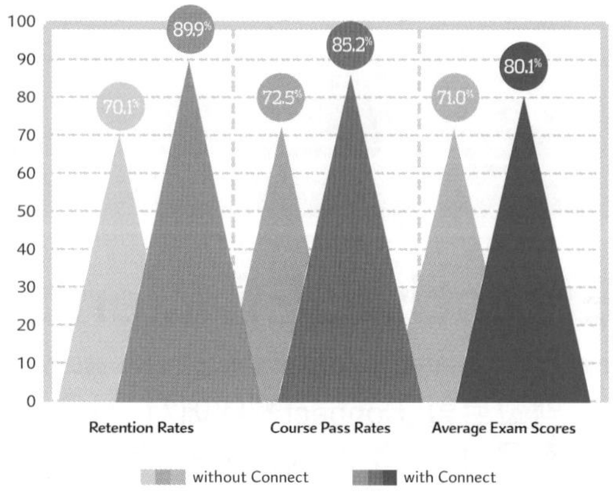

Connect를 활용한 학생들의 평균 10% 이상의 코스 합격률과 성적 향상

학생들이 대답한 **70억 개가 넘는 연습 문제**의 방대한 데이터는 Mcgrawhill의 Connect를 보다 지능적이고, 믿을 수 있고 정확한 제품으로 만들어줍니다.

Connect를 사용한 73%의 교수님들의 강의평가가 평균 28% 향상되었습니다.

양질의 최신 강의자료

- Connect 안에는 강의를 위한 자료가 단순하고 직관적인 인터페이스로 구성이 되어 있습니다.
- Connect의 smartbook 2.0은 모바일과 태블릿PC에 최적화되어 있어, 어디서나 인터넷 환경에 구애받지 않고 접속하여 공부할 수 있습니다.
- Connect에는 동영상, 시뮬레이션, 게임 등과 같이 학생들의 비판적 사고를 길러줄 수 있는 다양한 콘텐츠가 있습니다.

Connect Insight: 강력한 분석과 리포트

- Connect Insight는 개별 학생들의 분석과 성취도를 전체 또는 특정 과제로 분류하여 한눈에 보기 쉬운 형태로 보고서를 작성합니다.
- Connect Insight는 학생들의 과제 소요 시간, 개별학습 태도, 성취도 등의 모든 데이터를 대시 보드로 제공합니다. 교수님들은 어떤 학생이 어떤 분야에 취약한지 바로 알아볼 수 있습니다.
- Connect을 통해 과제와 퀴즈의 자동 성적 평가가 가능하며, 개별 그리고 전체 반 학생들의 성취도를 한눈에 알아볼 수 있는 보고서로 제공됩니다.

©Hero Images/Getty Images RF

학생들은 Connect로 강의를 들을 때, 더 많은 A와 B를 취득합니다.

신뢰할 수 있는 서비스와 기술지원

- Connect는 대학 학사관리시스템(LMS)과 통합로그인(Single Sign On)으로 접속하며 성적평가도 자동으로 연동됩니다.
- Connect는 종합적인 서비스와 기술지원 그리고 솔루션 사용을 위한 각 단계에 맞는 사용법 트레이닝을 제공합니다.
- Connect 사용법에 대해 궁금하다면 주소창에 https://www.mheducation.com/highered/connect.html을 쳐보세요.

차례

CHAPTER 10
수익용 부동산의 처분과 레노베이션 269

CHAPTER 11
기업부동산 금융 305

PART 03 부동산 개발금융

CHAPTER 12
부동산 개발금융 331

이 책의 17~23장, 2, 4, 11, 15장 뒤에 나오는 부록, 1~16장 본문 중간에 나오는 CONCEPT BOX는 PDF파일로
(주)한티에듀 홈페이지 http://www.hanteemedia.co.kr (자료실)에 올려 놓았으며,
아래 사이트에 접속하시면 확인하실 수 있습니다.
http://hanteecokr.cafe24.com/bbs/board.php?bo_table=data&wr_id=48

CHAPTER 01

저당대출의 기초: 화폐의 시간가치

Mortgage Loan Foundations: The Time Value of Money

부동산매입을 위한 자금조달은 일반적으로 장기 또는 단기 차입을 포함한다. 부동산의 경우 통상적으로 거액을 차입하기 때문에, 자금조달 비용은 규모가 크고 매입 의사결정에 중대한 영향을 미친다. 부동산 금융 관련자들은 이러한 비용들이 어떻게 계산되는지, 대출계약서 내 다양한 조항들이 어떻게 조달 비용과 저당대출 상환액에 영향을 미치는지 이해해야 한다. 저당대출 상환액을 계산하고, 대출계약서의 조항들이 자금조달 비용에 어떠한 영향을 미치는지, 차입 결정이 투자수익에 어떠한 영향을 미치는지를 이해하기 위해서는 필수적으로 복리계산에 익숙해야만 한다. 이는 또한 본서에서 검토하게 될 투자분석 계산에 있어서도 중요하다. 본 장에서는 화폐의 "시간가치(time value of money, TVM)"로 언급되는 금융 수학을 소개한다. 이는 주택 금융, 수익용 부동산과 부동산 건설 및 개발프로젝트의 자금조달에 있어 논의되는 개념들의 기본이 된다.

복리이자

금융에 있어 복리의 과정을 이해하는 것은 몇 개의 기본적인 공식에 대한 지식을 필요로 한다. 이 공식들의 근간에는 가장 기초적인 관계인 **복리이자**가 존재한다. 예를 들어, 만약 어느 개인이 은행에 연 이자율 6%에 복리로 $10,000를 예금하였다면, 1년 후 이 예금의 가치는 어떻게 될 것인가? 이 문제를 검토함에 있어, 모든 복리 문제는 4개의 기본적인 요소를 가지고 있음을 알아야 한다.

1. 최초의 원금, 또는 투자금액의 현재가치
2. 이자율
3. 기간(만기)
4. 특정 미래 시점에서의 가치

앞선 문제에서 원금은 $10,000이고 이자는 연 6%이며, 만기는 1년이고, 1년 후 시점에서의 가치를 알고자 한다. 네 가지 요소에 대하여 세 가지는 알고 있고, 한 가지는 알지 못한다.

미래가치

앞선 문제에서 연초에 한 번의 $10,000의 예금(또는 지불)이 이루어지고 연 이자율 6%의 조건일 때, 1년 후의 가치를 알고자 한다. 이 문제의 해답을 찾기 위해 몇 가지 용어를 소개하고자 한다.

PV = **현재가치**, 또는 최초의 원금
i = 이자율
I = 1년간 얻는 이자의 금액
FV = n년 말의 원금, 또는 **미래가치**
n = 기간

그렇다면, 이 문제에서 $PV = \$10,000$, $i = 6\%$, n = 1년이며, FV 또는 1년 후의 가치가 여기서 알고자 하는 것이다.

1년 후의 가치는 다음의 식에 의해 계산할 수 있다.

$$FV = PV + I_1$$

즉, 1년 후의 미래가치(FV)는 연초에 맡긴 원금(PV)에 그 기간 중 발생한 이자(I_1)를 더한 것이다. PV = $10,000이므로, I_1을 알면 FV를 구할 수 있다. 연 복리로 계산되므로, FV는 $10,600으로 쉽게 구해진다. 정리된 부분은 다음의 [예 1-1]과 같다.

복수연도

2년 후(2년 말)의 가치를 구하기 위해서는 1년 후의 가치인 $10,600를 2년 초의 원금으로 하여 복리계산 과정을 반복한다. 이는 [예 1-2]에 나와 있다.

[예 1-2]는 2년 후까지 $11,236의 최종가치가 누적되었음을 보여준다. 2년 차에는 최초 원금인 $10,000뿐 아니라 첫해에 얻어진 이자($600)에서도 이자가 얻어짐을 주목해야 한다. **이자에 이자가 붙는 이러한 개념은 복리과정에서 이해되어야 할 필수개념으로 금융수학에서의 모든 계산표와 개념의 초석이 된다.**

[예 1-2]의 계산으로부터 2년 후의 가치는 다음과 같이 PV로부터 직접 구해질 수 있다는 것을 알 수 있다.

예 1-1
1년간의 복리계산

$$\begin{aligned} I_1 &= PV \times i \\ &= \$10,000(.06) \\ &= \$600 \end{aligned}$$

1년 말 (n = 1)의 미래가치는 다음과 같이 결정된다.

$$\begin{aligned} FV &= PV + I_1 \\ &= \$10,000 + \$600 \\ &= \$10,600 \end{aligned}$$

또는

$$\begin{aligned} FV &= PV(1 + i) \\ &= \$10,000(1 + .06) \\ &= \$10,600 \end{aligned}$$

예 1-2
2년간의 복리계산

$$\$10,600(.06) = I_2$$
$$\$636 = I_2$$

2년 말(n = 2)의 미래가치는

$$\$10,600 + I_2 = FV$$
$$\$10,600 + \$636 = \$11,236$$

$$FV = PV(1 + i)(1 + i) = PV(1 + i)^2$$

그렇다면, 문제에 있어서 $n = 2$일 때

$$FV = PV(1 + i)^2 = \$10,000(1 + .06)^2 = \$10,000(1.123600) = \$11,236$$

이 계산에 따른 2년 후의 가치 $11,236는 [예 1-2]에 의해 얻어진 결과와 같다. *FV*를 *PV*로부터 직접 구할 수 있다는 것은 매우 중요한 관계이다. 이것은 어떠한 기간 동안의 복리에 의한 예금이나 지불의 미래가치가 *PV*로부터 간단한 곱셈에 의해 구해질 수 있다는 것을 의미하기 때문이다. 따라서 만약 오늘 예금한 원금이 몇 년간 복리로 계산된 후의 미래가치를 알고자 한다면, 다음의 복리 일반식에 의해 그 답을 얻을 수 있다.

$$FV = PV(1 + i)^n$$

PV, *i* 그리고 *n*에 적당한 수를 대입함으로써 원하는 기간이 경과한 후의 미래가치 *FV*를 알 수 있다.[1]

복리간격

앞 절에서의 복리에 관한 논의는 현금에 대해 1년에 한 번 복리로 계산된 경우이다. 많은 저축성예금, 채권, 저당대출 및 투자상품들은 월, 분기, 반기 등의 단위로 복리를 계산한다. 본서의 후술되는 장에서 광범위하게 다루게 될 저당대출은 거의 모두 월 복리를 택하고 있으므로, 다른 복리간격을 알고 있는 것은 매우 중요하다.

연간 복리가 아닌 다른 복리간격이 적용될 때, 복리계산을 위한 복리 일반식은 간단한 변형을 거친다.

$$FV = PV(1 + i)^n$$

n = 년 수
i = 연 이자율
PV = 원금

위 복리 일반식을 다른 복리간격이 적용되는 식으로 변형시키기 위해 연이율(i)을 1년 내의 원하는 복리간격 수로 나눈다. 그리고 년 수(n)에 원하는 복리간격 수를 곱하여 기간 수를 증가시킨다. 예를 들어 m을 1년 내 복리가 일어나는 간격의 수라고 하고, n을 일반식의 기간 수(년 수)라고 하면 다음과 같은 식을 얻게 된다.

[1] 이러한 문제들은 금융계산기 또는 컴퓨터 소프트웨어를 이용하여 풀 수 있다. 본서에서는 키 표기와 입력 순서에 대한 설명을 통해 금융계산기를 활용하여 본 장과 다른 장에 나오는 문제를 푸는 방법을 제시할 것이다. 금융계산기 대신 컴퓨터 소프트웨어를 사용하는 방법을 선택할 수도 있다.

$$FV = PV\left[1 + \frac{i}{m}\right]^{n \cdot m}$$

따라서 만약 $10,000의 원금에 대해 이자가 연이율 6%, **월 복리**로 얻어진다면, $m = 12$이 되므로 1년 후의 미래가치를 다음과 같이 구할 수 있다.

$$FV = \$10{,}000\left[1 + \frac{.06}{12}\right]^{1 \cdot 12}$$
$$= \$10{,}000(1.061678)$$
$$= \$10{,}616.78$$

위 월 복리의 계산 결과를 연 복리의 결과와 비교하면 월 복리의 이점을 즉각적으로 알 수 있게 된다. 최초 원금은 월 복리로 계산될 때 1년 후에 $10,616.78가 되는 반면, 연 복리로 계산된다면 $10,600.00가 된다.

이러한 차이를 살펴볼 수 있는 또 다른 방법은 각 투자의 **유효연수익률**(effective annual yield, *EAY*)을 계산하는 것이다. 이는 연초에 $10,000를 예금하고, 모든 원리금을 연말에 인출한다고 가정함으로써 구해진다. **월 복리**로 계산된 예금은 다음과 같다.

$$EAY = \frac{FV - PV}{PV}$$
$$= \frac{\$10{,}616.78 - \$10{,}000.00}{\$10{,}000}$$
$$= 6.1678\%$$

이 결과는 다음과 같은 **연 복리**가 적용될 때의 유효연수익률과 비교될 수 있다.

$$EAY = \frac{\$10{,}600 - \$10{,}000}{\$10{,}000}$$
$$= 6\%$$

이 비교로부터 동일한 명목연이자율(6%)이 주어졌을 경우 유효연수익률은 월 복리로 계산될 때 더 높다는 것을 확인할 수 있다. 이 비교는 **명목**연이율로 계산한 이자와 똑같은 명목연이율을 **월 복리**로 환산한 이자의 차이를 직접적으로 보여주고 있다. 양쪽 예금 모두 같은 명목연이자율(6%)에 복리로 계산되고 있다. 그러나 하나는 월 이자율(0.06/12), 즉 0.005로 월말 잔액에 대해 12번 복리로 계산되는 반면, 다른 하나는 연말에 0.06의 이율로 단 한 번 복리로 계산된다. 통상적으로 미국에서는 계약, 저축예금, 저당대출 계약서(mortgage notes), 그리고 기타 거래들에서 명목금리를 사용한다. 그리고 지불(상환)의 실행 방법과 이자의 누적 방법(예: 연간, 월간, 일간)은 합의로 특정한다. 유효연수익률을 확인하는 것은 거래 당사자들의 몫이다.

위의 분석으로부터, 명백한 결과가 하나 도출된다. 두 투자 대안에서 제시되는 명목연이자율이 같을 때, 1년 내에서 더 잦은 간격으로 복리계산이 일어나는 투자안이 항상 더 높은 유효연수익률을 갖는다는 것이다. 앞선 예에서 월 복리로 계산되는 연 6%의 이자율은 6.168%의 유효연수익률을 제공한다.

여러 투자 대안들은 반기, 분기, 그리고 일 단위 복리를 제공한다. 이러한 경우들에 있어 복리이자의 기본식은 다음과 같이 변형된다.

명목연이자율(%)	복리간격		공식	유효연수익률*(%)
6	연	$m = 1$	$FV = PV(1+i)^{n \cdot 1}$	6.00
6	반년	$m = 2$	$FV = PV\left[1+\frac{i}{2}\right]^{n \cdot 2}$	6.09
6	분기	$m = 4$	$FV = PV\left[1+\frac{i}{4}\right]^{n \cdot 4}$	6.14
6	월	$m = 12$	$FV = PV\left[1+\frac{i}{12}\right]^{n \cdot 12}$	6.17
6	일	$m = 365$	$FV = PV\left[1+\frac{i}{365}\right]^{n \cdot 365}$	6.18

*연간수익률(annual percentage yield, APY)이라고도 함.

예를 들어, 만약 \$10,000의 예금이 일 복리로 계산되는 연 6%의 이자율을 갖는다면 1년 후에

$$FV = \$10,000\left[1+\frac{.06}{365}\right]^{1 \cdot 365}$$
$$= \$10,000(1.061831)$$
$$= \$10,618.31$$

를 얻게 되고, 유효연수익률은 $\frac{\$10,618.31 - \$10,000}{\$10,000} = 6.1831\%$가 될 것이다. 만약 예금이 2년간 맡겨진다면 승수는 2×365가 될 것이고 2년 후의 미래가치(FV)는 \$11,274.86가 될 것이다.

많은 은행과 저축기관은 양도성예금증서(CDs)나 당좌예금(checking accounts) 등의 **연간수익률**(annual percentage yield, APY)을 공개하고 있다. 유효연수익률과 연간수익률은 개념적으로는 대체적으로 동일하다. 그러나 적용이 가능한 경우 연방 규정은 은행에 일정 수수료와 위약금을 포함하도록 요구하고 있다. 앞선 예에서는 이러한 수수료가 연간수익률을 유효연수익률과 다르게 만들 수 있다.

본서에서는 모든 예제와 예시에 있어 명목이자율을 사용한다는 관행을 따를 것이다. 따라서 이자율이라는 용어는 명목연이자율을 의미한다. 이는 다른 복리간격을 갖는 두 개의 대안을 비교함에 있어 명목이자율이 비교의 척도로 사용되어서는 안 된다는 것을 의미한다. 이러한 경우에 있어서는 문제를 풀고자 할 때 유효연수익률의 개념이 사용되어야 한다.

미래가치계수(내가계수) 계산

많은 기간을 포함하고 있는 미래가치에 대한 계산은 다수의 승수 계산을 필요로 하기 때문에 다소 번잡해진다. 미래가치계산 기능이 내장된 계산기는 이러한 금융적 계산 부담을 상당 부분 덜어준다. 미래가치를 계산하는 또 다른 방법은 미래가치계수(내가계수)를 사용하는 것이다. 본 절에서는 내가계수들이 어떻게 계산되는지를 설명할 것이고, 이를 통해 금융수학과 보다 효율적으로 답을 제공하기 위한 기능이 내재되어 있는 계산기와의 연결고리를 이해할 수 있을 것이다. 또한 이를 통해 많은 부분과의 복합적인 입력을 통해 해결해야 하는 문제들을 필요한 내가계수를 사용하여 단계적으로 해결할 수 있을 것이다.

다양한 이자율에 대한 내가계수를 익히기 위해 앞서 논의한 6%의 이자율로 복리계산되는 $10,000의 1년 후 미래가치를 알고자 했던 문제를 상기하도록 하자. [예 1-3]의 1년에 해당하는 행의 6%에 해당하는 열을 보면, 내가계수가 1.060000임을 찾을 수 있다. 여기에 $10,000을 곱하면, 이 내가계수는 문제에 대한 답을 제공한다.

$$FV = \$10,000(1.060000)$$
$$= \$10,600$$

6%의 이자율을 적용할 경우 $1에 대한 1년 후 내가계수는 1.060000으로 이는 복리 일반식으로부터 계산된 $(1 + .06)^1$, 즉 1.06과 동일한 결과이다. 다시 말해서 이는 다음과 같다.

$$(1 + .06)^1 = 1.06$$

[예 1-3]에 제시된 이자율과 기간의 여러 조합에 대한 내가계수를 구하기 위해 계산기를 사용할 수도 있다. 이 계수들을 통해 어떠한 미래가치 문제도 원금(PV), 이자율(i), 연간 복리가 일어나는 기간의 수(n)만 알면 답을 찾을 수 있다. 예를 들어, 계산기의 해당 키를 사용하여 1년 후 6% 이자율에 대한 내가계수는 다음과 같이 계산할 수 있다.

$$PV = \$1,\ i = 6\%,\ n = 1,\ PMT = 0$$

답은 *FV* = 1.06

마찬가지로 4년 후 10% 이자율에 대한 내가계수를 알고자 한다면 다음과 같이 미래가치(FV)를 구하면 될 것이다.

$$PV = \$1,\ i = 10\%,\ n = 4,\ PMT = 0$$

답은 *FV* = 1.464100

문제: 연 10%의 이자율로 복리계산 되는 $5,000의 4년 후 미래가치는 얼마인가?

해법: $FV = \$5,000(1.464100) = \$7,320.50$

연 복리 내가계수의 경우와 마찬가지로 일부 선택된 이자율 및 기간별 월 복리 내가계수도 변형된 일반식 $PV(1 + i/12)^{n \cdot 12}$을 통해 계산할 수 있고, 이는 [예 1-4]에 정리되어 있다. 내가계수를 익히기 위한 목적으로 [예 1-4]에서는 이자율과 기간을 일부 선택하였고, 이에 대한 계수가 계산되었다.

앞선 문제에서는 연 이자율 6%의 월 복리로 적용되는 원금 $10,000의 미래가치를 구하고자 하였다. 이는 [예 1-4]로부터 6%-12개월(또는 1년)에 해당하는 내가계수를 선택하여 쉽게 구할 수 있다. 해당 내가계수는 1.061678이다. 따라서 12개월 또는 1년 후의 가치는 다음과 같이 구할 수 있다.

예 1-3
이자율과 기간에 따른 $1에 대한 내가계수

	이자율			
년	6%	10%	15%	20%
1	1.060000	1.100000	1.150000	1.200000
2	1.123600	1.210000	1.322500	1.440000
3	1.191016	1.331000	1.520875	1.728000
4	1.262477	1.464100	1.749006	2.073600
5	1.338226	1.610510	2.011357	2.488320

예 1-4
이자율과 기간에 따른 $1에 대한 내가계수

	이자율		
월	**6%**	**8%**	
1	1.005000	1.006670	
2	1.010025	1.013378	
3	1.015075	1.020134	
4	1.020151	1.026935	
5	1.025251	1.033781	
6	1.030378	1.040673	
7	1.035529	1.047610	
8	1.040707	1.054595	
9	1.045911	1.061625	
10	1.051140	1.068703	
11	1.056396	1.075827	
12	1.061678	1.083000	
년			**월**
1	1.061678	1.083000	12
2	1.127160	1.172888	24
3	1.196681	1.270237	36
4	1.270489	1.375666	48

$$FV = \$10{,}000(1.061678) = \$10{,}616.78$$

다시 말해서 1년 후 월 복리 6%에 대한 내가계수는 1.061678이며 이는 $(1 + .06/12)^{1 \cdot 12}$을 곱하여 확장한 것과 동일한 결과이다. 즉,

$$\left[1 + \frac{.06}{12}\right]^{1.12} = 1.061678$$

문제: $5,000을 월 복리 8%의 이자로 예치하는 경우 2년 후의 미래가치는 얼마인가?

해법: $FV = \$5{,}000\left[1 + \frac{.08}{12}\right]^{2 \cdot 12} = \$5{,}000(1.172888) = \$5{,}864.44$

재무기능의 사용: 계산기와 스프레드시트

많은 기간이 포함된 미래가치 계산에 대한 풀이는 계산기를 사용하여 매우 간편화될 수 있다. 미래가치 기능이 내장된 계산기는 다양한 문제 조건들에 대한 내가계수표의 필요성을 없애 준다. 엑셀과 같은 스프레드시트는 사용자들에게 변수들을 입력하고 풀 수 있는 기능들로 프로그램화되어 있다. 본서의 나머지 부분에서는 금융계산기의 포맷과 동일한 함수 형태를 사용하여 화폐의 시간가치 문제의 대부분을 다룰 수 있는 대안적 해법을 제시한다. (모든 작동형태들이 유사한지 확인하기 위해 가지고 있는 계산기의 설명서를 참조하라.) 달리 특정되지 않는 한 해법은 매기 말 지불이 이루어지고, 지불되는 금액은 (–), 수령하는 금액은 (+)임을 가정한다. 문제를 풀 때, 다음과 같은 포맷을 사용한다.

n = 년 수(달리 언급되지 않는 한)

i = 연이율(달리 언급되지 않는 한)

PV = 현재가치

PMT = 지급액

FV = 미래가치

문제의 해법도 위의 포맷을 따르며, 계산에 의해 풀이되는 알려지지 않은 변수는 가장 마지막에 나열된다. 대부분의 계산은 최소한 소수점 여섯째 자리까지 이루어지고, 최종 금액 표시는 소수점 둘째 자리까지 반올림하여 표시한다.

예를 들어, 앞 절에서 언급된 문제에서는 연 복리 6%가 적용되는 원금 $10,000의 1년 후 미래가치를 구하고자 하였다.

계산기 해법:	함수:
n = 1년, *i* = 6%, *PMT* = 0, *PV* = −$10,000	*FV (i, n, PV, PMT)*
답은 *FV* = $10,600	

(이 해법은 [예 1-3]에 나와 있는 계수 1.060000을 계산하는 것과 동일하다. 하지만 계산기를 사용할 때, 내가계수가 계산되는 중간 단계는 생략된다.)

동일한 문제를 월 복리로 계산하는 경우, 다음을 따른다. (많은 경우, 계산기는 기간의 수에 대한 기능을 포함하고 있다. 이러한 경우, 기간의 수와 이자율은 대체적으로 연간 기준으로 표시되며, 기간의 수는 별도로 입력한다.)

계산기 해법:	함수:
n = 12(1년 × 연 12회), *i* = .5%(6%/연 12회), *PMT* = 0	*FV (i, n, PV, PMT)*
PV = −$10,000	
답은 *FV* = $10,616.78	

(주: 이 해법은 [예 1-4]에 나와 있는 계수 1.061678을 계산하는 것과 동일하다.)

동일한 문제를 일 복리로 계산하는 경우는 다음과 같다.

계산기 해법:	함수:
n = 365(1년 × 연 365회), *i* = .0164(6%/ 연 365회)	*FV (i, n, PV, PMT)*
PMT = 0, *PV* = −$10,000	
답은 *FV* = $10,618.31	

문제: *연 복리* 10%가 적용되는 $5,000의 4년 후 미래가치는?

계산기 해법:	함수:
n = 4년, *i* = 10%, *PMT* = 0, *PV* = −$5,000	*FV (PV, i, n, PMT)*
답은 *FV* = $7,320.50	

문제: *월 복리* 8%가 적용되는 $5,000의 2년 후 미래가치는?

계산기 해법: n = 24 (2년 × 12회), i = .666%(8%/12회) PMT = 0, PV = −$5,000 **답은 FV = $5,864.44**	함수: FV (PV, i, n, PMT)

현재가치

앞 절에서는 미래 어느 시점에서의 가치에 대해 살펴보았다. 즉 어떠한 알려지지 않은 미래가치를 산출하기 위해 예금을 복리로 예치했을 때의 사례에 대하여 살펴보았다.

본 절에서는 미래 시점에서 현금을 수령하게 되는 투자에 대해 **현재 시점**에서 얼마가 지불되어야 하는지를 알아보는 문제를 다루고자 한다. 현재가치의 개념은 화폐는 시간가치를 가진다는 점에 기초한다. 시간가치란 단순하게 다음을 의미한다. 만약 어느 투자자에게 현재 시점에서 $1를 받을 것인지 또는 미래 어느 시점에서 $1를 받을 것인지 두 선택이 주어졌다고 하자. 더 적절한 선택은 현재 시점에서 $1를 받는 것이다. 이는 현재 시점에서의 $1는 이자를 얻을 수 있는 어떠한 기회에 투자될 수 있고, 이는 미래에 단지 $1만을 받는 것 이상을 의미하기 때문이다. 이러한 의미에서 화폐는 **시간가치**를 갖는다고 얘기할 수 있다.

미래에 수입이 발생할 것으로 예상되는 투자에 대해 **현재** 얼마를 지불해야 할 것인지를 알고자 할 때, 미래에 받게 될 수입에 대한 화폐의 시간가치를 반영하기 위해 **할인**(discounting)이라는 조정을 반드시 적용해야 한다. 현재가치의 개념은 저당대출 상환액 계산, 저당대출의 실질적 비용 계산, 수익용 부동산의 가치평가 등 부동산금융의 핵심적 개념들에 대한 초석이라 할 수 있다.

현재가치에 대한 도표 설명

할인이 금융에 있어 어떻게 중요한 개념이 되는지에 대한 예시는 다음의 문제로부터 살펴볼 수 있다. 어느 개인이 1년 후 $10,600의 현금 수익이 예상되는 투자를 고려 중이라고 하자. 이 투자자는 해당 투자는 연 6%의 수익률을 내야 한다고 생각하고 있다. 그렇다면 질문은 1년 후 $10,600를 받게 되는 투자에 대해 연간수익률 6%를 요구하는 이 투자자는 **현재** 시점에서 얼마를 지불해야 할 것인가라는 것이다.

이 질문은 앞 절에서 $1의 미래가치를 구하던 문제와 비교하면 더욱 명확해진다. 해당 문제에서는 1년 동안 6%의 월 복리를 적용하였을 때 $10,000의 미래가치를 구하는 것이었다. 이에 대한 비교는 [예 1-5]에 나타나 있다.

[예 1-5]에서 복리는 투자의 **미래가치**를 구하는 것이라는 점에 주목하기 바란다. 할인은 그 반대의 개념이다. 즉 요구수익률을 충족한다는 가정 하에서 특정 투자에 대해 얼마의 **현재가치** 또는 **가격**이 **현재 시점**에서 지불되어야 하는 것인가라는 것이다.

앞 절로부터 $10,000를 6%의 연 복리로 계산하였을 때 1년 후 미래가치는 $10,600라는 것을 이미 알고 있기 때문에 $10,000가 이 투자의 현재가치이다. 그러나 앞 절에서 미래가치 계산을 다루지 않았더라면 $10,000가 이 투자의 현재가치와 동일하다는 것을 어떻게 알 수 있었겠는가? 앞 절에서의 미래가치 문제를 다시 한번 살펴보자. 미래가치를 구하기 위한 일반식은 다음과 같다.

예 1-5
가상의 대출조건 비교

		월						
		2	4	6	8	10	12	
복리 6%	$10,000	→						미래가치(?)
할인 6%	현재가치(?)	←						$10,600

$$FV = PV(1 + i)^n$$

현재가치 문제에서는 PV가 알려져 있지 않은데 이는 FV, 즉 1년 후(n = 1년)에 수령하게 될 미래가치가 $10,600로 알려져 있기 때문이다. 금리($i$)도 6%로 알려져 있기 때문에 PV만이 알지 못하는 값인 것이다. PV, 즉 현재가치 또는 해당 투자를 위해 현재 시점에서 지불해야 하는 금액은 앞선 미래가치 일반식을 다음과 같이 정리하여 쉽게 구할 수 있다.

$$FV = PV(1 + i)^n$$

$$PV = FV\frac{1}{(1 + i)^n}$$

이제 알고 있는 값들을 위 수식에 대입하여 다음과 같이 PV를 쉽게 구할 수 있다.

$$PV = FV\frac{1}{(1 + i)^n} = \$10{,}600\frac{1}{(1 + .06)^1} = \$10{,}600\frac{1}{1.06}$$
$$= \$10{,}600 \times (.943396)$$
$$= \$10{,}000$$

현재가치를 구하는 과정은 미래가치, FV에 $1/(1 + i)^n$을 곱한 것이라는 점에 주목하기 바란다. 앞선 미래가치 계산에서 위 문제의 $(1 + i)^n$은 $(1 + .06)^1$, 즉 1.06이라는 것을 알 수 있다. 1.06을 1로 나누면 .943396이 도출된다. 이러한 결과는 현재가치 분석에 있어 현재가치와 미래가치 간의 관계를 보여주므로 중요하다고 할 수 있다. [예 1-5]에서 할인은 복리의 반대라는 것을 알 수 있기 때문에 어떠한 투자의 현재가치를 구하는 것은 복리를 역으로 하는 것임을 알 수 있다. 이는 위 문제에서 $1를 6%로 복리계산한 미래가치를 구하기 위한 내가계수의 역수(1 ÷ 1.06, 또는 .943396)를 미래가치와 곱하여 현재가치를 구하는 것을 의미한다. 따라서 1년 후 $10,600를 받는 투자를 6%로 할인할 경우 $10,000의 현재가치를 갖는다고 표현할 수 있다. 다시 말해 1년 후 $10,600를 약속하는 투자를 제안받았을 때, 6%의 연간 수익률을 원한다면 해당 투자에 대해 $10,000 이상을 지불해서는 안 된다.

현재가치계수(현가계수) 계산

할인과정은 복리의 반대이며, 할인의 이자계수$(1 \div (1 + i)^n)$는 내가계수의 역수이므로 일련의 현재가치계수(현가계수)를 구할 수 있다. [예 1-6]은 할인을 위해 사용되는 계수의 표본을 보여준다.

앞선 문제에서 투자자가 연 6%의 수익률을 원한다면, 1년 후에 $10,600를 받는 투자에 대해 얼마를 지불해야 하는가를 알고자 하였다. 이에 대한 답은 [예 1-6]의 6% 열로부터 .943396을 선택하여 찾을 수 있다. 즉 미래가치 $10,600에 .943396을 곱하여 현재가치(PV) $10,000를 구할 수 있다. 이러한 개념을 이해하고자 금융계산기를 사용하면 다음과 같이 현가계수를 구할 수 있다.

예 1-6
이자율과 기간에 따른 $1에 대한 현가계수

	이자율		
월	**6%**	**10%**	**15%**
1	.943396	.909091	.869565
2	.889996	.826446	.756144
3	.839619	.751315	.657516
4	.792094	.683013	.571753
5	.747258	.620921	.497177
6	.704961	.564474	.432328
7	.665057	.513158	.375937

계산기 해법:	함수:
n = 1년, i = 6%, PMT = $0, FV = $1	$PV(n, i, PMT, FV)$
답은 ***PV*** = .943396	

문제: 투자자가 3년 후 $20,000를 받는 부동산 투자에 대해 연 15%의 수익률을 요구한다면, 현재 지불해야 하는 투자금액은?

해법: $PV = \$20{,}000 \times \frac{1}{(1+.15)^3} = \$20{,}000(.657516) = \$13{,}150.32$

투자자가 연 15%의 수익률을 원한다면 3년 후 수익이 $20,000로 예상되는 투자에 대해 현재 시점에서 $13,150.32 이상을 지불해서는 안 된다.[2]

현재가치를 구하기 위한 계산기 사용의 확장

미래가치의 경우와 마찬가지로 금융계산기는 내부적으로 계수를 계산하는 기능이 내장되어 있어 필요한 입력을 통해 현재가치를 쉽게 계산할 수 있게 해준다. 위의 문제를 계산기를 사용하여 다음과 같이 풀 수 있다.

계산기 해법:	함수:
n = 3년, i = 15%, PMT = 0, FV = $20,000	$PV(FV, PMT, n, i)$
답은 ***PV*** = −$13,150.32	

연 복리가 적용될 때 주어진 미래가치에 대한 현재가치를 구한 것과 마찬가지로, 같은 방법을 월 복리에 대해서도 적용할 수 있다. 예로써 $10,000를 연 이자율 6%를 월 복리로 계산했던 예제에서 미래가치는 $10,616.80였다. 어느 투자자에게 있어 중요하게 고려되어야 할 점은 1년 후 미래가치 $10,616.80를 얻기 위해서, 월 복리로 계산되는 6%의 수익률을 요구하였을 때 현재 시점에서 얼마를 지불해야 하는가가 될 수 있다.

이에 대한 답은 월 복리가 적용된 내가계수를 위한 일반식의 역수인 $1 \div (1 + i/12)^{1 \cdot 12}$를 구하고, 이를 $10,616.80에 곱하여 현재가치($PV$)로서 도출할 수 있다. 이러한 현가계수는 계산기를 통해 다음과 같이 구할 수 있다.

[2] 금융에서의 일반적인 관행은 투자수익률을 언급할 때 연간명목이자율을 상정한다. 만약 풀이가 연 복리가 아닌 월 복리와 같은 다른 간격에 기초하여 계산된다면, 이는 반드시 월 복리 연투자수익률이라고 표시되어야 한다. 후자의 경우, 필요하다면 유효연수익률로 환산될 수 있을 것이다.

예 1-7
이자율과 기간에 따른 $1에 대한 현가계수

	이자율			
월	**6%**	**8%**	**9%**	
1	.995025	.993377	.992556	
2	.990075	.986799	.985167	
3	.985149	.980264	.977833	
4	.980248	.973772	.970554	
5	.975371	.967323	.963329	
6	.970518	.960917	.956158	
7	.965690	.954553	.949040	
8	.960885	.948232	.941975	
9	.956105	.941952	.934963	
10	.951348	.935714	.928003	
11	.946615	.929517	.921095	
12	.941905	.923361	.914238	
년				**월**
1	.941905	.923361	.914238	12
2	.887186	.852596	.835831	24
3	.835645	.787255	.764149	36
4	.787098	.726921	.698614	48

계산기 해법:
FV = $1, *PMT* = 0, *n* = 12개월, *i* = 6% ÷ 12
답은 *PV* = .941905

함수:
PV (FV, PMT, n, i)

[예 1-7]에는 다양한 현가계수들이 계산되어 예시되어 있다.

앞선 예에서는 월 복리로 계산되는 6%의 수익률을 요구하였을 때, 1년 후 받게 되는 $10,616.80의 현재가치를 구하고자 하였다. 이는 6% 열-12개월 행에서 .941905를 찾아 $10,616.80 × (.941905) = $10,000로 구할 수 있다. $10,000는 해당 투자에 대해 현재 시점에서 최대로 지불할 수 있는 금액이다.

이러한 현가계수의 도출과 할인 과정을 쉽게 다루고자 한다면 다음과 같이 계산기를 사용하여 보다 빠르게 답을 구할 수 있다.

계산기 해법:
n = 1년 × 12회 = 12, *i* = 6% ÷ 12회 = .5%
PMT = 0, *FV* = $10,616.80
답은 *PV* = −$10,000

함수:
PV (n, i, PMT, FV)

문제: 어느 투자자가 현재 시점으로부터 3년(36개월) 후 $12,000를 받는 투자에 대해, 월 복리로 연간 9%의 수익률을 원한다면 현재 시점에서 지불해야 하는 투자금액은?

해법: *PV* = $12,000(.764149)
= $9,169.79

계산기 해법
n = 3 × 12 = 36, *i* = 9% ÷ 12 = .75%
PMT = 0, *FV* = 12,000
답은 *PV* = −$9,169.79

함수:
PV (n, i, PMT, FV)

투자자는 해당 투자에 대해 \$9,169.79 이상을 지불하지 말아야 한다. 즉, 해당 투자의 현재가치(PV)는 \$9,169.79이다.

연금의 미래가치

본 장의 첫 절에서는 기간 초에 한 차례 지불이 이루어지는 일시불의 미래가치를 구하는 문제를 다루었다. 이에 못지않게 중요한 사항으로 동일 간격을 두고 지급되거나 예금되는 일련의 동일한 금액의 현금흐름에 대한 고려가 필요하다. 예를 들어, 5년간 매년 말 \$1,000의 예금을 입금하고 이자는 연 5%의 이자율로 복리계산 된다고 가정해보자. 이 기간의 종료시점에서 일련의 예금과 복리로 발생한 모든 이자의 합계에 대한 미래가치는 얼마가 되겠는가? 이 경우 해당 질문은 일정 주기에 발생하는 동일한 지급금액(P) 또는 예금을 포함하게 된다. 이러한 일련의 예금 혹은 지불은 **연금**(annuity)으로 정의된다. 일시불의 형태로 이루어진 문제에 대한 답을 찾는 방법을 알고 있기 때문에, 연금의 형태를 다룰 때에도 동일한 기본적인 복리 과정이 적용될 것이라고 생각하게 되는데 이는 논리적이고 정확한 추론이다. 그러나 이는 문제에 대한 부분적인 해법이 될 수 있을 뿐이다. 매년 발생하는 일련의 예금을 다루어야 하기 때문이다.

연속되는 여러 해에 발생하는 모든 예금의 합과 이로부터 실현되는 복리이자를 계산하기 위해, 미래가치 계산의 일반식은 다음과 같이 확장되어야 한다.

$$FV = P(1 + i)^{n-1} + P(1 + i)^{n-2} + \cdots + P$$

이는 또한 다음과 같이 표현할 수 있다.

$$FV = P \cdot \sum_{t=1}^{n-1}(1 + i)^t + P$$

이는 단순히 고정된 지급, 즉 연금 P를 $t = 1$부터 $n - 1$까지의 기간 동안 $(1 + i)$로 승수한 수열의 "합"과 곱하고, 여기에 P를 더하여 구하는 것을 의미한다.[3] 기호 Σ는 수열의 "합"을 의미하며, 단순히 $(1 + i)$를 반복적으로 쓰는 것을 피하기 위한 간단한 표기법이다.

이 수식에서 FV는 이제 **연금의 미래가치**(future value of an annuity), 즉 n년 동안 연이율 i로 복리계산된 모든 예금 P의 합을 의미한다. 이 수식에서 주의해야 할 것은 각각의 예금은 매년 말에 이루어지고 n년 동안 복리계산 된다는 것이다. 마지막 예금은 마지막 해의 말에 이루어지므로 이자가 붙지 않는다. 앞선 예시에서는 5년 동안 이루어지는 예금 \$1,000를 다루고 있으므로, 첫 번째 예금 \$1,000는 4년($n - 1$)간 복리계산 되고, 두 번째 해의 예금 \$1,000는 3년($n - 2$)간 복리계산 되고, 이는 마지막 예금 P에 이를 때까지 진행된다. 마지막 예금은 다섯 번째 해의 말에 예치되므로 복리계산 되지 않는다.[4]

이러한 예금들의 가치를 계산하기 위해, [예 1-8]에 제시된 것처럼 각 연도별로 분해하여 풀이해 볼 수 있다. 각 \$1,000의 예금은 예금이 이루어진 해의 말부터 다음 해의 말까지 복리계산 되는 것에 주목해야 한다. 즉, 위의 확장된 수식에서 보았듯이 첫 번째 연도 말의 예금은 4년간 복리계산 되고, 두 번째

---

[3] 여기에 나타난 수식은 모든 예금이 각 연도 말에 입금되는 **정상연금**의 경우에 해당한다. 수식 내에서 마지막 P는, 마지막 지불액은 복리계산 되지 않는다는 의미이다.

[4] 이 공식은 지불이나 수령이 기 말에 이루어지는 **정상연금**의 경우를 위해 사용된다는 점을 알아두어야 한다. 이것은 예금이 기 초에 이루어지는 것을 상정하는 **연금불입액**의 공식과는 다르다.

예 1-8
연 5%로 복리계산 되는 $1,000 연금의 내가계수

년	연금		내가계수	미래가치
1	$1,000	×	1.215506	= $1,215.51*
2	1,000	×	1.157625	= 1,157.63*
3	1,000	×	1.102500	= 1,102.50
4	1,000	×	1.050000	= 1,050.00
5	1,000	×	1.000000	= 1,000.00
	Also 1,000	×	5.525631	= $5,525.63*

*반올림

연도 말의 예금은 3년간 복리계산 되는 식으로 진행된다. 한 번에 1년씩 이 과정을 진행하고, 최우측열의 복리계산 된 금액들을 더하여 답 $5,525.63를 얻을 수 있다.

비록 각 기간당 $1,000의 미래가치는 [예 1-8]의 방식처럼 구할 수 있지만, 복리과정을 자세히 살펴보면 또 다른 쉬운 해법을 발견할 수 있다. $1,000의 예금이 매년 일어나고 이는 변하지 않음에 주목하기 바란다. 즉 예금액은 일정하다. 예금이 일정할 때, 모든 개별 내가계수들을 5.525631로 더하는 것이 가능하다. 따라서 $1,000에 5.525631을 곱하여 [예 1-8]의 우측열의 마지막에 나와 있는 답 $5,525.63을 구할 수 있다.

연금의 내가계수의 활용

연금을 계산할 때 [예 1-8]에 나타나 있는 **내가계수**들은 **더해질** 수 있으므로 다양한 이자율에 대해 일련의 새로운 내가계수들이 계산된다. 이러한 계수들의 표본이 [예 1-9]에 예시되어 있다.

앞선 문제에서 5년간 연 5%로 예금한 $1,000의 미래가치를 구하기 위해 [예 1-9]의 5% 열을 참조하여 5년에 해당하는 **내가계수**를 얻으면, 문제를 다음과 같이 풀 수 있다.

$$FV = \$1,000(5.525631)$$
$$= \$5,525.63$$

이 금액은 [예 1-8]에서 수행한 일련의 곱셈으로부터 구한 답과 일치한다.

복리계산 과정과 앞선 절에서 논의한 수식을 이해한다면 연금의 미래가치 계산을 위해 필수적인 과정의 수행과 저장 기능이 내재되어 있는 금융 계산기를 활용하여 다음과 같이 보다 쉽게 답을 구할 수 있을 것이다.

예 1-9
이자율과 기간에 따른 $1에 대한 연금의 내가계수

	이자율		
년	5%	6%	10%
1	1.000000	1.000000	1.000000
2	2.050000	2.060000	2.100000
3	3.152500	3.183600	3.310000
4	4.310125	4.374616	4.641000
5	5.525631	5.637093	6.105100
6	6.801913	6.975319	7.715610
7	8.142008	8.393838	9.487171
8	9.549109	9.897468	11.435888

계산기 해법:	함수:
$n = 5$, $i = 5\%$, $PV = 0$, $PMT = -\$1,000$	$FV\ (n, i, PV, PMT)$
답은 *FV* = \$5,525.63	

문제: 6년간 매년 \$800를 연 복리 10%로 예금할 경우 6년 후의 미래가치는 얼마인가?

해법: $FV = \$800(7.715610)$
$= \$6,172.49$

계산기 해법:	함수:
$n = 6$, $i = 10\%$, $PV = 0$, $PMT = -\$800$	$FV\ (n, i, PV, PMT)$
답은 *FV* = \$6,172.49	

연간 기준으로 예금하거나 지불되는 연금의 미래가치를 구하기 위한 과정은 월별 연금에도 마찬가지로 적용될 수 있다. 다음과 같이 연 단위 연금에 사용된 공식에서 i를 $i/12$로 대체하고, 연당 복리 기간 수 (m)를 더하는 단순한 조정만 거치면 된다.

$$FV = P\left[1+\frac{i}{12}\right]^{n\cdot m-1} + P\left[1+\frac{i}{12}\right]^{n\cdot m-2} + \cdots + P$$

혹은

$$FV = P\cdot\sum_{t=1}^{n\cdot m-1}\left[1+\frac{i}{12}\right]^{t} + P$$

이 공식에서 $n\cdot m$은 개월 수를 나타낸다. 예금 또는 지불액 P는 매월 발생하며 금액은 일정하다. 따라서 매월의 예금을 복리계산 하는 데 사용되는 내가계수들은 합쳐질 수 있으며([예 1-8]의 연마다의 예금들처럼), 새로운 일련의 월별 연금에 대한 미래가치가 도출될 수 있다. 이 작업은 선정된 이자율과 연도에 대해 행해진다.[5]

문제: 어느 투자자가 월 복리로 계산되는 연 8%의 수익을 예상하는 부동산투자에 월 \$200를 투자하고자 한다. 만일 투자자가 5년 동안 연속하여 매월 지급을 한다면, 5년 말의 미래가치는 얼마인가?

해법: $FV = \$200(73.476856)$
$= \$14,695.37$

계산기 해법:	함수:
$n = 5 \times 12 = 60$개월, $i = 8\% \div 12 = .666\%$	$FV\ (n, i, PV, PMT)$
$PV = 0$, $PMT = -\$200$	
답은 *FV* = \$14,695.37	

이 경우 월 복리로 연 8%의 이자를 얻게 되는 연금의 미래가치는 \$14,695.37이다.

[5] 연 복리와 마찬가지로 이 공식은, 예금은 월말에 예치되거나 또는 **정상연금**의 형태로 복리계산된다는 것을 가정한다.

연금의 현재가치

앞 절에서는 연금, 즉 동일한 주기로 발생하는 일정 지불액의 미래가치를 구하는 것이었다. 본 절에서는 **연금의 현재가치**, 즉 투자기간 동안 연속적으로 창출되는 연 수익의 현재가치를 살펴본다. 이는 투자자가 일련의 소득이 발생하게 되는 투자에 대한 의사결정을 할 경우 중요한 문제가 된다. 일시불의 현재가치를 다룰 때, 현재가치를 구하기 위해 미래가치 계산을 위한 기본적인 공식을 다음과 같이 재구성하였다.

$$FV = PV(1+i)^n$$

$$PV = FV \div (1+i)^n$$

$$PV = FV \cdot \frac{1}{(1+i)^n}$$

연금의 현재가치를 다루기 위해서는 모든 현금지출/유입 각각의 현재가치의 합을 고려해야 한다. 이는 다음과 같이 기본 현재가치 공식을 수정하여 얻을 수 있다.

$$PV = PMT\frac{1}{(1+i)^1} + PMT\frac{1}{(1+i)^2} + PMT\frac{1}{(1+i)^3} + \cdots + PMT\frac{1}{(1+i)^n}$$

또는 이는 다음과 같이 쓸 수 있다.

$$PV = PMT \cdot \sum_{t=1}^{n}\frac{1}{(1+i)^t}$$

위의 수식에서 각 지불(PMT)은 현금이 실제로 지급될 때의 시기에 상응하는 연수로 할인되는 것을 주목하기 바란다. 다시 말해서 첫 번째 지불은 첫 기의 말에 이뤄지며 이는 한 번의 기간에 의해 할인된다. 즉, $PMT \cdot [1 \div (1+i)^1]$이 된다. 두 번째 지불은 두 번의 기간에 의해 할인되어 $PMT \cdot [1 \div (1+i)^2]$이 되며, 이와 같은 과정을 반복하여 나머지 기간을 계산하게 된다.

어떤 투자자가 6년간 매년 $500씩 현금유입을 제공하는 투자를 고려하고 있으며, 투자자는 6%의 수익률을 요구한다고 가정하자. 투자자는 이를 위해 현재 시점에서 얼마를 투자하여야 하는가? 이는 [예 1-10]에 나온 바와 같이 1년 말에 유입되는 $500의 현재가치를 고려하는 것으로부터 시작할 수 있다. $500의 현재가치는 6%로 1년 할인되는 것을 주목하기 바란다. 연초의 수입 $500는 1차 연도 말이 될 때까지 입금되지 않는 반면, 투자자는 현재 투자금액을 지불하기 원하고 현재 투자액 기준 6%의 수익을 요구할 것이기 때문에 할인이 이루어져야 하는 것이다. 따라서 이 $500의 현금유입을 6%에 대한 이자계수 .943396으로 할인함으로써 현재가치는 $471.70가 된다. 두 번째 $500의 수입은 2년차 말에 받게 되므로 6%로 2년간 할인되어야 한다. 그 현재가치는 $500에 6%-2년에 대한 이자계수 .889996를 곱해

예 1-10
$500의 현재가치
(연 6%로 할인)

년	*PMT*	현가계수	현재가치
1	$500 ×	.943396	= $ 471.70
2	500 ×	.889996	= 445.00
3	500 ×	.839619	= 419.81
4	500 ×	.792094	= 396.05
5	500 ×	.747258	= 373.63
6	500 ×	.704961	= 352.48
	Also $500 ×	4.917324	= $2,458.66*

*반올림

서 구할 수 있으며, 이에 따른 현재가치의 값은 $445가 된다. 이러한 과정은 남은 3년 동안 각 현금유입에 대해 계속된다([예 1-10 참조]). $500 수입의 총 흐름의 현재가치는 가장 우측 열에 있는 각 년에 할인된 현금유입을 각각 더해서 구할 수 있으며 그 값은 $2,458.66가 된다.

그런데 일련의 현금흐름의 액수는 $500로 일정하기 때문에 모든 현가계수는 하나의 현가계수로 더할 수 있으며, 더한 현가계수에 $500를 곱하여 동일한 현재가치를 구할 수 있다([예 1-10] 참조). 6%에 대한 모든 현가계수의 합은 4.917324이다. 4.917324에 $500을 곱하면 [예 1-10]에서 일련의 곱셈에 의해 얻어진 현재가치와 동일한 $2,458.66임을 다시 확인할 수 있다.

이제 수식과 이 수식으로부터 도출된 현가계수를 알게 되었으므로, 다음과 같이 금융계산기를 사용하여 바로 답을 찾을 수 있다.

계산기 해법:	함수:
$n = 6$, $i = 6\%$, $PMT = -\$500$, $FV = 0$	$PV (n, i, FV, PMT)$
답은 **PV** = $2,458.66	

연금의 현재가치계수의 활용

앞서 살펴본 대로, [예 1-10]의 현가계수들은 연금의 금액이 동일하고 일정 간격으로 입금된다면 모두 더해질 수 있다. 다양한 이자율에 대한 현가계수들의 합은 표의 형태로 정리되어 [예 1-11]에 제시되어 있다. 앞선 문제에서는 요구수익률을 연 6%로 가정할 때 6년 동안 매년 받는 $500의 현재가치를 구하고자 하였다. 투자자는 해당 요구수익률을 얻기 위해 현재 시점에서 얼마를 지불해야 하는가? 이는 계산기를 이용하거나 [예 1-11]에서 6% 열의 6년에 해당하는 현가계수(4.917324)를 찾아 풀 수 있다. 즉,

$$PV = \$500(4.917324) = \$2,458.66$$

이 해답은 [예 1-10]에서 얻은 것과 동일하다.

문제: 어떤 투자자가 3년 동안 연 $400씩 순현금수익을 제공하는 임대용 부동산에 투자할 기회를 갖고 있다. 투자자는 이 투자를 통해 연 10%의 수익률이 얻어져야 한다고 생각할 때, 해당 임대용 부동산에 얼마를 지불해야 하는가?

해법: $PV = \$400(2.486852) = \$994.74$

투자자는 해당 부동산투자에 $994.74 이상을 지불해서는 안 된다. 이 금액으로 10%의 수익률이 얻어질 것이기 때문이다.

예 1-11
이자율과 기간에 따른 $1에 대한 정상연금의 현가계수

	이자율			
년	5%	6%	10%	15%
1	.952381	.943396	.909091	.869565
2	1.859410	1.833393	1.735537	1.625709
3	2.723248	2.673012	2.486852	2.283225
4	3.545951	3.465106	3.169865	2.854978
5	4.329477	4.212364	3.790787	3.352155
6	5.075692	4.917324	4.355261	3.784483
7	5.786373	5.582381	4.868419	4.160420
8	6.463213	6.209794	5.334926	4.487322

다음과 같이 금융 계산기를 사용하면 더욱 쉽게 구할 수 있다.

계산기 해법:	함수:
$n = 3$, $i = 10\%$, $PMT = -\$400$, $FV = 0$	$PV\ (n, i, PMT, FV)$
답은 $PV = \$994.74$	

연 단위로 지급하거나 지급받는 연금을 할인하는 데 이용되는 논리에 기초하여, **월별**로 지급하거나 지급받는 현금흐름에도 같은 과정이 적용될 수 있다. 이 경우 연간 연금을 할인하는 데 사용되는 공식을 월수입 혹은 월지급액을 반영하기 위해 간단히 수정하고, 할인 기간을 월 복리를 반영하도록 변경하면 된다.

$$PV = P\left[\frac{1}{1+\frac{i}{12}}\right]^1 + P\left[\frac{1}{1+\frac{i}{12}}\right]^2 + \cdots + P\left[\frac{1}{1+\frac{i}{12}}\right]^{12\cdot n}$$

위 식에서 지불(P)은 매월 발생하며 승수는 1부터 $n \cdot m$까지의 월을 의미하고, PV는 $n \cdot m$개월 동안 받는 연금의 현재가치를 의미한다.

연간 할인과 마찬가지로, 만일 위 공식을 문제마다 변형시켜야 한다면, 특히 여러 달에 걸쳐 발생하는 현금유입 혹은 지출이 포함되어있다면, 연금의 현재가치 계산은 매우 번거롭게 된다. 따라서 위 공식을 각 월에 대해 변형하고, 얻어진 현가계수를 더하여 일련의 이자계수를 계산하였다(이는 [예 1-10]에서 연간 연금을 할인하여 수행되었다). [예 1-12]에 나와 있는 계수는 **기간당 *$1*의 정상연금의 현재가치**(present value of ordinary annuity of $1 per period)로 언급되는데 이는 년이 아닌 월 단위로 기간이 적용되기 때문이다. 따라서 만약 어느 투자자가 향후 12개월 동안 매월 말에 $500을 지불하고 월 복리로 연 6%의 수익을 내는 투자에 대해 현재 시점에서 얼마를 지불해야 할지를 알고자 한다면, 투자자는

예 1-12
이자율과 기간에 따른 $1에 대한 정상연금의 현가계수

	이자율		
월	**6%**	**8%**	
1	.995025	.993377	
2	1.985099	1.980176	
3	2.970248	2.960440	
4	3.950496	3.934212	
5	4.925866	4.901535	
6	5.896384	5.862452	
7	6.862074	6.817005	
8	7.882959	7.765237	
9	8.779064	8.707189	
10	9.730412	9.642903	
11	10.677027	10.572420	
12	11.618932	11.495782	
년			**월**
1	11.618932	11.495782	12
2	22.562866	22.110544	24
3	32.871016	31.911806	36
4	42.580318	40.961913	48

계산기를 이용하거나 [예 1-12]를 참조하여 쉽게 답을 계산할 수 있다. 6% 열-12개월 행에서 현가계수 11.618932를 찾을 수 있다. $500에 11.618932를 곱하면 $5,809.47이 되며, 이는 월 복리로 계산되는 6%의 요구수익률을 맞추기 위해 투자자가 현재 시점에서 지불해야 하는 금액이 된다.

계산기 해법은 다음과 같다.

계산기 해법:	함수:
n = 12개월, i = 6% ÷ 12 = .005, PMT = \$500, FV = 0	$PV(n, i, PMT, FV)$
답은 ***PV*** = \$5,809.47	

문제: 어느 부동산투자조합은 조합원들에게 매월 말 $300를 향후 6개월 동안 지급할 것으로 예상된다. 조합원들이 해당 투자에 대해 월 복리로 8%의 수익률을 요구한다면, 그들은 현재 시점에서 얼마를 지불해야 할까?

해법: $PV = \$300(5.862452) = \$1,758.74$

계산기 해법:	함수:
n = 6개월, i = 8% ÷ 12 = .6666%	$PV(n, i, PMT, FV)$
PMT = −\$300, FV = 0	
답은 ***PV*** = \$1,758.74	

미래 특정 금액을 얻기 위한 예금액(감채기금)

앞의 두 절에서는 동일한 금액이 연속적으로 발생하는 연금에 대한 미래가치(복리계산)와 현재가치(할인)에 대해 살펴보았다. 그러나 경우에 따라서는 지급액이 예금됨에 따라 이자가 발생하고 누적된다는 사실을 고려하여 **미래의 특정한 금액을 누적시키기** 위해 필요한 일련의 지급액의 흐름을 파악하는 것이 필요할 수도 있다. 예를 들어, 5년 말에 한 번에 일시 상환해야 할 부채가 $20,000 있다고 가정해보자. 상환을 위해서는 5년 동안 각 연말마다 지불하게 될 금액과 해당 지불액에 누적되는 이자를 감안하여 매년 동일한 금액(연금)을 지불하여 5년 말에 $20,000를 만들고자 한다. 지불액에 대해서는 연 10%의 금리가 적용된다고 가정할 경우, 매년 지불액은 얼마가 되어야 할까?

이 경우는 미래에 특정 금액을 누적시키기 위한 일련의 지급액을 의미한다. [예 1-5]로부터 이는 특정된 미래가치를 얻기 위한 일련의 예금, 즉 연금의 복리계산을 의미함을 상기하자. 따라서 다음과 같이 복리를 통해 미래가치를 구하는 과정을 수행한다.

$$
\begin{aligned}
FV &= \$20,000 \\
PMT(6.105100) &= \$20,000 \\
PMT &= \$20,000 \div 6.105100 \\
&= \$3,275.95
\end{aligned}
$$

계산기 해법:	함수:
n = 5, i = 10%, PV = 0, FV = \$20,000	$PMT(n, i, PV, FV)$
답은 ***PMT*** = −\$3,275.95	

이 계산은 10%의 연 이자율로 복리계산 할 때, 미지의 연속되는 동일지불액(*PMT*)이 5년간 누적되어 $20,000가 될 것이라는 것을 의미한다. [예 1-9]로부터 10%로 복리계산 되는 연간 연금의 내가계수는 6.105100이라는 것을 고려하여 미지의 지불액(*PMT*)에 이 계수를 곱하면 $20,000가 될 것이라는 것을 알 수 있다. 따라서 $20,000를 연금의 내가계수로 나누어 연 불입액(감채기금) $3,275.95를 얻을 수 있다. 이러한 결과는 5년 동안 매년 말에 $3,275.95를 불입하고 이 불입액이 연 10%의 이자수익을 창출한다면, 5년 말에는 $20,000가 누적된다는 것을 의미한다.

위의 계산에서 $20,000를 6.105100으로 나누는 것은 $20,000에 (1 ÷ 6.105100), 즉 0.163797을 곱하는 것과 동일하게 $3,275.95를 도출한다는 것을 알 수 있다. 이 계수 0.163797은 부동산금융에서 **감채기금계수**(sinking-fund factor, *SFF*)로 일컬어지며, 다른 계산을 위해 사용되기도 한다. 월 불입을 적용하여 5년 말에 $20,000의 부채를 상환하기 위한 불입액을 알고자 한다면, 매 불입액은 월 복리로 연 10%의 이자를 창출한다는 것을 고려하여, 계산기를 통해 다음과 같이 답을 얻을 수 있다.

계산기 해법:	함수:
$n = 5 \times 12 = 60$, $i = 10\% \div 12 = .008333$	*PMT (n, i, PV, FV)*
PV = 0, *FV* = $20.000	
답은 *PMT* = –$258.27	

상환을 위해 필요한 월 불입액은 $258.27이다.

투자의 수익률(내부수익률) 결정

본 장에서 지금까지는 복리로 계산할 경우의 미래가치와 할인할 경우의 현재가치를 어떻게 계산하는지 살펴보았다. 각각의 주제는 그 자체로도 중요하지만, 이들은 부동산금융에서 광범위하게 쓰이는 중요 요소인 수익률 혹은 **투자수익률**을 계산하는 도구로 사용되기도 한다. 다시 말해서, 복리와 할인 과정에서 보인 개념은 부동산투자 및 부동산담보대출 등에서의 수익률 혹은 투자수익률을 결정하는 데 이용된다. 본 절에서 소개되는 개념 및 과정은 이어지는 장들에서 설명되는 상당 부분의 기초를 형성하기 때문에 이를 완전하게 이해하고 숙달해야 한다.

앞 절에서는 주어진 이자율로 복리계산 할 때 현재 시점에서 이루어진 투자의 미래가치, 혹은 주어진 이자율로 할인할 때 미래에 받게 될 현금유입흐름의 현재가치를 결정하는 데 집중하였다. 본 절에서는 현재 시점에서 투입되는 투자의 비용과 미래 발생하게 될 현금유입흐름은 알고 있지만, 투자가 이루어질 경우의 **수익률**은 얼마인지 모르는 경우의 문제를 다룰 것이다.

일시불 형태의 현금유입을 가진 투자

많은 경우, 투자자와 대출자는 투자가 이루어졌을 경우 벌어들일 복리이율, 즉 투자수익률이 얼마나 될 것인지에 대한 문제를 고민하게 된다. 투자수익률 개념을 살펴보기 위해 현재 어떤 투자자가 개발되지 않은 1에이커의 부지를 $5,639에 살 수 있는 기회를 갖고 있다고 가정하자. 이 부지는 가치가 상승하여 7년 후에는 $15,000이 될 것으로 예상된다. 만일 현재 시점에서 투자가 이루어지고 7년간 보유 후 $15,000에 매각하게 된다면 $5,639의 투자에 대한 수익률은 얼마가 될 것인가? 앞서 복리계산에 대한

논의로부터 $15,000는 미래 현금흐름의 수령액, 즉 미래가치(FV)를 의미함을 상기하자.

알려지지 않은 수익률을 풀기 위해 다음과 같이 문제를 수식화 할 수 있다.

$$PV = FV \cdot \frac{1}{(1+i)^n}$$

$$\$5{,}639 = \$15{,}000 \cdot \frac{1}{(1+i)^7}$$

여기서 연 복리이율 i를 알고자 하는데, 이는 위 수식에 대입하면 $15,000에 해당하는 미래가치를 $5,639에 해당하는 현재가치로 만드는 할인율이다.

i를 계산하기 위한 방법 중 하나는 위의 수식을 다음과 같이 정리하는 것이다.

$$\frac{1}{(1+i)^7} = \frac{5{,}639}{15{,}000}$$

$$(1+i)^7 = 15{,}000/5{,}639$$

$$1 + i = 1.15$$

$$i = .15 \text{ or } 15\%$$

i를 구하기 위한 또 다른 방법은 시행착오법을 이용하는 것이다. i의 가치를 추정하고서, 수식을 풀어 미래가치 $15,000를 현재가치로 할인했을 때 $5,639가 되는지를 확인한다. i의 정확한 가치가 발견될 때, 현재가치는 $5,639로 산출된다.

그렇다면 i를 찾는 것을 어떻게 시작할 수 있을까? 하나의 방법은 단순히 답을 추측하는 것이다. 10%를 적용해 보자. 수학적으로 만약

$$PV = \$15{,}000 \frac{1}{(1+.10)^7}$$

이라면 $PV = \$5{,}639$일까?

PV에 대해 풀면,

$$PV = (\$15{,}000)(.513158)$$
$$= \$7{,}697$$

이라는 답을 얻게 된다. PV $7,697는 원하는 PV $5,639보다 훨씬 크다는 것을 알 수 있다. 이는 이 투자에서 얻는 복리의 투자수익률이 10% 이상이라는 것을 의미한다. 따라서 i를 증가시키면서 할인과정을 반복해야 한다.

다음 "시행"은 15%가 될 것이다. 대체해보면,

$$PV = \$15{,}000 \frac{1}{(1+.15)^7}$$
$$= \$15{,}000(.375937)$$
$$= \$5{,}639.06$$

이번에는 PV가 $5,639와 동일하다. 이 "추측"이 맞았다. 이 결과로부터 해당 투자를 통해 얻게 되는 수익률, 즉 내부수익률 i는 15%라는 것을 알게 되었다. 이는 본질적으로 7년 동안 복리계산 되어 $5,639의 현재가치를 $15,000의 미래가치로 만드는 "숨은" 이자율 15%를 알게 되었음을 의미한다.

오직 하나의 미래가치만이 포함되어 있는 경우의 수익률을 찾으려고 할 때, 또 다른 방법으로 현가계

수표에 있는 현가계수를 먼저 결정하는 방식을 다음과 같이 사용할 수 있다.

$$\$5,639 = \$15,000\frac{1}{(1+i)^7}$$

$$\$5,639.06 \div \$15,000 =$$

$$.375937 =$$

위 계산은 현가계수가 .375937이라는 것을 보여주고 있으나, 여전히 **이자율**이 무엇인지는 모른다. 하지만 투자가치가 상승되는 기간이 7년이라는 것은 알고 있다. 알고 있는 답은 .375937이고 투자기간은 7년이기 때문에 [예 1-6]의 현가계수표를 통해 정확한 이자율을 찾을 수 있다. *FV*(즉 현금 수입) $15,000는 일시불의 형태로 이루어지므로 특정 이자율에 대해 $1의 현재가치의 역수가 .375937과 동일한 계수를 7년에 해당하는 열에서 찾아야 한다, 이는 6%와 같은 임의의 이자율을 선택하여 찾는 것으로부터 시작한다. [예 1-6]의 6% 열은 해당 열에서 7년에 해당하는 계수는 .665057임을 보여주는데, 이는 .375937보다 크다. 10% 열로 이동하면, 7년에 해당하는 계수는 .513158인데 이는 5%에서의 계수보다는 작지만 찾고 있는 계수와는 더 가깝다. 이러한 시행착오법을 반복하여, 15% 열에서 7년에 해당하는 계수가 .375937을 나타냄을 알 수 있다. 따라서 찾고자 하는 이자율은 15%이다. $15,000(.375937) = $5,639.06이기 때문에 이 값이 정확한 이자율이라는 것을 알 수 있다.

수익률(내부수익률)을 찾는 보다 효율적인 방법은 다음과 같이 금융계산기를 사용하는 것이다.

계산기 해법	함수:
$n = 7$, $PV = -\$5,639$, $PMT = 0$, $FV = \$15,000$	$i\ (n, PV, PMT, FV)$
답은 $i = 15\%$	

이 이자율, 즉 수익률이 의미하는 것은 무엇인가? 이는 현재 시점에서 $5,639를 투자하여 7년간 보유한 후 $15,000에 매각하는 것은 현재 시점에서 $5,639를 투자하여 이를 15%의 이자율로 연 복리계산하는 것과 동일하다는 것을 의미한다(**이자율**과 **수익률**이라는 표현의 유사성에 주목하기 바란다).[6] 이는 다음과 같은 계산을 통해 확인할 수 있다.

$$FV = \$5,639(2.660020)$$
$$= \$15,000$$

이 계산은 단순히 $5,639가 15%로 7년간 연 복리 계산되면 $15,000가 된다는 것을 보여준다. 따라서 이 투자는 15%의 수익률을 내는 것에 상당하는 것이다. 이 수익률은 대개 **투자수익률**(investment yield) 혹은 **내부수익률**(internal rate of return)로 일컬어진다.

계산기 해법:	함수:
$n = 7$, $i = 15\%$, $PV = -\$5,639$, $PMT = 0$	$FV\ (n, i, PV, PMT)$
답은 $FV = \$15,000$	

내부수익률은 복리와 현재가치의 개념을 통합한다. 이는 투자의 수익을 측정하는 방법으로 전체 투자기간 동안의 복리이자율로 표현된다. 예를 들면, 어떤 투자자가 수익창출사업에 대해 투자의사결정

[6] *i*에 대해서 이자율 대신 **수익률**과 **내부수익률**이라는 용어를 사용할 것이다. **투자**를 평가할 때 일반적인 관행으로 수익률 또는 내부수익률이라는 용어가 사용된다. **이자율**은 일반적으로 대출자에 의해 대출 조항이 인용될 때 사용되는 용어이다. 양자는 매우 유사한 개념이지만 다르게 사용된다는 것에 익숙해져야 한다.

을 내려야 할 때, 내부수익률은 현금수익이 어떠한 유형으로 들어오는지와 상관없이 투자자에게 지침이 되거나 혹은 비교의 기준을 제공해준다. 이는 투자자에게 고려하고 있는 투자에 대해 얼마의 복리수익률을 적용해야 하는지를 말해준다. 개발되지 않은 1에이커 부지의 예에서 15%의 수익률 혹은 내부수익률은 $5,639를 예금하여 연 15%로 7년간 복리 계산이 적용되는 것에 해당한다. 7년 후에 투자자는 $15,000를 받게 되는데 이 금액은 원래의 투자금액 $5,639와 여기에 모든 복리이자를 더한 것이다. 내부수익률을 알고 있는 경우, 투자자는 투자결정을 보다 쉽게 할 수 있다. 만일 15%의 수익률이 적절하다면, 투자자는 이 투자를 받아들일 것이지만 만일 그렇지 않다면 투자자는 이 투자를 거절해야 한다.[7]

내부수익률, 현재가치, 복리의 개념은 부동산금융과 투자에서 계속 활용되는 매우 중요한 수단들이다. 이제까지 설명된 개념의 충분한 이해 없이 이 부분을 넘어가서는 안 된다. 이러한 개념들은 본 장의 나머지 부분과 뒤따르는 장들의 기초를 형성하고 있다.

연금형태의 현금흐름을 가진 투자의 수익률

일시불 형태의 현금유입(개발되지 않은 부지가 팔릴 때)에 활용된 개념은 일련의 현금유입이 있는 포함되어 있는 경우에도 적용 가능하다. 결과적으로 내부수익률은 이러한 투자유형에 대해서도 계산될 수 있다.

어느 투자자가 $3,170의 비용으로 4년 동안 매년 말 $1,000의 현금수익을 제공하는 부동산에 투자할 기회를 갖고 있다고 하자. $3,170에 대해 투자자는 얼마의 투자수익률 혹은 내부수익률을 얻을 수 있을 것인가? 이 경우, $1,000 연금의 현재가치가 초기 투자비용인 $3,170와 일치하도록 만드는 미지의 할인율로 할인하기를 원하는 일련의 현금유입을 갖고 있다. 따라서 이 문제에 대한 답은 4년 동안 매년 지급되는 연금 $1,000의 현재가치가 $3,170와 일치하도록 만드는 이자율 i를 찾는 것이다. 연금의 현재가치를 계산하는 공식을 되새겨보면,

$$PV = PMT \cdot \sum_{t=1}^{n} \frac{1}{(1+i)^t}$$

대체하여 풀면

$$\$3,170 = \$1,000 \sum_{t=1}^{n} \frac{1}{(1+i)^t}$$

간단히 표시하면 다음과 같다:

$$\$3,170 \div \$1,000 = \sum_{t=1}^{n} \frac{1}{(1+i)^t_t}$$

$$3.170000 = \sum_{t=1}^{n} \frac{1}{(1+i)^t_t}$$

계산기 해법:	함수:
$n = 4$, $PV = -\$3,170$, $PMT = \$1,000$, $FV = 0$	$i\ (n, PV, PMT, FV)$
답은 $i = 10\%$	

7 다른 투자들을 비교할 때, 투자자는 위험의 차이 역시 반드시 고려해야 한다. 이 주제는 뒷장에서 논의된다.

이 절차는 연금의 형태를 다룬다는 점을 제외하면 앞 절에서 다루었던 일시불의 수익률 혹은 내부수익률을 구하는 것과 비슷하다. 전과 동일한 절차를 사용하여 어떤 이자율에 상응하는 4년에 대한 현가계수를 구할 수 있다. 그 이자율이 무엇인지 알아보기 위해 [예 1-11]의 4년 행에서 3.1700에 가장 가까운 계수가 포함된 열을 찾는다. 주의 깊게 찾아보면, 그 현가계수는 10% 열에서 찾을 수 있다. 따라서 이 절차에 기초하여 투자된 $3,170에 대한 투자수익률 혹은 내부수익률은 10%라는 것을 알 수 있다. 내부수익률이 무엇을 의미하는지에 대한 보다 자세한 분석은 [예 1-13]에 나타나 있다.

이 분석에 있어 중요한 요소는 먼저 $3,710의 투자가 총 현금유입으로부터 회수될 수 있는지를 알아보는 것이다. [예 1-13]에서 현금유입(1~4년 동안 수령되는 현금)이 총 $4,000라는 것을 알 수 있다. 따라서 $3,170의 투자금액이 회수됨과 더불어 $830의 추가적인 현금흐름을 얻을 수 있으므로 이 투자는 수익성이 있을 것이라고 또는 투자수익률이 0보다 클 것이라고 말할 수 있다.

내부수익률이 계산될 때 두 가지의 추가적인 특성이 나타난다([예 1-13] 참조). 하나는 각 기간의 **자본회수**이고, 다른 하나는 각 기간에 **발생한 이자**이다. 다시 말해서 $3,170의 투자액과 매년 받는 $1,000에 기초하여 내부수익률이 계산될 때, 4년의 기간 동안 매년 회수되는 현금흐름이 **내포하는** 것은 $3,170의 투자액과 여기에 이자를 더한 금액의 **완전한 회수**이다. 또한 얻게 될 이자/수익의 합계는 $830 ($4,000 – $3,170)와 동일한 것에 주목하기 바란다. 여기서 목표는 이 투자에 대한 복리이자율을 찾아내서 투자 결과를 단순화하는 것이다. 이 결과는 상이한 투자 및 현금흐름의 패턴을 가지고 있는 다른 투자의 복리이자율과 비교될 수 있다. 다양한 투자들의 이자율(즉 내부수익률)을 비교하는 것은 현금흐름을 비교하는 것보다 간단하다. 화폐의 시간가치가 고려된다는 이점 또한 가지고 있다. 따라서 10%의 투자수익률은 자본회수가 고려된 매년의 투자 잔액으로부터 얻어진 복리이자율이다. 4년간 받은 총 $4,000 중에서 얻은 이자 총액은 $830이고 자본회수는 $3,170이다. 이는 이 투자에 대한 연 복리이자율 10%를 얻은 것에 상응한다.

월 연금: 투자수익률

투자에 대한 수익이 **월** 연금의 형태로 이루어질 경우에도 투자수익률은 유사하게 계산된다. 예를 들어, 어느 투자자가 $51,593를 투자하여 향후 20년간(240개월) 매월 말 $400씩 받을 것이라고 가정하자. $51,593에 대한 **월 복리**로 계산되는 연 수익률은 얼마일까?

예 1-13
내부수익률과 현금수령액의 구성요소

	년			
	1	2	3	4
투자금액(잔액)	$3,170	$2,487	$1,736	$ 910
(내부)수익률(@10%)	317	249*	174*	91*
현금수익	$1,000	$1,000	$1,000	$1,000
(−): 현금수익률(@10%)	317	249	174	90*
투자회수	$ 683	$ 751	$ 826	$ 910
투자금액(연초)	$3,170	$2,487	$1,736	$ 910
(−): 투자회수	683	751	826	910
투자금액(연말)	$2,487	$1,736	$ 910	$ 0

*반올림

계산기 해법:	함수:
$n = 20 \times 12 = 240$, $PV = -\$51{,}593$, $PMT = \$400$	$i\ (n, PV, PMT, FV)$
$FV = 0$	
답은 i (월) = 0.5833%, i (연) = 0.005833 × 12, 즉 7%	

연말 현금유입을 갖는 투자에 대한 내부수익률을 구하는 경우와 같이 적용하면, **내부수익률**은 $51,593에 대해 월 복리로 계산되는 7%가 된다. $51,593의 자본회수와 $44,407의 이자 모두는 20년에 걸친 매월의 현금유입 $400의 흐름(총 $96,000)안에 **내포**되어있다.

등가명목연이율 *Equivalent Nominal Annual Rate, ENAR* : 확장

본 장의 앞 절에서 1년 이내에서 복리간격이 1회보다 더 잦은 경우의 연간수익률에 해당하는 수치를 알아보는 문제를 다루었다. 앞선 예에서 $10,000의 투자에 연별, 월별, 일별로 복리계산 되는 유효연수익률은 각각 6%, 6.16%, 6.18%가 되는 것을 확인할 수 있었다. 많은 경우에 있어 **유효연수익률**(effective annual yield, EAY)을 이미 알고 있으면서 **월 복리**(또는 1년보다 짧은 다른 기간)**로 계산되는 명목연수익률**을 알고자 한다. 예로써 6%의 명목연이자율에 기초하여 월 복리로 계산되는 문제를 살펴보았다. 월 간격으로 복리계산 되기 때문에 유효연이자율(6.17%)은 명목연이자율(6%)보다 컸다. **월** 복리로 계산되어 6%의 목표 **유효연수익률**을 제공하는 명목연이자율이 무엇인지를 알고자 할 경우, 다음의 공식을 이용할 수 있다[공식에서 *ENAR*은 월 복리로 계산되는 **등가명목연이율**(equivalent nominal annual rate)이다].

$$ENAR = [(1 + EAY)^{1/m} - 1] \cdot m$$

앞선 문제에 이를 대입해 보면,

$$\begin{aligned} ENAR &= [(1 + .06)^{1/m} - 1] \cdot 12 \\ &= [(1 + .06)^{.083333} - 1] \cdot 12 \\ &= [1.004868 - 1] \cdot 12 \\ &= .0584106 \text{ or } 5.84106\% \text{ (반올림)} \end{aligned}$$

이 개념을 설명하기 위해 6%의 **유효연수익률**을 제공하는 투자A와 월 복리로 계산되는 이자율을 제공하는 투자B가 있다고 가정하자. 이 경우, 투자B가 투자A와 같이 6%의 **동일한** 유효연수익률을 제공하기 위해서 투자B의 **월 복리**로 계산되는 등가명목연이율(*ENAR*)이 얼마인지를 알고자 하는 것이다. 이는 **월 복리**일 경우 연 5.84106%가 될 것이다.

$$\begin{aligned} FV &= \$1\left[1 + \frac{0.584106}{12}\right]^{12} \\ &= \$1.06 \text{ (반올림)} \end{aligned}$$

예시로부터 **유효연수익률**이 ($1.06-$1.00) ÷ $1.00, 즉 6%라는 것을 알고 있다. 따라서 이제 동일한 위험 하에서 **월** 복리로 계산되는 수익을 가진 투자는 6%의 유효연수익률에 상응하는 수익을 제공하기 위해서 적어도 5.84106%의 연간명목이자율을 가져야 한다는 것을 알 수 있다. 물론 이는 위 공식에서 *m*을 변경함으로써 다른 복리 기간을 가진 투자에 대해서도 변경 적용될 수 있다.

계산기 해법:	함수:
n = 12개월, i = 5.84106 ÷ 12 = .486755%	*FV (n, i, PV, PMT)*
PV = −$1, PMT = 0	
답은 ***FV*** = $1.06	

일정 기간의 수익을 연간수익으로 환산 *Solving for Annual Yields with Partial Periods*

많은 경우 투자는 매월 현금흐름을 창출하지만 유효연이율로 보고되는 투자수익을 요구한다. 하지만 많은 투자들은 1년 이내에 매각될 수도 있다(가령 다섯 달 후). 1년 이내의 기간에 해당하는 월 현금흐름을 어떻게 연이율로 나타낼 수 있을까? 다음의 예시를 살펴보자.

어느 투자가 $8,000의 금액으로 이루어졌고 이는 2년 동안 소유될 것으로 예상된다. 계약상투자수익은 유효연이율로 명시되기를 요구하고 있다. 하지만 이 투자는 조기에 매각되었고, 17개월 동안 매달 $500의 현금흐름을 수령하였다. 이 투자에 대한 **연** 수익은 얼마인가? 이는 다음과 같이 알 수 있다.

1단계:	함수:
계산기 해법: 월 이자율에 대한 풀이	*i (n, PMT, PV, FV)*
n = 17개월, PMT = $500, PV = −$8,000, FV = 0	
답은 i = .682083%	
2단계: 월 이자율 .682083%는 다음과 같이 **유효**연이율을 파악하기 위해 사용될 수 있다.	
계산기 해법:	함수:
PV = −$1, i = 0.682083%, PMT = 0, n = 12	*FV (PV, i, PMT, n)*
답은 ***FV*** = 1.084991	
3단계: 유효연이자율의 계산	
$(FV/PV) - 1$ = 1.08499 − 1.000 = 0.084991, 즉 8.5%(반올림)	

따라서 17개월에 걸친 이 투자는 8.5%의 **유효연수익률**을 제공하였다. (이 수익률은 또한 **월 복리**로 계산되는 명목연이율, 즉 .682083 × 12 = 8.19%에 상응하다는 것에 주목하기 바란다.)

XIRR를 활용한 해법

유효연이율을 계산하는 다른 방법은 *XIRR*로 일컬어지는 것을 계산하는 것이다. *XIRR*은 성과측정을 위해 점점 더 많이 사용되고 있는데 이는 엑셀과 같은 스프레드시트 프로그램에 포함되어 있고, 앞선 예시와 같이 년의 일부 동안 발생한 현금흐름이나 불규칙적이고 연중 며칠에만 발생하는 현금흐름을 다룰 수 있기 때문이다.

*XIRR*은 다음의 수식을 푸는 있는 이율(rate)이다.

$$\sum P_j/(1 + \text{rate})^{d_j/365} = 0$$

P_j는 투자 시작 dj일 후 받게 되는 j번째 지급액이다. 엑셀은 각 지급액(현금흐름)에 대한 일자(calendar date)를 실질적으로 입력할 수 있게 해 준다(일자는 다시 날의 수로 전환된다). 위 수식의 좌변은 유효연이율을 할인율로 사용하여 현금흐름을 현재가치로 할인한다. 여기서 현재가치를 0으로 만드는 할인율을 찾는 것이다.

예 1-14
*XIRR*의 증명

		Rate 8.5%			
		(1)	(2)	(3)	(4)
월	일	일/365	*P*	(1 + rate)$^{(일/365)}$	*P* / (3)
0	0	0.000000	−8,000	1.000000	−$8,000.00
1	31	0.084932	500	1.006953	496.55
2	61	0.167123	500	1.013727	493.23
3	92	0.252055	500	1.020775	489.82
4	122	0.334247	500	1.027643	486.55
5	152	0.416438	500	1.034557	483.30
6	182	0.498630	500	1.041517	480.07
7	213	0.583562	500	1.048758	476.75
8	243	0.665753	500	1.055814	473.57
9	274	0.750685	500	1.063155	470.30
10	305	0.835616	500	1.070547	467.05
11	336	0.920548	500	1.077990	463.83
12	366	1.002740	500	1.085243	460.73
13	396	1.084932	500	1.092544	457.65
14	425	1.164384	500	1.099648	454.69
15	455	1.246575	500	1.107046	451.65
16	485	1.328767	500	1.114494	448.63
17	515	1.410959	500	1.121992	445.64
				합계	.00

17개월 동안 매월 $500가 발생한 앞선 예시를 활용하면, [예 1-14]에서 보는 바와 같이 현금흐름은 17개월 동안 대략 매월 30일에 수령한다고 가정한다. 2열은 일자를 1/365의 형태로 나타낸다. 앞선 예시에서 8.5%의 유효연이율을 계산한 것을 기억하기 바란다. 이제 결과가 0의 현재가치인지 확인하기 위해 8.5%를 사용한 *XIRR* 계산이 동일한 결과를 도출함을 알 수 있다.

[예 1-14]의 3열은 위 *XIRR* 공식에서 유효연이율을 사용하는데, 이는 마지막 열의 합계에서 볼 수 있듯 이것이 현재가치를 $0로 만드는 이율이라는 것을 보이기 위함이다. 이 마지막 열의 각 행은 그 해의 그 날에 받은 지급액의 현재가치를 나타낸다.

위의 예에서 현금흐름은 매월 발생하였다. 그러나 현금흐름은 연중 어느 날에나 발생할 수 있다. 엑셀에서는 현금흐름이 발생한 날을 특정하기 위해 *XIRR*함수 내에서 실제 날짜(가령 2012년 2월 12일)를 사용한다.

결론

본 장에서는 재무 분석에서 복리이자의 수리 개념을 소개하고 살펴보았다. 비록 이는 아는 내용의 반복일 수 있지만, 이 주제를 완전히 이해하는 것은 부동산금융에서 필수적이다. 이번 장에서 소개된 개념과 기법들은 본서의 나머지 부분에서 부동산금융을 다룸에 있어 마주하게 되는 여러 가지 문제들을 풀기 위해 사용된다. 다음의 두 장에서는 주택담보대출 상환액과 다양한 대안적 대출수단의 실질비용 계산에 금융수학을 적용할 것이다. 이후, 수익용부동산 투자 분석에 금융수학을 적용할 것이다. 본 장은 이자계수표와 이자계수의 사용, 그리고 금융 계산기를 사용하여 이러한 것들을 어떻게 구하는지를 설명하였

다. 이러한 표들은 복리와 할인 과정을 이해하고, 계수들을 사용하여 내부수익률을 계산하는 과정을 이해하는 데 도움을 준다. 이러한 표들이 본서의 나머지 부분에서 나오는 문제들을 푸는 데 반드시 필요한 것은 아니다. 실제로는 많은 경우에 대체 수단인 계산기 해법이 제공된다. 이자계수 해법은 계산기 해법에 기반이 되는 구조(수학)를 이해하도록 제시될 것이다. 금융계산기를 이용하거나 스트레드시트 프로그램을 이용하여 답을 구할 수 있다는 가정 하에 더 심층적인 내용들을 다루게 될 것이다.

주요용어

감채기금계수	복리이자	연금불입액	정상연금
내부수익률	수익률	연금의 미래가치	투자수익률
등가명목연이율	연간수익률	연금의 현재가치	할인
미래가치	연금	유효연수익률	현재가치

질문

1. 복리를 이해하는 데 필수적인 개념에는 어떤 것이 있는가?
2. [예 1-3]의 내가계수들은 어떻게 도출되었는가? [예 1-3]의 내가계수를 계산하기 위해 금융계산기는 어떻게 사용하는가?
3. 1년 이내에서의 최대 가치 및 복리 기간과 관련한 일반 법칙은 어떻게 도출될 수 있는가?
4. 화폐의 시간가치가 의미하는 것은 무엇인가?
5. 현재가치 결정에 활용되는 할인 개념과 미래가치 결정에 활용되는 복리 개념은 어떠한 관련이 있는가? 현재가치는 어떻게 활용되는가?
6. [예 1-9]의 내가계수는 무엇이며 어떻게 도출되는가? [예 1-9]의 내가계수를 계산하기 위해 금융계산기는 어떻게 사용하는가?
7. 연금이란 무엇인가? 어떻게 이를 정의할 수 있는가? **정상연금**과 **기초지급연금**의 차이는 무엇인가?
8. 현재가치를 찾기 위해, 일정하지 않은 일련의 수령액(현금흐름)은 어떻게 할인하는가?
9. 감채기금계수란 무엇인가? 이는 어떻게 그리고 왜 이용하는가?
10. 내부수익률이란 무엇인가? 이는 어떻게 이용하는가? 이와 복리 개념은 어떠한 연관이 있는가?

문제

1. Jim은 은행계좌에 $12,000를 예금하였다. 예금에 대한 이자는 7년간 6%로 연 복리계산 된다.
   a. Jim은 7년 말에 얼마의 예금을 수령하게 되는가? (힌트: 미래가치는 얼마인가?)
   b. 예금에 대해서 **분기별 복리**로 9%의 이자가 붙는다고 가정하면, 7년 말의 예금 수령액은 얼마인가?
   c. (a)와 (b)를 비교할 때 각각의 **유효연수익률**은 얼마가 되는가? (힌트: 각 예금에 대해서 1년 후의 미래가치를 고려해 보라.) 어떠한 것이 더 나은가?
2. $25,000 투자에 대해 6%의 **월 복리**와 7%의 **연 복리** 중 어느 것을 더 선호할 것인가? (힌트: 1년만을 고려해 보라.)
3. Johns는 12년 동안 매 6개월 말에 $5,000씩 예금을 하고, **반기별 복리**로 연 8.5%의 이자수익을 얻을 수 있다. 12년 후의 이 투자 가치는 얼마가 되는가? 예금을 매 기초에 한다면, 12년 후의 투자 가치는 얼마가 되는가?
4. 매 분기 말에 $1,250를 예금하고, **분기별 복리**로 연 10%의 이자수익을 얻을 수 있다고 하면, 4년 말에 얼마를 받을 수 있겠는가?
5. 1년 말 $2,500를 예금하고, 2년 말 아무 것도 예금하지 않고, 3년 말 $750를 예금하고, 4년 말 $1,300를 예금한다고 가정하자. 각 예금에 대해서 **연 복리**로 15%의 금리를 받을 수 있다고 한다면, 5년 말에 예금은 얼마가 되겠는가?
6. 8년 동안 매 월말에 $750를 받을 수 있는 부동산 투자 기회가 있다고 하자. 당신은 투자에 대해 **월 복리**로 연 15%의 수익률은 내야한다고 생각한다.
   a. 당신은 이 투자에 대해 얼마를 지불해야 하는가?
   b. 8년 동안 받게 될 현금 총액은 얼마가 되는가?
   c. (a)와 (b) 사이의 차이를 무엇이라 하는가?

7. 어느 투자자가 10년 동안 매 연말에 $2,150를 받을 수 있는 투자를 검토하고 있다. 그는 투자에 대해 **연 복리** 12%의 수익률을 기대하고 있다. 그렇다면 그는 현재 시점에서 이 투자에 대해 얼마를 지불해야 하는가? 만약 투자수익을 **매년 초**에 받는다고 한다면, 현재 시점에서 얼마를 지불해야 하는가?

8. 어떤 투자자가 부동산 개발에 투자하여 6년 후 $45,000의 수입을 기대할 수 있다고 한다. 다른 투자 대안에 대한 충분한 검토에 기초하여, 투자자는 이 투자에 대해 **분기별 복리**로 연 9%의 **수익률**을 올리는 것이 합리적이라고 생각한다. 현재 시점에서 투자자는 이 투자에 대해 얼마를 지불해야 하는가?

9. Walt는 각 연도 말에 다음과 같은 수익을 가져다 줄 수 있는 투자를 평가하고 있다. 1년 말: $12,500; 2년 말: $10,000; 3년 말: $7,500; 4년 말: $5,000; 5년 말: $2,500; 6년 말: $0; 7년 말: $12,500. Walt는 이 투자에 대해 연 복리로 12%의 수익을 올려야 한다고 생각하고 있다면, 이 투자에 얼마를 지불해야 하는가? 만약 **월 복리**로 연 9%의 수익을 기대한다면 그는 얼마를 지불해야 하는가?

10. John은 토지 매입을 고려하고 있다. 그는 현재 시점에서 이 토지를 살 수 있고, 10년 말에는 가격이 $15,000로 오를 것이 예상된다. 그는 해당 투자에 대해 연 복리 8%의 투자 수익률을 올려야 한다고 생각하고 있다. 토지에 대한 매도호가는 $7,000이다. 이 토지를 매입해야 하는가? John이 이 토지를 $7,000에 매입하고 이를 10년 후에 $15,000에 매각할 수 있다고 한다면 **연 복리**로 계산되는 내부수익률은 얼마인가?

11. Dallas Development Corporation은 $100,000의 아파트 프로젝트 구매를 고려하고 있다. 그들은 프로젝트로부터 10년 동안 매년 말에 $15,000의 수입이 있을 것으로 추정하고 있다. 10년 말에 아파트 프로젝트의 가치는 0이 될 것이다. Dallas가 이 프로젝트를 구매한다면, **연 복리**로 계산되는 내부수익률은 얼마가 되겠는가? 해당 투자에 대해 **연 복리**로 8%의 수익률을 요구한다면, 이 투자는 좋은 투자인가?

12. 어느 회사가 $75,000에 달하는 부동산 신디케이션의 이권을 구매하려고 한다. 해당 신디케이션은 25년(300개월) 동안 매 월말 $1,000의 수익을 약속한다. 이를 매입한다면 **월 복리**로 계산되는 기대 내부수익률은 얼마가 되는가? 투자로부터 받게 될 총 현금은 얼마가 되는가? 이윤은 얼마가 되고, 자본수익률(return of capital)은 얼마가 되는가?

13. 어느 부동산 투자는 4년 동안 매년 말 다음과 같은 수익을 제공할 것으로 예상된다. 1년 말: $5,500; 2년 말: $7,500; 3년 말: $9,500; 4년 말: $12,500. 자신의 투자에 대해 **연 복리** 12%의 수익을 원하는 투자자가 있다고 한다면, 그는 이 투자에 대해 얼마를 지불해야 하는가? 만약 투자자가 **월 복리**로 연 12%의 수익률을 원한다면 얼마를 지불해야 하는가? 양자 간에는 왜 차이가 발생하는가?

14. 어느 연기금에서 현재 시점에서 $100,000를 투자하고, 5년 동안 매 월말에 $1,600의 수익을 기대하고 있다. 5년 말에 $100,000의 투자 자본은 회수될 것이다. 이 투자안의 내부수익률은 **연 복리**로 계산하면 얼마인가?

15. $60,000의 대출의 만기는 오늘로부터 10년 후이다. 차입자는 각 연도 말에 **연 복리** 10%를 적용한 **연 지불액**의 형태로 상환하기를 원한다.

a. 10년 말에 $60,000의 누적상환액을 위한 연 지불액은 얼마인가?

b. 연 지불액 대신, 월 복리 10%로 월 지불을 한다면 누적상환액 $60,000을 위한 월 지불액은 얼마인가?

c. 10번의 연 지급 총액(a)과 120번의 월 지급 총액(b)을 비교하라. 현금 유출 총액은 어떤 것이 더 낮은가?

16. 어떤 투자자에게 유효연수익률이 12%인 투자의 기회가 있다. 그는 위험은 동일하지만 각각 **월** 복리와 **분기별** 복리로 수익을 제공하는 다른 2개의 투자에 대해서도 검토하고 있다. 이들 2개의 투자들이 **동일한 연 수익률** 12%를 제공하기 위해서는 등가명목연이율(equivalent nominal annual rate)이 각각 얼마가 되어야 하는가?

17. 매달 $1,200의 현금흐름을 28개월 동안 제공하는 투자가 있다. 어느 투자자가 이 투자에 대해 $24,000를 지불하였고 계약상 투자수익률은 **연이율**로 보고할 것을 규정하였다. 해당 투자는 28개월 후 매각되었다면 투자자에게 보고된 **연 복리** 수익률은 얼마인가? **월 복리**로 계산된 연 수익률은 얼마인가?

18. 어느 투자는 다음과 같이 연말 현금흐름을 제공할 것으로 예상된다.

1년 말: $5,000	4년 말: $5,000
2년 말: $1,000	5년 말: $6,000
3년 말: $0	6년 말: $863.65

해당 투자는 현재 시점에서 $13,000의 비용이 필요하다.

a. 이 투자는 수익성이 있는가?

b. 이 투자에 대한 (**연 복리**) 내부수익률은?

c. b의 답을 $13,000의 투자에 대해 각 연도별 얼마의 투자회수와 이자가 발생했는지를 통해 증명하라. (힌트: [예 1-13]과 Concept Box 1.2 참고)

CHAPTER 02

고정금리저당대출

Fixed Interest Rate Mortgage Loans

본 장에서는 고정금리저당대출의 가격결정과 구조화를 위한 여러 가지 접근방식을 다룬다. 대출의 **가격결정**이란, 대출이 이루어질 때 대출자가 제시하고 차입자가 받아들이는 이자율, 대출취급 수수료 및 다른 여러 가지 조건들을 의미한다. 또한 가격결정 과정의 일부로서 대출재원에 대한 수요와 공급, 인플레이션의 영향, 그리고 이 두 요인이 이자율에 어떻게 영향을 주는지에 대해 중점적으로 살펴볼 것이다. 대출의 구조화에 대해서는 경제적 환경의 변화 속에서 저당대출상환 방식이 혁신적으로 발전해 온 과정을 검토할 것이다.

본 장의 또 다른 주요 목적은 다양한 계약조건이 설정된 경우 대출자의 수익과 차입자의 실질적 비용을 결정하기 위한 기법을 예시하는 것이다. 부동산 대출자는 일반적으로 약정금리 외에 대출조건으로 여러 가지 요금과 수수료를 부과한다. 이는 대출금액의 할인(loan discount), 대출취급 수수료, 조기상환 수수료 또는 선지급 이자 등을 포함한다. 또한 차입자와 대출자는 특정 부동산 거래를 위한 저당대출을 성사시키기 위해 분할상환의 형태 또는 상환일정 등에 대해 합의할 수 있다. 이러한 계약조항들은 차입자의 조달비용에 영향을 줄 수 있기 때문에 대출자의 수익(차입자의 비용)을 계산하기 위해 사용되는 방법론을 중점적으로 살펴볼 것이다.

저당대출 금리의 결정요소: 개요

경제 여건의 변화는 부동산금융 산업의 중대한 변화를 야기해왔다. 이러한 여건의 변화들로 인해 대출자들과 차입자들은 대출을 위한 금융재원에 대해 보다 깊은 이해가 필요하며, 대출위험, 경제성장, 인플레이션 등이 대출재원의 가용성과 비용에 어떻게 영향을 미치는지 본질적으로 파악하고 있어야 한다.

저당대출 금리의 결정요소를 살펴볼 때, 대출재원의 수요와 공급에 대한 검토가 반드시 필요하다. 대부분의 저당대출 대출자들은 저축자들로부터 차입자들에게 자금을 융통하는 전달자의 역할을 담당하는 중개인 또는 기관들이다. 차입자들은 기관에 예치된 저축을 저당대출의 형태로 활용하게 되는 것이다. 저당대출의 시장**금리**는 차입자들이 특정된 기간 동안 차입을 위해 지불하고자 하는 수준과 대출자들이

이러한 자금의 사용에 대한 대가로서 받고자 하는 수준에 의해 결정된다. 시장의 수요측면에서, 저당대출의 수요는 **파생수요**(derived demand)로, 부동산에 대한 수요에 의해 결정된다고 할 수 있다.

저당대출시장에 자금을 공급할 때, 대출자들은 저당대출로부터 가능한 수익과 연관하여 다른 대안투자에 대한 수익과 손실위험 또한 고려한다. 따라서 저당대출시장은 대출자들과 투자자들의 수익과 위험에 있어 저당대출뿐만 아니라 채권과 주식, 기타 다른 모든 형태의 경쟁적 투자 대안에 대한 평가가 이루어지는 더 큰 자본시장의 일부로 간주되어야 한다. 대출자들은 비용과 손실위험을 고려하여 회사채나 기업 대출 등에 투자하는 것보다 더 많은 저당대출을 생성하여 더 큰 수익을 낼 수 있다고 판단할 경우 더 많은 자금을 저당대출에 할당할 것이다. 따라서 저당대출에 자금을 할당하는 대출자들의 의사결정은 대안적인 대출이나 투자기회에 대한 수익과 위험과의 비교를 통해 이루어진다.

실질금리: 근본적 고려사항

저당대출에 대한 시장금리를 논의할 때, 금리는 수많은 요소들에 기초한다는 것을 알고 있어야 한다. 경제 전체로 보면 저당대출에 할당되는 자금의 공급은 다른 모든 가능한 형태의 대출과 투자기회에 대한 수익과 위험에 의해 일부 결정된다는 것을 앞서 언급한 바 있다.

경제의 흐름 안에서 자금의 활용이 요구되는 투자에 있어 가장 근본적인 사항 중 하나는 투자는 최소한 **실질금리**(real rate of interest) 이상의 수익을 낼 수 있어야 한다는 것이다.[1] 이는 저축자들로 하여금 자금을 현재에 소비하는 대신 미래에 소비하도록(즉 저축하도록) 유도하기 위해 요구되는 최소한의 이자율이다. 이러한 결정을 내릴 수 있도록 저축자들을 설득하기 위해서는 저축으로부터 발생하는 수익을 통해 미래의 수입이 충분하게 상승될 것이 예상되어야 할 것이다. 저축으로부터 기대되는 수익이 미래의 충분한 소비를 제공할 만큼 크다면 적절한 수준의 저축이 현재 시점에서 일어날 것이다.

금리와 기대인플레이션

실질금리와 더불어 모든 투자자들이 투자결정을 내릴 때 갖게 되는 고민은 **인플레이션**이 투자수익률에 어떻게 영향을 줄 것인지에 대한 것이다. 인플레이션율은 투자자들과 대출자들이 고정금리로 장기에 걸친 대출을 구입하거나 생성할 때 특히 더 중요하다. 따라서 이러한 의사결정을 할 때 투자자들과 대출자들은 투자 또는 대출이 진행 중인 기간 동안 수취금리가 인플레이션으로 인한 구매력 감소를 상쇄할 정도로 충분히 높다는 것을 확인해야 한다. 그렇지 않을 경우 충분하지 못한 실질수익을 얻게 될 것이다. 따라서 대출자들과 투자자들의 대출 또는 투자가 진행되는 동안 예상되는 인플레이션에 대한 합의가 이루어져야 하며 약정금리에 이를 반영하여 대출 또는 투자가 이루어져야 한다.

명목금리(차입자와 대출자 간의 약정금리)와 실질금리의 간의 관계를 살펴보기 위해 $10,000의 대출이 5%의 명목(약정)금리에 1년 만기로 설정되었다고 가정하자. 1년 말에 대출자는 $10.500 ($10,000 + $10,000 × .05)를 받게 될 것이다. 만약 해당 기간 동안 인플레이션이 3% 발생하였다고 하면, 1년 말에 받게 되는 $10,500의 가치는 $10,194 ($10,500 ÷ 1.03)가 된다. 따라서 명목금리는 5%이더라도 실질금리는 2% ($194 ÷ $10,000 = 2.0%) 미만이므로 만약 대출자가 2%의 실질금리를 원했다면, 인플레

---

[1] 어느 특정 활동은 경제 내 모든 생산적 활동의 가치의 합계를 이룬다는 가정에 기초한 경제시스템 내에서 모든 생산적인 활동으로의 투자들을 포함하고 있는 투자 포트폴리오를 그려본다면, 이 포트폴리오에 대한 현재의 수익률은 실질금리와 동등할 것이다. 이는 또한 경제주체들이 현재의 소득에서 소비 대신 저축을 하기 위해 요구하는 금리일 것이다.

이션에 의해 예상되는 물가변동을 상쇄하기 위해 5% 이상의 명목금리를 약정했어야 한다는 결론에 이르게 된다.[2]

요약하면 어떤 투자에 대한 명목금리는 실질금리에 기대인플레이션에 대한 **프리미엄을 더하여** 부분적으로 결정된다고 할 수 있다. 앞선 예에서, 2%의 실질금리에 3%의 인플레이션 프리미엄을 더하면 5%가 된다. 그런데 인플레이션 프리미엄은 대출이 실행된 시점에서의 **기대치**에 불과하다는 점에 주의해야 한다. 실제 인플레이션이 기대치보다 높거나 낮을 가능성은 대출자와 투자자가 반드시 고려해야 할 위험들 중 하나이다.

또한 명목금리는 일반적으로 **연**이율로 표시되지만 대출의 유형에 따라 일, 월, 분기, 반기 또는 지속적으로 복리되는 연이율이 될 수도 있다. 본장에서는 복리, 발생이자, 지급방법에 따른 효과에 대해 좀 더 자세하게 살펴볼 것이다.

금리와 위험

대출을 생성하고 투자를 할 때 대출자들과 투자자들은 기대인플레이션뿐만 아니라 다양한 **위험**을 고려해야 한다. 대출자와 투자자는 대출금리와 투자수익률이 위험을 적절하게 보상해줄 수 있을 것인지 고민하게 된다. 특정 대출이나 투자가 적절한 위험조정수익률을 제공할 수 있을 것인가?

다양한 투자에 대해 많은 유형의 위험이 논의될 수 있는데, 이는 본서의 범위를 벗어난다. 따라서 본서에서는 저당대출에 영향을 주는 위험들에 중점을 두고자 한다. 하지만 이러한 위험 중 많은 부분들은 다른 대출이나 투자에서도 어느 정도 나타나는 것들이다.

채무불이행 위험

저당대출을 생성할 때 대출자들의 주된 우려 중 하나는 차입자들이 이자와 원금에 대한 상환의무를 이행하지 않을 위험이다. 이를 **채무불이행 위험**이라 하며, 이는 대출의 특성과 차입자 개개인의 신용도에 따라 달라진다. 채무불이행이 일어날 가능성이 의미하는 것은 대출자는 반드시 이에 대한 프리미엄, 즉 더 높은 금리로 약정해야 한다는 것이다. 채무불이행 위험은 대출실행 이후 차입자의 소득이 감소하여 채무상환능력이 감소하는 경우 및 담보부동산의 가치가 대출잔고보다 낮은 수준으로 하락하는 경우를 말하며, 이는 차입자의 상환불이행과 이로 인한 대출자의 손실로 이어질 수 있다.

금리위험

대출과 투자에 있어 또 다른 문제는 미래의 저축자금공급, 주택에 대한 수요, 인플레이션 수준 등에 대한 불확실성에서부터 기인하게 된다. 어느 한 시점에서의 금리는 단지 이러한 요소들에 대한 시장참여자들의 예측치만을 반영한다. 투자자들과 대출자들은 또한 대출실행 **후** 경제적 여건이 크게 변화하여 약정금리가 충분하지 않게 될 위험에 처하게 된다. 이는 대출실행 시 더 높은 금리를 설정하게 할 것이다. 이러한 대출금리 설정에서의 불확실성을 **금리위험**이라고 표현한다.

---

[2] 2%의 실질금리를 위해서 명목금리는 (1.02 × 1.03) − 1, 즉 5.1%가 되어야 한다. 편의상 본서의 전반에서는 실질금리와 기대인플레이션에 대한 프리미엄을 **더하여** 이를 명목금리의 근사치로 사용할 것이다. 기대인플레이션과 금리와의 관계는 오랫동안 많은 연구의 대상이 되어 왔다. 본서에서는 단순하게 더하였지만, 양자 간의 관계를 정확히 반영한 것은 아니다. 양자 간에 구체적 관계는 정확하게 알려지지 않았다. 따라서 이러한 논의를 개념적 또는 일반적인 해석으로 이해하기 바란다.

예를 들어 5% 금리로 $10,000을 대출한 앞선 예시에서 3%의 **인플레이션을 예상**하였는데, 만약 실제 인플레이션이 4%였다면 금리는 6%였어야 한다는 것을 의미한다. 이 사례에서 대출이 일어날 때 기대인플레이션율은 3%였다고 할 수 있다. 하지만 1%의 **예상치 못한 인플레이션**이 발생하였기 때문에, 너무 낮은 금리로 인해 대출자는 $100의 구매력($10,000의 1%)을 상실하게 될 것이다. 이는 대출자가 **대출 실행 시점**에서 "정확한" 금리를 약정하지 않았다는 것을 의미하지는 않는다. 그 당시에는 인플레이션이 3%로 예상되었고, 따라서 경쟁력을 갖기 위해서는 5%의 금리가 설정되었어야 했다. 하지만 1%의 추가 인플레이션은 시장의 모든 대출자들이 예측하지 못하였던 것이다. 이것이 모든 대출자들에게 있어 금리 위험의 주된 요소로 작용하게 되는 예상하지 못한 인플레이션인 것이다.

대출시점에서 너무 낮은 금리가 적용될 가능성은 대출자에게 있어 주된 위험요소이다. 따라서 이러한 위험에 대한 프리미엄이 반드시 부과되거나 시장금리에 반영되어야 한다. 금리위험은 모든 대출에 영향을 주지만 특히 고정금리 장기대출에 더욱 큰 영향을 주게 된다. 위험을 회피하고자 하는 대출자는 반드시 이러한 위험에 대한 프리미엄을 부과해야 한다.

조기상환위험

어떠한 담보대출은 차입자에게 만기가 도래하기 전 위약금 없이 대출의 상환을 허용한다. 이는 실질적으로 차입자에게 자산이 팔렸을 경우, 대출을 선납하거나 차환 또는 대출잔고를 청산하는 **옵션**을 주는 것과 같다. 만약 금리가 하락하는 국면에서 대출이 조기상환된다면 대출자들은 기존의 계약 기간 동안 얻을 수 있는 이자 수익에 대한 기회를 상실하게 되고, 조기상환된 대출로부터 회수된 자금은 더 낮은 이자 수익을 얻게 되는 투자로 이어질 수밖에 없다. 반면 금리가 상승하는 국면에서는 대출이 조기상환될 가능성은 낮을 것이다. 따라서 시장금리가 대출약정금리보다 낮아지는 상황에서 대출이 조기상환될 위험을 **조기상환위험**이라 한다.

기타 위험

이 외에도 대출자와 투자자가 고려해야 할 다양한 형태의 대출과 투자에 대한 위험들이 있다. 예를 들면, 대출과 투자의 **유동성**(liquidity)과 **시장성**(marketability)도 반드시 확보되어야 할 프리미엄의 크기에 영향을 줄 것이다. 유가증권의 경우 유통시장이 잘 발달되어 있어 쉽게 매매될 수 있어 매각하기 어려운 자산보다 낮은 프리미엄이 요구될 것이다. 이를 **유동성위험**이라 한다.

법적위험(legislative risk)은 프리미엄을 야기할 수 있는 담보대출과 연관된 또 다른 위험이다. 이는 시장의 작동과 관련한 규제여건의 변화를 의미한다. 예를 들어 특정된 기간에 대해 설정된 대출이 생성된 후 대출자들은 대출에 대한 과세적 지위, 임대료 규제, 금리 관련 법 등에 대한 규제와 직면할 수 있다. 대출자들은 대출을 일으킬 때 이러한 일들이 발생할 가능성에 대해 평가하고 이러한 수반된 위험들에 대해 보상받을 수 있도록 대비해야 한다.

저당대출 가격 책정에 있어 중요한 요인들

이제 어느 특정 저당대출에 책정된 금리는 실질금리, 기대인플레이션, 금리위험, 채무불이행 위험, 조기상환위험 및 기타 다른 위험들에 의해 결정된다는 것을 알 수 있다. 이러한 관계는 다음과 같이 표현할 수 있다.

$$i = r + p + f$$

즉, 저당대출에 대한 금리(i)를 책정할 때 대출자는 채무불이행과 다른 위험들에 대한 충분한 보상으로 프리미엄(p), 다른 투자기회들로부터 얻을 수 있는 실질수익에 경쟁할 수 있는 실질금리(r)와 이를 얻기 위해 반영해야 하는 기대인플레이션에 대한 프리미엄(f)을 반영해야 한다. 이들 요소 중 어느 하나라도 **과소평가**된다면 대출자는 실질적 경제적 손실을 입게 될 것이다.

저당대출은 장기간에 대해 고정금리로 생성되기 때문에 대출자에 의한 가격 결정은 복잡한 과정으로 인식된다. 예를 들어 저당대출이 1년 만기로 생성된다면, 대출생성 당시 금리는 위에 언급한 요소들이 도래할 기간 동안 어떻게 될 것인지에 대한 대출자의 예상에 기초하여 책정될 것이다. 보다 구체적으로,

$$i_1 = r_1 + p_1 + f_1$$

최초(시점 $t = 1$)의 저당대출 금리(i)는 대출자의 실질금리, 인플레이션율, 위험에 대한 프리미엄에 대한 기대치에 기초하여 책정될 것이다.

고정금리저당대출 용어에 대한 이해

앞서 2장에서 논의되었듯 저당대출의 합의 안에는 매우 중요한 용어들과 옵션들이 다수 포함되어 있다. 여기서는 다음과 같은 가장 기본적인 용어들에 대한 논의와 함께 고정금리대출에 대해 살펴보고자 한다.

- 대출액(loan amount)
- 만기일(loan maturity date)
- 이자율(interest rate)
- 기간별 지불액(periodic payments)

대출액은 대출한 금액으로, 차입자가 법적으로 상환해야 할 금액을 의미한다. **만기일**은 대출이 완전하게 상환되어야 할 기일이다. 이러한 용어들은 상대적으로 이해하기 쉬운 반면, 다양한 대출들에 대한 분석과 비교에 있어서 이자율과 이자율이 기간별 지불액에 미치는 영향은 좀 더 복잡할 수 있어 더욱 심도 있게 논의될 것이다.

대출액, 만기일과 더불어 고정금리저당대출을 다룰 때, 대출자는 일반적으로 **명목연이자율**을 인용한다. 예를 들어 30년 만기로 $60,000에 대한 대출이 생성되었고, 이자율은 6%라고 하자. 여기서 이자율에 대해서는 **어떻게 이자율이 계산되는지 또는 얼마나 자주 상환이 일어나는지에 대한 언급이 별도로 없으므로 명목이자율**을 의미하게 된다. 만약 이 예시에서 **이자율**이 **매월** 계산되고 **상환**이 **매월** 이루어진다면 6%의 **명목이자율**에 대한 해석은 **월 복리**로 계산되는 연이율 6%로 이루어질 것이다. 1장에서 월 복리로 계산되는 연이율에 대한 또 다른 해석은 **등가연이율 계산**이었음을 상기해보자. 이는 **월 복리**로 계산되는 연이율을 **연 복리**로 계산할 경우 상승하게 되는 이자율이다. 이는 앞선 예시를 통해 다음과 같이 알 수 있다.

1단계:	함수:
계산기 해법: *월 복리*로 계산되는 연이율로 미래가치를 찾음	*FV* (*PV*, *i*, *n*)
PV = −$60,000, *i* = 6%/12 = .5% 또는 .005, *n* = 12	
답은 *FV* = $63,700.67	

2단계: 이에 상응하는 *연 복리*로 계산된 연이율을 찾음
FV = $63,700.67, *n* = 1, ***PV*** = $60,000.00
답은 *i* = 6.17%

1장에서의 접근방법에 따르면, 1단계에서는 현재 시점에서 예치된 $60,000에 대해 6%로 12개월 동안 월 복리 계산하여 미래가치 $63,700.67를 얻었다. 그 후 2단계에서는 복리기간을 1로 바꾸어 등가의 **연** 복리이자율을 계산하였고, 이는 $i = 6.17\%$로 도출되었다. 다시 말해서, **월** 복리로 계산되는 6%의 연이율이 적용되는 대출은 **연** 복리로 계산되는 6.17%의 연이율이 적용되는 대출과 동일하다는 것이다. 이러한 이율의 차이는 대출 이자율이 월 복리로 계산되고 매월 지불될 때, 증가하는 가치가 연 단위로 수령하게 되는 현금흐름보다 더 크기 때문이다.[3] 이는 두 경우 모두 이자율이 6%로 언급됨에도 해당하게 된다. 따라서 **월** 복리로 계산되는 연이율 6%가 적용되는 대출은 **연** 복리로 계산되는 연이율 6.17%가 적용되는 대출과 동등한 가치를 갖게 된다. 후자는 **유효**연이자율 또는 **등가**연이자율로 생각될 수 있다. 바꿔 표현하면, **연** 복리로 계산되는 연이율 6.17%가 적용되는 대출은 **월** 복리로 계산되는 연이율 6%가 적용되는 대출과 동일하다.

그렇다면 대출자들은 왜 **명목**이자율(위 사례의 경우 6%)을 인용하는 것일까? 이자율이 월 복리(또는 다른 간격)로 계산된다면, 왜 등가의 연이율(위 사례의 경우 6.17%)을 인용하지 않는 것일까? 만약 후자의 방법이 사용된다면, 어떠한 간격(일, 월, 분기, 반기)으로 이자가 계산되고 지불되는지와 **무관하게** 모든 대출에 대해 동등한 연이율에 기반하여 이자율을 인용할 수 있으므로 획일성을 확보할 수 있을 것이다. 이에 대한 답은 부분적으로는 은행업무(banking)의 발달, 금융수단, 이자계산 시 단순화, 그리고 금융 종사자들의 지식(이해)의 결여로부터 찾을 수 있다. 이어지는 논의와 본서 전반에 있어서는 대출자들이 사용하는 관습에 따라 모든 저당대출의 예시에 대해 명목이자율을 사용할 것이다. 대부분의 경우 이자율은 월 단위로 계산되고, 지불은 월 단위로 이루어질 것이다. 하지만 이자율의 계산과 지불은 다른 기간 단위로 계산될 수 있음을 주의해야 한다.

지불액과 대출잔액의 계산—고정금리대출

발생이자와 대출상환액의 중요성

부동산대출에 있어 지불액 또는 대출잔액을 계산할 때 반드시 이해해야 하는 매우 중요한 개념은 (1) 주어진 기간 동안의 **발생이자**와 **대출상환액**의 관계, (2) 이 둘 간의 차이가 대출잔액에 어떻게 영향을 주는가에 대한 것이다. 예를 들어 위에서 논의한대로 많은 경우 대출은 **매월**(*i*/12) 이자가 **발생**할 것을 요구한다. 만약 $60,000 (*PV*)에 대해 6%의 이자율로 고정금리저당대출이 생성되고 이자(*i*)는 매월 발생한다면, 첫 월말에 발생하는 이자액은 다음과 같이 계산된다.

$$\$60,000 \times (.06/12) = \$300$$

여기서 (*i*/12)는 **발생이자율**(accrual rate)이라고 한다. 월말 기준 **발생**이자, 즉 대출자에게 **지불**해야 할 이자액은 $300이다.

또한 차입자와 대출자는 **지불액**(*PMT*)에 대해 협의할 것이다. 그리고 대출액에 대한 지불액의 비율

[3] 이는 1장에서 연이율(annual percentage yield, APY)의 개념으로 다루었음을 상기하기 바란다.

은 **상환율**(pay rate)이라고 한다. 만약 차입자와 대출자가 매 월말에 지불하는 지불액을 발생이자와 동일하게 할 것에 합의한다면, 월 상환율과 월 발생이자율은 동일할 것이다.[4] 이는 지불액(*PMT*)은 $300이고, 이는 정확하게 $300의 발생이자와 일치한다는 것을 의미한다. 월 발생이자율과 월 상환율이 동일할 때, 대출잔액은 불변으로 남는다. 따라서 이 예시에서는 월말 대출잔액은 $60,000로 남는다. 여기서 한 가지 짚고 넘어가야 할 점은 대출기간 동안 상환율과 발생이자율이 반드시 같을 필요는 없다는 것이다.

대출상환 방식

앞서서 저당대출에 대한 발생이자와 지불액의 관계를 살펴보았다. 이를 위해 상환율과 발생이자율이 동일하여 이자만 지불하는 대출을 예시로 사용하였다. 하지만 다른 대출형태를 고려해보면, 월 상환율과 발생이자율은 대개 동일하지 않다는 것을 알 수 있을 것이다. 많은 경우 대출자와 차입자는 다양한 형태의 대출구조를 고려하고 이에 따라 상환율과 발생이자율도 각기 다르게 나타난다. 이러한 경우, 대출잔액은 둘 사이의 차이에 따라 영향을 받을 것이고, 따라서 다르게 나타날 것이다.

발생이자와 지불액의 차이

상환율(따라서 월 지불액)이 월 발생이자율(따라서 발생이자액)보다 (1) 더 큰 경우 (2) 동일한 경우 (3) 더 낮은 경우를 각각 살펴보고, 각각의 경우가 대출잔액에 미치는 영향에 대해 살펴보자. 여기서는 **원리금균등상환**(constant payment mortgage, CPM)에 대해 논의할 것이며, 이를 위해 크게 네 가지 형태로 구분하여 고정금리가 적용되는 예시를 사용할 것이다.

원리금균등상환 유형	상환율	만기 시 대출잔액
1. 전체분할상환	> 발생이자율	전액 상환
2. 부분분할상환	> 발생이자율	전액 상환되지는 않음
3. 이자만 상환	= 발생이자율	대출액 그대로 남음
4. 음의 분할상환	< 발생이자율	대출액보다 더 많이 남음

첫 번째 상환 유형은 **전체분할상환**이라고 하며, 이는 상환율이 발생이자율보다 더 큰 형태를 의미한다. 이는 월 지불액이 매월 지불해야 하는 발생이자를 충분히 감당할 만큼 크다는 것을 의미하고, 따라서 만기 시에 대출은 전액 상환됨을 의미한다.

두 번째 상환 유형은 **부분분할상환**이라고 하며, 이는 차입자와 대출자의 합의로 전체분할상환처럼 지불액이 발생이자를 초과할 수 있게 상환율을 설정하되, 지불액이 전체상분할상환만큼 크지는 않은 형태이다. 따라서 대출은 만기 시에 전액 상환되지는 않고 부분적으로만 상환된다.

세 번째 상환 유형은 **이자만 상환**하는 형태로 **0의 분할상환**(zero amortizing loan)이라고 불리기도 한다. 이는 앞서 살펴본 예시처럼 상환율이 발생이자율과 동일한 형태로, 매월 말 대출잔액은 결과적으로 최초 대출액과 동일하게 남아있게 된다. 최초 대출금 전액은 만기 시 상환되어야 한다.

마지막으로 네 번째 상환 유형은 **음의 분할상환**이라고 하며, 이는 차입자와 대출자가 상환율을 발생이자율보다 낮게 설정한 형태이다. 따라서 지불액은 이자지급액과 같지 않고, 대출잔액은 실질적으로 매

[4] 가능한 예시에 대한 경우의 수를 한정하기 위해 발생이자와 상환액에 대해 월 단위 기간을 사용할 것이다. 발생과 상환기간이 반드시 같을 필요는 없다.

월 증가하게 된다. 그 결과, 만기 시 **대출잔액은 최초 대출액보다 더 크게** 된다.

이제 각 유형의 대출상환 형태에 대해 살펴볼 것이다. 여기서 언급하고 가야 할 점은 각 유형의 상환 방식은 모두 원리금균등상환 방식이며, 따라서 지불액은 방식별로 매월 동일하다는 것이다. 월 지불액이 다른 상환의 형태에 대해서는 본 장에서 차후 논의할 것이다.

전체분할상환, 원리금균등상환대출 *Fully Amortizing, Constant Payment Mortgage CPM Loans*

대공황 이후 부동산금융에서 가장 일반적으로 사용되는 상환방식으로 현재에도 매우 만연하게 사용되는 방식은 전체분할상환 원리금균등상환대출(CPM)이다. 이 CPM 방식은 단독주택금융에 있어 가장 광범위하게 사용되는 형태로, 아파트 및 쇼핑센터와 같은 수익형 자산에 대한 금융에서도 사용되는 형태이다. 이 상환방식은 대출기간 동안 지불하는 원리금(지불액)이 매월 최초 대출액에 고정금리를 적용한 액수로 동일한 단순한 형태이다. 매월 지불액에는 이자와 원금의 **일부**가 포함되며, 만기 시 최초 대출액, 즉 **대출원금**은 완전하게 상환된다. 대출자와 차입자는 매월 잔존하는 대출잔액에 고정금리를 적용한 이자를 각각 수령하고 지불하게 된다.

월 지불액이 어떻게 계산되는지 살펴보기 위해 30년 만기, 6%의 명목금리가 적용되는 $60,000에 대한 대출의 예시로 돌아가 보자. 이 대출이 30년 말에 완전하게 분할상환된다고 하면, 균등하게 지불되는 월 상환액은 얼마가 될 것인가? 이는 1장에서 다루었던 연금의 할인방식에 기초하여 연금의 현재가치를 찾는 것과 같이 수식화 할 수 있다.

$$PV = \sum_{t=1}^{n} \left[\frac{PMT_t}{1 + \frac{i}{12}} \right]^t$$

PV = 현재가치

PMT = 지불액

i = 대출에 대한 고정(명목)금리

n = 대출 잔존 월수

PMT는 일정하기 때문에 다음과 같은 공식으로 변형이 가능하다.

$$PV = PMT \times \sum_{t=1}^{n} \frac{1}{(1 + \frac{i}{12})^t}$$

그리고 이 식은 다음과 같이 변형이 가능하다.

$$PMT = \frac{PV}{\sum_{t=1}^{n} \frac{1}{(1 + \frac{i}{12})^t}}$$

계산기 해법:	함수:
$n = 30 \times 12 = 360$, $i = 6\%/12 = .5\%$ 또는 .005, $PV = -\$60{,}000$, $FV = 0$	$PMT\ (n, i, PV, FV)$
답은 PMT = $359.73	

여기서 알고자 하는 것은 PMT, 즉 대출액(PV)을 완전하게 상환하고 대출자에게 월 복리로 계산되는 6%의 이자를 지급할 수 있는 월 균등상환액(연금)이다. 그리고 이는 $359.73이다.

예 2-1
전체분할상환대출

월	기초대출잔액	월 지불액	이자(.06 ÷ 12)	원금상환액*	기말대출잔액
1	$60,000.00	$359.73	$300.00	$59.73	$59,940.27
2	59,940.27	359.73	299.70	60.03	59,880.24
3	59,880.24	359.73	299.40	60.33	59,819.91
4	59,819.91	359.73	299.09	60.64	59,759.27
5	59,759.27	359.73	298.80	60.93	59,698.34
6	59,698.34	359.73	298.49	61.23	59,637.11
.	.	.	.	.	.
.	.	.	.	.	.
.	.	.	.	.	.
358	1,068.48	359.73	5.34	354.38	714.10
359	714.10	359.73	3.57	356.16	357.94
360	357.94	359.73	1.79	357.94	-0-

*매월 원금상환액은 $(i + i/12)$씩 증가, 즉 2번째 월에서 $59.73 (1.005) = $60.03 등

[예 2-1]에 나와 있는 전체분할상환 방식의 상환 형태를 살펴보자. 6열에서 볼 수 있듯 대출 초기에는 원금 상환이 상대적으로 작아서 월상환액에서 이자가 높은 비중을 차지한다. 최초 6개월 후 대출잔액은 $59,637.11임에 주목하기 바란다. 이는 6개월 후 최초 대출액인 $60,000에서 단지 $362.89만이 상환되었음을 의미한다. 같은 기간 동안 지불된 이자는 $2,158.38이다. 매월 지불액에서 이자의 비중이 높다는 것은 대출자가 월 대출잔액에 대해 연 6%(월 .5%)의 수익을 얻는다는 것을 의미한다. 대출은 30년 동안 상환되기 때문에, 초기에 대출잔액은 매우 미미하게 감소하고 그에 상응하여 월 이자는 높다. [예 2-1]은 초기 발생이자의 패턴은 시간이 경과하면서 점차 반대로 나타난다는 것 또한 보여준다. 대출 말에는 발생이자가 현저하게 감소하고 원금상환이 증가하는 것을 볼 수 있다.

이자, 원금 및 대출잔액의 변화

[예 2-2]의 그림 A는 30년의 대출기간 동안 매월 지불액에서 차지하는 이자와 원금의 상대적 비율의 통해 시간에 따른 상환형태의 변화를 보여주고 있다. [예 2-2]의 그림 B는 동일한 30년의 기간 동안 대출잔액의 감소추이를 보여주고 있다. 월 상환액 중 이자가 차지하는 상대적인 비중은 초기에는 매우 천천히 감소한다. 그림 A에서 만기의 절반이 경과한 15년 후에도, 이자는 여전히 $359.73의 월 상환액에서 중 $213.15를 차지하고 있고 원금상환액은 그 차이($359.73 – $213.15 = $146.58)에 해당한다. 15년 후 대출잔액(그림 B)은 약 $46,629이다. 15년 동안 총 지불액은 $64,751.40 ($359.73 × 18개월)이고, 이 중 원금에 대한 상환은 $17,371(즉 $60,00 – $42,629) 가량이다. 이러한 양상은 시간이 지나면서 뒤바뀐다. 그림 A에서 25년 후, 이자는 월 지불액 중 $93.04에 불과하고, 대출잔액(그림 B)은 $18,607로 급격하게 감소하였다.

월 지불액 상 만기효과—전체분할상환 방식

[예 2-3]은 위 대출사례에 대한 월 지불액 상 대출만기효과를 보여준다. 이는 대출자와 차입자 간의 협의에 의해 만기가 늘어남에 따라 균등한 월 지불액이 어느 정도 줄어들게 되는지를 보여준다. 앞선 30년 만기, 6% 금리의 $60,000 전체분할상환대출의 경우 월 상환액은 10년 만기일 경우 $666.12이고, 이는 30년 만기일 경우 $359.73으로 줄어들게 된다. 이는 대출구조에 대한 협의 시 대출 만기와 이에 대한

예 2-2

전체분할상환, 원리금균등상환 대출의 월 지불액, 원금, 이자 및 대출잔액

그림 A: 월 이자 및 원금

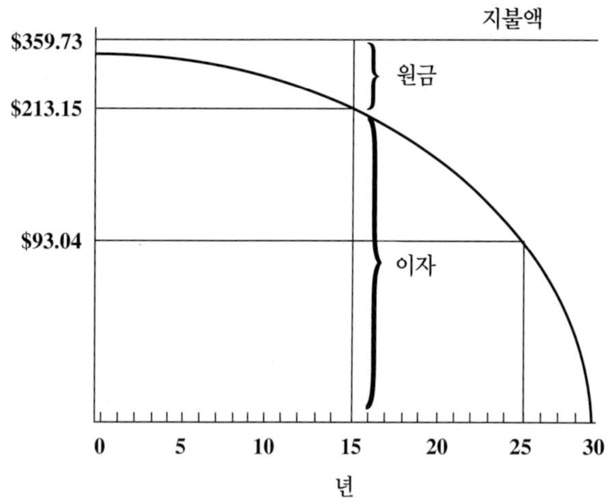

그림 B: 대출잔액

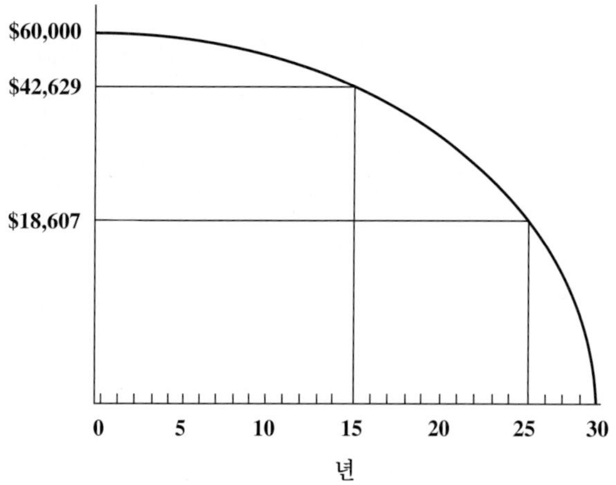

예 2-3

월 지불액과 만기 기간 간의 관계: 전체분할상환대출

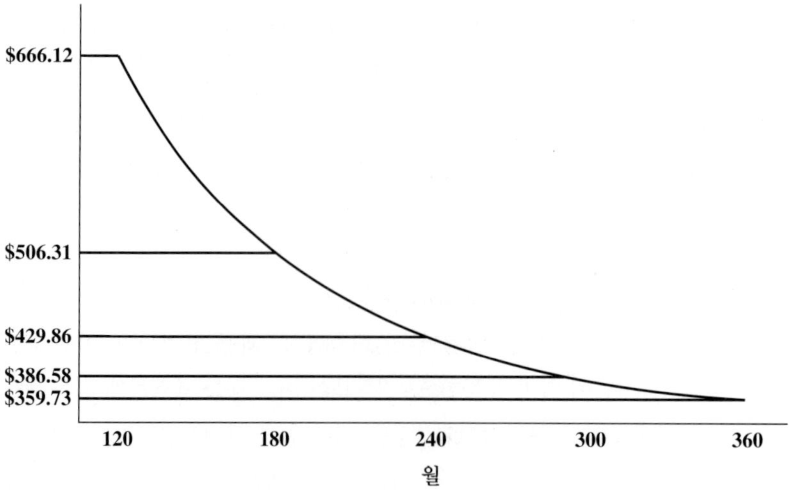

효과의 중요성을 보여준다.

부분분할상환, 원리금균등상환대출 *Partially Amortizing, Constant Payment Mortgage CPM Loans*

많은 경우, 대출은 하나 또는 그 이상의 목적을 달성하기 위해 설계된다. 예로써 차입자가 (1) 전체분할상환대출보다는 낮은 상환액을 원하고/또는 (2) 만기 시 0이 아닌 대출잔액을 원하는 경우를 들 수 있다. 이는 다음의 예시를 통해 살펴볼 수 있다. 차입자와 대출자는 30년 만기에 6%의 금리가 적용되는 $60,000의 대출에 대해 만기 시 $40,000의 대출잔액을 갖도록[이를 **풍선상환**(balloon payment)이라고 하기도 한다] 하는 데 합의하였다. 월 지불액은 균등하다.

지불액을 도출하기 위해 다음과 같이 전체분할상환의 원리금균등상환을 위한 계산식을 변형하여 사용한다.

$$PV = \sum_{t=1}^{n} \frac{PMT_t}{(1+\frac{i}{12})t} + \frac{FV_n}{(1+\frac{i}{12})^n}$$

위의 계산식은 만기인 n시점에 잔존하기 원하는 대출잔액(FV)이 포함되었다는 점이 다르다.

계산기를 통한 계산은 다음과 같이 변형된다.

계산기 해법:	함수:
$n = 12 \times 30 = 360$, $i = 6\%/12 = .5\%$ 또는 .005, $PV = -\$60,000$	*PMT (n, i, PV, FV)*
$FV = \$40,000$	
답은 *PMT* = $319.91	

부분분할상환방식에서의 지불액은 전체분할상환방식으로 계산되었던 $359.73보다 작은 $319.91라는 점을 주목할 필요가 있다. 또한 대출상수(loan constant), 즉 상환율이 $319.91 ÷ $60,000 = .010095라는 점도 언급할 필요가 있다. 이는 전체분할상환 방식을 통한 $359.73 ÷ $60,000 = .005946과 다르다.

$319.91의 지불액은 앞서 계산한 $300의 발생이자에 조금 더 가깝다는 점 또한 언급할 필요가 있다. 이는 원금상환액이 1월 말에 $19.91에 불과하다는 것을 의미한다. 보다 구체적인 월지불액, 발생이자, 대출잔액 사이의 관계는 [예 2-4]와 같다.

예 2-4
부분분할상환대출

월	기초대출잔액	월 지불액	이자(.06 ÷ 12)	원금상환액	기말대출잔액
1	$60,000.00	$319.91	$300.00	$19.91	$59,980.09
2	59,980.09	319.91	299.90	20.01	59,960.08
3	59,960.08	319.91	299.80	20.11	59,939.97
4	59,939.97	319.91	299.70	20.21	59,919.76
5	59,919.76	319.91	299.60	20.31	59,899.45
6	59,899.45	319.91	299.49	20.41	59,879.04
.	.	.	.	.	.
.	.	.	.	.	.
.	.	.	.	.	.
358	40,356.16	319.91	201.78	118.13	40,238.03
359	40,238.03	319.91	201.19	118.71	40,119.31
360	40,119.31	319.91	200.00	119.91	40,000.00

0의 원금상환(원금거치), 이자만 상환하는 원리금균등상환대출 *Zero Amortizing, or Interest-Only, Constant Payment Mortgage (CPM) Loans*

부동산금융에서 고정금리, 균등상환으로 많이 활용되는 또 다른 방식은 이자만 상환하는 대출이다. 명칭이 암시하듯, 균등한 월 지불액은 "이자만으로" 구성된다.

계산기 해법:	함수:
n = 360, i = 6%/12 = .5% 또는 .005, PV = −$60,000, FV = $60,000	PMT (n, i, FV, PV)
답은 ***PMT*** = $300	

이자만 상환하는 대출이기 때문에 지불액은 발생이자, 즉 6 ÷ 12 × $60,000 = $300와 동일하다. 이는 물론 매월 말 대출잔액은 $60,000로 남아있음을 의미한다. 보다 구체적인 월 상환액, 발생이자, 대출잔액 사이의 관계는 [예 2-5]와 같다.

음의 분할상환, 원리금균등상환대출 *Negative Amortizing, Constant Payment Mortgage (CPM) Loans*

본 장에서 다루는 고정금리, 균등분할대출의 마지막 형태는 음의 분할상환대출이다. 이 방식은 차입자와 대출자가 (1) 만기 시 대출잔액이 최초 대출액보다 커지는 데(즉, $FV>PV$) 합의하였거나 (2) 지불액이 대출에 대해 주기적으로 발생하는 이자보다 낮도록 합의하였을 경우 발생하게 된다.

첫 번째 경우를 살펴보기 위해, $60,000가 대출되었으나 만기 시 상환해야 할 금액은 $80,000일 경우, 월 지불액은 $280.09가 된다. 이에 대한 계산기 해법은 다음과 같다.

계산기 해법:	함수:
n = 360, i = 6%/12 = .5% 또는 .005, PV = −$60,000, FV = $80,000	PMT (n, i, FV, PV)
답은 ***PMT*** = $280.09	

상환율은 $280.09 ÷ $60,000로 계산되어 .004668이 된다. 이는 .06 ÷ 12, 즉 .005000의 발생이자율보다 낮다. 월 지불액을 결정하기 위해 사용되는 상환율이 발생이자율보다 낮을 경우 음의 분할상환이

예 2-5
이자만 상환하는 대출

월	기초대출잔액	월 지불액	이자(.06 ÷ 12)	원금상환액	기말대출잔액
1	$60,000.00	$300.00	$300.00	$0.00	$60,000.00
2	60,000.00	300.00	300.00	0.00	60,000.00
3	60,000.00	300.00	300.00	0.00	60,000.00
4	60,000.00	300.00	600.00	0.00	60,000.00
5	60,000.00	300.00	300.00	0.00	60,000.00
6	60,000.00	300.00	300.00	0.00	60,000.00
.	.	.	.	.	.
.	.	.	.	.	.
.	.	.	.	.	.
358	60,000.00	300.00	300.00	0.00	60,000.00
359	60,000.00	300.00	300.00	0.00	60,000.00
360	60,000.00	300.00	300.00	0.00	60,000.00

예 2-6
음의 분할상환대출

월	기초대출잔액	월 지불액	이자(.06 ÷ 12)	원금상환액	기말대출잔액
1	$60,000.00	$280.09	$300.00	$(19.91)	$60,019.91
2	60,019.91	280.09	300.10	(20.01)	60,039.91
3	60,039.91	280.09	300.20	(20.11)	60,060.02
4	60,060.02	280.09	300.30	(20.21)	60,080.23
5	60,080.23	280.09	300.40	(20.31)	60,100.54
6	60,100.54	280.09	300.59	(20.41)	60,120.95
.	.	.	.	.	.
.	.	.	.	.	.
.	.	.	.	.	.
358	79,643.73	280.09	398.22	(118.13)	79,761.86
359	79,761.86	280.09	398.81	(118.71)	79,880.58
360	79,880.58	280.09	399.40	(119.91)	80,000.00

발생하게 된다. 이는 지불액이 이자지급을 충당하기에도 부족하기 때문이다. 실제 지불해야 할 금액과 이자만 상환하는 대출에서의 지불액 간의 차이는 이연되어 차입자가 대출자에게 지불해야 하는 추가적인 상환액이 된다. 이 금액에도 이자는 발생하여 가산된다. 이에 대한 이자율은 대체적으로 대출금리와 동일하다. 앞선 예시의 경우 이는 .06 ÷ 12, 즉 월 .005000이 된다. 보다 구체적인 월 상환액, 발생이자, 대출잔액 사이의 관계는 [예 2-6]과 같다.

두 번째 음의 분할상환 방식의 경우는 원하는 상환방식을 설정하고, 그 후 음의 분할상환을 포함하는 대출잔액을 계산하게 된다. 예를 들어, 앞선 예시에서 만약 월 지불액을 $200로 **사전**에 약정하였다고 하면, 5년 말의 대출잔액은 다음과 같이 계산할 수 있다.

계산기 해법:	함수:
$PV = -\$60,000$, $n = 60$, $i = 6\%/12$, $PMT = \$200$	FV (PV, n, i, PMT)
답은 FV = $66,977.00	

월 지불액은 $300의 발생이자보다 낮은 $200로 설정되었기 때문에 매월 $100가 이자에서 **상환되지 않는다**. 60개월의 기간 동안 이연된 이 금액은 대출잔액에 추가되어 월 복리 6%로 계산되어 붙게 된다. 이는 총 $6.977.00가 대출잔액에 추가적으로 더해지게 되는 결과를 낳게 되어 5년 말 대출잔액은 $66,977.00이 된다. $60,000의 최초 대출액과 비교하면, 음의 분할상환방식은 $6,977.00만큼 대출잔액이 증가한 것을 알 수 있다.

상환방식에 따른 고정금리 원리금균등상환대출의 요약 및 비교

지금까지 분할상환방식에 따른 네 가지 유형의 고정금리, 원리금균등상환대출에 대해 살펴보았다. [예 2-7] 그림 A는 앞선 예제($60,000를 30년 동안 6% 금리로 대출한 경우)에 대한 네 유형에 따른 서로 다른 월 지불액을 보여주고 있다. 각 유형의 월 대출잔액 패턴을 보면 네 가지 상환방식에 내포된 상반관계를 파악할 수 있을 것이다. 나아가 차입자의 전략과 목적 또한 명확히 알 수 있을 것이다. 다른 조건

예 2-7

고정금리 원리금 균등상환 대출의 월 지불액 및 대출잔액 요약 및 비교

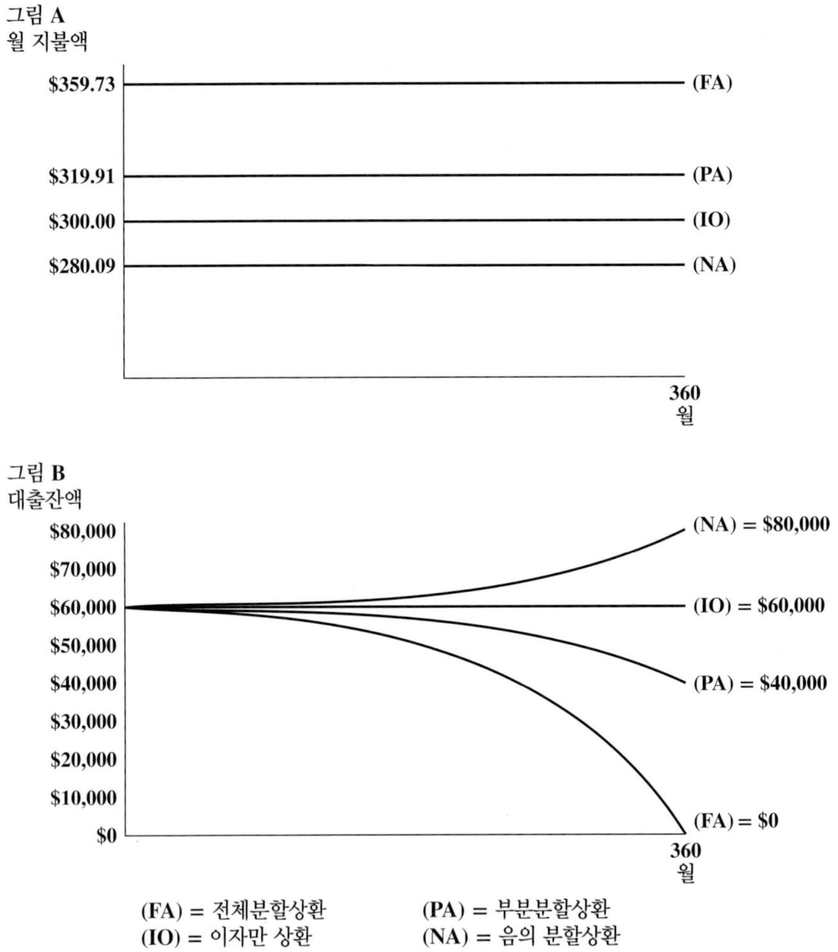

들이 동일하다고 할 때, **월 지불액**은 대출이 **전체분할상환** 될 때 가장 높고, **음의 분할상환** 될 때 가장 낮다.[5] 그림 B를 보면 지불액이 가장 낮을 때 대출잔액은 가장 높고, 지불액이 가장 높을 때 대출잔액은 가장 낮다는 것을 알 수 있다. 위험 또한 네 가지의 유형에 따라 크게 달라진다. **동일한 자산**을 담보로 **동일한 차입자**에 대해 대출이 생성된다고 하면, 위험은 음의 분할상환 방식에서 가장 크게 나타날 것이다.

본 장에서는 **저당대출의 운용과 구조**에 있어 가장 중요한 측면들을 강조하기 위해 동일한 예시를 계속해서 사용하였다. 부동산금융에서 저당대출의 구조화는 많은 경우 거래의 성사와 직결된다. 따라서 본 장에서 논의한 관계들을 이해하는 것은 매우 중요하다. 예를 들어 이러한 개념들은 향후 파트너십, 저당대출담보부증권(MBS) 등에 대한 구조화와 다른 투자기구 및 업무계약 등에 대해 다룰 때 유용하게 활용될 것이다. 기본 예시로 사용된 사례에서 이자율이 일정하게 고정되었다는 점은 다시 한번 언급될 필요가 있다. 실제로는 위험이 커짐에 따라 대출금리는 커질 것이라는 것을 예상할 수 있을 것이다. 마지막으로 대출을 설계할 때 위험에 영향을 주는 추가적인 요소들이 있다. 이 중에는 대출상환기간 변동 및

[5] 이들 간에는 다양한 형태의 조합이 발생할 수 있다.

대출액 변동이 포함된다. 이러한 요소들의 변화는 상환의 유형과 분할방식에 따라 위험을 증가 혹은 감소시킬 것이다.

대출잔액 계산

대부분의 경우 저당대출은 만기 이전에 상환되기 때문에 대출자들과 부동산 투자자들은 어느 시점에서든지 대출잔액을 계산할 수 있어야 한다. 앞서 언급한 바와 같이, 통계에 따르면 대부분의 대출은 25년 또는 30년의 만기를 갖지만, 대체적으로 대출이 생성된 후 8~12년 후에 상환된다. 따라서 어느 시점에서 대출잔액은 어떻게 될 것인지 파악하는 것은 매우 중요하다. 대출잔액을 찾는 여러 가지 중 본 장에서는 몇 개의 방식에 대해 살펴볼 것이다.

하나의 방식을 살펴보기 위해, 기본 예시인 6% 금리, 30년 만기, 전체분할상환 방식의 $60,000에 대한 대출로 돌아가 보자. 10년 후 차입자는 자산의 매각을 결정하였다. 자산 매각을 위해서 잔존대출은 반드시 상환되어야 한다. 그렇다면 10년 후 차입자는 얼마를 상환해야 할까? [예 2-1]처럼 대출잔액 조견표를 구축하여 구할 수 있으나 이는 시간 소모적이고 번거롭다. 대출잔액은 다른 방식을 통해서도 구할 수 있다. 첫 번째 방법은 만기까지 20년이 남은 시점에서 6%의 약정금리로 상환액 $359.73의 현재가치를 구하는 것이다.

계산기 해법:	함수:
$n = 20 \times 12 = 240$, $i = 6\%/12 = .5\%$ 또는 .005, $PMT = \$359.73$, $FV = 0$	$PV\ (n, i, FV, PMT)$
답은 PV = $50,211.39	

10년 후 상환되지 않은 잔액은 $50,211.39이다. 이러한 계산은 또 다른 흥미로운 사실을 보여준다. 지불액은 이자와 원금의 감소분을 포함하고 있기 때문에 남아있는 모든 지불액에서 모든 이자를 "제거"하면 원금만을 남길 수 있게 된다. 월 지불액 $359.73를 월 복리로 계산되는 6%의 연이율로 할인하는 것은 실질적으로는 지불액에서 "이자 제거"에 해당하는 과정이다. 따라서 할인에 의해 "이자를 제거"한 후 분할상환되지 않은, 즉 대출잔액은 $50,21.39임을 확인할 수 있다.

금융계산기를 사용하여 대출잔액을 찾는 다른 방법은 미래가치(*FV*)를 계산하는 것이다. 이는 상환액(*PMT*), 현재가치(*PV*)로서의 최초 대출액, 대출이 분할상환되는 기간의 수(*n*)와 이자율(*i*)을 입력하여 계산할 수 있다. 이를 통해 미래가치(*FV*)는 대출잔액으로 계산될 수 있다.

계산기 해법:	함수:
$PV = -\$60,000$, $n = 10 \times 12 = 120$, $i = 6\%/12 = .5\%$ 또는 .005	$FV\ (PV, n, i, PMT)$
$PMT = \$359.73$	
답은 FV = $50,211.49(반올림으로 인해 소수점 차이 발생)	

대출기간 동안 특정 시점에서의 대출잔액을 계산하는 또 다른 방법은 알고자 하는 시점에 대한 $1의 내가계수를 전체 대출기간에 대한 $1의 내가계수로 나눈 후 그 결과를 1에서부터 빼주는 것이다. 이 계산의 결과는 원래의 금액에 대한 비율로 표현되는 대출잔액이다.

계산기 해법:	함수:
대출잔액의 %	$FV\ (PV, n, i, PMT)$
$1 - \frac{\text{10년에서의 미래가치}}{\text{30년에서의 미래가치}}$	
1단계: 10년에서의 미래가치:	
$n = 120, i = 6\%, PMT = -1, PV = 0$	
답은 *FV* = $163.88	
2단계: 30년에서의 미래가치:	
$n = 360, i = 6\%, PMT = -1, PV = 0$	
답은 *FV* = $1,004.52	
3단계: 대출잔액의 %	
1 – ($163.88 ÷ $1,004.52) = 83.68%	

이는 %로 구할 수 있기 때문에 최초의 대출액과 지불액에 상관없이 사용할 수 있는 보다 일반적인 수식이다. 앞선 예시에 적용하면 최초 대출액 $60,000의 약 83.68%, 즉 $50,211.48가 잔존하는 대출잔액임을 알 수 있다. 이는 할인에 의해 얻은 결과와 거의 동일하다(발생한 차이는 반올림 과정에서 발생한 것이다.)

대부분의 금융계산기에는 대출의 분할상환 기능이 내재되어 있을 것이다. 대출에 대한 정보를 입력하고 분할상환 키만 누르면 대출잔액은 쉽게 계산될 수 있을 것이다.

분할방식에 따른 대출잔액 계산

본 장에서 논의된 세 개의 CPM 방식에 대해 10년 말에 대출을 상환하고자 할 때의 잔액을 구하는 방식에 대해 살펴보자.

계산기 해법:

부분분할상환	이자만 상환	음의 분할상환
$PV = -\$60{,}000$	$PV = -\$60{,}000$	$PV = -\$60{,}000$
$i = 6\%/12$	$i = 6\%/12$	$i = 6\%/12$
$n = 120$	$n = 120$	$n = 120$
$PMT = \$319.91$	$PMT = \$300$	$PMT = \$280.09$
답은 *FV* = $56.737	**답은 *FV*** = $60,000	**답은 *FV*** = $63,263

지불액을 앞서 계산하였던 각 상환방식의 것으로 대체하고, 미래가치에 대해 풀이하면 10년 말 대출잔액을 각각 도출할 수 있다.

조기상환에 따른 이자율과 대출수익률

대출이 만기 이전에 조기상환될 경우 차입자의 비용 또는 대출자의 수익률[6]은 달라질 것인가? 만기 시점 또는 만기 이전 어느 시점에서든 **대출의 상환시기와는 상관없이** 여기서 논의되는 각각의 대출방식은

[6] 대출에 있어서 사용되는 **수익률**(yield)이라는 용어는 대체적으로 수익성에 기초하여 대출을 평가하는 대출자의 입장에서의 표현이다. 또한 이자율과 더불어 대출자는 흔히 대출에 수수료를 부과하는데 이자율과 수수료를 포함하는 개념으로 **수익률**(yield)이라는 표현을 사용하기도 한다.

대출자에게 월 복리 6%의 수익을 제공한다는 점이 강조될 필요가 있다. 마찬가지로 차입자에 대한 비용은 **대출의 상환시기와 상관없이** 월 복리로 계산되는 연이율 6%가 될 것이다. 이는 각 대출 방식이 약 6%의 발생이자율로 설계되었기 때문이다. 즉, 이자는 발생하고, 궁극적으로는 모든 대출잔액에 대해 지불될 것이기 때문이다. 이는 전체분할상환, 부분분할상환, 이자만 상환, 음의 분할상환대출 모두에 해당한다.

그러나 만약 대출자에 의해 **추가적인 금융수수료**가 부과된다면, 차입자의 실질대출비용은 이자율보다 더 커질 것이고 대출자의 수익률 역시 대출의 상환시기에 따라 달라질 것이다. 이에 대출수수료와 대출비용에 대한 논의를 이어서 살펴보도록 한다.

대출실행비용과 실질차입비용

대출실행비용(loan closing costs)은 주거용 부동산, 수익용 부동산, 건설 및 개발을 위한 대출을 포함하여 다양한 형태의 부동산금융에서 발생하게 된다. 차입자의 대출조달비용에 영향을 주게 되는 대출실행비용은 대출자에 의해 부과되는 추가적인 금융수수료이다. 차입자에게 이러한 수수료는 추가적인 비용으로 여겨지며, 차입비용의 일부로 포함된다. 일반적으로 대출자는 이러한 추가적인 비용을 **대출수수료**(loan fees)라 표현한다.

대출수수료는 대출발생수수료와 대출할인수수료 등 두 개의 범주로 구분할 수 있다. **대출발생수수료**(loan origination fees)는 대출 심사, 대출 서류 및 분할상환 일정에 대한 준비, 신용평가 등의 과정에서 발생하는 비용과 기타 차입자로부터 보전되어야 한다고 판단되는 비용을 충당하기 위한 것으로 대출자에 의해 발생되는 비용이다. 대출자는 일반적으로 이자율을 높게 설정하기보다는 이러한 비용을 대출이 생성될 때 차입자에게 부과한다. 이는 대출실행 후 얼마 지나지 않아 상환될 경우, 상환시점을 기준으로 대출자가 얻게 되는 추가적인 이자는 대출 발생을 위한 고정비용을 충당하는 데 충분하지 못할 수 있기 때문이다. 예를 들어, $60,000 대출에 대한 일반적인 금리는 6%이고, 대출자는 대출 발생을 위한 고정비용이 $1,000가 될 것으로 판단한다고 하자. 대출자가 이 비용을 충당하기 위해 금리를 6.25%로 올린다면, 첫 해 약 $150 ($60,000 × .0025)의 추가적인 금액을 수령하게 될 것이다. 그러나 만약 대출이 실행 후 첫 해가 지나 상환되었다고 한다면 대출자는 발생비용 $1,000를 완전하게 회수하지 못하게 된다. 이는 대출자가 대출발생비용을 별도로 책정하게 하는 하나의 이유가 된다.

대출수수료의 두 번째 범주는 **대출할인수수료**(loan discount fees) 또는 **포인트**(points)[7]이다. 이는 마찬가지로 추가적인 금융수수료의 형태로 주된 목적은 저당대출에 대한 **수익률을 조정**하기 위한 것이다. 부동산대출 맥락에서 보면 대출할인은 특정 대출액에 기초하여 차입자와 대출자가 대출조건으로 협의한 금액에 이르게 된다. 대출자는 차입자에게 제공하는 대출액에서 이 협의한 금액을 수수료로서 미리 공제하여 대출을 할인한다. 하지만 차입자가 지불해야 하는 상환액은 계약상의 대출액에 기초한다. 예를 들어 차입자와 대출자는 30년 만기, 6% 금리로 $60,000 대출에 합의하였고, 대출자는 실질적으로 3%의 할인수수료($1,800)가 포함된 $58,200를 차입자에게 제공하였다고 하자. 대출액이 할인되었음에도 차입자는 30년 동안 6%의 금리로 $60,000를 상환해야 한다. 차입자는 실질적으로 $58,200의 대출액을 수령하였지만 $60,000의 원금에 이자를 더한 금액을 상환해야 하므로 차입자에게 있어 실질차입

---

[7] 일부 지역에서는 대출자들이 대출할인액을 "할인포인트(discount points" 또는 단순히 "포인트(points)"라고 부르기도 한다. 일반적인 저당대출에서 차입자는 대체적으로 이 비용을 차입비용에 더하여 지불한다. 본 장에서는 차입자가 대출할인액을 발생수수료의 일부로 지불하는 일반적인 관습을 따른다.

비용은 6%가 넘게 된다.

할인과 같은 이러한 관습이 대출가격에 있어 존재하는 이유는 무엇일까? 이에 대해서는 많은 이유들이 제기되었다. 대출자에 의해 설명될 수 있는 이유 중 하나는 대출금리는 상승과 하락 국면에서 다소 "달라붙는" 경향이 있기 때문이다. 예를 들어, 일반적인 시장금리가 6%인 상황에서 금리인상 압박이 시작되었다고 하자. 이러한 상황에서 모든 대출자들이 6.25%로 금리를 인상하는 대신 몇몇의 대출자들은 6%를 유지하려 할 것이다. 그리고 이들은 금리인상 대신 할인율을 차입자에게 부과할 것이다. 이를 차입자가 "**금리 아래로 산다**"고 표현하기도 하는데, 이는 6.25%의 금리 대신 대출자에게 포인트를 지불함으로써 차입자가 그보다 낮은 6%의 금리로 대출을 사게 되기 때문이다.

포인트가 부과되는 또 다른 이유는 많은 경우 저당대출은 생성 후 이를 투자자에게 매각하여 유동화하려는 대출자들에 의해 생성되기 때문이다. 유동화를 위한 투자자와의 계약은 대출금리와 매우 근접한 **수익률**을 요구하게 될 수 있다. 따라서 대출자들은 투자자들에게 대출을 매각하기 전에 발생하는 대출실행비용을 충당하기 위해 차입자들에게 포인트를 부과하려 할 것이다.

포인트는 또한 금리가 하락하는 시기에 대출자에게 이윤을 대체할 수 있는 기회로 작용할 수 있을 것이다. 이는 시기적으로 대출이 차입자에게 집행되기 이전이지만 투자자와 유동화를 위한 수익률은 약정한 이후에 금리가 떨어지는 경우에 해당하게 될 것이다. 이 경우 대출은 더 낮은 금리로 생성될 것이고, 대출이 유동화됨에 따라 대출금리 인하로 인해 발생하게 될 손실을 보전하기 위해 대출자는 차입자에게 할인 포인트를 부과할 것이다.

마지막으로 대출자들은 할인수수료를 통해 위험 대비 더 나은 대출금액을 책정할 수 있을 것이다. 예를 들어 본 장의 서두에서 이자율위험에 대한 프리미엄(P)을 언급하였다. 어떠한 차입자들에 대한 이자율위험은 다른 차입자들보다 더 높을 수 있고, 이러한 대출은 진행절차에 있어서도 더 많은 시간과 비용을 필요로 하게 될 것이다. 이 경우 금리를 높이는 대신 대출자는 발행수수료와 더불어 좀 더 높은 위험을 보상하기 위해 할인 포인트를 부과할 수 있을 것이다.

대출발생수수료와 할인 포인트는 대출업계 전반에 걸쳐 널리 활용되고 있다. 따라서 부동산거래 차입 시 (1) 이러한 수수료들이 차입비용에 어떻게 영향을 주는지, (2) 대안적인 대출의 실질차입비용 계산에 있어 이러한 것들이 어떻게 포함되는지 이해하는 것이 중요하다.

대출수수료와 차입비용

대출수수료와 대출수수료가 차입비용에 미치는 영향을 좀 더 자세히 알아보기 위해 다음의 문제를 살펴보자. 차입자는 30년 만기, 6%의 금리로 $60,000를 대출하고자 한다. 대출자는 해당 대출에 대해 3%의 대출수수료(발생 및 할인 포인트)를 부과하고자 한다. 이 대출에 대한 실질이자비용은 얼마인가?

먼저 대출수수료는 .03 × $60,000 = $1,800로 계산할 수 있다. 두 번째로 30년 만기, 6% 금리로 대출한 $60,000에 대한 월 지불액은 $359.73임을 알 수 있다. 따라서 발생수수료가 부과될 금리에 미치는 영향을 다음과 같이 계산할 수 있다.

계약상 대출금액	$60,000
공제: 대출수수료	1,800
차입자 순조달액	$58,200

상환액: 계약상 대출금액 $60,000에 대해 30년간 월 $359.73

다시 말해 대출자가 실제 제공하는 금액은 $58,200이지만, 상환액은 $60,000에 월 복리 6%로 계산되는 이자를 더한 값을 기준으로 계산되어 월 $359.73가 된다. 결과적으로 대출자는 실질적으로 제공하는 $58,200에 대해 수익을 얻게 될 것이고, 이는 6%보다 클 것이다.

만기 시까지 대출잔액이 존재할 것으로 가정하면 금융계산기를 활용하여 **실질금리**는 6.29%임을 알 수 있는데, 이는 계약(명목)금리인 6%를 상회한다.

계산기 해법: $n = 30 \times 12 = 360$, $PMT = -\$359.73$, $PV = \$58{,}200$, $FV = 0$ **답은** i(월) = .523875% i(년) = .523875% × 12 = 6.29% 실질금리	함수: $i\ (n, PMT, PV, FV)$

이 계산방식은 부동산금융에서 널리 사용되는 경험칙(rule of thumb)의 기반이 된다. 즉, 차입자에게 부과되는 대출발생수수료의 2% 포인트마다 차입자의 실질차입비용 또는 대출자의 투자수익은 계약금리 대비 약 .25%씩 상승하게 된다. 앞선 예시에서는 실질금리가 6.29%로 계산되었는데, 경험칙에 의한 계산은 6.25%이다. 이 예시에서는 근접한 추정이 이루어졌는데, 이는 대출이 만기 시까지 진행될 것이라는 가정에 의한 것이다. 대부분의 경우 대출은 만기 이전에 "조기상환" 되는 것이 일반적이다. 따라서 이 경험칙이 도움이 되기는 하나, 대부분의 저당대출에 대해서는 매우 대략적인 실질비용(수익률)의 추정을 제공할 것이다.[8]

앞선 예시에서 6.29%의 실질금리는 **월 복리로 계산되는 연이자율**이었다는 점을 언급할 필요가 있다. 많은 경우 **유효연이자율**(연 복리로 계산되는 연이자율)이 선호된다. 이는 다음과 같이 쉽게 계산할 수 있다.

1단계: 계산기 해법: $i = 6.29\%$, $PV = -\$60{,}000$, $n = 12$ **답은** $FV = \$63{,}884.72$ 2단계: 계산기 해법: $FV = \$63{,}884.72$, $n = 1$, $PV = \$60{,}000.00$ **답은** $i = 6.47\%$	함수: $FV\ (PV, i, n)$

(1) 월 복리와 (2) 할인 포인트의 효과로 인해 **유효연이자율**은 6.47%로 계산되었지만, 명목이자율은 6%이고 실질이자비용(월 복리로 계산되는 연 이자율)은 6.29%인 것에 주목하기 바란다.

대출수수료와 조기상환: 전체분할상환대출

대출수수료와 조기상환의 중대한 영향은 이자율의 효과에 대한 측면에서 고려되어야 한다. 본 절에서는 대출수수료가 부과되고 대출이 만기 이전에 상환될 때, 대출의 유효이자율은 만기 시 상환되었을 때보다 증가하게 된다는 것을 살펴볼 것이다.

---

[8] 이 경험칙은 상환기간이 만기에 비해 매우 짧거나 금리가 상승하는 경우에는 매우 부정확해질 것이다.

이를 위해 30년 만기, 6% 금리로 $60,000를 대출하였고, $1,800 (3%)의 대출발생수수료가 부과된 예시를 다시 사용해보자. 해당 대출은 매각 시 상환 조항을 포함하고 있다. 즉 대출잔액은 자산이 매각되는 시점에서 반드시 상환되어야 한다. 발생수수료와 조기상환으로 인한 대출의 실질금리(유효이자율)는 어떻게 될 것인가?

이 대출에 대한 실질금리(유효이자율)를 계산하기 위해, 먼저 5년 후의 대출잔액 $55,832.61를 계산한다. 이어서 대출자의 수익률(차입자의 비용)을 계산하기 위해 5년간 $359.73의 월 지불액과 5년 후 일시불 형태의 $55,832.61의 상환액, 이 둘의 현재가치(즉, 대출자가 제공하는 실질금액)를 $58,200로 만드는 할인율을 찾는다.

이는 새로운 형태의 할인 문제를 나타낸다. 즉, 이는 5년 동안 월 지불액의 형태로 이루어진 연금과 5년 말에 일시불로 이루어지는 대출잔액을 다루게 된다, 이 대출에 대한 수익률을 찾기 위해 다음과 같이 계산한다.

1단계: 대출잔액 계산

계산기 해법:	함수:
$n = 25 \times 12 = 300$, $i = 6\%/12 = .5\%$ 또는 .005, $PMT = -\$359.73$	$PV\ (n, i, PMT, FV)$
$FV = 0$	
답은 PV = $55,832.61(잔액)	

2단계: 대출발생수수료로 할인된 30년 만기 대출에 대한 5년 동안의 이자지불액 계산

계산기 해법:	함수:
$n = 5 \times 12 = 60$, $PMT = -\$359.73$, $PV = -\$58.200$, $FV = -\$55{,}832.61$	$i\ (n, PMT, FV, PV)$
답은 i(월) = .560879%	
답은 i(년) = .560879% × 12 = 6.73%	

본서의 웹사이트에 포함된 엑셀 템플릿을 통해 동일한 수익률을 계산할 수 있다(*www.mhhe.com/bf17e*).

이 공식은 간단히 말하자면 매월 연금의 형태로 받은 $359.73와 5년 말에 받은 $55,832.61의 현재가치를 제공된 $58,200와 동일하게 만들어 주는 이자율($i$)을 찾는 것이다. 위의 분석으로부터 대략 6.73%로 계산된 실질수익률(또는 실질이자율)은 계약금리인 6%와 만기 시까지 대출이 진행될 경우의 수익률 6.29%보다 높다는 것을 알 수 있다. 이는 $1,800의 발생수수료가 30년 대신 5년 동안 수령되기 때문이고, 이는 제공된 $58,200에 대해 더 높은 복리율로 얻은 것에 해당한다. 따라서 추가적으로 얻게 되는 이 금액이 월 대출잔액 위에 얻어지는 6%의 이자와 합산되어 수익률은 6.73%로 증가한다.[9]

수익률과 기간 간의 관계

앞선 논의에 기초하여, 저당대출 수익률과 대출이 진행되는 기간 간의 관계에 대한 몇 개의 일반적 발견점을 찾을 수 있다. 첫 번째로 대출의 발생 또는 상환 시 금융수수료가 발생하지 않는다면 대출의 실질금리는 계약금리와 항상 동일하다. 이는 [예 2-2]에서 보듯이 원리금균등분할상환에서 대출자의 수익률은 확정되며 월 복리로 계산될 뿐이기 때문이다. 따라서 대출잔액은 어느 시점에서든 상환될 수 있지만 대출자의 수익(차입자의 비용)은 영향을 받지 않고 계약금리와 동일할 것이다.

두 번째로 발생수수료 또는 금융수수료가 차입자에게 부과되면 (1) 실질수익률은 계약금리보다 높아

[9] 대출이 1년 이내에 상환된다면 수익률은 더 커질 것이고, 실행 직후 상환된다면 무한대에 가까워질 것이다.

예 2-8
상환시점에 따른 대출수익률과 금융수수료 간의 관계

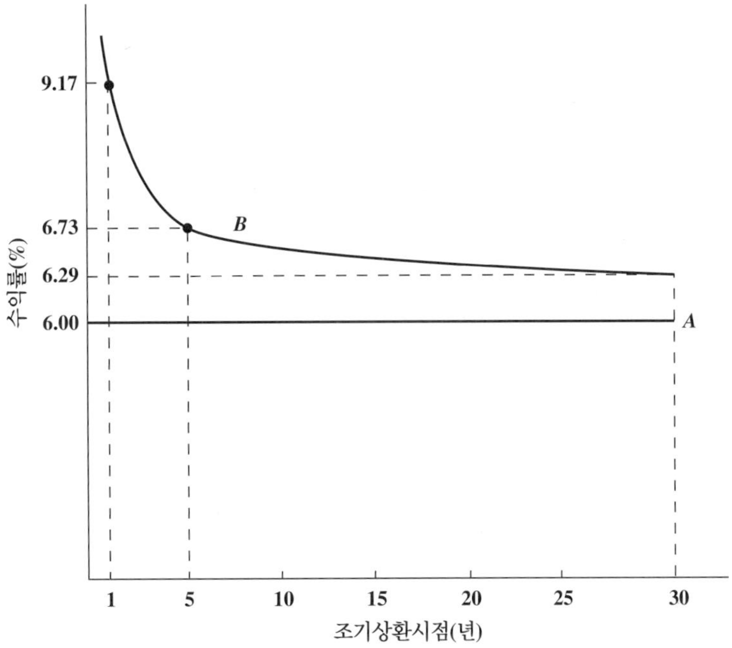

질 것이고 (2) 수익률은 상환이 빨리 일어날수록 상승할 것이다. 이러한 관계는 [예 2-8]에서 두 가정 하에서의 수익패턴을 나타내는 두 곡선 A, B를 통해 설명된다. 곡선 A는 차입자에게 금융수수료가 부과되지 않을 때 실질수익(비용)을 나타낸다. 앞선 예에서 수익률은 대출상환시기와 상관없이 계약금리와 동일한 6%를 유지하였다. 따라서 0에서 30년에 걸쳐 동일하다. 곡선 B는 차입자에게 3%의 발생수수료가 부과된 후, 조기상환이 일어나는 시점별 수익률을 나타낸다. 앞선 예에서, 대출실행 1년 후 상환되면 수익률은 9.17%가 되고, 이는 점점 감소하여 30년 후에는 6.29%가 되었다. 따라서 금융수수료가 차입자에게 부과되면 대출자의 유효수익률(차입자의 실질비용)은 이른 시기에 조기상환될 경우의 매우 높은 수준(가령 예시에서의 1년 후 9.17%)에서부터 만기상환 시의 현저히 낮은 수준까지(가령 예시에서의 6.29%) 나타나게 된다는 것을 다시 한번 확인할 수 있다. 차입자는 자신이 언제 대출을 상환할 예정인지 알고 있다면, 실질차입비용을 계산하는 이 방법을 사용할 수 있을 것이다. 이는 차입자가 다른 조건을 가진 대안적인 대출들과 비교할 때 특히 더 중요할 것이다.

조기상환 위약금

많은 차입자들이 대출을 만기 전 어느 시점에서든 일부 또는 전부 조기상환 할 수 있다고 생각할 것이나 실제로는 그렇지 않다. 대출계약상에 관련 조항이 언급되어 있지 않는 경우 차입자는 조기상환에 대한 특혜를 대출자와 협의해야 할 것이다. 30년 만기 대출을 사용한 앞선 예시의 경우라면 대출이 상환될 때까지 매월 말 360번의 상환이 이루어질 것을 일반적으로 명시할 것이다. 이러한 일정에 앞서 일어난 어떠한 상환이나 예정된 금액보다 더 많은 금액의 상환은 위약금의 대상이 될 것이다. 많은 경우 저당대출은 차입자가 대출에 대한 조기상환을 원할 경우 **조기상환 위약금**을 지불할 수 있다는 것을 명확하게 명시한다.

조기상환 위약금에 대한 근거로는 대출자가 차입자에게 대출생성 당시 부과하지 않은 대출실행수수

료의 일부를 회수하기 위한 것으로 볼 수 있다. 이는 대출자 간의 경쟁에서 이기기 위해 차입자에게 낮은 초기실행비용을 제공하기 위한 것으로 볼 수 있다. 조기상환 위약금에 대한 또 다른 이유로는 대출자가 특정된 기간(앞선 예시에서 30년) 동안 자금을 제공할 것에 합의했기 때문이다. 대출자의 입장에서 조기상환은 대출금리가 안정적이지 않거나 떨어질 것으로 예상되는 시기에 재투자될 준비가 되어 있거나 또는 되어 있지 않은 예상하지 못한 자금의 유입으로 볼 수 있다. 그러나 금리가 장기에 걸쳐 지속적으로 상승 중에 있다면 대출자는 더 높은 금리로 다시 대출을 생성할 수 있으므로 조기상환을 반길 것이다.

조기상환 위약금에 대한 또 다른 이유로는 위약금이 차입자에게 공시되는 연이율(APR) 계산에 산입되지 않기 때문이다. 차입자는 이러한 위약금이 대출비용에 미치는 영향을 정확히 알지 못할 것이므로 위약금은 대출자의 수익률을 높일 수 있는 수단으로 활용될 수 있다는 것을 의미한다. 일부 주(州)에서는 대출이 특정된 최소한의 연도를 넘어서서 진행되었다면 개인의 주택금융에 대해서는 조기상환 위약금 부과를 금지하고 있다. 또한 조기상환 위약금이 허용된 일부 지역에서는 차입자가 동일한 대출자와 새로운 대출을 실행하기로 합의한 경우 대출자는 기존 대출에 대한 조기상환 위약금을 면제해 주기도 한다. 어떠한 주에서는 차입자가 이직, 입대, 기타 예상치 못한 이유로 인해 다른 주로 이사할 경우 조기상환을 허용하는 소비자보호법을 통과시켰다. (상업용 부동산 대출의 경우, 조기상환 위약금은 일반적인 관행이다. 조기상환 위약금은 심지어 차입자가 저당된 자산을 팔기 원할 경우에도 부과될 것이다. 위약금의 존재와 금액의 크기는 대출이 생성될 때 반드시 합의되어야 한다.)

대출할인수수료와 조기상환 위약금이 모두 부과될 경우 실질대출금리는 어떻게 될 것인가? 이를 위해 앞선 30년 만기, 6% 금리의 $60,000 대출에 3%의 대출할인 및 잔액에 대해 3%의 조기상환 위약금이 부과되는 경우를 가정해보자. 실제로 제공된 대출금액은 $60,000에서 실행수수료 $1,800를 차감한 $58,200이다. 대출할인수수료를 고려하면, 매월 지불액 $359.73에 대출잔액 $55,832.61와 조기상환 위약금 $1,674.98 ($55,832.61의 3%)를 더한 금액, 즉 $57,507.59를 실제로 제공된 대출금액 $58,200로 현재가치화시키는 할인율을 찾아야 한다.

금융계산기를 활용하여 3%의 발생수수료와 5년 후 조기상환, 3%의 조기상환 위약금을 고려하면 실질수익률(금리)은 7.22%로 상승하게 된다.

계산기 해법:	함수:
$n = 5 \times 12 = 60$, $PMT = -\$359.73$, $PV = -\$58,200$, $FV = \$57,507.59$	$i\ (n, PMT, FV, PV)$
답은 i(월) = .601569%	
답은 i(년) = (.601569% × 12) = 7.22%	

이 경우에도 *APR*은 여전히 30년 말에 상환될 것으로 가정하여 대출할인만 반영되고 조기상환 위약금은 반영되지 않는 6.29%로 나타날 것이다. 여기서 계산된 실질수익률 7.22%는 계약금리 6%와 공시된 *APR* 6.29%와는 확연하게 다르다.

수익률 제고를 위한 수수료 징구 및 고정금리저당대출의 "가격결정"

앞 절에서는 대출조건에 따른 실질차입비용과 수익률을 정리해 보았는데, 대출금액이 책정될 때 대출자에 의해 이러한 요소들이 어떻게 결정되는지에 대해서도 살펴볼 필요가 있다. 앞 장에서 논의한대로, 대출자들은 일반적으로 자금을 투자할 수 있는 대안들을 가지고 있다. 따라서 그들은 주어진 만기에 대

해 이러한 대체투자들로부터 가능한 수익률을 계산하고 이들에 대한 수익률과 위험들을 저당대출의 그것들과 비교할 것이다. 마찬가지로 다른 대출자들의 경쟁적인 대출조건에 의해 산출되는 수익률도 대출조건을 수립할 때 반드시 고려되어야 할 것이다. 대체투자들과 경쟁 대출상품들의 조건들을 지속적으로 면밀히 살피면서, 대출자들은 차입자에 대한 신용을 고려하여 다양한 유형의 대출에 대한 대출조건을 수립한다. 따라서 담보대출비율(loan-to-value, LTV)을 기준으로 나누어진(가령 70%, 80% 등) 대출들로부터 경쟁력 있는 수익률을 얻기 위한 대출조건들은 용인될 수 있는 위험을 가진 차입자들에 대해 설계된다. 그리고 이러한 조건들은 대출경쟁환경이 변할 때마다 그에 맞춰 조정된다.

만약 동일한 위험을 가진 대체투자의 경쟁력 있는 수익률에 기초하여, 대출자가 30년 만기에 10년의 상환기간을 예상하는 80% LTV 대출에 대해 7%의 수익률이 경쟁력이 있다고 판단한다면, 80% LTV로 생성되는 모든 대출에서 7%의 수익률을 얻기 위해서는 어떠한 조건들이 설정되어야 하는가? 한 가지 분명한 방법은 모든 대출에 대해 계약금리를 7%로 설정하여 대출을 생성하는는 것이다. 하지만 대출자들은 원하는 수익률을 얻기 위해 6%의 계약금리에 대출수수료 또는 조기상환 위약금을 부과하거나 또는 둘 다를 부과하는 조건도 고려할 수 있을 것이다. 왜 이러한 조건들을 고려하는가? 이는 (1) 대출자들은 회수해야 하는 고정된 발생수수료가 있을 것이고, (2) 경쟁자들은 여전히 6%의 금리로 대출을 일으킬 수 있을 것이기 때문이다.

특정한 범주에 속한 모든 대출에 대해 수수료가 어떻게 부과될 수 있는지 알아보기 위해 다음의 풀이를 살펴보자.

1단계: 지불액 계산	
계산기 해법:	함수:
$PV = -1$, $i = 6\%/12 = .5\%$ 또는 .005, $n = 30 \times 12 = 360$, $FV = 0$	*PMT* (*PV*, *i*, *n*, *FV*)
답은 *PMT* = .005996	
2단계: 10년 말 대출잔액 계산	
$PV = -1$, $n = 120$, $i = 6\%/12$, $PMT = .005996$:	함수:
답은 *FV* = .836857	*PV* (*PV*, *i*, *n*, *PMT*)
3단계: 현재가치 계산, $i = 7\%$	
$FV = .836857$, $i = 7\%/12$, $n = 120$, $PMT = .005996$	함수:
답은 *PV* = .932931	*PV* (*FV*, *i*, *n*, *PMT*)

$PV = .932931$의 결과가 의미하는 것은 대출이 생성될 때 지급되어야 할 총액은 대출금액의 93.29%(반올림하면 93.3%)여야 한다는 것이다. 따라서 대출이 6%의 금리와 6.7%의 발생수수료(100% − 93.3%)의 조건으로 가격이 책정되고, 예상대로 10년 말에 조기상환된다면 대출자는 7%의 수익률을 얻게 될 것이다.

대출수수료와 다른 실행비용의 차입

어떤 상황에서 대출자는 대출수수료를 위한 차입을 제공하는 것에도 합의할 것이다. 앞선 예에서 보면 이는 $60,000의 대출금액과 $1,800의 대출수수료의 합인 $61,800가 최종적인 대출금액이 된다는 것을 의미한다. 차입자는 대출이 일어나는 시점에서 대출수수료인 $1,800를 지불할 것을 요구받지는 않는다.

그러나 월 지불액이 더 높아질 것이다. 예를 들어 지불액은 다음과 같다.

계산기 해법:	함수:
$PV = -\$61{,}800$, $i = .5\%$ 또는 .005, $n = 360$, $FV = 0$	$PMT\ (PV, i, n, FV)$
답은 $\boldsymbol{PMT} = 370.52$	

이는 대출수수료 $1,800를 대출실행 시 지불해야 했던 앞선 경우의 지불액 $359.73와 비교된다. 차입자는 대출실행 시 지불금액을 낮추기 위해 더 높은 월 지불액을 선호할 수도 있을 것이다.

연수익률(APR)은 이제 더 높은 대출액에 기초하고, 월 지불액 또한 더 높아진다는 것을 언급할 필요가 있다. 30년 만기인 앞선 예시에서 이는 다음과 같다.

계산기 해법:	함수:
$PV = -\$60{,}000$	$i\ (PV, PMT, n, FV)$
$n = 360$, $FV = 0$, $PMT = \$370.52$	
답은 $i = 6.28\%$	

대출수수료가 차입될 때 연수익률은 대출실행 시 대출수수료를 지불하는 경우의 6.29%와 비교하여 6.28%가 된다. 이 예시에서는 대출수수료의 차입은 연수익률에 매우 미미한 영향을 미친다. 하지만 대출수수료가 더 높아진다면 그 차이는 더욱 커질 것이다. 더 낮은 연수익률은 대출실행 시 차입자에 의해 지불되어야 하는 수수료가 미래시점의 약간 더 높아진 지불액으로 이연되어 지불되기 때문이다. 이 경우, 이는 차입자에게 이득이 될 것이다.

대출수수료가 차입될 때, 대출금액과 월 지불액 역시 각각 $61,800, $370.52로 변하게 된다는 것을 알아둘 필요가 있다.

고정금리저당대출의 다른 형태—지불액의 감소와 원금균등분할상환

원금균등분할상환대출(constant amortizing mortgage, CAM)은 대출구조화에 있어 고려할 수 있는 또 다른 형태이다. CAM의 지불액은 먼저 매월 동일한 원금분할상환액을 계산하고, 여기에 월 대출잔액에 기초하여 계산되는 이자를 더하여 결정된다. 즉, 월 상환액은 매월 동일한 원금상환액에 해당 월의 대출잔액에 대한 이자를 더하여 계산된다. 다음의 CAM 예시를 살펴보자. 대출은 $60,000에 대해 30년 만기, 6% 금리(월 복리로 계산되는 연이율)로 이루어진다. 상환은 매월 이자의 지불과 원금에 대한 상환으로 구성되며, 30년 말에 대출은 모두 상환된다. 원금상환액은 대출액($60,000)을 대출기간의 수(월, 360)로 나누어 계산하며, 따라서 매월 $166.67씩 원금은 상환된다. 이자는 대출잔액에 대하여 계산되고, 이를 원금상환액에 더하여 월 지불액은 계산된다. 지불액과 대출잔액의 패턴은 [예 2-9]에서 볼 수 있다.

최초 월 지불액은 $446.67로 이는 $166.67의 원금분할상환액을 포함하고 여기에 대출잔액에 대한 이자가 더해진 것이다. 월 지불액은 매월 일정한 양, 즉 $1.67 (.005 × $166.67)씩 감소한다. 대출상환과 잔액의 변화 양상은 [예 2-10]에 나와 있다. 월 상환액이 감소하는 패턴을 보임에도 불구하고, CAM의 수익률은 6%로 일정하다는 점을 알아둘 필요가 있다. 전체분할상환, 부분분할상환, 이자만 상환, 음의 분할상환방식과 마찬가지로 CAM 역시 고정금리저당대출이지만 대출의 상환과 잔액 양상은 앞선

예 2-9
월 지불액 및 대출잔액(원금균등분할 상환대출)

(1) 월	(2) 기초대출잔액 ×	(3) 이자 (.06 ÷ 12)	(4) 원금상환액	(3)+(4) 월 지불액	(2)−(4) 기말대출잔액
1	$60,000.00	$300.00	$166.67	$466.67	$59,833.33
2	59,833.33	299.16	166.67	465.83	59,666.66
3	59,666.66	298.33	166.67	465.00	59,499.99
4	59,499.99	297.50	166.67	464.17	59,333,32
5	59,333.32	296.67	166.67	463.84	59,166.65
6	59,166.65	295.83	166.67	462.50	58,999.98
.	.	.	.	.	.
.	.	.	.	.	.
.	.	.	.	.	.
360	166.67	.83	166.67	167.50	−0−

예 2-10
지불액과 대출잔액의 감소 (원금균등분할 상환대출)

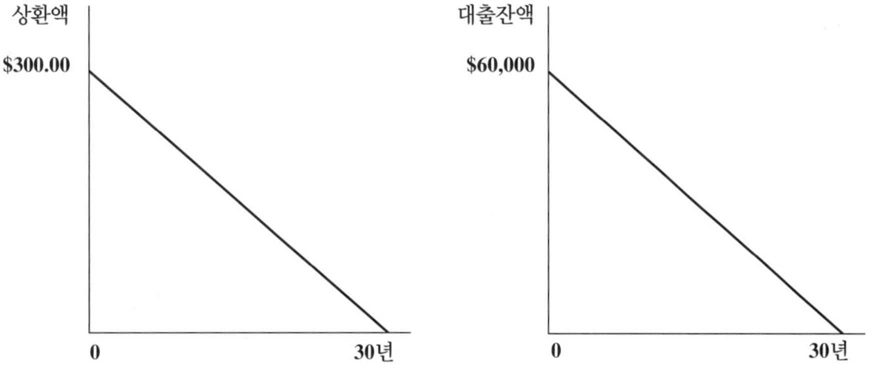

예시들과는 다르게 구조화되었다.

원금균등상환방식은 대출의 원금분할상환에 주된 중점을 두고 있기 때문에 매우 보수적인 대출구조로 여겨진다. 그럼에도 불구하고 대출을 구조화할 때 가치 있는 또 다른 대안임을 보여준다. 원금균등상환방식은 다른 분할상환 방식과 합쳐져 구조화될 수도 있을 것이다. 이는 고정금리 형태의 저당대출에서 대안적으로 존재할 수 있는 분할상환의 다양성을 보여준다.

원금분할상환 일정과 수시상환대출 *Callable Loans*

본 절에 포함된 대출구조화에 있어 마지막 변형은 보편적으로 사용되는 조항으로, 만약 계약서에 명시된다면 분할상환일정은 만기일과 다를 수 있다. 예를 들어, 양 당사자가 $100,000의 전체분할상환대출을 30년 **분할상환 일정**에 기초하여 12%의 금리로 매월 상환하는 것에 합의하였으나 대출자의 옵션에 의해 10년 말에 **상환**할 수 있도록 합의하였다고 하자. 이 경우 지불액은 다음과 같이 계산된다.

1단계: 지불액 계산
계산기 해법: 　　　　　　　　　　　　　　　　　　함수:
$PV = -\$100{,}000$, $i = 12\%/12 = .01$, $n = 30 \times 12 = 360$, $FV = 0$ 　　　$PMT\ (i, n, PV, FV)$
답은 $PMT = \$1{,}028.61$

2단계: 대출잔액 계산	
계산기 해법:	함수:
$PV = -\$100,000$, $PMT = \$1,028.61$, $i = 12\%/12 = .01$, $n = 12 \times 10 = 120$	$FV\ (PV, PMT, i, n)$
답은 *FV* = $93,418.59	

만약 대출이 10년 말에 조기상환된다면, 상환소요액은 해당 시점에서의 대출잔액, 즉 $93,418.59가 된다. 이러한 대출구조는 (1) 월 지불액을 10년 만기로 전체분할상환대출이 일어날 경우보다 낮게 유지하기 위해, (2) 대출만기를 상대적으로 짧은 10년으로 유지하기 위해, (3) 대출이 10년 후 상환됨에도 불구하고 일부 상환을 확보하기 위해 차입자와 대출자에 의해 사용된다.

이제 차입자와 대출자의 목적에 따라 대출은 다양한 결과를 얻기 위해 설계될 수 있음을 알게 되었다. **대출의 구조화**는 일반적으로 대출상환액, 대출잔액, 분할상환율 등을 조율하여 원하는 결과를 얻기 위한 대출조건의 조정과정으로 묘사된다. 그 결과는 대체적으로 전체분할상환구조 하에서 얻어지는 것 대비 더 낮은 월 지불액을 포함한다. 하지만 이는 만기에 원하는 대출잔액을 남기기 위함과 같은 다른 목적을 추구할 수도 있다.

"역저당 *Reverse Mortgages*"

역저당대출[10]은 매우 다른 형태의 저당대출이다. 대출이 생성될 때 전체 대출금액을 받는 대신 역저당의 대출금액은 주기적 지불형태로 지불액과 발생이자가 합의한 대출금액에 이를 때까지 "분할되어 지불된다". 부동산 건설과 개발에 있어, 이는 "인출한다"로 표현되기도 한다. 최근 들어 역저당은 은퇴에 가까워지는 주택소유층들에게 은퇴 이후 소득의 보완책으로 중요해졌다. 예를 들어, 어느 가구가 현재 시점에서 $500,000의 가치가 있는 주거용 부동산을 소유하고 있다고 하자. 그들은 이 자산의 가치를 역저당대출을 통해 은퇴 이후 소득을 보충하기 위해 활용하고자 한다. 대출자는 10년 동안 $250,000가 넘지 않는 금액으로 대출해 줄 것에 동의하였다. 하지만 $250,000를 일시불로 제공하는 대신에, 대출자는 대출기간 동안 대출금을 월 할부금의 형태로 제공하는 것에 동의하였다. 대출자는 6%의 금리를 부과할 것이다. 이러한 조건하에서 대출자가 차입자에게 제공하게 될 월 지불액의 최대치는 얼마일까? 이는 다음과 같이 풀이할 수 있다.

계산기 해법:	함수:
$FV = -\$250,000$, $i = 6\%/12$, $n = 120$, $PV = 0$	$PMT\ (FV, i, n, PV)$
답은 *PMT* = $1,525.51	

이 사례를 보면, 차입자는 대출자로부터 120개월 동안 매월 $1,525.51를 수령함으로써 소득을 보충할 수 있고, 120개월 말에 대출자는 총 $250,000을 받게 된다. 만약 자산이 $500,000의 가치를 유지하고 있다면, 소유주는 10년 말에 $250,000만큼의 지분을 갖게 될 것이다. 차입자가 더 이상 할부금을 수령하지 않을 경우, 대출잔액은 자산이 팔리거나 소유주가 사망할 때까지 계속해서 6%의 이율로 증가할 것이다.

[예 2-11]은 위 역저당 예시에 대한 월 지불액과 대출잔액을 보여준다. 역저당대출의 잔액을 구하기

---

[10] 주택연금역저당(home equity conversion mortgages, HECMs)으로도 알려져 있다.

예 2-11
역저당 수령액 및 대출잔액

연	월 수령액	연말대출잔액
1	$1,525.51	$ 19,818.02
2	1,525.51	38,796.70
3	1,525.51	60,007.62
4	1,525.51	82,256.78
5	1,525.51	106,434.88
6	1,525.51	131,517.57
7	1,525.51	158,765.82
8	1,525.51	187,376.17
9	1,525.51	217,751.14
10	1,525.51	250,000.00

위해서는 앞선 고정금리저당대출 예시들의 절차를 역산하면 된다. 즉, 현재가치가 아닌 **미래가치**에 대해 풀이하면 된다. [예 2-11]에 나온대로, 전체분할상환 저당대출의 특징인 대출잔액이 감소하는 대신 역저당의 대출잔액은 시간이 지남에 따라 증가한다. 예를 들어 3년 후 역저당의 대출잔액은 다음과 같다.

계산기 해법:	함수:
$i = 6\%/12$, $PMT = \$1,525.51$, $n = 36$, $PV = 0$	$FV\,(i, n, PV, PMT)$
답은 *FV* = $60,007.62	

어느 해 말에서의 대출잔액은 n의 값을 바꾸고 미래가치를 구하여 계산할 수 있다.

결론

본 장에서는 고정금리저당대출의 가격을 책정하고 구조화하는 여러 접근방식에 대해 논의하였다. 가격과 금리는 대출자에게 영향을 주는 여러 유형의 위험을 포함하여 여러 가지 요소에 따라 달라진다는 것을 확인하였다. 나머지 장들에서는 위험의 특성들을 변형시키는 방식으로 설계되는 대안적인 저당대출 상품들을 살펴볼 것이기 때문에 이러한 위험 요소들을 기억해 둘 필요가 있다. 본 장에서의 중점은 주거용 부동산에 두고 있었지만, 개념과 계산방식은 향후 다루게 될 상업용 부동산에 대해서도 동일하게 중요하다. 저당대출의 위험은 수익용부동산 투자자들의 위험과 기대수익률에 있어서도 중요한 요소라는 것을 알게 될 것이다.

주요용어

0의 분할상환
금리위험
대출구조화
대출발생수수료
대출상수
대출실행비용
대출원금
대출할인수수료
명목금리
발생이자율
법적위험
부분분할상환대출
분할상환
상환율
수시상환대출
실질금리
역저당
예상 인플레이션
예상치 못한 인플레이션
원금균등분할상환대출
원리금균등상환
유동성위험
유효연이자율
유효이자율

음의 분할상환	전체분할상환대출	채무불이행 위험	풍선상환
이자	조기상환 위약금	파생수요	
이자만 상환하는 대출	조기상환위험	포인트	

질문

1. 본 장에서 논의된 네 가지의 CPM 간의 주요 차이점은 무엇인가? 각각의 경우에 차입자의 이점과 대출자의 위험에는 어떤 것이 있는가? 이들 유형의 공통점은 무엇인가?
2. 분할상환(amortization)에 대해 정의하고, 본 장에서 논의한 5가지 유형을 나열하시오.
3. CPM대출에서 초기의 월 지불액에서 이자의 비중이 원금상환액보다 더 높은 이유는 무엇인가?
4. 대출실행비용이란 무엇인가? 이는 어떻게 구분될 수 있는가?
5. 대출수수료가 없는 경우, 조기상환은 차입자의 실질이자비용에 영향을 주는가?
6. 대출자가 대출발생수수료와 대출할인수수료를 부과하는 이유는 무엇인가?
7. Truth-in-Lending법과 APR과의 관련성은 무엇인가?
8. 실질차입비용이란?
9. 저당대출에 있어 명목이자율은 무엇을 의미하는가?
10. 저당대출에서 발생이자율과 상환율이란 무엇인가? 둘이 같을 때 어떠한 일이 발생하는가? 발생이자율이 상환율을 초과할 경우 어떠한 일이 발생하는가? 상환율이 발생이자율을 초과할 경우 어떠한 일이 발생하는가?
11. 기대인플레이션 프리미엄이 금리의 일부라고 하는 의미는 무엇인가?
12. Mr. Jones에게 저당대출 $30,000가 20년 만기, 10% 금리로 제공되었다. Mr. Jones가 전체분할상환 CPM과 CAM 중 선택한다면, 전 대출기간 동안 총 이자비용이 더 큰 것은 어느 것인가? 이 중 어느 하나가 다른 것보다 금리가 더 높을 것인가? 그 이유를 설명하라.
13. 음의 분할상환(negative amortization)이란 무엇인가?
14. 부분분할상환(partially amortization)이란 무엇인가?

문제

1. 어느 차입자가 $125,000를 10년 만기, 11% 금리로 전체분할상환 원리금균등상환대출을 받았다. 대출에 대한 월 지불액은 얼마가 될 것인가? 만기 조건이 30년이라면 대출에 대한 월지불액은 얼마인가?
2. 전체분할상환대출이 $80,000에 대해 6% 금리로 25년간 제공된다. 상환은 매 월 이루어진다. 다음을 계산하라.
   a. 월 지불액
   b. 첫 번째 달의 이자와 원금상환액
   c. 25년 동안의 지불된 원금합계 및 이자합계
   d. 10년 말에 대출을 조기상환할 경우, 대출잔액
   e. 10년 동안의 월 이자 및 원금상환액 합계
   f. 50번째 달의 이자와 원금상환액
3. 전체분할상환 저당대출이 $100,000에 대해 6% 금리로 30년 동안 제공된다. 이자가 아래의 기간에 따라 발생한다고 할 때 각 기간에 대한 지불액을 계산하라.
   a. 매월
   b. 매분기
   c. 매년
   d. 매주
4. 3번 문제에서, 각각의 경우에 대하여 30년 동안의 이자와 원금의 합계를 계산하라. 어떤 상환 유형에서 이자금액이 가장 많은가? 그 이유는?
5. 전체분할상환 저당대출이 $100,000에 대해 6% 금리로 20년간 제공된다.
   a. 원리금균등상환대출에 대한 월 지불액을 계산하라.
   b. 전체 20년의 기간 동안 지불액의 합계는 얼마가 될 것인가? 이 중 이자는 얼마인가?
   c. 대출이 8년 말에 조기상환된다면, 대출잔액은 얼마가 될 것인가? 그때까지 지불된 이자의 합계는 얼마가 될 것인가?
   d. 차입자가 8년도 말에 대출잔액을 $5,000 줄이려 한다.
      (1) 대출지불액을 줄이지 않는다면 새로운 대출만기는 얼마가 될 것인가?
      (2) 대출만기를 줄이지 않는다면 새로운 지불액은 얼마가 될 것인가?
6. 30년 만기 전체분할상환 저당대출이 $75,000에 대해 10년 전에 6% 금리로 제공되었다. 차입자는 대출잔액 $10,000를 조기상환하려고 한다.

a. 차입자가 월 지불액을 줄일 수 있다면, 새로운 지불액은 얼마가 되는가?
b. 대출만기를 줄이고 원래의 월 지불액은 유지하려고 한다면, 새로운 대출만기는?

7. 전체분할상환 저당대출 $100,000가 6.5% 금리로 제공된다. 월 지불액이 $1,000라면, 대출은 언제 상환될 것인가?

8. 전체분할상환 저당대출 $80,000가 25년 동안 제공된다. 월 지불액이 $900라면, 대출금리는 얼마인가?

9. 부분분할상환 저당대출 $60,000가 10년 만기 조건으로 제공된다. 차입자와 대출자는 대출잔액 $20,000를 남겨두고 10년 후에 일시불로 상환하는 것에 합의하였다.

a. 금리가 7%라면, 10년 동안의 월 지불액은 얼마가 되는가?
b. 차입자가 10년 대신 5년 후에 상환하려고 한다면, 대출잔액은 얼마인가?

10. 이자만 상환하는 저당대출 $80,000가 6% 금리로 10년 동안 제공된다. 대출자와 차입자는 월 지불액은 동일하고 원금분할상환은 하지 않는 것으로 합의하였다.

a. 월 지불액은 얼마가 될 것인가?
b. 5년 후의 대출잔액은 얼마가 될 것인가?
c. 대출금이 5년 후에 상환된다면, 대출자의 수익률은 얼마가 될 것인가?
d. 대출금을 5년 후에 상환되는 대신 10년 후에 상환된다면, 대출자의 수익률은 얼마가 될 것인가?

11. 부분분할상환대출이 $90,000에 대해 6% 금리로 10년 동안 제공된다. 대출자와 차입자는 매월 상환하고, 10년 후에 잔액 $20,000를 남겨두고 일시에 상환할 것에 합의하였다. 대출자에 의해 2포인트의 수수료가 부과된다면, 10년 말에 대출이 상환될 때 수익률은 얼마가 될 것인가? 4년 후에 대출을 상환된다면 대출잔액은 얼마가 될 것인가? 대출이 4년 후에 상환된다면 대출자의 수익률은 얼마가 될 것인가?

12. $50,000에 대한 대출이 8% 금리로 10년간 제공되는데, 월 지불액은 없다.

a. 10년 후에 얼마를 상환해야 하는가?
b. 8년 후에 대출금이 상환된다면, 대출자의 수익률은 얼마가 될 것인가? (월 복리 가정)
c. (b)의 경우, 대출수수료로 1포인트가 부과한다면, 대출자의 수익률은 얼마가 될 것인가?

13. Jone은 부동산을 $105,000에 매입하고자 하는데, 그중 80%인 $84,000를 대출받고자 한다. 대출자는 전체분할상환대출을 6% 금리로 30년(360개월) 동안 제공할 수 있음을 알려주었다. Jone이 대출을 받기 위해서는 $3,500의 대출수수료가 또한 발생한다.

a. 대출자가 실제로 제공하는 금액은 얼마인가?
b. 저당대출이 30년 후에 상환된다면, 차입자의 연이율(APR)은 얼마인가?
c. Jone이 대출을 5년 후에 상환한다면, 유효이자율은 얼마인가? 이는 (b)에서 구한 것과 왜 다른가?
d. 대출자는 대출금이 8년 이내에 조기상환된다면 대출잔액의 2%를 조기상환 위약금으로 부과한다고 가정하자. Jone이 5년 후에 조기상환 위약금을 물고 조기상환한다면, 유효이자율은 얼마인가?

14. 13번 문제에서의 차입자 John이 $87,500의 대출을 받는데, 발생하는 금융수수료 $3,500도 차입받으려고 한다. 대출자가 이에 동의하였을 경우를 적용하여 13번 문제의 (a)부터 (d)까지 답하시오.

15. 어느 대출자가 대출에 대해 어떤 조건을 제공할 것인가 고심하고 있다. 현재 시장조건을 보면, 전체분할상환대출에 대해 25년 만기, 8%의 금리가 제공된다. 차입자인 Rich는 $100,000의 대출을 필요로 한다. 대출자는 Rich가 이전에 그렇게 큰 금액을 차입한 적이 없기 때문에 별도의 신용분석과 세밀한 대출심사를 해야 한다고 판단한다. 또한 대출자는 대출이 실행되기 전에 시장금리가 상승할 것으로 예상한다. 대출자는 보수적으로 Rich에게 원리금균등상환대출 $95,000를 9% 금리로 25년 동안 제공할 것을 결정하였다. 그런데 대출자는 대출실행수수료를 부과하여 대출수익률을 10%로 만들기를 원한다. 대출자는 얼마의 대출실행수수료를 부과해야 하는가? 10년 후에 대출이 상환될 것으로 예상된다면 수수료는 얼마가 부과되어야 하는가?

16. 어떤 차입자는 2개의 대출 간의 선택에 직면해 있다. 대출 A는 $75,000를 6% 금리로 30년 동안 이용할 수 있으며 대출실행비용으로 6포인트가 부과된다. 대출 B는 같은 금액을 7% 금리로 30년 동안 이용할 수 있는 대신 대출실행비용으로 2포인트가 부과된다. 두 대출은 모두 전체분할상환된다.

a. 대출이 20년 후에 상환된다면, 어떤 대출을 선택하는 것이 더 나은가?
b. 대출이 5년 후에 상환된다면, 어떤 대출을 선택하는 것이 더 나은가?

17. 현재 $700,000로 가치 평가되는 부동산에 대해 잔액이 $300,000가 넘지 않는 역저당이 제공된다. 대출은 차입자에게 120개월 동안 매월 제공되는데, 금리는 6%이다.

a. 월 지불액은 얼마가 될 것인가?
b. 3년 후 잔액은 얼마인가?
c. 차입자는 처음 50개월 동안은 월 $2,000를 수령해야 한다고 가정하자. 51~120개월 동안 잔여 불입액은 120개월 동안 최대 잔액이 $300,000를 넘지 않은 선에서 결정되어야 한다. 51~120개월 동안 차입자는 얼마를 수령해야 하는가?

18. 차입자와 대출자는 $200,000의 대출을 5% 금리에 합의하였다. 분할상환기간은 25년이지만 대출자는 5년 후에 조기상환을 요구할 수 있는 옵션을 갖는다. 만일 옵션이 사용된다면 차입자는 5년 말에 얼마를 상환해야 하는가?

19. 전체분할상환 원금균등분할상환대출(CAM)이 $125,000에 대해 20년 만기, 6% 금리 조건으로 실행되었다.

a. 첫 6개월 동안의 지불액과 대출잔액은 얼마인가?

b. 원리금균등분할상환(CPM) 조건이라면 지불액이 얼마인가?

c. 대출이 5년 말에 상환된다면, CAM과 CPM 어떠한 방식에서 대출자는 더 높은 이자율을 얻을 수 있을까?

20. $50,000를 6% 금리로 30년 동안 이자만 상환하는 대출이 제공된다. 이자는 매일 발생하고, 상환은 매월 이루어진다.

a. 월 지불액은 얼마인가?

b. 30년 말에 대출잔액은 얼마인가?

c. 이 대출에서 유효연이자율은 얼마인가?

21. 종합검토문제: 저당대출 $100,000가 20년 만기, 6% 금리로 제공된다. 상환은 매월 이루어진다.

a. 다음 각 경우 월 지불액은 얼마가 되는가?

(1) 전체분할상환인 경우

(2) 부분분할상환으로 20년 말에 $50,000의 풍선상환(balloon payment)이 예정된 경우

(3) 원금거치로 "이자만" 상환하는 경우

(4) 음의 분할상환대출로 20년 말에 대출잔액이 $150,000가 되는 경우

b. a의 (1)에서 (4)의 경우에 5년 말의 대출잔액은 각각 얼마인가?

c. 앞 (1)에서 (4)의 경우에 61월 말의 지불액 중 이자부분의 금액은 각각 얼마인가?

d. a의 (1)에서 (4)의 경우에 대출자가 3포인트를 대출실행을 위해 부과한다면, 각 경우의 연수익률은 얼마인가?

e. 대출실행 시 3포인트가 지불되었고, 5년 말에 조기상환된다면 (1)에서 (4) 각 경우의 실질이자율은 얼마가 되는가?

f. a (1)의 경우에서 최초 36개월간 "이자만" 상환한다고 하자. 대출이 잔여 17년간 전액분할상환된다면, 4~20년 동안 월 지불액은 얼마가 되는가?

g. 앞 (4)에 대하여 차입자와 대출자는 20년 말에 대출잔액 $150,000를 상환하기로 합의하였다.

(1) 총 상환액에서 총 이자액은 얼마인가? 원금분할상환액은 총 얼마인가?

(2) 3년 말에 대출잔액은 얼마인가?

(3) 대출이 3년 말에 상환된다면 실질이자율은 얼마인가?

(4) 대출자가 대출실행을 위해 4포인트를 부과한다면 3년 말에 대출이 상환될 경우 실질이자율은 얼마인가?

22. Excel. 웹사이트에서 제공하는 Excel Workbook의 "Ch4 Eff Cost"를 참고하라. 11%의 이자율에 6포인트 조건을 가진 다른 대출이 가능하다고 할 때, 원래 제공된 예와 비교하여 이 대출의 실질비용은 얼마인가?

23. Excel. 웹사이트에서 제공하는 Excel Workbook의 "Ch4 GPM"을 참고하라. 상환액이 7.5% 대신에 매년 5% 증가한다면 7년 말의 대출잔액은 어떻게 변하는가?

CHAPTER 03

변동금리저당대출

Adjustable and Floating Rate Mortgage Loans

앞 장에서는 고정금리저당대출(fixed rate mortgage, FRM) 상품들의 지불방식을 중심으로 설명하였다. 원리금 지불구조와 상환금리가 어떻게 상호 조절될 수 있는지도 살펴보았다.

본 장에서는 시장이자율이나 지표 그리고 시장조건에 따라 변하는 다양한 주택대출상품들을 다룬다. 이러한 금리변동 방식이 단독가구주택의 자금조달 방식으로 사용되는 경우를 **변동금리저당대출**(adjustable rate mortgages, ARMs)이라 한다. 상업용부동산의 자금조달 방식으로 사용되는 경우는 **변동금리대출**(floating rate loans)이라고 부른다. 두 대출방식이 매우 유사하기 때문에 본 장에서는 두 대출 간의 차이를 두지 않을 것이다. 본 장에서는 ARM이란 용어를 더 자주 사용할 것이다. 이러한 변동금리 대출상품들은 경제환경에 따라 하나 또는 그 이상의 방식으로 조정된다는 점에서 고정금리대출(FRM)과 차이가 있다. 장기간 금리가 고정된 주택대출상품에 비해 변동금리저당대출은 대출자와 차입자가 **이자율 변화의 위험**(interest rate risk)**을 공유**함으로써 자금조달에 있어서 대안적 방법들을 제공한다. 변동금리저당대출은 대출자가 이자수익의 변화를 이자비용 변화에 보다 효과적으로 연동할 수 있게 해줌으로써 차입자에게는 잠재적으로 낮은 금리로 자금을 조달할 수 있게 해준다.

본 장에서는 물가연동 금리조정대출(price level adjusted mortgage, PLAM)부터 설명하도록 한다. PLAM은 널리 사용되지는 않지만, 차입자와 대출자가 자금조달 방식을 결정함에 있어 고려해야 하는 많은 문제점들을 설명해주기 때문이다. 이어서 ARM과 ARM의 "가격결정" 방식과 관련된 사항들을 검토할 것이다. ARM분석의 한 부분으로서, (1) 이자율변동과 (2) 상환액 증가, (3) 지불이자 원금가산과 이로 인한 ARM대출 수익률에 미치는 영향 등에 대한 한계효과를 검토할 것이다. 또한 이러한 대출들이 FRM과 대출기간이 다른 ARM과 비교해 이자율이 어떻게 결정되어야 하는지를 고려할 것이다. 본 장의 결론 부분에서는 부동산 가치의 상승액에 연동하는 상환방식의 상품인 공유형 모기지(shared appreciation mortgage, SAM)를 다룰 것이다.

고정금리저당대출(FRM)과 관련하여 대출자와 차입자가 고려해야 하는 첫 번째 문제는 **대출실행 시점에 고정된 대출금리가 대출이 상환될 때까지 유지된다**는 것이다. 따라서, 대출자는 대출실행일로부터 대출금리에 포함되어 있는 구성요소들이 변하게 될 경우 발생하게 될 위험을 심사한다. 대출이자율에 포

함되어 있는 구성요소는 실질이자율(r), 위험 프리미엄(p), 기대 인플레이션에 대한 프리미엄(f)이다. 대출자가 대출실행 시점에 이러한 구성요소 중의 일부 또는 전부를 과소평가할 경우 대출자는 금융손실을 입을 것이다. 예를 들어 $60,000를 30년 동안 6% 금리로 원리금균등분할상환 조건의 대출상품을 가정해보자. 대출자는 매달 약 $360의 원리금을 상환해야 한다. 이 대출을 실행한다는 것은 대출이 실행될 당시에 대출기관은 대출기간 동안 발생할 것으로 예상되는 모든 형태의 위험을 보상하기에 6%의 이자율이 충분하다고 합의결과를 따른 것이다. 만약 대출이 실행되고 난 이후 대출금리(i)의 구성요소 중 하나 이상이 대출 실행시점에 예상했던 것보다 상승했다면, 대출자는 손실을 보게 될 것이다.[1] 예를 들어 대출기관이 인플레이션을 잘못 예측했거나 예상치 못한 인플레이션이 발생하여, 6%가 아닌 8% 이자율을 보장하는 경우, 30년 기간 동안 대출기관의 손실규모는 다음과 같이 결정된다.

계산기 해법:	함수:
i = 8%/12, *n* = 360, *PMT* = $360, *FV* = 0	*PV (i, n, PMT, FV)*
답은 *PV* = $49,062	

계산된 손실액은 $60,000 − $49,061 = $10,938이다. 이 경우 **예상치 못한 인플레이션** 2%는 $10,938(대출액의 18.2%)의 금융손실을 초래했다. 이는 **이자율 위험**과 대출자의 잠재적 손실의 관계를 보여주는 가장 쉬운 예이다. 대출금리(i)의 구성요소에 기대되는 수준의 **불확실성** 때문에 대출자는 위험 프리미엄을 요구한다. 마찬가지로 미래에 r과 f의 불확실성이 증가하면 p도 증가하는 것이다.[2]

대출자에게 발생한 손실은 차입자에게는 이익이 됨을 유의할 필요가 있다. 이자율이 하락하게 되면 대출자는 이익을 보게 되는 것이 당연하지만, 차입자는 기존 대출을 다른 대출로 전환하려고 할 것이다. 이러한 차입자의 행태는 고정금리대출의 경우에 위험부담이 "체계적"이거나 공평하지 않을 수 있음을 의미하는 것이다. 즉, 대출자는 이자율이 상승할 때 손실위험을 부담하게 되지만, 차입자가 언제든지 대출을 조기상환할 수 있기 때문에 이자율이 하락할 때 얻을 수 있는 이익이 상쇄되지 않을 수 있다. 이러한 문제를 해소하기 위해 대출자와 차입자는 이자율 상한(caps)과 하한(floors), 이자율 스왑, "록아웃(lockout)", 또는 조기상환금지, 조기상환 수수료 부과 등의 방법을 사용한다. 이러한 기능과 기타 옵션은 이 책 전체의 다양한 장에서 논의될 것이다.

물가연동 금리조정대출 *PLAM*

대출자의 불확실성의 문제를 해결하기 위한 목적으로 논의된 개념 중의 하나가 **물가연동 금리조정대출**(PLAM)이다. 앞 장에서 대출금리 i를 다시 적어보면 다음 식과 같다. 여기서 r은 기대실질 이자율, p는 위험 프리미엄, f는 예상 인플레이션이다.

$$i = r + p + f$$

[1] 대출자가 상환 예정기간 동안 i의 구성요소를 부정확하게 예측하게 하는 데는 많은 이유가 있다. 통화량의 확장 또는 수축은 인플레이션(f)의 변화를 일으킬 수 있다. 일반 경제활동의 확장 또는 수축이 투자와 고용수준의 변화를 가져와 실질금리(r)와 채무불이행 위험(p)에 영향을 미칠 수 있다.

[2] 독자는 r과 f의 기대수준이 **예상치 못한** 변화 때문에 항상 정확하지 않을 가능성이 있다는 것을 인식해야 한다. 경제여건이 안정적인 시기에는 추정치의 불확실성이 비교적 작을 수 있지만, 다른 기간에는 불확실성이 더 클 수 있다. 따라서 추정치의 **불확실성**은 금리위험과 결과적으로는 더 크거나 작은 위험 프리미엄을 야기한다.

이 식에서 예측하기 가장 어려운 변수는 예상 인플레이션에 대한 프리미엄(f)이다. 대출자는 이자율 위험 또는 인플레이션의 불확실성과 이자율에 대한 인플레이션의 영향을 줄이기 위해서 실질이자율에 대손위험을 감안한 프리미엄을 가산($r + p$)하여 대출을 실행한다.

r과 p에 대한 초기 값을 추정하고 나면 PLAM 대출잔액은 **물가지수**(price index)에 의해 상향 또는 하향 조정될 것이다. 상환액은 인플레이션에 대해 조정된 신규 대출잔액을 기준으로 계산된다. 이러한 결과로 인플레이션에 의한 시장이자율 변화의 위험은 차입자에게 전가되고 대출자는 대출 실행시점에 이자율 변화를 예측해야 하는 어려운 부담으로부터 벗어나게 된다. 하지만 여전히 대출자는 예기치 않은 r 또는 p의 변화에 따른 위험은 부담해야 한다.[3]

PLAM 대출: 불입구조

예상 상환기일 동안 r과 p에 대한 기댓값으로만 구성되어 있는 이자율로 상환하는 PLAM 대출의 예를 들어보자. 상환액은 잔여 대출기간 동안 **대출잔액**의 값을 기준으로 매 기간마다 조정된다. 구체적인 설명을 위해 대출금액 $60,000, 만기 30년, 금리 2% ($r + p$)인 경우가 있다고 가정하자. 대출자와 차입자는 대출잔액이 소비자물가지수에 연동되고 매년 조정되는 것에 동의하였다. 초년도 상환액은 $60,000 원금에 30년 만기, 4% 금리가 적용되므로 약 $286가 된다. 1년 후 대출잔액은 $58,943가 된다. 그런데 첫해 소비자물가지수(CPI)가 6%까지 상승했다고 가정하면, 첫해 말 대출잔액은 $58,943 (1.02) = $60,122가 된다. 조정된 대출잔액 $60,122는 잔여 29년 동안 상환될 것이다. 2년 차 월상환액은 $62,480, 29년, 4%에 의해 $292.18로 수정되며 이러한 조정은 매년 계속 일어나게 된다: (1) 분할상환 일정을 활용하여 대출잔액을 계산하고, (2) 다음 해 CPI의 변화에 기초하여 대출잔액을 증가시키고, (3) 남은 대출기간 동안의 새로운 상환액을 계산한다.

남은 대출기간 동안 인플레이션이 연 2%로 지속된다고 가정하면, [예 3-1]은 PLAM 대출의 연간 명목상환액과 대출잔액을 보여준다. [예 3-1]에는 강조해야 할 여러 중요사항이 많은데, 그림 A에서 PLAM 상환액은 물가상승률 6%와 비슷한 비율로 상승하고 있다. 이러한 상환액 증가는 원금을 상환함에도 불구하고 계속된다(그림 B 참조). 이러한 상환액이 상승하는 형태로 나타나는 이유는 (1) 대출잔액에 대한 물가지수의 상승 영향과 (2) 매기 다음 연도의 상환액이 더 짧아진 잔여대출기간 이상으로 계산되기 때문이다.[4] PLAM의 상환추이를 대출만기가 30년이고 대출금리는 10%로 고정금리인 원리금균등분할상환대출(CPM)과 비교해보자. PLAM의 첫해 상환액이 $286인 것과 비교해 CPM의 월상환액은 $527이다. 따라서, 주택구입 시에 PLAM을 이용하는 것이 CPM을 이용하는 것보다 더 많은 가구들을 주택구입대상이 되게 한다.

그러나 PLAM에도 문제가 없는 것은 아니다. [예 3-1] 그림 B에 의하면 PLAM의 대출잔액은 $60,000에서 15년 차에 135% 상승한 $81,000까지 상승한다. 주택은 CPI를 작성하는 데 사용되는 많

---

[3] i를 구성하는 변수들은 독립적이고 부가적인 것으로 취급하지만, 독립적이지 않을 수도 있고 서로 잘 상호작용할 수도 있다. 예를 들어 위험 프리미엄(p)은 차입자의 소득이나 부의 변화에 부분적으로 의존하며, 이는 실질금리(r) 수준을 결정하는 경제환경의 변화에 영향을 받는다. 소득의 변동은 소득대비 상환액이 증가하거나 대출잔액이 주택의 시장가치를 초과하기 때문에 채무불이행 가능성에 영향을 미칠 수 있다. 마찬가지로 우리는 인플레이션(f)과 실질성장률(r) 간의 관계를 완전히 이해하지 못한다. 따라서, 각각의 구성요소의 중요성을 설명하기 위한 개념적 방법으로 이러한 영향을 다루고 있는 것이지만, i의 특성이 단순하다는 것을 설명하려는 의도는 아니다.

[4] 매년 말 나타나는 조정의 과정은 매년 말 새로운 대출로 차환하는 경우로 해석 가능하다. 이를테면, 상환액은 다른 금리와 만기구조에 기초하여 수정되며, 대출잔액은 언제나 새로운 차입금을 나타낸다. 따라서, 금리나 만기 구조의 변화가 월상환액을 조정하거나 증가시킬 수 있는 것이다.

예 3-1
대출상환 및 대출잔액 변화, PLAM(대출액 $60,000, 초기이자율 4%, 인플레이션 2%/연), CPM(대출액 $60,000, 이자율 6%, 30년)

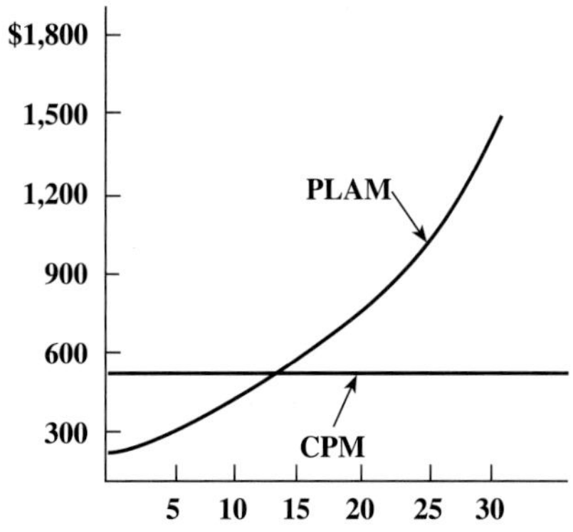

그림 A: 월상환액

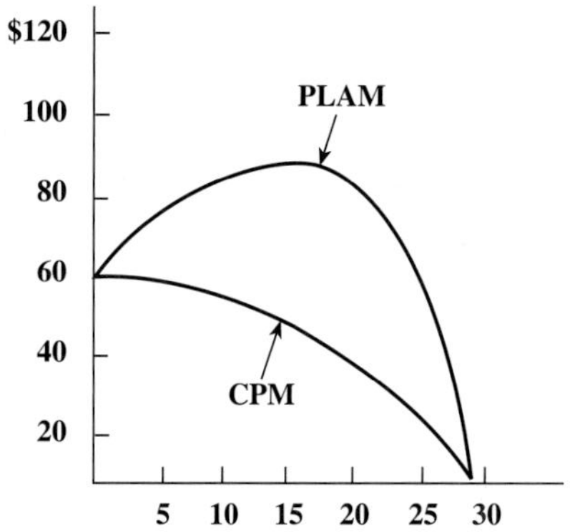

그림 B: 미상환 대출잔액($000s)

은 구성요소 중의 하나일 뿐이다. 따라서 CPI로 대표되는 다른 재화의 가격이 주택가격보다 빠르게 상승하거나 주택가격이 하락한다면, CPI에 연동되어 있는 대출잔액이 주택의 자산가치보다 높아지게 된다. 이러한 경우가 발생하게 되면, 차입자는 채무를 이행하지 않으려는 유인을 가지게 된다. 이러한 가능성은 대출자에게 상당한 부담이 된다. 대출자는 인플레이션과 고정금리로 구성된 대출을 취급하는 조건으로, 모든 차입자에게 적절한 자기부담금(down payment)의 수준을 설정하게 하고, 주택가격을 예측하여 주택대출 시 담보로 설정한 주택의 자산가치가 항상 대출잔액보다 더 크다는 확신을 가져야 하기 때문이다. 따라서 CPI가 PLAM 대출잔액을 조정하는 데 사용하기에 적절한 지표인지 의문이다.

PLAM과 관련된 두 번째 문제점은 주택대출 상환액과 차입자 소득과의 관계에 관한 것이다. 2장 부록에서 논의된 바 있는 이월(tilt)에 대한 문제는 상당히 줄어들 것이다. 왜냐하면, 상환액이 차입자의 소득에 보다 근접하게 일치될 수 있기 때문이다. 그러나, 여기서는 PLAM 산정에 기준이 되는 CPI와 차입자 소득이 같은 방향으로 움직인다고 가정한다. CPI가 증가함에 따라 소득도 같이 증가한다면 대출금 상환액과 차입자 소득의 비율은 쉽게 유지될 수 있다. 장기적으로 보면, 이러한 관계는 소득과 대출금 상환액이 "균형 있게" 상승함에 따라 가능할 수 있다. 그러나, 인플레이션이 급격히 상승한다면, 차입자 소득은 단기적으로 같은 비율로 증가하기는 어렵다. 이런 상황에서는 가구의 상환부담은 증가하여 대출금을 상환하는 것이 더 어려워질 수 있다. 이러한 가능성 때문에 대출자는 가구의 직업군별 미래소득과 인플레이션의 관계를 추정해야 한다. 방금 논의된 대출잔액과 상환금액이 증가하는 문제는 대출자가 부과해야 하는 위험 프리미엄(p)의 추정을 매우 어렵게 만든다.

PLAM과 관련된 세 번째 문제는 물가지수가 과거자료에 기초해서 측정된다는 것이다. 다시 말해, 물가지수가 과거 기간에 수집된 자료에 기초해서 작성되어 현재 시점에 공표된다는 것이다. 대출금 상환액이 장래에도 발행한다는 점을 고려하면, 과거 지수값은 미래 지수의 정확한 지표가 아닐 수 있다. 가령 전년도 CPI가 2%로 상승했다고(발표시점은 현재) 하자. 이 수치는 대출금 잔액을 계산하는 데 사용되고, 다음 연도 상환액을 결정하는 데 사용될 것이다. 만약 다음 연도의 CPI 상승률이 실제는 1%로 낮아졌다면, 대출금상환액은 실제(2%)보다 더 빠르게 상승(2%)하게 된 것이다. 차입자의 전년도 소득이 1%까지 상승했다 할지라도, 특정 기간에 소득의 실현과 다음 기간에서의 더 높은 상환액과 차이는 여전이 문제로 남는다. 이런 이유로 시장참여자들은 PLAM 방식이 광범위하게 적용되려면, 상환액 조정기간이 매우 짧아져야 한다고 본다. 이 기간을 조정기간(adjustment interval)이라고 한다.

PLAM을 실행함에 따른 실질적인 문제가 있지만, PLAM의 특징들은 변동금리대출(ARM)을 이해하기 위한 기본적인 구조를 가지고 있다. 이제 이번 장의 마지막 내용에 해당하는 ARM을 설명하도록 한다.

ARMs과 변동금리대출: 개관

대출자는 물가지수를 기준으로 대출금리와 상환액을 조정하기보다는 **다른 시장이자율을 기준으로 조정되는 이자율**을 적용한 다양한 대출상품을 선택한다. 물가지수 대신 이자율로 조정되는 지수를 사용함으로써, 대출자는 부분적으로 대출 잔존기간 동안의 실질금리와 위험 프리미엄을 추정해야 하는 부담을 피할 수 있다. 대출자는 ARM으로 매기 조정기간 말에 현재의 금리수준으로 갱신되는 대출을 만들 수 있다. CPI나 다른 물가지수에 연동된 인플레이션의 과거 수치를 사용하는 대신에 이자율을 지수로 사용함으로써 대출자는 미래기간 동안 r, p, f의 **기대 미래가치**에 기초한 기대수익률을 올린다. 이자율이 특정 미래 기간 동안 r, p, f에 대한 대출자와 차입자의 기대치를 반영하기 때문에, ARM으로 조정된 상환액은 항상 미래 기대치에 기초한다. 따라서, 대출 조건이 이자율에 연동되어 있어 월상환액은 자주 갱신된다. 대출자의 관점에서 보면 ARM은 PLAM보다 금리조정을 더 적절하게 할 수 있게 되는데, 이는 r, p, f값이 **금리 조정일 사이에** i의 각 구성요소에 대한 미래가치의 시장기대치를 반영하기 위해 **특정** 기간에 갱신되기 때문이다. 즉, 예상 인플레이션 f값은 CPI 또는 기타 물가지수에 의해 측정된 과거 수치보다 **미래값**의 추정치에 의해 조정된다. 유사한 방법으로 r, p 값도 두 조정일 사이에 예상되는 경제환경에 의한 위험을 현재 시점에 평가한 값으로 조정되는 것이다.

ARM의 상환방식의 예시

간단한 예로 ARM의 특징을 설명할 수 있다. 첫해 대출금리가 6%, 대출금 $60,000인 ARM이 만기 30년 조건으로 실행되었다. 그러나 상환액은 특정 지수에 의해 결정된 이자율에 의해 첫해 기간 말에 재설정된다. 최초 대출 조건을 기준으로, 첫해의 월상환액은 약 $359.73이고, 연말 대출잔액은 $59,263가 될 것이다. 만약 물가지수가 첫해 말에 상승하여 ARM의 시장이자율이 8%로 상승한다면, 상환액은 29년 동안 대출잔액에 기초하여 결정될 것이다.

A단계:	함수:
계산: 1년 차 말 대출잔액:	*FV (PV, n, i, PMT)*
$n = 12$	
$PMT = \$359.73$	
$PV = \$60,000$	
$i = 6\%/12$	
$FV = \$59,263$	
B단계:	함수:
계산: 8%일 경우 월지불액	*PMT (n, i, FV, PV)*
$n = 29 \times 12 = 348$	
$i = 8\%/12 = .67\%$	
$PV = \$59,263$	
$FV = 0$	
$PMT = \$438.51$	

따라서 1년 차 말에 ARM에 설정된 8% 금리는 **다음 연도**의 *i*의 구성요소를 갱신하는 추정치가 되어, 월상환액은 $359에서 2차 연도에는 $438로 증가한다.

우리의 간단한 예제와 관련하여 적어도 세 가지의 결과는 고려되어야 한다.

1. ARM을 이용한다고 해서 대출자의 손실 가능성이 완전히 제거되는 것은 아니다. 왜냐하면, **이자율 위험**(interest rate risk)이 있기 때문이다. 첫 번째 예제에서 1년 차 ARM의 대출자의 수익률은 6%였다. ARM으로 대출이 실행된 **다음 날** 시장금리가 8%로 상승한다면, 대출자는 1년 동안 2%의 손실을 입게 될 것이다. 이러한 위험은 금리조정기간이 하루 단위로 줄어들면 분명히 제거될 것이다. 또는 금리조정기간이 1년보다 짧아졌다면, 손실은 그 기간만큼 줄어들 수 있을 것이다.
2. 상환 **조정기간**(adjustment interval)이 길어질수록 대출자의 이자율 위험은 더 커진다. 따라서, 이런 대출에 대해 대출자의 기대수익률은 더 커져야 한다. 이에 대해서는 다음 장에서 상세히 설명될 것이다.
3. 마지막으로 대출자가 이자율 위험을 **작게** 가정할수록, 차입자의 이자율 위험은 선택된 지표의 특성과 상환조정 빈도에 따라 더 커지게 된다. 이는 FRM과 비교해보면 이해될 수 있다. 시장조건에 따라 자유롭게 상환액이 조정되는 ARM에 비해 FRM으로 대출한 경우에는 대출자가 미래 이자율 변동에 따른 모든 위험을 떠안게 된다. 분명히, ARM의 경우 차입자는 이자율 위험을 더 크게 안고, 대출자는 더 적게 안을 것이다. 차입자가 더 많은 위험을 부담하기 때문에 ARM의 **최초 이자율** 또는 **시작 이자율**은 FRM보다 **낮아야** 한다. 따라서, ARM 대출자는 금리위험을 차입자에게 전가시키기 때문에 대출기간 중 기대하는 수익률을 낮추어야 하는 것이다. 이러한 세 개의 결과는 대출자와 차입자가 대출 조건을 협의할 때, 분명하게 고려되어야 하는 요소이다.

ARM의 그 외 특징들

ARM을 취급할 때 중요하게 다루어야 할 용어는 아래와 같다.

- 지표(index). **지표**는 대출자와 차입자 양자가 동의한 이자율(아래 목록 중 하나)로서 대출자가 통제할 수 없다. 지표는 단기 또는 장기일 수 있으며, ARM의 대출금리를 재조정할 때 사용된다. 지표로 사용되는 것은 다음과 같다.
  - 1년 Treasury증권 또는 특정 만기일이 있는 Treasury Bill (6개월, 10년 등)
  - 연방주택은행(FHLB) 11지구에서 발표하는 COFI
  - 다양한 대출기간 동안의 LIBOR (The London Interbank Offered Rate)
- 이윤(margin). ARM에 적용한 지표에서 발생한 프리미엄을 **이윤**(margin) 또는 **스프레드**(spread)라고 한다.
- 종합금리(composite rate). 지표금리에 이윤을 합한 금리를 **종합금리**(composite rate)라 하며, 대출실행 시점의 초기 금리와 다를 수 있다.
- 재조정일(reset date). 대출상환이 조정되는 시기를 **재조정일**(reset date)이라고 하며, 통상 6개월~1년이나 3년, 5년으로 긴 경우 및 1개월의 경우도 있다.
- 음의 상환(negative amortization). 주어진 기간의 누적이자가 정기지급액을 초과하는 경우 차액은 현재 이자율로 합산하여 대출잔액에 가산된다. 대출약정에서 미상환 대출잔액에 추가가 허용되는 경우를 **음의 상환**이라고 한다(2장 참고).

- 최대한도설정(caps). 대출 재조정시기에 월상환액, 대출금리, 만기연장, 음의 상환에 최대 증가치를 설정하는 것을 **최대한도설정**이라 한다.
- 최소한도설정(floors). 대출 조정시기에 상환액이나 금리를 감소시킬 수 있는 최대치를 설정하는 것을 **최소한도설정**이라고 한다.
- 채무이양(assumability). 차입자가 부동산매입자에게 자신의 저당채무를 현 조건하에 승계시킬 수 있는 권리를 **채무이양**이라고 한다.
- 원금할인율(discount points). FRM의 경우 차입자에게 낮은 이자율을 제공하는 조건으로 지불하는 비용으로, ARM의 경우도 대출자의 수익을 높이기 위해 종종 사용된다.
- 조기상환권(prepayment privilege). 대부분 주택관련 차입자들은 조기상환 수수료 없이 조기상환이 가능한 옵션을 가진다. 그러나, 조기상환은 권리가 아니기 때문에 대출자는 차입자들이 특정 기간 이전에 조기상환할 경우 일정 비용을 차입자에게 부과하기도 한다.
- 록아웃(lockouts). 대부분의 상업용 저당대출은 일정 기간 이내에 조기상환하는 것을 금지하고 있다. 이런 상황에서 차입자가 조기상환할 경우 조기상환수수료는 대출자와 협의해야 한다.
- 전환옵션(conversion option). ARM 차입자가 FRM으로 전환할 수 있는 권리로, 합의내용에 따라 차입자의 의견 또는 일정한 기간 이후에 행사가 가능하다. 대출자는 이 옵션에 대해 일정 수수료를 부과할 수 있다.

앞에 언급한 다양한 조항의 결합으로 대출자와 차입자 간 이자위험을 나눌 수 있다.[5] 지면 관계상 이 장에서 이러한 조항의 모든 결합을 분석하지는 않는다. 하지만, 다음에서 설명하는 것은 ARM 또는 변동금리 조건들의 조합을 분석하는 데 사용될 수 있는 필수적인 요소들이다.

변형된 ARM과 Floating Rate Loans

3/1, 5/1, 7/1 "하이브리드 대출"

ARM의 다른 형태로서 자주 쓰이는 것이 하이브리드 ARM이다. 이는 초기 3, 5, 7년 동안 FRM처럼 고정금리로 설정되나 일정 기간 이후 이자율이 ARM처럼 조정된다. 예를 들어 3/1의 하이브리드 ARM은 3년 동안 이자율이 고정되고 이 기간 이후 이자율이 조정된다. 이러한 대출의 ARM 상환액(30년 만기, 초기이자율 6%)은 30년 만기 FRM과 같은 방식으로 시작한다. 처음 3년 동안의 월지불액은 다음과 같다.

계산기 해법:	함수:
초기 1-3년	*PMT (PV, i, n, FV)*
$PV = -\$100,000$, $i = 6\%/12$, $n = 360$, $FV = 0$	
$PMT = \$599.55$	

[5] 주택대출에 있어, 대출자와 차입자가 추가적으로 고려해야 할 사항은 다음과 같다.
- 기대초기이자율(expected start rate): **기대초기이자율**은 대출설정 시점의 지표와 마진을 합산하여 결정한다. 대출자의 이자율 위험이 차입자보다 낮기 때문에 일반적으로 이자율은 FRM보다 낮게 설정된다.
- 실제초기이자율(actual start rate): **실제초기이자율**은 ARM대출 계약을 할 때 대출자 간의 경쟁시장을 통해 결정되는 이자율이다. 이는 기대초기이자율과 낮거나 같을 수 있다. 실제초기이자율이 기대초기이자율보다 낮을 경우를 "teaser rate"라 한다.
- 티저금리(teaser rate): 실제초기이자율이 기대초기이자율보다 매우 낮은 경우는 대출기관이 더 많은 차입자를 유치하기 위해 경쟁적으로 더 낮은 초기이자율을 기꺼이 제공한다는 것을 의미한다. 이때 차입자는 실제 할인된 이자를 받게 되는 것인지 아니면 낮은 이자율이 대출잔액에 추가될 이연 이자인지를 결정해야 한다.

3년 차 말 조정일에 조정금리는 차입자와 대출자가 합의한 금리지표와 이윤에 의해 결정이 된다. 예를 들어 3년 말에, ARM 금리가 6.5%로 조정되었다면, 4년 차 지불액은 3년 말 대출잔고($96,084)에 의해 결정된다.

계산기 해법:	함수:
4년 차-30년	*PMT (PV, i, n, FV)*
PV = $96,084, *i* = 6.5%/12, *n* = 324, *FV* = 0	
PMT = $629.88	

이 예에서 초기 3년 동안 월상환액은 $100,000를 6%의 이자율로 설정된 FRM ($599.55)과 동일하다. 3년 말에 대출잔액은 $96,084이고 이자율이 6.5%라고 하면, 4년 차 기간 동안 월지불액은 $629.88이 된다. 월지불액은 3년마다 재계산된다.

앞서 설명한 바와 같이, 하이브리드 대출에서 가능한 변형으로 초기 1~3년 기간은 이자만 지불하고 4년 차는 3년 차 말에 조정된 ARM을 적용하는 구성도 가능하다. 이때 초기 3년 동안은 이자만 지불하므로 4년 차 시점에 대출잔액은 $100,000이다. 4년 차부터 지불하는 금액은 조정된 이자율과 27년 상환액을 더한 값을 기준으로 재계산될 것이다. 월지불액은 남은 27년의 매년 초 재설정일을 기준으로 재계산된다.

이자만 지불하는 ARM *Interest-Only ARM* 및 변동금리 대출 *Floating Rate Loans*

다수의 변동금리 대출은 상업용 부동산의 자금조달 방식에 사용된다. **이자만 지불하는 ARM** 또는 변동금리대출은 차입자가 매월 이자만 지불하는 구조이다. 이자상환액은 지표와 이윤에 따라서 다양하다. 예를 들어 $100,000를 30년 동안 6% 이자율로 이자만 지급하고 매년 이자율을 재설정하는 ARM의 경우 월지불액은 다음과 같다.

$$\begin{aligned}\text{월지불액} &= \text{대출액} \cdot (\text{이자율} \div 12)\\ &= \$100{,}000 \cdot (0.06 \div 12)\\ &= \$500\end{aligned}$$

재조정일인 다음 년 초에 지표가 상승하여 이자율이 8%가 된다면, 월지불액은 $666.67가 된다.

$$\begin{aligned}&= \$100{,}000 \cdot (0.08 \div 12)\\ &= \$666.67\end{aligned}$$

두 경우 모두 지불액은 이자만 지불하고 원금에 대한 상환은 포함되지 않는다. 1년 차 말에 차입자가 남은 29년 기간의 대출잔액을 상환하는 경우를 고려해보자. "이자만 지불하는" 경우의 $666.67가 아닌 새로운 상환액은 $739.95가 된다.

계산기 해법:	함수:
PV = –$100,000, *n* = 29 × 12 = 348, *i* = 8%, *FV* = 0	*PMT (PV, n, i, FV)*
PMT = $739.95	

2년 차 지불액은 $739.95로 $73.27만큼이 대출잔액을 감소시킨다. $73.27가 8% 이자율로 복리계산될 경우 1년간 대출상환액은 $912.20이다(*PMT* = $73.27, *n* = 12, *i* = 8%, *FV* = 912.20). 이 금액을 $100,000에서 빼면 2년 차 대출잔액은 $99,087.79가 된다. 이러한 예처럼 대출자와 차입자는 특정한

기간에 전부 혹은 일부를 상환할지를 선택할 수 있다. 예를 들어, 3년 차 말에 이자만 상환방식이 중단되어야 한다면, 만기에 대출잔액을 전부 혹은 일부를 상한하기 위해서는 원금을 포함한 더 많은 금액의 지불이 시작되어야 한다.

위험 프리미엄, 이자율 위험, 채무불이행 위험

상이한 상환특성을 가진 ARM들 중에서 기대수익률이 얼마나 다양할지를 결정하는 것은 매우 어렵다. 그러나, 일정한 차입자에 대해서 ARM 방식으로 차입하는 경우의 기대수익(비용)은 앞서 설명한 ARM 조건에 의해 결정된다: (1) 초기금리, (2) 금리가 연동되는 지표, (3) ARM에 적용한 지표금리에 대한 이윤 또는 스프레드, (4) 최초대출금에 부과되는 할인율(discount point), (5) 상환액 조정의 주기, (6) 금리나 대출잔고의 상한이나 하한. 대출액과 나열한 6가지 각각의 특성이 현금흐름과 월별 예상상환액, 예상대출잔고 등을 결정한다. 따라서, 개별적인 특성이 기대수익(또는 차입자 비용)에 얼마나 영향을 미치기 쉬운지를 이해하고, 더 나아가 이러한 특성들의 조합이 시간에 따라 **상호작용**하며, 대출자에게 **채무불이행 위험**을 증폭시키거나 감소시킬 수 있는지를 이해해야 한다.

이자율 위험을 차입자에게 전가함으로써 대출자가 얻게 되는 이익에 대해서는 충분한 설명을 하였다. 이제, 대출자가 ARM을 취급함에 따라 추정해야만 하는 위험들을 추가한다. 6개의 특성의 조합은 채무불이행 위험에 영향을 주게 된다. 채무불이행 위험은 (1) 대출금을 상환하려는 차입자의 지불능력을 떨어뜨리거나, (2) 음의 분할상환으로 주택가치대비 대출잔액이 너무 크게 증가함에 따라 증가하게 된다. 대출자들의 대출심사 기준은 다음 장에서 다룰 것이므로, 본 절에서는 채무불이행 위험을 자세히 강조하고자 한다.

개별 차입자와 대출자에 대한 이자율 위험과 채무불이행 위험 간의 관계를 잘 설명해 주는 것이 [예 3-2]의 그림 A이다. 대출자가 요구하는 위험 프리미엄(p)을 세로축에, 대출자가 부담하는 금리위험을 가로축에 나타낸다. A−B의 연결선에서 대출자가 이자율 위험을 많이 부담할수록(차입자가 적게 부담할수록) 대출자가 위험 프리미엄을 많이 요구하게 된다. 따라서 이자율 위험 곡선의 기울기는 양(+)의 값을 가진다. 극단적으로 대출자가 모든 금리위험을 떠맡는 경우(B점)는 FRM의 이자율 위험과 동일한 값을 갖게 된다. 대출자가 아무런 이자율 위험을 지지 않는 경우는 차입자가 모든 이자율 위험을 떠안은 경우로서 A점이 된다.

그림 B에서 차입자가 부담하는 이자율 위험이 커질수록 대출자가 부담해야 하는 **채무불이행 위험**이 증가한다(지불액 또는 이자율에 **상한 조항이 없는** ARM인 경우). ARM에 대한 차입자 보호조항(이자율 도는 지불액 상한)이 없기 때문에 채무불이행 위험은 C에서 최대가 된다. 따라서, 향후 이자율이 크게 상승하게 되면, 소득대비 상환에 부담도 크게 증가할 수 있다("상환충격; payment shock"). 따라서 채무를 이행하지 못할 가능성은 차입자가 모든 이자율 위험을 부담할 경우 더 커지게 된다. 그러나, 대출자가 이자율 위험을 더 부담하게 된다면, 차입자의 채무불이행 위험은 감소하게 된다. 왜냐하면, 상환충격은 지불액 또는 이자율의 상한(cap)이 사용될 때 제약을 받기 때문이다. 본질적으로 더 많은 이자율 위험을 부담함으로써 **대출자**는 더 많은 충격을 흡수하게 되어 **차입자**의 채무불이행 위험을 줄여주게 된다. 이러한 특징은 그림 B에서 보는 바와 같이 채무불이행 위험 곡선은 대출자가 부담하는 이자율 위험이 증가함에 따라 요구되는 위험 프리미엄은 음(−)의 관계를 가지는 것으로 나타난다. 그러나, 채무불이행 위험의 수준은 FRM 대출자의 이자율 위험 이하로는 하락하지 않는다(D). D점은 대출자가 모든 이

예 3-2
금리위험, 상환불이행 위험과 위험 프리미엄의 관계

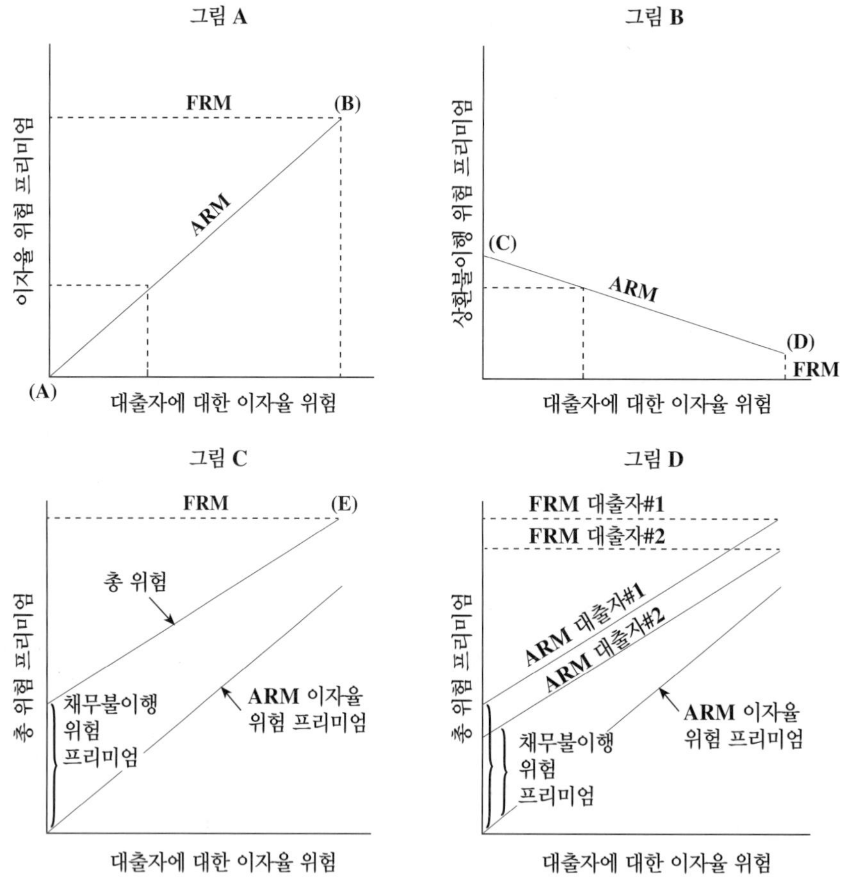

자율 위험을 부담한 것으로 가정한 그림 A에서 점 B와 일치한다.

그림 C에서 총 위험 곡선은 대출자들이 이자율 위험과 채무불이행 위험에 대해 ARM에 요구하는 위험 프리미엄을 나타내고 있다. 총 위험 프리미엄은 이자율 위험과 채무불이행 위험의 두 가지의 합으로 구성되어 대출자가 부담하는 이자율 위험의 양에 비례하여 증가하되 FRM에서의 위험 프리미엄을 그 상한선으로 한다(E점).

그림 D는 동일한 대출자가 두 명의 **상이한 차입자**에 대해 설정한 두 가지의 상이한 위험 프리미엄을 나타내고 있다. 여기에서 **이자율 위험**은 차입자를 구분하지 않고 동일하지만, **채무불이행 위험**은 차입자 간에 서로 다르다. 따라서 총 위험 프리미엄은 개별차입자의 채무불이행 위험 정도에 따라 다르게 나타난다. 채무불이행 위험은 단순히 차입금리만의 변수는 아니며, 실업·이혼 등 다른 요인들이 존재한다. 본 절에서는 채무불이행 위험이 이자율 변동에 따라 얼마나 변하는지를 중심으로 설명한다.

[예 3-2]가 모든 차입자에게 일반화될 수 있는 것은 아니다. 하지만 대출자가 이자율 위험을 차입자에게 전가시켜 얻는 이익이 차입자의 채무불이행 손실증가 위험보다 더 큰 경우에만 ARM대출이 이루어진다는 원칙을 도출할 수 있다. 바꿔 말하면, 차입자가 FRM보다 낮은 최초금리를 약정하는 대신 이자율 위험 부담을 받아들여야만 ARM대출계약이 이루어지는 것이다.

[예 3-2]에서는 차입자와 대출자가 직면하는 위험 수익 상쇄관계를 그래프로 나타냈다. 이자율 위험과 채무불이행 위험 간의 상쇄관계를 활용하여 대출자와 차입자가 만족하는 다양한 ARM 조건을 만들

수 있다. 이들 조건에는 초기이자율, 이윤, 할인율, 이자율 연동지수, 상환조정 주기, 지불액 상한 등의 조합들이 해당된다.

지금까지의 논의를 통해 볼 때, 대출을 실행(차입)하는 것은 **위험측정**(pricing risk)의 과정으로 볼 수 있다. 위험을 측정한다는 것은 대출자와 차입자가 다양한 위험의 양을 감내하는 조건으로 대출자가 받게 될 기대수익(또는 차입자가 지불하는 비용)이다. ARM을 구성하는 조건들(초기이자율, 지표, 조정기간, 상한)은 단지 차입자와 대출자가 이자율 위험과 채무불이행 위험을 배분하고 협상하는 "수단"이다.[6]

기대수익률과 이자율 위험 관계

대출자와 차입자 간의 위험을 배분하기 위한 계약과정은 복잡하지만, 계약과정에서 전개될 수 있는 이자율 위험과 수익률 간의 일반적인 관련성은 있다. 다음에 제시하는 이자율 위험과 관련된 일반적인 관계는 ARM과 FRM을 비교하고, 서로 차별적인 대출 조항을 포함하고 있는 ARM들을 비교할 때 유용할 것이다. 이자율 위험과 관련한 관계는 이자율 위험이 ARM 수익률에 미치는 영향에 초점을 둔다. 이때 ARM 대출상품이 만들어지는 전제조건은 차입자에게 이자율 위험을 이전함에 따른 대출자의 이익이 채무불이행 위험으로 발생할 손실을 초과하는 경우이다. ARM의 만기, 이자율 위험, 대출자의 기대수익률을 평가할 때 앞의 전제조건이 적용된다면, 다음 관계들을 고려해야만 한다.

1. 대출실행 시점에서 ARM의 기대수익률은 FRM의 기대수익률보다 낮다. 차입자에게 이자율 위험을 전가함으로써 대출자가 얻는 이익이 차입자의 채무불이행 위험이 증가하는 것보다 크다는 전제하에 이루어진다. 그렇지 않다면 대출자와 차입자는 항상 FRM을 더 선호할 것이다. ARM의 기대수익률이 더 낮아진 경우, ARM의 **초기이자율**은 FRM의 초기이자율보다 **보통**은 더 낮을 것이다.[7]
2. 단기지표금리에 연동된 ARM은 일반적으로 장기지표금리에 연동된 ARM보다 차입자 측의 위험부담을 더 증가시킨다. 단기 금리지표의 변동성이 장기 금리지표의 변동성보다 크기 때문이다. 따라서 위험회피형 ARM 차입자는 장기지표금리를 선호하여 더 높은 금리를 지불할 의향이 있다(대출자에게는 더 높은 위험 프리미엄과 기대수익률). 위험회피 경향이 작은 차입자는 단기지표금리를 더 선호하고 추가적인 이자율 위험을 감수하는 대신 더 적은 금액을 지불하려고 기대할 것이다. 어떠한 이자율 위험도 선호하지 않는 차입자는 고정금리 대출을 선택할 것이고, 대출자에게는 가장 높은 위험 프리미엄을 지불할 것이다.
3. 2와 관련되는 사항으로, 상환 조정주기가 짧은 ARM은 일반적으로 조정주기가 긴 경우보다 차입자가 더 큰 위험을 가지게 된다. ARM이 단기금리연동조건이더라도 조정주기는 지표금리의 만기와 일치하지 않을 수 있기 때문이다. 예를 들어, 어떤 ARM의 1년지표금리에 연동되어 있는 조정주기가 3년인 대출이 있을 수 있다. 조정주기가 짧을수록 대출자 측의 이자율 위험이 작아지는데 이는 ARM의 상환액이 시장시세를 반영할 것이기 때문이다. 차입자 중 금리조정을 전혀 원하지 않는 경우는 FRM을 선택할 것이다.

---

6 위험을 정량화할 수 있다면, 위험을 정확하게 얼마나 배분해야 하는지에 대한 계약이 가능하다. 그러나, 위험은 추상적인 개념이기 때문에 이는 불가능하다. 이것이 차입자와 대출자가 알 수 없는 미래의 경제여건 하에서 위험을 분담하기 위한 다양한 조항을 계약에 포함하는 이유이다.

7 ARM의 초기금리는 일반적으로 FRM의 초기금리보다 낮아야 하지만, 단기금리가 장기금리보다 높고 ARM이 단기금리와 연동된 경우, ARM의 초기금리는 FRM의 초기금리보다 높을 수 있다. 그러나, ARM의 기대수익률은 미래의 예상금리 유형을 포함하는 만기까지 계산되기 때문에 더 낮아야 한다.

4. 이자율 조정 시 이자율 상한(caps)을 가진 ARM의 경우, 차입자의 이자율 위험은 더 낮아질 것이다. 따라서 대출자의 기대수익은 상한이 없는 경우보다 더 높아져야 한다. 기대수익은 이자율 변동 제한의 수준에 따라 달라진다. 이자율 하한(floors)이 있는 경우는 차입자의 금리위험은 더 증가한다. 주어진 기간에 ARM상환액을 산출하는 데 사용되는 이자율의 하한값이 정해져 있기 때문이다. 상환금액과 금리가 확실할 것을 선호하는 차입자는 FRM을 선택할 것이다. 이때 FRM은 항상 가장 높은 기대수익을 대출자에게 제공할 것이다.
5. 만약 어떤 ARM이 불입액 상한으로 인한 음의 상환(negative amortization)조건이 있다면 금리변동 효과만큼 차입자와 대출자의 위험도가 반영되지 않는다. 그 이유는 금리변동 효과가 원금의 증가를 통해 이연되기 때문이다. 이연된 금액은 복리이자를 발생시키며 차입자가 이를 부담해야 한다.

ARM의 더 복잡한 특징들

지금까지 ARM조건, 위험부담, 대출자(차입자)가 ARM 계약 또는 재상환 기간 동안 수익(지불)에 영향을 주는 것에 대한 일반적인 관계를 설명하였다. 이제 대출자와 차입자는 초기 대출 조건 협상에 대한 것을 살펴보아야 한다. 초기 대출 조건은 (1) 대출 시점이 알려져 있고, (2) 기대수익에 영향을 미칠 것이다. 일단 상환조정주기와 상환금 비율, 음의 상환에 대한 협상이 되고 나면, 대출자와 차입자에게 미칠 영향의 규모는 오로지 미래 시장조건에 의해 결정될 것이다. 반면, ARM의 초기 조건이나 대출 금액, 만기, 초기이자율, 이윤, 할인율은 정량화가 가능하고, 대출이 실행될 때 정확하게 협상이 가능하다. 이러한 초기 대출 조건들은 (1) 대출자가 선택한 지표금리, 조정기간, 이자율 상한, 음의 상환에 의해 결정되는 이자율 위험 크기와 (2) 차입자에게 전가한 이자율 위험의 양에 의해 결정되므로 인해 대출자가 받게 될 채무불이행 위험의 크기에 영향을 준다. [예 3-3]은 가상적인 하나의 FRM과 세 개의 ARM의 조건을 보여준다.

이러한 대출들은 같은 조건이라도 상당한 차이가 있음을 주의하자. ARM I의 초기이자율은 3%이고, ARM II는 4%, ARM III는 5%, FRM은 6%이다. 그 이유는 무엇인가?

ARM I, II, III의 경우 (b)~(f)의 조건은 모두 동일하나 (g)~(i) 조건이 다르다. ARM I의 지불금리에는 제한이 없다. ARM II는 매 조정주기 기준 5%의 불입액 인상 상한과 음의 상환을, ARM III는 금리 인상한도 조정주기당 2% 및 대출만기까지 총 5%의 인상한도가 설정되어 있다. 세 가지의 ARM을 비교해보면 차입자의 이자율 위험부담이 ARMI에서 가장 크다. 따라서 ARM I 대출자의 기대수익이 ARM

예 3-3
가상의 대출 조건 비교

내 용	ARM I	ARM II	ARM III	FRM
(a) 최초이자율	2%	4%	5%	6%
(b) 대출만기	30	30	30	30
(c) 지표구성만기	1년	1년	1년	–
(d) 지표마진	2%	2%	2%	–
(e) 조정기간	1년	1년	1년	–
(f) 할인(points)	2%	2%	2%	2%
(g) 지불액상한	None	5.0%	–	–
(h) 이자율상한	None	None	2%, 5% *	–
(i) 음의 상환(negative amortization)	–	yes	–	–

* 연간 2%, 대출기간 동안 5% 인상 상한

II, III보다 낮아야 한다(차입자는 세 개의 ARM을 선택하는 동안 채무불이행 위험은 수용 가능한 수준이다).

ARM I의 기대이익이 낮기 때문에 최초금리도 다른 ARM보다 낮아야 한다. 모든 ARM의 지표금리, 이윤, 할인율이 모두 동일하므로 ARM I이 더 낮은 이익을 얻기 위해서는 초기이자율은 다른 ARM보다 낮아야 한다. ARM I은 FRM에 비해서도 가장 큰 할인 또는 스프레드를 가져야 한다. 이는 차입자가 모든 이자율 위험을 부담하기 때문이다. 따라서, 대출자는 ARM I에서 FRM보다 더 낮은 위험 프리미엄과 수익률을 기대한다.

차입자가 더 많은 위험을 부담함으로써 초기이자율을 낮추고, 향후 무제한 상환 조건을 사용하는 것은 ARM I, II, III, FRM을 다르게 사용될 수 있는 다양한 조합 중에 하나이다. 예로서 대출자는 ARM I의 최초금리를 ARM II와 동일하게 설정하는 대신 이윤을 줄이거나 할인율을 줄일 수가 있는 것이다. 또한 연동지표금리, 조정주기 등도 다양한 변형과 조합이 이루어질 수 있다.

[예 3-3]으로 다시 돌아가서, ARM II와 III의 최초금리는 ARM I보다 높다. ARM II의 최초금리가 ARM I보다 높은 이유는 불입액 인상 상한조건 때문이다. ARM III는 I, II와 비교할 때 대출자 측의 금리위험이 더 큰데, 이는 금리상한으로 인해 불입액이 제한을 받기 때문이다. 이럴 경우, 금리가 상승해도 상한으로 인해 대출자는 수입이자를 일부 상실한다. 따라서 ARM III의 최초금리가 더 커야 하는 것이다.

[예 3-3]에서는 다른 가능성에 대해서도 관심을 기울여야 한다. 다른 조건들(예를 들어 금리연동지표나 조정기간)이 변할 경우에도 최초 대출 조건의 변화를 예상할 수 있다. ARM I이 장기금리에 연동되거나 불입 조정주기가 장기라고 한다면, 부과되는 초기금리나 할인금액이 상승할 것으로 예상할 수 있다. 왜냐하면 장기지표에 연동된 금리는 변동폭이 작아지기 때문에, 차입자가 이자율 위험을 덜 부담하기 때문이다. 이러한 경향은 다른 ARM의 경우도 마찬가지다. ARM II와 III에서 장기금리 지수를 연동한다면, 금리위험은 대출자가 더 부담하게 되고, 대출자의 기대수익률은 FRM의 경우에 접근할 것이다.

ARM 상환구조

상환조정주기와 대출잔액이 ARM의 조건에 따라 어떻게 결정되는지를 설명하기 위해 대출금액 $60,000, 대출만기 30년인 경우를 [예 3-3]을 통해 살펴보자. ARM이자율은 매년 조정된다고 가정한다. 따라서 첫 번째 대출조정은 2년 차 초에 발생할 것이다. 이때 대출금리는 미국 국채금리에 이윤 2%를 더한 값으로 계산된다. 만약 (1) 1년 국채 수익률이 향후 2, 3, 4, 2%로 ARM대출이 실행되는 선도시점을 기준으로 하고, (2) 월상환액과 이자율 조정은 매년 발생하는 것으로 가정하면, ARM의 상환금 조정, 대출잔액, 기대수익률은 어떻게 될 것인가?

불입액 및 금리인상에 상한이 없는 경우

첫 번째 경우로, 상환액 제한과 금리상한 제한이 없는 지표에 따라 금리가 변하는 ARMI을 고려해보자. 향후 이자율의 변화에 따라 ARM의 상환 형태는 어떻게 바뀌는가? 이 경우는 상환액과 이자율에 대한 상한 제한이 없는 경우로 간단하게 계산된다.

[예 3-4]의 앞의 4개 열이 계산에 필요한 자료를 담고 있다. 가정에 의하면, 첫해 대출금리는 3%로 가정하지만, 첫해 이후에는 지표에 2%의 이윤을 더한 지급액이 결정된다. 2년 차부터 5년 차까지 상환

예 3-4
자료 및 결과 요약: ARM I(제약이 없는 경우)

(1) 년	(2) 지표	+	(3) 이윤	=	(4) 이자율	(5) 지불액	(6) 잔액
1					3%	$252.96	$58,748
2	2%		2%		4	285.50	57,651
3	3		2		5	319.14	56,682
4	4		2		6	353.69	55,815
5	3		2		4	288.03	54,569

액을 결정하는 데 사용되는 이자율은 4, 5, 6, 4이다. 이미 지적한 바와 같이, 동일 지표에 연동된 ARM은 초기금리, 스프레드, 이윤, 할인율에 따라 달라질 수 있다. 이들 구성요소는 대출환경의 경쟁여건과 대출자가 대출가격을 결정할 때 경쟁하는 주요 변수들(상한 또는 기타 제한 사항)이다. 대출자는 지표에 대한 통제권을 가지고 있지 않기 때문에 대출가격을 결정할 때 다른 구성요소들에 의존해야만 한다.

[예 3-4]의 5열의 연 불입액 계산은 비교적 간단하다. 매년 말에 마치 새로운 금리로 신규 대출된 것처럼 계산하면 된다. (1) 당해연도에 적용되는 금리로 대출잔액을 계산하고, (2) 조정된 금리에 의해 새로운 불입액을 계산하며, 이러한 과정은 대출잔존 기간 동안 매 조정 이후에 계속된다.

1단계:	
1년 차 불입액 계산	함수:
$n = 30 \times 12 = 360$개월, $i = 3\%/12 = 0.25\%$, $PV = \$60,000$, $FV = 0$	*PMT (n, i, PV, FV)*
$PMT = -\$252.96$	
2단계:	
1년 차 대출잔액 계산	함수:
$n = 29 \times 12 = 348$, $i = 3\%/12 = 0.25\%$, $PMT = -\$252.96$, $FV = 0$	*PV (n, i, PMT, FV)*
$PV = \$58,747$	
3단계:	
2년 차 불입액 계산	함수:
$n = 29 \times 12 = 348$개월, $i = 4\%/12 = 0.33\%$, $PV = \$58,747$, $FV = 0$	*PMT (n, i, PV, FV)*
$PMT = -\$285.49$	
4단계:	
2년 차 대출자액 계산	함수:
$n = 28 \times 12 = 336$개월, $i = 4\%/12 = 0.33\%$, $PMT = -\$285.49$, $FV = 0$	*PV (n, i, PMT, FV)*
$PV = \$57,651$	

[예 3-4]의 계산을 보면 불입 형태에 많은 변동성이 있음을 발견하게 된다. 5년 동안 불입액은 13%의 증가를 보였다가 19%의 하락까지도 나타내고 있다. 금리위험을 싫어하는 차입자들의 입장에서는 이자율 상한 조건이 없는 단기 금리연동 조건 ARM은 바람직하지 못하다. 마지막으로 주목해야 할 점은 금리수준 여부에 관계없이 원금분할상환은 이루어지고 있다는 점이다. 단, 분할의 속도는 적용금리에 따라 다를 것이다.

ARM I의 채무불이행 위험은 [예 3-4]로부터 명백해진다. 비록 초기 상환금 수준은 낮지만, 5년간 상환의 변동폭은 대단히 크다. 차입자가 이러한 위험을 부담하게 하려면 대출자는 차입자의 미래가능소득액 또는 현재 및 미래의 재산 규모가 불입액 증가를 충분히 감당할 수 있을지 심사해야 한다.

불입액 상한과 상환

이제 ARM II를 분석할 것인데, 여기에서는 차입자와 대출자가 미래에 발생할 수 있는 이자율 변동을 완화하기 위해 상환액 상한 또는 조정기간 동안 지불할 수 있는 최대 이자율에 동의한 ARM II를 고려한다. 이자율 인상폭은 연 5%이다. 이 경우에 지급되어야 할 이자액과 실제 지급액의 차액은 대출원금에 가산되어야 하며, 앞서 설명한 바와 같이 이러한 ARM은 **불입액의 상한제한**과 **음의 상환**을 포함한다.

이 ARM은 불입액 상한과 음의 상환을 허용하기 때문에, 제한이 없는 경우보다 더 많은 현금흐름의 지급시기가 미래로 이연된다. 따라서 대출자에 대한 이자율 위험은 ARM I보다 다소 크기 때문에 최초 대출금리는 4%이고, 이윤은 2%로 유지된다고 가정한다. [예 3-5]는 ARM II에 대한 상환불입액과 대출잔고의 형태를 보여준다. 표에 의하면 앞서의 금리변동에 대한 가정에 의해, 2년 차의 월불입액은 $285.49로서 첫해 $252.96보다 13% 인상된 금액이 된다. 월불입액 $285.49는 분명히 5%의 최대 허용 증가분보다 클 것이다. 따라서, 월불입액은 $265.62 ($252.96보다 5% 많은 금액)까지 허용될 것이다.

3차 연도의 ARM 불입액은 무제한 불입액조정이 5% 한도를 증가하는지 여부를 다시 설정함으로써 결정된다. 전년도 불입액을 포함한 대출잔액은 $57.894 (= $58,172.00 − $852.96)이다. 남은 336개월 동안의 이자율 4%는 상한제한이 없는 지불액을 계산하는 데 사용된다. 4%의 이자율에 근거한 상한제한이 없는 지불액은 $285.49가 될 것이다. 이는 $252.96의 12% 증가한 금액이다. 따라서, 불입액은 이자 부족분에 따라 계산되고, 매달 4%씩 합산되어 대출잔액에 추가될 것이다. 이러한 과정은 대출기간 동안 각 조정간격마다 반복된다.[8] 상한제한 5%에 따른 실제 대출잔액은 [예 3-6]에 나와있다.

요약: ARM과 차입자, 대출자, 시장행동

위험 프리미엄에 대한 그래프 분석과 이자율과 채무불이행 위험의 관계를 설명한 [예 3-2]를 다시 상

예 3-5
월불입액상한 계산(ARM II, Cap: 5%/연)

(1) 기초	(2) 잔액	(3) 무상한 불입액	(4) 불입액(상한 5%)
1	$60,000	$252.96	$252.96
2	58,747	285.49	265.61
3	57,894	320.47	278.89
4	57,431	358.35	292.83
5	57,360	296.00*	307.47*

(5) 월이자율	(6) 월이자율 (5) × (2)	(7) 월상환액 (4) − (6)	(8) (5)에 의한 총 월이자율	(9) 연상환액 (7) × (8)
.03 ÷ 12	$150.00	$102.96	12.166383	$1,252.65
.04 ÷ 12	195.82	69.79	12.222463	852.96
.05 ÷ 12	241.22	37.67	12.278555	462.54
.06 ÷ 12	287.15	5.68	12.435562	70.07
.04 ÷ 12	191.20	104.80	12.222463	1,280.91

*5년차의 무상한 불입액 $296.00은 상한 불입액 $307.47 보다 작으므로 불입액은 $296.00이다.

[8] 부의 상환 조건이 있는 ARM에서는 보통 대출기간 동안 대출잔액의 증가를 제한한다. 왜냐하면, 대출잔액의 증가 수준이 담보 부동산의 가치를 초과할 가능성이 있기 때문이다. 결과적으로, 대출자와 차입자는 이자를 대출잔액에 산입하는 것을 유보하든지 월 불입액이 증가하는 데 동의해야 한다.

예 3-6
ARI II
대출잔액(Cap: 5%/연)

연	연동지표금리	이윤율	이자율	대출잔액 (연초)	불입액	감소한 상환액	대출잔액 (연말)
1	—	—	3%	$60,000	$252.96	(1,252.65)	$58,747
2	2%	2%	4	58,747	265.62	(952.86)	57,894
3	3	2	5	57,894	278.89	(462.54)	57,430
4	4	2	6	57,431	292.83	(70.07)	57,360
5	2	2	4	57,360	296.00	(1,280.98)	56,079

기해보면, ARM I에서 III에 요구되는 위험 프리미엄이 총 위험 곡선에서 얼마나 떨어져 있는지를 [예 3-7]로 나타낼 수 있다. [예 3-7]은 기본적으로 ARM I에서 III로 이동함에 따라 대출자의 이자율 위험이 증가하는 것을 나타내는 것이다. 그러나, [예 3-2]의 그림 B에 의하면 대출자의 이자율 위험이 증가함에 따라 차입에 의한 채무불이행 위험은 이자율 변화에 따라 감소한다. 대출자의 이익(차입자에게 이자율 위험을 이전시킴으로써)이 ARM대출 시 실행될 때 예상되는 채무불이행 위험을 초과해야 한다는 시장규칙을 따른다면, 총 위험 프리미엄과 이로 인한 대출자의 기대 수익은 ARM I에서 III로 이동함에 따라 증가하게 된다. 세 개의 모든 ARM의 기대수익률은 FRM의 수익률보다 낮게 유지되어야 한다.

일반적으로 모든 ARM의 최초금리와 기대금리는 FRM보다 낮아야 한다는 것을 알고 있다. ARM의 초기금리와 기대수익률이 FRM보다 낮아지거나 ARM 간에는 상환금액, 이자율 상한 등과 같은 조건들

예 3-7
ARM 간의 총 위험별 순위

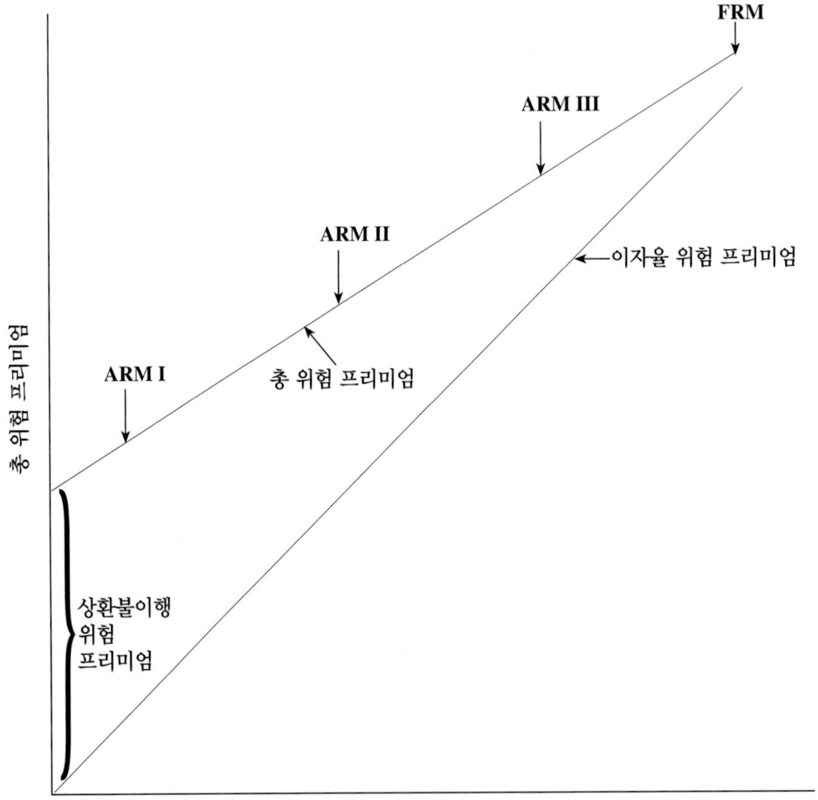

이 있는 경우보다 낮아야 한다. 차입자에게 더 많은 이자율 위험을 이전하고 상한제한이 없는 조건일 경우는 FRM에서 가장 많이 할인된 초기이자율이 적용되어야 한다. 따라서, 차입자가 여러 개의 조건들과 선행금리의 기대치가 다른 ARM 중에서 선택해야 한다면, ARM과 FRM을 비교하기 전에 기대수익률을 계산해야 한다. 대출실행 시점의 기대수익률이 ARM의 실제 수익률이 될 것이라는 보장은 없지만, 기대수익률은 당시 가용 정보에 기초하여 최선으로 추정한 ARM의 비용을 나타낸다.

결론

본 장에서는 대출 조건들이 변동금리에 포함되어 어떤 식으로 변경되는지를 살펴보았다. 변동금리 대출은 경제성장률과 기대 인플레이션율에 따라 수시로 금리를 조정할 수 있는 대출이다. 직관적으로, 많은 경우 기대 인플레이션율이 상승하고 불확실해지면, 차입자나 대출자 중 누가 미래 이자율 변화위험을 부담할 것인지에 대한 의문이 발생한다. 이러한 시기에는 고정금리 대출은 차입자에게 비용 부담이 매우 크다. 왜냐하면 고정금리와 대출 상환액의 증가율이 차입자의 소득 증가율보다 높을 것이기 때문이다. 대출상환액과 차입자 소득의 불균형으로 차입자와 대출자 모두 현재 차입자의 소득에 적절한 대출상환액을 지불하는 수준에서 대출 계약을 수정하는 방법을 찾을 것이다. ARM대출은 이러한 불균형 문제에 대한 하나의 해답을 제공한다. 다양한 옵션(금리연동지수, 불입금조정 주기, 연간 및 상한기간 동안의 금리 상한, 음의 상환 등)을 통하여, 대출자와 차입자는 이자율 위험을 분담하는 대출 및 불입구조에 대해 협상할 수 있다.

주요용어

기대초기이자율	실제초기이자율	이자율 위험	채무이양
물가연동 금리조정대출(PLAM)	예상치 못한 인플레이션	재조정일	최대한도설정
변동금리저당대출	음의 상환	조정기간	최소한도설정
변등금리대출	이윤	종합금리	티저금리
스프레드	이자만 지불하는 ARM	지표	

질문

1. 앞 장에서, 차입자의 대출금 상환능력과 관련한 심각한 문제들과 다양한 상환유형을 가진 고정금리대출의 발전과정에 대해서 논의하였다. 이러한 발전과정에서 대출자가 직면한 문제들은 왜 언급되지 않은가? 최근 이러한 문제들을 해결하기 위해 대출자들은 어떤 노력들을 해 왔는가?
2. 인플레이션 기대가 담보대출 금리에 어떠한 영향을 미치는가?
3. 물가연동 금리조정대출(PLAM)은 인플레이션 기대에서의 불확실성 문제를 어떻게 해결하는가? PLAM 프로그램을 실행하는 데 있어서 현실적인 한계는 무엇인가?
4. ARM이 PLAM보다 더 나은 대안의 대출이라고 생각되는가?
5. ARM에서 협상 가능한 주요 조건들을 나열해 보라. 이들 조건들을 활용한 ARM 가격책정이란 무엇을 의미하는가?
6. 금리위험과 채무불이행 위험 간의 차이점은 무엇인가? ARM에서 조건들의 결합은 차입자와 대출자 간의 위험배분에 어떻게 영향을 미치는가?
7. 다음 2개의 ARM 중에서 어느 것의 초기금리가 더 높은가?
   (1) ARM A: 3% 이윤, 3년물 금리에 연동, 불입금액은 2년마다 조정 가능, 불입금은 전기보다 10% 이상 올리지 못함. 만

기는 3년이며 points는 없음.

(2) ARM B: 3% 이윤, 1년물 금리에 연동, 불입금액은 매년 조정 가능, 불입금액은 전기보다 10% 이상 올리지 못함. 만기는 30년이며 points는 없음

8. 선행금리(forward rate)란 무엇이고 어떻게 결정되는가? ARM의 불입금을 조정하기 위해 사용되는 지표지수와는 어떤 관련이 있는가?

9. ARM의 초기금리와 기대수익률 간의 차이점을 설명하라. 둘 간의 일반적인 관계는 어떠한가? 이들은 보통 ARM 조건에 어떻게 반영되는가?

10. 어떤 ARM이 초기금리 8%, 이윤 2% (ARM지표지수도 대출실행시점 8%일 때)로 책정되었고, FRM은 11% 금리로 활용할 수 있다면, 대출시행 시점의 수익률 곡선에서 인플레이션과 선행금리에 대해 무엇을 의미하는가? FRM을 10%에서 사용할 수 있다면, 이는 무엇을 의미하는가? 12%로 사용할 수 있는 경우라면?

문제

1. PLAM의 가격 수준이 다음 조건으로 결정되었다.

총액 = $95,000
초기금리 = 4%
만기 = 30년
Points = 6%

불입금액은 매년 초에 조정된다.

차후 5년 동안 매년 6%의 인플레이션이 예상된다고 가정한다.

a. 매년 초의 불입금액을 계산하라.
b. 5년도 말의 대출잔액은 얼마인가?
c. 이러한 대출에 대한 대출자의 수익률은 얼마인가?

2. ARM대출이 다음과 같은 조건으로 이루어졌을 때 각각의 물음에 답하라.

총액 = $200,000
초기금리 = 6%
만기 = 30년
조정주기 = 1년

2년 차 이자율은 7%로 상승됨을 가정

a. 원금균등분할 상환에 있어 1년 차 기간 중의 월지불액은?
b. (a)에 따른 1년 차 말 대출잔액은?
c. 2년 차 금리가 7% 적용이 될 경우 2년 차 기간 중의 월지불액은?
d. 2년 차 말 대출잔액은?
e. 이자만 지불하는 대출일 경우 1년 차 월지불액은?

3. 3/1 ARM대출이 다음과 같은 조건으로 이루어졌을 때 각각의 물음에 답하라.

총액 = $150,000
초기금리 = 7%
만기 = 30년
조정주기 = 3년

a. 3년 동안 고정금리로 원금균등상환할 경우 월지불액은? 3년 후 대출잔액은?
b. 4년 차에 이자율이 6%로 하락하고 원금균등상환일 경우 월지불액은?
c. (a) 가정하 1년 동안 이자만 지불할 경우 월지불액은? 4년 차 이자율이 6%로 하락하고 원금상환일 경우 월지불액은?

4. 대출액 $100,000, 최초 대출금리 5%인 ARM에 대해 초기 2년간 teaser rate 2% 적용 후 재조정되는 대출이 있다. 25년 원금상환을 가정하며 상환은 매월 이루어진다.

a. 첫해에 상환해야 할 금액은 얼마인가?
b. 2년 차 초에 조정이자율이 6%라고 하면, 월상환액은 얼마인가?
c. 월상환액은 몇 퍼센트까지 증가하는가?
d. 대출설정 후 3년 후 이자율이 6%로 조정될 경우 4년부터 25년 동안의 대출지불액은?

5. 이자율만 상환하는 ARM의 대출총액은 $200,000(만기 30년)이고, 초기이자율은 5%이다. 차입자는 3년 동안 이자만 상환한다. 그 이후 상환액은 대출을 완전히 상환하기에 충분해야 한다.

a. 3년 동안 이자만 상환할 경우 지불액은?
b. 3년 차 말에 이자율이 6%로 상승할 경우 차입자가 대출금을 상환하기 위해 필요한 월지불액은?

6. 차입자가 집을 구입하는 수단으로 ARM대출을 활용하고자 한다. 차입자는 5년 동안 주택을 소유할 것으로 예상하고 대출기관에 30년 동안 $150,000을 원금상환방식으로 대출하고자 한다. 각 조건은 다음과 같다.

초기금리 = 6%
연동지수 = 1년물 국채
불입금 조정은 매년 함
이윤 = 2%
금리 상한 = 없음
불입금 상한 = 없음
음의 분활상환 = 적용 안 됨
할인율(discount point) = 2%

ARM이 연동된 1년물 국채 지수는 다음과 같이 예측된다.

1년 말 = 7%, 2년 말 = 8.5%, 3년 말 = 9.5%, 4년 말 = 11%.

지불액, 대출잔액, 5년 동안의 ARM수익률을 계산하시오.

7. 다음과 같은 조건에서 30년 동안 $150,000을 빌리는 조건으로 ARM대출이 실행되었다.

초기금리 = 7%
연동지수 = 1년물 국채
불입금 조정은 매년 함
이윤 = 2%
금리 상한 = 없음
불입금 상한 = 5%(전년도와 비교 시)
할인율(discount point) = 2%

원금균등상환, 그러나 불입금이 상한(cap)에 도달 시 음의 분할상환 가능

ARM이 연동된 1년물 국채 지수는 다음과 같이 예측된다.

1년 말 = 7%, 2년 말 = 8.5%, 3년 말 = 9.5%, 4년 말 = 11%.

지불액, 대출잔액, 5년 동안의 ARM수익률을 계산하시오.

8. 다음과 같은 조건에서 30년 동안 $150,000을 빌리는 조건으로 ARM대출이 실행되었다.

초기금리 = 7%
연동지수 = 1년물 국채
불입금 조정은 매년 함
이윤 = 2%
금리 상한 = 연간 1%(전 기간 3%)
할인율(discount point) = 2%

원금균등상환; 불입금 상한(caps) 도달 시 음의 분할상환 가능

ARM이 연동된 1년물 국채 지수는 다음과 같이 예측된다.

1년 말 = 7%, 2년 말 = 8.5%, 3년 말 = 9.5%, 4년 말 = 11%.

지불액, 대출잔액, 5년 동안의 ARM수익률을 계산하시오.

9. MakeNu 모기지회사는 주택 구매자에게 Stable Home Mortgage라는 새로운 담보대출상품을 제공하고 있다. 이 담보대출은 고정금리부와 변동금리부 상품 모두가 있다. Maria Perez 씨는 새로운 주택구입을 위해 $100,000 대출을 필요로 하며, SHM을 통해 조달할 예정이다. SHM의 대출 조건은 다음과 같다.

a. SHM은 5%의 계약금을 요구하며, 차입자에게 2%의 할인율(discount points)을 제공한다. 대출액의 75%는 고정금리(25%는 변동금리)를 허용한다. 고정금리가 적용되는 대출액의 만기는 30년, 이자율은 10.5%이다. 상환 제한(caps)은 없는 대출은 30년간 다음과 같은 조건이 적용된다.

초기금리 = 9%
연동지수 = 1년물 국채
불입금 조정은 매년 함
이윤 = 2%
금리 상한 = 없음
불입금 상한 = 없음

ARM이 연동된 1년물 국채 지수는 다음과 같이 예측된다.

1년 말 = 10%, 2년 말 = 11%, 3년 말 = 8%, 4년 말 = 12%.

Maria Perez 씨의 5년 동안의 총 월별 불입액과 매년 말 대출잔액을 계산하시오. Maria Perez씨가 5년 후에 대출금을 갚는다고 할 경우 대출자의 수익률을 계산하시오

b. 초기 금리 9.5%, 연간 이자율 상한 1%라는 가정하에 (a)를 다시 계산하시오.

10. $100,000의 대출이 30년 만기, 12% 변동금리로 제공된다. 차입자와 대출자는 월 $800의 불입금을 협상하였다.

a. 첫해 말에 대출잔액은 얼마인가?
b. 2년 차 말에 금리가 13%로 오르면 어떻게 될까? 만약 불입액이 $800로 유지된다면 2년 차에 음의 상환으로 얼마나 많은 이자가 발생하는가? 5년 차는?

11. Excel. 웹사이트에 제공된 Excel Workbook에 "Ch5 ARM No Caps"의 탭을 참고. 지표(index)가 5년 차에 18%까지 상승한다고 가정. ARM의 실질 비용은 얼마인가?

12. Excel. 웹사이트에 제공된 Excel Workbook에 "Ch5 ARM Int Caps"의 탭을 참고. 지표(index)가 5년 차에 18%까지 상승한다고 가정. ARM의 실질 비용은 얼마인가? 어떤 상한이 5년 차 요율에 영향을 미쳤는가?

13. Excel. 웹사이트에 제공된 Excel Workbook에 "Ch5 ARM Pmt Cap"의 탭을 참고. 지표(index)가 5년 차에 18%까지 상승한다고 가정. ARM의 실질 비용은 얼마인가? 지불액 상한 제한(cap)은 실질비용의 상승을 방지하는가?

CHAPTER 04

주택금융에 대한 추가 분석 등

Mortgages: Additional Concepts, Analysis, and Applications

이전 장에서 부동산금융에 사용하는 다양한 유형의 주택저당대출의 분석을 고려했다. 본 장에서는 그러한 개념을 주택저당대출의 분석과 관련된 다양한 질문으로 확장한다. 제기되는 질문은 대출 조건이 다른 두 개의 대출(예: 대출액, 대출금리)을 비교하는 방법과 대출의 재융자 또는 중도상환 여부와 대출 조건의 적정여부를 결정하는 방법 등이다. 또한 본 장에서는 부동산 자산에 시장금리보다 낮은 대출이 붙어 있는 경우의 자금조달 영향을 평가할 것이다. 이것이 중요한 이유는 유리한 자금조달로 보이는 부동산에 종종 더 높은 가격을 지불해야 하기 때문이다.

증분차입비용 *Incremental Borrowing Cost*

먼저 두 개의 대출을 어떻게 평가할 것인지를 검토하는 것부터 시작한다. 하나의 대안은 다른 대안에 비해 추가 자금을 차입하는 대출이다. 예로서 차입자가 $100,000의 주택을 구입하려고 하며, 두 가지 대출 대안을 선택할 수 있다고 가정하자. 대출자는 6%의 이자율로 25년간 집값의 80% ($80,000)로 대출하는 상품과 7%의 이자율로 25년간 집값의 90% ($90,000)로 대출하는 상품을 제공한다. 두 대출 모두 고정금리 원리금균등분할(CPM)상환방식이다. 차입자는 이 두 개의 대출상품을 어떻게 비교해야 하는가?

이 문제를 분석하기 위해 대출의 **한계**(marginal) 또는 **증분차입비용**(incremental cost of borrowing)이라는 개념을 활용해야 한다. 앞 장에서 특정 대출에 대한 유효 차입비용 계산방법을 알고 있다. 그러나, 부동산금융에서 차입자가 상이한 대출 조건을 지닌 자금조달 대안을 비교할 수 있는 것도 마찬가지로 중요하다. 차입자는 부동산을 구입하기 위해 한 가지 방법 또는 다른 대출 조건보다 많은 방식으로 자금을 조달할 수 있다.

전술한 문제에서, 두 대안은 대출금액과 이자율이 다르다. 6%로 25년간 $80,000를 빌리거나 7%로 $90,000를 25년간 빌릴 수 있는 대출이 있다. 대출취급수수료가 없기 때문에 2장에서 확인된 바와 같이 두 대출의 실효금리는 각각 6%, 7%이다. 그러나, 차입자가 계산해야 할 중요한 비용은 $80,000 대신 $90,000를 대출받기로 선택할 경우 추가로 $10,000를 조달하기 위한 비용이다. 얼핏 보기에는 $90,000

대출의 금리가 7%이기 때문에, $10,000를 추가로 취득하는 데 드는 비용도 7%라고 생각할 수 있다. 그렇지 **않다**. 두 대출을 면밀하게 분석해보면, 차입자가 $90,000 대출로 이용할 수 있는 $10,000를 7%로 추가로 빌리려면 처음 빌린 $80,000에도 1%의 이자를 더 내야 한다는 것이다. 이는 추가 $10,000를 확보하는 데 드는 비용을 상당히 증가시킨다. $90,000에 대해 이자지급액이 큰 이유는 $10,000의 차입이 추가되었기 때문이기도 하지만, 전체에 대해서 더 높은 이자율이 설정되었기 때문이다. 추가 $10,000의 금융비용을 계산하기 위해서 $90,000 대출이 $80,000 대출과 비교해서 추가 지불액이 얼마인지를 검토해야 한다.[1] 이러한 차이는 추가 차입금 $10,000와 비교해야 한다. 이는 다음과 같이 비교할 수 있다.[2]

	대출금액		대출상수		월불입액
대안 2 (7%)	$90,000	×	.007068	=	$636.10
대안 1 (6%)	80,000	×	.006443	=	515.44
차이	$10,000		차액		$120.66

대출상환액 차이($120.66)의 현재가치를 받은 대출금액의 증가분($10,000)과 동일하게 만드는 연간이자율을 찾고자 한다. 연간이자율(i)은 다음과 같이 계산된다.

계산기 해법:	함수:
$n = 25 \times 12 = 300$, $PV = -\$10,000$	$i\ (n, PV, FV, PMT)$
$PMT = \$120.66$, $FV = 0$	
답은 $i = 14.04\%$(연간)	

재무용 계산기로 계산한 금리는 14.04%이다. 따라서 차입자가 $90,000 대출에 포함된 추가 $10,000를 빌리고자 한다면, 7%보다 상당히 높은 14% 이상이 될 것이다. 이 비용을 차입의 한계비용(marginal cost) 또는 증분비용(incremental cost)이라고 한다. $90,000 대출에 대한 7% 금리는 $80,000 대출에 대한 4%와 $10,000 대출에 대한 14.04%를 가중하여 평균한 것으로 생각할 수 있다.

$$\left[\frac{80,000}{90,000} \times 6\%\right] + \left[\frac{10,000}{90,000} \times 14.04\%\right] = 6.89\% \text{ or } 7\% \text{ (rounded)}$$

차입자는 추가 $10,000을 차입해야 할지를 평가할 때 이 비용을 고려해야 한다. 차입자가 $10,000를 차입할 필요가 없을 정도로 충분한 자금을 보유하고 있다면, 부동산에 투자하지 **않고** 펀드투자를 통해 수익을 올릴 수 있다. 다시 말해서 더 큰 대출금 $90,000를 받음으로써, 차입자의 자기자금은 $80,000 대출인 경우보다 $10,000가 감소할 것이다. 따라서, 차입자가 14.04% 이자수익율을 기대할 수 없다면, 또는 부동산에 투자하지 않고 펀드에 $10,000 투자를 통해 더 큰 이익을 얻을 수 없다면, 더 적은 $80,000를 선택하는 편이 낫다.

만일 차입자가 자기자금이 부족하여 $90,000을 차입해야만 한다면, 증분차입비용은 추가 $10,000를 얻는 비용이다. 추가로 $10,000를 얻는 여러 대안적 방법이 있을 수 있다. 예를 들어, 차입자가 $10,000

[1] 이 예에서는 $80,000와 $90,000 대출을 사용하지만, 계산은 부동산 가치의 동일한 비율의 다른 대출에도 일반화할 수 있다.

[2] 단독주택의 경우 대출금액이 부동산가치의 80%를 초과하면, 일반적으로 대출자는 민간모지지보험을 요구한다. 이 보험의 비용은 증증차입비용에 영향을 미치므로 계산에 반드시 고려되어야 한다. 민간모기지보험에 대한 자세한 내용은 20장에서 다룰 것이다.

를 2순위 대출로 14.04%보다 낮은 금리로 빌릴 수 있다면, $90,000 대출보다 더 나은 대안일 수 있다.[3] 따라서 한계비용 개념은 차입자에게 빌려야 할 추가 금액에 대해 최소 이자율 또는 최대 대출액을 알려준다는 점에서 **기회비용** 개념이기도 하다.

여기에서 차입자의 비용인 14.04%는 대출자가 차입자에게 추가로 빌려준 $10,000에 대해 벌어들인 **수익**이라는 것도 주목해야 한다. 즉, 차입자에게 빌려준 **비용**은 대출자의 **수익**률을 반영한 것이다. 물론, 여기서 계산된 값은 수익과 비용을 결정하는 데 중요한 연방소득세를 고려하지 않았다(6장 부록 참조). 예를 들어, 차입자가 대출자보다 높은 세율을 적용받는 경우라면, 차입자의 세후 비용은 대출자의 세후 수익률보다 낮을 것이다.

조기상환

앞 절의 예에서 증분비용은 대출의 조기상환 여부에도 영향을 받는다는 점을 유의해야 한다. 예를 들어, 대출이 만기 이전인 5년 후에 상환할 경우 증분비용은 14.04%에서 14.61%로 증가한다. 이를 계산하기 위해서, 5년 후 대출금을 상환할 경우 $80,000 대출상환액이 $90,000 대출상환액과 다르다는 점을 고려하도록 위 분석을 수정한다. 따라서 두 대출의 월불입액 차이뿐만 아니라 대출잔액 차이도 고려해야 한다. 이를 통해 증분차입비용은 다음과 같이 구할 수 있다.

	대출금액		대출상수		월불입액	5년 차 잔존원금
대안 2 (7%)	$90,000	×	.007068	=	$636.10	$82,045.94
대안 1 (6%)	80,000	×	.006443	=	515.44	71,945.67
차액	$10,000		차액		$120.66	$10,100.27

답을 찾기 위해서는, 월불입액 $120.66의 현재가치와 대출잔액에서 차액이 $10,000와 같아지는 이자율을 찾아야 한다. 조기상환으로 인한 증분차입비용은 14.62%이다. 조기상환의 영향은 이자율 할인율(points)이 적용될 경우 영향이 더 클 수 있다는 것을 다음 장에서 확인할 수 있다.

계산기 해법:	함수:
$n = 5 \times 12 = 60$, $PV = -\$10{,}000$	$i\ (n, PV, PMT, FV)$
$PMT = \$120.66$, $FV = \$10{,}100.27$	
답은 $i = 1.2180$(월별), $1.2180 \times 12 = 14.62\%$(연간)	

대출취급수수료 *Origination Fees*

주택금융을 차입함에 있어서 증분비용이 매우 중요하다는 점은 명백하다. 앞 절의 예에서는 금리와 차입금액 외에는 차이가 없는 단순한 경우였다. 대부분의 경우 대출상품은 대출금액과 대출만기에 따라 대출이자율이 다르다. 또한 **대출취급수수료** 대부분 대출 상품에 부과된다. 본 절에서는 2가지 대출에 수

[3] 2순위 주택대출의 유효비용이 낮다는 것은 차입자가 매달 이자를 덜 낸다는 것을 의미한다. 그러나 2순위 주택대출의 만기가 25년 미만인 경우에는 1순위 주택대출이 $90,000인 경우보다 1순위 주택대출이 $80,000, 2순위 주택대출 $10,000인 경우의 월 총 상환액이 더 크다. 따라서 일부 차입자는 월 상환액을 줄이기 위해 더 높은 효과의 차입비용을 선택하는 것을 선호할 수 있다.

수료가 개입되는 경우를 살펴보고, 만기가 다른 경우는 다음 절에서 살펴보기로 한다.

첫 번째 경우는 대출만기가 25년으로 동일한 두 대출에 대출취급수수료가 부가될 때 증분차입비용을 계산하는 것이다. 예를 들어, 대출금 $80,000에 대해 하나는 대출취급수수료가 $1,600 (2 points)이고, 다른 하나는 대출금 $90,000에 대해서 $2,700 (3 points)가 청구된다고 하면, 이것이 증분차입비용에 얼마나 영향을 미칠 것인가? 빌린 대출금과 월불입액의 차이는 다음과 같이 계산된다.

	대출	–	수수료	=	순 조달액	대출원금		대출상수	=	월불입액
대안 2 (7%)	$90,000	–	$2,700	=	$87,300	$90,000	×	.007068	=	$636.10
대안 1 (6%)	80,000	–	1,600	=	78,400	80,000	×	.006443	=	515.44
차액			차액	=	$ 8,900			차액	=	$120.66

이제 $120.66의 매월 현금흐름을 현재가치로 계산한 결과가 $8,900가 되는 월 복리 금리를 구하려 한다. 금융계산기를 이용하면 정확한 답은 15.96%이다. 따라서 $90,000의 대출에 부과된 $1,100의 추가 발생 수수료의 효과를 분석에 포함하면, 한계비용은 약 15.96%로 증가한다. 대출자는 $10,000 대신 $8,900의 추가 혜택만 받는다.

계산기 해법:	함수:
$n = 25 \times 12 = 300$, $PV = -\$8,900$	$i\ (n, PV, FV, PMT)$
$PMT = \$120.66$, $FV = 0$	
답은 $i = 1.32998 \times 12 = 15.96\%$(연간)	

이전처럼 대출금을 만기 전에 상환하면 차입에 따른 한계비용 또는 증분비용이 증가한다. 예를 들어, 위 문제의 대출금이 5년 후에 상환되었다면, 증분비용은 약 24.67%로 증가할 것이다.

증분차입비용과 2순위 저당대출

증분차입비용은 담보대출비율(loan to value ratio, LTV)에 비례하여 증가한다. 앞서 살펴본 예에서 담보대출비율이 80%에서 90%로 높아지면, 대출금리는 6%에서 7%로 높아졌다. 어떤 수수료도 부가되지 않고, 대출이 만기까지 유지되었을 때, 증분차입비용은 14.04%였다.

차입자 입장에서는 'LTV 90%의 대출'과 'LTV 80% 1순위 +10%의 2순위 차입' 중에서 선택할 수 있기 때문에, 10% 2순위 대출금리가 증분비용과 경쟁적인 수준에서 형성될 것으로 예상할 수 있다. 예에서와 같이 2순위 25년 대출을 14.04%보다 낮은 금리에 차입 가능하다면 90% LTV대출은 경쟁력을 잃게 되는 것이다(1%의 격차가 과다함). 대출자들은 대출 조건을 조정하여 증분비용이 2순위 대출금리와 유사한 수준으로 맞추어야 할 것이다.

[예 4-1]은 앞에서 논의한 대출상품에 대한 증분차입비용을 계산한 것으로 5년 차에 조기상환되는 것을 가정한다. 이 예는 90% 대출과 80% 대출의 이자율 차이가 증분차입비용에 어떻게 영향을 받는지 보여준다. 금리차이가 0%인 것은 두 대출 모두 6%로 약정금리가 같다는 의미이다. 1% 차이는 약정금리가 1% 더 높다는 것을 의미한다(예: 90% 대출은 7%).

금리차이가 0인 경우 증분비용은 대출의 실질비용과 동일하다. 예를 들어, 취급수수료(point)가 없는

예 4-1
증분차입비용 대 금리차이

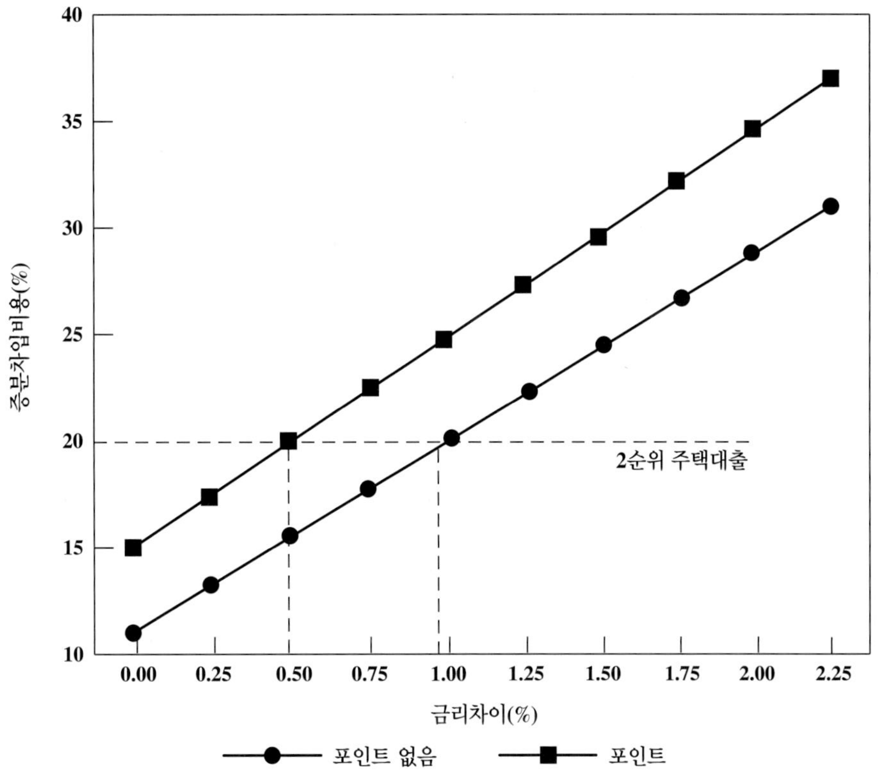

경우 증분비용은 정확히 6%이며, 80% 대출의 금리와 동일하다. 금리 차이가 커질수록 증분차입비용은 증가한다. 증분비용은 각 대출에 대한 동일한 비율로 증가한다.

증분차입비용과 수수료, 조기상환과의 관계를 더 측정하기 위해, 주택매입가격의 10%를 2순위 대출(1순위 대출 80%)을 25년 만기로 20%의 실질비용으로 이용 가능하다고 가정한다. 이것은 [예 4-1]에 추가되어 있다.[4] 90% 대출이 경쟁적이려면 80% 대출의 증분비용이 20%가 되도록 가격이 매겨져야 한다는 것을 의미한다. 대출자가 25년 대출이 5년 차에 조기상환될 것으로 예상하고, 80% 대출에 2%, 90% 대출에 3%인 수수료를 부과한다고 가정하자. 이는 이자율 차이가 약 0.50% 또는 50 bp가 되어야 함을 의미한다. 만일 대출자가 어떤 대출에도 수수료를 부과하기를 원하지 않는다면 이자율 차이는 약 90 bp가 될 것이다.

증분비용과 LTV의 관계

앞에서 LTV 90% 대출($90,000, 금리 7%)과 LTV 80% 대출($80,000, 금리 6%)의 증분비용을 계산하였다. 대출취급수수료가 없고 대출이 만기까지 보유될 경우, 증분비용은 20.57%였다. 증분차입비용은 LTV가 80%에서 90%까지 증가한 대출에 대해 대출자가 추가적으로 요구하는 금액이다. 앞에서 언급한 대로, 이 증분수익은 10%의 가치에 대해 2순위 대출의 수익과 비교해서 경쟁적이어야 한다. 증분차입비용은 1순위 대출이든 2순위 대출이든 추가 자금을 조성하기 위해 이윤에서 요구하는 수익률이다.

앞 절의 예시에서 전체 대출액에 대한 금리차(80% 대출의 금리와 90% 대출의 금리)를 사용하여

[4] 이 비율을 증분차입비용과 비교하려면 포인트와 조기상환 효과를 고려한 대출의 유효비용이어야 한다.

10% 증액 대출에 내재하는 금리를 구하였다. 이론적으로 추가대출에 수반되는 채무불이행 위험에 대한 보상의 균형점을 반영하는 것은 추가대출액에 대한 내재금리여야 한다. LTV 비율이 증가할수록 채무불이행 위험도 커진다. 따라서 증분비용은 LTV가 상승하면 같이 상승할 것으로 기대되며, 이는 다시 전체 대출의 평균금리를 올릴 것이다. [예 4-2]는 추가차입금액에 대한 금리와 전체 대출의 평균금리(특정 LTV비율에서 유효금리) 간의 관계를 나타낸다. 이 결과를 앞 절의 결과와 비교하기 위해서 25년 만기상환되며 수수료는 없다고 가정하였다. 대출은 주택가격의 10% 단위로 증가하며, LTV 10%가 출발 시점이므로 이 점에서는 증분비용과 전체 평균금리가 동일하다. 이후로는 LTV가 상승해 가면서 증분비용이 전체 평균금리보다 빨리 상승한다. 이는 전체 평균금리가 지나간 증분비용들의 증가액분의 평균이기 때문이다. 이것이 한계금리와 평균금리 간의 관계이다. 즉, 한계비용은 평균비용을 초과하는 한은 평균비용을 끌어올린다. [예 4-2]에 의하면, 80% 대출의 평균비용은 6%이다. 90% 대출의 한계비용은 약 14%이다. 따라서 90% 대출의 평균비용은 다음과 같이 추정할 수 있다.

$$\begin{aligned} \text{90\% 대출의 평균비용} &= (80/90 \times 6\%) + (10/90 \times 14\%) \\ &= 7\% \end{aligned}$$

이러한 계산은 앞 절의 예에서 수수료 및 조기상환이 없는 경우와 동일한 결과를 보여준다.[5]

증분차입비용은 2순위 대출과 경쟁적이어야 하므로, [예 4-2]에 표시된 증분차입금액에 대한 금리도

예 4-2
LTV비율이 대출금융비용에 미치는 영향

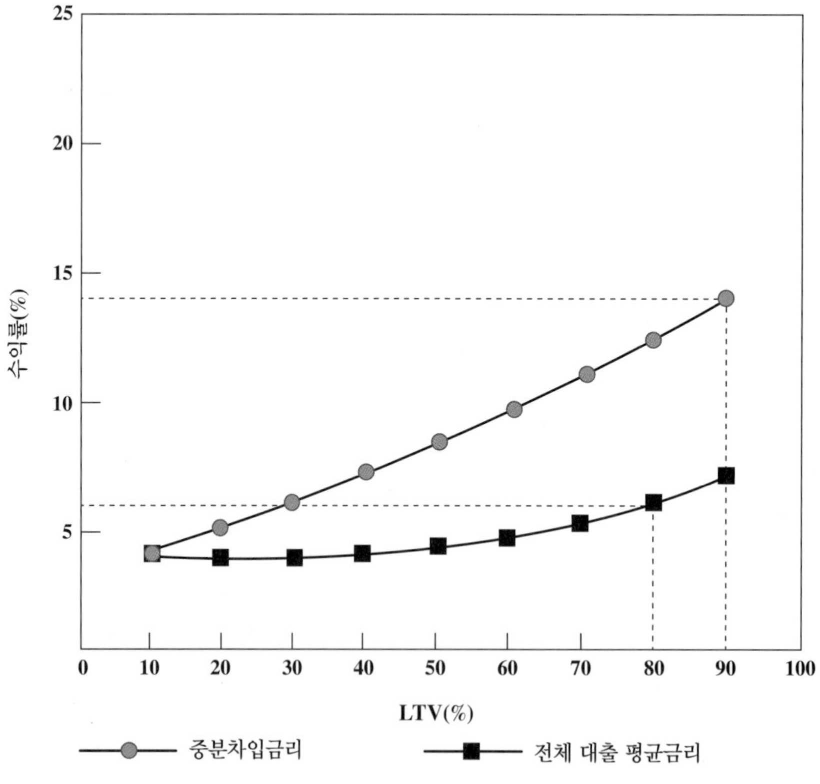

[5] 이 공식은 근사치다. 왜냐하면, 시간이 지남에 따라 대출이 분할상환되기 때문에 각 대출의 상대적인 가중치가 실제로 조금씩 변하기 때문이다. 각 대출이 25년 동안 분할상환되기 때문에 LTV 80% 대출은 LTV 10% 대출보다 더 빨리 감소할 것이다. 왜냐하면, 대출만기에는 LTV가 0이 되기 때문이다.

2순위 대출의 시장금리와 유사해야 한다. 그러나, 대출자는 낮은 대출비율로 대출을 실행하는 것은 비효율적이기 때문에,[6] LTV 60% 이하에서는 대출금리가 더 이상 낮아지지 않을 것이다. 즉, 차입자는 60% 미만의 대출에 대해서 동일한 이자를 지불해야 할 수 있다. 이는 LTV가 60%를 초과할 때까지, 증분비용과 평균비용이 실제로 증가하지 않을 수 있음을 의미한다.

만기가 상이한 두 개의 대출 비교

지금까지의 예에서는 두 대출의 만기가 25년으로 동일한 경우를 살펴보았다. 이자율과 만기가 모두 다른 대출의 증분비용은 어떻게 결정할 것인가? 본 절에서는 $90,000의 대출에 대해서 만기가 30년이고, 금리가 더 높은 경우를 가정하여 살펴볼 것이다. 분석은 어떻게 바뀔 것인가? 계산결과는 다음과 같다.

	대출액	1~25년 월불입액	26~30년 월불입액
대안 3 (7%, 30년)	$90,000	$598.77	$598.77
대안 1 (6%, 25년)	80,000	515.44	–0–
차액	$10,000	$83.33	$598.77

이 경우에서 $90,000, 만기 30년, 금리 7%대출의 월불입액을 계산하면 $598.77이다. 그러나, 이 예제와 관련하여 월 상환방식에는 두 가지 차이점이 있다. 하나는 첫해 25년 동안 차입자는 대안 3보다 추가로 월 $83.33를 지불하게 된다. 마지막 5년 동안(26~30년) 불입액의 차이는 $598.77가 될 것이다. 왜냐하면, $80,000 대출은 25년 후 재상환될 것이기 때문이다. 위의 식에서 $598.77는 5년간 발생하지만, 25년 말까지 받지 못하므로 25년 동안 할인되어야 한다. 두 개가 알려져 있지 않기 때문에 해를 직접적으로 풀 수는 없다. 따라서, 수익률(비용)을 계산하기 위해서는 1장 Box 1.2에 소개된 과정을 사용해야 한다.

계산기 해법:
현금흐름 분석 조건:
$CF_0 = -\$10,000$, $CF_j = \$83.33$, $n_j = 300$(1~25년),
$CF_j = -\$598.77$, $n_j = 60$(26~30)
답은 *IRR*월간 = 0.938587%, ***IRR*연간** = 11.26%

함수:
IRR (CF_1, CF_2, ..., CF_n)

목표하는 정확한 현재가치가 $10,000이므로 IRR은 11%에 근접해야 한다. 계산기를 사용하면[7] 해답이 11.26%임을 알 수 있다. 따라서 추가적인 조달금액 $10,000에 대해 금리가 (1) 6%에서 7%로 인상되고 (2) 만기가 25년에서 30년으로 증가되는 경우 증분비용은 11.26%가 된다. 이 결과치를 수수료가 부과되지 않은 두 대출의 만기가 25년이었던 경우의 14%와 비교해 보자. 한계비용이 더 낮은 이유는 $90,000 대출에 대해서 더 높은 금리가 지불되어야 하지만 상환기간이 더 긴 30년에 걸쳐 상환되기 때문이다. 비록 차입자가 $90,000 대출에 대해 더 높은 금리를 지불하더라도 상환하는 기간이 더 길기 때문에 월불입액도 더 적은 이점이 있다.

[6] 거래비용은 LTV가 더 높은 대출과 동일할 것이다.

[7] 원리금 상환 문제와는 달리, 시간경과에 따른 다양한 현금흐름 값을 조정할 수 있는 계산기가 필요하다.

만일 차입자가 만기 전에 조기상환한다면 증분비용을 계산할 때, 월불입액 차이 및 상환시점의 대출잔고가 고려되어야 한다는 점을 기억하자. 또한 대출 취급수수료가 부과되는 경우, 대출자가 지출하는 추가 증액자금은 그만큼 감소해야 한다.

대출차환 *Loan Refinancing*

경우에 따라 차입자는 대출이자를 줄이기 위해 기존 대출을 낮은 금리의 신규대출로 차환할 수 있는 기회를 얻을 수 있다. **대출차환**에서 고려해야 할 변수로는 다음 세 가지가 있다: (1) 현행 대출의 조건, (2) 신규 가능대출의 조건, (3) 현행 대출을 상환하는 데 수반되는 비용(조기상환 위약금, 신규대출취급수수료). 이를 설명하기 위해 차입자가 5년 전 $80,000 (30년 만기, 6%)를 대출했다고 가정한다. 5년 후, 금리가 하락하여 신규대출은 25년 동안 5%로 이용할 수 있다. 기존대출의 대출잔액은 $74,443.49이다. 조기상환 시 기존대출에 대해 위약금 2%를 지불해야 하고, 신규대출을 일으키는 대출자는 대출취급수수료 $2,500와 부대비용 $25을 요구한다고 가정하자. 그렇다면 차입자는 다른 대출로 바꿔야 하는가?

이 질문에 답하기 위해서 차환에 따른 비용과 편익(낮은 대출금리로 차환에 따라 감소하게 될 금액)을 분석해야 한다. 차환으로 인해 발생하는 비용은 다음과 같다.

차환 비용:	
조기상환위약금(2% × $74,443.49)	$1,488.87
신규대출취급수수료	2,500
신규대출 부대비용	25
합계	$4,013.87

차환으로 인한 편익은 낮은 금리로부터 발생한 이자 절감액이다. 따라서, 차환이 일어나면 신규대출의 월불입액이 이전보다 감소한다. 월간 편익은 다음과 같이 월 $44.45로 계산된다.

차환으로 인한 월 절감액	
기존대출의 월불입액 $80,000, 6%, 30년	$ 479.64
신규대출의 월불입액 $74,443.49, 5%, 25년	− 435.19
월불입액 차액	$ 44.45

25년 동안(300개월) 총 절감액은 $13,335 ($44.45 × 300)로 차환으로 인한 비용 $4,013보다 크다. 그러나, 절감액 $13,335가 즉시 발생하지 않기 때문에 차환비용 $4,013가 대출기간 동안 매달 얻게 될 $60.87와 비교해서 "투자" 또는 지불할 가치가 있는지에 답해야 한다. 아마도 $4,013가 더 큰 이윤이 발생하는 대안에 투자할 수 있을까? 차환을 위해 지불해야 하는 비용 $4,013과 같아지기 위해서는 매월 얼마의 이자를 벌어야 할까? 이러한 질문을 분석하려면 월 절감액이 $44.45임을 고려할 때, 25년 동안 $4,013를 투자해서 얻을 수 있는 수익률이 얼마인지를 결정해야 한다. 재무계산기를 사용하면 25년 동안 월 $44.45을 얻을 수 있는 수익률은 12.73%이다. 동일한 위험에서 연간 12.73%의 수익률을 제공하는 다른 투자 대안을 찾을 수 없다면 차환을 해야 한다. 이 수익률은 신규대출금리 5%보다 높기 때문에 매력적인 것으로 보인다. 따라서, 차환을 하는 것이 적절할 것이다.

계산기 해법:	함수:
PV = \$4,013, n = 300, FV = 0, PMT = \$44.45	i (PV, n, FV, PMT)
답은 i = 12.76%	

조기상환: 대출차환 *Early Repayment: Loan Refinancing*

만일 주택을 25년 전체 기간 동안 보유하지 않는다면, 매달 \$44.45의 절감액은 25년 기간 동안 발생하지 않을 것이고, 따라서 차환 또한 그만큼 매력적이지 않다. 만약 차입자가 10년간만 주택을 소유할 것이라고 가정해도 차환이 유리한 것인가? 이 대안을 검토하는 데에서 \$4,013의 비용은 변하지 않지만 이익(절감액)은 달라질 수 있다. \$44.45의 절감액은 10년 동안만 발생한다. 또한 차입자는 10년 후에 차환대출을 상환하려고 하기 때문에 현재 대출잔액과 신규대출의 대출잔액 간에 상환율이 달라 차이가 날 수 밖에 없다. 조기상환위약금이 없다고 가정하면, 그 차액은 다음과 같다.

현행대출의 15년 차 잔액*	\$ 56,839
신규대출의 10년 차 잔액†	57,281
차액	\$ 442

*\$80,000, 6%, 30년 대출, 조기상환 15년 차
†\$74,443. 5%, 25년 대출, 조기상환 10년 차

기존 대출 조건에 따른 대출잔액과 신규대출을 할 경우 대출잔액을 계산하면, 조기상환한 경우 대출잔액이 낮아져 절감액이 \$442가 된다. 따라서, 10년간 조기상환에 의한 총 절감액은 매달 \$44.45와 10년 차 말 \$442의 합이다. 이들 절감액이 차환비용인 \$4,013의 지출을 충당할 수 있는가? 이 질문에 답하기 위해 \$4,013의 지출의 수익률을 다음과 같이 계산한다.

계산기 해법:	함수:
n = 10 × 12 = 120, PV = −\$4,013, PMT = \$44.45	i (n, PV, FV, PMT)
FV = \$442	
답은 i = 7.18%	

대출이 조기상환되면 매달 \$44.45의 절감액을 25년 동안 온전히 받지 못하기 때문에, 수익률은 조기상환이 없는 경우의 12.73% 이하이다. 차환으로 얻게 될 수익률은 10년간 연간 7.18%이다.

이 수익률은 25년 만기상환 경우의 12.73%보다 낮다. 이는 차환비용 \$4,013은 그대로 유지되는 반면, 절감액 \$44.45의 현금흐름은 25년에서 10년으로 단축되었기 때문이다. 10년 차에 \$442가 추가로 절감되었지만, 10년에서 25년 기간 동안 발생했던 매월 \$44.45을 상쇄하지는 못하는 것이다. *IRR*과 차환 이후 대출이 잔존하는 기간과의 관계는 [예 4-3]에서 볼 수 있다. 차환의 혜택은 신규대출 후 5년 미만 잔존할 경우 마이너스이나, 이후 매년 급상승한 후 15년 차가 되면 정체한다. 따라서 차환의 의사결정에 있어서 비용과 금리절감만을 고려해서는 안 되며, 주택보유기간을 반영하여야 한다.[8]

[8] 명백한 것은 차입자가 차환 이후 주택을 보유하려는 기간이 짧아질수록 차환에 따른 수익률이 낮아진다는 점이다. 실제로 상대적으로 기간이 짧으면 수익률이 (–)이 될 수 있다. 따라서, 차입자가 차환 이후 단기간에 부동산을 매각하려고 한다면 차환을 정당화하기는 어렵다.

예 4-3
차환 시 절감액에 따른 *IRR*

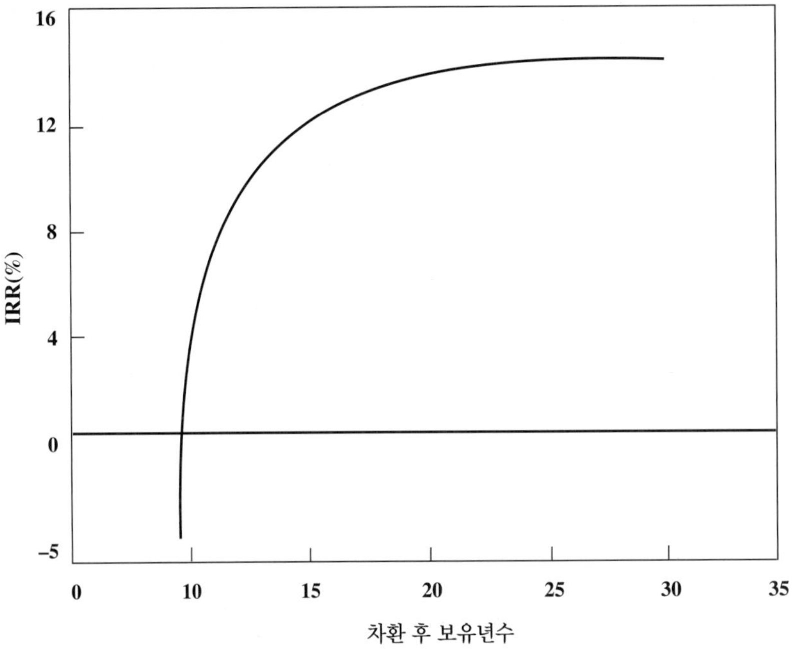

차환 유효비용 *Effective Cost of Refinancing*

차환 문제를 앞에서 논의했던 유효비용 개념을 사용하여도 분석할 수 있다. 포인트 수수료가 대출의 유효비용을 높인다는 사실을 알고 있다. 앞 절의 예에서 차입자는 $74,443.49를 대출받고 있지만 $4,013의 "수수료"를 지불해야 한다. 이 수수료는 기존대출에 대한 조기상환에 대한 위약금이 포함되어 있지만, 새로운 대출을 일으키는 비용 또는 **차환 유효비용**으로 생각할 수 있다. 따라서, 차입자는 실제로 $74,443 ($78,456 − $4,013)를 받게 된다. 25년 만기, 5%인 신규대출의 월불입액은 $458.65이다. 25년 만기 동안 대출을 유지하는 데 소요되는 유효비용을 계산하는 과정은 다음과 같다.

계산기 해법:	함수:
$n = 25 \times 12 = 300$, $PV = -\$74,443$,	i (n, PV, FV, PMT)
$PMT = \$458.65$, $FV = 0$	
답은 $i = 5.53\%$	

계산기에 의해서 5.53%를 얻게 되는데, 이는 차환에 의해 신규차입을 얻기 위한 유효비용이다. 유효비용은 기존 대출의 6%보다 낮은 금리이므로 차환은 타당성이 있어 보인다.[9] 따라서, 차환 시 투자 수익률을 계산한 것과 동일한 결론에 도달한다.

차환비용의 차입 *Borrowing the Refinacing Costs*

앞 절의 예에서는 차입자가 차환비용 $4,013를 지불하는 것으로 가정하였는데, 실제로 차입자가 차환을

[9] 구 대출에 지급한 포인트는 일종은 "매몰비용"이기 때문에 관련이 없다. 즉, 이미 지불한 금액은 차환 결정에 영향을 주지 않는다. 따라서 구 대출에 대한 현재 금리를 신규 대출의 유효금리와 비교해야 한다.

강행할 때는 차환비용까지도 차입하여 조달할 수가 있을 것이다.[10] 이 점이 분석에 어떻게 영향을 미치는가?

차입자는 대출잔액 $74,443.49에 $4,013를 추가하여 $82,469.49를 차입한다. 5% 금리 적용에 의한 월불입액은 $482.10이 된다.[11] 차환에서 현금지출 비용이 없으므로 이를 무엇과 비교해야 하는가? 그 대답은 간단하다. 월불입액은 차환 전의 불입액 $479.64보다 낮다. 차입자는 현금지출 비용 없이 300개월간 월 $2.46씩 불입액이 절감되므로 차환은 바람직한 것이다.[12]

앞 절에서 했듯이 차환의 유효비용을 계산할 수도 있다. 이 경우에는 총 대출금이 $82,469.49인 반면 차입자가 조달하는 금액은 $74,443.49에 불과하다(대출액에서 비용 공제). 월불입액 $482.10을 적용하고, 대출이 만기까지 간다고 하면 다음과 같이 유효비용계산이 가능하다.

계산기 해법:	함수:
$n = 25 \times 12 = 300$, $PV = -\$74,443.49$,	$i\ (n, PV, FV, PMT)$
$PMT = \$482.10$, $FV = 0$	
답은 $i = 6.05\%$	

이에 해당하는 금리를 풀면 6.05가 되며, 앞 절에서 얻었던 금리와 거의 동일하다. 약간 낮은 이유는 신규대출취급수수료가 대출금액이 늘었음에도 불구하고 $2,500인 것으로 가정했기 때문이다.

차환의 수익률을 계산한 경우나 유효비용을 계산한 경우 모두 같은 결론에 도달한다. 같은 결론에 도달하는 문제를 바라보는 방법은 많이 있다. 문제를 분석하는 것은 개인이 다양한 자금조달 대안을 다루는 기법을 익히는 데 유익하며, 부적절한 기법을 적용하는 경우도 줄어든다.

다른 고려사항들 *Other Considerations*

2주 상환방식—이자비용 절감 및 조기 상환

일반적으로 대출금을 상환할 때 차입자들은 월 단위 상환을 선호한다. 그러나 일부 차입자들은 **2주 상환방식**을 이용하여 대출기간 동안 낮은 이자율을 확보하고 대출금을 더 빨리 갚기도 한다. 예를 들어 차입자가 $80,000을 6% 이자로 30년 동안 원금상환하는 경우, 월 상환과 2주 상환방식을 비교해 다음과 같다.

계산기 해법:	
월 단위 상환(360)	**2주간 상환(26/year)**
$PV = 80,000.00$, $i = 6\%$, $n = 360$, $FV = 0$	$\$479.20 \div 2$, $PMT = \$239.80$
답은 $PMT = \$479.60$	

다음 예는 2주간 상환방식에서 (1) 재상환에 필요한 상환 횟수, (2) 만기까지 대략적인 대출상환 기간, (3) 대출기간 동안 이자비용 절감분을 보여준다.

---

10 차입자는 구 대출을 여러 해 전에 제공받았다면 충분한 자금이 있을 수 있다. 왜냐하면, 그동안 차입자가 구 대출의 잔액을 줄여 나갔을 것이고, 주택가치도 상승했을 수가 있기 때문이다.

11 이러한 접근방법이 대출이 조기상환되는 경우에 사용된다면, 차환 대출의 추가 대출잔액을 고려해야 한다. 이는 더 낮은 불입금의 이익을 줄일 수 있다.

12 만일 신규 금리가 높다면 앞 절에서 논의했듯이, $4,013에 대한 증분비용을 고려하기를 원할 것이다.

계산기 해법:	이자비용 절감분	
2주간 상환 시 대출상환기간	월간 지불액	$172,656
PV = −$80,000, *PMT* = $239.80, *i* = 6%/26*,	2주간 지불액	−152,752
FV = 0	이자 절감분	$ 19,904
답은 *n* = 637개월(약 24.5년)		
*연간 6% 이자율, 2주간으로 복리계산		

2주단위 상환방식을 이용할 경우, 상환기간은 30년보다 짧은 24.5년이 되고, 총 이자절감분은 $19,904인 것으로 알 수 있다. 이 상환방식을 이용하면 차입자가 이자비용 등을 절감할 수 있으나 이 방식이 항상 최선의 선택은 아니다.

대체투자안이 존재한다면 지불액 절감분을 재투자하여 6% ($i \div 26$) 이상의 수익률을 올릴 수도 있다. 그러나, 대체투자안이 없다면 차입자와 투자자는 이자비용을 줄여 이자를 저축하는 것이 더 낫다. 또한 차입자가 2주마다 상환할 능력이 존재하지 않는다면, 2주간 상환방식은 적용하기 힘들다.

조기상환 대출

또 하나의 차입자가 직면하는 문제는 조기상환에 관한 것이다. 차입자가 $80,000을 6% 이자율로 30년 동안 원리금상환하는 방식에서 5년 동안 월상환하고 있는 동안 유산 등으로 큰 돈을 받을 경우 대출액을 설정된 기간보다 먼저 갚을 수 있다. 이러한 상황에서 어떻게 해야 할까?

계산기 해법:	함수:
대출잔액(5년 차)	*PV (PMT, i, n, FV)*
PMT = $479.64, *i* = 6%, *n* = 360개월, *FV* = 0	
답은 *PV* = $74,443	

차입자가 조기상환할 수 있는 $74,443를 가지고 있다고 가정하면, 문제는 대출금을 상환해야 하는가이다. 고려해야 할 문제는 이자절감이다. 이는 다음과 같다.

1. 총 상환 금액: $479.64 × 300 =	$143,892
2. 5년 차 대출잔액	−74,443
3. 초기상환에 의한 이자 절감액	$ 69,449

그러나 여기와 관련된 질문에서 차입자가 5년 차 말에 갚아야 할 대출금액 $74,443가 있는지를 고려해야 한다. 6% 이자율을 가진 대출을 조기에 상환함으로써, 차입자는 대출을 갚는 데 사용한 자금으로 6%의 수익을 올릴 수 있다.

1. 6% 이상인 곳에 재투자하는 경우: 차입자는 대출금을 갚지 않는 것이 좋다. 만약 7% 이자율로 $74,443을 재투자 가능하다면 1% (7% − 6%) 이자수익을 얻을 수 있다.
2. 6% 이하인 곳에 재투자하는 경우: 차입자는 5년 차 말 대출잔액을 미리 갚는 것이 더 낫다. 예를 들어 이자율이 5%로 하락할 경우, 차입자는 5% 이자율로 재차입하고 대출금을 조기 상환함으로써 6%를 절약할 수 있다. 이는 1%만큼의 이자수익의 발생이 가능하게 해준다.

조기 대출상환: 대출자 유인책

이자율 상승기를 거친 후 차입자들은 시장금리보다 낮은 금리의 대출을 보유하게 된다. 앞서 우리는 이자율이 하락한 경우를 고려했다. 이 경우 대출자에게 추가 수수료 및 위약금을 지불하더라도 더 낮은 금리로 차환하는 것이 유리하다고 판단할 수있다. 금리가 상당히 오른 경우는 상황이 정반대일 것이다. 초기에 부채를 발행한 대출자는 차입자가 대출을 조기상환하도록 유도하기 위해 "지불"할 용이가 있다. 즉, 대출자는 차입자들에게 시장금리보다 낮은 이자율로 대출금을 상환하는 할인을 제공할 수 있다.[13] 대출자들은 어느 정도의 할인을 해주어야 하는가?

차입자가 10년이 경과한 대출을 보유하고 있다고 가정하자. 대출실행 시점에 대출액 $75,000, 만기 15년, 금리 8% 조건이었다. 10년이 경과한 현재 대출잔액은 $35,348이고, 매월 $716.74씩 불입하고 있다. 만약 현재 시장금리가 12%라면 대출자는 현존대출을 유지하기보다는 다른 차입자에게 실제 금리로 재대출하는 편이 유리하다. 반면, 채무자는 $35,348의 현금을 보유하고 있더라도 이를 상환할 이유가 없다. 대출자가 $2,000를 할인한 $33,348을 제시한다면 차입자는 상환 것이 유리한가?

할인을 받아들일 경우, 차입자는 대출금 상환에 사용된 자금의 수익을 얻는다. 즉, 대출자에게 $33,348을 지불함으로써, 차입자는 매달 $716.74를 절약할 수 있다. 대출을 조기상환함으로써 얻게 될 수익을 계산하는 방법은 다음과 같다.

계산기 해법:	함수:
$n = 5 \times 12 = 60$, $PV = -\$33,348$, $PMT = \$716.74$,	$i\ (n, PV, FV, PMT)$
$FV = 0$	
답은 $i = 10.50\%$	

차입자는 대출자의 할인을 수락함으로써 채무상환에 "투입"한 자금에 대해서 10.5%의 수익률을 얻게 된다.[14] 차입자가 이 제안을 받아들일지의 여부는 그가 $33,348에 대하여 어떠한 투자 대안을 갖고 있는가에 좌우된다.

앞서의 예에서는 차입자가 $33,348의 현금을 보유하는 것으로 가정하였다. 실제로 다른 몇 가지의 경우를 고려해볼 수 있다. 하나는 차입자가 소요액 전부 또는 일부를 시장금리로 차입하는 것이며, 다른 하나는 차입자가 차환에 의해 대출잔액를 늘이려 하는 경우이다. 어느 경우에나 대출자는 차입자에게 조기상환을 하도록 유인책을 제공할 것이다. 그러나 이는 차입자가 감소한 상환액에 대한 대가로 대출잔액 할인을 유인하는 제안을 따를 것인지, 아니면, 추가적인 대출상환을 위한 추가 자금을 받을 것인지에 따라 달라진다.

---

[13] 기업금융에 있어서도 부채를 재구입하거나 시장가격에 다시 살 수 있는 권리 등이 있다.

[14] 편의상 연방소득세효과는 무시한다. IRS는 채무탕감에 대해서 40%를 과세하고 있다. 따라서 차입자는 $2,000 탕감액에 대해 세금을 내야한다. 40%의 조세부담율을 가진 투자자의 경우 세금은 $800가 될 것이다. 이 예의 경우 차입자는 $1,200(= $2,000 − $800)만을 수령할 것이다. 이는 확실히 차입자에게 대출 조기상환의 혜택을 줄인다. 이 면제규정은 대출잔액이 부동산가치를 초과할 때 대출자는 압류대신 증서를 받거나 부동산 소유권을 취득하는 경우에도 적용될 수 있다.

대출자산의 시장가치

우리는 대출이 몇 년 동안 분할상환된 후의 잔액을 계산하는 데에서 발생하는 문제들을 고찰해 왔다. 대출잔액은 차입자가 대출계약을 이행하기 위해 반환해야 하는 금액이므로 대출의 "계약금액" 또는 "장부가치(book value)"가 된다. 그러나 대출실행 이후 시장금리가 변화했다면 대출잔액은 대출자산의 시장가치를 반영하지 못한다.

대출자산의 시장가치는 새로운 대출자 또는 투자자들이 대출자산의 잔여 현금흐름 수입을 받기 위한 권리의 대가로 지불하려는 금액이다. 이는 잔여 현금흐름이 현행 실세금리를 반영한 현행 원금으로 계산된다.

대출자산의 시장가치를 계산하기 위해서는 잔존 현금흐름을 시장이자율로 할인하여 현재가치를 계산한다. 예를 들어, $80,000, 6%, 20년 만기 대출이 5년 경과한 경우를 가정하자. 월불입액은 $573.14이다. 대출의 시장가치를 산출하기 위해서는 월불입액 $573.14를 시장이자율로 할인한 현재가치를 계산해야 한다. 이때, 시장이자율은 8%라고 가정한다. 계산은 다음과 같다.

계산기 해법:	함수:
1단계: 남은 지불액의 현재가치 계산	*PV (i, FV, PMT, n)*
i = 8, n = 180, *PMT* = $573.14, *FV* = 0	
답은 ***PV*** = $59,973.71	
2단계: 대출잔액 계산	함수:
PMT = $573.14, i = 6%, *PV* = $80,000, n = 60	*FV (i, PV, PMT, n)*
답은 ***FV*** = $67,920	

따라서, 잔존원금 $67,920에 대한 대출자산의 시장가치는 $59,973.71이다. $59,973.71는 제3자(다른 대출자, 투자자, 유통시장)에게 매각할 때 수령할 수 있는 금액이다.[15] 동 대출은 "할인" 매각되어야 함을 알고 있으며, 할인액은 $7,947 ($67,920 − $59,973)이다. 대출이 "액면(face)" 가치의 12% 할인된 가격으로 팔린다고 볼 수 있다.

대출의 시장가치는 계약 대출잔고보다 더 작은데, 이는 금리가 10년 전 대출실행 시 금리(6%)보다 상승했기 때문이다. 그러나, 차입자는 시장금리가 8%까지 상승했음에도 6%를 기준으로 상환하고 있다. 이것이 ARM이 대출자에게 더 유리한 이유이다(5장 참조). ARM의 경우는 대출금의 시장가치가 새로운 시장이자율을 적용받은 신규대출과 다르지 않다. 만약 대출잔액에 대한 시장이자율이 상환주기에 따라 매번 조정되고 조정금액에 대한 상한이 없다면, 약정금리는 항상 시장금리와 같다. 따라서, 이 경우에 대출잔액과 대출잔액의 시장가치는 항상 같다. 미래 상환액이 현재 이자율에 연동되어 있기 때문이다.

두 가지 이상 대출의 유효비용 *Effective Cost of Two or More Loans*

투자자가 두 개 이상의 대출조합(예: 1순위 주택대출과 2순위 대출)을 고려할 때 많은 상황이 존재한다.

[15] 같은 해답을 구할 수 있는 다른 접근방법을 찾아보는 것도 유익하다. 남은 대출기간인 15년 동안 시장금리 8%로 $67,920를 대출받는 가정하자. 불입금은 $649.07인데, 이는 계약금보다 $75.94 높은 금액이다. 15년 동안 지급된 이 차액을 시장금리로 할인하면 $8,999가 된다. 대출잔액에서 이 차이를 차감하면 대출의 시장가치가 된다.

하나의 상황은 선호하는 이자율을 가진 대출의 가정이다.[16] 그러나, 주택 매수자가 대출을 승계하기 위해 필요한 현금을 1순위 대출로 받지 못할 수 있다. 이 경우는 주택매도자가 이미 대출잔액을 상환한 경우, 그리고 부동산 가격이 매도자가 초기 구입한 이후 계속 상승한 경우에 발생할 수 있다. 따라서, 주택구입자는 현금소요액과 대출승계액과의 차액을 2순위 대출로 채워야 한다. 예를 들어, 어떤 주택구입자가 $100,000 주택을 대출액 $80,000, 대출금리 10%, 대출만기 25년 대출을 이용하여 5년 전에 구입했다고 가정하자. 부동산 가격이 상승하여 현재 시세는 $115,000가 되었다. 주택 구입자가 판매자의 대출을 승계하기 위해 필요한 자금은 $36,669이다. 계산은 다음과 같다.

주택 구입가	$115,000
매도자 대출잔액($80,000, 10%, 25년, 5년 경과)	75,331
매도인의 대출 인수에 필요한 현금	$ 39,669

매수자는 채무를 승계하더라도 $39,669의 차액을 내지 못하면 주택구입을 할 수 없으므로 2순위 대출을 고려해야 한다. 이 경우 두 가지 대출의 혼합조건이 전혀 새로운 1순위 대출보다 유리해야만 할 것이다. 매수자가 주택을 구입하기 위해 신규대출 금액 $92,000 (LTV 80%), 대출이율 12%, 만기 20년 대출을 이용할 수 있다면, 2순위 대출을 어떻게 조합하는 것이 신규 대출을 받는 만큼 매력적인지를 결정해야 한다. 2순위 대출금 $16,699 ($92,000 − $75,331)은 이자율 14%, 만기 20년이라고 가정하자. 이 문제를 분석하기 위해 승계된 대출의 혼합 저당 불입액과 2순위 저당대출의 불입액을 계산한다.

승계된 대출의 월불입액*	$ 726.96
신규 2순위 월불입액†	207.28
합계	$ 934.24

*초기 $80,00, 10% 이자율, 만기 25년
†2순위 대출액 $16,669, 14% 이자율, 만기 20년

결합대출의 월불입액은 $934.24이다. 총 대출금 $92,000에 대해 지급되는 총 지급액의 유효비용을 계산하는 방법은 다음과 같다.

계산기 해법:	함수:
$n = 20 \times 12 = 240$, $PV = -\$92{,}000$, $PMT = \$934.24$, $FV = 0$ **답은** $i = 10.75\%$	$i\,(n, PV, PMT, FV)$

재무용 계산기에 의해 10.75%를 얻었다. 이는 대출승계와 2순위 대출로 $92,000를 받기 위한 비용이다. 이는 12%의 금리로 1순위 대출 $92,000를 이용하는 것보다 적기 때문에, 차입자는 대출승계와 2순위 대출을 이용하는 것이 더 유리하다.[17] 그러나 이러한 분석은 매도자가 시장이하 금리의 대출을 승계

[16] 많은 지역에서 부동산이 대출을 승계하면서 매각된다. 그런데, 또 다른 많은 지역에서는 승계를 팔 권리가 명시적으로 담보대출에서 배제되거나, 대출자가 새로운 구매자를 승인하지 않을 수 있다. 대출실행 방법은 지역의 관행과 경제상황에 따라 매우 다양하다.

[17] 2순위 대출에 대해 높은 금리를 지불할 수 있다는 것은 명백하다. 왜냐하면 2순위 대출 $16,669의 이자율이 18%이지만, 승계대출 $75,331 ($92,000의 약 82%)의 이자율은 10%이기 때문이다. 각각의 이자율로 가중치를 부여하면 총 결합금액에 대해 지급되는 총 이자율은 10%로 가정한 승계대출에 의해 더 많은 영향을 받는다. 두 대출을 "결합한" 이자율은 약 [(0.82 × 10%) + (0.18 × 14%) = 10.72%]로 위의 현재가치 요인을 사용한 값과 동일하다.

하는 이익을 얻을 목적으로 부동산가격을 올릴 수 있다는 사실을 고려하지 않았다. 이는 이 장의 뒷부분에서 분석할 것이다.

2순위 대출과 단기대출

대부분의 경우 2순위 대출은 20년 만기가 불가능하다. 따라서 2순위 대출이 5년 만기 14%인 경우에도 기존대출승계와 2순위 대출을 결합하는 것이 계속 유효할 것인가의 문제가 있다. 이를 검토하기 위해서 승계된 대출의 10%, 20년 잔존금리와 2순위 대출의 가중평균금리를 구하여 신규대출 12%, 20년과 비교해야 한다.

승계대출과 2순위 대출을 결합할 경우, 월불입액 합은 다음과 같다.

승계대출*	$ 726.96
2순위 대출†	387.86
합계	$1,114.82

*초기 $80,00, 10% 이자율, 만기 25년
†2순위 대출액 $16,669, 14% 이자율, 만기 20년

2개 대출의 5년간 월별 불입액 합은 $1,114.82가 된다. 그런데, 5년간 매월 $1,114.82가 지불된 후에 2순위 대출은 상환되고, $726.96만이 20년 동안 불입될 것이다.

차입자가 결합 담보대출을 이용할지 여부는 차입의 결합비용을 다시 구함으로써 결정될 수 있다. 이 비용은 승계대출과 2순위 대출의 월별 불입액의 합에 기초하여 구할 수 있다. 이 비용은 5년 동안의 2순위 대출의 월불입액 $387.86와 20년 동안의 승계대출의 월불입액 $726.96를 통하여 구할 수 있는데, 이에 대한 현재가치를 $92,000로 놓고 금융비용을 구하면 된다.

계산기 해법에 의해 승계 + 2순위 결합대출의 혼합금리는 10.29%이다. 이 결합 대출을 신규대출 $80,000, 12%, 20년과 비교한다. 결합대출의 유효비용이 시장금리보다 낮기 때문에, 최적 대안이 된다. 그런데 여기서 주의해야 할 점은 5년간의 월불입액이 $1,114.82로서 신규대출 경우의 $1,013보다 높다는 점이다. 비록 5년 이후에 월불입액이 $726.96으로 낮아져 보상되기는 하지만, 차입자 입장에서는 월 소득대비 월 지급소요액을 점검해야 한다. 차입자에 따라서는 실질금리가 높더라도 월불입액의 절대금액이 낮은 편을 선호할 수도 있는 것이다.

계산기 해법:	함수:
현금흐름 분석 요구:	CF_0 = $92,000
최초 현금흐름 = −$92.000	CF_j = $1,114.82
현금흐름 1 = −$1,114.82	N_j = 60
현금흐름 회수 = 60회(1~5년)	CF_j = *$726.96*
현금흐름 2 = −$726.96	N_j = 180
현금흐름 회수 = 180회(6~20년)	
답은 *IRR* 계산:	**답은** *i* = 0.8573%(월)
IRR(월) = 0.8573%	= *10.29%(연)*
IRR(연) = 10.29%	

최근에 2순위 대출, 신용카드 대출 등을 활용한 다양한 방법이 있으며 이와 관련된 사항은 Concept Box 4.1을 참고하기 바란다.

주택구입 시 시장금리보다 낮은 대출의 효과

많은 경우에, 투자자는 주택을 구입하고 시장가격보다 낮은 금리로 자금을 조달할 기회를 가질 수 있다. 시장금리보다 낮은 조건의 대출을 이용하고 있는 주택을 매수자에게 승계하는 사례에 대해 이미 논의한 바 있다. 시장가격보다 낮은 조건으로 자금을 조달한 것은 판매자 **신용대출**(purchase money mortgage)의 형태로 매도자에 의해 제공될 수도 있다. 이 경우 매도자는 현재금리보다 낮은 금리로 대출의 전부 또는 일부를 매수자에게 제공한다. 실제로 이러한 유형의 금융은 신용이 빠듯하고 고금리인 기간 동안 흔히 일어난다.

시장금리보다 낮은 금리의 대출이 매수자에게 유용한 것은 분명하다. 그러나, 정보를 가진 매도자도 이러한 유형의 금융의 가치를 인식하고 있기 때문에, 이를 반영하기 위해 부동산 가격을 인상하려 할 것이다. 즉, 낮은 금리 대출을 가진 부동산 "가격"은 시장금리에 연동된 대출을 가진 주택가격보다 높을 수 있다.

시장금리보다 낮은 대출을 이용하는 부동산의 가격이 그렇지 않은 부동산의 가격보다 비쌀 경우, 이 부동산의 구입여부를 결정하도록 하자. 구입할 수 있는 주택가격은 $105,000이고, 승계할 대출은 대출금 $70,000, 대출잔여기간 15년, 대출금리 9%, 월불입액 $709.99라고 가정하자. 비교 주택은 특별한 자금조달 비용은 없으며, 주택가격 $100,000, 대출 $70,000, 대출만기 15년, 대출금리 11%라고 가정한다. 어느 대안이 유리한가? 두 대출금액은 동일하다고 가정한다. 매수자가 시장금리보다 낮은 대출을 승계받기 위해서는 차액 $5,000를 현금으로 지불하는 것이 타당한 것인지를 고려해야 한다. 계산은 다음과 같다.

	대출금액	1~25년 월불입액
시장금리 대출	$30,000	$795.62
대출승계	35,000	709.99
차액	$ 5,000	$ 85.63

재무용 계산기에 의해 $5,000의 자기자금 추가투입액으로 월불입액이 감소되므로 19.41%의 수익률을 얻게 된다. 반면 매수자가 $5,000의 자금을 추가 투입하지 않는다면 동 현금을 운용하여 19.41% 이상의 수익률을 얻어야만 할 것이다. 19.41%의 수익률이 시장금리 11%보다 높으므로 저리 채무를 승계하여 주택을 구입하는 편이 바람직하다.

계산기 해법:	함수:
$n = 15 \times 12 = 180$, $PV = -\$5{,}000$	$i\,(n, PV, FV, PMT)$
$PMT = \$85.63$, $FV = 0$	
답은 $i = 1.6177\%$ 월간, $i = 19.41\%$ 연간	

감소한 대출잔액의 대출승계

앞 절에서는 단순화를 위해 기존채무의 승계금액이 신규대출가능 금액과 동일한 경우를 살펴보았다. 그런데 승계대상 대출은 전채무자가 분할상환을 해왔고, 주택의 가격도 상승했을 것이므로 승계가능금액인 대출잔액이 낮아졌을 것이다. 앞의 예에서 승계가능금액이 $50,000에 불과하고 월불입액이 $507.13이라고 하자. 매수자는 $70,000를 필요로 하므로 2순위 대출 $20,000을 만기 15년에 대출금리 14%를 이용하므로 매월 $266.35를 추가 불입해야 한다. 그렇다면 대출을 승계하고 2순위 대출을 신규로 받으면서 $5,000을 주택가격으로 더 지불해야 하는가? 이에 대한 해답을 다음의 계산을 통해 구할 수 있다.

	대출금액	월불입액
시장금리 대출	$30,000	$795.62
대출승계 + 2순위 대출	35,000	773.48*
차액	$ 5,000	$ 22.14

*$50,000에 대한 상환액 $507.13와 2순위 대출에 대한 상환액 $266.35의 합

수익률은 –2.9%이다. 매수자는 $5,000 비싼 주택을 구입하지 않는 것이 더 유리하다. 매수자는 얼마를 더 지불할 의향이 있을까? 이는 다음 절에서 살펴본다.

현금등가 *Cash Equivalency*

앞의 절에서는 저금리 대출을 승계할 수 있는 주택에 대하여 프리미엄을 지불하는 것이 타당한지를 살펴보았다. 본 절에서는 이를 발전시켜, 저금리대출 승계대안과 시장금리 신규대출의 손익을 일치시키는 주택가격을 계산하도록 한다.

앞 절의 예에서 한 주택의 대출승계금액은 $70,000, 대출금리 9%, 잔여기간 15년, 월불입액 $709.99이다. 반면, 비교 주택의 가격은 $100,000이고 대출금리 11%로 조달하는 것으로 가정했다. 매수자는 저금리 대출을 승계하는 조건으로 주택가격 $100,000보다 얼마를 더 지불하면 신규대출 대안과 동일한 조건을 얻을 수 있는가? 먼저 시장금리로 승계대출 불입금 현금흐름의 현재가치를 계산한다. 이는 승계대출의 시장가치 또는 **현금등가가치**이다. 기존 대출이 대출자 또는 투자자에게 매각될 수 있는 가격을 나타낸다.

계산기 해법:	함수:
$n = 15 \times 12 = 180$, $i = 11\% \div 12 = 0.91666\%$	*PV (i, n, FV, PMT)*
$PMT = \$709.99$, $FV = 0$	
답은 $\boldsymbol{PV} = 62{,}466.30$	

기존대출 잔액을 승계함으로써 매수자는 동일한 월불입액 $709.99의 현재가치 $62,466.30가 아닌 $70,000 자금을 조달할 수 있다. 매수자의 순이익은 $7,533.70(= $70,000 – $62,466.30)이다. 따라서, 매수자는 $7,533.70(주택가격은 $107,534)를 더 지불할 수 있다.

앞 절에서는 매수자가 $5,000을 주택가격으로 더 지불하면 수익률은 19.41%였다. 매수자가 $107,534를 지불하게 되면 수익률은 시장금리와 동일한 11%가 된다.

이 분석에 따르면 대출승계 주택은 $108,534에 팔릴 수 있을 것이다. 매수자는 시장금리 이하 대출승계의 혜택을 얻기 위해 부동산에 대한 현금등가 가치인 $100,000에 **자금조달 프리미엄** $7,534을 더한 금액을 지불할 것이다. 부동산 가치는 $100,000로 남아있다. 이를 부동산의 현금등가가치라고 부른다. 자금조달 프리미엄 $7,534가 포함된 주택의 가격과는 다르다. 이 프리미엄을 인식하는 것은 중요하다. 그 이유는 주택이 $107,534에 매매되었다고만 판단하고 그 주택에 저리대출을 가지고 있는 것을 고려하지 않았다면, 주택가치가 과대평가되기 때문이다. 또한 매수자는 9%의 저리대출을 확보할 수 없다면 $107,534를 지불하지 않을 것이다.

부동산에 투자한 현금(지분)은 $107,534로 주택대출 잔액 $70,000을 공제한 $37,534이다. 이를 기존대출의 현재가치인 $62,466에 더하면 현금등가가치는 $100,000가 된다.

현금등가: 더 작은 대출잔액

앞에서 시장금리 이하로 승계대출을 가진 부동산에 대한 무차별한 가격을 결정했다. 대출잔액은 매수자가 시장금리 대출로 얻을 수 있는 것과 같았다. 그러나, 승계가능 대출 잔액은 일반적으로 주택구입에 필요한 금액보다 훨씬 적을 가능성이 크다. 본 절에서는 승계대상 대츨금리 9% 대출의 금액이 $50,000에 불과하여 2순위 대출 $20,000을 조달하여 $70,000의 소요액을 맞추는 경우를 분석한다. 2순위 대출은 대출금리 14%, 15년 만기로 이용할 수 있다고 가정한다. 반면 신규대출 $70,000 (LTV 70%)는 대출금리 11%, 15년 만기로 이용할 수 있다고 가정한다.[18] 매수자 입장에서 두 가지의 조달대안이 동일해지는 주택가격은 어느 수준인가?

먼저 승계대출의 월불입액 $507.13과 2순위 대출의 월불입액 $266.35의 합을 시장금리 11%로 할인한다. 현재가치 $68,052.27과 시장금리에 의한 $70,000와의 차액은 $1,947.73이다. 따라서 매수자는 저리대출을 확보하기 위해서는 $1,947.73을 추가로 지불할 것이다. 주택은 $101,950 이상으로는 팔리지 않을 것이며, 이는 앞 절에서 승계대출액이 $50,000가 아닌 $70,000인 경우의 $107,500보다 훨씬 낮은 가격이다. 프리미엄이 낮은 데에는 두 가지 이유가 있다. 첫째, 승계 가능한 대출금액이 적기 때문에 절감액이 작다. 둘째, 승계대출의 저금리 혜택이 2순위 대출금리 부담과 상계된다. 이 같은 분석에서 2순위 대출의 존재는 반드시 고려해야 한다. 그렇지 않으면 승계대출의 이점이 과대평가되기 때문이다.

계산기 해법:	함수:
$n = 15 \times 12 = 180$, $i = 11\%/12 = 0.91666\%$	*PV (i, n, PMT, FV)*
$PMT = \$773.48$, $FV = 0$	
답은 ***PV*** = $68,052.27	

[18] 매수자(투자자)가 2순위 대출이 필요하지 않은 경우라도, 승계대출의 혜택을 현 시장금리와 비교함으로써 그 혜택을 평가할 수 있다. 시장금리가 보통 LTV 70% 이상을 기준으로 하기 때문에 2순위 담보대출이 이 분석에 고려되어야 한다.

현금등가: 결론

지금까지 주택매매가격에서 저리대출승계의 영향을 분석하였다. 부동산 매도가격과 시장금리보다 낮은 승계대출과의 관계를 이해하는 것은 매우 중요하다. 몇 가지의 발생 가능한 상황을 살펴보았지만, 실제로 발생할 수 있는 몇 가지 가능한 상황만 소개했다. 최소한 세 개의 다른 상황들이 다음과 같이 발생할 수 있다.

1. 저리대출이 매수자에게 승계될 수 없다면, 이는 기존 소유자가 대출 잔존기간 동안 저금리의 혜택을 누릴 수 없다는 의미가 된다. 이는 분명히 부동산에 지불되는 모든 금융 프리미엄에 영향을 미친다.
2. 저리대출이 항상 신규 구입자에게 승계될 수 있다 하더라도, 매수자 입장에서 승계차입의 가치는 당해 주택매입 시점에서의 시장금리에 의해 결정된다. 이러한 시장금리는 현 소유자가 주택을 구입했던 당시의 금리와는 다르다. 주택매매 당시의 금리가 대출약정금리보다 높지 않은 경우 신규 매수자는 주택구입 프리미엄을 지불하지 않을 것이다. 따라서 주택의 전매 가능성 및 전매시점의 시장금리가 대출승계의 이점에 불확실성 요소로 작용하고, 매수자가 지불하려는 금액을 감소시키는 경향이 있다.
3. 매수자가 대출만기보다 더 긴 기간 동안 주택을 보유할 계획이라 하더라도, 대출승계 이후에 금리가 하락할 수 있다. 차입자는 보통 금리가 할 때 차환을 할 수 있기 때문에, 저리의 승계대출은 금리가 하락할 것으로 예상되면 그 가치도 낮아진다. 사실상, 금리가 하락할 경우 차한을 할 수 있는 "옵션"에 의해 시장금리 이하의 금융의 가치가 줄어드는 것이다.

위의 상황은 저리대출승계에 대해 매수자가 지불할 프리미엄을 줄이는 경향이 있다. 따라서, 본 장의 분석은 다음과 같은 **상한선**을 나타낼 가능성이 있다. 저리대출승계와 관련된 프리미엄의 가치를 검증하는 가장 좋은 방법은 특별한 조건이 없는 대출과 비교해 매수자가 저리대출승계의 대가로 얼마만큼을 지불하는지를 관찰하는 것이다.

랩어라운드 대출 *Wraparound Loans*

랩어라운드 대출은 기존대출에 추가하여 신규대출을 하나의 패키지로 합친 것이다. 랩어라운드 대출자는 기존 대출잔액에 추가대출액을 더한 액면금액으로 대출을 한다. 랩어라운드 대출자는 기존대출의 상환의무를 인수하면서 신규대출을 실행하는 것으로, 차입자는 기존대출을 상환하는 대신 랩어라운드 대출 한 건만을 상환하면 된다.

예를 들어, 스미스라는 주택소유자가 기존 대출잔액 $90,000에 대해 월 $860.09씩 불입하고 있다고 가정하자. 현행 대출금리는 8%이고 만기는 15년이다. 스미스가 주택을 구입한 이후 주택가치는 $150,000으로 증가하였다. 스미스의 현재 대출의 LTV는 60%이다. 스미스는 추가로 $30,000를 빌리고 싶어하는데, 이것은 그의 부채가 부동산가치의 80%인 $120,000로 증가하는 것을 의미한다.

현재 시장에서 15년, LTV 80%인 1순위 대출의 유효금리는 11.5%이고, $30,000의 2순위 대출의 유효금리는 15년 동안 15.5%라고 가정한다.

스미스의 기존 대출선이 아닌 다른 대출기관이 $120,000의 랩어라운드 대출을 10%, 15년에 제공하

고 있다. 동 대출의 불입액은 월 $1,289.53이다. 스미스가 이를 채택하면 랩어라운드 대출기관은 스미스의 기존채무 불입을 인수한다. 즉 스미스는 월 $1,289.53만을 내면 되고 랩어라운드 대출기관이 기존 대출에 대해 월불입액 $860.09를 지불하게 된다. 따라서, 스미스의 월불입액은 $429.44 ($1,289.53 − $860.9)만 증가하게 된다. 스미스는 실제로 $30,000(랩어라운드 대출 $120,000에서 스미스의 현재 대출잔액 $90,000를 뺀 금액)을 받게 된다.

스미스 입장에서 랩어라운드 대출이 유리한 것인가? $120,000의 랩어라운드의 금리 10%는 신규 $120,000 대출의 11.5%보다 낮으므로 현명한 대안이다.[19] 그렇다면 왜 랩어라운드 대출기관은 신규대출보다 유리한 조건을 제시하는가? 그 답변은 랩어라운드 대출기관은 **증분** 대출분($30,000)에 대한 경쟁적인 수익률을 목적으로 하기 때문이다. 차입자가 부담하는 증분 대출의 유효비용도 고려해야 한다.

추가되는 $30,000의 비용은 얼마인가? 이 계산은 앞 절에서 증분비용 계산방식과 유사하다. LTV 60%인 현재대출과 LTV 80% 랩어라운드 대출을 비교한다. 추가적인 $30,000를 조달하기 위해 채무자는 $120,000에 대해서($30,000뿐만이 아니라) 10%의 금리를 지불해야 한다. 기존 $90,000의 금리는 8%에 불과했으므로 $30,000의 증분비용은 10%를 넘는다. 여기에서 문제는 증분비용이 2순위 대출의 15.5%를 초과하는가의 여부이다.

랩어라운드 대출의 증분비용은 월불입 추가액의 현재가치가 현금조달 $30,000과 일치되는 금리로 계산할 수 있다. 재무용 계산기에 의해 15.46%를 얻게 되는데 이는 2순위 대출과 동일한 금리이다. 랩어라운드 대출자가 낮은 금리에 대출하고도 경쟁력 있는 증분 이자소득을 누릴 수 있는 이유는 기존 대출이 시장금리보다 저리이기 때문이다. 랩어라운드 대출금리 10%는 8%의 기존대출과 15.5% 2순위 대출의 가중평균인 것이다.[20] 만일 기존 LTV 60% 대출이 시장금리 조건이었더라면 랩어라운드 금리도 LTV 80% 대출금리와 같아야만 한다. 그래야만 랩어라운드 대출기관은 증분금리를 2순위 대출과 같은 수익률로 얻을 수 있다.

계산기 해법:	함수:
$n = 15 \times 12 = 180$, $PV = -\$30{,}000$	$i\ (n, PV, PMT, FV)$
$PMT = \$429.44$, $FV = 0$	
답은 $i = 15.46\%$	

랩어라운드 대출자가 2순위 대출보다 낮은 금리로 대출을 실행하려는 이유는 있는가? 랩어라운드 대출은 원 대출이 여전히 살아있기 때문에 사실상 2순위 대출이다. 게다가 동일한 금액의 랩어라운드 대출이 2순위 대출로 더해짐에 따라 LTV가 증가한다. 그러나 랩어라운드 대출에는 한 가지 장점이 있다. 2순위 대출에서는 1순위 대출의 채무불이행 위험을 알지 못하고 그 저당권행사에 참여하지 못할 수 있는 반면, 랩어라운드에서는 1순위 대출에 대한 통제권을 가지고 있다는 점이다. 전형적인 랩어라운드의 조건에서는 차입자로부터 상환이 있는 경우에만 랩어라운드 대출자도 1순위를 지급하게 되어 있고, 기존 대출약정은 지급에 대한 내용을 제외하고는 계속 유효하다. 차입자가 채무불이행을 하는 경우 랩어라운드 대출자는 즉시 알게 되며, 그는 1순위를 대지급하고 동 금액을 랩어라운드 잔액에 가산하거나,

[19] 랩어라운드 대출에는 포인트가 없어 유효비용이 10%라고 가정한다. 랩어라운드 대출의 비용은 신규대출 비용과 비교할 수 있는데, 이는 두 이자율 모두 $120,000 대출의 대출비용을 반영하기 때문이다.

[20] 가중평균을 하면, 랩어라운드 금리는 9.875%[(90,000/120,000 × 8%) + (30,000/120,000 × 15.5%)]가 된다. 가중평균이 신규대출 $120,000의 금리 11.5%보다 낮은 수준인데, 이는 기존 대출의 금리가 시장금리보다 낮다는 것을 의미한다.

저당권을 실행할 수 있다. 따라서 랩어라운드 대출자는 2순위 대출에서보다는 약간 낮은 수익률에도 만족하는 것이다.

최초 대출약정에서 추가저당 금지, 주택 매각 시 채무승계불가 등의 조항이 설정된 경우가 있는데, 이 경우 랩어라운드의 사용이 불가능해진다. 이러한 제한조항이 없는 한, 최초대출자는 스미스와 서로 유익한 거래를 협상할 용의가 있다. 예로서 최초대출자는 스미스가 $30,000를 현금으로 신규차입하는 조건하에 신규 1순위 대출을 랩어라운드 시세와 동일한 10%에 제공할 수 있다. 역시 10%의 신규금리는 기존 $90,000에도 적용되기 때문에, 대출자는 증분금리 15.5%를 획득할 수 있는 것이다. 따라서 그는 기존 차입자를 고객으로 지키면서도 신규대출에 대해 경쟁력 있는 수익률을 실현하는 것이다. 기존 대출자는 실질적으로 신규 1순위 대출을 랩어라운드 금리와 동일한 10%에 제공함으로써 실질적으로 랩어라운드 대출자와 동일한 거래를 제공하는 것이다.[21]

바이다운 대출 *Buydown Loan*

마지막으로 고려할 대출형태가 **바이다운 대출**이다. 바이다운 대출은 주택매도자(일반적으로 주택건축업자)가 특정 기간 동안 차입자의 대출금리를 떨어뜨리기 위해 원금 일부를 대출자에게 지불하는 것이다. 이러한 방식은 고금리 시기에 차입자의 자금조달을 도와주려는 경우에 사용된다. 예를 들어, 현행 금리는 15%이나 주택구입자의 소득은 13%의 이자지급능력밖에 없다. 대출은 30년 만기 $75,000이므로 15% 기준 불입액은 월 $948.33이다. 반면 13% 기준 월불입액은 $829.65이다. 주택건축업자가 2%의 금리차를 바이다운하면 5년간은 $829.65 불입되다가 이후 $948.33으로 증액 불입된다. 이를 위해서 건축업자는 5년간의 차액 $118.68의 현재가치인 $4,988.67을 대납하는 것이다. 따라서 건축업자는 대출금리를 내리기 위해 대출자에게 $4,988.67을 지불한다. 매수자로부터 받는 불입액과 합하면, 대출자는 15%의 시장금리를 받을 수 있다.

계산기 해법:	함수:
$n = 5 \times 12 = 60$, $i = 15\% \div 12 = 1.25\%$	$PV\ (n, i, PMT, FV)$
$PMT = \$118.68$, $FV = 0$	
답은 $PV = \$4{,}988.67$	

바이다운은 차입자의 현재소득이 대출자가 요구하는 PIR (payment-to-income) 기준에 부합하지 않는 경우에, 차입자의 자격을 허용할 수 있게 하는 장점을 가진다. 현금등가가치에서 논의한 바와 같이, 건축업자가 주택가격에 바이다운금액을 더했을 것이라는 것을 알아야 한다. 따라서 차입자는 주택가격을 낮추기 위해 협상을 하고 시장금리로 대출을 받는 것이 더 나을 수 있다. 바이다운이 없다면 주택은 $4,988.67 정도 저렴하게 구입할 수 있을 것이다. 차입자는 사실상 금리를 15%에서 13%로 낮추기 위해 $4,988.67의 "포인트"를 지불하는 것이다.

3~5년 동안 누진적인 불입금액으로 바이다운이 실행된다는 것을 유의해야 한다. 즉, 월불입액이 처음에는 $829.65에서 시작되나, 5년 후 $948.33가 될 때가지 매면 지정된 금액만큼 증가할 수 있다.

---

[21] 이 금리를 "혼합금리(blended rate)"라고 하는데, 이는 10%가 기존대출의 이자율과 증분대출의 이자율의 가중평균값이기 때문이다.

몇몇 바이다운 프로그램은 초기금리를 낮출 수 있는 ARM과 연계하여 이용된다. ARM의 초기금리가 일반적으로 FRM의 금리보다 낮기 때문에, 초기금리를 더욱 낮출 수 있으며 보다 많은 매수자를 적격자로 만들 수 있다. 그러나 이러한 바이다운 프로그램은 시장금리가 상승할 경우 불입금액이 급증할 수 있기 때문에 권장되지는 않는다. 이러한 경우, 월지불액은 시장금리 상승과 바이다운하지 않기 때문에 증가할 수 있다.

결론

본 장에서는 대출자와 차입자가 직면할 수 있는 금융상황에 관한 여러 가지 문제들을 설명했다. 오늘날 창조적 금융의 시대에는 다른 많은 사례들이 논의될 수 있다. 그러나, 본장에서는 중요한 문제점을 해결하기 위한 주요 개념과 접근방식만을 소개하였다. 이는 분석하고자 하는 다른 상황에도 적용할 수 있다. 따라서 본 장은 주거 및 상업용 부동산과 관련된 문제를 처리하는 데 사용할 수 있는 다양한 도구를 소개하는 것으로 이해하면 된다.

본 장에서는 분석을 단순하게 유지하고 주요 개념에 초점을 맞추기 위해 모든 예제에서 고정금리대출을 사용했다. 그러나, 이러한 분석은 ARM과 변동금리대출, 기타 대출 등 다양한 유형의 대출에도 적용된다.

주요용어

2주 상환방식	랩어라운드 대출	차환 유효비용
대출자산의 시장가치	바이다운 대출	한계차입비용
대출차환	자금조달 프리미엄	현금등가가치
대출취급수수료	증분차입비용	

질문

1. 차환(refinancing) 시에 고려해야 할 주요 사항은 무엇인가?
2. 금리하락 이후 대출의 차환 여부를 결정할 때, 어떤 요인들을 고려해야 하는가?
3. 대출의 시장가치가 대출금의 미상환 잔액과 다를 수 있는 이유는 무엇인가?
4. 차입자가 대출승계가 있는 주택에 대해 더 높은 가격을 지불하려는 이유가 무엇인가?
5. 바이다운(buydown) 대출이란 무엇인가? 어떤 부류들이 이러한 유형의 대출에 관심을 가지는가?
6. 랩어라운드 대출자가 신규 1순위 대출보다 더 낮은 랩어라운드 대출금리를 제공할 수 있는 이유는 무엇인가?
7. 차입자의 채무불이행 위험이 없다고 가정한다면, 어떤 조건에서 대출자는 대출금의 미상환액 잔액보다 적은 금액을 기꺼이 받아들이고, 대출의 완전 불입을 고려하는가?
8. 어떤 조건 하에서 승계대출이 있는 주택이 승계대출이 없는 다른 주택보다 더 높은 가격에 매각되는가?
9. 추가차입의 증분비용은 무엇을 의미하는가?
10. 추가차입의 증분비용이 대출금의 조기상환에 크게 영향을 받는가?

문제

1. 차입자는 80% LTV, 8% 금리, 25년 월 분할상환 조건으로 대출을 받을 수 있다. 다른 대안으로는 90% LTV, 8.5% 금리, 25년 월분할상환 조건으로 대출을 받을 수 있다. 차입자는 전체 대출기간 동안 부동산을 소유할 계획이다.

a. 추가대출에 대한 증분차입비용은 얼마인가? (힌트: 대출금액은 영향을 미치지 않는다)
b. LTV 90% 대출에 2%의 포인트가 부과된다면 답은 어떻게 바뀌는가?
c. 차입자가 주택을 5년간만 보유하려고 한다면, (b)의 답은 바뀌는가?

2. 투자자가 $280,000 주택에 $60,000를 투자하려고 한다. 1순위 대출로 대출금 $220,000를 9.5% 금리, 20년 만기 조건으로 이용 가능하다. 또는 대출금 $180,000, 9% 금리, 20년 만기 조건의 대출과 2순위 대출로 대출금 $40,000, 13% 금리, 20년 만기 대출을 이용할 수 있다. 원리금 균등상환이며 월 단위로 지불액을 납부한다.

a. 차입자가 대출 전 기간 동안 주택을 보유할 것이라면, 어느 대안을 선택해야 하는가?
b. 차입자가 5년간만 주택을 보유한다면, 답은 바뀌는가?
c. 2순위 대출이 10년 만기 조건이라면, (a)와 (b)의 답은 바뀌는가?

3. 한 투자자는 5년 전에 $95,000, 11% 금리, 30년 분할상환 조건으로 주택대출을 받았다. 대출금리가 떨어지면서, 만기 25년 대출을 금리 10%로 받을 수 있게 되었다. 최초 대출잔액에 대한 조기상환 위약금은 없지만, 신규 대출에 대해서는 3% 포인트와 종결비용 $2,000를 부담해야 한다. 모든 지불액은 월지급 기준이다.

a. 차입자가 남은 대출기간 동안 주택을 소유할 계획이라면, 차환을 해야 하는가? 투자자(주택소유자)는 대출금의 미상환 잔액에 해당하는 금액만을 차입한다고 가정한다.
b. 만약 주택소유자가 5년간만 주택을 소유하려 한다면, (a)의 답변은 바뀌는가?

4. Secondary Mortgage Purchasing Company (SMPC)는 지역의 저축대부조합으로부터 당신의 주택저당대출을 구입하길 원한다. 주택저당대출의 원래 잔액은 $140,000이고, 5년 전에 10% 금리, 30년 만기 조건으로 대출을 받았다.

a. SMPC는 11% 수익률을 원한다면, 무엇을 지불해야 하는가?
b. SMPC가 대출을 5년 후에 조기상환할 것을 예상한다면, (a)의 답변은 어떻게 바뀌는가?

5. 당신은 다음 2개의 주택 중 하나를 구매할 선택권이 있다. 주택 A의 가격은 $150,000이고, LTV 80%, 대출금리 10.5%, 20년 만기 대출을 받을 수 있다. 주택 B의 가격은 $160,000이고, 대출금 $100,000, 대출금리 9%, 잔여기간 20년인 대출을 승계받을 수 있다. 월불입금은 $899.73다. 2순위 대출은 $20,000를 13% 금리, 20년 만기로 받을 수 있다.

a. 자금조달 조건 외에는 다른 선호조건이 없다면, 당신은 어느 주택을 선택할 것인가?
b. 주택 B의 매도자가 2순위 대출 $20,000를 승계대출과 같은 9% 금리로 제공하고자 한다면 당신의 답변은 어떻게 바뀌는가?
c. 주택 B의 매도자가 2순위 대출 $30,000를 승계대출과 같은 9% 금리로 제공하며, 대출이 승계될 때 매수자가 추가적인 계약금을 지불하지 않는다면, 당신의 답변은 어떻게 바뀌는가?

6. 어떤 투자자가 15년 동안 소유한 주택의 가격은 현재 $200,000이다. 초기 대출의 현재 잔액은 $100,000이고 월불입금은 $1,100로 15년이 남았다. 주택소유자는 $50,000를 추가 대출받기를 원한다. $150,000에 대한 신규 1순위 대출은 12.5% 금리로 받을 수 있고, $50,000에 대한 2순위 대출은 14% 금리로 15년 만기로 받을 수 있다. 다른 대안으로, 랩어라운드 대출 $150,000를 12% 금리, 15년 만기로 받을 수 있다. 주택소유자는 어떤 대안을 선택해야 하는가?

7. 한 주택 건축업자는 주택에 대해 $100,00 대출을 9% 금리로 25년간 제공하고 있다. 월불입액은 현재 시장금리 9.5%, 만기 25년이다. 주택은 특별한 금융조건이 없다면 $110,000에 팔 수 있다.

a. 주택 건축업자가 대출을 시장금리로 받는 효과를 누리려면, 주택가격은 얼마가 되어야 하는가? 주택 구매자가 25년 전 기간 동안 대출을 받으려 한다고 가정한다.
b. 주택이 10년 후에 되팔리고 그때 대출이 상환된다고 한다면, (a)에 대한 답변은 어떻게 달라지는가?

8. 어떤 부동산이 매각시 $80,000 대출을 10% 금리로 25년 동안 월 분할상환 조건으로 이용할 수 있다고 한다. 불입금은 월 $726.96이다. 건축업자는 구매자에게 불입금을 첫해에는 50%를, 2년 차에는 25%를 깎아주고, 3년 차부터는 $726.96를 지불하는 조건의 대출을 제시하였다.

a. 건축업자는 위 조건을 충족하기 위해 은행에게 바이다운(buydown) 불입금을 얼마나 납부해야 하는가?
b. 위 주택을 바이다운을 활용할 수 없는 다른 유사 주택보다 $5,000를 더 지불해야 한다면, 그 부동산을 구입하도록 추천하겠는가?

9. 어떤 감정평가사가 거래비교사례를 찾는 중, 최근에 $200,000

에 팔린 주택을 발견하였다. 이 주택은 구매자가 매도자의 7% 저당대출을 승계할 수 있다고 한다. 매각 당시 대출잔액은 $140,000이고, 잔여 대출기간은 15년(월불입)이다. 감정평가사는 같은 부동산에 $140,000 대출을 받을 수 있다면, 15년 만기 대출의 시장금리는 포인트 없이 8%가 될 것이라고 판단한다.

a. 구매자가 대출 전 기간 동안 승계대출에 대한 금리 절감혜택을 기대한다고 하자. 주택에 대한 현금등가가치는 얼마가 되는가?

b. 구매자가 5년 후에 주택을 매각하거나 대출을 차환할 것이기 때문에 5년 동안만 금리 절감 혜택을 기대한다고 한다면, (a)에 대한 답변은 어떻게 바뀌는가?

10. 차입자는 2주간 원리금을 상환하는 대출과 월 단위 상환 대출 중 하나를 선택할 것이다. 대출액은 $200,000이고 20년 동안 6% 이자율로 상환하여야 한다.

a. 두 가지 대출안에 대해 분석하라.

b. 2주 상환 대출의 금리가 5.75%이라면 답변은 어떻게 바뀌는가?

CHAPTER 05

수익용 부동산에 대한 소개: 임대와 임대시장

Income-Producing Properties: Leases, Rents, and the Market for Space

본 장에서는 수익용 부동산(income producing properties)에 초점을 둔다. 제일 먼저 주요 부동산의 형태 및 그의 가치에 영향을 주는 경제적 변수를 살펴본다. 다음에는 수요와 공급의 관계, 입지 분석 및 부동산 사업의 경쟁적 속성을 고찰한다. 그리고 부동산 소유자와 임차인의 계약관계를 규정하는 과정에서 임대가 얼마나 중요한지에 대해 다루기로 한다. 임대는 잠재적 수익성과 수익용 부동산 투자의 위험성에 영향을 미친다.

부동산의 형태

[예 5-1]은 부동산의 종류를 구분하는 주요 분류기준을 보여준다. 두 가지 주요 분류기준은 주거용, 비주거용이다. 주거용 부동산은 **단독주택**과 아파트 같은 **다가구주택**을 포함한다. 콘도미니엄과 조합주택들 또한 주거용 부동산의 범위에 포함된다.

일반적으로, 주거용 부동산은 개인이나 가족들에게 주거지를 제공한다. 호텔이나 모텔은 주거를 제공하지만, 이는 임시적인 것이므로 주거용으로 분류하지 않는다. 본 장에서도 호텔과 모텔을 상업용으로 분류할 것이다. 이는 여행숙박에 대한 수요공급이 주택과는 전혀 다른 변수에 의존하므로 경제적으로 논리적인 분류이다.

단독주택은 일반적으로 교외 소재 단독가옥(detached house)이다. 다른 비슷한 예를 들면 야외의 "녹지"를 공유하는 집합주택과, 단독주택과 단독부지(detached unit)를 포함하는 "zero lot line(대지면적과 건축면적이 같은 방향을 말함)"이 있다. 집합주택과 zero lot line은 소유나 렌탈의 형식으로 존재할 수 있다.

다가구주택은 주거용 주택의 또 다른 중요한 분류 중 하나이다. 다가구주택은 주로 위치(도심 또는 교외)와 규모(고층, 저층, 정원이 딸린 아파트)에 따라서 소분류된다. 고층아파트는 통상 도심지에 위치하는데 이는 도심지의 지가가 높기 때문이다. 이러한 고층아파트는 월세 등으로 수입을 발생시킨다.

비주거용 부동산은 통상 오피스, 상가, 산업용, 호텔/모텔, 오락, 기관의 6가지로 대분류된다. 상업용

예 5-1
부동산의 용도별 분류

I. 주거용
- A. *단일가구*
  - Detached
  - Cluster 개발
  - Zero lot line 개발
- B. *다가구*
  - 고층(통상 도심지)
  - 저층
  - 정원 딸린 임대주택[garden apartments(통상 교외)]

II. 비주거용
- A. *오피스 빌딩*
  - Major multitenant(도심지)
  - 단일 또는 다수 임차인(교외)
  - 단일 임차인(build to suit)
  - 조합사무실(combination office)/전시(showroom)
  - 전문 오피스: 의료, 전문화된 용도
- B. *소매유통*
  - 지역상가
  - 근린시설
  - Community centers
  - 노선상가(strip centers)
  - 특수용품상가(specialty centers)
  - 할인점
- C. *숙박/호텔, 모텔*
  - Business/회의(convention)
  - Full service
  - 여행(tourist)/레저(resort):
    - Limited service
    - Extended stay
    - All suites
- D. *산업용*
  - 중공업,
  - 경공업
  - 사무실/공장
  - 공장: Distribution, 연구개발, Flex space 등
- E. *여가용*
  - 컨트리클럽
  - Marina/Resort
  - 스포츠센터
- F. *기관*(special purpose)
  - 병원/요양소
  - 대학
  - 정부
  - 기타

III. 혼합용도 개발
- 위의 용도를 복합적으로 사용

에는 오피스와 상가 두 가지가 있는데 어떤 건물이라도 두 가지 용도로 사용될 수 있다. 또한 건물이 주거용과 상업용으로 복합용도가 될 수도 있다. 용도가 복합되어 있는 경우를 **복합용도**(mixed use) **개발**이라고 부른다. 따라서 본 절에서의 분류는 부동산의 수급과 투자 잠재성을 판단하기 위한 분석 목적의 편의상 분류로 이해해주기 바란다.

오피스 빌딩은 도심지의 다수임차인용과 단일입주자 수요에 맞추어 건설된 단일임차인용이 있는데, 후자의 예를 들면 병원 인근의 의료 사무실(medical office)이 있다.

소매용 부동산은 수백만 제곱피트의 대형상가부터 조그만 상점까지 다양하다. 앞서 언급했듯이 소매용이 오피스와 혼용될 수 있는데 이는 특히 1층에서 그러하다.

호텔과 모텔은 규모 및 설비 면에서 매우 다양하다. 모텔과 소형 호텔은 주로 하룻밤을 보내려는 비즈니스 여행객들이나 가족들을 대상으로 지어진다. 이런 모텔이나 소형 호텔은 부대시설(수영장, 식당, 회의실) 면에서 미약하며 고속도로변에 소재한 경우가 많다. 장기투숙객을 주로 받는 호텔은 식당, 수영장 및 부대시설을 제공하며 관광지에 소재한다. 관광객의 "최종목적지"에 소재하는 경우 부대시설이 강하며 도심과 격리되어 손님들이 장기 투숙하며 고급이다. 이런 호텔들은 화려하고, 다양한 식사공간, 수영장, 근거리의 골프장 등을 제공한다. 회의(convention) 용도의 호텔도 주요 도시 인근의 유명지에 소재하는데, 회의에 참석하는 고객들은 다양한 식사메뉴를 선호하며 사업과 휴식을 동시에 즐기기를 원한다.

산업용 부동산으로는 경공업, 중공업 및 관련 보관용 등 여러 가지가 있다. 산업용 부동산은 특수한 목적을 위해 디자인된 건물도 포함하며, 이런 특수건물들은 용도변경이 어렵다. 오피스로 사용되던 낡

은 건물들도 창고나 산업용으로 "전환되어" 사용되는 경우가 많다.

여가용(recreational) **부동산**은 컨트리클럽, Marinas, 스포츠센터 등으로 매우 전문화되어 있으며 관련 용품을 파는 매장과 조합되어 있다. 식당과 호텔의 조합도 종종 볼 수 있다.

기관(institutional) **부동산**은 정부, 병원, 대학 등의 기관이 사용하는 것으로서 건물의 형태 자체는 다른 사무실과 유사하다. 정부기관의 경우 다른 사무실과 유사하며, 일반 사무실과 같은 건물을 공유할 수도 있다. 반면 병원이나 대학은 전용으로 건축되어 다른 용도로 전용되기 어렵다.

수요공급의 분석

앞 장에서, 우리는 잠재적 부동산투자를 위해서 경제적 기반을 분석하는 것이 왜 중요한지에 대해 다루었다. 부동산의 시장임대료는 경제적 기반뿐만 아니라 세입자의 수요와 공급에 의해 결정된다. 본 절에서는 부동산의 수요공급을 결정하는 시장들을 분석하고, 이들이 어떻게 부동산 투자에 영향을 주는지를 살펴본다.

시장임대료 *Market Rent*의 균형점

특정 시점에서 부동산 임대차시장은 고정된 공급량만이 존재하는데, 일부는 임대되고 나머지는 공실이거나 임대시장에 공급물량으로 출회된다. 소유주가 이 물량을 어느 가격에 임대할 수 있는지는 시장 내 유사 건물에서 형성된 시장임대 시세에 의해 결정된다. 소유주들이 다양한 임대료 수준에 걸쳐 어느 정도의 물량을 시장에 출회할지는 [예 5-2]에서의 공급곡선으로 나타난다. 시장의 임대료 시세가 상승할수록 공급량이 늘어나는데, 특정 시점에서 최대공급량은 시장 내 현존물량으로 제한이 된다.

시장임대료가 낮은 경우, 부동산은 임대되지 않는다. 이 부분은 시세상승을 기대하는 소유주의 의도에 따라 공실로 남아 있거나, 아예 다른 용도로 전용된 것이다. 일정 비율의 공급량은 항상 공실로 남아

예 5-2
임대차 시장의 수급 균형

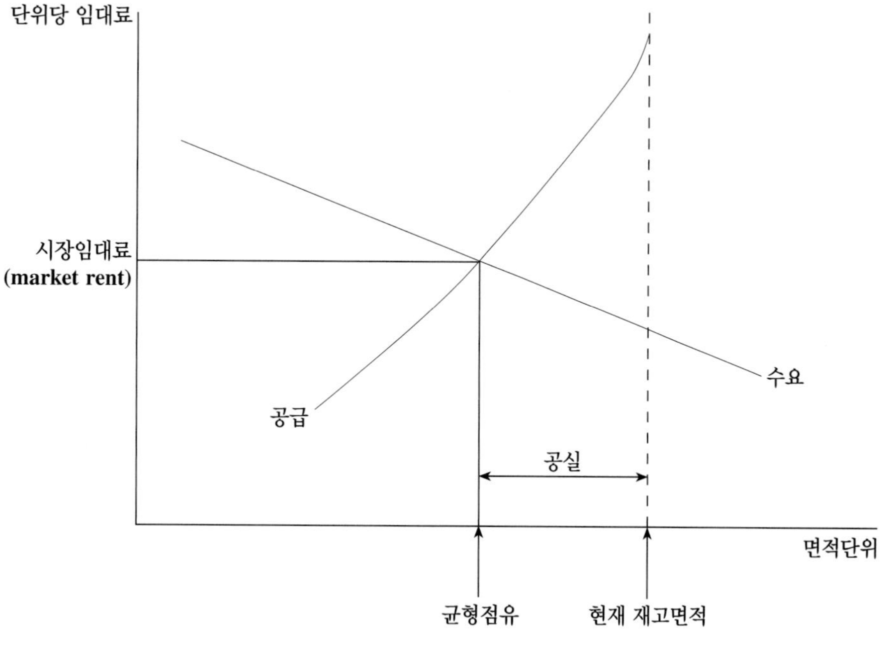

있는데 그 이유는 임차인이 이전 추진 중이기 때문이거나 신축건물이기 때문이다. 이러한 공급물량은 시간이 경과하면서 신축건물 증가 및 기존 건물의 퇴출로 인해 변화해 갈 것이다.

[예 5-2]는 실수요자의 수요도 보여 주는데, 임대료가 하락할수록 기업들은 인력이나 자본 대신 공간을 확장 사용하려 한다. 수요와 공급이 만나는 지점에서 시장임대료(market rent) 시세 수준과 공급물량이 균형을 이루게 된다. 일정 시점에서 임대차된 총 공간은 과거에 임대차된 공간을 포함한다. 시장에 존재하는 공급물량과 임대계약된 물량과의 차액이 공실을 나타내는데 이는 정상적인 또는 시장균형 상태에서의 공실률이다.

[예 5-2]의 공급곡선은 단기간의 균형상태를 나타내는 것으로 신규건축 또는 기존 건물의 퇴출로 인한 변화로 공급의 증감이 일어나지 않는 상황이다. 이는 부동산 공급이 과거에 행해진 시장임대료 분석에 따라 지어진 기존 공간도 포함된다는 것을 의미한다. 신축건물이 완공되면 시장균형이 바뀌어야 하므로 시장임대료도 변화하게 된다. 예를 들면, 지역 내에 신규기업들이 진입하고 고용인원도 증가하여 사무실 수요가 증가했다면 [예 5-3]에서의 D 수요는 D'로 증가하며, 시장의 기존 공급물량에 근거하여 임대료수준은 R에서 R'로 상승한다. 이러한 수요의 상승은 임대료강세 및 공실하락을 야기하여 개발사업의 수익성을 높이므로 신규건물의 공급을 촉발시키는데, 실제 건축되는 새로운 물량은 개발사업의 수익성뿐만 아니라 개발 가능한 토지 공급에도 좌우된다. 신규건물이 개발되고 공급이 증가할수록 최대공급량이 S_{max}로부터 S'_{max}까지 증가하여 총 공급량도 S로부터 S'로 증가한다. 새로운 공급곡선에 의해(신규 건축 이후) 균형 임대료는 R'로부터 R''로 하락한다. 다시 말해서 임대료는 신규건축이 일어나지 않았을 경우만큼은 상승하지 않는다는 것이다. 신규건축에 의해 증가되는 공간의 양에 따라 필요량을 초과하는 개발이 이루어졌을 경우의 임대료는 수요증가 이전보다 더 낮은 수준까지 하락할 수도 있다.

본 절의 분석에서는 수요의 증가 발생에 따라 공급이 뒤따라 증가하였는데, 수요의 감소는 반대의 효과를 나타내며, 이에 따라 균형임대료의 하락을 가져오고 공실률이 증가하게 된다. 공급 물량은 이미 현존하고 있으므로 공실률은 수요가 회복할 때까지 지속될 것이다. 현존 임대물량의 감소는 낡은 건물이 퇴출되어야 발생하므로 이는 매우 장기간에 걸쳐서 일어난다.

예 5-3
수요와 공급의 증가 영향

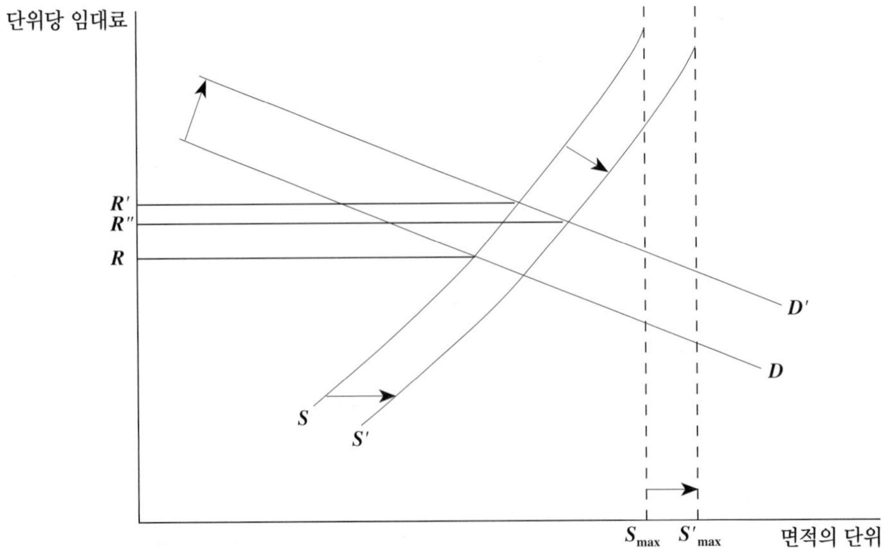

위험의 의미 *Implications for Risk*

일반적으로 시장임대료는 수요의 변화 및 공급변화 예상치에 의해 결정된다. 부동산 사용기간 중 예측되거나 예측 불가능한 시장임대료 변동이 부동산투자자의 위험과 수익에 영향을 준다. 수요변동은 지역경기에 영향을 주는 요인들에 의해 발생되는 반면, 공급변동은 개발업자들이 임대료 상승 및 기존 건물로부터 임차인들을 충분히 끌어와 사업수익성을 확보할 수 있다는 반응을 보일 때 발생된다. 부동산투자자는 수급변동으로 인한 시장임대료 변동이 어떻게 투자의 수익성과 수익의 변동성에 영향을 주는지 판단해야 한다. 투자대상이 임대 완료된 기존 건물이라 하더라도 기존 임대계약이 만료되어 재임대될 때는 당시의 임대시장 시세에 영향을 받게 된다. 본 장의 다음 절에서 후술하듯이 임대차계약은 임대인으로부터 임차인에게 투자위험을 이전시키도록 구조화될 수 있다.

수요공급에 대한 지역 내 시장 분석

개념상으로 수요와 공급을 고려하면 유용하지만, 부동산 투자를 할 때에는 공실 수준, 임대 시세, 진행 중인 신축 공사 및 언제 이들이 입주 가능한지에 대해 시장 분석이 이루어져야 한다. 이는 매우 중요하며, 본 절에서 후술하듯이 부동산에 대한 투자를 할 때에는 시세, 공실률 및 비용에 대해 반드시 고려되어야 한다. [예 5-4]는 시장 분석할 때 고려해야 하는 여러 가지 변수들을 요약해 주고 있다. 위 예의 상관관계는 일반적으로 앞 절에서 서술한 지역 내 기본 산업과 이에 따른 고용형태에 따라 결정되거나 발생한다. 그러나 부동산 형태별로 수요를 고려하기 위해서는 더 자세한 분석이 필요하다. 투자자가 아파트와 소매점포에 투자를 고려할 때, 신규 고용을 예상하는 것과 더불어 급여수준에 따라 파악되는 지역 내 고용창출의 질, 노동자의 나이, 규모 및 기타 정보가 필요하다. 이러한 정보들을 통해 요구되는 아파

예 5-4
주요 부동산 형태별 수요공급 결정요인

수요 결정 요인:

아파트:
가구 수, 연령층, 소득수준, 금리, 주택 가용성, 임대료, 주택가격

오피스:
사무실 수요가 많은 업종은 서비스 및 전문영역으로서 변호사, 회계사, 엔지니어, 보험, 부동산중개, 은행, 금융, 컨설팅, 의료 및 치과, 약국 등

창고:
도매, 수송, 물류, 조립, 제도, 판매 및 서비스

소매:
가계소득, 연령, 성별, 인구, 선호도

공급 결정 요인:

공실률, 금리, 자금 조달 가용도, 기존 공급물량, 건축비, 토지 원가 등

Property Type		*Typical Construction Periods*
아파트	신축 기간은 교외(정원 있음)	6~18개월
	시내(고층)	18~24개월
오피스빌딩	신축기간은 교외(저층)	18~24개월
	시내(고층)	24~48개월
소매	단독 신축	6~12개월
	지역 단지 신축	12~24개월
	쇼핑몰 신축	36~48개월
창고	시외, 단독 신축	9~12개월

트의 형태 및 소매점포의 업종 등을 보다 더 잘 이해할 수 있게 되며, 이를 통해 어떤 하부시장이 경제성장의 혜택을 누릴지 파악할 수 있게 된다.

이와 유사하게 창고 및 오피스빌딩에 대한 투자를 고려할 때에도 당해 지역 경제의 성장에 의해 생성되는 고용의 형태와 속성을 잘 이해하게 되면 투자 분석이 용이해진다. 예를 들면, 뉴욕시의 고용 증가를 고려할 때 고용의 대부분은 오피스 부문에서 이루어질 것이다. 반면 디트로이트를 고려할 때에는 고용 증가분은 산업용 및 창고 부문에서 발생할 가능성이 크다. [예 5-4]에 의해 4개의 부동산 형태에 대해 영향을 주는 요인들을 이해할 수 있을 것이다.

각 시장의 공급 측면에 있어서는 각 부동산의 개발업자들이 [예 5-4]의 변수들을 세심하게 고려한다. 그러나 개발업자들은 자금조달 비용 및 다른 위치에서 토지를 취득하여 개발할 경우의 경제적 이익도 저울질해야 한다. [예 5-4]는 여러 가지 부동산 형태별로 개발에 소요되는 기간을 제시하고 있다. 이 사실을 미루어 볼 때, 어떤 지역 시장에서도 부동산의 공급은 다른 재화와 용역과는 달리 단기적으로는 고정되어 있기 때문에 수요증가에 대응하는 것에 시간이 든다는 것은 명확하다. 그렇기에 하부시장의 규모에 맞춘 효과적인 부동산개발을 위해서는 부동산공급량을 파악하기 위한 투자 분석이 중요하다.

입지와 사용자인 세입자

앞 절에서는 각 도시와 지방에 영향을 주는 변수에 대해 간략히 알아보았다. 본 절에서는 특정 도시 내의 입지를 어떻게 사업성 면에서 평가할 것인가에 대한 개념적 구조를 살펴보고자 한다. 입지가 부동산에 있어서 중요한 속성이라는 점은 논란의 여지가 없다. 부동산 투자자 및 개발업자가 성공하려면 사용자인 세입자 입장에서 본 입지도 매우 중요하다는 점을 인식해야 한다. 이는 성공적인 부동산 투자자/개발자들이 잠재적인 사용자인 세입자들의 사업 내용과, 특정한 입지가 이들 고객에게 어떻게 매력을 줄 수 있는지 이해해야 한다. 부동산을 사용하는 고객들은 이익을 내기 위하여 영업하는 기업이라는 점을 기억하라. 따라서 사용자들이 부동산에 대해 의사결정을 고려함에 있어서 다른 부동산과의 다음과 같은 경쟁요인들이 개입된다. (1) 매출을 증대시키거나 (2) 영업비용을 감소시키거나 (3) 매출과 비용의 혼합. 사용자의 입지와 이익 간의 기본적 관계가 [예 5-5]에 나타나 있다.

어떤 대도시 내에서 3개의 입지를 비교할 때 사용자 A는 입지 (1)에서 이익을 더 내는데, 이는 매출

예 5-5
입지 비교: 사용자의 평방피트당 매출, 비용 및 이익의 관계

	입지(Locations) in Big City, USA		
	입지 (1)	입지 (2)	입지 (3)
사용자 A			
매출	$120	$100	$ 90
비용	80	80	80
이익	40	20	10
사용자 B			
매출	$100	$100	$100
비용	90	80	70
이익	10	20	30

이 크고 영업비용은 입지에 영향을 받지 않기 때문이다. 사용자는 입지 (2), (3)보다 (1)에서 평방피트당 임대료를 더 낼 수 있고 이익도 더 낼 가능성이 크다. 반면 사용자 B는 입지 (3)이 최선인데, 이는 매출이 입지에 따라 다른 반면 비용은 입지 (3)에서 가장 낮기 때문이다. 입지 (2)는 사용자 A와 사용자 B는 최선이 되지 못하고, A나 B보다는 다른 사업에 적당할 수 있다.

본 절의 분석에서는 수익성이 입지에 따라 달라지므로 이는 사용자 A와 그 경쟁업체(예를 들면, 소매업종, 식당 및 기타 서비스업)들은 입지 (1)의 근처에 모여들(cluster) 가능성이 큰데, 그 이유는 입지가 **매출액**에 큰 영향을 미치기 때문이다. 이러한 업체들은 동일한 입지 내에서 임차 경쟁을 할 것이다. 이 입지는 사용자인 세입자들이 판매를 하고, 소비자들도 당해 입지에 민감해지는 **하위시장**(sub market)의 성격을 띠게 될 것이다.

한편 사용자 B는 **비용**이 입지에 따라 민감하게 변동하므로 입지 (3)을 선택할 것인데, 이는 비용이 낮아 이익이 높아지기 때문이다. 사용자 B의 경쟁업체 및 다른 업종의 업체라도 **영업비용 구조가 유사한 경우** 입지 (3)에서 임차 경쟁을 하게 될 것이다. 이러한 예로는 도매유통업체로서 대형 창고를 필요로 하는 경우가 있다. 이러한 유통업체는 지역 내의 모든 고객에게 동일한 가격을 설정할 것이나, 배달 비용은 입지에 따라서 달라진다. 따라서 배달 비용이 가장 저렴한 입지를 선택하는 경향이 있다.

이같이 다수의 기업들 간 이익극대화를 위한 이익분석 및 경쟁분석의 결과, 부동산 시장에서 일반적인 사용자 원칙이 다음과 같이 수립된다.

1. 기업들이 임차 경쟁을 하게 되면 최선의 입지에 대하여 최고의 임대료가 달성되고, 따라서 토지가치와 최고의 개발이 이루어진다.
2. 입지는 매출이나 비용 구조가 유사한 사용자들에 의해 집중적으로 지배된다.
3. 사용자에게 가장 매력적인 입지가 임대료도 높고 **밀도**도 높아진다. 개발업체들은 희망하는 입지에 고층으로 또는 빌딩을 밀집시켜서 평방피트당 최고의 임대료를 도출한다. 이 과정에서 비교적 작은 공간 또는 여러 층에 분산하면서도 수익성은 유지할 수 있는 성격의 세입자들이 유치된다.
4. 입지에 따라서는 가장 비용 면에서 효율적인 기업들 간에 경쟁한다. 이 기업들은 대규모 토지 및 설비에서 규모의 경제에 따라 평방피트당 낮은 임대료를 달성할 수 있다.

입지를 이러한 방식으로 분석함으로써, 도시지역에서 토지사용 행태와 하위시장(sub market)이 형성되는 이유와 과정을 이해할 수 있다. 이는 또한 소매 및 고층오피스 개발이 일정 지역에서 일어나는 반면, 대규모 토지를 필요로 하는 단층 창고는 다른 지역에서 개발되는지를 알 수 있게 해 준다. 물론 이러한 토지 사용 패턴은 도시지역에서 구역별 용도지정(zoning) 및 역사적으로 사용된 용도에 의해서도 영향을 받는다(그러나 이러한 영향도 주기적으로 변동된다).

요약하면, 핵심 포인트는 대부분의 사용자에게 있어서 부동산은 노동력과 함께 생산의 **투입요인**이라는 점이다. 다시 말해서 기업은 노동력과 특정 입지의 부동산을 결합하여 재화와 용역을 생산한다. 예를 들면, 법률, 회계 및 광고 업체들은 고객을 위하여 용역을 제공하며, 직원들과 부동산은 특정 입지로부터 제공되는 고객 서비스를 위한 **투입**요인들이다. 소매업체는 대량의 상품과 판매 인력을 토지와 건물에 결합시켜 판매와 서비스를 고객의 요구에 맞춘다. 더구나 상품을 유통시키기 위해서는 대규모의 토지와 창고 및 상품을 분리하고 분류하여 배달하는 비교적 소수의 직원을 필요로 할 것이다. 유통업의 예에서 핵심은 기업이 부동산을 영업비용과(또는) 이익, 토지/건물 공간의 필요성, 임대료, 직원 수, 입지에 따

른 매출 등에 영향을 미치는 하나의 투입요인으로 본다는 것이다. 기업은 이러한 요인들을 복잡적으로 적용하여 이익극대화를 추구한다. 토지 사용 패턴은 사업 용지를 결정하는 패턴을 따라간다.

부동산 사업

일반적인 인식과 달리 대부분의 회사는 사무실을 소유하고 있지 않고 임차하여 사용하고 있다. 많은 수의 빌딩들이 빌딩외면에 입주하고 있는 주요 회사의 이름을 달고 있어[1] 그 회사 소유건물인 것처럼 보이나 실은 임차하는 회사인 경우가 많다. 대부분의 회사들이 매입 대신 빌딩을 임차하여 사용하는 이유는 다음과 같다.

1. 매입하는 것보다 임차하는 것이 비용 측면에서 더 효과적이다. 회사가 위치하기 원하는 지역에 매입 가능한 사무실의 크기가 그 회사가 필요로 하는 크기보다 더 큰 것밖에 없을 때인 경우에는 그 이유가 확실히 드러난다. 예를 들어, 어떤 회사가 원하는 크기가 20,000평방피트인데 원하는 지역에 매물로 나온 부동산의 크기가 100,000평방피트짜리밖에 없다고 가정하자. 이런 경우에는 20,000평방미터의 그 지역 사무실을 임대해서 사용하는 것이 효과적이다. 이 경우 매입하는 전략을 선택한다면 잉여되는 80,000평방피트는 타 회사에 임대해야 하는 문제가 나온다. 이때 매입 대안이 선택되지 않는 이유는 다음과 같다.
   a. 100,000평방피트의 사무실을 매입한다면, 매입 자본을 다른 곳에 투자할 수가 있는 기회를 놓치는 것이다.
   b. 부동산의 매입은 그 회사로 하여금 "부동산 사업에 발을 담그게" 할 것이다. 이것은 사용하지도 않을 80,000평방피트를 소유하는 것에 대한 위험을 가지고, 그 부동산 사업에 대한 임대, 임대료 수금, 관리, 보험 같은 업무를 신경 써야 하는 불편함을 준다.
2. 설사 그 기업이 100,000평방피트의 전체 공간을 쓰는 회사라고 하더라도 다음과 같은 이유에 의해서 임차를 선택할 것이다.
   a. 매입은 기업의 경영에 있어서 융통성을 저해할 것이다. 예를 들어 그 회사가 기존 도시를 떠나기로 결정하거나 그 도시 내에서 다른 지역으로 합병이나 확장을 통해서 사무실을 이전하려고 할 때, 그 부동산을 다시 매각해야 하는 문제가 발생한다. 여기에는 상당한 시간, 인력, 예산이 소요될 것이다. 만일 그 사무실을 임대해서 쓰고 있었다면 임대기간이 끝난 후 이전한다든지 건물주와 상의해서 계약만기 전이라도 이전할 수 있을 것이다.
   b. 만일 매입해서 쓰고 있다면 그 회사는 나름의 핵심 업무와 상관없을 수도 있는 부동산의 운영, 유지, 보수 등 부동산 사업과 관련된 업무를 해야만 할 것이다. 예를 들어 기술자문회사는 부동산을 소유, 운영, 임대, 보수 등의 문제에 신경쓰지 않고 컨설팅 업무에만 주력하는 편이 회사이익에 도움이 될 것이다. 부동산 관리는 그 분야의 전문회사가 통상 더욱 비용 효과 측면에서 비교우위에서서 일을 할 수 있기 때문이다.
   c. 만일 그 기업이 100,000평방피트의 공간을 쓰다가 사무실을 축소해야 할 필요가 생길 경우, 그 회사는 잉여공간에 대해서 임대하거나 매각하기 위해 브로커를 추가로 고용해야 하는 문제가 생길

[1] 이러한 것은 대다수 건물을 임차하는 회사에서 볼 수 있다.

것이다. 거기에 더해 새로운 임대인의 요구에 맞추어 기존의 사무실을 개, 보수(renovate)해야 하는 필요성까지 생긴다. 이는 역시 고유의 사업과 관계없는 부동산 사업을 의미한다.

요약하면, 지금껏 많은 기업들이 그들의 주요업무 외에 부동산관리 사업에 신경을 써왔다는 것은 많은 증거에 의해 뒷받침된다. 하지만 그 결과는 잘해야 절반의 성공이었다. 부동산 사업은 **그들만의 특별한** 경제적 기능을 가지고 있고, 그것들은 임대사업자들이 하는 다른 사업들과는 구별된다. 이런 비핵심적인 부동산 사업들은 다음과 같은 위험을 가진다. (1) "적정한" 부지면적을 선택하고 "적절한" 면적을 개발해야 하는 데 따르는 위험, (2) 다수의 다양한 임차희망자에게 임대해야 하는 데 따르는 위험, (3) 전문 인력을 채용하고 임대료를 징수하고 시설을 유지, 관리해야 하는 위험, (4) 투자 및 개발을 위한 자금조달의 위험, 그리고 (5) 매각적정시점과 임대료인상, 인하시점, 그리고 개, 보수시점 등을 결정하기 위한 지속적인 부동산시장동향 분석의 위험. 이러한 사항들은 부동산 사업이 주력 업종인 회사에 의해서 수행되어야 비용 측면에서 최선인 특화된 기법들을 요구하는 수많은 기능의 예이다. 다른 사업기업들은 그들에게 특화된 사업에 주력하는 것이 제일 바람직하다(예, 고객들을 상대하는 법무법인, 회계법인, 광고회사나 소매점). 이러한 사용자들은 부동산 사업을 전문으로 하는 회사보다 일반적으로 부동산 사업부문에서 효과적으로 업무를 수행하기 힘든 것이 사실이다. 현재 약 80%의 사무실용 빌딩과 상가들이 **임대**에 의해 임차인이 입주해 있는 것으로 추산된다. 이 수치는 공장이나 창고임대에 있어서 약간 낮은데, 약 37%가 소유자에 의해서 사용되고, 나머지 63%가 임대되고 있는 것으로 추산된다. 요약하면, 부동산 사업이란 입주자에게 부동산 관련 용역을 제공하는 전문 회사들에 의해 수행되는 활동이라는 것이다. 입주자가 건물을 소유하고 그에 관한 서비스를 수행하는 것보다는 임차 사용하는 것이 일반적으로 비용에 비해 효과가 크다.

이러한 고찰에 있어서 한 가지 예외사항이 있다면 한 건물에 입주해 있던 유일한 회사가 자체 사옥에서 독자설비를 사용하기를 원한다든지, 고도의 전문적인 실험실이나 특수한 전산 기기나 보안설비 등을 건물에 설치해야 하는 회사의 경우를 들 수 있다. 이러한 특별한 경우에는 임대보다도 매입이 바람직할 수 있다.

수익용 부동산 "시장"

전술한 (1) 수익을 극대화할 수 있는 입지에 사무실을 구하는 입주희망자 간의 일반적 관계, (2) 또 비용 효과적 측면에서 매입보다는 임대를 선호하는 입주자의 일반적인 요구, (3) 부동산을 개발하고 매입하고 임대하고 유지관리함과 관련하여 전문부동산업체가 일반입주자보다 더욱 비용 효과적으로 기능을 수행한다는 논의에서 보듯이, 부동산서비스라는 거대한 시장이 출현하였다는 것은 확실하다.

부동산투자라는 주제에 접근하기 위해서는 이러한 경쟁시장이 어떻게 움직이고 있고 소유자와 임차사용자 간에 거래가 어떻게 이루어지고 있는지를 이해할 필요가 있다. 또한 빌딩의 소유자가 경비 중 빌딩 자체를 운영하는 데 드는 경비와 빌딩입주자의 사업운영과 관련된 경비를 어떻게 구별하는지 이해하는 것도 중요하다. 빌딩과 관련된 경비는 소유자에 의해 사용자에게 할당되고, 소유자는 임차인의 영업활동과 관련된 경비는 부담하지 않는다.

요약하자면, 부동산서비스라는 시장에 있어서 임차인은 수입을 늘리든 비용을 줄이든 수익을 극대화

할 수 있는 입지에 임차를 희망하고, 그에 따라 부동산 소유자는 부동산의 개발, 임대, 운영에 있어서 위험을 수용하게 된다. 이러한 서비스는 부동산 소유자가 임대료를 받는 대신 제공하는 것이다. 그러나 아래에서 언급하지만, **임대료**란 개념이 중요하면서도 매우 일반적인 것이어서, 그것만으로는 소유자와 임차인에게 할당되는 모든 경비를 정확히 설명해 주기에는 충분하지가 않다. 임차인의 총 임차경비와 소유자의 임대수익 합계를 구하기 위해서는 임대료 외에 임차인과 소유자의 합의 내용과 관련한 여러 항목들을 고찰해야 한다. 이것은 일반적 임대계약에 있어서 양 당사자 간의 추가적인 권리, 의무를 포함한다. 임대차계약내용은 투자자의 입장에서 그 자산에서 얼마만큼의 수익을 내는지, 법률적 책임내용은 뭔지, 그리고 장래 추가사항은 어떤 것이 있는지를 반영하게 되고, 이것은 그 자산의 장래 가치에 결정적인 영향을 미칠 것이기 때문에 중요하게 다뤄져야 한다.

부동산자산의 잠재 수익성

본 절에서는 아파트, 사무실, 소매용 및 산업용/창고의 4개의 주요한 부동산 형태를 살펴본다. 본 절의 목적은 각 부동산 형태별 운영과 임대의 특성과 현금흐름 예측이 어떻게 이루어져야 하는지를 익숙하게 하기 위함이다.

시장임대료(market rent)라는 용어는 잠재 세입자가 현행 시장 상황하에서 특정 공간을 사용하기 위하여 지불해야 하는 가격을 의미한다. 이 시세는 여러 가지 요인에 좌우되는데, 여기에는 (1) 국민 경제의 전망, (2) 당해 부동산이 입지한 지역의 경기, (3) 분석대상 입지에 소재한 건물들이 제공하는 공간에 대한 종류별 수요 상황, (4) 유사한 경쟁 건물의 공급량들이 있다.

예를 들면, 오피스 빌딩에 대한 시장임대료는 당해 지역 내에 소재하는 기업 수뿐만 아니라 단기간 내 창업할 기업의 수 및 이들이 현재 및 장래에 고용할 직원들의 수들에 좌우된다. 이러한 요인들은 많은 불확실하고 복잡한 원인에 의하여 변동하므로 추정하기는 매우 어렵다. 특정한 기업에서 직원 고용규모 및 직원들을 배치하기 위하여 필요한 공간의 양은 과거의 수치와 장래의 수치가 매우 다를 수가 있는데, 이는 기업들이 사업을 영위하는 방식이 변하기 때문이고 특히 기술의 발달에 의하여 더욱더 그러하다.

이와 유사하게 아파트에 대한 시장임대료는 당해 입지 내에서의 인구 분포 및 소득수준, 임차 대신 매입할 수 있는 주택 또는 콘도미니엄의 가격과 가용여부 등에 좌우된다. 소매상가에 대한 시장임대료는 인구 분포 및 가계 소득뿐만 아니라 가계가 재화를 구입하기 위하여 특정 소매점에서 지출하는 소득 비중들에 좌우된다. 부동산 투자자들은 세입자들의 **신용도**에 매우 주의해야 한다. 임대절차의 한 과정으로서 신용보고서, 은행 거래 실적 조회서, 고객 및 납품업자로부터의 실적조회서 등을 징구해야 한다는 점은 매우 중요하다.

부동산은 내구성 자산으로서 상당히 긴 경제적 수명을 가진다. 특정 시점에서의 시장임대료는 특정 공간 단위, 예를 들면 건물 내의 임대가능 지역 내에 평방피트 단위당 사용하기 위하여 사용자가 반드시 지불해야 하는 가격이다. 시장임대료는 부동산의 경제적 수명 기간 중에 아무 때나 변동할 수 있는데, 그 이유는 잠재 수요자들로부터의 수요의 변동 또는 가용한 건물이 신축되거나 시장에서 퇴출함으로써 공급의 변동이 일어나기 때문이다. 이러한 변동으로 인하여 시간을 두고서 부동산 임대수익에 영향을 주는 변동성이 생겨나게 된다. 특정 시점에서 특정 부동산의 가치는 잔여 경제적 수명 기간 동안에 기대

되는 임대차 수입의 현재가치에 의해 결정된다. 따라서 부동산에 투자하려는 사람은 부동산의 잔여 경제적 수명 기간 동안에 수요와 공급 상황이 어떻게 변하여 시장임대료에 영향을 주게 될지를 고려해야 한다.

공실률 *Vacancy*

전술하였듯이, 특정 시점에서 건물 내에서 사용 가용한 면적이 모두 임대되지 못할 수가 있다. 이는 임차인이 계약 만료로 떠났기 때문일 수 있고(계약 만료 이전에 떠나는 경우도 있다), 아니면 새로 준공된 건물에서 처음부터 임대되지 못하였기 때문일 수도 있다. 따라서 부동산으로부터의 수익을 예측하기 위해서는 예상 보유기간 동안에 임차인들이 어느 정도의 공간을 사용할지 예측할 필요가 있다. 임대인은 임대시장 상황이 강세인 경우라도 항상 어느 정도의 공실률을 감안해야 하는데, 그 이유는 임차인이 바뀌면서 임대공간을 정비하여 새로운 임차인에게 재임대하는 데에는 시간이 필요하기 때문이다. 따라서 소수의 대형 임차인들만이 입주해 있는 건물에서도 임대료에서 약간의 손실은 발생할 수밖에 없는 것이다.

공실률을 예측함에 있어서 신축 건물인 경우는 더욱 예측하기가 어렵다. 일부 임대계약은 건물의 준공 이전에 미리 계약이 확보될 수 있지만, 준공 직후에도 **전부 입주는 달성되지 못할** 수가 있다. 이러한 경우에 잔여 공간이 시장에서 "소화되는(absorbed)" 데에 얼마나 시간이 걸릴지 추정해야만 한다. 즉, 임대율이 정상 수준에 도달하는 데에 어느 정도의 시간이 걸릴 것인가? 임대에 시간이 걸릴수록 부동산 소유자는 사업 초기의 수익이 줄어들게 된다는 점은 분명하다. 부동산 보유기간 초기의 현금흐름이 위축되게 되므로 부동산의 투자가치에도 상당한 악영향을 주게 된다.

여기에 몇 가지 관찰이 더해진다면 더욱 효과적이다. 첫째, 부동산의 취득 및 투자분석에서 사용할 예상 수지표를 작성할 때에는, 이 예상치가 오직 **현금흐름**에 대한 요약**만**을 포함한다는 것을 강조하는 것이 중요하다. 이 현금흐름을 신경쓰는 것은 중요할 뿐 아니라, 또한 일반적인 회계원칙(GAAP)에 근거하여 결정되는 회계적인 수익과 구분되어야 한다. 일반적인 회계원칙에 근거한 회계적인 수익이 연간 보고서나 세금에 관련된 보고서를 만드는 것에는 중요하게 쓰이지만, 이것은 부동산 취득 의사결정을 위한 분석에 사용되어서는 **안 된다**. 두 번째로, **순 영업이익**(*NOI*)이라는 용어가 부동산 사업에서 전반에 통용되고 있다. 본 장에서는 현금의 유입과 유출의 결과인 **현금흐름**에도 중점을 둔다. 이러한 구분을 두는 이유는 투자분석을 함에 있어서 부동산 매각자 또는 매각자 측의 대리인으로부터 임대료와 발생비용에 대한 상세한 정보를 알게 되기 때문이다. 일반적으로 소유주는 부동산을 실사한 후에 기존 임대계약이 만료되고 새로운 임차인을 구하기 위하여 필요한 개보수(개량)(improvements) 또는 중요한 보수비용을 추정하게 된다. 그 결과 비용에 대한 연 평균치를 추정하는 대신 발생 항목별로 연간 추정할 수 있는 유리한 입장에 서게 된다. [예 5-6]은 다양한 부동산에 대하여 재무 예측을 짜는 데에 도움이 되는 운영비용 및 다른 정보에 대해 지침이 되는 정보 원천들을 보여주고 있다. 요약하면, 재무제표를 분석함에 있어서 임차인의 임차인 개보수 지원금(tenant improvement), 개보수 등의 지출이 어떻게 현금흐름표에 포함되어 있는지에 대하여 특별히 주의를 기울여야 한다. 본 장에서는 이러한 항목들에 대해서 평균지출액을 사용하는 대신 지출이 발생할 것으로 예상되는 연도의 현금유출액을 추정하여 사용하고자 한다.

예 5-6
수익 부동산 조사에 유용한 정보 원천

부동산 형태	정보원천
아파트, 콘도미니엄, 협동조합(cooperative)	*아파트, 콘도미니엄의 수익과 비용 분석*(시카고 부동산관리협회 자료, 연간)
오피스 빌딩	*오피스 빌딩의 거래보고서*(워싱턴 DC: 연간 부동산 소유/관리 협회보고서)
쇼핑센터	워싱턴 DC에서 발간한 "*The Dollars and Cents of Shopping Centers*" 보고서
산업단지	Conway 출판사에서 발간하는 *Site Selection Handbook*

세입자 심사

일반적으로 수익용 부동산은 세입자에 의해 일정 기간 동안 임대가 된다. 임대계약서는 임대기간 동안의 권리, 의무 그리고 **임대인**과 **세입자** 서로의 책임에 대해 명시되어져 있다. 또한, **임대계약서**에는 임대인과 세입자의 이익 보호를 위한 고려사항들과 임대료 및 비용 등에 관한 것을 정하여야 한다.

임대계약을 할 때, 임대인은 세입자의 재정상황을 파악하여야 한다. 이러한 조사는 임대계약을 통해 임대인에게는 자산, 세입자에게는 부채를 형성하기 때문에 매우 중요하다. 임차를 하게 되면 때로는 상당한 금액을 매우 오랜 기간에 따라 납부해야 하는 경우도 있다. 따라서 세입자의 현재 그리고 장래의 납부능력이 중요하다. 또한, 위험을 제대로 파악하기 위해서, 임대인은 세입자가 현재 운영 중인 사업의 상태와 관련 산업과의 관계 등에 대해 확실히 알아야 한다. 일반적으로, 세입자를 평가하는 데 필요한 자료는 아래와 같다.

- 세입자의 재무상태표
- 신용등급
- 회사와 산업에 관한 보고서
- 은행과의 관계
- 기타 부채와 다른 임대상황

임대차계약 심사는 위험평가에 가장 중요한 요인이며 이는 현금흐름에 영향을 받는 부동산과 그 가치에 직접적으로 영향을 미친다. 게다가, 만약 세입자의 사업 실패 등으로 인한 세입자의 임대료 미납과 파산 방지를 위한 소송이 발생 시, 세입자는 이러한 조정기간 동안[2] 임대료 없이 계속 임차를 하여야 한다.

임대차계약 관련 일반적 사항

앞서 다루었듯이, 임대계약서상에는 부동산의 주인을 뜻하는 "임대인"이라는 용어가 사용된다. 이 장에는 **임대인**과 **소유주**를 혼용하여 사용한다. 마찬가지로, "임차인"은 공간을 점유하여 사용한 대가로 임대료를 지불하는 주체이다. 따라서 이 장에서는 **임차인**과 **사용자**도 혼용하여 사용하기로 한다. 많은 용어가 임대계약서 상에서 사용되지만, 많은 임대계약에서 사용되는 요인들은 다음과 같다.

1. 임대계약 당사자(임대인, 임차인), 계약일자, 계약효력발생 일자 및 만기

[2] 또한 이는 **임대인**의 재정상황에 대해 **세입자**의 관점에서 파악하는 것 또한 중요하다. 임대인이 재정적으로 어려움을 겪고 파산에 이른다면, 부동산 소유자는 바뀌며 운영 및 관리 등 세입자에게 제공할 서비스 또한 변동 가능하다.

2. 최초 기본임대료 및 추가 임대료 계산방식. 양보조건과 특별조항에 대한 설명은 소유자가 사용자에게 제공한다.
3. 제3자나 공동서명인에 대한 보증 및 보상금
4. 입주일 및 세입자의 부동산 개조
5. 임차 시 부동산 사용, 제한 그리고 개조에 대한 제한 조항
6. 임대공간 전대에 대한 제한사항
7. 로비, 화장실, 주차장 등 공동구역 사용에 관한 내용
8. 임차공간에 대한 수선 및 재보수 책임
9. 부동산 개조, 변경에 대한 제한사항
10. 임차인의 부동산의 개조 수요에 대한 임대인 비용부담 인정범위
11. 공간, 회사운영, 주차 가능 등 임차인에게 주어진 고려사항
12. 양자 간 비용부담 배분내용
13. 보험가입 의무
14. 임대차 재계약 옵션
15. 금반언(estoppels)

위에 열거된 내용들이 양자 간의 법적 및 재무적인 사항을 규정하고 매우 복잡하거나 상대적으로 단순하게 작성할 수 있다. 대규모 임차자(대규모 임차 및 많은 직원이나 기계들을 이동해야 할 경우)는 임대차계약 관련 많은 조건들을 협의하여야 한다. 이와 반면에, 상대적으로 임대차가 단순할 경우(아파트 임대)에는 Concept box 5.1을 참고하면, 언급한 임대차 조건에 대한 더욱 자세한 사항들을 알 수 있다. 이 Concept box는 임대계약에 포함될 만한 다양한 종류의 정보들을 포함하고 있는데, 이 정보들은 임대에서 발생할 미래 현금흐름, 비용의 지불, 옵션 같은 다른 위험이나 수익률에 영향을 미칠 수 있는 것들이다. 부동산 투자분석을 할 때, 임대차 조건 각각에 대해 심도 있게 검토하여야 한다. 분명히, 어떤 계약은 부동산이 임대되었을 때 영향을 미치는 모든 임대로부터 발생할 현금흐름을 기반으로 한 현재가치에 따라 결정된다. 투자에 대한 분석을 할 때 임대계약은 최근이나 수년 전에 체결되었을 수 있고, 또한 각각의 임대계약은 그 계약 당시의 시장상황을 반영한다. 그러므로 분석과정에서, 임대차 조건들은 부동산 가치에 큰 영향을 미치므로, 투자자들은 각각 조건들의 제한사항 등을 명확히 파악하는 것이 중요하다. 대출기관 또한 담보대출 유동화를 위한 가치평가 시 각각의 조건들을 면밀히 검토하여야 한다. 즉, 대출기관이 대출조건이 부적절하다고 판단될 시, 부동산 소유자에게 대출조건 등의 변경을 요구할 수 있다.

임대수입

임대차계약 체결 시 최초 임대료는 특정 금액으로 확정이 되며, 이를 **기본임대료**(base rent) 혹은 **최소임대료**(minimum rent)라고 한다. 이러한 기본임대료는 임대차 기간 동안 같거나 혹은 변할 수 있다.

임대차 기간 동안 임대료를 조정하는 다양한 방법이 있다. 이러한 임대료 조정은 임대차 기간, 임차공간의 크기, 그리고 부동산의 종류에 따라 달라진다. 가장 일반적은 임대료 조정 사항은 아래와 같으며 각각 결합 가능하다는 것을 명심하여야 한다.

1. 일정 임대료(flat rent). 이는 임대차 기간 동안 임대료의 조정이 없는 것으로, 일반적으로 아파트를 임차할 경우 사용한다. Flat rent는 상대적으로 임대차계약기간이 짧거나 임차인이 자주 변동되는 경우 또한 적용이 가능하다.
2. 상승임대료(step-up rent). 다른 방법으로 상승임대료가 있으며 이는 임대차 기간 동안 주기적으로 일정한 임대료가 상승하는 지불방법이다. 상승임대료는 일반적으로 오피스, 소매점 그리고 창고 임차 시 사용되는 방법이다. 예) 기본임대료가 평당 20,000원이고, 5년간 매년 1,000원씩 평당 임대료를 상승시킨다.
3. 지수연동임대료(indexed rent). 임대료를 인상하는 다른 기준으로서는 일정 지수에 연동하는 방식이 있는데, 소비자물가지수(consumer's price index, CPI)가 일반적으로 사용된다. 다른 지표로서 뉴욕시에서는 Porter's 임금지수를 사용하기도 한다. 이러한 지수연동 방식은 인상액을 미리 알 수 없다는 점에서 상승방식(step-up)과 다르다. 또한, 연동 방식은 예기치 못한 인플레의 위험을 임차인에게 전가시킨다. 그 결과, 임차인은 지수를 적용하는 데 최대치를 협상하게 될 것이다. 지수를 사용해서 임대료를 정하는 대신에, 임차인은 일정 임대료나 상승임대료보다 낮은 기본임대료를 얻을 수 있다. 또한, 임대계약은 디플레이션의 경우 지수를 어떻게 적용할지에 대한 것을 표시할 수 있다. 이 경우, 최저치(임대료의 할인 최대치)를 표시하게 된다. 이러한 지수연동 방식은 오피스나 소매(retail), 창고 임대계약에 사용된다.
4. 수익 및 매출액에 연동된 임대료. 쇼핑센터의 임대차는 임대료를 임차인의 매출액에 부분 또는 전부 연동시키는 경우가 많은데, 이를 **비율임대료**(percentage rent lease)라고 부른다. 이 경우 매출액과 관계없이 기본임대료가 계산된 후 매출액이 목표액을 초과하면, 임대료는 매출액의 일정 비율로 바뀐다. 이 지점을 "손익분기점(breakpoint)"이라고 한다. 총 임대료가 기본임대료를 초과하는 금액을 **매상비례**(overage rent)라고 한다. 만약, 임차인의 손질이 감소할 경우 다시 원래의 기본임대료(base rent)로 돌아간다.

임대차와 비용부담의 책임

부동산 소유주는 운영비용을 충당하기 위해 여러 가지 방법을 사용한다. 임대의 내용은 임대료와 지불방식에 따라 다르다. 하지만, 그 협상시점에 유행하는 시장의 종합적 상황이 임대계약 내용에 큰 영향을 준다는 것을 늘 명심해야 한다. 그러므로 임대료와 어느 측이 비용항목을 부담하는지를 명시해야 한다. 운영비용 관련 일반적인 형식은 다음과 같다.

1. 총임대(gross-lease): 모든 비용을 임대인이 지불하는 임대차계약으로 임대인이 비용증가 위험을 부담한다.
2. 완화된(full-srvice) 임대: 이 조건은 임차인의 임대료가 상대적으로 낮게 임대인에게 지불한다. 또한, 임대인은 모든 서비스를 임차인에게 제공하지만 전기료와 같은 임차에 필요한 비용은 임차인이 지불한다. 이러한 비용은 임차인 사업유형에 따라 달라진다. 전체 면적으로 총 운영비용을 계산하고 임차인의 임대면적에 따라 비례 배분한다.

   a. 직접(direct)-가격권(pass through). 어떤 임차인은 그들이 사업방식 및 유형에 따라 다른 임차인

보다 더 많은 양의 서비스를 이용한다. 따라서 임대인은 임차인에게 직접 비용을 지불하기를 원하며, 이는 상대적으로 적게 서비스를 이용하는 임차인이 있는 경우 더욱 합리적이다.[3]

b. 영업 외 비용(non-operating expense)의 가격전가(pass through). 특정한 영업 외 비용에 대해서 소유주가 직접부과를 요청할 때에도 임대계약은 수정될 수 있다. 일반적으로 영업 외 비용이란 "사업 관련 비용"으로 간주되며 이는 임대인의 의지에 따라 관리될 수 없는 항목이다(부동산세금, 보험료 등). 대다수의 부동산 소유주는 영업 외 비용은 외부 환경, 특히 공적기관, 보험 회사 등에 의해 결정되기 때문에 임대인들은 이를 "관리"할 수 없다. 세금, 보험 등이 갑자기 올랐을 경우, 부동산 소유자는 영업 외 비용을 보상받기 위해 임대료를 올려 받는 것은 논란의 여지가 있다. 장기임대차일 경우 이러한 경향이 더 크게 나타나며, 결과적으로 이러한 영업외 비용을 임차인이 직접 부담하고자 한다.

3. 운영비용부담의 임대차(lease with operating expense recoveries): 많은 경우 임대차 공간이 넓을 경우, 부동산 운영관련 위험을 전가하고자 임대인들은 앞에 설명한 1과 2의 임대차 방식을 선호하지 않는다. 이런 경우, 임차인들은 1, 2보다 낮은 수준의 임대료를 지불한다. 일반적으로, 이런 임대차 방식의 경우 어떤 운영비용들은 "회수가능(recoverable)"으로 정의된다. 이런 비용들은 임차인의 임차한 공간에 비례하여 청구된다(국내의 경우 관리비라 함).

임대공간이 넓은 임차자 *Large Users of Leased Space*

일반적으로 넓은 면적을 임대하는 임차자는 부동산 운영비용을 직접 부담하는 경향이 있다. 이러한 경우, 부동산 소유자는 서비스의 질을 낮추거나, 제공하지 않는다.

1. *Single net lease*: 임차자가 임대료의 모든 운영비용을 부담하고 부동산세를 부담한다. 수익용 부동산에서의 소유와 운영에 관련된 비용
2. *Double net (net net lease)*: Single net lease처럼 임차자는 임대료의 모든 운영비용을 부담하고 영업외 비용(부동산 세금 및 보험)도 직접적으로 책임을 진다.
3. *Triple net (net net net lease)*: Single이나 double net 경우와 같이 모든 운영비용과 부동산 관련 세금, 보험료 등 그리고 임차공간의 내부 수리 및 변경 비용까지 부담하는 임차조건이다. 이런 임대방식은 큰 공간을 점유하는 임차인(창고, 산업용 부동산/오피스)에게 적용되는 방식으로 그들의 사업을 효율적으로 운영하기 위해 내부 인테리어 변경, 고정물 이동 등을 하고 이러한 비용은 임차인이 직접 부담한다. 부동산 소유주의 경우 외부 수리(지붕 및 다른 장비) 등에 책임을 진다.
4. **공동구역관리비**(common area maintenance, CAM): 회사 캠퍼스나 산업용 건물 내 위치한 공원과 같이 임차인이 "공동사용공간"에 사용료로 일정 비용을 안분하여 부담한다. 이러한 비용에는 도로, 정원의 유지 및 시설 보완 등이 있으며 이를 일반적으로 공동구역관리비 비용이라고 한다. 소매점의 경우, 유지비, 냉난방비, 주차장 관리 등이 공동구역관리비 비용에 해당된다. 공동구역관리비 비용을 임차자가 안분하여 부담하는 것은 매우 중요한 사항이므로 자세한 사항은 후술한다.

---

[3] 예를 들어, (A) 임차인이 7일 동안 일을 할 경우, 다른 임차인은 (A)가 그 기간 동안 사용한 운영경비의 분담을 원하지 않을 것이다. 이러한 경우, 임대인은 (A) 임차인에게 사용한 서비스(전기료, 시설 안전 등)의 비용을 직접 지불하는 방법을 찾는다.

실질임대료 *Effective Rent*

앞 절에서 여러 가지 계약조항들이 임대료와 비용, 옵션들에 영향을 주는 것을 보았다. 이러한 조항들이 복합되어 기대되는 임대료 지급액과 양자의 위험부담 수준을 결정한다. 개별 계약조항들을 다양하게 조합시킬 수 있기 때문에 각 계약별로 현금흐름이 매우 달라진다. 그러므로 임대비용을 측정하거나, 상이한 대안 간을 비교하기가 매우 어려워진다. 따라서 **실질임대료**(effective rent)라는 개념을 활용하여 임대차 대안 간의 비교에 유용하게 활용할 필요가 있다. 다시 한번 강조하지만, 계약내용은 시장상황에 따라 다르게 적용될 수 있다. 이를 설명하기 위해, 각기 다른 임대 구조에서 임대인이 얻을 실질임대료를 구해보자. 계약 조건에 따라 지불방법이 다를 것이므로, 실질임대료는 임대인이 지불할 운영비용을 제외하고 계산되어야 한다. 임차인의 실질임대료를 계산하는 과정도 비슷하다. 이 경우, 임차인이 부담해야 할 운영비용은 실질임대료에 더하여 계산되어야 한다. 실질임대료의 계산을 위해서는 다음과 같은 절차가 필요하다.

1. 예정 순 임대료 현금흐름의 현재가치를 계산한다. 순 임대료 수입은 임대자가 부담하는 비용을 공제한 후의 수치이다. 여기에서의 초점은 빌딩**소유자**에 대한 수입금액에 주어진다.
2. 임대차 기간에 걸쳐서 등가수준의 연금(equivalent level annuity)을 계산하는데 이는 최초의 현금흐름과 동일한 현재가치를 가진다.

위에서 언급했듯이, 실질임대료를 계산할 때 소유자가 지불해야 하는 운영비용을 공제하고 있다. 때로는 실질순임대료는 운영비용을 공제하기 전에 계산된다(그러나 여전히 비용 회수를 추가함). 일부 임대 대안은 임차인이 비용의 일부를 직접 지불하는 공간에 대한 것일 수 있으며 소유자가 해당 비용을 지불해야 하는 공간과 비교하고 싶기 때문에 운영비용을 공제하는 것을 선호한다.

이를 설명하기 위해서는 다른 임대주조에 따라서 임대인에게서 받은 실질임대료를 계산할 것이다. 임대료 조정 때문에, 운영비용을 지불할 책임은 임대구조에 따라 매우 다양하므로 실질임대료는 임대인들이 지불해야 하는 운영비용의 **순**비용으로 계산되어야 한다. 다시 말해서, 임대인이 지불해야 하는 운영비용은 임대료 수입에서 뺄 것이다. 임차인이 지불하는 실질임대료는 비슷한 과정으로 계산된다. 이 경우에 임차인이 지불하는 책임이 있는 운영비용은 매년 임대료에 **더해진다**.

예시: 10,000평방피트에 대해 5년간 몇 가지의 계약 형태에 대한 비교.

1. **총 임대료**(gross lease): 임대료는 매년 평방피트당 $40이다. 임대인은 모든 운영비용을 부담한다. 운영비용은 첫해 $20이고, 그 후 매년 $1씩 증가한다.
2. **비용부담한도**(expense stop) **포함한 총 임대료**: 임대료는 첫해 평방피트당 $38이고 임대인이 관리비의 최대 평방피트당 $20까지 부담한다. 임차인은 $20을 초과하는 모든 비용을 지불한다. 비용은 첫해 $20이고 매년 $1씩 증가한다.
3. **6개월 무료 임대료와 상승임대료로 총 임대료**: 처음 2년 동안 임대 가능한 평방피트당 임대료는 $40이다. 그러나 처음 6개월은 무료 임대이다. 임대료는 지난 3년 동안 임대 가능한 평방피트당 $49로 인상될 것이다. 운영비용은 평방피트당 $20이며 연간 $1씩 인상될 것이다.

위의 가정에 따라, 실질임대료는 [예 5-7]에 의해 계산되어 각 대안별로 평균임대료, 현금흐름의 현재가치, 실질임대료를 보여준다. 현재가치의 계산에는 6%의 할인율을 사용했으며 이는 임대료의 투자

위험도를 반영한다. 각 경우의 실질임대료는 상이하며 이는 위험도가 상이하므로 예상되었던 결과이다.

계산을 예시하기 위해 경우(대안1)에 대해서 다음과 계산 절차를 밟았다.

(1) 임대수입의 **현재가치**를 10% 할인율에 의해 구한다.

$$PV = \frac{\$20.00}{1.06} + \frac{\$19.00}{(1.06)^2} + \frac{\$18.00}{(1.06)^3} + \frac{\$17.00}{(1.06)^4} + \frac{\$16.00}{(1.06)^5}$$
$$= \$76.31$$

(2) 동일한 현재가치의 등가수준의 연금을 계산한다. 그 결과가 **실질임대료**이다. 현대가치 또는 실질임대료는 비교되어 사용하곤 한다. 현재가치화(연간)된 실질임대료 금액이 실재적으로 더 사용된다.

계산기 해법:	함수:
$PV = -\$76.31$, $i = 6\%$, $n = 5$, $FV = 0$	$PMT\ (PV, i, n, FV)$
$PMT = \$18.12$	

같은 계산과정이 각각 문제에 적용될 수 있고, 그 결과치는 [예 5-7]에 나와 있다.

[예 5-7(A)]에서 보듯이, 부동산 소유주는 **실질순임대료**를 사용하여 운영비용과 계약상 임대료의 차

예 5-7(A)
실질임대료 비교

년	(0)	(1)	(2)	(3)	(4)	(5)
1. 총 임대료(gross lease)—임대료 일정(flat rents)						
총 임대료	—	40.00	40.00	40.00	40.00	40.00
운영비용(–)	—	20.00	21.00	22.00	23.00	24.00
회수금액(+)	—	—	—	—	—	—
순 임대료		20.00	19.00	18.00	17.00	16.00
평균 순 임대료	$18.00	—	—	—	—	—
현재가치	$76.31	—	—	—	—	—
실질순임대료	$18.12	—	—	—	—	—
2. 총 임대료—비용 부담 한도 포함 일정 임대						
총 임대료	—	38.00	38.00	38.00	38.00	38.00
운영비용(–)	—	20.00	21.00	22.00	23.00	24.00
회수금액(+)	—	—	1.00	2.00	3.00	4.00
순 임대료	—	18.00	18.00	18.00	18.00	18.00
평균 순 임대료	$18.00	—	—	—	—	—
현재가치	$75.82	—	—	—	—	—
실질순임대료	$18.00	—	—	—	—	—
3. 총 임대(6개월 free rent)						
총 임대료	—	20.00	40.00	49.00	49.00	49.00
운영비용(–)	—	20.00	21.00	22.00	23.00	24.00
회수금액(+)	—	—	—	—	—	—
순 임대료	—	00.00	19.00	27.00	26.00	25.00
평균 순 임대료	$19.40	—	—	—	—	—
현재가치	$78.86	—	—	—	—	—
실질순임대료	$18.72	—	—	—	—	—

예 5-7(B)

예 5-7(A)에 나온 임대 종류에 따른 실질임대료에 대한 부가설명

임대 종류	평방피트당 실질임대료	부가설명
1. 일정 임대료	$18.12	소유주는 연간 총액이 평방피트당 $40인 flat rent를 받고, 운영비용을 부담한다. 소유주는 가격을 올릴 권리를 포기하고, 모든 운영비용 증가에 따른 위험을 감수한다.
2. 비용한도(expense stop)	$18.00	소유주는 연간 총액이 평방피트당 $38인 저렴한 flat rent를 받는다. 그러나 소유주는 평방피트당 $20을 초과하는 모든 운영비용을 임차인에게 부담하게 한다. 소유주는 임대료를 올릴 권리는 없지만, 운영비용 증가에 따른 위험을 어느 정도 임차인에게 넘기게 된다.
3. 6개월 free rent와 상승임대료	$18.72	소유자는 $20의 낮은 초기 임대료를 받는다. 6개월간 임대료는 무료이다. 그러나 임대료는 2년 차에 $40로 인상하고 3년 차에서 5년 차 동안은 $49를 받는다. 사례 1에서와 같이 소유자는 향후 운영비용의 증가를 감당한다.

이를 구별한다. 임차인 또한 운영비용을 고려한 실질임대료를 고려한다. 그 이유는 각각 예시의 **순 임대료**가 총 임대료에서 운영비용을 뺀 것과 같기 때문이다. 따라서 순 임대료에서 나오는 현금흐름은 임대계약을 판단할 때 부동산 소유주에게 중요하다.[4]

기타 재무적 고려사항

임대료 및 운영비용 외에도 몇 가지 다른 재무적 고려사항이 있다. 이는 임대계약의 일부로 협상될 수 있다. 시장의 경쟁 상황에 따라, 조건은 임대가 협상 중일 때 소유자와 잠재적 임차인이 협상할 수 있다. 다음을 포함한 하나 이상의 양허 및/또는 세입자 개선 수당(TI): 이사수당, 무료 또는 할인된 임대료, 기존 임대 매수 또는 임대 종료 수수료 및 부동산 소유자가 원하는 임차인에게 공간을 임대하는 데 사용할 수 있는 기타 유인책 등이다.

이러한 고려사항이 실질순임대료 계산에 어떻게 포함될 수 있는지 설명하기 위해 예 5-7(A)의 사례 1로 돌아가 보자. 10,000평방피트의 공간으로 평방피트당 현재가치는 $76.31이다. 10,000 SF를 곱하면 총 현재가치는 $763,127로 결정된다. 이제 사례를 고려해 보자. 부동산 소유자가 다음과 같은 인센티브와 함께 임대를 제공하는 경우: $15,000 이사수당 및 추가 세입자 개선(TI)으로 $20,000. 이러한 양허의 가치는 총 $35,000가 된다. 이렇게 하면 사례 1의 현재가치가 $728,127로 감소하고 현재가치가 평방피트당 $72.81로 감소한다. 동등한 일반 연금과 같이 $17.29의 실질임대료가 발생한다.

앞의 예에서 실질임대료는 척도라는 것이 분명해야 한다. 임대인에 대한 현금흐름의 예상 현재가치(임차인에 대한 비용)는 차이를 고려하지 않고 효과적인 임대료를 비교할 수 없다는 점에서 위험이 있다고 생각해야 한다. 예를 들어, 비용한도와 같은 임대 조항은 위험을 소유자에서 임차인에게 이전시키므로 실질임대료는 단일 측정값으로 다양한 임대 대안에 따는 예상 수익률과 비교하는 것이 바람직하다. 또한 임대 기간 동안의 평균 임대료 또는 총 임대료와 비교하는 것이 더 좋다.

---

[4] 사실 순 임대는 많은 공간을 요구하는 세입자들과 협상하는 데 사용된다고 지적해야 한다. 총 임대는 더 많은 공간을 필요로 하는 집단형 건물의 임차인들에게 종종 사용되는 경향이 경향이 있다. 그러므로, 실제로 총 임대와 순 임대를 비교하는 것은 임차인의 유형과 임차할 수 있는 필요공간의 차이 때문에 잘 이루어지지 않는다.

운영 현금흐름의 산출과정

본 절에서는 투자자가 어떻게 상업용 부동산의 운영 현금흐름을 산출하는지 알아보고자 한다. 이러한 산출과정은 부동산 가치를 판단하는 데 기초가 되는 작업으로 투자분석에 있어 매우 중요하다. 이는 임대차 조건과 임대료에 영향을 미치는 시장 수요와 공급, 임차인의 신용위험, 그리고 부동산 운영에 관련된 임차인과 소유주의 비용 부담 등을 반영한다. 앞에서 언급한 것처럼, 아파트와 오피스 빌딩, 소매점 그리고 창고들에 따라 임대차 조건이 각각 상이하고 이러한 차이는 운영 현금흐름을 추정하는 데 영향을 준다.

운영 현금흐름을 구하는 과정은 [예 5-8]에 나타나 있다. **수취임대료**는 각 임차인들에게 **매월 계약기간** 동안 받는 임대료의 합계액이다. 위에도 언급을 하였지만 임대료는 해당 사업수준 및 영향력에 따라 조건 등을 다양하게 할 수 있다. 또한 부동산 취득 후 기존 계약 분은 각각 계약만료일이 다르고 어떤 임대차는 만기가 되거나 연장될 수 있다. 따라서 임대료는 직전 연도 혹은 현재의 임대차 조건을 반영한다. [예 5-8]에서 알 수 있듯이 수취임대료는 임대료와 더불어 제공된 서비스에 의한 **기타 수입**(아파트의 세탁소 등)으로 구성된다.

또한, 관리비는 일반적으로 임대료 및 기타 수익과 **더불어** 현금흐름에 일부가 된다. 즉, 임대차 조건에 따라 관리비는 임차자로부터 받을 수 있다.

이렇게 임대료와 관리비를 정한 다음에, 공실률이나 미납임대료(임차인의 파단 등으로 발생)를 제한다. 또한 이러한 차감금액에는 부동산 소유자가 임차인에게 제공한 **할인금액**(concession)이 더해진다. 이는 특정 기간 임대료 감면이나 이동에 따른 임대료 감면 분이다. 이는 새로운 임차자가 들어오거나 장기 임대 시 임차자가 소유주에게 제공받을 수 있다. 이러한 금액을 최종적으로 제하고 **유효총소득**(effective gross income)을 얻게 된다.

또한, 일부 경비에는 임차인의 개선비용과 자본적 지출이 있다. 이런 비용들은 임차인이 변경되거나 지붕 등과 같이 반드시 수선이 필요한 항목을 수선할 때 규칙적으로 발생한다. [예 5-8]에 있는 자본적

예 5-8
상업용 부동산의
현금흐름 산출 과정

임대수입(Rental Income)
(+): 기타 수입
관리비
(−): 공실률 및 할인액

유효총소득(Effective Gross Income)
(−): 운영경비
자본적 지출/개선비용*

순 현금흐름(Net Cash Flow)**

*이 용어는 자산의 정규운영과 관련해서 만들어진 개보수에 대한 순환 현금지출을 나타낸다. 이 용어들은 운영 효율성을 개선하고 신규 임차인을 위한 공간을 준비하기 위해 필요한 지출을 포함한다. 설비개선(새지붕, 주차장 등)을 위해 지출이 필요한 경우, 이 용어들은 일어날 것이라고 예상되는 데에만 영업외 자본유출과 같은 지출을 보여주는 추가 증명서가 포함되어야 한다.

독자는 부동산투자분석에서 현금흐름에 적절한 집중을 해야 함을 알아야 한다. 비록 **순 영업이익(NoI)이 다음 장에서 사용됨에도 불구하고, 일반회계원리(GAAP)에서 결정되는 수익이 아니라 현금흐름에서 계산된다. 용어 순 영업이익은 운영 현금흐름과 교대해서 사용된다.

지출 등은 이러한 항목의 1년치 예상금액을 나타내며, 투자분석을 할 때 평균금액이 아닌 실제 발생될 금액을 예측하여 현금흐름 분석을 하여야 한다.

유효총소득에서 운영경비와 자본적 지출 등을 제하면 **순 영업이익**(*NOI*)을 구할 수 있다. 이런 과정을 통해 평균운영기간 동안의(일반적으로 1년) 순 영업이익을 구할 수 있으며 **이는 부동산 투자 분석 시 매우 중요한 개념이다.**

[예 5-8]의 순 영업이익 산출과정은 기본적인 형태이며 개별 부동산 형태에 따른 임대차 조건에 영향을 받는다. 또한 [예 5-8]은 **단지 1년 동안**의 순 영업이익 분석이며, 다음 장에서는 1년이 아닌 장기를 기준으로 분석을 할 예정이다. 이제 오피스, 소매점, 산업용/창고 그리고 다가구 주택을 사례를 통해 알아보겠다.

오피스 빌딩의 사례

임차 공간에 대한 할증 및 할인 임대료

오피스 임차는 일반적으로 3년에서 7년을 기준으로 계약을 하고 일부 임차의 경우 갱신옵션을 가지기도 한다. 임대료는 해당 부동산이 위치한 지역에 따라 다양하고 오피스 소유자들은 다음과 같은 특성으로 임대료를 할증 및 할인한다.

1) **할증** 임대료

- 오피스: 지상층, 고층의 경관, 건물의 구석, 통로에 접근성

2) **할인** 임대료

- 오피스: 중간층, 승강기 접근성 불편, 막힌 경관, 동일 임차인의 불연속 점유(동일 임차인이 2층과 6층 사용)

Concept Box 5.3은 오피스빌딩 임대차계약 시의 전형적인 조건을 보여준다.

임대 수입액 결정

임대 매출을 결정하기 위해서는 임대가능 면적의 평방피트당 기준임대료에 임대된 면적 수를 곱해야 한다. 이는 보기만큼 쉽지는 않은데, 특히 다수의 임차인이 공유하는 면적이 있을 때 특히 그렇다. 임대가능 면적이 어떻게 결정되는지 예시할 것이다. 그러나 빌딩 소재지에 따라 지역의 거래 관행에 차이가 있을 수 있다.

임대가능 면적

이는 **단일한 임차사용인**에게 임대 가능한 총 면적으로 이해할 수 있다. 즉 모든 층의 전체 면적 + 로비에서 기둥, 두꺼운 외벽, 설비, 지하실 등 관리를 위하여 돌출된 부분을 뺀 것이다. 또한 승강기와 로비, 리셉션, 화장실과 공용 면적들도 감안된다. 예를 들면, 빌딩이 총 25만 평방피트이고 이 중 20만 평방피트에 단일 임차인이 입주 가능하며, 기본임대료가 $20이다. 총 임대료는 $20에 20만 평방피트를 곱한 연 $40,000이 된다. 임차인들은 이를 12로 월할 계산하여 지불한다.

다수의 임차인—층당 임대가능 면적

한 건물에 여러 임차인이 입주하는 경우 각 임차인은 층별로 **사용가능 면적**에 입주할 것이다. 예를 들면 한 층을 4인이 균분하고 각 층이 2만 평방피트인데 4,500씩 칸막이한다면 당해 층의 임대가능 면적은 18,000평방피트가 된다. 그러나 단일 임차인이 한 층을 전부 사용한다면 임대가능 면적은 2만 평방피트이다. 따라서 층을 세분할 때에는 2천 평방피트가 임차인과 그들의 방문객들에 의해 공용면적으로 사용되는 것이다. 이 경우 소유주는 2,000을 임차인들 간에 안분하여 **할당계수**(load factor)를 계산하여 임차인별로 임대가능 면적을 계산한다.

$$\text{층당 할당계수} = \frac{\text{층당 임대가능 면적}}{\text{층당 사용가능 면적}}$$

$$1.111 = \frac{20,000}{18,000}$$

따라서 임차인이 4,500평방피트를 사용할 때, 그에 대한 **임대가능 면적**은 4,500 × 1.111 = 5,000평방피트가 되는 것이다. 임차인은 5,000평방피트에 대해서 임대료를 납부할 것이다.

하지만, 이 계수는 층과 임차인에 따라 다르다. 예를 들어 한 임차인이 한 층을 모두 사용한다면, 사용가능 공간과 임대가능 공간이 같게 된다.

많은 경우에 할당계수는 추가적인 조정을 거친다. 예를 들면, 대형 사무용 빌딩은 "대규모"의 로비 및 공용면적을 갖는다. 만일 앞서의 건물이 10층인데 지상층이 전부 로비라면 건물주는 200,000평방피트를 10층에 걸쳐 골고루 분배할 것이고, 일층은 로비로서 10,000평방피트의 공용공간으로 사용된다. 이 경우 소유주는 모든 임차인에게 공용공간을 비율에 따라 할당할 것이다. 한 방법은 기존의 할당계수인 1.111에 10%를 가산하여 1.111 × 1.05 = 1.1667로 늘리는 것이다. 임차인에 대한 임대가능면적은 4,500 × 1.1667인 5,250평방피트가 되며, 단가 $20일 때 총 임대매출은

$$\text{연간임대료} = \$20 \times (4{,}500 \times 1.1667) = 20 \times 5{,}250 = \$105{,}000$$

그리고 한 층을 모두 사용하는 임차인의 경우, 임대공간과 임대가능 공간을 모두 사용하므로, 그 임차인은 그 층의 사용료와 공용공간 사용료를 모두 내야 한다.

$$\$20 \times 20{,}000\text{평방피트} \times 1.05 = \$420{,}000$$

따라서 다수임차인에 분산 임대되는 빌딩에서 임차인들은 평방피트당 임차단가뿐만 아니라 할당계수를 포함하여 임대가능 면적을 계산하는 방식에도 관심을 가져야 한다. **임대가능 면적**에 기본임대료를 곱하여 임대지급액을 결정한다. 임차인들이 임차대상 빌딩들을 비교할 때 그들은 할당계수를 "효율성의 척도"로 사용한다. 할당계수가 높으면 공용면적이 넓고 "건물의 효율성"이 낮은 것이다. 단 임차인이 기업이미지를 중시하여 방문고객을 위해 넓은 공용면적을 원한다면 저효율성은 문제가 되지 않을 수 있다.

오피스 빌딩의 예상 현금흐름 표

[예 5-9]는 Webster 오피스 플라자(459,295평방피트 17층)의 1년 기준 현금흐름을 보여준다. 추정 현금흐름은 총 65임차자를 기본으로 작성하였으며 각 임차자마다 임대조건이 상이하다. 100% 임대를 가

예 5-9
1년 기준 예상 현금흐름 표

Webster 오피스 플라자		
자산기술(property deseription)		
Webster 오피스 플라자		
임대 공간: 459,295 sq. ft., 17층		지하주차장: 2,000대
점유율: 95%		Site Area: 10 acres
임차인: 65		엘리베이터: 12
임차자의 평균임대 공간: 7,000		
수익		
총 수익(평방피트당* 약 $25.65)		$11,780,917
+: 관리비	$1,139,051	
+: 기타 수입		
소매 services (lobby)	10,000	
핸드폰 송수신	54,301	
보관창고	9,186	
주차장	381,215	
−: 공실률(5%로 가정)	589,046	
−: 할인조항(free rent 등)	101,045	
유효총소득		$12,303,364
−: 운영비용		
부동산 관련 세금	913,997	
관리, 임대차 비용	982,891	
보험	638,420	
유지비용	987,484	
수도광열비 등	1,731,542	
수위, 청소비	725,686	
영업 및 기타 세금	169,939	
총 운영비용	**6,149,959**	
자본적 지출	2,549,087	8,699,046
순 영업이익		**$3,603,318**

*Rounded.

정하여 sq. ft당 평균 임대료는 $25.65이며 총 면적 기준 $11,780.917이다. 또한 이 오피스 빌딩은 소매 서비스, 휴대폰 기지국 임대, 주차장 및 보관수수료 등을 통하여 추가 수입을 얻을 수 있다. 서비스 등의 제공으로 통한 추가 수입금액(관리비 등)은 $1,139,051이다. 이 금액은 65임차자의 각각 계약 조건에 따른다. 공실률은 총 면적 대비 5%로 가정하고 concessions(새로운 임차자에 따른 할인액 등)은 수입액에서 차감된다. 이러한 과정을 통해 실질임대료는 $12,303,364이다.

부동산 소유자가 지불해야 할 운영경비는 임대가능 공간당 $13.39이며 총 지출금액은 $6,149,959이다. 자본적 지출 등에 따른 현금 유출액 $2,549,087 또한 추가 차감해야 한다. 이러한 과정을 통해 Webster 오피스 플라자의 순 영업이익은 $3,604,318이다.

본 사례는 1년 기준으로 Webster 오피스 플라자의 현금흐름을 작성하였지만 더욱 심도 있는 투자분석을 하기 위해서는 다기간에 걸쳐 분석을 하여야 한다. 또한 이러한 분석은 65임차자의 계약 종료일, 신

규임차자, 갱신을 고려해야 하며 각각의 수수료 또한 분석에 포함하여야 한다. 그리고 임대료, 비용 그리고 관리비도 철저하게 분석을 해야 하며 자본적 지출 및 임차자의 가치증가 비용, 수리, 대체(엘리베이터, 지붕 등) 등도 다기간 예상에 포함되어야 할 요인이다.

산업용 및 창고용 부동산의 사례

오피스 임대차의 언급한 사항들 또한 산업용 및 창고용 부동산에 적용할 수 있다. 사실, 다수의 빌딩들이 오피스 공간과 창고용 공간으로 구성되어 있으나 몇 가지 점에서 몇몇 지역은 이들과 다르다.

창고용 부동산의 임대차는 그 건물의 속성 때문에 다른 부동산과 다른 특성을 가지고 있다. 임차자는 일반적으로 10년에서 20년 사이의 장기임대차를 선호한다. 장기임대차를 선호하는 이유는 초기 장비 설치비용이 많이 들고 쉽게 이동할 수 없기 때문이다. 임대차 조건은 가격전가(pass-through), (1) *net*, (2) *net, net* 또는 (3) *net, net, net*이다. 산업용 및 창고용 부동산의 할증 및 할인 요인은 다음과 같다.

1) 할증 임대료
- 산업단지 입구에 접근성, 고속도로 접근성, 트럭의 하차 공간

2) 할인 임대료
- 입출의 불편, 교통 불편

산업용/창고용 부동산은 대규모 사업지에 위치하기 때문에 공용구역 사용비용은 임대차계약에 포함되어야 한다. 즉, 공동구역에 대한 유지관리비용, 조경비용, 보안 등의 혜택은 모든 임차인이 받지만 비용은 각 임차인에게 부과하기 힘들기 때문이다. 따라서 부동산 소유자는 공동구역관리비(common area maintenance)를 임차인에게 부과한다.

또한 임대차계약에는 사업 효율성을 위해 임차시설개량에 관한 권리를 포함한다. 임차시설개량 관련 비용은 일반적으로 임차인이 부담한다. 부동산 소유자는 임차시설개량을 승인하는 권리를 가지고 있으며 임차시설개량물의 제거 및 설치비용은 임대차계약서에 명시하여야 한다.

산업용/창고용 부동산의 현금흐름 분석

[예 5-10]은 100,000평방피트의 임대공간을 가지고 있는 창고의 현금흐름 분석이다(10%는 오피스 및 전회공간으로 활용). 임차자 및 사용자는 임대료로 평방피트당 $6.60을 지불하고 있으며 관리 및 보수에 대한 운영경비 및 수수료는 sq. ft당 $1.00이다. 예를 보면 알 수 있듯이, 일반적인 관리비, 수리 그리고 임차 시 비용 등의 금액은 총 $150,000으로 임차인이 부담하는 금액인 $100,000을 상회한다. 이 금액의 차액만큼($150,000 − $100,000 = $50,000)은 부동산 소유주가 부담한다. 그러나 부동산 세금 및 보험은 임차인이 지불한다. [예 5-10]의 자본적 지출 및 임차시설개량에 관한 비용은 각각 수입에 차감되는 항목이다. [예 5-9]처럼 [예 5-10] 또한 1년 동안의 순 영업이익을 실제 투자분석 시 다기간이 아닌 장기간을 대상으로 여러 요인들을 분석하여야 한다. 즉 장기간 분석에 따른 임대료의 변화, 임차계약에 따른 비용, 외부 수리에 대한 자본적 지출 등을 심도 있게 분석하여야 한다.

예 5-10
1년 기준 예상 현금흐름 표

Hellis 유통시설		
자산기술		
Hellis 유통시설/오피스/전시 빌딩		
임대공간: 100,000 sq. ft./10% 오피스 및 전시공간		
임대조건: 5년 동안 net, net 조건의 1인 임차자		
sq.ft당 임대료: 월 $0.55, 연간 $6.60		
관리비: 연간 평방피트당 $1.00		
수익		
임대료(평방피트당 $6.60)		$660,000
+: 관리비	$100,000	
가격전가(pass throughs):		
부동산 세금	125,000	
보험료	50,000	
유효총소득		**$938,000**
−: 운영비용		
관리, 수선, 임대차 비용	150,000	
부동산 세금	125,000	
보험	50,000	
총 운영비용	**325,000**	
자본적 지출	69,000	394,000
순 영업이익		**$544,000**

소매 *Retail* 부동산 관련 사례

소매 부동산의 가치는 쇼핑몰 방문자를 이끌 수 있는 임차인의 구성으로 결정된다. 소매 부동산의 성공요인은 **임대 공간당 매출액**과 쇼핑몰 **방문자의 수**로 결정된다. 이러한 요인은 예상임차인을 임차하고자 할 때 부동산 소유주가 검토해야 할 사안이다. 소매 부동산을 개발할 때, 부동산 소유자는 **상권**(trade area) **분석**을 한다. 이 분석은 해당 입지 내 인구, 연령 그리고 잠재소비자의 소득 등을 분석하여 쇼핑몰에 대한 수요를 알게 해 준다.

소매 부동산은 트렌드와 패션 그리고 컨셉에 민감하다. 또한, 임대차계약 시 임차인이 해당 업종을 영위하는 데 영향을 미치는 다양한 조항들을 포함하여야 한다. 그 이유는 대부분의 소매업자들이 근접 혹은 근처에서 영업을 하기 때문이다. 게다가, 어떤 소매업자는 경쟁업자와 협의하여 좀 더 좋은 임차조건을 할 수 있는 권리가 있다. 임대차계약에는 기존 업자들에게 불리한 업종을 입점하지 못하게 하는 조항이 포함되어 있다.

소매 부동산의 현금흐름은 매우 다양하다. 즉, 일정, 상승, 지주연동임대료 등 임대료 조건을 다양하게 할 수 있고 매출액 기준으로 임대료를 부과하기도 한다. 어떤 경우는 특정 운영비용에 기반하기도 한다. 한 가지 중요한 것은 소매 부동산에서 공동사용공간에 대한 임차인들의 **비용지불 여부**(CAM charges)이다. 앞 장에서 다양한 조건들이 소매 부동산에 적용할 수 있지만, 여기서 설명할 여러 요인들도 활용해야 한다.

소매 임대차 환경

Anchor 임차자와 In-line 임차자

대규모 소매 부동산의 투자안을 검토할 때, 사업의 성격의 이해 및 다양한 임차인의 중요성을 인식하여야 한다. Anchor 임차자는 일반적으로 대규모 공간을 임차하거나 높은 매출액 및 방문객을 이끄는 역할을 한다. 대부분의 경우, anchor 임차자는 대규모의 공간을 임차하기 때문에 임대료 할인 및 특별한 임차조건을 요구한다. In-line 임차자는 소규모 공간을 임차하며 anchor 임차자에 의해 유발된 방문객을 활용하여 매출을 높이고자 한다. 따라서 부동산 소유자는 anchor 임차자와 in-line 임차자의 상호보완적인 관계를 활용하여 높은 매출을 이루고자 한다.

임대료

Anchor 임차자와 in-line 임차자를 구분하는 다른 중요한 요인은 임대료 결정 과정이다. 일반적으로 anchor 임차자가 부동산 소유자와 임대차 협의를 할 때 in-line 임차자보다 더 많은 혜택을 받는다(**낮은 임대료 혹은 특정 기간 동안 임대료 면제** 등). 사실, 해당 부동산에 꼭 필요한 anchor 임차자가 있다면, 부동산 소유주는 낮은 임대료와 다른 인센티브(매장 설치비용 대납 등)를 기꺼이 제공해 준다. 또한, 부동산 소유주는 임대공간의 일부분을 anchor 임차자에게 매각함으로써, anchor 임차자가 층별 계획과 인테리어 디자인에 맞게 능동적으로 임대공간을 건축하고 운영하여 최대 효과를 이룰 수 있게 해준다. 만약 해당 임대공간이 매각되지 않는다면, 부동산 소유주는 anchor 임차자가 장기간 운영할 수 있게 임대차계약을 체결한다.

Anchor 임차자의 낮은 임대료와 장기간 임차와 달리, in-line 임차자의 임대료는 현재 시장상황에 맞게 책정된다. 전형적으로 임대료는 **기본임대료**(base rent) 형태로 단기간에 걸쳐(3년에서 5년 사이) 체결되며, 기본임대료는 임대기간 혹은 특정 기간 동안 일정, 상승, 지수와 연동한다. 임대 현황은 일반적으로 부동산 소유주에 의해 검토되고 임차인은 임대차계약 만기일 이전 재협상을 한다.

In-line 임차자의 경우 기본임대료와 더불어 **비율임대료 조항**(percentage rent clause)을 활용한다. 비율임대료는 높은 방문객 수 및 매출액 등으로 임대인이 요구하는 기본임대료가 상대적으로 높을 경우 합리적으로 활용하는 것으로, 기본임대료는 최대한 낮게 설정하고 해당 사업이 성공적으로 운영될 때 매출액의 일부를 추가로 지불하는 방식이다(매상비례 임대료: overage rents). 추가 임대료는 **매출손익분기점**(breakpoint sales level) 이상 매출액에 일정 부분을 계산하여 산정한다. 임차자들은 이러한 임대계약 방식이 방문객 수와 매출액과 관련이 있는 소유주의 주장과 일치한다고 믿는다. 만약 부동산 소유주의 주장처럼 소매 환경이 좋다면 부동산 소유자는 임대료 결정의 일부로써 임차자의 영업위험까지 일부 떠맡을 것이다.

비율임대차의 기본적인 예시는 다음과 같다. 임대공간이 1,000평방피트이고 임대료는 일정 방식을 적용하여 평방피트당 $38라고 가정하자. $38 임대료 대신 부동산 소유자는 $35를 제기하고 대신 손익분기점 이상 매출 시 8%를 추가 임대료로 수취하는 제안을 하였다. 손익분기점 및 % 비율은 부동산 소유와 임차자가 협의해야 하며 영위업종에 따라 조건 및 종류가 다양하다. 예를 들어 보석상의 경우 낮은 손익분기점을 가지고 있으나 높은 % 임대요건을 가지고 있고 일반 잡화의 경우 상대적으로 높은 손익분기점이나 낮은 % 임대요건을 가지고 있다. 예제에서, 손익분기점이 $900,000로 책정이 되고 임차자가 $1,000,000 매출을 올렸을 경우 기본임대료 및 **매상비례 임대료**는 다음과 같다.

기본임대료(Base rent) :		Total	Per 평방피트(psf)
$35 psf × 1,000평방피트	=	$35,000	$35
(+) 추가임대료:			
($1,000,000 − $900,000).08	=	8,000	8
전체 기본임대료와 초과임대료		$43,000	$43
매월 기초임대료	=	($43 × 1,000 sq. ft.) ÷ 12 = $3,583.33	

그와 반면에, in-line 임차자의 매출액이 손익분기점보다 낮을 경우, 기본임대료는 평방피트당 $35로 유지된다. 비율임대차는 손익분기점 매출액과 매상비례 임대료를 책정할 때 어떠한 물품들이 매출액에 포함되는지 명확히 정해야 한다. 즉, 직원에 대한 판매, 상품권, 인터넷 매출 그리고 세금을 위한 판매수익의 조정 등을 명확히 하여야 한다. 게다가 임차인에게 요구되는 서류, 즉 판매기록, 임차자의 재정상태, 그리고 영수증을 포함한 문서들을 감사할 수 있는 권리를 부동산 소유자가 가지고 있어야 한다.

공동구역관리비 *CAM* 부과—관리비

소매 임대차의 다른 중요한 고려 요인은 공용사용공간의 관리비이다. 대부분의 소매 부동산은 대규모의 공용사용공간을 가지고 있으며 이는 통로, 주차장, 모든 방문객이 활용하는 비쇼핑 공간 등으로 구성된다. 이 공간들은 조명, 운영, 관리, 수리 그리고 보안 등을 부동산 소유주가 맡아야 한다. 또한 매장 안의 경우 난방 및 냉방을 하여야 한다. 소매 부동산의 임대료를 협의할 때, 공용사용공간의 관리비에 대한 부분도 협의하여야 한다. 공동관리구역 관리비의 경우, 일반적으로 anchor 임차자는 적게 내고 in-line 임차자는 그보다 많이 지불한다. *In-line* **임차자**의 공동구역관리비 비용은 다음과 같이 책정된다.

In-line 임차자의 평방피트당 공동구역관리비 비용

$$\frac{\text{(해당 부동산의 총 공동구역관리비 비용 −}\\ \text{Anchor 임차자가 부담하는 공동구역관리비 비용)}}{\text{(In-line 임차자가 점유하는 총 임차공간)}}$$

예를 들어 설명하면, (1) 총 2백만 평방피트 중 120만 평방피트는 임대공간, 80만 평방피트 공동사용구역이라 하자. (2) 일 년 기준 총 공동구역관리비 비용은 $3,000,000이고 (3) Anchor 임차자가 700,000 sq.ft를 임차하고, in-line 임차자가 500,000평방피트를 사용한다. 부동산 소유주와 anchor 임차자는 평방피트당 $2로 공동구역관리비 비용을 부담하기로 합의하였다. 따라서 in-line 임차자의 공동구역관리비 비용은 아래와 같다.

$$\frac{\$3,000,000 - \$1,400,000}{500,000} = \$3.20\,\text{(평방피트당 부담하는 비용)}$$

공동구역관리비 비용을 anchor 임차자와 협의할 때, 부동산 소유자는 위험을 공유한다. 많은 경우, 부동산 소유자는 anchor 임차자를 끌어들이기 위해 매우 호의적인 조건(상대적으로 낮은 임대료, 공동구역관리비 비용)을 제공해 준다. 이러한 호의적인 조건을 anchor 임차자에게 주기 위해, in-line 임차자와 임대차계약 시 상대적으로 높은 임대료, 공동구역관리비 비용으로 계약한다. 또한 소매 부동산 소유자는 보험료, 부동산 세금을 임차자 임대하는 임대공간 기준으로 임차자에게 직접 부과한다. 또한 임차

자들은 해당 부동산의 다양한 광고 및 프로모션 비용도 지불한다. Concept Box 5.4는 소매 부동산의 운영 특징에 대해 알려 준다.

소매 부동산의 현금흐름 분석

[예 5-11]은 Shady Elm Community Shopping Center의 사례로서, 총 임대가능 면적이 245,000평방피트이다. 이 쇼핑센터는 anchor 임차자가 2개이며 첫 번째는 70,000평방피트를 임차하는 식품매장이고 두 번째는 40,000sq.ft를 임차하는 가구점이다. *In-line* 임차자는 30개로 구성되어 있다. 전체 공간 중 공동사용공간(인테리어, 냉난방시설, 통행로)은 80,000평방피트이다. 평방피트당 기본임대료는 $16.73이나 임차인 6개는 매출액에 비례하여 임대료를 책정한다. 이러한 임차인들은 기본 임대기간 동안(1년) $308,700 매출을 올릴 것으로 예상된다.

공동사용공간의 관리비는 임대 공간당 $4.65, 총 $1,139,250이다. Shady Elim은 1년 동안 $5,375,300의 유효가능 수익을 얻을 것으로 예상되며 부동산 소유주가 부담하는 총 운영비용은 $2,075,700이다. 또한 자본적 지출 등 부동산 소유주가 추가로 부담하는 비용은 $315,000이다. 이러한 모든 것을 제한 후 Shady Elim의 순 영업이익은 $3,110,408로 예상된다.

Shady Elim의 심도 있는 투자분석을 위해서는 1년이 아닌 다기간에 걸쳐 분석을 해야 하며 좀 더 자세한 사항은 6장에서 언급할 것이다.

예 5-11
연 기준 예상 현금흐름표

쉐이드 쇼핑센터

부동산 개요

쉐이드 쇼핑몰

임대가능 면적: 245,000평방피트	Anchor 임차자: (2) 식료품/가정용품점
공동시설 면적: 80,000평방피트	In-line/Shop 임차자: (30)
주차장: 2,500 spaces	Site Area: 19 acres

수입		
임대료(평방피트당 $16.73 × 임대가능 면적)		$4,098,850
+: 초과수수료(overage rent)	$ 308,700	
CAM 및 관리비	1,139,250	
기타 수입	159,250	
−: 공실률(5% ×임대공간 ×임대료)	204,942	
할인조항	—	
유효 총소득		$5,501,108
−: 운영비용		
관리/수선비	584,700	
관리 및 임대차 비용	340,000	
부동산 세금	1,050,000	
보험	66,000	
기타	35,000	
총 운영비용	2,075,700	
자본적 지출 등	315,000	(2,390,700)
순 영업이익		$3,110,408

아파트의 수익 분석 사례

[예 5-8]을 활용하여 아파트 투자분석을 위한 현금흐름 분석을 할 수 있다. 여러 가지 이유 때문에, 아파트 투자분석은 오피스, 소매, 그리고 창고 투자와 다르다. 임대차는 상대적으로 짧은 기간 동안 이루어지고 임차교체 시기는 명백하며 주와 연방법이 적용된다. [예 5-12]는 아파트 부동산의 현금흐름을 보여주고 있다.

임대공간이 전부 임차된 경우를 가정한 총소득은 1년에 $2,465,649이다(1 unit당 $885.65). "*Loss to lease*"라는 아파트 현금흐름 분석이 나오는 특별한 개념이 있다. 이는 과거 임대차계약이 체결된 임대수와 현재 새로 체결된 임대 수의 차이를 반영하는 것이다. $61,036의 loss to lease는 과거에 체결된 계약으로 결정된 것이다. 과거 체결된 임대가구의 수와 현재 체결된 임대가구 수의 차이를 구하고 여기에 과거 임대된 가구 수를 곱하여 산출한다. 여기서, 공실된 가구 수와 임대 손실(미납부 임대료, 할인

예 5-12
워터폴코트 아파트—요약

부동산	**기본 편의시설**		
워터풀 아파트	자동문차고 세탁기, 식기 세척기 구비		
위치	풀 사이즈 유닛, 수영장		
미국의 교외	제한출입문, 주차장(400대 수용 가능)		
기본개요	**지역/밀집도**		
Arterial 도로 북동 쪽에 위치한 232세대로 구성된 아파트로서 최근에 건축되었고 자가 주차공간이 포함된 높은 수준의 편의시설을 갖춤, 모든 빌딩은 외벽이 90% 이상 벽돌로 구성된 복층으로 지어졌음	15 acres		
	형태		
	1 방 — 1 화장실		104세대
	2 방 — 2 화장실		128세대
	세대당 평균 1,000평방피트		
	월 평균 임대료		
경과연수: 7년	세대당 $885.65, 평방피트당 .88		
잠재 총소득	$2,465,649		
−: 전기계약분과 현재 계약분의 차이	61,036		
총 임대소득	$2,404,613		
−: 공실률 등	285,013		
할인 조항 및 조정	181,739		
순 임대수익			**1,937,861**
+:			
기타 소득	111,080		
관리비	200,000		311,080
총 순수익			2,248,941
−: 운영 및 임대차 비용			990,380
자본적 지출 등			246,095
순 영업이익(NOI)			**1,012,466**

* 만약 현재의 시장임대료가 현재보다 오래된 임대의 임대료에 비하여 떨어지면, 임대료 손실이 도움이 될 수 있다.

액 등)을 차감한 수익이 $1,937,861이다. 임대 이외의 소득(주차장, 보관소, 세탁소 등)으로 추가적으로 $111,080를 얻는다. 또한 수도료, 열 난방 등 임대인이 제공한 서비스에 대한 추가적인 수익을 포함하여 총 수익은 $2,248,941이다. 운영 및 임대차 비용 등은 $990.380으로 예상한다. 모든 수익과 비용을 계산할 경우 예상 **순 영업이익**은 $1,012,466이며 이는 자본적 지출을 포함한 금액이다. 더욱 자세한 사항은 Concept box 5.5를 보면 알 수 있다.

결론

본 장의 목적은 주요 부동산 형태별로 임대차계약조건 및 운영 특성에 대해 익숙하게 해 주는 것이었다. 본 장의 예시들은 지역경제, 시장 수급 및 임대차 조건, 임차인의 신용도, 투자 위험도 및 소유주가 임차인에게 운영비를 전가시킬 수 있는 권리 등이 수익용 부동산 분석에 매우 중요하다는 것을 보여 주었다. 더구나 경쟁 시장 분석을 위해 예상 현금흐름표를 작성하고 수정할 수 있는 능력이 매입 의사결정의 기본이 된다. 매입 의사결정에 대해서 다음 장에서 계속하여 논의하고자 한다.

주요용어

공동구역관리비
기관 부동산
기본임대료
매상비례
매출손익분기점
비용지불 여부
비율임대료
비율임대료 조항
비주거용 부동산
사용가능 면적
산업용 부동산
세입자
순 임대료
시장임대료
실질순임대료
실질임대료
임대계약서
임대인
지수연동 방식
최소임대료
할당계수
할인금액

질문

1. 임대차계약에 의해서 어떻게 위험이 임대인으로부터 임차인에게 이전되는가?
2. 기본(base) 또는 액면(face) 임대료와 실질(effective)임대료 간의 차이는 무엇인가?
3. Usable과 rentable의 차이는 무엇인가?
4. 공동구역관리비(CAM) 비용이란 무엇인가?
5. (1) 가격전가비용(pass through expense), (2) 회수비용(recoverable expense), (3) 공동면적비용(common area expense)은 무엇이고 그것들의 예는 어떤 것이 있는가?
6. 금방언(estoppel)이란 무엇인가?
7. "Loss to lease"란 무엇인가?
8. 부동산 소유주는 공동사용공간을 운영할 때 어떤 종류의 비용을 부담하는가? (오피스, 소매, 창고별로 답하라.)

문제

1. 어떤 건물주는 향후 5년간 오피스 빌딩의 임대 대안을 다음과 같이 검토하고 있다.
   1) **순(*net*) 임대로서 임대료 인상(*step*)조건**: 임대료는 첫해에 평방피트당 $15이되 임대차 만기까지 $1.5씩 상승한다. 모든 관리비는 임차인 부담
   2) **순(*net*) 임대로서 소비자물가 연동**: 임대료는 첫해에 $16이되 이후 소비자 물가의 상승이 있을 경우 이에 연동한다. 물가상승률은 연 3%로 예상된다.
   3) **관리비 임대인 부담(*gross*)**: 임대료는 평방피트당 $30이되 모든 관리비는 임대인 부담이다. 비용은 첫해에 $9로 예측

되며, 이후 매년 $1씩 증가 예상된다.

4) **총 임대로서 관리비 부담 한도설정 및 물가연동**: 임대료는 첫 해 $22이며 이후 물가상승에 연동하여 상승하고 비용부담은 평방피트당 $9에 한정된다. 물가상승과 비용 상승은 2), 3)과 같다.

a. 각 임대차 조건에 대해서 10%의 할인율을 사용하여 실질임대료(effective rent, 비용 후)를 계산하라.

b. 각 임대 대안에 대하여 소유주에 대한 위험부담 기준으로 서열을 어떻게 부여할 수 있는가?

c. 위의 *a*, *b*의 답변에 근거하여 네 가지의 대안을 어떻게 평가하는가?

2. 당신은 Everything.com사의 CFO로서 Center City에 25명의 직원을 위한 사무실 5천 평방피트를 임차하려 한다. 임대 중개인이 10층짜리 Apex Atrium 빌딩의 일부를 소개하였다. 당해 빌딩의 총 면적은 30만 평방피트이다. 4만5천 평방피트는 내장공간으로서 임대 불가하다. 임대 불가 면적은 지하실, 엘리베이터 및 다른 기계적, 구조적 요인들이다. 추가적으로 3만 평방피트는 로비로서 모든 임차인들이 공동 사용한다. 임차 가능한 5천 평방피트는 7층의 2만8천 평방피트의 일부이되, 다른 임차인들이 그중 2만 평방피트를 차지하고 있다. 임대 중개인은 임대료를 **임대가능 면적당** $30로 제시하였다.

a. 당해 건물의 총 임대가능 면적(로비 제외)을 계산하라.

b. 7층만에 대한 할당계수와 공통면적을 계산하라.

c. 7층의 공통면적에 대한 할당계수를 포함하여 임대가능 면적을 계산하라. 그리고 Everything.com사가 당해 건물에 임차하기로 결정할 경우 지불할 평방피트당 총 임대료를 계산하라.

d. 건물주가 건물 내의 다른 공통면적에 대한 할당계수를 늘이려 할 경우에 *b*를 조정하라.

e. 공통면적 및 7층에 대하여 수정된 할당계수가 사용가능 면적에 적용된다고 가정할 때 평방피트당 총 임대료를 계산하라.

3. Atrium Tower Office Building의 소유주는 현재 5년 단위의 임대계약을 ACME Condodated Corp.와 20,000평방피트의 rentable space를 두고 협상 중이다. ACME는 평방피트당 $20의 기본임대료에 매년 $1의 step-up을 가지는 것으로 협상하고 싶어한다.

a. Atrium의 현금흐름의 현재가치를 계산하라. (할인율 10%)

b. Atrium의 소유주는 평방피트당 $20의 기본임대료가 너무 낮다고 생각하여 (*a*)의 기본임대료를 $24로 올리고 싶어한다. 하지만, 현재 Atrium은 ACME에게 $50,000의 이사비용과 $100,000의 TI를 주고 있다. 이 경우 Atrium가 가질 현재가치는 어떤 영향을 받는가?

c. ACME는 Atrium에게 기본임대료를 $23로 올릴 용의가 있다고 말했다. 하지만, 이 경우 ACME는 Atrium가 다른 빌딩에 대한 임대계약에 포함된 1년에 대해 buyout할 것을 요구할 수 있게 된다. 그 임대계약은 연간 평방피트당 $15에 20,000평방피트를 임대하는 계약이다. 만약 Atrium이 ACME의 예전 임대계약을 buyout한다면, ACME는 이사비용과 TI를 요구하지 않을 것이다. 이 경우 Atrium의 현재가치는 어떠한가? (*b*)의 조건과는 어떤 차이가 있는가?

4. 소매점 임대를 위한 공동구역관리비(CAM) 규모가 계산되어야 한다. 이 소매 몰은 2,800,000평방피트로 구성되어 있고, 그중 800,000평방피트는 평방피트당 $2를 내기로 한 anchor 임차자들에게 분양되었다. In-line tenants는 1,300,000평방피트를 차지하고, 나머지는 공용공간이다. 공용공간 운영비용을 충당하기 위해 평방피트당 $8를 매년 청구하려고 한다. 만약 소유주가 공동구역관리비(CAM) 비용을 모두 부담한다면, In-line tenants는 평방피트당 얼마를 지불해야 하는가?

5. 10,000평방피트의 분양가능 공간에 대한 소매 임대가 5년 계약으로 협상 중이다.

옵션 *A*: 다가오는 해에 기본임대료 $25와 그 이후 매년 step-up $1 조건. 다가오는 해 공동구역관리비(CAM) 비용은 $3이고 매년 6%씩 연말에 증가한다.

옵션 *B*: 다가오는 해에 기본임대료 $23과 그 이후 매 상승방식 $1 조건. 하지만 임차인은 초과임대료를 비율임대료 조항에 의거해 지불해야 한다. 이 조항은 임차인이 총 판매액의 8%를 연간 손익분기점 수준 $900,000까지 낸다고 되어있다. 소유주는 임차인의 총 판매액이 첫해 $850,000이고, 그 후 매년 10% 증가할 것으로 예상한다.

a. 만약 부동산 소유주가 12%의 수익률을 생각한다면, 어떤 옵션이 소매 몰 소유주에게 최선인가?

b. 만약 판매액이 20%씩 매년 증가한다면?

6. 당신은 다가오는 해 가을 시즌의 200유닛 교외 garden 아파트 단지에 대한 추정 현금흐름표를 작성하는 것을 요청받았다. 이 단지는 40 studio, 80개의 1 베드룸, 그리고 80개의 2 베드룸으로 구성되어 있고, 각각 월세로 $550, $600, 그리고 $800을 받고 있다. 임대는 12개월 단위 계약이다. 현재 임대료는 다음 6개월 동안 고정될 것으로 예상된다. 이후 월세는 각 아파트 타입마다 $10씩 오르고, 그 오른 월세는 1년간 유지된다. 10개의 스튜디오는 3개월 전 $500에 임대되었고, 20개의 1 베드룸은 2개월 전 $580에, 그리고 10개의 2 베드룸은 지난달 $805에 임대되었다. 다른 유닛들은 최근에 현재 월세에 따라 임대되었다. 이전 모든 임대 유닛들은 연간 단위로 계약되었다. 이런 임대가 갱신될 때, 시장 임대료에 따라 다음 해로 이월된다. 현재, 4개 스튜디오, 6개 1 베드룸, 6개 2 베드룸은 공실이다. 이 공실 패턴은 그해에 유지된다.

올해 가을 시즌에는 기타 수익이 빨래시설, 케이블 TV, 주차, 기타 수수료로부터 $200,000 발생할 것이다. 가을시즌은 다음 해부터 점유 유닛당, 매달 전체 회전율과 운영비용으로 $400을 낼 것이다. 그러나, 냉난방으로부터 발생한 운영비용은 $100씩 매달 다시 거둬들일 예정이다. 다음 해에는, $100,000이 반복되는 비용처리를 위해 사용되고, $250,000이 자주 발생하지 않는 사건들을 위해 충당금으로 적립될 것이다. 총 $10,000의 수수료가 Apartment locator services에 지급될 것이다.

a. 다가오는 해의 운영 현금흐름 표를 준비하라.
b. *a*에 더해 비경상항목과 수수료의 예상치를 준비하라. 이때 다가오는 해의 순 현금흐름은?

7. SUMMER PLACE MALL의 pro forma statement of cash flow를 작성하라.

부동산 정보:

SUMMER PLACE MALL

개발연수	10년
임대가능 면적(RA)	400,000평방피트
공동사용공간(CA)	160,000평방피트
임차인 수	40

재무정보:

평균 기본임대료	평방피트당 $20
초과 임대료(5 Tenants)	
	50,000평방피트@ 평방피트당 $8.00
임차인에게 회수할 공동구역관리비(CAM) 비용	
	평방피트당 $5.00
평균 임대기간	3.5년
공실	총 임대수익의 10%

운영비용:

유지/보수	$1,200,000
관리비용	$230,000
재산세	$1,715,000
보험료	$105,000
기타	—

기타 정보:

경상 자본지출/개발충당금	$160,000

a. 위의 데이터에서 순 영업이익을 보여주는 추정 재무제표를 만들어라.
b. 미래 추정을 위한 가장 중요한 5가지 요인은?

8. Betts Distribution Center에 대한 추정 현금흐름표를 만드는 중이다. Betts Distribution Center는 인터넷을 기반으로 부동산 관련 거래를 한다. 회수 가능한 운영비용에 더해, 새 임차인들이 보험, 재산세 등에 관련된 것을 주인에게 내게 할 것이다.

부동산 정보:

BETTS DISTRIBUTION CENTER

개발 연수	개량 후 8년 경과
임대가능 면적	200,000평방피트
단일 세입자	임대기간 10년, 보험과 세금 임차인 부담

재무 정보:

임대료	평방피트당 $7.00 (7-year term), flat
임차인으로부터 회수 가능한 비용	평방피트당 $1.50 fixed
운영비용	$700,000
재산세	$50,000
보험료	$15,000

기타 현금 지출:

충당금(경상 자본지출/개발 충당금)	$60,000

a. 위의 데이터에서 순 영업이익을 보여주는 추정 재무제표를 만들어라.
b. 미래 추정을 위한 가장 중요한 5가지 요인은?

9. West Office Plaza의 추정 현금흐름표를 작성 중이다.

부동산 정보:

WEST OFFICE PLAZA

임대가능 면적	300,000평방피트
연수	8년
층수	15
임차인수	40

재무정보:

평균 기본 임대료	평방피트당 $20
기타 수익/주차비/창고사용료	평방피트당 $1.50
임차인에게 회수 가능한 비용	평방피트당 $2.50
현재 공실률	5%

비용:

관리비용/보안시설비용/소유권	$695,000
재산세	$675,000
보험료	$430,000
일반 운영/임대 비용/마케팅비용	$667,000
수도/전기/가스	$1,159,100
청소비용	$489,000
영업세	$110,000

기타:

충당금(경상자본지출/개발 충당금)	$700,000

a. 위의 데이터에서 순 영업이익을 보여주는 추정 재무제표를 만들어라.
b. 미래 추정을 위한 가장 중요한 5가지 요인은?

CHAPTER 06

수익용 부동산의 가치: 가치평가와 자본시장

Valuation of Income Properties: Appraisal and the Market for Capital

개요

자산시장을 소개한 5장에서는 공간 · 리스(lease) · 렌트(rent)에 대한 수요와 공급, 그리고 비용 회수를 다뤘다[역자주: 미국에서 리스는 임대차 기간이 렌트보다 길고, 종료일의 6개월 또는 1년 전에 계약 갱신을 협의해야 한다. 예컨대, 농업용지의 최대 리스 기간은 51년이고, 도시 내 토지는 99년까지이다. 렌트는 계약기간이 그보다 훨씬 짧고, 보통 계약종료일 1달 전에만 협상하면 된다. 물론 세부 내용은 미국의 주마다 다르다]. 또한 부동산개발의 개념과 입지의 상호작용이 부동산 자산가치에 미치는 영향을 설명했다. 이 장에서는 부동산 자산의 가치를 추정하기 위한 여러 방법을 설명한다.

가치평가의 기초

시장가치는 수익용 부동산에 투자하거나 자금을 조달할 때 고려해야 하는 핵심 사항이다. 시장가치는 다음처럼 정의할 수 있다.

> 정상거래(fair sale)가 되기 위한 모든 조건을 충족시키면서, 경쟁적이고 개방적인 시장에서 형성될 수 있는 가격 가운데, 가능성이 가장 높은 가격이다. 매수자와 매도자는 필요한 사항들을 충분히 인지한 상태에서 신중하게 거래하고, 부적절한 자극이나 충격에 의해 영향받지 않아야 한다. 소유권이 매수자에게 넘어가는 날짜가 확정되어 있어야 한다.
>
> 일반적으로 다음 사항도 충족해야 한다.

1. 매도자와 매수자의 거래 동기(motivation)에 특이 사항이 없다. (예컨대 급매 같은 매매는 여기에서 고려하지 않는다.)
2. 매도자와 매수자는 각자의 이익을 고려해서 최선의 방안으로 행동하며, 필요한 정보를 문제없이 획득한다.
3. 매물에 관한 정보가 시장에 충분한 시간 동안 공지된다.

4. 거래 대금은 미국 달러 또는 그 밖에 신뢰할 수 있는 화폐로 거래된다.
5. 매매 자금의 조달에 특이 사항이 없고(즉, 일반적인 자금조달 방식으로 자금을 조달한다), 거래 가격이 자금조달 방식에 영향받지 않는다.

자산의 시장 가격은 금융권이 **대출 여부를 결정**할 때 판단의 기준이 된다. 자산가치 대비 지나치게 많은 금액을 대출하면 자금을 회수하지 못하는 위험이 발생할 수 있기 때문이다. 보험, 재산세 산정, 투자 성과 측정을 위해서는 자산취득 이후에 매년 또는 필요할 때마다 감정평가를 해야 한다. 투자자는 자산을 매입할 때 당연히 시장 가격 이상으로 지불하려고 하지 않을 것이기 때문에 감정평가에 관심을 가진다. 이번 장에서는 감정평가 과정과 방법을 설명한다.

감정평가 과정과 평가방법론

감정평가는 가치에 대한 **추정값**을 제시하는 작업이다. 일반적으로 **감정평가**는 다음과 같은 **과정**을 거친다. 첫째, 해당 자산의 물리적, 법적 특성을 분명히 하는 것이다. 둘째, 가치평가 대상이 되는 재산권(property rights)의 성격을 분명히 해야 한다. 특정 자산에 대해 배타적 권리로서의 재산권을 모두 획득하는 재산권과 일부분의 권리만을 획득하는 경우는 가치가 다르다. 셋째, 자산의 가치를 평가하는 목적을 잘 이해해야 한다. 대출과 투자를 비롯해서 수용, 보험손해 산정, 재산세 산정에도 감정평가가 활용되기 때문이다. 넷째, 감정평가자는 평가시점을 적시해야 한다. 자산가치는 시장 상황에 따라 끊임없이 변화하기 때문이다. 다섯째, 감정평가자는 시장 자료를 모으고 분석해야 한다. 여섯째, 감정평가에 적합한 방법을 활용해야 한다.

감정평가 과정

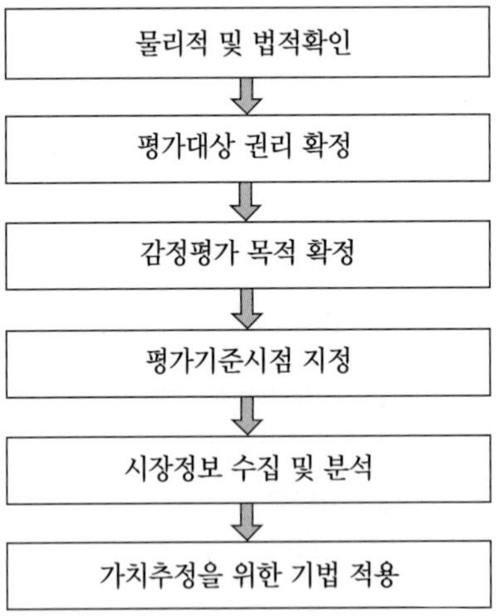

정확한 감정평가에는 많은 자료가 필요하기 때문에 임대료, 비용, 공실률, 수요, 공급에 관한 정보를 수집, 요약하고 적절하게 해석해야 한다(자료 수집과 시장 조사를 이 책에서 다루지는 않는다). 부동산 금융에서는 대출자, 차입자, 투자자가 대출 여부나 투자를 결정할 때 감정평가 보고서를 참고하는 것이 일반적이다. 감정평가 보고서를 이용하는 사람은 부동산의 가치평가 방법론과 평가 과정을 잘 이해해야 한다. 감정평가 보고서가 적절하게 시장 자료를 수집해서 분석했는지, 적절한 분석 방법이 활용되었는지를 정확하게 판단할 수 있기 때문이다.

감정평가의 중요성은 아무리 강조해도 지나치지 않는다. 감정평가된 가치가 대출과 투자의 기준(basis)이 되기 때문이다. 자산가치에 비해 지나치게 많이 대출하는 것을 피하기 위해서 대출자는 가치평가에 활용되는 방법과 과정을 철저하게 검토한다. 대출자는 평가 시점에서의 자산가치와 미래의 자산가치가 대출 금액보다 충분히 많은 상태를 유지하기를 강력하게 희망한다.

수익용 부동산의 가치평가는 **거래사례비교법**, **수익환원법**, **비용접근법**의 세 가지 방법 가운데 최소 두 가지 방법이 활용된다. 여기에서는 이들 세 가지 방법의 핵심을 살펴본다.

거래사례비교법

거래사례비교법은 감정평가하려는 자산과 **매우 비슷한** 자산의 최근 거래 자료를 참고하는 것이다. 비교사례는 1) "공정한" 거래이거나 2) 서로 관련이 없는 개인간의 거래 사례여야 한다. 또한 특이한 거래가 아닌 정상적인 거래여야 한다. 예컨대 압류, 공공기관의 거래라면 비교사례로는 적합하지 않다.

감정평가하려는 자산과 비교 대상 사례 간에 자산의 규모, 입지, 건축 연도, 건축의 질 측면에서 차이가 많다면, 그 차이를 감안해서 가치를 산정해야 한다. 이런 항목에서 너무 다르다면 비교사례로 적합하지 않다. 감정평가 대상 자산과 비슷한 점이 많아서 가치 산정이 손쉽고, 신뢰할 수 있어야 이 방법을 활용할 수 있다.

거래사례접근법을 활용하려면 우선 유사거래 사례의 주요 특성을 짜임새 있게 정리해야 한다. 예 6-1을 보면 감정평가하려는 자산과 3개의 사례가 면적, (도로방향의) 건물 전면부 길이, 건축 형태와 질, 조경, 건축년도에서 비슷한 것을 알 수 있다. 이들 각각의 측면에서 평가대상 자산이 비교 사례보다 얼마나 우월한지 또는 열등한지를 퍼센티지로 평가한 뒤에 조정가격(adjusted price)을 산정한다.

예 6-1
가상의 4건물에 대한 시장분석과 매매자료(거래사례 비교방식)

		사례비교		
항목	**대상**	**1**	**2**	**3**
매매일	—	최근	1년 전	2년 전
가격	—	$355,000	$375,000	$413,300
연간 총 임대가	—	$58,000	$61,000	$69,000
연면적	13,300	14,500	13,750	15,390
단위면적당 가격*	—	$24.48	$22.27	$26.86
단위면적당 임대가*	—	$4.00	$4.44	$4.48
대상건물과의 접근성†	—	2분	2.5분	3.5분
전면면적	300	240	310	350
층수	2	2	2	2
승강기 수	1	1	1	1
건물연한	신축	3년	4년	6년
외장재	벽돌	벽돌	Stucco	벽돌
건축 상태§	평균	평균	평균	평균
조경§	평균	평균	평균	평균

*Gross square footage (rounded).
†위 예에서 대상부동산은 최고의 입지가 고려되었고, 멀어진 입지는 덜 고려되었다.
§Quality.

예 6-2
비교대상 조정

	사례비교		
	1	2	3
매매가	$355,000	$375,000	$413,300
면적	14,500	13,750	15,390
단위면적당 매매가	$ 24.48	$ 27.27	$ 26.86
조정			
매매일	—	+4%	+7%
임대가능 면적비	− 5%	−4%	−12%
위치	+7%	+12%	+15%
전면성	+10%	−14%	−15%
구조연령	+8%	+10%	+15%
차이점	+20%	+8%	+10%
조정 후 가격	$426,000	$405,000	$454,630
조정 후 단위면적당 매매가	$ 29.38	$ 29.45	$ 29.54
대상건물의 단위면적당 예상매매가	= $ 29.50		
추정가치 $29.500,300평방피트	= $392,350		

예컨대 평가대상 자산의 면적(13,300 feet^2)이 사례 1의 면적(14,500 feet^2)보다 작기 때문에 평가대상 자산의 가치가 5% 적을 것으로 평가했다. 평가대상 자산의 면적이 사례 1보다 약 9% 작지만, 전체 가치는 5%가 적은 것으로 평가한 것에 주목해야 한다. 세세한 부분은 결국에는 감정평가자가 주관적으로 판단할 수밖에 없다. 최종적으로는 제곱피트당 가격을 구해야 한다. 기본적인 단위이기 때문이다. 예 6-2에서 제곱피트당 조정가격은 세 개 사례를 검토해서, 감정평가자가 $29.5로 평가했다. 이렇게 구한 제곱피트당 조정가격에 평가대상 자산의 면적을 곱하여 가치를 산정한다.

수익환원법

수익환원법은 현금흐름 창출 능력이 자산의 가치를 좌우한다는 믿음에 기초한다. 수익환원법으로 자산가치를 추정하려면 인근의 비교 가능한 자산에 대해 분석하는 동시에, 평가대상 자산의 미래 현금흐름에 영향을 미치는 시장 변화를 잘 이해해야 한다. 수익환원법의 일종인 **총수입승수법**(gross income multiplier method)과 **직접환원법**(direct capitalization method)은 유사 거래 사례를 참고하기는 하지만, 비교 가능한 유사 자산에서 현금흐름에 관한 정보를 뽑아내서 평가대상 자산의 가치를 산정하는 데 활용한다. 거래사례비교법에서는 자산의 특성을 비교해서 자산의 가치에 가감하는 방식을 취할 뿐, 자산이 창출하는 현금흐름을 활용하지는 않는다. 수익환원법의 세 번째 방법은 **현재가치할인법**(discounted present value method)이다. 현재가치할인법은 미래 현금흐름을 예측하여, 투자의 예상수익률로 연결시킨다. 투자에 관한 의사결정을 할 때 사용하는 절차와 과정을 자산의 가치평가 방식으로 활용한다.

총수입승수법 *Gross Income Multiplier*

총수입승수법은 총수익과 매매 가격 사이에 존재하는 일정한 관계를 이용한다. 총수입승수는 매매 가격을 총수입으로 나눈 값이다.

$$\text{총수입승수(GIM)} = \frac{\text{매매 가격}}{\text{총수입}}$$

평가대상 자산의 총수입에 대해서는 별도로 추정을 해야 한다. 예 6-1에 제공된 정보에 더하여 총수입에 관한 정보를 결합하면 총수입승수를 구할 수 있다. 예 6-3을 보면 GIM이 5.99~6.15인 것을 알 수 있다. 비교 대상인 자산들의 매매 가격이 연간 총 수익의 5.99~6.15배라는 뜻이다. 평가대상 자산 역시 비슷한 총수입승수 범위 내에서 가격이 형성될 것으로 판정할 수 있다. 감정평가자가 총수입에 대한 정보를 뽑아내려면 시장조사가 선행되어야 한다. 유사 사례의 총수입은 감정평가하는 시점 이전의 1년간 얻은 최신의 자료여야 하고, 이를 토대로 감정평가 대상 부동산 자산을 매입하는 첫해에 그 부동산에서 얻을 것으로 예상되는 총수입을 추정해야 한다.

총수입에는 두 가지가 있다. 첫째는 **잠재총수입**(potential gross income)이다. 공실이 하나도 없는 경우를 가정하고 구한다. 둘째는 공실을 반영해서 구한 총수입으로서, **실질총수입**(effective gross income)이라고 한다. 어느 것을 사용하든지, 전체 분석 과정에서 하나를 선택해서 일관되게 분석하면 감정평가 결과의 핵심은 크게 달라지지 않는다. 다만, 시장에서 공실률이 높거나 부동산의 종류와 위치에 따른 공실률에 차이가 많다면 실질총수입을 활용해야 한다.

총수입승수법은 총수입에 의해서 자산의 가치가 결정된다. 한 가지 유념할 것은 비교하는 자산들의 운영경비가 소득에서 차지하는 비율이 비슷해야 적용 가능한 방법이라는 점이다. 자산 규모가 작으면 운영경비에 대한 정보를 구하기 힘든 경우가 많기 때문에 이 가정이 충족되는지를 판단하기 힘들다. 따라서 규모가 작은 자산의 경우에는 운영경비에 대한 정보가 구득 가능한지를 먼저 확인해야 한다. 총수입승수법에서는 현재의 **임대차계약**에 큰 변화가 없다고 가정한다. 조만간 임대차계약에 변화가 있을 예정이라면, 그에 따란 총수입의 변화를 충분하게 염두에 두고 분석해야 한다.

예 6-3에서 감정평가자는 유사 사례의 총수입승수를 살펴보면서 감정평가 대상 자산에 적합한 수입승수를 정해야 한다. 비교대상 자산의 총수입승수를 단순하게 평균내기보다는 비교 자산의 특성을 살펴보면서 우리가 관심 있는 감정평가 대상 자산에 어떤 총수입승수를 적용하는 것이 바람직한지를 고민해야 한다. 어느 사례가 더 중요한지는 감정평가자의 경험에 근거할 수밖에 없다. 예 6-3에서 첫 번째 사례가 가장 최근에 이뤄진 거래라면 감정평가자는 이 사례에 가장 큰 비중을 둘 수 있다. 감정평가자가 유사 사례를 보고 나서 적정 총수입승수를 '6'이라고 판단했다면, 예 6-3에서 우리가 감정평가하고자 하는 대상 자산의 가치는 36,600 × 6 = $219,600이 된다.

예 6-3
비교대상의 총수입승수(*GIM*) 개발

		비교자산		
	대상자산	1	2	3
매매가	?	$ 355,000	$ 375,000	$413,300
현재 총수입	$ 36,600	58,000	61,000	69,000
총수입숭수(GIM)	?	6.12배	6.15배	5.99배

할인율법

자산의 운영비가 다르다면 자산의 가치평가는 총수입보다는 **순 영업이익**(net operating income)을 활용해야 한다. 예 6-4를 보고 진행하자. 6-4에는 비교 자산들의 매매가, 운영경비, 순 영업이익이 나와 있다. 순 영업이익은 총수입에서 운영경비를 뺀 값이다. 독자들은 예 6-5에 있는 항목들의 계산 과정을 놓치지 말고 잘 봐야 한다. **자본환원율**(capitalization rate)은 순 영업이익을 자산 가격으로 나눈 값이다. 자본환원율을 이렇게 구하는 방법을 **직접자본환원율법**(direct capitalization rate)이라고 한다. 예 6-4에서 자본환원율은 0.094~0.099의 범위에 있다. 자산가치는 순 영업이익을 자본환원율로 나눠서 구한다.

$$\text{Value} = NOI/R$$

예 6-4에서 감정평가 대상 자산의 순 영업이익이 $366,000이기 때문에 자본환원율을 정하면 자산의 가치가 결정된다. 문제는 자본환원율을 무엇으로 할 것인가이다. 단순히 예 6-4에 정리된 유사 사례의 평균을 적용하는 것은 바람직하지 않다. 유사 사례를 면밀하게 검토해서, 가장 바람직한 값을 제시하기 위해 노력해야 한다. 감정평가자가 두 번째 유사 사례가 가장 비슷하지만, 감정평가대상 자산의 자본환원율이 좀 더 높아서, 최종적으로는 자본환원을 0.095로 적용하기로 했다고 가정하다. 자본환원율이 높다는 것은 자산가치에 비해서 순 영업이익이 더 많다는 것을 뜻한다. 순 영업이익에 비해서는 자산가치가 저평가된다는 의미도 있다.

평가대상 부동산의 가치 = $366,00/0.095 = $3,852,631 또는 $3,853,000(반올림하여)

예 6-4
운영수입, 경비와 가격관계

		비교대상 부동산		
	평가대상부동산	(1)	(2)	(3)
가격	?	$3,078,000	$3,764,000	$4,112,000
유효총소득	$600,000	503,000	610,000	690,000
운영비용 %	39%	40%	42%	41%
순 영업이익	366,000	301,600	353,800	407,100
NOI/가격 = *R*	?	0.098	0.094	0.099

수입, 비용 항목의 정의

공실이 없는 상태에서의 임대수입: 현대 임대계약에서 회수할 것으로 예상되는 임대수익에 시장적정임대료로 산출한 공실면적의 예상임대수익을 합한 것
\+ **기타 수입:** 주차수입, 세탁비, 케이블TV수수료 등 각종 적용수수료, 예탁금수입 등의 수익
= **잠재총소득(PGI):** 자산의 소유권에 기한 회수 가능한 모든 수익
− **공실률과 임대료손실(collection losses):** 공실률이나 임대료미수에 따른 임대료손실
= **유효총소득(EGI):** 예상되는 총 잠재수익에서 공실률 및 임대료손실을 뺀 것
− **당해세(real estate taxes):** 지방자치단체 등에서 부과하는 당해 부동산과 관련된 세금
− **보험료:** 자산소유자는 대개 자산의 손실, 인명피해 등에 대비하여 각 개체별로(빌딩, 주차장) 보험을 든다.
− **공익비:** 계약에 따라 소유자가 전부 또는 일부를 부담하는 수도료, 전기료 등 시설설비사용료
− **유지보수비:** 3년 이내에 반복적으로 발생할 것으로 예상되며 경제적 가치 상승이 목적이 아닌 경우를 말한다.
− **일반관리비:** 인건비 혹은 대외활동과 관련된 예상비용. 다수의 자산을 소유하고 있는 부동산 전문회사는 이러한 특정 비용(인력개발비, 봉급, 회계비용 등) 중 일정 비율을 개별부동산의 운영비용에 할당한다.
− **임대관리수수료:** 임차인모집, 임대료회수, 경비지출 등 자산현장에서 자산을 관리 감독하는 고용인에게 지급되는 수수료. 이 관리인은 자산소유회사의 직원일 수도 있고 자산관리, 임대를 대행해주고 수수료를 받는 자산전문관리회사 직원일 수도 있다.
− **보수:** 자산현장에서 항시 대기하면서 수리 등의 일을 하는 현장직원에 대한 봉급
− **자본적 지출 및 개선비용:** 임차자의 개선비용과 자본재에 대한 수리비용
= **순 영업이익(*NOI*):** 상기 항목들을 모두 적용한 후 일 년간 발생하는 순 영업이익

예 6-5
가상 부동산의 현금흐름표

임대수익		$615,000
+: 기타 수익		20,000
잠재총소득		$635,000
−: 공실률 및 임대료 손실		$ 35,000
유효총소득		$600,000
− : 운영비용		
부동산 세금		40,000
보험	15,000	
공익비	30,000	
유지보수비	20,000	
임대관리비	20,000	
임대관리수수료*	30,000	
보수	20,000	
총 운영비용	175,000	
자본적 지출 및 개선비용*	59,000	234,000
순 영업이익		$366,000

* 순 영업이익을 결정함에 있어 정형화되지 않는 비용들의 산정이 실무상에서 문제가 된다. 임대차 수수료, 임차인 개선비용, 복구비는 부동산의 경제적 내용연수보다 짧다. 따라서 이러한 비용들은 매년 산정하여야 한다. 또한, 이러한 비용들은 직접적으로 순 영업이익에 영향을 주기 때문에 순 영업이익 산정에 앞서 비교가능 부동산들의 비용들과 비교하여 합리적인 수준에서 비용들을 결정하여야 한다. 임대차 수수료는 임대만료기간, 회전율 등을 고려하여 30,000로 책정하였고 임대료 개선비용과 자본적 지출액은 $59,000로 산정하였다. 보다 자세한 사항은 Concept Box 6.1을 참고하여라.

추가사항—적용과 한계

본질적으로 이 방법은 유사 사례로부터 부동산 자산에서 발생하는 수입과 비용에 관한 자료를 활용한다. 이 방법이 의미하는 것은 비슷한 사례를 참고했을 때, $385,300라는 가격이 무난하다는 것이다. 매수자가 이보다 지나치게 낮은 가격으로 매수하려고 하거나 매도자가 이보다 더 높은 가격에 매도하려고 기대하는 것은 무리라는 뜻이기도 하다. 그럼에도 **이 가격에 매수하는 투자가 매력적인 투자라고 단언할 수는 없다**. 다시 반복하지만, 이 방법으로 산정한 가격은 현재의 시장 상황에서 무난하게 매수할 수 있는 가격을 매수자에게 제공할 뿐이다. **이 가격에 근거한 투자가 실제로 좋은 투자인지는 미래에 형성될 임대료 수입과 자산가치에 의해 결정될 것이지만**, 수입환원법에서는 그러한 요소까지 반영하지는 못하기 때문이다. 좋은 투자인지에 관한 판단은 다음 장에서 다룬다.

자본환원율의 주의사항

직접환원법은 중요한 방법이지만, 본질적으로 유사 사례에 크게 의존할 수밖에 없다. 여기서 반드시 점검해야 할 것은 그 사례들이 비교 대상이 될 만큼 질(quality), 건축, 크기, 건축연령, 기능, 입지, 운영효율성, 임대차계약, 미래 임대료 추이, 지역권(地役權) 측면에서 종합적으로 판단할 때 정말 비슷한가이다. 물론 이런 특성이 완전히 같은 자산은 없다. 외견상 순 영업이익이 같더라도 실제로는 상당히 다른 경우가 많다. 예를 들어, 순 영업이익이 같더라도 A 자산은 4명에게 장기임대하고 있고, B 자산은 10명에게 단기임대하고 있다고 하자. 지금 현재의 순 영업이익이 같더라도 B 자산은 더 큰 위험을 내포하고 있다. 더 많은 임차인을 관리해야 하고, 계약 갱신을 할 때 예상하지 못한 법률사항이 문제가 될 수도 있

다. A 자산의 위험이 더 낮다. 그렇다면 직접자본환원율은 A가 더 작은 것이 마땅하다. 직접자본환원율이 작다는 것은 순 영업이익이 똑같다고 해도, 자산의 가치가 더 높게 평가되도록 하기 때문이다.

또 하나 주의해야 할 것은 건물의 유지 보수 비용이다. 자산을 관리하다 보면 예상치 못한 일시적인 성격의 자본지출(갑작스런 고장에 따른 수리비용 등)이 있게 마련이다. 이러한 성격의 자본지출은 미리 반영하여, 순 영업이익을 낮춰 잡아야 한다. 얼마나 낮춰야 할지는 결국 감정평가자의 판단에 달려 있다. 앞의 설명에서는 직접자본환원율을 산정할 때, 한 해의 순 영업이익을 활용했다. 그러나 한 해의 순 영업이익만을 활용하는 것은 사실은 문제가 많다. 가능하면 여러 해의 순 영업이익 추세를 검토하여 의사결정해야 한다.

현재가치할인법

수익환원법 가운데 가장 발전한 방법이다. 이 방법은 미래에 예상되는 연도별 순 영업이익을 현재가치로 환산해서 더한 값을 자산의 가치로 제시한다. 미래의 순 영업이익을 예상해서 분석해야 한다는 것이 이 방법의 가장 큰 애로사항이다. 따라서 현실에서는 많은 감정평가자가 직접수입환원법을 더 선호한다. 그렇지만, **현재가치할인법**은 많은 장점이 있고 가장 탄탄한 이론에 근거한 방법이다. 이 책에서는 주택을 사례로 설명한다. 미래의 순 영업이익을 정확하게 예측하려면 기존 임차인, 임대차계약 기간, 수요와 공급을 비롯한 시장 여건을 잘 이해해야 한다.

순 영업이익에 대한 예측

예 6-6에는 가상의 사례인 Hypothetical Hills 주택단지에서 향후 10년 동안의 순 영업이익을 예상하여 정리했다. 새로 지어진 단지이고, 공실률은 지역의 평균 공실률보다 낮고, 디자인이 독특해서 인근에 유사 사례가 마땅치 않다고 가정하자. 순 영업이익이 처음 8년 동안 매년 3~5%씩, 9년 차부터는 매년 2%씩 증가한다고 하자. 예상치 못한 고장, 파손, 사고에 따른 일시적 자본지출은 없다고 하자.

할인율의 선택

미래의 순 영업이익을 예측한 다음에는 **할인율**을 정해야 한다. 할인율에는 여러 가지가 있다. 흔히 사용하는 것은 시장이자율이지만, 시장이자율에도 종류가 많다. 벤치마크 이자율부터 장기 채권 이자율, 단기 채권 이자율, 연준의 기준금리가 그 예이다. 자산의 가치평가를 위해서는 요구수익률을 할인율로 사용하는 것이 바람직하다. 분석 기간이 10년이라고 하자. 그러면 우리의 수익률은 다음의 네 가지보다 커야 한다. 첫째, 미국 재무성이 발행하는 10년 만기 채권의 수익률이다. 미국 재무성 채권은 일종의 무위험자산이기 때문이다. 둘째, 10년 만기 모기지 채권 금리이다. 셋째, 기업들이 발행하는 채권의 가중평

예 6-6
Hypothetical Hills 아파트의 10년 순 영업이익 예측

년	순 영업이익	% Growth	년	순 영업이익	% Growth
1	$338,800	–	6	$416,127	3%
2	355,740	5	7	428,611	3
3	373,527	5	8	441,469	3
4	388,468	4	9	450,299	2
5	404,007	4	10	459,304	2

예 6-7
투자형태에 따른 위험과 수익의 관계

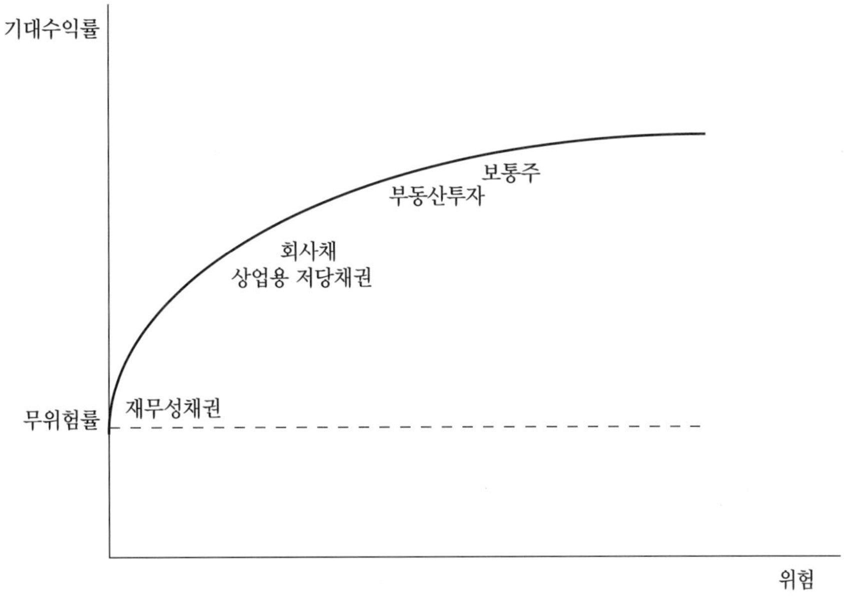

균 이자율이다. 넷째, 감정평가 대상 자산에 입주한 임차인이 은행으로부터 대출받을 때의 금리이다. 금융시장에서는 리스크가 클수록 위험 프리미엄 때문에 예상수익률은 더 높아야 하는데, 그 관계는 예 6-7처럼 나타낼 수 있다. 일반적으로 수익용 부동산의 수익률은 가능하면 예 6-7에서 나온 다양한 수익률보다는 높은 것이 바람직하다.[1] 이를 토대로 여기에서는 우리가 관심 있는 수익용 부동산의 요구수익률을 12%로 설정했다고 가정하자.

지금까지 우리는 현재가치할인법으로 자산의 가치를 추정하기 위한 4단계 가운데 3개 단계(순 영업이익의 추정, 자산의 보유기간, 할인율의 선정)를 완료했다. 마지막 단계는 10년 보유기간 이후 발생하는 순 영업이익의 현재가치를 다뤄야 한다. 흔히 **회귀가치**(reversion value, REV) 또는 **재매각가**(resale value)라고 부르는 것이다. 이를 위해서는 10년 차부터 자산이 존속하는 기간 동안 발생할 순 영업이익을 추정해야 한다. 재매각가를 추정하려면 해당 지역에서 주택단지에 대한 수요가 장기간에 걸쳐 꾸준하고 안정적이며, 구조적 변화가 없다고 가정할 수 있어야 한다. 이 조건이 충족되지 않으면 10년 차부터의 순 영업이익은 1년 단위로 추정해야만 한다.

그런데 재매각가를 구하는 기준 시점은 9년 차 연말로 설정하는 것이 바람직하다. 앞에서 9년 차부터 임대로 수입의 상승 속도가 안정화된다고 가정했기 때문이다.

재매각가를 추정하기 위해 근사값을 사용하는 방법

(A) (요구수익률을 활용해서 구한) 잔존자본환원율(terminal cap rate, R_T)과 장기현금흐름의 예상 성장률을 활용하여 재매각가를 추정하기

우리는 10년 동안만 순 영업이익을 추정했지만, 현재가치할인법으로 자산의 가치를 구하려면 10년 차

[1] 이것은 자산이 임대되었을 때, 만약 임차인이 은행 빚으로 조달하여 지은 건물을 선택한다면, 이것은 임차인이 대신 대출의무를 가지는 것이다. 그러므로 부동산투자자는 추가적인 위험을 가지기 때문에 이자보다 더 큰 이익을 얻어야 한다. 만약 부동산투자자들이 더 큰 이익을 가지지 못하면, 대출자가 되는 것이 더 낫다.

이후의 현금흐름도 반영해야 한다. 10년 차 이후의 현금흐름을 정확하게 예측하기 힘들다면 여러 가지 가정을 통해 분석해야 한다. 그 가정에 따라 분석에 활용하는 할인율이 달라진다. 여기에서는 크게 3가지 경우만을 고려해보자. 재매각가를 구하기 위해 10년 차 이후의 현금흐름에 적용하는 할인율을 **잔존자본할인율**이라고 한다.

1. 10년 차 이후에 순 영업이익이 장기간에 걸쳐서 연평균 g%씩 증가할 경우의 잔존자본할인율: (r – g)
2. 10년 차 이후에 순 영업이익에 변화가 없을 때. 즉 10년 차의 순 영업이익이 미래에 똑같이 유지될 경우의 잔존자본할인율: (r)
3. 10년 차 이후에 순 영업이익이 장기간에 걸쳐서 연평균 g%로 감소할 경우의 잔존자본할인율: (r + g)

위의 3가지 경우 가운데 첫 번째 경우라고 가정하고, 9년 차 연말의 재매각가(REV_9)는 다음과 같이 구한다. 예 6-6에서 10년 차의 순 영업이익을 $459,304라고 가정하고 할인율은 12%라고 설정했기 때문에, 실제로 계산하면 $4,593,040이 된다.

$$REV_9 = NOI_{10}/(r - g) \text{ (여기서 } NOI_{10}\text{는 10년 차의 순 영업이익)}$$
$$= \$459{,}304 / (0.12 - 0.02) = \$4{,}593{,}040$$

따라서 우리가 관심 있는 자산의 현재가치는 다음처럼 구할 수 있다. 현재의 사례에서 PVNOI는 예 6-8에서 보는 것처럼 초기 9년간 매년 발생하는 순 영업이익의 현재가치를 더한 값이다. PVREV는 9년 차 연말을 시점으로 하는 재매각가의 현재가치로서, $4,593,040를 (9년 전 과거로 거슬러 올라가서) 현재가치로 평가한 것이다.

$$PV \text{ (present value)} = PVNOI + PVREV = 2{,}073{,}475 + 1{,}656{,}296 = \$3{,}729{,}771$$

그 결과는 $3,729,771이다. 만약 투자자가 이 자산을 9년간 보유한 뒤, 9년차의 연말에 $4,593,040에 판다면 내부수익률이 12%가 된다.

예 6-8
HH아파트의 현재가치 잔존계산

년	(a) 순 영업이익	(b) P	(c) 회귀가치	(d) PV회귀가치@12%	(e) (b)+(d) Total PV
1	$338,800	$302,500			$ 302,500
2	355,740	283,594			283,594
3	373,527	265,869			265,869
4	388,468	246,878			246,878
5	404,007	229,244			229,244
6	416,127	210,823			210,823
7	428,611	193,882			193,882
8	441,469	178,302			178,302
9	450,299	162,382	$4,593040*	$1,656,296	1,818,676**
Note: 순 영업이익의 현재가치합 $2,073,475 + 회귀가치의 현재가치합 $1,656,296					$3,729,771

* (450,299 × 1.02) ÷ 0.1 = 4,593,040
** 9년차 순 영업이익($450,299)과 회귀가치($4,593,040)를 12%로 할인하면 $1,818,676를 얻을 수 있다.

(B) 기존에 어느 정도 노후화된 자산의 거래에서 잔존자본환원율을 구하여 재매각가를 추정

이 방법은 시간이 지날수록 자산이 노후화되고 감가상각되면서, 자산으로부터 얻을 수 있는 수입이 감소한다는 점에 주목한다. 다른 조건이 같다면, 10년 이상 노후화된 자산은 설령 연간 NOI가 같더라도 새로 지은 부동산 자산보다 싸게 평가받을 수밖에 없는 것은 그 때문이다. 실제로 노후 자산의 자본환원율을 조사해서 신규 부동산과 비교하면 이와 같은 기제가 작동한다는 것을 쉽게 알 수 있다.

예 6-6으로 다시 돌아가보자. Hypothetical Hills의 독특한 매력 때문에 준공된 후 처음의 8년 동안에는 인근의 다른 부동산보다 *NOI*가 더 빠르게 증가하지만, 그 이후에는 연평균 2% 정도만 증가한다고 가정했었다. 인근 부동산의 장기 평균 *NOI* 증가율보다 더 높은 상승률을 지속적으로 유지하는 것은 가능하지 않다는 전제를 깔고 있는 것이다. 시간이 지날수록 새로운 부동산이 들어서면서 Hypothetical Hills의 매력이 감소하고 현금창출능력도 약해진다. 현금창출능력이 약해지면 *NOI*를 할인할 때 더 큰 자본환원율을 적용해야 한다. 현금창출능력이 떨어지는 만큼 가치를 더 할인해야 한다. 그만큼 가치를 깎아야 한다는 뜻이다. 얼마나 더 큰 할인율을 적용해야 할지에 대한 단서는 인근의 비교 사례를 통해서 확인할 수 있다. 다음의 예에서는 건축된 지 10년 된 자산의 세 가지 사례를 볼 수 있는데, 자본환원율은 각각 10%, 10.4%, 10.5%이다. 이를 토대로 10년 된 자산의 잔존자본환원율로는 10.25%를 적용한다고 하면, 재매각가는 $4,481,014가 나온다.

$$REV = NOI_{10}/\text{잔존자본환원율} = \$459{,}304\ /\ 0.1025 = \$4{,}481{,}014$$

이를 토대로 하는 자산가치는 두 개의 항목을 더해야 한다. 첫째는 처음 9년 동안 매년 발생하는 순 영업이익을 현재가치로 환산하여 더한 값이다. 이것이 PVNOI이다. 여기서는 예 6-8에서처럼 $2,074,475이다. 두 번째 항목은 재매각가를 현재가치로 환산한 것이다. 위에서 검토한 것처럼 인근 노후 자산의 비교 가능 거래 사례를 통해서 구한 자본환원율을 적용할 때 재매각가는 $4,481,014이다. 그런데 이 값은 9년 차 연말의 시점에서 계산한 것이기 때문에 이를 현재가치로 환산하면 $1,615,899를 얻는다. 재매각가의 현재가치를 구할 때는 자본환원율을 12%로 적용하는 과정은 앞에서 설명했다. 그 결과 Hypothetical Hills의 현재가치는 총 $3,689,374로 구했다.

$$\begin{aligned} PV_0 &= PVNOI + PVREV_n \\ &= \$2{,}074{,}475 + \$4{,}481{,}014 \\ &= \$2{,}073{,}475 + \$1{,}615{,}899 \\ &= \$3{,}689{,}374 \end{aligned}$$

이러한 작업은 한 가지 가정을 전제로 한다. 즉, Hypothetical Hills가 준공된 지 9년이 지난 뒤에 미래 시장에서 형성되는 자본환원율(A)과 Hypothetical Hills와 비슷하지만 다만 좀 더 노후한 인근 자산에 적용되는 현재의 자본환원율(B)이 같다는 것이다. 그런데 현실에서 A와 B가 반드시 같아야 하는 것은 아니다. 그럼에도, 여기서 우리가 유념해야 하는 것은 (물론 다른 조건이 같다면) 시간이 지날수록 순 영업이익의 증가율은 둔화된다는 것이다. 달리 표현하면 자산의 노후화될수록 자본환원율이 자산의 **첫해 자본환원율**(going-in cap rate)보다 **커진**다는 것을 의미한다. 자산의 첫해 자본환원율은 자산의 첫해 순 영업이익을 자산의 가격으로 나눈 값이다. 위의 예에서 첫해 자본환원율은 예 6-8에서 보듯이 첫해의 순 영업이익인 $338,000을 우리가 추산한 자산 가격인 $3,689,374로 나눠서 구한 9.18%이다. 10년 뒤의 잔존자본환원율(terminal cap rate)인 10.25%는 분명 9.18%보다 크다. 물론 이러한 논의는 다른 수많은 경제 변수를 고려하지 않고, 자본환원율과 자산의 노후화의 관계만을 볼 때에 적용될 수 있는 것이

다. 따라서 다양한 거시경제변수와 해당 부동산이 위치한 지역 경제 상황에 따라서 부동산 준공 이후 자본환원율의 실제 추이를 하나의 경향만으로 단정지을 수는 없다. 결국 감정평가자가 할 수 있는 한 최대한 많은 사항을 차분하게 점검하고 반영하는 수밖에 없다.

(C) 자산가치의 변화를 예상하여 재매각 가격을 추정

잔존자본환원율을 이용해서 자산의 재매각가를 추정하는 대안은 자산 가격 또는 순 영업이익이 매년 일정한 속도로 변화(g%)한다고 가정하고 작업하는 것이다. 예를 들어, 자산의 장기 가치와 순 영업이익(net operating income)이 매년 2% 증가한다고 가정한다면 어떻게 자산가치를 구할 수 있는지 논의해보자. 예 6-6과 6-8로부터, 우리가 원하는 최소요구수익률이 12%라고 설정한 가정으로부터, 우리의 예제 자산으로부터 9년간 거두는 순 영업이익의 현재가치는 \$2,073,475로 예상할 수 있다. 이를 활용하면 이 값에 *PVREV*을 더해서 이 자산의 가치를 다음처럼 나타낼 수 있다.

$$
\begin{aligned}
PV_0 &= PVNOI + PVREV_n \\
&= \$2{,}073{,}475 + \mathrm{REV_n} \\
&= \$2{,}073{,}475 + \mathrm{REV_n}
\end{aligned}
$$

PV_0와 $PVREV_n$는 미지수이기 때문에 동시에 구해야 한다. $PVREV_n$은 REV_n의 현재가치이다. 우리는준공된 지 9년 말 시점에서 이 자산을 매각할 계획이기 때문에, 그에 맞게 작업하려면 지금까지 한 것처럼 REV_9을 구한 뒤에 그 값을 9년 전 과거인 현재 시점의 가치로 환산해야 한다. 앞에서부터 우리는 최소요구수익률로서의 할인율을 12%로 설정했기 때문에, REV_9의 현재가치를 곱하면 구할 수 있다. 만약 자산의 가치가 미래에 매년 2%씩 증가한다고 가정하면 REV_9은 다음처럼 구할 수 있다.

$$REV_n = PV_0(1 + \mathrm{g})^n = PV_0(1 + .02)^9 = PV_0(1.195093)$$

이 식을 위의 PV_0식에 대입하자. 그러면 아래와 같은 결과를 얻는다.

$$
\begin{aligned}
PV_0 &= PVNOI + PVREV_n \\
&= \$2{,}073{,}475 + PVREV_n \\
&= \$2{,}073{,}475 + REV_9 \\
&= \$2{,}073{,}475 + PV_0(1.195093) \\
&= \$2{,}073{,}475 + PV_0(1.195093)(.360610) \\
&= \$2{,}073{,}475 + PV_0(.430962)
\end{aligned}
$$

우변의 PV_0를 좌변으로 이항해서 정리하면,

$$0.569038\ PV_0 = \$2{,}073{,}475$$

이 식을 PV_0에 관해 정리하면 다음 결과를 얻는다.

$$PV_0 = \$3{,}643{,}825$$

이 식에서는 우리는 PV_0도 알지 못한다. 하지만 앞에서 작업할 때, 이 자산의 현재가치를 구하는 과정에서 우리는 최소요구수익률로서의 할인율을 12%로 설정했다.

재매각가와 현재가치 추정 방법의 비교

우리는 지금까지 Hypothetical Hills의 재매각가를 구하기 위한 세 가지 방법을 제시했는데, 이 세 가지를 요약하면 다음과 같다.

재매각가 추정방법	9년 차 연말의 재매각가 추정치	자산의 현재가치	예상되는 첫해 자본환원율 (첫해의 순 영업이익을 자산 가격으로 나눈 값)
A. 최소요구수익률(r)과 자산가치 또는 순 영업이익의 장기 성장률(g)에 근거한 잔존할인율을 활용	$4,593,040	$3,729,771	.098
B. "비교 가능한" 노후 유사 자산의 거래 사례에서 자본환원율을 구하고, 이를 통해 얻은 잔존할인율을 활용	4,481,014	3,689,374	.099
C. 자산가치의 장기적 변화율을 가정하여 추정	4,354,708	3,643,826	.100

위의 세 가지 방법은 가정과 전제가 다르다. 그러나 대부분의 경우 이 세 가지 방법으로 구한 자산의 현재가치는 수렴한다. 위 세 가지 방법의 결과값이 크게 다르다면, 추정 과정에서 어딘가 오류가 있을 수 있다는 것을 의미할 수 있기 때문에 감정평가자는 세 가지 방법의 추정 과정 및 각 방법의 가정과 전제를 점검해보는 것이 좋다.

위의 예에서 마지막 열에는 첫해 자본환원율(going-in capitalization rate)이 있다. 세 경우의 예상되는 첫해 자본환원율은 각각 0.098, 0.099, 0.1로 나와 있다. 예상되는 첫해 자본환원율은 엄밀하게 보면 현재의 현금흐름에 기초한 것이 아니라, 미래의 현금흐름에 기초한 것이라는 점을 유념해야 한다. 미래의 현금흐름이라는 불확실한 것에 기초하여 자산가치를 평가하기 때문에 가능하면 우리가 할 수 있는 다양한 방법을 활용하고 그 결과를 서로 비교하는 것이 바람직하다. 실제 비교 가능한 거래 사례를 풍부하게 확보할 수 있다면 우리가 추정하는 자산가치의 범위를 더 분명하게 제시할 수 있을 것이다. 예 6-4에는 실제 거래 사례의 예시가 정리되어 있는데, 이러한 사례는 우리가 건전한 판단을 하는 데 큰 도움이 된다. 요컨대, 미래 현금흐름에 기초하는 방법과 현재의 사례 및 현재의 거래로부터 추정할 수 있는 자산의 가치를 풍부하게 비교함으로써, 일반적이고 장기적인 시장 상황을 파악하고, 그로부터 자산 가격의 합리적인 범위를 설정하기 위해 노력해야 한다.

토지가치: 최유효이용분석

여기에서 우리가 던지는 핵심 질문은 "도대체 무엇이 토지가치를 결정하는가", 그리고 무엇이 토지가격의 상승과 하락을 초래하는가이다. 예를 들어, 연간 순 영업이익이 $500,000이고, 순 영업이익은 평균적으로 매년 3%씩 증가할 것으로 예상되는 사무실과 그 사무실이 들어선 토지필지가 있다고 하자. 이 사무실은 75년간 유지되고, 투자자는 13%의 내부수익률을 기대한다. 그러면 이 자산의 가치는 $500,000을 0.1 (0.13 − 0.03)로 나눈 $5,000,000로 예상할 수 있다. 그런데 이 사무실의 건축비용이 $4,000,000 들어간다고 파악되었다고 하자. 그렇다면 토지 가격은 $5,000,000에서 $4,000,000을 뺀 $1,000,000이 된다. 즉, 토지가격이라는 것은 토지를 활용해서 무언가 경제활동을 할 때, 그 경제활동에서 미래에 발생하는 순 영업이익들이 현재가치를 모두 더한 값에서 그 경제활동을 위해 투입된 비용을 뺀 값이다. 예시에서 경제활동이란 사무실을 건축해서 운용하는 것이다. 그 경제활동을 위해 투입된 비용은 건축비이다.

토지가격의 변동성

토지가격은 끊임없이 변화한다. 이러한 변동성을 초래하는 원인은 무엇일까? 토지가격이 급등했다가 가라앉고, 그러다가 다시 상승하는 경우는 많다. 토지가격 상승은 토지투기가 만들어낸 현상이라고 얘기하는 사람들이 있지만, 실제로는 국가/지역/도시의 경제 변화가 초래한 것이다. 위에서 가정한 예시에서 예기치 못한 경제 변화 때문에 사무실의 순 영업이익이 연간 $500,000에서 $550,000으로 상승한다면 이 자산의 가치는 $5,500,000가 된다. 그런데 이미 지어진 건물이기 때문에 추가 건축비는 없다고 하자. 따라서 이로 인해 토지가격은 기존의 $1,000,000에서 $1,500,000 상승한다. 독자들은 무엇에 주목해야 하는가? 건물에서 나오는 순 영업이익은 $500,000에서 $550,000으로 10% 증가했고, 자산가치도 $5,000,000에서 $5,500,000으로 10% 증가했다. 그런데 토지가치는 $1,000,000에서 $1,500,000으로 50% 상승했다. 이것이 토지가격 상승에서 가장 중요하고 매력있는 기제이다. 토지가격이 전체 부동산 자산 가격의 변동성보다 더 큰 폭으로 출렁거리는 이유이기도 하다.

"최유효이용"분석—빈 땅의 경우

토지개발과 관련하여 토지가치 산정 방법을 더 논의해보자. 빈 땅을 개발하려고 할 때 가장 큰 고민은 개발한 뒤에 창고로 쓰려는지, 아니면 아파트로 쓰려는지 또는 소매점포로 쓰려는지를 정하는 것이다. 어느 것이 최유효이용일까? 토지의 **최유효이용**이란 토지가치를 최대로 만드는 이용이다. 예 6-9에서는 아파트로 활용하는 것이 최유효이용이다. 아파트로 활용할 경우 전체 자산의 가치는 $4,500,000이고 토지의 예상 가치는 $1,500,000이다. 소매점포로 활용하면 전체 자산의 가치는 $7,500,000에 이르지만, 토지의 예상가치는 $750,000에 불과하다. 건축비가 더 많이 들어가기 때문이다. 따라서 개발가가 이 토지의 개발을 위해 제시할 수 있는 최대 토지매입 가격은 $750,000밖에 되지 않는다. 시장경제에서 토지의 용도는 이러한 과정을 거쳐서 주어진 토지여건(입지, 토지이용규제, 개발 시점에서의 수요와 공급 등)에서 토지가치가 극대화되는 최유효이용 용도로 정해진다. 최유효이용의 토지용도를 찾기 위한 다양한 대안을 개발가가 발전시키더라도, 그리고 각 대안별로 우리가 예상하는 토지가치가 숫자로 제시되더라도, 빈 땅을 사기 위해서 개발가가 실제로 얼마의 비용을 지불해야 하는지는 많은 고민이 필요하다. 우리가 제시하는 위의 방법들을 활용하되, 미래에 대한 예측과 많은 가정을 전제로 하기 때문에 확고 불변한 매입 기준가가 될 수는 없다는 점도 기억하자. 따라서 개발가 입장에서는 가능하면 인근의 실제 빈 땅 거래 사례를 풍부하게 검토하는 것이 바람직하다.

예 6-9
최유효이용분석

용도	(a) 1년 차 순 영업이익	(b) (r − g)	(c) R	(a/c = d) 추정가 (현가)	(e) 건물원가	(d) − (e) 추정 토지가(잔여)
사무실	$500,000	0.13 − 0.03	0.10	$5,000,000	$4,000,000	$1,000,000
상가	600,000	0.13 − 0.05	0.08	7,500,000	6,750,000	750,000
아파트	405,000	0.12 − 0.03	0.09	4,500,000	3,000,000	1,500,000
창고	400,000	0.10 − 0.02	0.08	5,000,000	4,000,000	1,000,000

"최유효이용"분석—빈 땅이 아니라, 이미 개발된 땅일 경우

앞에서는 빈 땅을 개발하고자 할 때의 최유효이용분석과 적정 토지가치를 추정했다. 그런데 빈 땅이 아니라 뭔가 개발된 것이 이미 있고, 그 자산을 손봐서 가치를 높인 다음에 매각하는 작업을 하려고 할 때의 최유효이용분석과 적정 토지가치 산정은 어떻게 할까? 해당 토지에 들어선 창고에서 매년 $192,000의 순 영업이익이 발생한다고 하자. 노후 창고라서 순 영업이익이 연평균 1% 증가할 것으로 예상되기 때문에, 최소요구수익률을 조금 높여서 13%를 적용하면 자본환원율은 12%가 된다(0.13 – 0.01). $192,000를 0.12로 나눈 $1,600,000가 예상 가치이다. 이럴 경우, 이 창고를 헐어버려야 할까? 그렇지 않다. 왜 그럴까? 개발가가 이 자산을 사들인 다음에 그대로 창고를 유지하면 $1,600,000의 가치를 손에 쥐는 것과 같다. 이 자산을 헐어버리면 개발가에게는 토지만 남는다. 그 토지를 아파트로 개발한다면, 개발가가 얻을 수 있는 최대 가치가 $1,500,000라면 허름한 창고를 그대로 유지하는 것이 더 이익이다.

이 창고에서 매년 발생하는 순 영업이익이 $168,000라면 어떨까? 창고를 허는 것이 경제적으로 이득이다. $168,000를 자본환원율 12% (0.13 – 0.01)로 나누면 $1,400,000가 되는데, 이 값은 오래된 창고를 헐고 새로 아파트를 지을 때 해당 토지에 대해서 기대할 수 있는 가치인 $1,500,000보다 작기 때문이다. 여기서 하나 고려할 것은 기존의 창고를 헐어버릴 때의 비용이다. 그 비용이 $100,000보다 적다면 헌 창고를 헐어버리고 아파트를 짓는 것이 더 이익이다.

주택담보대출-자기자본 *Equity* 자본화 *Capitalization*

지금까지 다양한 분석을 하면서 투자자가 빚을 얼마나 내는가는 반영하지 않았다. 빚을 내지 않았기 때문에 금융이 간단명료했다. 현실에서는 나의 자금만으로 투자하는 경우는 많지 않다. 빚을 내서 투자하면 자기자본에 대해서 요구되는 최소수익률과 빚을 낼 때의 위험을 반영하여 할인율을 정해야 한다. 그 방법이 **주택담보대출-자기자본 자본화** 방식이다. 이 방법에 따르면 자산의 가치는 빚의 이자와 원금을 매년 상환하는 부담액의 현재가치 총합과 투자자가 집어넣은 자기자본의 현재가치를 더한 것이다.

PV (property value) = M(매년 지불하는 원리금 상환액의 현재가치 총합)
+ E(투자가 자기자본의 현재가치)

우리가 관심 있는 자산의 순 영업이익이 매년 3% 증가한다고 하자. 투자자는 자산을 5년간 보유한다. 6년 차 순 영업이익에 적용하는 잔존자본환원율은 11%, 투자자의 최소요구수익률은 12%이다. 5년이 지난 뒤에는 자산가치의 순 증가율이 장기에 걸쳐 연평균 1%가 될 것을 요구한다는 뜻이다. 물론 처음 5년 동안 순 영업이익이 매년 3% 증가한다는 것보다는 느리게 증가하는 것이다.

빚의 규모를 구체적으로 설정하고 논의를 심화시키자. *DCR* (debt-coverage ratio)은 1.2라고 하자. 첫해의 순 영업이익을 매년 지불하는 원리금상환액 규모로 나눈 값이다. DCR이 1.2라는 것은 순 영업이익이 연간 원리금 상환액의 1.2배라는 뜻이다. 첫해 순 영업이익이 $50,000라면 매년 원리금 상환액은 $41,667가 되어야 한다(즉, $50,000/1.2 = $41,667). 매달 부담해야 하는 이자비는 연간 원리금 상환액을 12로 나눈 값인 $3,472.22이다. 연간 원리금상환액을 할인율 11%를 이용해서 현재가치로 모두 환산한 다음에 더하면 주택담보대출총액이 된다. 여기서는 원리금을 20년 동안 균등분할 상환한다고 하자. 투자자가 자산을 보유하는 5년간 현금흐름을 정리하면 아래의 표와 같다.

	운영기간					
	1	2	3	4	5	6
순 영업이익	$50,000	$51,500	$53,045	$54,636	$ 56,275	$57,964
부채상환액(DS)	41,667	41,667	41,667	41,667	41,667	N/A *
현금흐름	$ 8,333	$ 9,833	$11,378	$12,969	$ 14,608	
재매각						
5년 후 재매각가격					$526,945	
대출상환					305,495	
현금흐름					$221,450	
총 현금흐름	$ 8,333	$ 9,833	$11,378	$12,969	$236,058	

*5년 말 기간 동안의 재매각가격을 추정함

여기서 현금흐름들을 모두 12%의 할인율로 할인해서 더하면 $165,566이 된다. 20년 동안의 원리금균등분할상환액을 11%로 할인하여 현재가치로 환산해서 더하면 $336,394가 된다. 이 두 개의 값을 더해서 구한 $501,960이 자산의 가치가 된다. 이 경우 첫해환원율은 대략 10%가 된다 (즉, $50,000/$501960). 첫해환원율이 11%보다 작다는 것에 주목해야 한다. 이 사례에서 첫해에 자기자본 이익 배당률을 계산해보자. 자기자본의 형성이 $165,566인데, 매년 투자가에게 배당되는 이익은 $8,333이므로 자기자본이익배당률은 대략 5% ($8,333 × 100/165,566)이다. LTV (loan-to-value, 자산가격 대비 부채 총액의 비율)은 약 67%이다($336,394 × 100/$501,960). 이 예시에서 중요한 것은 투자자 자기자본을 구할 때 적용한 할인율이다. 흔히 투자자요구수익률(investment yield rate) *k*라고 부른다. 순 영업이익을 현재가치로 만들 때 적용하는 할인율(*r*)과 달리, *k*는 투자자의 자기자본에 의해서 발생하는 현금흐름을 할인하는 데에만 적용된다. 빚을 내서 투자할 때, 자기자본의 현재가치는 반드시 *k*를 이용해야 한다. 빚을 내서 투자할 경우에는 자기자본이 짊어져야 하는 리스크가 더 증가한다는 것을 반영한 것이 *k*이기 때문에, *k*는 *r*보다 커야 한다. 즉, 더 높은 수익률을 요구한다는 것이다. 투자자가 빚을 내면 부동산 자산에 담보가 설정되고, 만에 하나 투자자가 원리금을 갚지 못할 때에는 담보를 팔아서 대출금융기관에게 선순위로 배정하고 투자자에게는 후순위로 배정되기 때문에, 더더욱 큰 위험을 짊어져야 한다. 이 또한 *k*가 *r*보다 커야 하는 추가적인 이유이다.

유사 거래사례비교법과 수익환원법의 장점

거래사례비교는 실제 시장 거래 자료에 근거하기 건전한 판단에 도움이 된다. 거래 사례에는 투자자들이 실제로 현재의 시장 상황에서 부동산 자산에 얼마나 낙관적 또는 비관적인지를 알 수 있을 뿐 아니라, 그들의 최소요구수익률이 고스란히 드러난다. 따라서 비슷한 사례가 있다면 반드시 그 자료를 먼저 검토해야 한다. 그러나 세상에 같은 부동산은 하나도 없다. 부동산 가격을 좌우하는 변수는 수없이 많고, 우리가 관심 있는 특정 부동산에 영향을 미치는 변수를 매번 정확하게 파악하는 것은 힘들다. 수익할인율법은 이 점에서 뛰어나다. 부동산을 비교할 수 있는 가장 간단한 비교 잣대는 부동산이 창출하는 수익이기 때문이다. 따라서 부동산 자산의 평가에서는 유사 사례 비교법과 수익할인율법을 같이 활용하는 것이 좋다.

끊임없이 변화하는 시장 상황, 자본할인율, 자산 가격 사이의 관계에 관하여

지금까지 우리는 몇 가지 단순화된 예시를 통해 자산가치를 평가하는 연습을 했다. 투자자는 언제나 시장 상황, 자본할인율, 자산 가격의 변화를 눈여겨봐야 한다.

시나리오 1. 수요와 공급에 반응하여 첫해환원율이 변화할 때, 그 변화에 따른 영향들

초과수요나 초과공급이 있을 때, 첫해환원율은 어떤 영향을 받을까? 여기에서는 기본 상황을 설정해 놓고, 다양한 상황을 가정해서 고찰하자(예 6-10). 기본 상황에서는 시장의 수요과 공급이 **균형**을 이루고 있고, 임대료와 순 영업이익은 장기에 걸쳐 매년 3% 상승하며, 투자자의 최소요구수익률은 12%라고 하자. 첫해의 순 영업이익이 $100,000이고 매년 3%씩 증가한다고 하면, 5년 차 연말에 재매각가는 $1,288,082가 된다. 6년 차 순 영업이익인 $115,927을 0.09 (= 0.12 – 0.03)로 나눈 값이다. 분석 기간이 짧아 경기침체에 의한 영향은 고려하지 않는다. 판넬 B에서 **현재가치**는 $1,111,111이고 첫해환원율은 9%이다.

여기서 예상하지 못한 초과수요나 초과공급이 자본환원율에 어떤 영향을 미치는지를 검토하자. 사례 A는 초과공급 때문에 3년간 임대료가 상승하지 않고, 순 영업이익이 $100,000으로 고정되는 상황이다. 4년 차부터는 임대료수입과 순 영업이익이 장기간 매년 3%씩 상승한다고 하자. 자산가치는 $1,054,776로 작아지고, 자본환원율은 0.095로 커진다. 초과공급이 발생하면 일반적으로 자본환원율이 커진다. 사례 B는 초과수요가 4년간 지속되다가 임대료와 순 영업이익이 매년 3%씩 상승하는 궤도로 회복하는 상

예 6-10
시나리오 1: 수급, 투자자 수익률 및 투자시점 자본환원율 간의 단기 관계

A표 : 시장 시나리오		연도 (1)	(2)	(3)	(4)	(5)	(6)
기본 시나리오:	순 영업이익	$100,000	$103,000	$106,090	$109,273	$ 112,551	$115,927
시장균형 g = 3%	회귀가치					1,288,082	
A 시나리오:	순 영업이익	100,000	100,000	100,000	103,000	106,090	109,273
공급 초과	회귀가치					1,214,141	
B 시나리오:	순 영업이익	100,000	110,250	110,250	115,762	119,235	122,812
수요 초과	회귀가치					1,365,578	

B표			요약
기본 시나리오	순 영업이익	$ 100,000	*시장 수요와 균형 상태*, 순 영업이익 장기성장률 3%, 투자가 목표수익률 r = 12%
	현가 12%	$1,111,111	
	자본환원율(R)	0.09	
A 시나리오	순 영업이익	$ 100,000	3년 동안 *공급 초과*, 임대료 고정. 이후 4년부터 3% 성장. 기본 시나리오 대비 부동산 가격 *하락*, 자본환원율 *상승*
	현가 12%	$1,054,776	
	자본환원율(R)	0.095	
B 시나리오	순 영업이익	$ 100,000	*수요초과*로 4년간 순 영업이익 5% 상승. 이후 5년부터 임대료는 3% 장기 성장률로 복귀. 기본 시나리오 대비 부동산 가격 상승 및 자본환원율 하락
	현가 12%	$1,166,989	
	자본환원율(R)	0.086	

예 6-11
시나리오 2: 이자율 변동, 투자자 수익률 및 투자시점 자본환원율 간의 관계

A표 : 시장 시나리오		연도					
		(1)	(2)	(3)	(4)	(5)	(6)
기본 시나리오:	순 영업이익	$100,000	$103,000	$106,090	$109,273	$ 112,551	$115,927
	회귀가치					1,228,082	
C 시나리오:	순 영업이익	100,000	103,000	106,090	109,273	112,551	115,927
금리 상승, *r* = 13%	회귀가치					1,159,274	
D 시나리오:	순 영업이익	100,000	103,000	106,090	109,273	112,551	115,927
금리 하락, *r* = 11%	회귀가치					1,449,093	

B표			요약
기본 시나리오	순 영업이익	$ 100,000	시장 수요와 균형 상태. 순 영업이익 장기성장률 3%, 투자가 목표수익률 r = 12%
	현가 12%	$1,111,111	
	자본환원율(*R*)	0.09	
C 시나리오	순 영업이익	$ 100,000	기본 시나리오 대비 부동산 가격 *하락*: 높은 할인율에 기인. 자본환원율 상승
	현가 13%	$1,000,000	
	자본환원율(*R*)	0.10	
D 시나리오	순 영업이익	$ 100,000	기본 시나리오 대비 부동산 가격 상승: 낮은 할인율에 기인. 자본환원율 *하락*
	현가 11%	$1,250,000	
	자본환원율(*R*)	0.08	

황이다. 자산가치는 $1,166,989로 커지고, 자본환원율은 0.086으로 작아진다. 초과수요가 발생하면 일반적으로 자본환원율이 작아진다.

시나리오 2. 자본시장의 변화가 첫해 자본환원율에 미치는 영향

금융시장에서의 변화(즉, 이자율의 변화)가 초래하는 영향을 살펴보자. 예 6-11의 사례 C는 순 영업이익을 비롯한 다른 조건에는 변화가 없고 장기금리만 예기치 못하게 상승해서 요구수익률이 12%에서 13%로 상승하면, 자산가치는 $1,111,111에서 $1,000,000으로 하락하고 자본환원율은 0.09에서 0.1로 상승한다.[2]

사례 D에서처럼 이자율이 하락하면서 요구수익률이 12%에서 11%로 하락하면 자산가치는 $1,250,000으로 상승하고, 자본환원율은 0.09에서 0.08로 하락한다. 다른 조건에 변화가 없는 상황에서 이자율이 상승하면 자산가치는 하락하고, 자본환원율(또는 최소요구수익률)은 상승한다. 이자율이 하락하면 자산가치는 상승하고, 자본환원율(또는 최소요구수익률)은 하락한다.

시나리오 3. 수요공급과 금리가 같이 변화할 때의 효과

사례 E에서 보듯이 초과공급과 금리상승이 동시에 발생하면 자산가치의 하락과 자본환원율(또는 최소요구수익률)의 상승이 다양한 시나리오 가운데 가장 강력하다. 순 영업이익이 정체되고, 정체된 현금흐

[2] 물론 현실에서는, 현재가치에 대한 정확한 영향이 우리가 설명(묘사)한 것과 다를 수 있다. 독자는 이 연습을 정확한 달러 규모가 아닌 방향적인 측면(관점)에서 봐야 한다.

름을 더 큰 할인율로 할인하기 때문이다. 사례 F는 수요가 증가하고 이자율이 상승하는 경우에는 자본환원율은 더 커지고 자산가치가 조금만 하락한다. 초과수요 때문에 순 영업이익이 더 증가하지만, 이자율 상승이 순 영업이익을 더 큰 자본환원율로 할인하면서 나타나는 결과이다. 사례 G에서 이자율이 하락하고 초과공급이 발생하면, 이자율 하락에 따른 긍정적 효과가 초과공급에 따른 부정적 효과에 의해 상쇄된다. 사례 H에서처럼 이자율이 하락하고 초과수요가 발생하면 순 영업이익의 현금흐름이 증가하는데다, 이를 더 작은 자본환원율로 할인하기 때문에 자산가치가 크게 상승한다.

예 6-12

시나리오 3: 수요/공급, 이자율, 투자자 수익률 및 투자시점 자본환원율 간의 관계

A표: 시장 시나리오

		연도					
		1	2	3	4	5	6
기본 시나리오	순 영업이익	$100,000	$103,000	$106,090	$109,273	$ 112,551	$115,927
	회귀가치					1,288,082	
E 시나리오: 초과공급, 13% 이자율	순 영업이익	100,000	100,000	100,000	103,000	106,090	109,273
	회귀가치					1,092,727	
F 시나리오: 초과수요, 13% 이자율	순 영업이익	100,000	105,000	110,250	115,762	119,235	122,812
	회귀가치					1,228,120	
G 시나리오: 초과공급, 11% 이자율	순 영업이익	100,000	100,000	100,000	103,000	106,090	109,273
	회귀가치					1,365,909	
H 시나리오: 초과수요, 11% 이자율	순 영업이익	100,000	105,000	110,250	115,762	119,235	122,812
	회귀가치					1,535,150	

B표:

			요약
기본 시나리오	순 영업이익	$ 100,000	시장 공급과 수요는 균형을 이루고 있음.
	현가 12%	$1,111,111	NOI 장기성장률은 3%이고 투자자 기대수익률은 12%.
	자본환원율(*R*)	0.09	
E 시나리오	순 영업이익	$ 100,000	초과공급 및 금리상승으로 부동산 *하락*: 높은 할인율에 기인. 자본환원율
	현가 13%	$ 949,957	(R)기본 시나리오 대비 *상승*
	자본환원율(*R*)	0.105	
F 시나리오	순 영업이익	$ 100,000	초과수요가 존재하지만 금리상승과 복합되어 부동산 가격은 상승하지만
	현가 13%	$1,049,424	기본 시나리오보다 상승폭이 작음
	자본환원율(*R*)	0.095	
G 시나리오	순 영업이익	$ 100,000	금리하락으로 부동산 가격이 *지지*되나 이는 공급초과에 의해 상쇄됨. 그
	현가 11%	$ 1,185780	결과 기본 시나리오 대비 *약간 높은* 부동산 가격과 *약간 낮은* 자본환원율
	자본환원율(*R*)	0.084	
H 시나리오	순 영업이익	$ 100,000	금리하락과 초과 수요가 복합작용하여 부동산 가격을 가장 *지지*하고 매
	현가 11%	$1,313,977	우 *낮은* 자본환원율 달성
	자본환원율(*R*)	0.076	

자본환원율과 시장 상황에 대한 마무리

일반적으로 자본환원율은 다음의 경우에 하락한다.

- 공급 대비 예기치 못한 초과 수요의 발생
- 이자율의 예기치못한 하락
- 위의 두 가지가 모두 발생하는 경우

일반적으로 자본환원율은 다음의 경우에 상승한다.

- 수요 대비 예기치 않은 초과 공급이 발생
- 이자율의 예기치 못한 상승
- 위의 두 가지가 모두 발생하는 경우

주의사항—시장 상황과 이자율이 자산가치에 미치는 동시적 영향들

위의 상황은 수요와 공급, 이자율에 발생하는 예기치 못한 변화에 대한 엄격한 가정 아래 설정된 것이다. 현실에서는 쉽지 않은 가정이다. 초과 수요, 초과 공급, 이자율 하락, 이자율 상승은 서로 간에 밀접하게 상호작용을 하기 때문이다. 예컨대 이자율 하락 자체가 수요와 공급에 큰 변화를 가져오는 경우가 많고, 그렇게 형성된 새로운 시장 조건이 이자율 하락 시에는 오랫동안 지속될 가능성이 있다. 따라서 투자자는 다음 사항을 고려해야 한다.

1. 현재의 수요와 공급 상황 및 그러한 시장 상황이 앞으로 지속될 것으로 예상되는 기간
2. 현재의 상황이 임대료와 순 영업이익에 미칠 영향
3. 이자율의 미래 경로 및 그 경로에 영향을 미칠 글로벌 경제성장과 인플레이션
4. 임대차계약 및 위의 세 가지 조건이 임대료, 해당 자산의 유지 관리 비용, 임차인의 채무불이행 가능성에 미칠 영향

임대차계약이 이미 진행된 자산의 가치평가

지금까지 이 책에서 검토한 내용은 **완벽한 소유권**(fee simple estate) 아래 평가 시점의 시세대로 임대할 수 있다는 전제를 필요로 한다. 만약 부동산 자산 가운데 일부라도 임대를 준 것이라면, 해당 자산의 소유자가 행사할 수 있는 소유권은 완벽한 소유권은 아닌 것이다. 임차인에게도 해당 부동산의 소유 및 이용에 대한 일정 수준의 권한이 인정되기 때문에, 투자자가 매입할 때 임차인이 전혀 없는 수익용 부동산은 많지 않다. 이런 상황에서 매입한 부동산이 **일부임대부동산**(leased fee estates)이다. 기존 임대차계약이 부동산 자산에 미치는 영향을 잘 이해하지 못하면 심각한 오류를 범할 수 있다.

예를 들어 부동산 자산 A가 이미 체결한 임대차계약에서 앞으로 5년간 매년 $400,000의 순 영업이익이 들어오는데, 기존 계약은 5년 뒤에 종료되고 그 뒤로는 시장 여건에 맞게 매년 계약 갱신하는 것이 가능하다고 하자. 자산 B는 자산 A와 거의 비슷한 성격의 부동산이지만, 기존에 남아 있는 임대차계약

이 없어서, 투자자가 매입하는 즉시 새로운 임차인을 구해서 현재의 시장 상황에 맞게 계약하여 매년 갱신하는 것이 가능하며, 순 영업이익이 첫해에 $500,000로 시작해서 매년 3%씩 상승한다고 하자. 이때 자산 A와 B의 현금흐름은 다음과 같다고 하자. 자산 A의 기존 임대차계약이 5년 뒤에 끝나고 임대차계약을 새로 체결하면, 그 후로는 자산 A와 자산 B의 현금흐름은 같다. 요구수익률도 13%로 같다. 자연히 재매각가는 같다.

부동산의 현재가치	5년간의 현금흐름표(단위: 달러)					
	1	2	3	4	5	회귀가치(REV)$_5$
A: $4,461,296	$400,000	$400,000	$400,000	$400,000	$400,000	$5,627,540
B: $4,908,366	500,000	515,000	530,450	546,364	562,754	5,627,540

위의 예에서 보듯이 재매각가는 같지만, 처음 5년 동안의 순 영업이익이 다르기 때문에 자산의 가치는 다르다. 자산 A의 가치는 $4.46 million, 자산 B는 $4.91 million으로 평가되었다. 첫해 자본환원율은 A가 .09, B는 .102이다. 만약 자산 A와 자산 B와 거의 비슷한 자산 C의 기존 임대차계약 상태가 어떤지를 모르는 상황에서 자산 C의 가치를 평가해야 한다고 하자. 한 가지 대안은 자산 C의 첫해 순 영업이익을 자산 A와 B의 첫해자본환원율로 나눠서 얻은 값을 자산 C의 가치에 대한 대안으로 설정하고, 그 두 값을 비교하는 것이다. 자산 A의 순 영업이익을 첫해 자본환원율로 나눈 값은 $5,000,000 ($450,000/0.09)이고, 자산 B의 순 영업이익을 첫해 자본환원율로 나눈 값은 $4,411,765 ($450,000/0.102)이다. 전자와 후자의 값에 차이가 꽤 있다. **본질적으로 같은 자산이라고 해도, 해당 자산을 매입하는 시점에서의 임대차계약 상태에 따라서 실제 가치평가가 상당히 달라지기 때문에, 비교 대상 자산을 선택할 때에는 물리적, 입지적 특성뿐 아니라 기존의 임대차 구조도 비슷한 부동산을 잘 골라야 한다.**

비용접근법

비용접근법은 투자자가 관심 있는 부동산의 토지 및 건축비용과 그 외 비용의 합계 이상을 지불하면서 그 부동산을 매입하지는 않을 것이라는 점에 주목한다. 신규 부동산 자산의 경우에는 비용접근법에서는 토지가격과 건축비용을 고려하면 된다. 이미 건축된 부동산의 경우, 감정평가자는 해당 부동산을 대체하는 부동산을 지을 때 비용이 얼마나 들어갈 것인지를 분석하는 동시에 부동산의 **물리적 노후화, 기능의 퇴화, 인근 주변 지역의 쇠락** 정도를 점검해야 한다. 이 방법은 본질적으로 19장에서 주거용 부동산의 금융기법을 논의하면서 설명한 비용접근법과 비슷하지만, 수익용 부동산의 경우에는 구조설계, 설비(equipment) 및 입지 특성 때문에 주의할 것이 많다.

비용접근법을 활용하려면 건축 연도와 건축 및 토목 구조 측면에서의 특이 사항을 알고 있어야 하고, 그 외에 비용 추정에 필요한 데이터를 충분하게 확보할 수 있어야 한다. 그 건축물이 지어지지 않은 채 건축계획을 수립하는 단계라면, 감정평가자는 관련 계획이나 도면으로부터 비용 추정에 필요한 자료를 추출할 수 있다. 건축에 필요한 자재나 설비의 세부 내역도 건축계획에서 파악할 수 있다. 필요하다면 Marshall and Swift Company나 American Appraisal Company의 Boeckh Division에 비용추정을 의뢰할 수 있다.

예 6-13은 항목별 세부 비용의 예시를 보여준다. 토지가격은 인근의 비슷한 사례를 참고해서 추정했

예 6-13

가상적인 프로젝트의 원가명세 분석: 사무실 복합창고(73,000평방피트: 8,000 사무실; 65,500 창고; 3 토지 에이커; 경제적 삶 프로젝트, 50년)

구성	원가	단가
	Hard Costs	
직접비 굴착–되메우기	$ 31,500	
기초공사	47,250	
골조 구조공사(철골)	160,500	
파형강관 외부벽 공사	267,750	
벽돌전면–유리	51,000	
바닥마감, 콘크리트	61,000	
바닥피복공사, 사무실	17,500	
지붕틀, 피복공사	115,040	
내부마감, 사무실	57,400	
조명, 전기공사	83,400	
배수공사	114,500	
난방–공조공사	157,500	
내부크레인, 스케일	139,060	
적하시설, 난간증축	96,000	
주차시설, 거리, 처마공사	176,000	
소계	$1,575,000	$21.43
	Soft Costs	
간접비 건축사, 변호사, 회계사	$ 200,000	
건설이자비용	125,000	
건설사수익	250,000	
소계	$ 575,000	
토지매입비용	$ 350,000	
원가법에 의한 가치	$2,500,000	$34.00

다고 하자. 예 6-13과 같은 비용구조의 건축이 과거에 이뤄진 것이라면 가치평가를 할 때 신중해야 한다. 왜냐하면 (다른 조건에 변화가 없다면) 준공된 후 부동산의 가치가 하락할 수밖에 없는데, 예 6-13의 비용구조는 그러한 가치 하락을 보여주지 않는다. 즉, 준공한 후에 나타난 물리적 노후화, 기능의 퇴화, 인근 주변 쇠락을 반영해서 자산의 가치를 감가상각해야 한다. 문제는 이러한 감가상각이 난이도가 높다는 것이다. 공장, 공공건물, 거래가 자주 되지 않는 부동산의 감가상각은 더욱 어렵다.

예 6-14는 사무실과 창고가 들어선 건물을 예시로 들고 있다. 지어진 지 15년이 지난 건물이라고 하자. 이러한 건물을 검토하는 시점에 짓는다면 $1,750,000가 들 것으로 예상된다. 준공 이후 15년이 지났기 때문에 원래 상태의 물리적 상태와 기능을 회복하도록 하려면 예 6-14에 나온 것처럼 $47,700이 필요하다. 문제는 수리를 해도 되돌릴 수 없는 것이 있다는 것이다. 준공된 후 시간이 지날수록 건물이 겪게 되는 자연스런 노후화다. 건물의 수명이 50년이라고 하면, 지금까지 15년을 이용했기 때문에 건물 가치의 30% (15/50)만큼 사라진 것으로 볼 수 있다. 건물 노후화가 매년 2%씩 일정한 속도로 진행된다고 가정하는 것이다. 건물 노후화가 일정 속도대로 진행되지 않는다고 판단되면 감정평가자가 판단해서 일부 가감하는 것이 필요하다. 위의 경우에서, 준공한 지 15년 된 건물치고 노후화가 더 빠르게 진행되었다고 판단되면, 건물의 가치가 35% 사라졌다고 평가할 수 있을 것이다. 가능하다면 단순하게 준공 이후 몇 년 지났는지(actual age)로 판단하지 말고, **실질노후정도**(effective age)를 반영해야 한다. 우리 사

예 6-14
기존 건물의 상각 및 가치저하 추정

대체비용견적	$1,750,000
1. 물리적 감가	
a. 수리가능시설	
내부마감	25,500
바닥피복	5,200
조명	17,000
합계	$ 47,700
b. 수리불가시설	
건물수명(15년/50년)	30%
2. 기능노후: 배치도(비효율적임)	
관리운영비의 증가(년간)	$ 15,600
3. 외부시설노후	
매년임대손실*	$ 4,000
시장비교에 의한 현장가치	$ 200,000

*건물에 속한 부분

례에서는 30% 사라진 것으로 가정했다.

기능의 퇴화는 (새로 지어진 건물과 비교해서) 추가적으로 들어가는 운영경비를 추정하여 반영할 수 있다. 여기에서는 매년 $15,600이라고 추정했다. 추가적인 운영경비가 발생하는 것은 매달린 천장(suspended ceiling)의 부족, 동선(traffic)과 저장(storage)을 방해하는 우체통과 기둥, 건물 건축 초기에 설치된 낡은 컨베이어시스템(일단 그렇게 건축 초기에 설치되면 다음에 고치기 힘든) 때문에 발생하는 경우가 많다. 유지관리 단계에서 더 많은 인력과 기계에 의존해야 하기 때문이다. 추가 비용이 향후 35년간 매년 균등하게 발생한다면, 그 값들을 현재가치로 환산한 뒤에 더해서, 자산가치 추정값에서 빼줘야 한다. 자산의 매입자가 다른 데 투자할 경우 매년 10%의 수익을 거둘 수 있다고 하자.

마지막으로 우리가 고려하는 자산의 주변 인근에서 진행되는 전반적인 쇠락(인구 구조 변화, 환경 악화, 오염 심화, 소음 등)으로 인해서 자산으로부터 얻는 건물의 임대료 수입을 매년 $4000씩 감소시킬 것으로 평가했다. 이를 현재가치로 환산하면 $38,577이다. 주변의 쇠락이 없는 자산의 사례를 참고

예 6-15
대체 건축물 건축 비용 추정값

현재시가에서의 대체가격	$1,750,000
차감: 수선 가능한 물리적 상각	47,700
소계	$1,702,300
수선 불가능한 물리적 상각 30%	510,690
기능적 훼손(수선 불가):	
$15,600 (PV,10%,35년)	
$15,600 × 0.644159	150,449
경제적 측면의 훼손 + 입지적 측면에서의 훼손	
$4,000(PV, 10%, 35년)	
$4,000 × 0.644159	38,577
가산: 부지가치(비교에 의함)	200,000
원가법에 의한 가치	$1,202,584
(단순절사)	$1,200,000

한 것이다. 주요할 것은 여기서 주변의 쇠락이 토지임대료 감소(즉, 토지가격)에 미치는 영향은 반영하지 않았다는 점이다. 그 부분은 토지잔존가치(site value)에 이미 반영되어 있기 때문이다. 비용접근법에 의한 항목별 가치평가는 예 6-14를 토대로 예 6-15에 정리되어 있다. 준공된 지 15년이 지났고 앞으로 예상되는 잔존기간이 35년인 부동산 자산의 가치를 비용접근법으로 추정할 때에는 1) 해당 자산을 지금 새로 건축할 때 예상되는 비용, 2) 15년간 매년 들어갈 것으로 예상되는 수리비용, 3) 건물 노화로 인한 자연적인 가치 하락분, 4) 인근 주변의 쇠락에 의한 임대료 감소분, 5) 토지잔존가치를 구한 뒤에, (1) − (2) − (3) − (4) + (5)을 하여 가치를 추산해야 한다.

가치추정 사례—오크우드 아파트

오크우드 단지는 고급 아파트 주거지이다. 투자자는 수익환원법으로 감정평가해서 대출받으려고 한다. 예 6-16은 은행이 오크우드 아파트에 대해서 파악한 정보이다. 오크우드 단지에는 방 2개인 아파트만 있다. 예 6-17은 인근의 유사 거래 사례들이다. 1번 사례가 오크우드 단지와 가장 비슷하다고 판단된다. 이 사례들은 방 1개 아파트와 방 3개 아파트를 포함하고 있지만, 방 2개 아파트의 비중이 높을수록 아파트 하나당 평균 가격이 높다. 3번 사례는 방 1개 아파트 중심으로 구성되어 있어서, 호수밀도(일정 면적 내 주택 호수가 몇 개인지를 측정)가 높고, 호수당 이용 가능한 주차면적(아파트 한 개 호당 1.5대 주차 가능)이 적다. 오크우드 단지가 새로 지어진 단지에 어메너티가 뛰어나고 주차가 편리한 것을 고려하면, 오크우드 단지의 아파트 하나당 평균 임대료 수입이 비교 사례보다 좀 더 높을 것으로 판단할 수 있다.

예 6-16의 마지막에 보면, 아파트 호당 $1,250의 임대료 수입이 발생하고, 그 외에 아파트 호당 다른 수입($120)이 있는데, 그것은 투자자가 운영하는 아파트 단지 내 세탁소에서 나온다. 임대료와 세탁소 수입은 물가상승률에 맞게 매년 3% 상승할 것으로 예상된다. 사례 1은 아파트 호수 하나당 $110,000에, 사례 2는 $100,000에 거래되었다. 오크우드 단지와 가장 비슷한 사례 1을 참고하면 오크우드에 95채의 아파트가 있기 때문에, 오크우드 아파트 하나당 가치를 $110,000로 가정하고 여기에 95를 곱하면 오크우드 단지 전체의 가치는 $10,450,000으로 추산할 수 있다. 사례 1과 2의 총임대료승수는 각각 약 96, 91이고, 그 둘의 평균은 93.8이다. 유사 사례의 총임대료승수 평균을 활용해서 오크우드 단지의 가치를 산

예 6-16
부동산 정보: Oakwood Court 임대주택 (Apartments)

부동산 이름: Oakwood Court Apartments **위치:** 미국의 교외 **설명:** 95단위의 고급 아파트 새로 건축되었고 높은 질의 쾌적성과 100%의 주차장. 모든 건물은 90%의 벽돌 외관을 가진 이층건물임. **융자은행:** Bank of USA **임차료와 수입증가율 = 3%**	**쾌적한 시설:** 자동문차고, 수영장, 따뜻한 쇼파, 피트니스센터, 비즈니스센터, 조깅길, 200 주차공간 **지역/밀집도:** 4.75 acres **형태:** 95개의 두 개의 침실 1,100스퀘어 ft. 2개의 침실과 2개의 욕실 **연수:** 3년 **평균 월세:** 연간 $1,250.00 + 기타 수입 $120

예 6-17
Oakwood Court Apartment: 비교사례

	Oakwood	비교대상 부동산 (1)	(2)	(3)
에이커당 단위:	20	20.0	21.0	25.0
구성:				
1침실 / 1화장실	0	10%	10%	60%
2침실 / 2화장실	100%	85%	80%	40%
3침실/ 2화장실	0	5%	10%	0
주차공간/단위당:	2.10	2.00	1.95	1.50
연수:	3	3	3	5
조건/쾌적성:	쾌적	쾌적	준수	준수
월평균 단위당 임대료:	$1,250	$1,150	$1,100	$950
단위당 가격:	—	$110,000	$100,000	$90,000
총 임대료 승수:	—	95.65	90.91	94.74

정하면 $11,139,000 [= 93.8(총임대료승수 평균) × $1,250(평균 연간 임대료 수입) × 95(아파트 호수)]이 나온다.

감정평가자는 오크우드 단지의 에이커당 아파트 호수는 법적으로 허용되는 최대한도까지 개발했다고 판단했다. 쾌적한 주거어메니티, 200면의 주차 공간, 수영장, 헬스클럽, 그 외 시설과 주변 주거단지를 비교할 때 $1,250의 임대료는 무난한 수준이다. 오크우드 단지에서는 임대차의 60%가 매년 계약이 바뀐다. 대부분의 임대차는 6개월이나 1년 단위로 계약한다. 전기세, 수도세 등(utility costs)은 임차인이 부담한다. 아파트 단지 내의 공유용지에 필요한 비용은 소유자가 부담한다. 오크우드 단지의 가치를 산정할 때에는 이에 따른 유지관리 비용을 고려해야 한다. 임대차계약이 자주 바뀌면 필연적으로 공실률, 수리비, 영업비, 인건비가 추가로 발생할 수밖에 없다. 공실과 임차인의 미납에 따른 임대료 감소분은 (공실이 없을 때 예상할 수 있는) 각각 연간 임대료의 5%, 1%이다. 이 단지의 순 영업이익 증가 속도는 6년 차부터 둔화될 것으로 예상된다. 투자자는 5년간 소유한 뒤에 매각할 계획이다. 9%의 잔존환원율을 6년 차 연도의 순 영업이익에 적용했다. 내년의 비용 내역은 다음과 같다. 이들 비용은 물가상승률에 맞게 매년 3% 증가한다고 가정한다. 부동산관리 회사(임차인 관리, 부동산의 전반적인 유지 관리 담당)에게 지급하는 수수료는 실제임대료수입(effective gross income)의 12%라고 가정한다.

부동산 세금	$87,000
사무실 비용(경영상 회계)	$20,000
보험료	$150 per unit
수리와 유지비용	$550 per unit
광고비	$8,000
공과금	$45,000
기타 비용	$15,000

예 6-18에는 위의 가정에 따른 현금흐름이 정리되어 있다.

순 영업이익은 6년 차까지 나와 있다. 6년차 순 영업이익은 재매각가 산정을 위한 것이다. 예 6-19에서 재매각가 산정에 쓰이는 잔존할인율은 9%를 적용했다. 판매수수료(selling cost)는 매매가의 5%이다.

예 6-18
오크우드 주거 단지의 순 영업이익 예측

연	1	2	3	4	5	6
수입:						
현재 임차료	$1,425,000	$1,467,750	$1,511,783	$1,557,136	$1,603,850	$1,651,966
세탁수입	$ 11,400	$ 11,742	$ 12,094	$ 12,457	$ 12,831	$ 13,216
잠재총수입	$1,436,400	$1,479,492	$1,523,877	$1,569,593	$1,616,681	$1,665,181
공실에 따른 손실	$ 71,250	$ 73,388	$ 75,589	$ 77,857	$ 80,193	$ 82,598
임대료 미납에 따른 손실	$ 14,250	$ 14,678	$1 5,118	$ 15,571	$ 16,039	$ 16,520
실질총수입	$1,350,900	$1,391,427	$1,433,170	$1,476,165	$1,520,450	$1,566,063
	$ 85,500	$ 88,065	$ 90,707	$ 93,428	$ 96,231	$ 99,118
비용:						
부동산세금	$ 87,000	$ 89,610	$ 92,298	$ 95,067	$97,919	$ 100,857
사무실비용	$ 20,000	$ 20,600	$ 21,218	$ 21,855	$22,510	$ 23,185
보험료	$ 14,250	$ 14,678	$ 15,118	$ 15,571	$16,039	$ 16,520
유지비용	$ 52,250	$ 53,818	$ 55,432	$ 57,095	$58,808	$ 60,572
광고비	$ 8,000	$ 8,240	$ 8,487	$ 8,742	$9,004	$ 9,274
관리비	$ 162,108	$ 166,971	$ 171,980	$ 177,140	$182,454	$ 187,928
유틸리티	$ 45,000	$ 46,350	$ 47,741	$ 49,173	$50,648	$ 52,167
기타 경비	$ 15,000	$ 15,450	$ 15,914	$ 16,391	$16,883	$ 17,389
총 비용	$ 403,608	$ 415,716	$ 428,188	$ 441,033	$454,264	$ 467,892
순 영업이익	$ 947,292	$ 975,711	$1,004,982	$1,035,132	$1,066,185	$1,098,171

예 6-19
Oakwood 임대주택의 재매각 계획

재매각가격	$12,201,901
판매수수료	610,095
재매각수입	$11,591,806

예 6-20
순 영업이익과 재매각가의 현재가치

순 영업이익의 현재가치	$ 3,694,762
재매각의 현재가치	6,879,172
총 가치	$10,573,934

예 6-20은 5년간의 보유기간에 발생하는 순 영업이익과 6년 차의 재매각가를 11%의 할인율을 적용해서 현재가치로 계산한 것이다. 그 결과는 $10,573,934이다. 쉽게 이해할 수 있도록 천 단위에서 반올림하면 $10,574,000이다. 이것은 이 건물을 해체하고 새로 지을 때 들어갈 것으로 예상되는 대체비용(replacement costs)인 $10,000,000보다 좀 더 큰 금액이다. 이 금액은 유사 사례 1의 가격에 95개의 아파트 호수를 곱해서 산정한 $10,450,000(= $110,000 × 95)과 총임대료승수 평균인 93.8에 아파트 한 호당 예상되는 임대료인 $1250와 95호를 곱해서 구한 $11,139,000(= 93.8 × $1,250 × 95)의 사이에 속한다. 따라서 소득환원법으로 구한 $10,574,000이라는 추정 값이 신뢰할 수 있는 범위 내에 있다고 판단할 수 있기 때문에 감정평가자는 이 값을 오크우드 주거단지에 대한 가치 추정값으로 제시한다.[3]

[3] 숫자를 반올림하는 것이 평가 프로세스에 있어 피할 수 없는 가정의 본질을 고려했을 때 높은 수준의 정확성은 가능하지 않다는 사실을 내포하고 있다.

RealNex Solution

RealNex MarketEdge (formerly REIWise)는 주거시설, 사무빌딩, 쇼핑센터, 산업시설 같은 수익용 부동산을 위한 투자분석과 가치평가를 위한 클라우드 기반 프로그램이다. 지금 6장과 다음의 7장에서 논의하는 방법이 그대로 적용되는 것을 확인할 수 있다. 이 교재를 이용하는 학생은 수업을 듣는 동안에 RealNex MarketEdge을 무료로 활용할 수 있다. PC, 노트북, 휴대폰으로 모두 활용할 수 있다. 무료구독을 위해서는 **http://info.realnex.com/edu**에 접속하면 된다.

결론

6장에서는 수익용 부동산의 가치를 평가하기 위한 세 가지 방법을 설명했다. 현실에서 어떤 방법을 사용할지는 사용 가능한 데이터에 달려 있다. 즉 활용 가능한 데이터가 있는 방법을 선택해야 한다. 만약 모든 데이터를 완벽하게 구할 수 있다면, 세 가지 방법에 의한 가치평가 결과는 같아야 한다. 데이터가 불완전하더라도, 세 가지 방법에 의한 가치평가는 비슷해야 한다. 그럼에도 최종적으로는 가치평가를 담당하는 사람의 판단이 중요하다. 경제에는 불확실성이 상존하고, 데이터는 완벽하지 않으며, 세 가지 방법에 의한 절차와 그 결과는 추측값이기 때문이다.

주요용어

감정평가 과정
거래사례비교법
기능의 퇴화
물리적 노후화
비용접근법
수익환원법
순 영업이익
실질노후정도
실질총수입
완벽한 소유권
인근 주변 지역의 쇠락
일부임대부동산
자본환원율
잔존자본환원율
잠재총수입
주택담보대출-자기자본 자본화
직접자본환원율법
첫해 자본환원율
총수입승수법
최유효이용
할인율
현재가치할인법
회귀가치

질문

1. 원가법의 경제적 논리는 무엇인가? 이 방식이 최선의 가치측정에 적절한 경우는 어떤 조건 하에서인가?
2. 시장가치 접근방식(market approach)의 경제적 논리는 무엇인가? 이 방식을 사용하기 위해서는 어떤 정보가 필요한가? 부동산이 비교 가능하다는 것은 어떠한 의미인가?
3. 자본환원율이란 무엇인가? 감정평가에 활용하기 위하여 자본환원율을 산출하는 여러 가지 방식에는 어떤 것이 있는가?
4. 투자자가 예상 장래 수익에 근거하여 부동산을 매입한다면 재매각가격 또는 수익을 예측하지 않고 감정평가하는 논리는 무엇인가?
5. 현재가치할인율과 자본환원율 간의 관계는 무엇인가?
6. 비교 단위(unit of comparison)의 의미는 무엇이며, 왜 중요한가?
7. 감정평가사들이 가치평가에서 세 가지 상이한 접근방식을 사용하는 이유는 무엇인가?
8. 부동산 가치를 평가함에 있어서 자금조달을 명백히 고려해야 하는 경우는 어떠한 조건하에서인가?
9. 원가(비용접근)법(cost approach)에서 감가상각은 어떠한 의미인가?
10. 잔존자본환원율이 첫해 자본환원율보다 낮은 경우는 언제이며, 더 높은 경우는 언제인가?
11. 일반적으로 위험이 감소하면 첫해 자본환원율은 어떠한 영향을 받는가? 이러한 상황이 예측하지 못한 수요 증가와 동시에 발생하였을 경우의 효과는 무엇인가? 부동산 가치에 대한 영향은 어떠한가?
12. 현재 매각 중인 부동산의 가치를 평가함에 있어 과거의 부동산

거래에서 획득한 투자시점 자본환원율을 사용함에 따른 발생할 수 있는 문제점은 무엇인가?

13. 연도말 재매각가격을 구할 때, 보유기간 **후** 잔존 자본환원율을 사용하는가?

14. 자본환원율과 내부수익률(*IRR*)은 같은가? 어느 것이 일반적으로 많이 쓰이고 그 이유는 무엇인가?

15. 재매각가격을 산정할 때 잔존자본환원율과 적정이율을 사용할 때의 차이점에 대해 논하라.

CHAPTER 07

수익용 부동산의 투자분석과 세금

Investment Analysis and Taxation of Income Properties

투자자는 수익용 부동산을 취득할 때 많은 변수를 고려해야 한다. 시장 상황, 공실률, 세금, 투자위험, 대출 규모, 투자수익률 측정 절차가 대표적이다. 이들 변수는 대출담보 자산의 가치와 (만에 하나 담보를 처분해야 할 때의) 시장성(marketability)에 영향을 미치기 때문에 대출자도 주목한다. 대출자는 또한 그들이 금융을 일으키는 부동산 자산이 대출 원리금 상환에 충분한 현금흐름을 창출하는지를 살펴본다. 7장에서는 이러한 변수를 다룬다. 그 내용은 본 교재의 뒷부분에서 다루는 내용에 대한 큰 틀로서 중요하다.

투자의 동기

지금까지 우리는 수익형 부동산에 다양한 종류가 있다는 것을 봐왔다. 투자자와 대출자가 수익용 부동산을 왜 선택하는지를 점검해보자. 우선 **자기자본**(equity) 투자자를 생각해보자. 자기자본이라는 것은 어떤 사람이 부동산 자산을 취득할 때, 타인의 자금이 아니라 그 소유자가 갖고 있는 자본 가운데 해당 부동산 취득에 투입되는 금액을 뜻한다. 7장에서는 자기자본과 부채를 분명히 구별하여 진행한다.

투자자는 다음의 4가지 혜택을 기대하면서 수익용 부동산 투자에 나선다.

1. 수익률
2. 가격상승
3. 자산다변화
4. 세금혜택

첫째, 투자자는 관심 있는 지역에서 부동산에 대한 수요가 충분해서 투자가가 원하는 일정 수준 이상의 순 영업이익을 거두는 데 큰 문제가 없기를 기대한다. 둘째, 투자자는 일정 기간 부동산 자산을 보유한 뒤에 매각할 때, 가격이 상승하기를 원한다. 인플레이션이 발생하는 동안에는 더욱 그러하다. 자산의 가격 상승은 투자자의 수익률 개선에 도움이 된다. 셋째, 투자자는 주식, 채권, 머니마켓펀드와 부동산을 비교하면서 다양한 자산으로 포트폴리오를 구성하여 위험 대비 수익성을 극대화하려 한다. 넷째,

세금우대 혜택도 때로는 중요하다. 예전에는 부동산을 우대하는 세제가 많았기 때문에 미국의 투자자는 세금이 투자수익에 미치는 영향을 심각하게 고려하지는 않는 경향이 있었다. 이제는 그러한 우대조치의 상당수가 사라져서, 세금의 영향을 면밀하게 점검해야 한다.

부동산시장의 특성과 투자 전략

미래의 시장 상황은 미래의 현금흐름을 추정할 때 중요하다. 예를 들어, 특정 부동산 자산 유형에 대한 공급과 수요가 균형을 이루지 못하는 여건이 지속되면, 그러한 여건이 공실률과 임대료에 미치는 영향을 충분히 고려해서 부동산의 가치와 투자수익률을 산정해야 한다. 그 다음에는 1) 부동산 시장의 경기 순환적 성격, 2) 다양한 **투자 스타일**(주식, 채권, 부동산 등 투자 대상에 따른 다양한 투자 스타일)도 같이 고려해야 한다. 물론 이 교재에서는 어떤 투자 스타일이 좋은지를 논의하지는 않는다. 그렇지만, 이 교재에서 논의하는 용어와 내용은 투자 전문가 집단에서는 널리 활용되기 때문에 독자는 주목해야 한다.

부동산 경기 순환

부동산 산업은 규모가 크고, 완전경쟁시장에 가까우며, (소유권이 분절되어 있기 때문에) 특정 소유자가 시장을 지배하지 못한다. 공실률이 감소하고 임대료가 상승할 때에는 임대가능 면적이 감소하기 때문에, 부동산 개발의 타당성이 개선되고 투자자는 야심차게 최유효이용을 검토한다. 개발가들이 경쟁적으로 뛰어들고, 금융을 일으킨다. 진정한 수요가 얼마나 되는지를 정확하게 파악하는 것은 힘들기 때문에 결국에는 과다 개발로 인해 공급이 수요를 초과하면서 경기가 가라앉게 된다.

예 7-1은 부동산 시장의 경기 순환적 특성을 보여준다. 임대율(occupancy rate, 공실율의 반대)이 정상 수준을 넘어서면 임대료가 상승하고 부동산 개발이 활발해질 것임을 시사한다. 임대율이 정상 수준 밑으로 내려가면 임대료가 내려가고, 부동산 개발에 적합하지 않은 시기임을 시사한다. 이 그림에서 아파트 시장은 초과공급과 수요부족으로 침체기를 겪은 뒤에 조만간 회복국면에 접어들 것으로 보인다. 오피스 시장은 공급부족과 초과수요 때문에 임대율이 높은 수준이다. 임대율이 더 높아질 것으로 예상된다. 오피스 시장 투자자는 낮은 공실률과 탄탄한 임대료를 기대할 수 있다. 지금이 정점이라면 조만간 시장이 약해질 가능성이 있다. 창고 부동산은 균형상태이기 때문에, 임대율과 임대료에 큰 변화는 없을

예 7-1
부동산 경기 순환

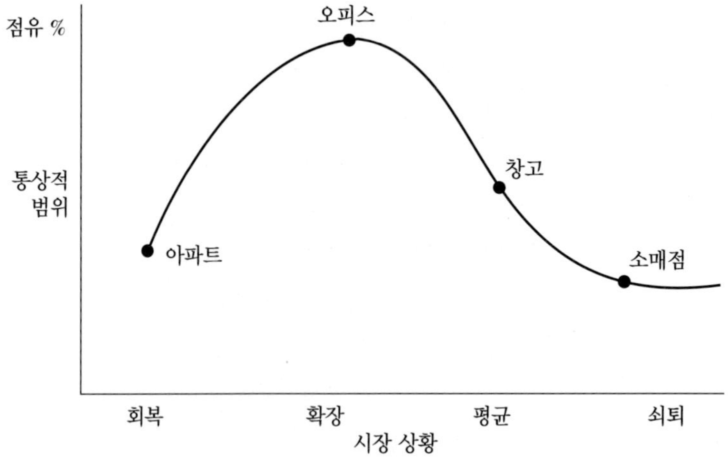

것이다. 소매자산은 수요부족과 초과공급 때문에 임대율이 하락하는 국면에 있는데, 앞으로 더 하락할 것이다. 예 7-1은 부동산 자산의 유형별로 수요과 공급의 균형상태를 이해하기 위한 틀을 보여준다. 소매 부동산은 시장 상황이 악화되는 구간이지만, 언젠가는 개선되는 방향으로 바뀔 수 있을 것이다. 그러나 현실에서는 시장이 어느 방향으로 움직일지는 예측하기 힘들다. 각 사이클이 짧을 수도 있고 생각보다 길 수도 있다.[1] 신규 건설이 얼마나 완공되는지, 수요의 변화는 어떠한지에 대해 늘 시장을 점검해야 한다. 예 7-1은 단순한 그림이지만, 투자가가 점검해야 하는 부동산 경기 변동의 큰 틀을 보여준다.

투자 전략

부동산 경기 변동을 점검하고 나면 투자 전략이 필요하다. 예 7-2는 다양한 투자 전략을 보여준다. 투자 전략 간에 중복되는 경우도 있고, 여러 전략이 조합되어 만들어진 전략도 있다. 그럼에도 예 7-2에 정리된 전략을 눈여겨 보는 것은 많은 도움이 된다.

예 7-2
부동산 투자자들이 사용하는 투자 스타일–부문별 투자 (Sector Investing)

I. 일반 투자 전략

A. 핵심자산전략
준공된 부동산 가운데 리스크가 적은 부동산을 취득하는 것이다. 리스크가 적다는 것은 임차인의 80%가 신용위험이 없는 것을 의미한다. 투자자는 이들 자산에 기초하여 더 큰 포트폴리오를 만들 수 있다. 이 전략의 목적은 안정적인 현금흐름을 만드는 것이다. 비교 가능 자산보다 탄탄한 현금흐름을 구축하는 것이 중요하다. 자산의 취득 이후에는 자산운용에 변화가 없으며, 건물이나 설비의 대규모 보강이나 수리는 없다고 예상된다.

B. 핵심자산 "플러스" 전략
이 전략은 핵심자산을 매입하면서 건물이나 시설에 대한 투자를 병행한다. 자산운용 방식을 일부 변형한다. 더 높은 임대료를 받거나 인근의 유사 부동산보다 더 좋은 자산운용 실적을 거두기 위한 전략이다. 건물이나 시설에 대한 투자계획이 구체적이고 전략적이어야 한다. "A"급의 입지에서 "B"급의 자산을 취득한 뒤, 이 전략을 활용해서 임대료와 자산의 가치를 A급으로 올리는 방식을 예로 들 수 있다.

C. 부가가치증대 전략
부동산 자산 가운데 최적화되지 않은 부분을 개선하는 데 주력한다. 임대료를 높이기 위해 레스토랑이나 로비, 엘리베이터, 체육/레크리에이션 공간을 새로 넣는 것이 그 예이다. 더 수준 높은(prestigious) 사업체를 임차인으로 유치하거나 더 나은 서비스를 제공하는 것도 여기에 해당한다. 리파이낸싱(금리가 낮은 대출로 변경하는 것)하거나 대출금액을 늘리는 것 역시 이 전략의 일환이다.

D. 기회포착 투자(opportunistic investment)
금전적으로 어려움에 처한 투자자로부터 자산을 인수하거나, 리노베이션 · 업그레이드 · 리포지셔닝이 필요한 자산을 취득하는 전략이다. 핵심은 두 가지이다. 첫째는 싸게 취득하는 것이고, 둘째는 취득한 자산의 가치를 리노베이션 · 업그레이드 · 리포지셔닝을 통해 개선하는 것이다. 리노베이션 · 업그레이드 · 리포지셔닝한 자산이 시장에서 얼마나 환영받을지를 판단해야 한다. 금융권에서 자금을 조달하는 능력이 중요하다. 리스크가 크기 때문에 미개발토지의 취득, 건물 설계, 안정적인 임대율을 위한 임대차 계획이 같이 진행되어야 한다. 때로는 환상적인 수익률을 얻을 수 있는 전략이다.

II. 특화 전략

A. 특정 섹터 집중 투자
특정 유형의 부동산이 다른 유형보다 장기에 걸쳐 수익률이 좋으리라는 전제 아래 추진하는 전략이다. 예컨대 오피스 시장이 주택, 소매, 창고보다 장기에 걸쳐 좋을 것으로 예상된다면 이에 집중하는 것이다. 특정 섹터가 정해지면, 시장 조사를 통해서, 특정 도시의 특정 입지에 한정해서 자산을 취득한다. 본질적으로 특정 섹터에만 투자하는 펀드에 가입하는 것과 같다.

B. 역발상(contrarian) 투자
때로는 시장의 반응이 과도하다는 것을 역이용하는 전략이다. 주요 경제 변화가 특정 유형의 부동산에 특히 부정적인 영향을 준다는 우려가 생기면 해당 부동산 가격이 과도하게 하락할 수 있는데, 그때 매입한다. 인터넷쇼핑이 활성화되면 오프라

(계속)

[1] 이 그림에서 그래프에 표시된 일반적인 수준의 점유율이 된다. 각 속성에 대해 정확히 동일하다는 것을 유추해서는 안 된다. 이것은 개념적 그림이고 일반적인 시장 상황을 묘사하기 위한 것이다.

예 7-2

부동산 투자자들이 사용하는 투자 스타일-부문별 투자(Sector Investing) (계속)

인 소매업 부동산이 침체될 수 있다. 제조업 기업들이 해외로 나간다면 국내의 창고 및 물류 부동산에 대한 수요가 감소할 수 있다. 사람들이 싸게 매각할 때를 기다렸다가 매수한 뒤에 시장이 회복하기를 기다린다.

C. 타이밍 전략

부동산 유형별 경기 순환 움직임을 포착하고 미래의 움직임을 예상해서, 매수 시점을 포착하는 전략이다. 예 7-1에서처럼 주택시장이 바닥을 찍고 회복하면서 임대료와 임대율이 개선될 것으로 판단되면, 주택 부문을 핵심 투자처로 설정한다. 더 조정을 겪을 것으로 예상되는 소매 부동산은 더 기다린다. 초과공급이 사라지고 시장 여건이 개선되어, 이익을 낼 수 있다고 판단할 수 있을 때에 들어간다. 외부 환경 변화에 따른 충격에 주목하는 역발상 전략과는 매우 다르다. 타이밍 전략가는 시장 순환 주기에서 정점에 오른 자산은 매도하고, 그 자금으로 저점에 이른 자산을 매입하면서, 부동산 부문별로 순환하면서 투자한다.

D. 미래 성장 전략

미래 성장 전략은 미래가치가 평균 이상으로 상승할 것으로 예상되는 부동산을 "발견하는 데" 주력한다. 성장하는 시장이라도 부동산 유형에 따라 성장의 수혜를 입는 정도는 각기 다르다. 미래 성장 전략에서는 부동산 유형별 움직임을 이해하고 경제, 환경, 기술의 변화가 부동산 자산에 미치는 영향을 깊이 이해해야 한다. 예컨대, E-커머스의 성장과 기술 발전에 의해 창고/물류 부동산에 대한 수요증가를 내다보는 투자자는 그에 부합되는 입지를 찾아서 투자한다. 하지만, 그런 열기가 뜨거우면 물류/부동산 가격이 과도하게 상승할 수 있다는 것을 잘 이해해야 한다. 고령자 주택, 데이터 센터, 병원 건물이 이런 전략의 대상이 될 수 있다.

E. 가치투자

대부분의 투자자가 주목하지 않는 자산 가운데, 예상보다 더 높은 소득과 가격 상승을 기대할 수 있는 자산을 찾는다. 예를 들어 투자자는 도심 CBD (central business districts)에 있는 일부 건물에 주목할 수 있다. 신용도가 높은 대기업이 장기 임차했는데, 많은 대기업이 조만간 임차계약을 갱신해야 하는 경우가 대표적이다. 새로운 임대차계약을 잘 갱신하면 매년 거두는 순 영업이익이 상당한 정도로 증가할 수 있기 때문이다. 건물 가격이 임대차계약 갱신에 따른 기회를 반영하지 않았다면 가치있는 투자가 된다.

F. 우량자산에 대한 투자

뛰어난 자산에만 투자하는 전략이다. 역사적으로, 건축적으로, 입지적으로 확실하게 차별화된 자산만이 장기에 걸쳐 우수한 수익률을 보장한다고 믿는 것이다.

G. 자산의 규모에 관한 전략

특정 유형의 중소형 부동산에 집중하는 전략이다. 해당 유형의 부동산 자산, 임차인, 이용자에 대해 투자자가 잘 알고 있다는 전제 아래 집중하는 전략이다. 규모가 큰 지역거점의 쇼핑센터보다는 커뮤니티의 중소 쇼핑센터들이나, 도심의 고층빌딩보다는 교외의 저층빌딩에만 집중하는 전략들이 그 예이다. 특정 유형 부동산을 잘 알면 모르는 유형에 투자할 때보다 수익률과 자산 관리의 효율성이 높다.

H. 임차인에 대한 전략

임차인이 여러 명인 부동산에 집중할 수도 있고, 한 명인 부동산에 집중할 수도 있다. 전자는 임대료 총 수입은 크지만, 임차인이 지속적으로 바뀌기 때문에 그에 따른 리스크가 있다. 후자는 임대료 수입의 총액은 적지만 관리하기가 쉽고, 여러 임차인을 관리하는 데 따르는 리스크가 없다.

I. 차익거래(또는 재정거래)

동일한 부동산이더라도, 그 자산이 거래되는 시장이 달라지면 매매가가 달라지는 특성을 활용한다. 부동산을 민간 시장에서 매입한 뒤에 리츠(real estate investment trusts)를 만들고, 주식으로 상장해서 이익을 남기는 것이 그 예이다. 반대 방향도 가능하다. 리츠가 만들어지고 부동산을 기초자산으로 삼아, 발행된 주식이 시장에서 유통되고 있는 상황에서 주식을 전부 매수하여 상장폐지하고, 전체 자산을 통상적인 거래 시장에서 매도하여 이익을 남기는 것이다. 후자는 부동산 자산이 실물 시장에서 거래하는 것이고, 전자는 유동화된 금융시장에서 거래하는 것이다. 거래되는 시장이 다르다는 이유만으로 동일한 자산의 가격이 달라지는 경우는 꽤 많이 발생한다.

J. 턴어라운드/특수상황/유동화/스핀오프

턴어라운드 투자는 기존 자산의 용도를 변화하거나 수정함으로써 기회를 찾는 전략이다. 예를 들어, 투자자는 다음을 할 수 있다.

1. 성과가 떨어지거나, 관리가 잘 안되거나, 주변 여건이 침체된 자산을 매입한다. 새로운 임대차계약, 리노베이션, 자산 관리 후에 이들 자산은 매입가격과 관리비용의 합계를 뛰어넘는 가격으로 매매될 수 있다.
2. 부동산 자산이 많은 기업을 통째로 인수한다. 기업이 보유하고 있는 자산 가운데 기업 활동에 제대로 활용되지 않는 부동산의 가치를 높인 뒤에, 부동산을 매각하는 전략이다. 기업운용과 부동산이 별개로 분리될 수 있을 때 활용할 수 있다.

시장 분석

투자자와 감정평가자는 **시장을 분석**하고, 특정 유형의 자산에 대한 수요와 공급을 평가하여, 투자 여부를 결정한다. 수요는 공간을 이용하여 사업을 하려는 수요자의 욕구에 의해 결정된다. 공간의 공급은 부동산을 개발하거나 매입해서 임대하려는 투자자가 한다. 이것이 5장에서 논의한 **공간시장**이다.

5장에서는 부동산 유형별 자산에 대한 유형별 수요에 영향을 미치는 요인을 논의했다. 7장에서는 가상 도시를 도입해서 사무실 공간 시장을 논의한다. 사무실 공간에 대한 수요는 산업에서 온다. 금융, 보험, 부동산, 법률, 회계, 전문과학기술서비스업이 대표적으로 공간 수요를 창출하는 산업이다. 미국 노동청(*www.data.bls.gov*) 데이터가 이들 산업의 고용을 역사적으로 살펴보는 데 도움이 된다.

예 7-3은 지난 20년간 가상 도시에서 사무실 부문의 고용이 장기에 걸쳐 어떻게 변화하는지 보여준다. '0'은 현재 시점을 뜻한다. 고용성장률은 산업의 경기 변동에 의해 변화한다. 초기에는 고용이 강하게 증가했지만, 경기침체 기간에 감소한 뒤에 다시 증가했다. 현재시점에서는 다시 하락세로 접어들기 직전이다.

예 7-4는 장기에 걸친 고용성장률을 보여준다. 고용이 증가하면 사무실 수요는 증가한다. 종사자 한 명당 사무실 수요는 평균적으로 250 feet였기 때문에 사무 종사자가 한 명 증가하면 그만큼의 사무실 면적이 증가해야 한다.[2]

예 7-3
가상 도시의 취업률 변화 추이

년	연초 취업현황	취업 변화량	연말 취업현황	변화율
−19	22,800	1,000	23,800	4.39%
−18	23,800	1,200	25,000	5.04
−17	25,000	1,400	26,400	5.60
−16	26,400	600	27,000	2.27
−15	27,000	408	27,408	1.51
−14	27,408	208	27,616	0.76
−13	27,616	0	27,616	0.00
−12	27,616	−216	27,401	−0.78
−11	27,401	−435	26,966	−1.59
−10	26,966	−222	26,744	−0.82
−9	26,744	0	26,744	0.00
−8	26,744	500	27,244	1.87
−7	27,244	700	27,944	2.57
−6	27,944	1,000	28,944	3.58
−5	28,944	1,100	30,044	3.80
−4	30,044	1,250	31,294	4.16
−3	31,294	816	32,110	2.61
−2	32,110	600	32,710	1.87
−1	32,710	560	33,270	1.71
0	33,270	306	33,576	0.92

[2] 전자/통신 기술의 진보를 감안할 때, 이 평균은 아마도 직원이 "현장에서" 필요로 하는 물리적 공간이 적어짐에 따라 감소했을 것이다. 임차인은 이제 데이터 센터, "클라우드 컴퓨팅" 및 일부 기술에 필요한 직원당 평방피트의 양을 줄이는 기타 기술에 더 의존하게 될 것이다. 이러한 기술을 "수용"하는 대안적 구조에 대한 수요 증가가 이제 더 먼 지역에서 발생하고 있다. 이러한 속성은 일반적으로 더 낮은 집세에서 공간을 사용할 수 있게 하므로 사용자에게 비용이 절감된다.

예 7-4
가상 도시의 고용증가율

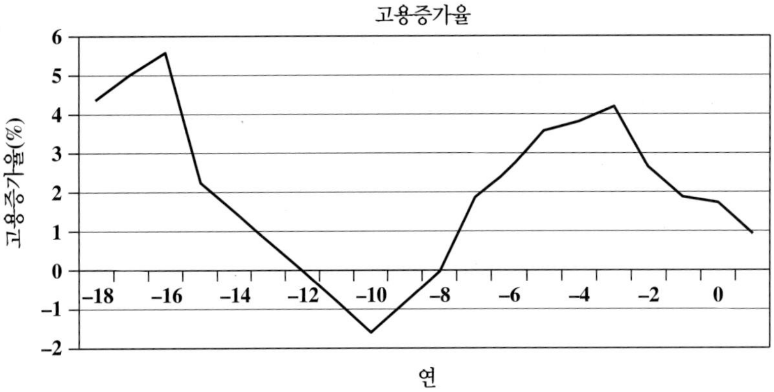

예 7-5는 가상 도시에서 사무실 공간에 대한 역사적인 변화를 보여준다. 미국 대도시의 경우, 건물주 및 관리자 협회(Building Owners and Managers Association)나 부동산중개 대기업으로부터 구할 수 있다.

사무실 공간 **흡수량**(absorption)은 한 해에 임차인이 확보하는 면적이다. 몇 년간 사무실 공간 흡수량은 음수였다. 사무실 공간이 감소한 것이다. 사무실을 필요로 하는 산업이 위축되어서, 종사자를 줄일 때 나타나는 현상이다. 연말 기준으로 사무실 사용 총량을 종사자 수로 나누면 예 7-6처럼 1인당 사무실 사용량을 얻는다. 경기 순환에 따라 종사자당 사무실 사용량이 변화하는 것을 알 수 있다. 경기가 약해지면, 사업체들은 고용과 1인당 사무실 면적을 줄인다. 경기가 살아나면, 반대로 행동한다. 사무실 수

예 7-5
오피스 점유율

연말	연초 점유 공간	흡수량	연말 점유 공간
−19	5,700,000	250,000	5,950,000
−18	5,950,000	300,000	6,250,000
−17	6,250,000	350,000	6,600,000
−16	6,600,000	150,000	6,750,000
−15	6,750,000	−35,000	6,715,000
−14	6,715,000	−87,041	6,627,959
−13	6,627,959	−138,082	6,489,877
−12	6,489,877	−132,849	6,357,027
−11	6,357,027	−154,802	6,202,225
−10	6,202,225	−184,831	6,017,394
−9	6,017,394	0	6,017,394
−8	6,017,394	248,720	6,266,114
−7	6,266,114	300,720	6,566,834
−6	6,566,834	235,000	6,801,834
−5	6,801,834	408,720	7,210,554
−4	7,210,554	300,000	7,510,554
−3	7,510,554	356,470	7,867,024
−2	7,867,024	310,552	8,177,575
−1	8,177,575	140,000	8,317,575
0	8,317,575	−91,352	8,226,224

예 7-6
종사자당 면적

연말	연말 점유 공간	취업자 수	임대 공간당 취업자 수
−19	5,950,000	23,800	250
−18	6,250,000	25,000	250
−17	6,600,000	26,400	250
−16	6,750,000	27,000	250
−15	6,715,000	27,408	245
−14	6,627,959	27,616	240
−13	6,489,877	27,616	235
−12	6,357,027	27,401	232
−11	6,202,225	26,966	230
−10	6,017,394	26,744	225
−9	6,017,394	26,744	225
−8	6,266,114	27,244	230
−7	6,566,834	27,944	235
−6	6,801,834	28,944	235
−5	7,210,554	30,044	240
−4	7,510,554	31,294	240
−3	7,867,024	32,110	245
−2	8,177,575	32,710	250
−1	8,317,575	33,270	250
0	8,226,224	33,576	245

요를 예측하려면 경기 순환에 따른 이러한 변화를 잘 이해해야 한다. 참고로 **순흡수량**(net absorption)이 종종 쓰이는데, 이는 한 해에 새로 임차된 총 면적에서 사무실 신규 공급 면적을 제외한 것이다.

공간의 공급

예 7-7은 시장에 공급 가능한 공간의 재고 면적을 가상 도시의 예를 들어 장기에 걸쳐 보여준다. 여기에는 신규 건설을 통해 시장에 공급되는 면적과 멸실로 인해 사라지는 면적이 나와 있다. 수요를 보여주는 예 7-6과 공급을 보여주는 예 7-7을 활용하면 예 7-8처럼 공실면적과 공실률을 계산할 수 있다.

시장임대료

지금까지 살펴본 수요, 공급, 점유율(또는 공실률)의 시간대별 변화와 임대료 변화의 관계를 살펴보자. 예 7-9를 보면 점유율이 높으면 임대료 상승률도 높다. 예 7-10은 이 관계를 그림으로 표현한 것이다. 사무실 경기가 좋았다가 가라앉고 다시 좋아지는 경기변동을 볼 수 있다. 부동산 경기변동은 부동산 유형에 따라 다르기 때문에, 이러한 분석은 부동산 유형별로 해야 한다.

공급, 수요, 시장임대료, 그리고 점유율에 대한 예측

지금까지는 주로 과거 자료를 분석했다. 그러나 진정으로 관심 있는 것은 미래의 시장 상황이다. 점유율이 높으면 임대료 상승률도 높다. 점유율은 사무실수요(사무실을 사용하는 산업에서의 고용에 의해 결정)와 사무실 공급(신규 건설에 따른 공급물량에서 멸실을 뺀 값)이 좌우한다. 참고로 컨설팅 회사 가운

예 7-7
오피스 공급량

연말	연초 공급량	신규 공급량	건물 해체량	연말 오피스 공급량
−19	6,500,000	400,000	0	6,900,000
−18	6,900,000	300,000	0	7,200,000
−17	7,200,000	100,000	0	7,300,000
−16	7,300,000	50,000	0	7,350,000
−15	7,350,000	0	0	7,350,000
−14	7,350,000	0	0	7,350,000
−13	7,350,000	25,000	20,000	7,355,000
−12	7,355,000	75,000	0	7,430,000
−11	7,430,000	50,000	0	7,480,000
−10	7,480,000	50,000	0	7,530,000
−9	7,530,000	100,000	0	7,630,000
−8	7,630,000	200,000	0	7,830,000
−7	7,830,000	300,000	0	8,130,000
−6	8,130,000	400,000	50,000	8,480,000
−5	8,480,000	300,000	0	8,780,000
−4	8,780,000	250,000	0	9,030,000
−3	9,030,000	100,000	0	9,130,000
−2	9,130,000	100,000	0	9,230,000
−1	9,230,000	50,000	0	9,280,000
0	9,280,000	0	0	9,280,000

예 7-8
역사적 점유량 및 공실률

연말	연말 점유현황	연말 공급현황	연말 점유율	연말 공실률
−19	5,950,000	6,900,000	86.23%	13.77%
−18	6,250,000	7,200,000	86.81	13.19
−17	6,600,000	7,300,000	90.41	9.59
−16	6,750,000	7,350,000	91.84	8.16
−15	6,715,000	7,350,000	91.36	8.64
−14	6,627,959	7,350,000	90.18	9.82
−13	6,489,877	7,355,000	88.24	11.76
−12	6,357,027	7,430,000	85.56	14.44
−11	6,202,225	7,480,000	82.92	17.08
−10	6,017,394	7,530,000	79.91	20.09
−9	6,017,394	7,630,000	78.86	21.14
−8	6,266,114	7,830,000	80.03	19.97
−7	6,566,834	8,130,000	80.77	19.23
−6	6,801,834	8,480,000	80.21	19.79
−5	7,210,554	8,780,000	82.12	17.88
−4	7,510,554	9,030,000	83.17	16.83
−3	7,867,024	9,130,000	86.17	13.83
−2	8,177,575	9,230,000	88.60	11.40
−1	8,317,575	9,280,000	89.63	10.37
0	8,226,224	9,280,000	88.64	11.36

예 7-9
시장임대료 추세 및 점유율

연말	연말 점유율	임대료	임대료 성장률(%)
−19	86.23%	$ 4.76	−
−18	86.81	5.38	13.12%
−17	90.41	6.31	17.16
−16	91.84	7.70	22.10
−15	91.36	9.44	22.55
−14	90.18	10.74	13.82
−13	88.24	12.07	12.31
−12	85.56	13.02	7.87
−11	82.92	12.84	−1.37
−10	79.91	12.43	−3.15
−9	78.86	11.29	−9.20
−8	80.03	10.33	−8.50
−7	80.77	9.72	−5.92
−6	80.21	7.48	−2.46
−5	82.12	9.22	−2.70
−4	83.17	9.03	−2.09
−3	86.17	9.33	3.28
−2	88.60	10.40	11.51
−1	89.63	11.86	14.00
0	88.64	13.33	12.45

예 7-10
시장임대료 성장률 및 점유율

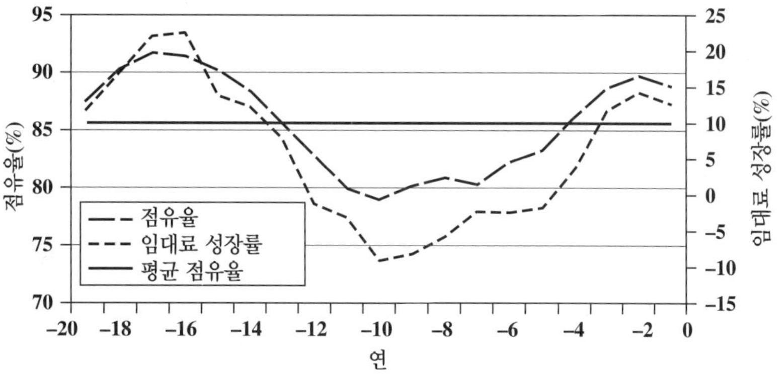

데에는 미국의 메트로폴리탄에서 고용증가와 다른 경제 데이터를 제공한다(예를 들어, *www.economy.com*).

예 7-11에는 (사무실을 필요로 하는) 고용에 대한 예측치가 있다. 예 7-12는 신규 공급, 점유율, 1인당 면적에 대한 예측치가 정리되어 있다. 신규 공급에 관한 예측치는 지역의 사정을 잘 아는 개발가로부터 확인할 수 있다. 지역의 개발가는 어떤 개발이 허가를 받았는지, 부동산 경기 순환의 단계별 개발 규모를 알고 있는 경우가 많다. 예 7-13은 설명을 위해 만든 가상의 미래 예측이다. 사무실 수요를 대변하는 종사자 수는 처음 3년이 지나면 완만하게 증가하기 때문에, 결과적으로 사무실 공간에 대한 수요가 크게 증가하지는 않는다. *x*축은 점유율, Y축은 임대료 상승률이다. 회귀선에 따르면 점유율이 1%p. 상승할 때, 임대료는 2.2718% 상승한다. 예 7-14는 이를 토대로 만든 미래예측치이다. 임대료는 첫해의 $15.16에서 출발해서 10년 뒤에는 $22.38가 된다. 매년 0.722%p. 상승한 결과이다. 임대료 상승률의

예 7-11
취업 및 종사자당 면적

연	연초 오피스 취업자 수	취업자 변화량	연말 오피스 취업자 수	고용 변화율	연말 종사자당 면적
1	33,576	100	33,676	0.30%	245
2	33,676	500	34,176	1.48	240
3	34,176	1,000	35,176	2.93	235
4	35,176	500	35,676	1.42	240
5	35,676	400	36,076	1.12	245
6	36,076	300	36,376	0.83	245
7	36,376	200	36,576	0.55	245
8	36,576	200	36,776	0.55	250
9	36,776	100	36,876	0.27	250
10	36,876	100	36,976	0.27	250

예 7-12 공급, 흡수율 그리고 점유율 예상

연	연초 오피스 공급량	신규건설	연말 오피스 공급현황	연초 점유 공간	흡수율	연말 점유 공간	연말 점유율
1	9,280,000	0	9,280,000	8,226,224	24,500	8,250,724	88.91%
2	9,280,000	0	9,280,000	8,250,724	−48,382	8,202,342	88.39
3	9,280,000	50,000	9,330,000	8,202,342	64,118	8,266,460	88.60
4	9,330,000	400,000	9,730,000	8,266,460	295,882	8,562,342	88.00
5	9,730,000	500,000	10,230,000	8,562,342	276,382	8,838,724	86.40
6	10,230,000	400,000	10,630,000	8,838,724	73,500	8,912,224	83.84
7	10,630,000	200,000	10,830,000	8,912,224	49,000	8,961,224	82.74
8	10,830,000	200,000	11,030,000	8,961,224	232,882	9,194,106	83.36
9	11,030,000	200,000	11,230,000	9,194,106	25,000	9,219,106	82.09
10	11,230,000	200,000	11,430,000	9,219,106	25,000	9,244,106	80.88

예 7-13
임대료 상승률과 점유율

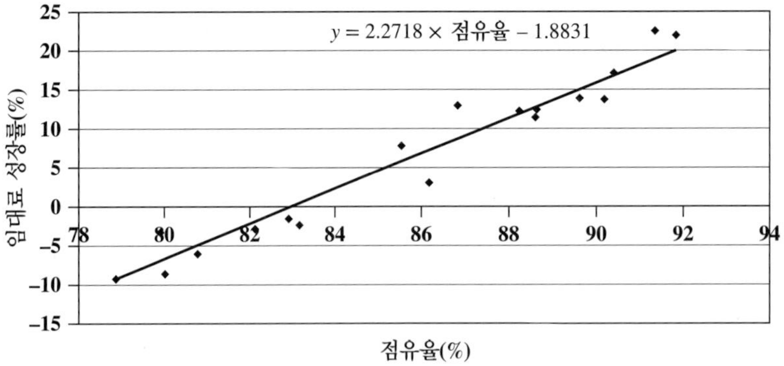

평균은 복리로 환산하여 약 5.5%이다. 이러한 임대료 상승률은 어디까지나 평균이다. 처음에는 빠르게 상승하지만, 시간이 지나면 점유율이 하락하고 임대료가 감소하는 상황으로 이어진다는 점에 주의해야 한다.

예 7-14
임대료 예상

연	연말 점유율	예상 임대료 성장률	임대료($)
1	88.91%	13.67%	$15.16
2	88.39	12.49	17.05
3	88.60	12.97	19.26
4	88.00	11.61	21.50
5	86.40	7.97	23.21
6	83.84	2.16	23.71
7	82.74	–0.33	23.63
8	83.36	1.06	23.88
9	82.09	–1.81	23.45
10	80.88	–4.58	22.38

투자결정과 현금흐름 예측

이제부터는 수익용 부동산투자에 따른 현금흐름의 예측 방법을 검토한다. 핵심은 특정 자산의 매력을 파악하는 것이다.

사무실 빌딩 사례

2년 전에 완공되어서 시세가 $12,000,000인 사무실 빌딩을 구매할 경우의 현금흐름을 예측하자. 임차자는 은행, 법률 회사, 주택저당채권 중개인(mortgage broker)인데, 이들은 5년간 임차하기로 했다. 은행이 가장 많은 공간을 차지한다. 임대할 수 있는 총면적은 96000 ft^2, 유지관리비는 기본임대료와 비용환급금 합계의 5%, 현재 시장임대료는 $15/$ft^2$이다. 임차계약 상세와 시장임대료는 다음과 같다. 아래 표는 미래의 예상 임대료이다.

물론 여기 숫자는 평균이기 때문에 실제 시장임대료는 빌딩 내 위치에 따라 달라질 수 있다. 예를 들어 창문 넘어 보이는 풍광 좋은 곳은 임대료가 더 높다. 통상적으로 신규 임차인과 기존 임차인의 임대료 및 중개수수료는 다르지만, 모든 공간에서 임대료가 같다고 가정하자. 임대차계약이 갱신되지 않아 발생하는 공실은 그대로 받아들인다.

모뉴먼트 오피스 빌딩의 임대계약 명세 요약 표

임차인	면적 (평방피트)	현임대료 (평방피트당)	현임대료	잔여임대 기간(년)
은행	70,000	$14.00	$ 980,000	3
법률회사	10,000	14.50	145.000	4
모지기브로커	16,000	15.00	240,000	5
합계	96,000		$ 1,365,000	

노트: 운영비 증가에 대한 임차인 책임의 추가적인 가정은 추후에 다루기로 한다.

연도	1	2	3	4	5	6
시장임대료 예측	$15.00	$15.50	$16.00	$16.75	$17.50	$18.00

기본임대료

건물 매입한 첫해의 총임대료이다. 여기에서는 $1,365,000으로 가정한다. 2년 전에 은행에 대한 기본임대료인 $14/ft²는 현재의 임대료 $15보다 적다. 1년 전 법률회사와 맺은 기본임대료 $14.5/ft²는 현재 임대료 $15보다 적다. 시장임대료가 조금씩 꾸준히 상승했기 때문이다.

예상 기본임대료 수입 – 소비자 물가지수 연동

년	1	2	3	4	5	6
은행	$980,000	$980,000	$980,000	$1,172,500	$1,172,500	$1,172,500
법률회사	145,000	145,000	145,000	145,000	175,000	175,000
모기지브로커	240,000	240,000	240,000	240,000	240,000	288,000
계	1,365,000	1,365,000	1,365,000	1,557,500	1,587,500	1,635,500

www.mhhe.com/bf17e

시장임대료

우리 사례에서의 시장임대료는 올해 $15/ft²이다. 시장임대료는 시점의 시장 상황을 반영해서 갱신되기 때문에 계약 갱신기마다 상향될 가능성이 높다. 그에 따라 임차인이 임대인에게 지불하는 비용환급금은 감소한다. 은행의 첫해 임대료는 $980,000이다. 이는 계약이 맺어져 있는 첫 3년간 일정하게 유지되다가 4년 차에는 $1,172,500[3]이 된다. 제곱피트당 임대료가 $15에서 $16.75로 상승하기 때문이다.

(건물주의) 비용부담상한

사무실 임대차계약에서는 운영경비가 상승할 때 건물주가 부담하는 상한선을 정하는 것이 일반적이다. 인플레이션을 포함해서 예상하지 못한 건물주의 비용부담이 추가로 발생할 수 있는데, 그에 대한 상한을 정하고 추가적인 운영경비는 임차인이 부담하는 것이다. **비용부담상한**은 1) 전체 임대 면적에서 특정 임차인이 차지하는 면적의 비율, 2) 애초에 고려하지 못한 추가적인 비용이 발생할 때, 임대인과 임차인의 부담항목과 부담 범위에 대한 서로 간의 합의, 3) 임대차계약이 이루어지는 시점에서의 실제 운영경비에 의해 결정된다.

새로 개발된 건물이면 임차인과 건물주는 비용부담상한을 새로 협상한다. 기건축 건물에서는 건물주가 비용한도부담에 관한 서류와 규정을 장래 임차인에게 제공하고 논의하면서, 임대가능 면적 가운데 임차인이 사용하는 비중에 의해 임차인의 비용부담과 건물주의 비용부담상한이 결정된다. 건물주는 임차인에게 부담 지울 수 없는 경영경비(management expense)를 지출해야 하지만, 이를 제외한 모든 운영경비가 비용부담상한을 넘어서면 그 초과분은 임차인이 부담하도록 하는 것이다. 예를 들어 비용부담상한이 제곱피트당 $4이고, 현재의 비용이 제곱피트당 $4.45라면 임차인은 비용환급으로 $0.45/ft²를 지불해야 한다. 비용부담상한의 설정은 추가적인 비용부담요인이 발생할 경우, 건물주의 영업이익이 일정 수준으로 유지하도록 하기 위해서이다. 비용부담상한이 명료하지 않으면 계약 이후 추가적인 비용이 발생할 때, 임차인들은 그러한 비용에 대한 부담하는 것을 꺼려한다. 과도한 비용전가라고 생각한다.

[3] $16.75 times 70,000 square feet = $1,172,500.

인플레이션이 강할 때에는 소비자물가지수를 반영하여 임대료를 올릴 수 있다. 비용부담상한과 함께 소비자물가지수를 활용한 임대료 상승은 순 영업이익을 일정하게 유지하기 위한 것이다. 물론 순 영업이익의 실질적 상승은 미래에 임대차계약이 갱신될 때 가능하다. 기존의 임대차계약에서 비용부담상한은 다음과 같이 설명할 수 있다.

임차인	비용상한
은행	$ 4.00
법률회사	4.25
모기지 브로커	4.45

예 7-15의 표 A에서는 사무실 빌딩의 현재 운용비용과 미래의 비용 예측치가 나온다. 비용부담상한이 적용되는 총운영경비 예상치는 $427,200(임대가능 면적 제곱피트당 $4.45)이다. 표 B는 비용항목별 증가분에 대한 예측치가 나온다. 비용의 미래 증가율은 개별 비용 항목이 어떻게 변화할 것인가에 관한 추정값에 따라 달라진다. 우리 사례에서는 냉난방 비용이 가장 빠르게 증가한다. 재산세는 처음 2년

예 7-15
빌딩운영비용 요약: Monument Tower

A표: 운영비용

	금액	단위당 금액	
재산세	$ 148,800	$ 1.55	2년 차 10% 증가 후 고정
보험료	14,400	0.15	연 4.00% 증가
냉난방비	120,000	1.25	연 5.00% 증가
청소비	76,800	0.80	연 3.00% 증가
유지비	67,200	0.70	연 3.00% 증가
합계	$ 427,200	$ 4.45	(관리비용 전)

B표: 매년 상환비용의 예상표

년	1	2	3	4	5	6
재산세	148,800	148,800	163,680	163,680	163,680	163,680
보험료	14,400	14,976	15,575	16,198	16,846	17,520
냉난방비	120,000	126,000	132,300	138,915	145,861	153,154
청소비	76,800	79,104	81,477	83,921	86,439	89,032
유지비	67,200	69,216	71,292	73,431	75,634	77,903
운영비용 합계	427,200	438,096	464,325	476,146	488,460	501,289
평방피트당 비용	4.45	4.59	4.74	4.90	5.06	5.23

C표: 매년 비용 상환액 예상표 *

년	1	2	3	4	5	6
은행	$31,500	$41,615	$52,103	$ 0	$11,282	$22,985
법률회사	2,000	3,445	4,943	6,497	0	1,672
모기지브로커	0	2,312	4,709	7,196	9,774	0
합계	$33,500	$47,372	$61,756	$13,693	$21,056	$24,657

예 7-16 순 영업이익 예상 표

년	1	2	3	4	5	6
기본수입	$1,365,000	$1,365,000	$1,365,000	$1,557,500	$1,587,500	$1,635,500
(+)비용상환액	$ 33,500	$ 47,372	$ 61,756	$ 13,693	$ 21,056	$ 24,657
(+)잠재총소득	$1,398,500	$1,412,372	$1,426,756	$1,571,193	$1,608,556	$1,660,157
(−)공실	0	0	0	78,560	80,428	83,008
(−)유효총소득	1,398,500	1,412,372	1,426,756	1,492,633	1,528,128	1,577,149
(−)운영비용:						
상환가능비용	427,200	441,072	455,456	470,373	485,846	501,896
상환불가능비용	69,925	70,619	71,338	78,560	80,428	83,008
순 영업이익	$ 901,375	$ 900,681	$ 899,962	$ 943,700	$ 961,855	$ 992,245

간은 똑같지만, 자산 재평가 후 상승한 후 일정한 수준을 유지한다. 표 C는 비용환급액 추계액을 보여준다. 두 임차인(은행, 법률회사)은 건물주에게 비용환급을 해야 한다. 비용은 제곱피트당 $4.45인데, 비용부담상한인 $4.25를 넘어서기 때문이다. 임대차계약이 갱신되는 해에는 임대료 상승에 비용증가를 반영하기 때문에 비용환급이 발생하지 않는다.

순 영업이익

예 7-15를 토대로 **순 영업이익**을 추계하면 예 7-16과 같다. 경영비용은 **유효총소득**(effective gross income: 기본임대료 + 비용환급금 − 공실에 따른 매출손실)의 5%로 가정했다. 처음 4년간 공실에 따른 매출손실이 없다고 가정한다. 5년 차부터는 계약이 갱신되면서 공실에 따른 매출손실이 기본임대료의 5%만큼 발생한다고 가정한다. 이 사례에서는 경영비용이 비용환급금에 포함되지 않는다.

수리 및 자본지출

부동산은 시간이 지날수록 주기적으로 수리해야 하기 때문에, 정기적인 수리 비용은 운영경비에 포함되어야 한다. 지붕 교체, 주차장 건설처럼, 중요하지만 매년 지출하지 않는 항목의 비용도 운영경비에 포함되어야 한다. Monument Office Building은 예 7-16에서처럼 6년간 주요 자본 지출은 없을 것으로 예상된다. 임대차계약이 갱신될 때, 임차인의 수리비용에 대한 지원금이나 임대차 중개 수수료는 없다고 하자. 예 7-17은 이 사례의 순 영업이익을 보여준다.

추정매각가격

부동산 보유기간 동안의 투자성과를 측정하려면 우선은 보유 기간을 정해야 한다. 여기서는 5년을 가정한다. 5년 뒤 매각가격을 추정할 때, 투자자는 두 개의 일반적인 과정을 거친다. 첫째는 어떤 자산의 가치가 매년 몇 퍼센트 상승할지를 추정하는 것이다. 이것은 기대인플레이션율과 관련이 있다. 물론 사무실 빌딩의 수익률은 기대인플레이션율보다 더 좋은 곳도 있고, 그렇지 못한 곳도 있다. 그러한 차이는 주로 지역 경제에서 고용이 얼마나 창출되는가에 달려 있다. 이 방법에는 두 가지 문제가 있다. 첫째는 구매가격에 대한 가정에 의존한다. 그런데 분석 시에 가정한 가격은 실제 가격과는 다르게 마련이다. 둘

예 7-17
REIWise Operating Data Report for Monument Office Building

Select Projection: Annual Property Operating Data

Projections

Description	Year 1	Year 2	Year 3	Year 4	Year 5	Year 6
Rental Income	$1,365,000	$1,365,000	$1,365,000	$1,557,500	$1,587,500	$1,635,500
Expense Reimbursements	$33,500	$47,372	$61,756	$13,693	$21,056	$24,657
GROSS SCHEDULED INCOME	$1,398,500	$1,412,372	$1,426,756	$1,571,193	$1,608,556	$1,660,157
General Vacancy	$0	$0	$0	($78,560)	($80,428)	($83,008)
GROSS OPERATING INCOME	$1,398,500	$1,412,372	$1,426,756	$1,492,633	$1,528,128	$1,577,149
Expenses						
Property Management Fee	($69,925)	($70,619)	($71,338)	($78,560)	($80,428)	($83,008)
Property Tax	($148,800)	($151,776)	($154,812)	($157,908)	($161,066)	($164,287)
Insurance	($14,400)	($14,976)	($15,575)	($16,198)	($16,846)	($17,520)
Utilities	($120,000)	($126,000)	($132,300)	($138,915)	($145,861)	($153,154)
Janitorial	($76,800)	($79,104)	($81,477)	($83,921)	($86,439)	($89,032)
Maintenance	($67,200)	($69,216)	($71,292)	($73,431)	($75,634)	($77,903)
TOTAL OPERATING EXPENSES	($497,125)	($511,691)	($526,794)	($548,933)	($566,274)	($584,904)
NET OPERATING INCOME	$901,375	$900,681	$899,962	$943,700	$961,855	$992,245

째, 재매각 가격을 산정할 때 과거 자료에 지나치게 의존하는 것이다.

재매각 가격을 추정하는 두 번째 방법은 잔존자본환원율(capitalization rate, 줄여서 cap rate)을 사용하는 것이다. 투자시점(going-in) 자본환원율은 첫해의 순 영업이익을 매입가격으로 나눈 값이다. 우리의 사무실 빌딩 사례에서는 7.5%이다.[4] 자산매입자가 첫해에 기대할 수 있는 수익률이다. 다른 투자자가 구매한 사무실빌딩도 비슷한 수익률을 보일 가능성이 높다.

자산을 매입할 때 투자자는 미래의 감가상각, 노후화, 수입의 불확실성을 고려해서 현재의 자본환원율보다 조금 높은 수준을 수익률로 요구하기도 한다. 그러나 5장에서 논의한 것처럼 이자율, (부동산으로부터의) 예상 소득, 자산가치가 예상보다 높을 수도, 낮을 수도 있다. 이런 모든 요인은 당연히 비교 가능한 자산의 자본환원율에도 영향을 미친다. 재매각가를 산정하기 위해 잔존환원율을 예상할 때 고려해야 하는 요인들이다.

우리는 이 사례에서 5년간 보유한다는 것을 가정하고 있다. 그 자산이 5년 뒤에 심각하게 노후화된다고 보기는 힘들다. 사회경제적 특성 또한 지금과 비슷하다고 가정할 수 있다.[5] 물론 현재 여건이 5년 뒤에도 그대로 유지된다는 전제 아래 5년 뒤의 가치를 추정하는 것에는 위험이 뒤따른다. 이러한 위험을 감안해서, 자본환원율에 0.25%p.를 더하여 계산한다. 업계에서 널리 사용하는 방식이다. 그에 따라 잔존자본환원율은 7.75%를 사용한다. 6년 차의 순 영업이익이 $992,245이고, 자본환원율이 7.5%라고 가정하면 재매각가의 추정값은 $12,803,165이다.[6] 합리적인 재매각가가 무엇인지는 결국 분석하는 사람이 판단해야 한다. 이 책에서는 몇 가지 계산 방법과 고려사항을 제시할 뿐이다. 하나의 방법만이 있는 것은 아니다.

---

[4] 이전 절에서 값을 구매 시점의 이자율에 적용하기 때문에 "going-in" 상한 이자율로 부른다.

[5] 이는 그 6년의 기간 동안 오피스 공간 시장에서는 순 영업이익과 가치들 사이의 관계를 변화시키는 어떤 중대한 변화도 일어나지 않는 다는 것을 가정한다. 오피스 공간에 대한 수요 및 공급이 시장 임대료에 영향을 주거나, 오피스 공간에 대한 투자자가 요구하는 수익률이 변화하게 되면 자본환원율(capitalization rate)은 바뀔 수 있다.

[6] 자본환원율이 재매각가격으로 평가될 때, 종종 **잔존자본환원율**이라고 한다.

예 7-18 내부수익률의 계산

년	0	1	2	3	4	5
부동산가격	($12,000,000)					
순 영업이익(NOI)		$901,375	$900,681	$899,962	$943,700	$ 961,855
매각가격						12,803,165
현금흐름	($12,000,000)	$901,375	$900,681	$899,962	$943,700	$13,765,020
내부수익률	8.78%					

투자분석 개요

투자 관점에서 부동산의 미래 잠재력을 평가하는 것이 **투자분석**이다. 관심 자산을 매입해야 하는가? 어느 정도 길게 보유하고 있어야 하는가? 자금을 어떻게 조달해야 하는가? 매입에 따른 세금은 얼마나 하나? 투자의 위험은 어느 정도인가? 라는 질문에도 답하기 위한 분석이 투자분석이다. Monument Office Building의 경우, 가장 중요한 질문은 이 자산을 $12,000,000에 매입해야 하는가이다. 현금흐름표를 작성해서 답해보자.

내부수익률

앞에서 계산한 Monument Office Building의 순 영업이익과 미래 재매각가를 활용해서 **내부수익률**을 계산할 수 있다. 예 7-18은 내부수익률을 계산하기 위한 현금흐름을 보여준다. 내부수익률은 미래의 현금유입들을 현재가치로 환산해서 모두 더할 때, 자산의 매입 비용과 같아지도록 하는 할인율이다. 여기에서는 8.78%로 나왔다. 이 값은 차입금을 고려하지 않았기 때문에, "무차입 내부수익률"이라고 부른다.

현재가치

8%의 수익률을 요구하는 투자자는 위의 자산에 대해서 얼마나 지불하려고 할까? 이 질문에 답하기 위해 현금흐름을 8%로 할인하면 $12,383,000을 얻는다. 매입가격을 $12,000,000이라고 하면, 순현재가치(net present value)는 $383,000이다.

부채조달에 대한 개요

많은 경우, 투자자는 자기자본에 빚을 더해서 자금을 마련한다. 8장에서는 왜 이렇게 하는지, 자산을 소유하기 위해 빚을 내는 것이 좋은지를 설명한다. 여기에서는 빚이 현금흐름에 미치는 영향을 살펴본다.

Monument Office Building를 보자. 투자자는 자산 매입 자금의 70%를 이자율 4.25%로 빌리고, 20년간 원리금균등분할상환한다. 대출금은 $8,400,000 ($12,000,000 × 0.7)이다. 원리금 상환액은 매월 $52,015.7이고 연간으로는 $624,188이다. 예 7-19에는 대출상환 일정이 있다. 이 자산은 5년 후에 매각할 예정이다.

예 7-19
부채정보 요약

	1	2	3	4	5
불입액	$ 624,188	$ 624,188	$ 624,188	$ 624,188	$ 624,188
저당잔액	8,127,545	7,843,283	7,546,701	7,237,266	6,914,421
이 자	351,733	339,926	327,607	314,753	301,343
원 금	272,455	284,262	296,582	309,435	322,845

예 7-20
부동산 사업에서의 현금흐름 예측 표

	년				
	1	2	3	4	5
순 영업이익	$901,375	$900,681	$899,962	$943,700	$961,855
(−)부채상환	624,188	624,188	624,188	624,188	624,188
세전 현금흐름	$277,187	$276,493	$275,774	$319,512	$337,666

예 7-20은 순 영업이익에서 원리금상환액을 뺀, 세전 현금흐름(*BTCFo*)을 보여준다. 세전 현금흐름은 **자기자본배당금**으로 불리기도 한다. 매년 투자자가 실제로 받을 수 있는 현금흐름이기 때문이다. 주식 소유에 따른 배당금과 비슷한 개념이다.

비율을 활용한 투자성과 측정

자기자본배당률

자기자본배당률은 첫해의 세전 배당금을 초기 **자기자본투자금**(자산매입금 − 빚)으로 나눈 값이다. 자기자본은 $12,000,000 − $8,400,000 = $3,600,000이다. 자기자본배당률은 7.7% ($277,187 × 100/$3,600,000)이다. 자기자본배당률은 투자수익률과 다르다. 미래 운용에 따른 수익률은 반영하지 못하기 때문이다. 투자자에게 자기자본배당률과 투자수익률(즉, 내부수익률)의 차이는 중요하다. 이는 추후에 다룬다.

부채감당률

대출자가 투자자에게 대출을 해주려면 차입자가 지불해야 하는 원리금 상환액보다 순 영업이익이 훨씬 많아야 한다. 이 비율이 **부채감당률**(차입자의 한 해 원리금 상환액/순 영업이익)이다. 미래에 순 영업이익의 변동폭이 클 것으로 예상되면 편의상 보통 첫해의 자료를 이용하여 산정한다. 이 값이 1.2배를 넘어서면 차입자가 원리금 상환에 큰 문제가 없다고 판단한다. 우리 사례에서는 1.44 ($901,375/$624,188)이다. 대출자는 통상 이 값이 최소 1.2배는 넘어야 한다고 요구한다.

매매에 따른 세전 현금흐름

자산을 매각하면 매입할 때 빌린 빚부터 갚아야 한다. 자산 매입하고 5년이 지나면, 빚 잔액은 $6,914,421인데, 이를 매각가인 $12,803,165에서 빼면 $6,297,900이 남는다.

예 7-21
현금흐름 요약: Monument Office Building

년	0	1	2	3	4	5
세금 전 현금흐름	($3,600,000)	$277,187	$276,493	$275,774	$319,512	$6,226,410

예 7-22
Monument Office Building의 투자분석 요약

자본환원율	7.51%
부동산의 내부수익률(비 부채형)	8.78%
지분의 내부수익률(*BTIRR*)	17.16%

5년 차 매각으로부터의 현금흐름 추정	
매각가격	$12,803,165
대출잔고	−6,914,421
세전 현금흐름	$ 5,888,744

투자자의 자기자본에 대한 내부수익률

우리 사례에서 자산매입자금은 $12,000,00이고, 투자자의 자기자본은 $3,600,000이다. 독자는 예 7-21에서 보는 것처럼 세전 내부수익률(BTIRR)이 17.16%인 것을 도출할 수 있어야 한다. 좋은 수익률이라고 평가받으려면 두 가지 조건이 충족되어야 한다. 첫째, 인근의 비슷한 자산에 투자할 때보다 높은 수익률이어야 한다. 둘째, 대출이자율보다 높아야 한다. 투자는 대출보다 리스크가 더 크기 때문에, 이자율보다 높은 수익률을 확보할 수 있어야 한다.

투자분석계산의 요약

예 7-22는 Monument Office Building 사례에 대해 투자분석한 결과이다. 투자 여부는 인근의 유사 부동산과 비교하여 결정해야 한다. 추가로 고민해야 할 것은 연방정부 소득세가 미칠 영향과 빚을 더 낼 것인지의 여부이다. 8장은 자금조달의 대안을 다룬다. 빚을 더 낼 수 있을지는 자산가치에 대한 평가와 관련이 있다. 평가된 가치가 지나치게 낮은 수준이라면 자금을 빌리기 힘들 수 있다. 지금 이 책에서 다루는 분석은 사무실 빌딩을 매입하고자 할 때 필요로 하는 초보적인 수준이다. 그럼에도 현명한 결정을 내리기 위해서 요구되는 대부분의 이슈는 폭넓게 다루고 있다.

수익용 부동산과 세금

지금까지는 세전(稅前)분석을 다뤘다. 지금부터는 세후(稅後) 분석을 포함하여 다룬다. 우리의 분석은 매우 일반적인 수준이다. 세법은 자주 바뀌는데다, 이 책에서 일일이 다룰 수 없을 만큼 복잡하다. 그럼에도 세금이 투자의사결정에 미치는 영향에 대해 살펴보는 것은 큰 도움이 된다.

이 장에서는 **거주 목적으로 구매한 주택**을 상정하지는 **않는다**. 거주 목적으로 구매한 주택에는 독특한 세법이 적용된다. 세금과 관련해서 감가상각되지도 않는다. 집을 되팔기 위해서 잠시 갖고 있는 경우도 여기에서는 상정하지 않는다. 부동산을 되팔 목적으로 잠시 갖고 있는 사람은 **딜러**(dealer)이지, **투자자**

는 아니다. 딜러가 갖고 있는 부동산도 **감가상각되지 않는다.**

여기에서는 오로지 거래(예컨대 부동산 매입 후 가치를 올려서 재매각하는 등)나 사업 목적(부동산을 보유하는 동안에 임대료 등의 수입을 거두는 사업 등)으로 보유하는 경우만을 고려한다. **대부분의 수익용 부동산이 여기에 포함된다.** 소유자는 부동산을 운영하고, 수리하며, 수입을 올리기 위한 모든 조치를 취한다. 물론 소유자는 부동산 자산의 운용에 적극적으로 깊이 관여해야 한다. 파트너십, 법인, 조합도 이런 목적으로 부동산을 취득하여 운용한다.[7] 토지의 취득 및 개량도 이 범주에 포함된다.

부동산 소유주는 부동산 운용에 따라 얻는 소득과 유지 관리 비용을 세무 당국에 신고한다. 물론 재산세, 자산취득용 대출금에 대한 이자 지급액, 운용자금용 대출금에 대한 이자지급액은 소득에서 공제된다. 감가상각도 공제 가능하다. 자산이 매각될 경우에는 자산의 가격 변화에 따른 자본 이득 또는 손실에 대한 세무를 준비해야 한다.

부동산 운용에 따른 과세대상소득

앞부분에서는 수익용 부동산에서 순 영업이익(net operating income, NOI)을 어떻게 계산하는지를 다뤘다. 순 영업이익을 계산할 때에는 **운영**에 따른 비용을 빼야 한다. 운영에 따른 비용에는 재산세액, 보험료, 유지관리비, 각종 요금(전기료 등)이 있다. 순 영업이익에서 주택담보대출의 원리금 상환액을 빼면 세전 현금흐름을 얻는다. 그런데 세전 현금흐름과 **과세대상소득**은 다르다.[8] 과세대상소득을 구할 때, 대출금의 원금 상환액은 소득공제 대상이 아니다. 이자지불액만이 공제대상이다. 미국 세법에서는 부동산의 감가상각액도 소득공제 대상이다. 다만, 세법이 허용하는 **감가상각인정액**은 시기마다 다르다. 과세대상소득은 다음과 같다.

과세대상소득 = NOI − 이자 − (세법이 허용하는) 감가상각인정액

과세대상년도에 자금대출자에게 지불한 이자는 소득에서 공제된다. 원리금균등분할상환의 경우에 원금과 이자를 어떻게 분리할지는 이미 앞에서 설명한 바 있지만,[9] 감가상각인정액을 어떻게 처리할지는 이제 다루려고 한다.

감가상각인정액

과세대상소득을 산정할 때 감가상각을 반영하지 않으면 순 영업이익이 과대평가되어서, 투자자는 과다한 세금을 부담하게 된다. 감가상각은 두 가지 성격이 있다. 첫째는 부동산의 가치하락이다. 부동산은 시간이 지날수록 물리적으로 쇠락하면서 자산가치가 하락한다. 매년 발생하는 가치의 하락으로 투자자의 실직소득은 감소한다. 이것을 반영하지 않고 순 영업이익에 대해 세금을 부과하면 과도한 세금을 부과하게 된다. 둘째, 부동산을 매입할 때의 비용이 있는데, 그 비용이 회계상 제대로 반영되지 않는 것이다. 투자자는 처음에 부동산매입할 때 상당한 비용을 투입하는데, 투자자의 연간 수입에서 이 사업을 위해 지불한 비용을 차감하고 세금을 부과하는 것이 합리적이다.

---

[7] 거래나 사업에서 소득을 창출하기 위해 사용되는 부동산은 Section 1231 자산으로 분류된다. 그런 자산을 소득 창출에 이용하는 사업체가 구입한 자본 설비(예를 들어, 기계류)도 또한 Section 1231 자산으로 지정된다.

[8] 추가적인 차이점은 추후 뒷장에서 설명한다.

[9] 4장의 부록을 다시 검토해야 한다.

예 7-23
부동산 감가상각 규칙*

년	감가상각기간	방법
1969~1980	사용기간 약 30~40년	가속상각법 또는 정액법†
1981~1983	15년	정액법의 175%에 기초한 가속상각‡
1984~1985	18년	정액법의 175%에 기초한 가속상각‡
1986	19년	정액법의 175%에 기초한 가속상각‡
1987~1992	주거용 27.5년	정액법
	비주거용 31.5년	정액법
1993~현재	주거용 27.5년	정액법
	비주거용 39년	정액법

*일부 부동산 투자는 가구 및 비품 등의 개인 자산이 포함된다. 개인 재산은 부동산보다 훨씬 더 짧은 기간에(예: 현행 세법에 따라 8년) 감가상각 될 수 있다.
†투자자들은 일반적으로 부동산이 주거용인지 비주거용인지, 신규 또는 기존인지에 따라 정액 감가상각비의 125%에서 200%까지 감가상각 방법을 선택한다.
‡비 주거용 부동산에 대한 감가상각비를 빠르게 사용하는 투자자에게 영향을 주는 심각한 "탈환" 규정 때문에 대부분의 투자자는 이 기간 동안 비주거용 부동산에서 정액 감가상각을 사용한다.

그렇다면 감가상각을 어떻게 하는 것이 합리적일까? 감가상각은 토지에는 적용되지 않고 건물에만 적용된다. 감가상각을 위한 무난한 방법은 건물의 존속기간 동안 건물의 가치를 일정한 액수씩 깎아나가는 것이다. 예를 들어 건물이 100년간 존속한다면, 애초에 그 부동산에서 토지가치를 제외한 건물가의 1/100만큼을 매년 감가상각액으로 설정하는 것이다. 이 방법이 이른바 정액법이다.

그런데 미국에서는 이렇게 하지 않고, 감가상각을 활용해서 상당한 세제혜택을 투자자에게 제공한다. 사무실 빌딩의 경우에는 존속기간이 100년을 넘는 경우가 많은데도, 예 7-23에서 보는 것처럼 감가상각하는 기간을 건물의 존속기간보다 매우 짧게 설정하기 때문에 투자자는 상당한 감세효과를 누린다. 예를 들어 건물의 가치가 100억 원인 사무실 빌딩이 있다고 하자. 건물의 존속기간이 100년이고, 정액법으로 하면 매년 감가상각액은 1억 원이다. 이렇게 감가상각한 데에다 세금을 부과할 때의 과세대상소득은 매년 거두는 순 영업이익 수입에서 이자지불액과 감가상각액(1억)을 뺀 값이다. 여기에 세율을 곱해서 과세하는 것이다. 그런데 만약 20년 만에 감가상각을 모두 다 한다면 매년 임대료 수입에서 이자지불액과 5억 원을 뺀 값에 세율을 곱해서 과세하는 것이다. 실제로 미국에서 1980년대 초에는 감가상각 기간을 15년으로 설정하는 조치 때문에 사무실공급이 지나치게 활황을 겪으면서 상당한 부작용을 겪었다. 최근에는 주거용은 27.5년, 비주거용 건물은 39년으로 되어 있다. 감가상각하는 기간을 예전보다 많이 늘렸지만, 여전히 건물의 실제 존속기간보다 감가상각하는 기간이 매우 짧다. 이는 부동산에 대한 투자를 권장한다는 의미가 있다. 부동산에 대한 투자가 지속적으로 유지되지 않으면 경제활동에 지장이 많기 때문이다.

감가상각기준액 *Depreciable Basis*

감가상각 처리할 때 까다로운 것이 부동산 가격에서 건물의 가치만을 뽑아내는 것이다. 여기에는 두 가지 방법이 있다. 첫째는 인근 지역에서 빈 땅의 시장 가치를 참고하는 것이다. 둘째는 건물이 오래된 부동산의 실거래 가격을 보는 것이다. 건물이 오래되면 부동산거래 가격은 토지가격만을 반영한다. 이와 같은 사례를 참고하면 부동산 가치에서 건물의 가치만을 분리할 수 있다. 하나 염두에 둘 것은 투자자가

부동산 매입 이후에 건물 수선을 위해 지불한 비용이 있다면 건물가치에 해당 수선 비용을 추가해서 감가상각기준액으로 설정하게 된다는 것이다. 감가상각기준액이 정해지면 여기에 세법이 정한 기간에 맞게 정액법을 적용한다.

대출수수료

대출받을 때 금융권에 지불하는 수수료도 감가상각처럼 정액법으로 처리할 수 있다. 부동산 매입을 위해 $800,000을 대출받느라, 수수료를 2%(즉 $16,000) 지불했다고 하자. 대출금은 25년간에 걸쳐 원리금균등분할상환하는 것으로 하되, 10년 말에 대출잔액을 일시불로 갚을 수 있다고 하자. 세무상으로는 이 경우에 $16,000를 10년에 걸쳐 정액법으로 공제받을 수 있다. 즉, 10년 동안 매년 $1,600를 공제받는 것이다. 이렇게 계약했는데, 만약 부동산 매입자가 10년 말이 아니라 5년 말에 부동산을 매도한다면, 당해 연도의 대출수수료 상각액인 $1,600에 상각 잔액($8,000)을 더해서 $9,600을 대출수수료로 상각하게 된다.

세금지불액과 세후 현금흐름

과세대상소득을 정하면 실제 세금지불액을 쉽게 알 수 있다. 예 7-24를 보면 부동산 소유자가 거두는 과세대상소득을 과세구간별로 나눈 다음에 그에 맞는 세율을 곱하고, 그 결과를 모두 더하면 납부해야 할 세금 총액이 된다. 소득세는 가장 대표적인 누진세이다. 즉, 과세구간이 올라갈수록 세율이 높아지는 구조이다. 응능의 원칙(능력있는 사람이 더 많이 세금을 낸다는 원칙)에 따라 운용되는 세금이기 때문이다. 이런 내용은 예 7-24에서 확인할 수 있다. 세금부담액은 투자자의 과세대상소득에 한계세율을 곱하여 얻는다. **한계세율**은 투자를 통해 **추가되는** 소득에 대해 과세될 때 적용되는 세율이다. 일반적으로 세율은 과세구간별로 나뉘기 때문에, 투자자 입장에서는 투자를 통해 추가로 들어오는 소득이 어느 과세구간에 속할지 관심을 갖게 된다. 즉 추가로 들어오는 소득에 대한 한계세율이 중요하다. 예 7-24에

예 7-24
2019년 한계일반소득과 자본이득세율 (상: 부부합산 세율, 하: 개별 세율).

과세대상소득	한계세율	자본이득세율
$0~$19,400	10%	0%
19,401 - 78,950	12	0–15
78,951 - 168,400	22	15
168,401 - 321,450	24	15
321,451 - 408,200	32	15
408,201 - 612,350	35	15–20
초과 612,350	37	20
$0~$9,700	10%	0%
9,701 - 39,475	12	0–15
39,476 - 84,200	22	15
84,201 - 160,725	24	15
160,726 - 204,100	32	15
204,101 - 510,300	35	15–20
초과 510,300	37	20

는 과세대상소득의 과세구간별로 한계세율이 제시되어 있다. 부부합산으로 과세대상소득이 $100,000 라고 하자. $19,400에 대해서는 10%를, $59,550 ($78,950 – $19,400)에 대해서는 12%를, $21,050 ($100,000 – $78,950)에 대해서는 22%를 세율로 적용해서 구한 값들을 모두 더한 $13,711이 소득세로 부과된다. 여기에 부동산에서 들어오는 과세대상소득이 $10,000이라면(그에 따라 과세대상소득의 총액은 $100,000에서 $110,000으로 상승) 여기에 22%가 적용되어서 $2,200이 추가로 과세된다.

감가상각 가능 부동산의 매각에 따른 과세대상소득

부동산이 매각될 때 과세 가능한 **자본이득**이 있는지를 판단할 때에는 총 매각가가 정해져야 한다. (과세대상을 산정하기 위한) 총매각가는 부동산소유권을 양도하는 대가로 매각자가 얻게 되는 매각대금(현금 + 현물)과 매입자에게 부담을 넘긴 채무잔액(any liabilities against the property assumed by the buyer)을 더한 것이다. (매입자에게 부담을 넘긴 채무잔액으로는 예컨대 유치권 같은 것이 있다. 또한 매도자가 일부 대금만 받고, 자신이 짊어져야 하는 부채를 매입자에게 넘기는 경우가 있다. 매도자가 받은 장기주택대출이 있는데, 그 원리금 잔액을 매입자가 떠안는 경우가 여기에 해당한다*). **순매각가**(net sales proceeds)는 총매각가에서 각종 비용(법률자문비, 등기비, 중개료)을 뺀 것이다. 자본이득이나 손실을 정하려면, 순매각가에서 **조정기준가**(adjusted basis, 또는 미상각잔액)를 빼야 한다. 조정기준가는 **최초장부가**(토지대, 건물대, 취득수수료)에 자본적 지출을 더한 후 누적상각액을 뺀 값이다. 그 차액이 양수면 그만큼 (과세대상) 자본이익이 있는 것이고, 음수이면 그만큼 (과세대상) 자본손실이 있는 것이다.

상각가능 수익용 부동산의 경우에, 매각차익은 (매도자가 1년 이상 보유했다는 전제 아래) 장기자본이득으로 취급되어, 상대적으로 낮은 세율이 적용된다. 2019년에 미국에서 일반적인 소득(근로소득 등)에 대한 최고세율은 37%이다. 1997년에 자산의 가치상승분에 대한 자본이득세의 최고세율을 20%로 낮췄다. 보유기간 동안의 감가상각으로 인해 발생한 자본이득에 대해서는 최고 자본이득세율이 25%이다. 물론 이것은 최고 세율이다. 여러분의 자본이득 규모가 작다면 과세구간에 따라서는 세율이 0%가 적용될 수도 있다.

세후 현금흐름 기준 투자분석

앞서 다뤘던 사무실 빌딩 사례를 통해 연방소득세가 투자분석에 미치는 영향을 검토해보자. 예 7-25는 Monument Office Building의 세전현금흐름을 요약해 보여준다.

운영에 따른 세후 현금흐름

앞에서는 투자에 따른 **세전** 현금흐름을 추정했다면 여기에서는 과세대상소득의 증가액 또는 감소액의 규모를 결정해야 한다. **세후** 현금흐름은 세전 현금흐름에서 세금액을 빼거나 더해서 얻는다. 이것을 하기 위해서는 운영에 따른 소득이 매년 얼마나 발생하는지를 확인하고, 그 부동산이 매각되는 해의 세금

* 역자 주: 자산 매각에 따른 자본이득을 우리나라에서는 양도소득이라고 표현하는데, 이 양도소득은 엄밀하게 따지면 부동산의 자본이득(capital gain)과는 성질이 많이 다르다. 그에 따라 여기서 번역할 때에는 양도소득세라는 표현보다 직역을 해서 자본이득세라고 했다.

예 7-25 오피스빌딩 운영수입 및 매각수입의 세전 현금흐름

	년				
	1	2	3	4	5
운영상의 현금흐름:					
순 영업이익	$901,375	$900,681	$899,962	$943,700	$ 961,855
(−)부채상환	624,188	624,188	624,188	624,188	624,188
세전 현금흐름	$277,187	$276,493	$275,774	$319,512	$ 337,666
5년 차의 매각으로 인한 추정 현금흐름:					
매각가격					$12,803,165
(−)저당잔액					6,914,421
매각 전의 현금흐름(세전)s($BTCF_s$)					$ 5,888,744

예 7-26 건물운영의 세전 현금흐름 및 과세대상소득

	연말				
	1	2	3	4	5
과세소득:					
순 영업이익	$901,375	$900,681	$899,962	$943,700	$961,855
(−)이자	351,733	339,926	327,607	314,753	301,343
(−)감가상각	250,641	261,538	261,538	261,538	261,538
과세소득(손실)	299,001	299,217	310,817	367,408	398,973
세금(35%)	$104,650	$104,726	$108,786	$128,593	$139,641
세후 현금흐름:					
세전 현금흐름	$277,187	$276,493	$275,774	$319,512	$337,666
(−)세금	104,650	104,726	108,786	128,593	139,641
세후 현금흐름	$172,536	$171,767	$166,988	$190,919	$198,026

을 반영해야 한다. 예 7-26에서 운영에 따른 과세대상소득과 세후 현금흐름을 계산하는 방법을 볼 수 있다. 순 영업이익에서 이자와 감가상각을 빼면 과세대상소득을 얻는다(원금은 세금공제가 안 된다). 여기에서 이자는 원금 $8,400,000에, 4.25%의 이자율을 적용하여 20년간 원리금균등분할상환으로 계산한 것이다. 예 7-27에서는 주요 대출상환 일정을 볼 수 있다.

예 7-27
대출상환 일정 요약

	연말				
	1	2	3	4	5
불입액	$ 624,188	$ 624,188	$ 624,188	$ 624,188	$ 624,188
저당잔액	8,127,545	7,843,283	7,546,701	7,237,266	6,914,421
이자	351,733	339,926	327,607	314,753	301,343
원금	272,455	284,262	296,582	309,435	322,845

감가상각

과세대상소득은 **감가상각인정액**에 의해서도 영향받는다. 미국에서 주거자산의 감가상각 기간은 27.5년, 비주거자산의 감가상각 기간은 39년이다. 둘 다 정액법으로 계산한다.[10] 자본투입분(즉, 건물분)에 대해서만 감가상각이 적용된다는 것도 명심해야 한다. 토지에는 감가상각이 적용되지 않는다. 따라서 $12,000,000 가운데, 건물가와 토지가의 비중이 각각 얼마나 되는지를 알아야 한다. 토지가가 15%($1,800,000), 자본투입분(즉 건물가)은 85% ($10,200,000)라고 하자. 정액법에 의해 건물가를 39로 나누면 매년 $261,538만큼 감가상각해야 한다. 미국 국세청(Internal Revenue Service, IRS)의 지침에 따르면, 부동산 매입시점은 매월 15일로 가정해야 한다. 그에 따라 첫해는 12개월이 아니라 11.5개월이고,[11] 우리가 감가상각하는 금액은 $261,538에 11.5/12를 곱해서 구한 $250,641이다.

여기서 주의할 것은 감가상각하는 만큼의 현금흐름이 실제로 발생하지는 않는다는 것이다. 과세대상소득을 산정하기 위한 회계상의 작업일 뿐이다. 우리의 예에서 첫 해의 과세대상소득은 $299,001이다. 투자자의 과세구간이 이미 35% 구간에 있다면, 이 부동산을 소유함으로써 투자자가 부담해야 하는 추가 세금은 $104,650 (0.35 × $299,001)이다[역자주: 투자자의 소득이 이 부분을 반영하기 전에 이미 $204,101을 넘어서서 한계세율이 35%가 적용되는 과세구간에 있다고 가정하는 것이다]. 세전 현금흐름에서 이 금액을 빼면 첫해의 세후 현금흐름은 $172,536이 된다.

우리의 사례에서는 과세대상소득이 양수이지만, 만약 음수라면 그에 따른 세금감면을 받기 위해 추가 작업이 진행되어야 하는데 이는 잠시 뒤에 검토한다[역자주: 미국에서는 소득이 음수이면 세금을 감면받는 규정이 있다].

매각에 따른 세후 현금흐름

예 7-28에서는 부동산 매각이 투자자의 세후 현금흐름에 어떤 영향을 미치는지 알 수 있다. 투자자는 5년간 보유하고 5년 차 말에 매각하는데, 보유기간에 걸쳐 매년 감가상각을 해왔다고 하자. 그에 따라 과세대상소득을 계산할 때 부동산 자산취득에 따른 **비용의 기준선**이 작아지게 된다(즉, 감가상각한 것만큼

예 7-28
5년 차 건물매각의 세후 현금흐름

매각가격			$12,803,165
(−) 대출잔액			$ 6,914,421
세전 현금흐름			$ 5,888,744
매각한 해의 세금			
매각가격		$12,803,165	
매입원가	$12,000,000		
누적감가상각비	$ 1,296,795		
수정기준액		$10,703,205	
자본이득		$ 2,099,960	
자본이득세			$ 444,673
매각에 따른 세후 현금흐름			$ 5,444,071

10 이 혼합사용 속성의 경우(주거용 및 비거주 사용), 사용 중 하나가 매출의 80%를 생산하는 경우 전체 개선은 해당 사용에 해당하는 세금 기간 동안 상각될 수 있다

11 IRS는 납세자가 감가상각 공제액을 계산하는 데 사용해야 하는 표를 제시한다. 표는 투자자가 매월 중반에 부동산을 구매했다고 가정하고, 부동산 구입 시 실제 월에 따라 1년 감가상각비를 비례 배분하여, 39년으로 나눈다.

비용이 감소하는 것이다). 감가상각액은 첫해에는 $250,641이고, 2년 차부터 5년 차까지는 $261,538이므로, 5년간의 감각상각 총액은 $1,296,795이다. 이것을 매입가에서 빼면 $10,703,205가 된다. 이것이 조정기준가(adjusted basis, 미상각잔액)이다. 매도가와 조정기준가의 차이가 자본이득이다[역자주: 이것은 분명히 우리나라의 양도차익과는 매우 다른 개념이다. 따라서 이것을 양도차익이라고 번역하면 안 된다]. 자산의 가격상승으로 인한 자본이득[역자주: the portion of gain due to price appreciation, 이것이 우리나라의 양도소득에 가깝다. 미국에서 애기하는 capital gain과 price appreciation의 차이를 잘 이해해야 한다]은 이 예에서 $2,099,960이며, 여기에 적용되는 최대세율은 20%이다. 미국에서는 NIIT (national investment income tax)에 의한 3%의 추가 세율이 적용된다. 그러나 여기에서는 투자자가 35% 과세구간(bracket)에 있다고 가정하고 있기 때문에, 자본이득에 대한 세율은 15%가 된다. 감가상각에 대해서는 25%의 세율이 적용된다. 다음 표에서는 자세한 사항이 설명되어 있다.

세금계산 내역		
가격상승분($12,803,165 – $12,000,000)		$ 803,165
(+)누적감가상각		$ 1,296,795
(=)총차익		$ 2,099,960
가격상승차익에 대한 세금	$(803,165 × .15) =	$ 120,475
누적감가상각에 대한 세금	(1,296,795 × .25) =	$ 324,199
총자본이득세		$ 444,673

세후 내부수익률 *After-tax IRR*

예 7-26과 7-28로부터, **세후 내부수익률**을 구해보자. 예 7-29에서는 세전과 세후 현금흐름을 비교하며 볼 수 있다. 세전 내부수익률은 17.16%, 세후 내부수익률은 12.88%이다. 세후 내부수익률이 세전 내부수익률보다 약 25% 작다. 투자자에게 적용되는 한계세율은 35%라는 점을 염두에 두자.

실질세율

지금 검토하는 투자로부터 발생하는 소득에 대한 **실질세율**은 25% 정도이다. 이는 투자자에게 적용되는 한계세율인 35%보다 낮은 수준이다. 이 투자에 대한 실질세율은 왜 한계세율보다 낮을까? 그것은 투자자가 감가상각을 이용해서 세금부담을 줄일 수 있기 때문이다. 건물의 가치가 실제로 감소하는 것이 아님에도, 회계상으로 그렇게 상정해서 세금을 줄이는 것이다. 사실 우리 사례에서 건물의 가치는 시간이

예 7-29 현금흐름 요약

	연말					
	0	1	2	3	4	5
세전 현금흐름	($3,600,000)	$277,187	$276,493	$275,774	$319,512	$6,226,410
세후 현금흐름	($3,600,000)	$172,536	$171,767	$166,988	$190,919	$5,642,096
세전 *IRR* (*BTIRR*)	17.16%					
세후 *IRR* (*ATIRR*)	12.88%					

예 7-30 투자수익성 분석

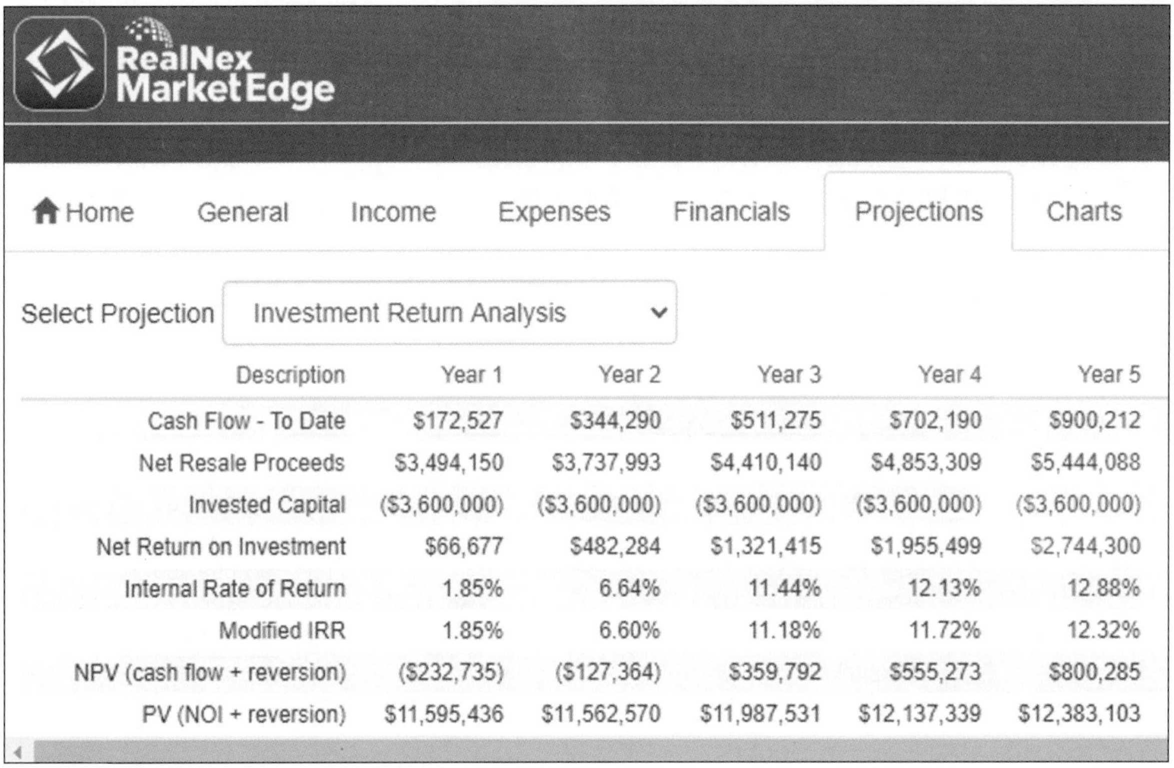

Description	Year 1	Year 2	Year 3	Year 4	Year 5
Cash Flow - To Date	$172,527	$344,290	$511,275	$702,190	$900,212
Net Resale Proceeds	$3,494,150	$3,737,993	$4,410,140	$4,853,309	$5,444,088
Invested Capital	($3,600,000)	($3,600,000)	($3,600,000)	($3,600,000)	($3,600,000)
Net Return on Investment	$66,677	$482,284	$1,321,415	$1,955,499	$2,744,300
Internal Rate of Return	1.85%	6.64%	11.44%	12.13%	12.88%
Modified IRR	1.85%	6.60%	11.18%	11.72%	12.32%
NPV (cash flow + reversion)	($232,735)	($127,364)	$359,792	$555,273	$800,285
PV (NOI + reversion)	$11,595,436	$11,562,570	$11,987,531	$12,137,339	$12,383,103

지나면서 증가하고 있음에 주목해야 한다. 감가상각인정액에 의해 매년 부동산의 조정기준가가 작아짐으로써 부동산 매각 시의 자본이득세가 종국에는 증가하겠지만, 매년 소득세를 적게 내는 것이 투자자에게는 적지 않은 혜택으로 돌아오는 것이다(부동산 매각 시에 지불해야 하는 자본이득세는 먼 훗날에 발생하는 것이기 때문에 현재가치로 환산하면 상당히 작아진다는 의미이다. 매년 내야 하는 소득세를 줄이는 것이 경제적으로 더 이득이라는 뜻이다). 부동산 가격상승분에 대한 세율은 15%인데 비해, 감가상각함으로써 회계상 얻게 되는 자본이득분(depreciation recapture)에 대한 세율은 25%라는 점을 유념해야 한다. 세율이 25%인 것을 먼 미래에 지불함으로써, 투자자는 혜택을 받게 되는 것이다. 또한 매년 지불해야 하는 소득세 부담이 줄어들게 되면 투자자에게 돌아가는 세후 순 영업이익이 커지게 된다. 순영업이익이 커지면 결국 부동산 가격이 올라가는데, 부동산가격상승분에 대한 세금은 미국에서 15%밖에 되지 않는다.

수동적 손실에 대한 유의사항

1986년의 세금개혁법 이후, 모든 소득과 손실은 다음과 같이 3가지 유형으로 나뉜다.

1. **수동적 소득**(또는 손실): 투자자가 부동산 자산의 경영이나 운영에 실질적으로(materially) 참여하지 않는 거래나 사업에서 발생한 소득이나 손실. 실질적 참여는 "규칙적이고, 지속적이며 상당히 많이 관여"하는 것으로 정의한다. 임대부동산에 투자하는 것은 수동적 활동으로 분류된다. 비록 임대부

동산의 운영에 실질적으로 참여하더라도, 여기에서 발생하는 소득과 손실은 수동적인 것으로 분류된다. 파트너십 또는 동업자로 지분을 갖고 참여하여 얻는 소득이나 손실도 수동적인 것으로 분류된다.

2. **능동적 소득**(또는 손실): 투자자가 실질적으로 참여하는 거래나 사업에서 얻는 월급, 주급, 서비스수수료, 소득. 납세자가 실질적으로 참여하더라도, 임대수입이나 손실은 능동적 소득으로 분류되지 않는다. 그러므로 납세자가 소유주인 임대주택, 사무실빌딩, 쇼핑센터에서 발생하는 소득은 **수동적 소득**(또는 손실)으로 분류된다. 호텔 및 그 외 숙박업, 요양원(또는 양로원)은 임대활동으로 보지 않기 때문에, 그로부터 소득(또는 손실)이 발생한다면 능동적 소득(또는 손실)로 분류된다.
3. **포트폴리오 소득**(또는 손실): 주식, 채권, **자본자산**(capital asset)으로 분류되는 부동산에서 발생하는 이자, 배당금, 소득. 부동산에서 발생하는 포트폴리오 소득의 예는 부동산투자조합(REIT) 주식에 투자하여 얻는 배당금, 소유자가 실질적으로 운영에 참여하지 않는 부동산의 순임대(임대물건에 대한 유지책임과 보험료 및 재산세 지불의무를 임차자가 부담하는 임대)나 장기토지임대에서 얻는 소득을 들 수 있다.

소득에 대한 이러한 분류는 매우 중요하다. 일반적으로 수동적 손실은 다른 범주에서 발생하는 소득을 상쇄할 수 없기 때문이다. 이에 대한 예외는 다음 절에서 논의한다. 그 예외 규정은 **수동적 손실제한**(passive activity loss limitation, PAL)이라고 불린다. 1986년의 세금개혁법 이전에는 많은 투자자가 합자회사가 거래하거나 사업하기 위해 보유하는 부동산에 투자했다(자본투자만 하는 유한책임사원으로만 참여하고, 경영에는 참여하지 않았다는 뜻이다). 이러한 투자는 종종 과세손실(tax loss)을 초래했다. 미국에서는 손실을 보면 그만큼 이익을 상쇄하여 실질적으로는 세금이 감면되도록 할 수 있다. 그것이 과세손실이다. 수동적 손실제한 조치는 손실로 이익을 상쇄하는 것에 제한을 걸은 조치이다. 이 조치로 인해서 수동적 손실은 오로지 수동적 이익만을 상쇄할 수 있게 되었다. 즉 수동적 손실을 활용해서 능동적 이익을 상쇄할 수는 없게 되었다. 다만, 수동적 손실의 규모가 수동적 이익보다 크다면, 수동적 이익을 상쇄하고 남는 수동적 손실은 다음 연도로 넘겨서, 다음 연도의 수동적 이익을 상쇄하는 데 활용할 수 있다.

수동적 소득을 창출하는 부동산이 매각되면서 자본이익이 발생하면, 수동적 손실 가운데 미사용 또는 이연손실은 우선, 해당 매각에 따른 자본이득을 상쇄하는 데 활용해야 한다. 다음으로는 그 해의 다른 수동적 활동에서 발생하는 수동적 소득을 상쇄하는 데 활용해야 한다. 그러고도 남는다면 그 해의 능동적 또는 포트폴리오 소득을 포함하여 모든 종류의 소득을 상쇄하는 데 활용할 수 있다. 이렇게 활용했는데도 남는 (수동적 손실의) 미사용 또는 이연된 부분은 수동적 손실제한 규정에 상관없이 다음 연도로 넘겨서 활용할 수 있다. 만약 해당 부동산을 매각할 때 자본손실이 있었다면(예컨대, 매입가보다 저렴한 가격으로 매도했다면), 그 자본손실 가운데 $3,000까지는 그 해에 발생한 다른 소득을 상쇄하는 데 활용할 수 있다. 남는 부분은 다음 연도로 넘겨서 활용 가능하다. 이 부분에는 수동적 손실제한 조치가 적용되지 않는다.[12]

---

12 더 자세한 설명은 P. Fass, R. Haft, L. Loffman, and S. Presant, *Tax Reform Act of 1986* (New York: Clark Boardman, 1986)을 보라.

수동적 손실제한 규정 *PAL Rules* 의 특별 예외 규정들

1986년 세금개혁법에 따르면, 수동적 손실제한 규정의 예외조항이 부동산을 소유하면서 임대하는 개인사업자(합자회사 등의 파트너가 아닌)에게 적용된다. 이 유형의 투자자는 부동산 임대에서 발생하는 수동적손실의 $25,000까지 능동적 소득의 상쇄를 위해 활용할 수 있다. 다만, 부동산 임대 소득을 위해 적극적으로 참여하는 투자자여야 한다. 적극적(active)으로 참여한다는 것은 실질적(material)인 참여보다는 느슨한 규정이다. 10% 이상의 지분을 갖고 있어야 하고, 경영(임차인 선정, 임대료 결정, 부동산에서 제공되어야 하는 서비스가 잘 제공되도록 관리)에 관여해야 한다.

하지만, 1986년 세금개혁법은 조정총소득(adjusted gross income)이 $100,000~150,000인 개인에 대해서는 이 예외규정의 적용을 제한한다. 이 경우에 $100,000를 초과하는 소득의 50%만큼을 $25,000에서 뺀 만큼을 공제한도로 정했다. 조정총소득이 $120,000라면 $100,000을 초과하는 부분, 즉 $20,000의 50%만큼인 $10,000을 $25,000에서 뺀 후의 잔액인 $15,000까지 능동적 소득을 상쇄하는 데 활용할 수 있다.

1993년 세법은 PAL규정에 두 번째 예외조항을 도입했다. 부동산 중개업자, 부동산 영업직 종사자, 그 외 부동산 산업 종사자가 "부동산업에 실질적으로 관여"한다는 것을 입증할 수 있으면 부동산손실을 제한 없이 공제받을 수 있다.[13] 1) 그들이 일한 것 가운데 절반 이상이 자신이 실질적으로(materiallly) 참여한 부동산 거래 또는 사업일 것, 2) 그들이 자신의 부동산 사업에서 연간 750시간 이상 일할 것.

결론

이 장에서는 수익용 부동산의 분석에서 중요한 개념과 기법을 소개했다. 우리는 투자자의 현금흐름을 미래로 연장하는 방법과 현금흐름을 토대로 투자성과를 평가하는 방법을 논의했다. 투자성과 측정 방법(IRR, NPV, DCR 등)으로 소개된 내용은 프로젝트를 시작할 때 분석에 활용할 수 있다. 심화 분석은 뒤에서 다루게 된다. 예컨대, 세금은 투자성과에 어떻게 영향을 미치는가? 더 나은 자금조달 대안이 있는가? 이 책의 뒷부분에서 심화해서 다루게 되는 질문들이다.

여기서 다룬 또 다른 영역은 주요 세금이 부동산투자 결정에 어떤 영향을 미치는가이다. 적절한 한계세율은 어떻게 정해야 하는지, 부동산에 대한 감가상각은 어떻게 해야 하는지, 부동산의 운영에서 발생하는 과세대상소득은 어떻게 정해야 하는지, 자본이득은 어떻게 정해야 하는지, 부동산 처분하기에 적합한 시점은 언제인지, 빌딩의 레노베이션이 수익성이 있는지가 책의 뒷부분에서 답해야 하는 질문들이다. 합자회사와 부동산개발프로젝트에 대한 과세도 심화하여 다뤄진다. 독자들은 정부의 세법이 수시로 바뀌고, 그때마다 투자의사결정에 영향을 미친다는 것도 유념해야 한다. 그럼에도 이 책에서 제시한 방법론은 큰 틀에서 투자자가 바람직한 의사결정을 내리는 데 유용하다.

---

13 "상당한 종사활동"이란 납세자가 일정하게 계속적으로 상당히 개입되어 있는 상황을 말한다. Limited pantner (12장 참조)는 여기에 해당되지 않는데, 그 이유는 적극적으로 참여할 경우 유한책임 지위를 잃게 되기 때문이다.

주요용어

가치 투자
감가상각기준액
감가상각인정액
과세대상소득
기본임대료
내부수익률
능동적 소득
딜러
부동산 경기 순환
부채감당률
비용부담상한
세후 내부수익률
수동적 소득
순 영업이익
시장 분석
실질세율
역발상 투자
유효총소득
자기자본
자기자본배당금
자기자본배당률
자본이득
차익거래
턴어라운드 투자
투자분석
포트폴리오 소득
한계세율

질문

1. 수익용 부동산에 투자하는 주된 동기는 무엇인가?
2. 일반적인 부동산투자 스타일 4가지의 명칭은 무엇이고 각각 그에 대해 설명하라. 일반적인 범주 내에서 특화된 스타일들을 확인하고 각각의 예를 들어보라.
3. 부동산의 project NOI에 수요와 공급은 어떻게 양향을 미치는가?
4. 어떠한 요인에 의해서 부동산의 보유기간 동안에 가치가 상승하는가?
5. 임대인의 관점에서 볼 때, 비용부담상한과 소비자 물가지수 연동 임대료 조정이 임대인의 위험에 어떤 영향을 주는가?
6. 왜 투자자들은 임대 중인 건물을 매입할 때 임대료 시장시세에 신경을 써야 하는가?
7. 자기자본(equity)의 의미는 무엇인가?
8. 지분배당률이란 무엇인가?
9. 부채감당률이 중요한 이유는 무엇인가?
10. 감가상각 충당금이란 무엇인가? 세금도피처란 무슨 뜻인가?
11. 부동산의 매각차익은 어떻게 과세되는가?
12. 실질세율은 무슨 뜻이며, 어떻게 계산되는가?
13. 부동산 세금이 다른 투자에 비해 부동산의 가치에 영향을 준다고 생각하는가?
14. 수동적 손실에 대한 제한 규정이 부동산 투자자에 대한 중요도는 어느 정도인가?

문제

1. 어떤 오피스 빌딩의 임대가능 면적은 3개 층인데 각 층에 단일 임차인이 입주해 있다. 1층은 2만 평방피트가 임대 가능하며 $15에 임대되어 있고 3년의 계약기간이 남아 있고, 비용부담상한은 $4이다. 2층은 1만5천 평방피트가 임대 가능하며 $15.5에 임대되어 있고 4년이 잔존한다. 비용부담상한은 $4.5이다. 3층은 1만5천 평방피트로서 최근 5년 임대계약을 $17에 체결하였다. 비용부담한도는 $5이며, 이는 내년도의 비용예상액(관리비 제외)이다. 관리비는 실질적인 총수입의 5%로 예측되며, 이는 비용부담상한에 포함되지 않는다. 각 임대차계약은 소비자 물가지수에 연동하여 물가상승의 반만큼 기본임대료를 인상한다. 소비자물가는 연 3%씩 상승할 것으로 예상된다. 다음 연도의 운영비는 다음과 같다.

부동산 세금	$100,000
보험료	10,000
공익비	75,000
경비용역	25,000
수선	40,000
총	$250,000

모든 비용은 연간 3%씩 증가할 것으로 예상된다. 임대차계약이 재계약될 시장 임대시세는 연 3%씩 상승할 것으로 예상된다. 재계약될 때에는 임대차 첫해의 운영비와 동일한 비용부담상한을 설정하게 된다. 기존 임대차 종료 후 새로운 임차인을 구하는 소요시간을 감안하여 공실률은 직전 2개 연도(4년 차와 5년 차)의 유효총소득의 10%로 예상하였다.

a. 향후 5년간의 유효총소득(*EGI*)을 예측하라.
b. 향후 5년간의 비용 분담액을 예측하라.
c. 향후 5년간의 순 영업이익을 예측하라.
d. 순 영업이익은 5년 동안 얼마나 증가하는가(평균 복리)?
e. 당해 부동산을 $5,000,000에 매입했다고 가정할 때 전반적인 자본환원율(투자시점)는 얼마인가?

2. 당신은 University 컨설팅 회사의 직원으로서 잠재투자자를 위하여 신축 소규모 주거용 건물에 대한 투자분석을 제시하는 업무를 맡았다. 매물의 매도호가는 $1,250,000이며, 임대수입은 초년도에 $200,000 이후 이후 연 3%씩 성장한다. 공실률과 미수손실은 임대료의 10%로 예상된다. 운영비는 유효총소득의 35%이다. 금융은 30년 만기로 11% 이자율에 70%를 조달 가능하다.

당해 부동산은 연간 3%씩 가격상승할 것이며, 5년간 보유 후 매각 목적이다.

a. 투자자의 자본에 대한 세전 내부수익률(*BTIRR*)은 얼마인가?
b. 초년도의 부채감당률은 얼마인가?
c. 잔존 자본환원율은 얼마인가?
d. 14% 할인율 기준 순현재가치는 얼마인가? 그 의미는 무엇인가?
e. 14%의 할인율 기준 수익성지수는 얼마인가? 그 의미는 무엇인가?

3. 문제 2의 연장으로서, 당신은 지금도 University 컨설팅 회사의 직원이다. 투자자는 당신의 투자분석에서 세금을 어떻게 고려해야 하는지를 질문해 왔다. 당신은 건물가치가 전체의 90%이며 39년에 걸쳐서 상각될 것으로 결정하였다. 잠재투자자는 자신의 세율이 36%대이며, 본 사업에서의 수동적 손실이 수동적 손실한도에 저촉되지 않을 만큼 다른 사업에서의 수동적 소득이 많다고 한다. 가격 상승에 따른 자본이득세는 20% 과세되며, 감가상각액의 회복에 대해서는 25% 과세된다.

a. 당해 투자자가 예상하는 세후 투입된 자본에 대한 내부수익률은 얼마인가? 이는 앞서 계산하였던 세전 내부수익률과 어떻게 다른가?
b. 실질세율과 세전 상당 수익률은 얼마인가?
c. 당신을 이 투자에서 세금혜택을 어떻게 평가하는가?
d. (*b*)에서는 세후 내부수익률을 투자자가 수동적 손실을 5년 후 부동산 매각 시까지 전혀 공제받을 수 없다는 가정하에서 재계산해 보라.

4. Small City는 백만 평방피트의 오피스이며 이 중 900,000평방피트는 금융, 보험 그리고 부동산회사가 주로 임차하고 있는 3,000명의 직원이 상주하고 있다. Small City는 최근 강한 경제 회복기에 있으나 글로벌 경기침체로 향후 몇 년 동안은 취업률이 하락할 것으로 예상되고 향후 3년 동안 일 년간 100명의 직원이 증가할 것으로 예상된다. 직원 1명단 임대공간은 지금과 동일할 것으로 예상된다. 그러나, 경기침체 전 50,000평방피트의 오피스 빌딩이 신축되었고 임대차 가능 시기는 일 년 후이다. 향후 몇 년 동안 새로운 오피스 빌딩은 생기지 않을 것으로 예상된다.

a. Small City의 현 점유율은 얼마인가?
b. 향후 3년 동안 매년 오피스 공간에 대한 흡수율은 얼마인가?
c. 향후 3년 동안 매년 점유율은 얼마인가?
d. 위의 분석을 기본으로, 향후 3년 동안 임대료가 상승 또는 하락할 것인가?

CHAPTER 08

재무 레버리지와 자금조달 대안

Financial Leverage and Financing Alternatives

4장에서는 부동산대출과 관련된 여러 가지 내용들을 소개하였다. 우리는 4장에서 실질대출금리(세전 및 세후) 계산에 관한 개념과 추가로 자금을 조달할 경우의 증가금액에 대한 증분비용(incremental cost) 등에 관한 개념에 대해 학습하였다. 또한 금리가 하락한 경우에 기존의 고금리 대출을 상환하고 저금리로의 재융자를 해야 하는지에 대한 판단 방법에 대해서도 학습하였다. 4장의 내용은 주로 주거용 부동산을 대상으로 소개된 내용이지만 동일한 내용이 수익용 부동산에도 적용이 가능하다는 점이다.

우리는 5~7장에서 수익용 부동산과 관련된 위험과 수익분석방법에 대해 학습하였고 자금조달의 개념과, 자금조달의 구조에 따라 자기자본투자자에게 발생하는 세전 및 세후 현금흐름 변화에 대해 학습하였다.

본 장의 목적은 앞에 소개한 부채를 통한 자금조달에 대해 다음 세 가지 내용을 중심으로 심도 깊은 논의를 진행하는 데 있다. 첫째, 자금조달 시 부채비율에 따른 투자자의 세전/세후 내부수익률의 변화에 대해 분석하고자 한다. 둘째, 투자자가 부채를 통한 자금조달 시 대출기관에서 적용하는 심사절차에 대해 살펴본다. 셋째로는 수익용 부동산을 대상으로 활용되는 대안적인 자금조달 방법들을 살펴본다. 본서에서는 현재 현실에서 활용되고 있는 모든 부채를 통한 자금조달 기법을 모두 언급할 수는 없으므로, 주요한 자금조달대안들을 중심으로 응용이 가능한 기본개념 및 기법에 초점을 맞추어 설명하고자 한다.

재무 레버리지에 대한 소개

투자자가 부채를 활용하는 이유는 무엇인가? 우선, 단순히 투자자가 부동산을 구입하기에 충분한 자본을 갖지 못한 때문이라고 볼 수 있다. 반면, 충분한 자본이 있는 투자자의 경우에도 부채를 선택하고 남은 잉여 투자자본을 다른 부동산 매입에 투입할 수도 있다. 이 경우에는 자본은 복수의 부동산에 분산투자되므로, 투자자는 자산포트폴리오에 대해서 투자위험을 전반적으로 축소할 수 있다. 부채를 활용하는 두 번째 이유는 투자자가 부채를 통한 자금조달 시 지급해야 하는 대출이자분에 대한 세금감면 혜택을 통한 세제혜택을 추구하기 때문이다. 세 번째 이유는 재무 레버리지를 통한 잠재이익을 실현하기 위

해서이다. **재무 레버리지**란 부동산투자에서 부채금리가 부동산 수익률보다 낮은 경우에 투자자가 실현할 수 있는 이익이다. 부동산투자수익률이 부채금리보다 높으면 자본의 수익률은 극대화된다.

재무 레버리지가 투자자의 수익률에 미치는 영향을 보기 위해서 다음과 같은 투자 건을 가정한다.

부동산매입가	
건물가격	$ 85,000
토지가	15,000
총 가치	$100,000
대출조건	
원금	$80,000
금리	5.00%
상환조건	거치식(이자만 지급)
수익가정	
순 영업이익	매년 $7,000 균등
경상이익세율*	35.00%
양도소득세율*	20.00%
회수세율*	25.00%
소득세율*	28.00%
감가상각	39년 정액법 가정†
재매각가격	$100,000
보유기간	5년

*이 예를 설명하기 위해서만 사용된다. 세율은 변경될 수 있다.

†1993년의 조세법에 따른 주거용 부동산은 27.5년에 걸쳐 감가상각되며, 비주거용 부동산은 39년간 감가상각된다라고 규정되어 있다. 본 예시에서는 건물분 감가상각 기간을 39년으로 가정한다.

상기 가정에 의해서 [예 8-1]과 같은 현금흐름표를 얻을 수 있다.

[예 8-2]에서는 [예 8-1]에 근거한 현금흐름 요약과 내부수익률 계산을 나타내는데, 부동산 구입과 LTV 80% 대출에 의해 세전 내부수익률(before-tax IRR, BTIRR)은 15%이고 세후 내부수익률(after-tax IRR, ATIRR)은 11.39%이다. 이제 부채금액이 바뀔 때 위의 수익률이 어떻게 변화하는지 살펴보자. [예 8-3]과 [8-4]는 부채를 전혀 활용하지 않은 경우의 현금흐름과 수익률을 보여준다.

[예 8-4]에서 볼 수 있듯이 세전과 세후 내부수익률 모두 하락하였다. 즉 부채를 활용한 경우가 부채를 활용하지 않은 경우보다 높은 수익률을 나타낸다. 이러한 경우를 **정(+)의 재무 레버리지**를 갖고 있다고 한다. 이제 정(+)의 재무 레버리지 효과가 발생하는 조건을 살펴보고자 한다. 그러기 위해 먼저 **세전** 기준으로의 정(+)의 재무 레버리지 효과발생 조건을 살펴보고 나서 다음에 **세후** 기준으로 정(+)의 재무 레버리지 효과조건을 살펴본다.

정(+)의 레버리지 효과 조건—세전 현금흐름 분석기준

무부채의 경우의 세전 내부수익률 7%를 **무부채**(unlevered) 세전 내부수익률(BTIRR)로 칭한다. 부동산 매입가의 80%를 부채를 활용하여 투자한 경우에는 세전 내부수익률(BTIRR)이 15%로 상승했는데 그 이유는 바로 **무부채**(unlevered) **세전 내부수익률**(BTIRR)**이 부채금리보다 높기 때문이다.**[1] 부채금리는 5%

[1] 정확히는 무부채 내부수익률(IRR)이 부채실질금리보다 높기 때문이다. 대출의 실질금리는 포인트, 조기상환 등 관련 요인들을 반영해야 한다는 점을 기억해야 한다.

예 8-1
상업용 건물에 대한 현금흐름

	운영상의 현금흐름 추정(년)				
	1	2	3	4	5
A. 세전 현금흐름(BTCF):					
순 영업이익(NOI)	$7,000	$7,000	$7,000	$7,000	$7,000
(−)부채상환(DS)	4,000	4,000	4,000	4,000	4,000
세전 현금흐름	$3,000	$3,000	$3,000	$3.000	$3,000
B. 과세소득 또는 손실:					
순 영업이익	$7,000	$7,000	$7,000	$7,000	$7,000
(−)이자	4,000	4,000	4,000	4,000	4,000
감가상각	2,179	2,179	2,179	2,179	2,179
과세소득(손실)	821	821	821	821	821
세금	$ 287	$ 287	$ 287	$ 287	$ 287
C. 세후 현금흐름(ATCF):					
세전 현금흐름(BTCF)	$3,000	$3,000	$3,000	$3,000	$3,000
(−)세금	287	287	287	287	287
세후 현금흐름(ATCF)	$2,713	$2,713	$2,713	$2,713	$2,713
	5년 차의 매각으로 인한 현금흐름 추정				
매각가격					$100,000
(−)저당잔액					80,000
매각 전의 현금흐름(세전)					$ 20,000
매각 시의 세금					
매각가격				$100,000	
원가			$100,000		
(−)감가상각누계			10,897		
미상각잔액				89,103	
자본이득				$10,897	
양도세					2,724
매각 후의 현금흐름(세후)					$ 17,276

예 8-2
현금흐름 요약과 내부수익률

	현금흐름 요약(연말)					
	0	1	2	3	4	5
세전 현금흐름	$−20,000	$3,000	$3,000	$3,000	$3,000	$23,000
세후 현금흐름	−20,000	2,713	2,713	2,713	2,713	19,988
세전 내부수익률(BTIRR) = 15.00%						
세후 내부수익률(ATIRR) = 11.39%						

로서 무부채 세전 내부수익률(BTIRR)인 7%보다 낮다. 이와 같이 투자수익(금융비용 차감 전)이 부채 금리보다 높은 경우, 금리의 차이(7% vs 5%)는 자기자본수익률(세전)을 높여주는 정(+)의 레버리지 효과가 존재함을 의미한다.

예 8-3
현금흐름(무부채의 경우)

	운영상의 현금흐름 추정(년)				
	1	2	3	4	5
A. 세전 현금흐름(BTCF):					
순 영업이익(NOI)	$7,000	$7,000	$ 7,000	$ 7,000	$ 7,000
(−)부채상환(DS)	0	0	0	0	0
BTCF	$7,000	$7,000	$ 7,000	$ 7,000	$ 7,000
B. 과세소득 또는 손실:					
순 영업이익(NOI)	$7,000	$7,000	$ 7,000	$ 7,000	$ 7,000
(−)이자	0	0	0	0	0
감가상각	2,179	2,179	2,179	2,179	2,179
과세소득(손실)	4,821	4,821	4,821	4,821	4,821
세금	$1,687	$1,687	$ 1,687	$ 1,687	$ 1,687
C. ATCF:					
BTCF	$7,000	$7,000	$ 7,000	$ 7,000	$ 7,000
(−)세금	1,687	1,687	1,687	1,687	1,687
ATCF	$5,313	$5,313	$ 5,313	$ 5,313	$ 5,313

	5년차의 매각으로 인한 현금흐름 추정		
매각가격			$100,000
(−)저당잔액			0
매각 전의 현금흐름(세전)(BTCFs)			$100,000
매각 시의 세금			
매각가격		$100,000	
원가	$100,000		
(−)감가상각누계	10,897		
미상각잔액		89,103	
자본이득		$ 10,897	
양도세			2,724
매각 후의 현금흐름(세후)(ATCFs)			$ 97,276

예 8-4
현금흐름 요약과 내부수익률(무부채의 경우)

	연말의 현금흐름 요약					
	0	1	2	3	4	5
세전 현금흐름	$−100,000	$7,000	$7,000	$7,000	$7,000	$107,000
세후 현금흐름	−100,000	5,313	5,313	5,313	5,313	102,588
세전 내부수익률 = 7.00%						
세후 내부수익률 = 4.82%						

이러한 관계를 부동산수익률과 부채금리를 변수로 한 투자자본수익률을 산식으로 나타내면,[2]

$$BTIRR_E = BTIRR_P + (BTIRR_P - BTIRR_D)(D/E)$$

여기에서

[2] 부채비율이 변화함에 따라 근사치를 나타낸다. 이러한 원금상환이 이루어지는 경우에는 부채비율이 변화한다.

$BTIRR_E$ = 투자자본에 대한 $BTIRR$

$BTIRR_P$ = 총 부동산투자(투자자본 + 부채)에 대한 $BTIRR$

$BTIRR_D$ = 부채금에 대한 $BTIRR$(실효금리)

D/E = 부채대 자본 비율

위의 산식에 예시한 수치를 대입하면

$$BTIRR_E = 7\% + (7\% - 5\%) \times (80\% \div 20\%) = 15\%$$

산식에 의하면 $BTIRR_P$가 $BTIRR_D$보다 높은 한은 $BTIRR_E$가 $BTIRR_P$보다 높으며, 이러한 상황을 정(+)의 레버리지 상황이라 한다. 정(+)의 경우 부채금액이 커질수록 지분투자자의 수익률은 높아진다. 따라서 투자자들은 가능한 최대금액을 부채해야 한다는 결론을 얻게 된다(단 위험을 고려할 때 이 결론이 항상 옳지 않다는 점을 후술할 것이다). [예 8-5]는 LTV 수준별로 수익률에 미치는 영향을 보여준다.

[예 8-5]에서 나타나는 관계는 정(+) 레버리지 효과와 LTV 비율과의 관계에 대해 잘 기술을 하고 있다. 하지만, 투자자의 부채사용 규모에는 다음과 같은 제약이 있다. 첫째, 채무금액 면에서 대출자에 의해 순 영업이익(NOI) 대비 부채상환금이 커져 결국에는 적정 부채감당비율을 초과하게 된다. 즉 투자자가 순 영업이익(NOI)에는 변화가 없는데, 대출규모를 늘릴 경우에 부채상환금이 증가하여 채무상환 부담이 증가하는 것이다. 둘째, LTV가 상승하므로 대출자 입장에서는 대출위험이 증가한다. 그 결과로 추가 대출에 대한 한계금리가 동반 상승한다. 따라서 어느 수준에서는 $BTIRR_D$가 $BTIRR_P$를 초과하지 못하게 될 것이다(정(+)의 레버리지 소멸). 셋째, 추가 부채는 지분투자자에게 위험을 가중시킨다. 레버리지가 위험에 주는 영향을 본 장의 후반에서 서술할 것이다. 또한 레버리지가 수익을 올릴 수 있지만, 손실을 가져올 수도 있다는 점을 지적할 수 있다. 즉 부채가 **부(−)의 재무 레버리지**(leverage)가 된 경우, $BTIRR_D > BTIRR_P$이면 추가 부채는 자본투자자의 수익률을 감소시킨다. $BTIRR_P$가 $BTIRR_D$보다 커야만 레버리지가 유리한 것을 알고 있다. 만일 금리가 5%가 아니고 8%라면 무부채 $BTIRR_E$ 7%가 부채금

예 8-5
세전 및 세후 정(+)의 레버리지 효과

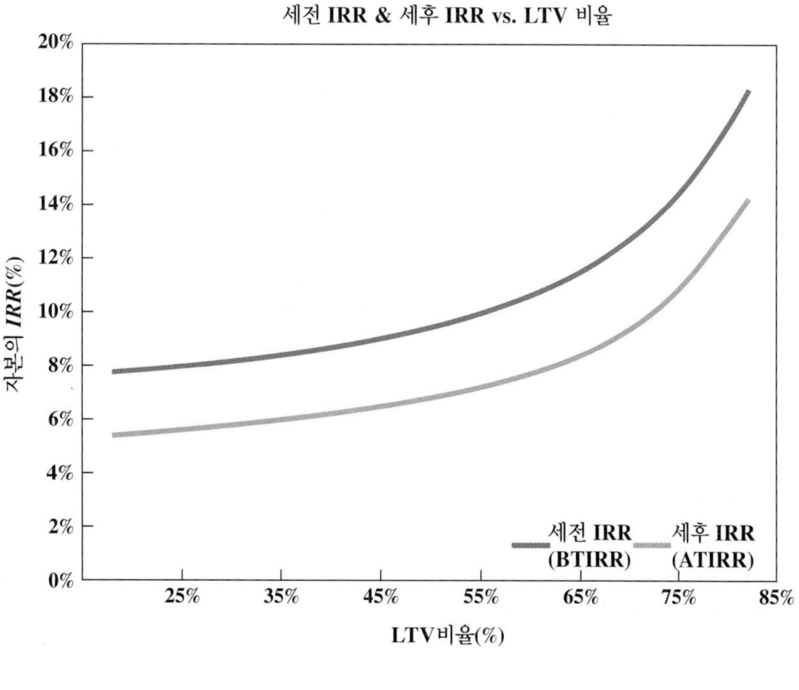

예 8-6
세전 및 세후 부(−)의 레버리지 효과

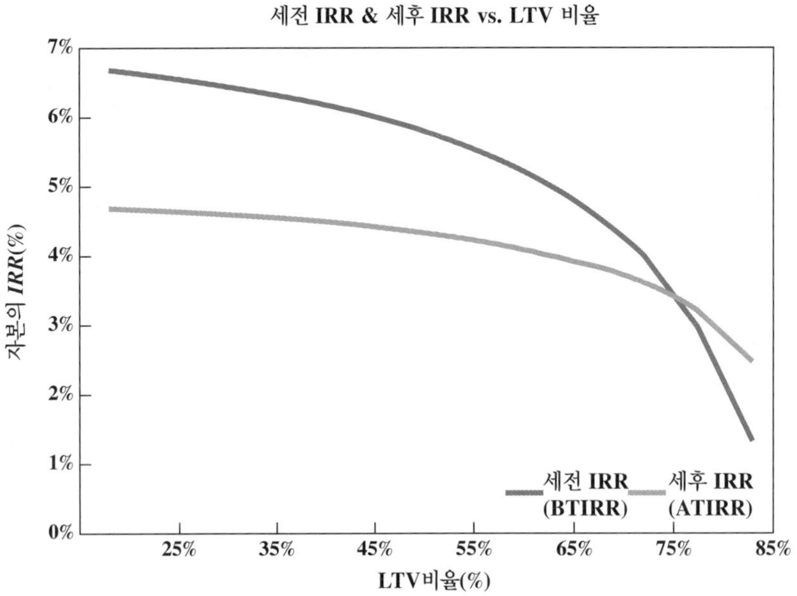

리 8%보다 낮으므로 부(−)의 레버리지이다. [예 8-6]은 LTV비율 변화가 세전 및 세후 내부수익률에 미치는 영향을 나타낸다. $BTIRR_P$가 $BTIRR_D$보다 낮으면 $BTIRR_E$도 $BTIRR_D$보다 낮으며, 부채금액이 증가할수록 더욱 감소한다는 점을 기억하자. 다음 절에서 이 관계를 상술할 것이다.

세후 정(+)의 레버리지의 조건

[예 8-2]와 [8-4]에서 세후 내부수익률[$ATIRR_P$(총투자기준)]이 4.82%이고 $ATIRR_E$(자본기준)는 11.39%인 것을 보았다. 따라서 투자자는 세후 기준으로 정(+)의 레버리지를 갖고 있다. 즉 예에서와 같이 5%에 부채를 할 수 있다면, 기대되는 세후 내부수익률이 높아진다는 것이다. 그런데 무부채 세후 내부수익률 4.82%가 조달금리 5%보다 낮은데 어떻게 해서 레버리지가 유리할 수 있는가? 그 이유는 부채금리가 세금공제를 받기 때문이다. 따라서 부채의 세후 금융비용을 고려해야 한다. 예에서는 선취이자가 없는 것으로 가정하므로, 세후 금융비용은 세전 금융비용 $(1 - t)$가 된다(t는 세율). 실제 세후 금융비용은, 다음과 같이 계산이 된다.

$$BTIRR_D(1 - \text{t}) = ATIRR_D$$
$$.05(1 - .35) = 3.25\%$$

이다. 앞 절에서 부동산 수익률과 부채금리에 근거하여 자본출자자의 수익률을 산출하는 산식을 사용하였다. 세금을 고려하여 동 산식을 다음과 같이 수정하여 사용할 수 있다.

$$\text{세후 내부수익률}(ATIRR_E) = ATIRR_P + (ATIRR_P - ATIRR_D)(D/E)$$

$ATIRR_E$ = 투입된 자본의 세후 내부수익률
$ATIRR_P$ = 부동산에 투입된 총 자금의 세후 내부수익률
$ATIRR_D$ = 부채금의 세후 내부수익률(세후 실질 대출비용)
D/E = 부채와 자본의 비율

예 8-7
내부수익률 측정 요약

	세전 IRR_E	세후 IRR_E
무부채 경우*	7.00%	4.82%
80% 대출	15.00%	11.39%

*무부채 경우 $IRR_E = IRR_P$이다.

동 산식을 사용하면,

$$\text{세후 내부수익률}(ATIRR_E) = 4.82\% + (4.82\% - 3.25\%)\ (80\% \div 20\%) = 11.10\%$$

따라서 [예 8-2]상의 실제 세후의 수익률 11.39%에 비해, 상기 산식에서는 대략치인 11.10%를 얻게 된다. 위의 산식을 이용할 경우 대략치로 구해진 이유는 D/E 비율이 기간 중에 증가하기 때문이다. 즉 최초의 D/E 비율은 4배였지만, 부동산이 매각되는 시점에서 채무액은 $80,000로 불변 대비 출자지분의 가치는 $17,276이다($ATCF_s$ $97,276에서 채무 $80,000 공제). 따라서 D/E 비율은 4.63이 되므로, 부동산보유기간 중의 평균 D/E는 최초 시점의 4배보다 높은 것이다. 그러나 최초 D/E 수치를 사용하더라도 상당히 훌륭한 대략치를 얻을 수 있다. 또한 레버리지에서 가장 중요한 변수는 **세후** 금융비용이다. 즉 레버리지가 세후 기준으로 유리한 효과를 얻으려면 전체 투자액에 대한 세후 수익률이 세후 금융비용을 상회해야 하는 것이다. 상기의 예에서 세후 IRR_P가 3.25%보다 낮으면 레버리지는 불리해지는 것이다.

[예 8-7]에서의 무부채 경우와 부채를 활용한 경우의 세전/세후 내부수익률을 요약한 것이다. [예 8-7]상의 수익률 차이 발생을 이해하는 것은 매우 중요하다. **수익률**이라는 개념을 사용할 때, 이것이 세전인지 세후인지를 구분해야 하며 **무부채** 경우인지 **부채**(levered)인지도 매우 중요한 구분사항이다.

손익분기 *Break-even* 이자율

앞 절에서는 부동산의 세후 내부수익률과 세후 금융비용 간의 높낮이 관계가 레버리지를 유리/불리하게 만드는 것을 살펴보았다. 여기에서 레버리지가 불리해지기 전까지 지불할 수 있는, 최대 지불 금리를 알 수 있다면 유용할 것이다. 이 금리를 **손익분기이자율**이라고 부르며, 레버리지가 유리하지도 불리하지도 않을 금리수준을 나타낸다. 앞 절의 산식을 활용하여 손익분기이자율을 다음과 같이 설정할 수 있다.

$$\text{세후 } IRR_D = \text{세후 } IRR_P$$

위의 관계에 의해 세후 금융비용이 부동산 전체 투자자금에 대한 세후 수익률과 동일해지는 금리를 찾게 된다. 4장에서 세후 금융비용인 세후 IRR_D = 세전 IRR_D (1 − 세율)이었던 것을 기억하자. 이 식을 변형하면

$$\text{세전 } IRR_D = \text{세후 } IRR_D\ /(1 - \text{세율})$$

손익분기점에서는 세후 IRR_D = 세후 IRR_P이므로 세후 IRR_P를 IRR_D로 바꾸어 넣으면 세전 IRR_D = 세후 IRR_P/(1 − 세율)인 것을 알 수 있다. 예에서 손익분기이자율을 구하면

$$\frac{4.82\%}{1 - .35} = 7.42\%$$

손익분기이자율의 의미는 부채금액 또는 부채비율에 관계없이 금융비용이 지불되면서도 자본수익률을 감소시키지 않는 금리는 7.42%라는 것이다. 이를 설명하기 위해서 [예 8-8]은 세 가지 LTV 수준별로 세후 내부수익률을 5~11%의 구간 내에서 보여주고 있다. 예에서 손익분기이자율인 7.42%를 넘는 구

예 8-8
부채금리가 자본의 세후 내부수익률에 주는 영향

	ATIRR(%)		
이자율(%)	LTV 60%	LTV 70%	LTV 80%
5.00	7.23%	8.60%	11.39%
5.50	6.73%	7.81%	10.03%
6.00	6.23%	7.03%	8.67%
6.50	5.73%	6.25%	7.31%
7.00	5.23%	5.46%	5.94%
7.50	4.73%	4.68%	4.58%
8.00	4.23%	3.90%	3.21%
8.50	3.73%	3.11%	1.84%
9.00	3.23%	2.33%	0.46%
9.50	2.73%	1.54%	−0.91%
10.00	2.23%	0.75%	−2.29%
10.50	1.73%	−0.03%	−3.67%
11.00	1.23%	−0.82%	−5.05%

간에서는 세후 IRR_E가 세후 IRR_P인 4.82%보다 낮은 반면, 7.42%보다 낮은 금리 구간에서는 세후 IRR_E가 세후 IRR_P보다 높다.

[예 8-9]는 [예 8-8]로부터 손익분기이자율 간의 관계를 보여주고 있다. 여기에서 손익분기이자율 7.42%는 부채금액에 관계없이(60, 70, 80% LTV) 일정하다는 점을 주목하자.

부동산투자자가 손익분기이자율 수준으로 대출을 받을 수 있다면 이러한 레버리지는 대출실행자에게 정의 효과, 부의 레버리지 효과를 주지 않는 중립적 수준의 대출이라 할 수 있다. 손익분기이자율인 세후 IRR_E는 정확히 세후 IRR_D와 일치한다(정의에 의해). 즉, 부동산투자자가 얻는 수익률은 동일 부동산에 대출한 대출자가 얻는 수익률과 동일하다. 그러나 손익분기이자율의 대출은 부동산에 자본을 출자한 투자자에게 위험 프리미엄을 제공하지는 못한다. 자본투자자들은 부동산투자의 위험을 감수하므로 이에 상응하는 위험 프리미엄이 보상되어야 한다. 위험 프리미엄에 대해서 다음 절(위험과 레버리지)에서 논의한다.

예 8-9
금리수준별 세후 내부수익률

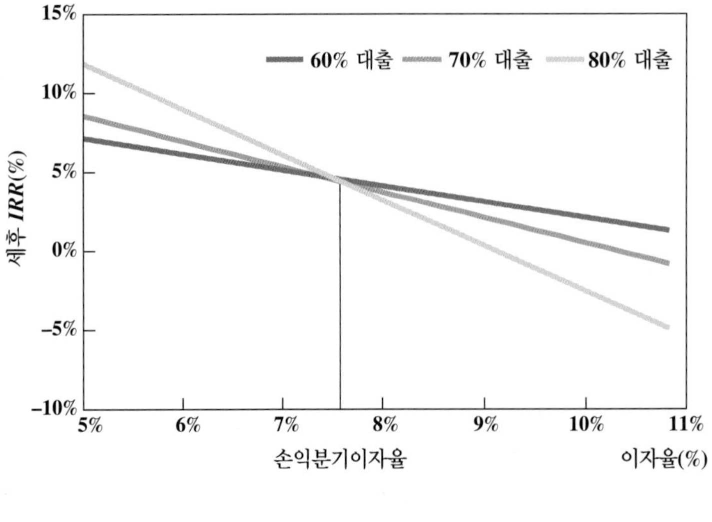

레버리지와 부채의 증분비용 *Incremental cost*

앞에서 언급했듯이 기존 대출이 많은 경우 추가로 대출받기 위해서는 더 높은 금리를 지불해야 한다. 주택금융과 관련된 **증분비용**(incremental cost) 개념을 비교하자. 기존 부채에 추가하여 신규대출을 받을 것인가의 결정은 증분비용을 고려해서 판단해야 한다(예: 80% 대출수준에서 90% 대출수준으로 변경).

예시에서는 80% LTV 대출이 이자율 5% 수준에서 이루어진 경우 그 대출금리는 무부채 수익률 7%보다 낮았으므로, 레버리지가 유익하다는 결론과 함께 11.39%의 레버리지 수익률을 가져왔다. 이제 85% LTV 대출에서 대출이자가 5%가 아닌 5.25%에 이루어진다고 가정한자. 이 경우, 투자자는 추가적인 대출을 선택할 것인가?

첫째로, 5.25%는 여전히 7%의 무부채 수익률보다 낮다. 그러므로 이 전체 대출에 대해서는 유익한 레버리지가 존재한다고 할수 있다. 하지만, 80%의 LTV에서 85% LTV 수준으로 추가대출을 하는 경우에도 이러한 유익한 레버리지가 존재하는지 판단해볼 필요가 있다. 80% 수준의 LTV를 유지하는 것이 더 나은 선택일지에 대해서도 고민해 볼 필요가 있다.

이것을 알아보기 위해, 먼저 80% LTV 수준에서 85% LTV 수준으로 추가대출의 증분비용을 계산해보자. 이자만 지급하는 거치식의 경우(interest-only loan) 계산은 간단하다. 85% 수준의 LTV의 경우 5.25%에 해당하는 이자비용은 5.25% × $85,000 = $4,462로 계산된다. 80% 수준의 LTV의 경우 이자비용은 5.00% × $80,000 = $4,000로 계산이 된다. 따라서 $5,000의 추가대출을 실행하기 위해 지급해야 하는 비용은 $462.50이다. 따라서 $5,000를 추가대출을 하기 위해 $426.50의 이자를 추가 지급해야 하므로 증분비용은 9.25%가 된다. 따라서 추가대출에 따른 증분비용은 9.25%이다. 이렇게 증분비용을 계산한 후에 다음의 과정에 따라 비교분석을 수행하여야 한다.

85% 대출수준과 80%의 대출수준을 구분해서 레버리지 수익률을 분석해보자. 우선 80% 수준의 대출에서 레버리지 수익률은 11.39%이다. 여기에 추가대출이 이루어지는 것이다. 즉 추가대출이 이루어지기 전에는 11.39%의 수익이 실현되고 있다. 추가대출을 통한 유익한 레버리지 효과가 존재하기 위해서는 추가증분비용이 11.39%보다 작아야 한다(최초 무담보대출 수익률 7%가 아님). 추가대출을 실행하기 전의 수익률, 11.39%가 추가증분비용인 9.25%보다 높기 때문에 이 추가대출에는 유익한 정(+)의 레버리지 효과가 발생한다. 따라서 추가적인 대출을 통해서도 레버리지 수익률이 증가함을 확인할 수 있다. 우리는 5.25%의 대출이자에 85% 수준의 LTV 대출을 실행한 경우에 레버리지 수익률(leveraged IRR)이 16.92%가 된다. 이 16.92% 수익률은 5%의 대출이자에 80% LTV 대출수준에서의 레버리지 수익률인 15%보다 높다는 것을 알 수 있다(본서에 포함된 엑셀 예제 참고).

다음 절에서 다루겠지만, 추가대출이 늘어나는 만큼 위험도 커진다. 추가대출을 통한 정(+)의 레버리지 효과가 발생하는 것을 살펴보았다. 하지만, 추가적인 대출이 레버리지 수익률을 하락시킨다면, 이 경우에는 80% 수준의 LTV 대출을 유지하는 것이 합리적이다. 추가대출을 통한 정(+)의 레버리지 효과가 있을 수 있지만, 동시에 위험도 증가하므로 이러한 위험이 증가하는 만큼 상응하는 수익이 존재하는지도 살펴보아야 한다.

위험과 레버리지

유익한 레버리지의 경우 세전 및 세후 자본 IRR_E를 증가시킴을 보았다. 또한 부채금액을 증가시키면 레

버리지 효과가 증가되는 것도 보았다. 이러한 점에서 많은 사람들이 가능한 한 자금을 많이 빌려 투자를 하는 현상이 발생한다(other people's money, "OPM"이라는 단어의 신봉자가 많다). 본 절의 주제는 레버리지의 사용에 대해 내재된 비용이 수반된다는 점을 살펴보고자 한다. 그 비용이란 위험증가라는 형태로 나타난다. 다음에 소개된 투자예시를 통해 레버리지 증가에 따라 위험이 증가하는 경우를 살펴보자.

부동산투자 프로젝트의 총 투자금액(토지취득, 건축물수선비용 등)은 $1,000,000로 대출이 없는 무부채 투자라 가정하자. 부동산투자 프로젝트에는 세 가지의 가능한 시나리오가 있다.

비관적 시나리오: 순 영업이익은 초년 $100,000이며 5년간 매년 2%씩 감소. 5년 후 재매각가 $900,000 수준

중립적 시나리오: 순 영업이익은 5년간 $110,000 수준유지. 5년 후 재매각가 $1,100,000 수준

낙관적 시나리오: 순 영업이익은 초년도 $120,000이며 5년간 매년 5%씩 증가. 5년 후 재매각가 $1,300,000 수준

비관적 시나리오가 실현될 가능성이 20%, 중립적 시나리오가 실현될 가능성이 50%, 낙관적 시나리오 가능성이 30%라고 가정하자.

세 가지 가정에 근거한 세전 IRR_P, 기대 세전 IRR_P, 세전 IRR_P의 분산과 표준편차는 다음과 같이 계산된다.

무부채 투자

	(1) 추정 세전 IRR_P	(2) 기대 세전 IRR_P*	(3) 편차 (1) – (2)	(4) 편차의 제곱	(5) 확률	(6) (4)×(5)
비관적	7.93	13.06	−5.13	26.31	0.20	5.26
중립적	12.56	13.06	−0.50	0.25	0.50	0.12
낙관적	17.31	13.06	4.25	18.07	0.30	5.42
						분산 10.81
						표준편차 = $\sqrt{10.81}$ = 3.29

*$7.93 \times 0.2 + 12.56 \times 0.5 + 17.31 \times 0.3 = 13.06\%$

한편 동일한 부동산투자에 대해서 15년 만기, 10% 이자율에 $900,000의 대출을 활용한 레버리지 투자의 경우 세전 IRR_P, 기대 세전 IRR_P, 세전 IRR_P의 분산과 표준편차는 다음과 같이 계산된다.

대출을 활용한 레버리지 투자

	(1) 추정 세전 IRR_P	(2) 기대 세전 IRR_P*	(3) 편차 (1) – (2)	(4) 편차의 제곱	(5) 확률	(6) (4)×(5)
비관적	−5.09	26.49	−31.58	997.36	0.20	199.47
중립적	25.99	26.49	−0.50	0.25	0.50	0.13
낙관적	48.38	26.49	21.89	479.13	0.30	143.74
						분산 343.34
						표준편차 = $\sqrt{343.34}$ = 18.53

*$-5.09 \times 0.2 + 25.99 \times 0.5 + 48.38 \times 0.3 = 26.49\%$

중립적인 시나리오에서 기대수익률은 부채의 경우가 무부채의 경우보다 높으므로 레버리지 투자가 높은 수익률이 발생함을 나타낸다. 그러나 비관적인 시나리오가 발생할 경우 레버리지를 활용한 투자의 경우에는 기대수익률이 무부채 투자의 수익률보다 낮아져, 레버리지 투자의 위험성을 나타낸다. 세 가지 시나리오의 발생확률을 각각 반영한 기대수익률 IRR_E의 변동 범위를 살펴보면, 레버리지를 활용한 투자가 선호될 수도 있다. 그러나 레버리지를 활용한 투자의 경우 수익률의 표준편차가 18.53%로 무부채 투자의 표준편차인 3.29%에 비해 높다. 따라서 레버리지 투자는, 투자자가 레버리지 투자가 선호하든지 그렇지 않든지 관계없이 명백히 위험이 큰 투자라고 할 수 있다. 여기서 언급하고자 한는 것은 우리가 레버리지 투자를 결정하는 데 있어 중요한 고려사항이 단지 세전 IRR_P와 세전 IRR_E만이 아니라는 것이다. 투자자는 레버리지를 활용하는 만큼 증가하는 위험에 상응하는 수익이 발생하는 투자인지도 확인하여야 한다. 또한 투자자는 다른 투자에서 더 낮은 위험 수준에 높은 수익을 올릴 수 있는 다른 투자 대안이 있는지 살펴보아야 한다. 또는 동일투자 대안에 대한 위험을 낮추고 수익을 높이는 다른 대출 방법이 있는지도 살펴보아야 한다. 금융 레버리지의 효과에 대해서는 다음 장에서 좀 더 살펴보기로 한다.

수익용 부동산에 대한 대출심사

20장에서는 주택에 대한 대출심사와 대출에 대하여 살펴볼 것이다. 그러나 **상업용** 부동산과 **다가구** 주택에 대한 대출신청을 심사할 때에는 대출자들이 추가적으로 고려해야 사항들이 있는데, 본 절에 이러한 중요한 사항들에 대해서 살펴보기로 한다.

시장조사와 감정평가

일반적으로 대출을 신청할 경우 대출기관들은 대출신청자들에게 신청서와 함께 경제 상황 분석(19장 참조)과 당해 부동산 입지 지역의 고용 증가 예상치를 포함하는 **시장조사 보고서**를 함께 요구한다. 또한 하위 시장에 대한 분석도 필요한데, 여기에는 공실률, 임대료 시세, 신규 건설물량, 임대시장의 기대수요 등에 대한 분석이 포함되어야 한다. 즉, 대출기관은 해당 담보대출을 상환하는 데 있어 점유율과 임대료 수준이 적정한 수준인지 확인하여야 한다.

대출신청자는 대출신청서에 시장분석에 대해 수행하여야 하며 고가의 물건인 경우에는 해당 건물에 대한 **감정평가** 보고서를 첨부해야 한다. 감정평가는 대출기관과 대출자가 아닌 중립적인 제3자에 의해서 수행되어야 하며 6장에서 다룬 바 있는 감정평가 세 방식인 거래사례비교법, 수익환원법, 비용접근법의 세 가지 평가방법 중 하나 또는 그 이상을 사용하여 이루어진다. 대출기관에서는 각 평가방법의 가정들이 너무 과장되게 설정되지 않았는지 면밀하게 살펴보는데, 이는 해당 대출기관에서 조사한 시장분석과 대출실행을 위한 대상물건의 평가가격이 신청서에 첨부된 평가보고서의 내용과 일치하는지 판단하기 위해서이다. 부동산 담보대출은 해당 부동산에 대한 저당권이 설정되므로, 대출기관에서는 차입자가 채무불이행 상황이 발행하여 해당 담보부동산을 매각하는 경우에 대출금을 충분히 회수할 수 있는지 확인하여야 한다.

차입자의 재무상황

부동산에 의한 저당권에 추가하여 다른 특약이 없는 한 채무자인 투자자는 담보대출증서에 대해서 개인적인 상환의무로서 추가적인 신용 담보를 제공한다. 따라서 대출기관에서는 차입자 개인의 재무상황 또는 기업차주인 경우 재무제표들을 요구하게 된다. 대출기관에서는 수익용 부동산에서 채무를 상환하는 데에 충분한 임대료가 발생하지 않을 경우에 대비하여 차주의 상환능력도 고려하는 것이다. 그러나 대부분의 경우는 대출자와 차입자 간에 담보대출증서에 **비소구 조항**(non-recourse clause)을 두기로 합의할 수가 있다. 비소구 조항이란 대출기관에서 대출이 실행된 해당 부동산 물건만이 담보대출에 대한 담보물이 되고, 대출기관이 개인 차입자에게 미지급된 채무를 요구할 수 없게 된다. 차입자는 담보대출에 대한 개인적인 상환 의무에서 벗어나게 된다. 비소구 담보대출의 경우에는 대출기관의 입장에서는 담보대출에 상대적으로 안전성이 낮아지게 되므로 차입자에 대해서 추가적인 수수료나 더 높은 금리를 책정하게 된다. 차입자의 입장에서는 이러한 비소구 조항은 **풋옵션**(put option)으로 볼 수가 있다. 만약 차입자가 대출상환을 이행하지 못하는 상황이 발생한 경우에 해당 부동산의 가치가 담보대출 잔액보다 낮다면 차입자는 해당 부동산의 권리를 대출기관에 넘겨주는 "풋(put)" 옵션을 행사할 수가 있는 것이다. 이 경우 차입자는 담보대출이 실행된 시점에서 투입된 자기자본과 비소구 담보대출 수수료를 잃게 되는데, 이 금액은 투자자가 옵션을 갖기 위한 비용으로 생각할 수가 있다.

이러한 채무불이행 발생 이후 채무조정 협약으로 재조정될 수가 없다면 차입자는 부동산에 대한 소유권을 대출자에게 넘겨주게 된다. 각 주마다 다소 차이는 있지만, 이 과정을 **차압에 따른 소유권변동**이라 일컫는데, 대출기관은 이러한 이양된 소유권을 매각하거나 다른 투자자에게 이양하기 위한 법률절차를 따르게 된다.

주택담보대출비율 *Loan to Value Ratio*

대부분의 대출기관에서는 대출총액을 부동산 가치의 75~80% 이내로 설정할 것을 요구한다. 따라서 차입자가 채무불이행을 하더라도 대출자는 최초대출 이후 부동산 가치가 20~25% 하락하지 않는 한은 손실을 보지 않게 된다. 따라서 대출기관의 입장에서는 **주택담보대출**(loan-to-value)**비율** 범위결정이 대출심사를 수행할 때 중요한 요소이다.

부채감당비율 *Debt Coverage Ratio*

대출기관에서 채무불이행 위험을 줄이기 위해 많이 사용하는 다른 심사 지표는 부채감당비율이다. 이 비율은 부동산으로부터 발생하는 순 영업이익이 부채상환금액을 초과할 것으로 예상하는 비율을 나타낸다. 대출자는 부채상환액을 충분히 초과하는 순 영업이익 비율을 설정함으로써 예측하지 못한 공실 발생이나 임대료 하락 등으로 인해 순 영업이익이 예상보다 낮아지더라도 차입자가 자신의 개인자금을 사용하지 않고도 당해 부채를 상환할 수 있기를 바라는 것이다.

부채감당비율은 순 영업이익 대비 부채상환금액의 비율을 의미하다. 예를 들면, [예 8-1]에서 초년도의 순 영업이익은 $7,000였고 원금거치 후 이자지급액은 $4,000인 경우에 부채감당비율은 1.75로 측정된다. 일반적으로 대출기관에서는 부채감당비율을 최소한 1.2배로 요구한다. 그리하면 순 영업이익이 20%까지 하락하는 사태가 발생하더라도 대출자가 대손을 입지 않게 된다. 20%의 여력은 대부분의 대

출기관에게 충분할 가능성이 크다. [예 8-1]의 경우 DCR의 여력은 75%로서 20%보다 훨씬 컸다. 따라서 이 부동산은 대출기관에서 설정한 DCR 비율에 부합된다. 그러나 채무자에게 질문해야 할 중요한 문제는 "부채감당비율 1.2를 맞추기 위해서 주택담보대출 비율은 어떻게 조정하여야 하는가"의 문제이다. 이 문제는 다음과 같이 계산할 수 있다.

$$\frac{\text{순 영업이익}}{\text{목표 부채감당률}} = \text{채무상환 최대금액}$$

$$\frac{\$7{,}000}{1.20} = \$5{,}833.33$$

이 계산은 부채감당률 1.2를 유지하면서 채무상환액을 최대 $5,833.33까지 늘릴 수 있다는 점이다. 대출 가능 최대금액은 80%를 넘는 여신에 대해서 대출자가 매기는 이자율에 의해서 결정된다. 예를 들면, 만일 대출자가 80%를 넘는 대출에 6%의 이자율을 요구한다면, 대출 최대액은 6% 이자율과 부채감당비율 1.2를 유지하는 수준에서 다음과 같이 계산된다.

$$\frac{\text{채무상환 최대금액}}{\text{저당대출상수}^{3}} = \text{대출최대액}$$

$$\frac{\$5{,}833.33}{.06} = \$97{,}222.17$$

그러나 이 금액은 부동산 가치의 90%를 넘으므로 전형적인 주택담보대출비율(LTV) 지침인 75 내지 80%를 벗어난다. 이 예시에서 6% 이자율의 $97,222.17의 대출은 1.2배의 부채감당률은 맞추지만 주택담보대출비율(LTV)이 80%를 넘으므로 대출기관의 승인을 받을 가능성이 낮다. 더구나 차입자가 레버리지를 높이는 데 따른 한계금융비용은 매우 높다. 이는 다음과 같이 계산된다.

$$(97{,}222.17 \times .06) - (\$80{,}000 \times .05)/(\$97{,}222.17 - \$80{,}000) = 10.65\%\ \text{증분비용}$$

증분 부채액 $17,222.17를 획득하는 비용은 매우 비싸다. 더구나, 증분 부채는 $BTIRR_E$는 16%밖에 늘리지 못하면서 위험은 매우 높인다. 레버리지 공식을 기억하자.

$$BTIRR_P + (BTIRR_P - BTIRR_D)\,D/E = BTIRR_E$$

$$7\% + (7\% - 6\%) \times (90\% \div 10\%) = BTIRR_E$$

$$16\% = BTIRR_E$$

이는 주택담보대출비율(LTV) 80%인 대출 수준에서 15%의 $BTIRR_E$와 대조된다. 따라서 추가 레버리지를 통해 LTV 비율이 90%에 달한다면, 투자자는 자본은 10% 더 투입하면서 수익률은 1%밖에 더 높아지지 않는 것이다.

요약하면, 대출기관에서 대출심사를 할 때 부채감당비율(DCR)과 주택담보대출비율(LTV)을 지표로서 활용한다. 대출기관에서 대출금액 대비 부동산 가치의 예측 못한 하락과 부채부담능력의 저하에 따른 손실 위험에 대비하기 위해 지표를 활용한다. 이러한 정량지표의 목표기준은 대출이 신청되는 시점의 시장상황에 따라 조정될 수 있지만 본 예시를 통해 대출자와 채무자가 다양한 레버리지 수준에서 발생하는 여러 상충관계를 이해할 수 있다.

---

[3] 본 절에서는 원금거치로 이자만 지급하는(interest only) 경우이다. 원금분할상환하는 대출의 경우에는 분모는 월별 저당대출상수에 12개월을 곱하여 사용해야 한다.

기타 대출조건 및 담보대출 조항

주택담보대출비율(LTV)과 부채감당비율(DCR) 외에도 대출기관들이 요구하는 다른 조항들에 대해 지난 18장을 통해 살펴볼 것이다. 대출자들은 해당 부동산을 유지관리하며 재산세를 완납하며, 대출자의 승인 없이는 저당 채무 인수 조건으로 제3자에게 매각될 수 없도록 요구한다.

상업용 부동산의 담보대출에서는 대출기관들은 차입자에게 부동산의 가치에 영향을 주는 중대한 사건이 있는지의 통지를 요구한다. 담보대출 문서에 포함되는 주요 **조항**들은 다음과 같다.

1. 일정 면적을 초과하는(e.g. 5,000 sq.ft.) 신규 임대계약에 대한 대출기관의 승인권
2. 기존 임대차계약에 대한 수정에 대한 대출기관의 승인권
3. 건물의 개조, 증축 등에 대한 대출기관의 승인권
4. 차입자는 정기적으로 부동산관리/현금흐름 상황 보고 의무
5. 차입자는 매년 감정평가서를 제공 의무
6. 차입자는 임차인 또는 외부인에 의해 제기된 소송 및 법률 위반(e.g. 환경 및 건축법 등)이 있을 시 이를 대출기관에게 보고 의무
7. 차입자는 건물의 기능 등 하자 보완을 위한 자본적 지출을 대출기관에게 통지 의무
8. 대출기관은 부동산을 현장 방문하여 확인하는 실사권을 가짐

위의 목록은 예시일 뿐이고 모든 조항을 망라하는 것은 아니며, 대출기관에서 대출 실행 이후 부동산 가치나 수익성이 악화되는 것을 방지하는 데 그 목적을 둔다. 이러한 조항에 대한 위반이 발생할 경우 대출기관에서는 차입자에게 계약위반이 발생하였음을 통보하며 위반상태가 해소되지 않는다면 채무자의 채무불이행 사실을 통보하며 저당권 행사에 나선다.

조기상환 금지기간 및 조기상환 시의 위약금

본 장에서 언급할 필요가 있는 또 하나의 중요한 조항은 조기상환 금지기간(lockout period)과 조기상환 시의 위약금과 관련한 조항이다. **조기상환** 금지기간이란, 채무자로 하여금 일정 기간(통상 7~10년) 조기상환을 **금지하는 조항**으로, 그 목적은 차입자가 부동산을 매각하거나 기존 대출을 차환(refinancing)하는 경우 적용된다. 이 경우에는 대출기관에서는 예상보다 조기상환된 금액만큼 새로운 대출에서는 낮은 이율로 다시 대출해야 하는 상황에 놓인다. 또한 15년 만기 대출의 경우 대출자는 조기상환 금지기간 종료 **후**부터 만기 시까지의 기간 중에도 조기상환이 발생하지 않기를 원하지만 차입자의 조기상환 선택을 원천적으로 막을 수는 없다. 이러한 목적을 달성하기 위하여 대출자는 **조기상환수수료**(yield maintenance fee, YMF)를 부과한다. 조기상환수수료 예시:

1. 원금거치식 대출 총액 $10,000,000, 이자율 8%, 15년 만기이되 10년간 조기상환 금지. 대출 실행시점의 국채수익률(10년)은 6%로서 국채대비 대출 스프레드는 2% (8% − 6%)이다.
2. 11년도 말에 차입자가 조기상환을 원하며, 국채(잔존 4년)수익률은 5%로 하락하였다.
3. 당초 합의된 조건이 조기상환이 실행되는 시점에 대출기관에 대하여 대출수익률 보장이었고, 현재 남은 4년에 대해서 대출기관에서 최소한의 8%의 수익률을 보장받아야 한다는 점이다. 이에 따라 차입자는 대출자의 운용수익률 7%(무위험 국채수익률 5%에 스프레드 2%를 더한 수치)와 당초 이자율

8% 간의 차이인 1%를 수수료로 지불해야 한다. 따라서 대출이 상환되는 11년 차 말(132개월 차)의 조기상환수수료는 다음과 같이 계산이 된다.

계산기 해법:	함수:
n = 48개월, i = (8% − 7%) /12, PMT = \$8,333	$PV(n, i, PMT)$
현재가치 = \$341.336	

즉, 차입자는 조기상환 금지기간 도래 이후에도 조기상환을 위해서는 $341,336의 수수료를 지급해야 한다. 대출기관에서는 원금 $10,000,000와 조기상환수수료 $341,336를 수령한 이후에 신규 대출로 $10,000,000을 이자율 7%에(무위험국채수익률 5% + 2%의 대출스프레드) 4년간 대출한다면 5년간의 8% 수익률을 그대로 실현하게 된다. 이는 조기상환이 없이 기존 대출이 15년간 지속된 경우와 동일한 결과이다.[4]

고정금리 대출에 대한 대체 조달 수단들

수익용 부동산에 대한 대출은 대출기관과 차입자의 필요에 따라 다양하게 구조화될 수 있다. 대출기관에서는 일반적으로 대출담보 대상 수익용 부동산에서 원리금상환에 충분한 현금흐름이 창출되길 원한다. 대출기관에서는 이런 목적을 최소 부채감당비율을 1.20으로 책정하며 실현하고자 한다. 동시에 차입자들은 상대적으로 높은 주택담보대출비율(LTV)을 원한다.[5]

주택담보대출이 고정금리 주택담보대출로 실행된 경우에는 월불입액이 고정되어 대출기간 동안 일정한 수준을 유지한다. 하지만, 수익용 부동산의 경우 임대료 수준이 고정되어 있지 않다. 게다가 수익용 부동산에서 현금창출 능력이 보유기간 동안에 증가한다고 볼 수 있는 몇 가지 이유가 있다. 첫째, 인플레 상황 하에 임대료 책정이 물가상승분을 반영하는 경우 임대수익이 이 물가상승분을 반영하므로 일반적으로 수익용 부동산의 수익이 증가하리라는 기대를 할 수 있다.[6] 담보대출불입금 수준은 기대인플레이션 수준을 반영하여 책정이 되는데, 초기 임대수입은 이 기대인플레이션을 반영하지 않기 때문이다. 둘째, 신축 건물의 수익은 수년간 상승할 것으로 기대되는데, 그 이유는 임대료를 인상할 수 있는 안정화 공실률 단계에 진입하기까지는 기간이 소요되기 때문이다. 셋째, 대출 시점에서 시장임대료 시세보다 낮게 계약된 기존 임대차계약이 존재하기 때문에 수익 증가가 가능하다. 기존 임대차가 만료되면 시세대로 높은 가격에 새로 임대될 것이기 때문이다.

부동산 수익이 증가할 것으로 예상되면 전통적인 고정금리, 균등분할상환 조건으로는 초기 주택담보대출비율(LTV)이 높고 최소 부채감당비율이 한도를 넘게 되므로 대출 조건을 맞추기가 어려워진다. 이는 부동산의 가치가 **장래** 기대수익을 반영하는 반면, 부채감당비율은 **현재** 수익만을 반영하기 때문이다. 현재 수익과 장래수익 간의 차이는 인플레 환경 하에서 더욱 영향력이 커지는데, 이는 2장에서 전술하

4 분명 대출자 입장에서는 조기상환이 이루어진 이후의 신규대출에서는 대출자는 2%의 스프레드를 유지하지 못할 수 있다는 위험이 존재한다. 따라서, YMF를 위한 계산을 하는 데 있어 대출자와 차용자는 잔여대출기간 동안 무위험 이자율에 추가될 스프레드에 대해 협상해야 할 수 있다.

5 주택담보대출비율에 따라 재무 위험성이 증가하게 되지만, 투자자들은 투자할 자금이 한정되어 있고 그들의 자기자본 투자를 최소화하기를 원하거나 또는 레버리지 투자를 투자 전략으로서 더 높은 기대수익률을 희망하기에 종종 이러한 위험을 감내하고자 한다.

6 예를 들어, 사무실 건물 임대는 7장에서 논의되는 바와 같이 CPI 조정 그리고/혹은 비용 정산이 포함될 수 있다.

였듯이 고정금리 대출은 예상 인플레를 반영한 프리미엄을 포함하기 때문이다. 전통적인 대출은 균등분할상환 조건이므로 예상 인플레로 인하여 초년도의 이자지급액이 더 커지는 효과를 발생시킨다. 이러한 초기 지불 부담으로 인해 균등분할상환과 부동산 수익의 증가(인플레 상쇄를 위해 매년 증가하는) 간에 불일치를 발생시킨다. 이러한 불일치는 초년도에 가장 크므로 부채감당비율이 낮아져 대출심사를 통과하지 못하는 사례가 발생한다.

이러한 문제 해결을 위해 초기 상환액을 낮추되 장래의 수익률을 높여주는 저당대출이 설계되었다. 전술하였던 점증상환대출(graduated payment mortgag, GPM)이나 수익공유형 담보대출(shared appreciation mortgage, SAM)이 그것이다. 경우에 따라 대출자가 특정 가격에 부동산을 매입할 수 있는 권리를 부여받기도 한다.[7]

본 장의 다음에서는 이러한 대안적인 대출구조에 대하여 논의한다. 대출구조에 따라 어떻게 불입액 형식이 바뀌며, 대출구조에 따라 대출기관과 차입자의 위험과 수익률에 어떤 영향을 미치는지 살펴보고자 한다.

수익참여대출 *Participation Loan*

본 절에서는 **지분수익참여대출**(equity participation loan)을 소개하는데 이는 **참여대출**(participation) 또는 **지분첨가제**(equity kicker)로도 불린다. 실제로 **지분참여**(equity participation)는 다소 틀린 명칭이라고 할 수 있는데, 그 이유는 대출자가 부동산소유지분에 참가하지는 않기 때문이다. 그보다 대출자는 대출의 낮은 계약 금리를 받는 대신, 부동산에서 발생하는 수입 또는 현금흐름의 배분에 **참여**하기 때문이다, 따라서 대출기관의 수익률은 부분적으로 부동산의 투자성과에 의존하게 된다.

수익참여(participation)의 금액계산에는 몇 가지 방식이 있는데 대출자는 (1) 잠재총소득, (2) 순 영업이익, (3) 금융비용 지급 후 현금흐름(수익참여 지급 전) 등의 항목에 일정 비율의 수익을 배분받게 된다. 여기에 추가하여 부동산 매각 시의 매각대금 또는 부동산매각 차익도 배분받을 수 있다.

신규부동산의 현금유입에 대한 수익참여는 어느 정도 임대가 확보된 후에 시작하는 경우가 많다. 예를 들어 수익참여의 기준은 순 영업이익이 $100,000를 초과하는 부분의 일정 비율로 설정된다. 기존 부동산의 경우에는 일반적으로 손익분기점이 설정되며 통상 1년 운영 후에 수익참여가 개시된다. 예를 들면, 초년도 순 영업이익이 $100,000로 예상되는 경우에는 수익참여대출자는 순 영업이익 $100,000를 초과할 것으로 예상되는 2년 차에 수령하게 된다.

수익참여대출구조는 수입 구조에 참여하는 대신 차입자는 낮은 계약 금리를 받게 되는데, 낮은 금리 수준의 결정은 수익참여대출 수익배분 구조에 따라 결정된다. 수익참여대출의 조건은 협상을 통해 많은 조건들이 결정될 수 있고, 표준적인 대출조건이 존재하지 않는다.

대출자 입장에서 참여 동기

대출자가 수익참여대출을 하는 목적은 무엇인가? 이론적으로 대출자는 수익참여가 없는 고정금리 대출의 수익률과 동일한 수익률을 얻도록 수익참여 조건을 설정할 것이다. 대출기관이 수익참여대출을 실행

[7] 옵션의 행사 가격은 대출자가 부동산에 대해 지불해야 하는 가격이다. 대출이 이루어질 때의 부동산의 가치보다 높은 것이 일반적이지만, 옵션을 행사할 수 있는 시점에서 해당 부동산의 가치보다 낮을 수 있다.

하여 저금리 설정을 수락할지 여부는 수익참여대출의 위험도 수준에 의해 결정된다. 분명히 수익참여대출은 부동산의 투자수익률에 의존해야 하므로 불확실성이 수반된다. 그러나 대출기관은 손실이 발생한 경우에 손실을 공유하지는 않는다. 대출기관의 입장에서는 적어도 차입자의 채무불이행이 없는 한 최소한의 금리는 수령하게 된다. 또한 대출기관의 입장에서는 순 영업이익 및 부동산매각 가격이 일반적으로 인플레이션 정도를 반영하게 되므로 예상하지 못한 인플레이션에 대한 헤지 효과를 기대할 수 있다. 따라서 대출기관 입장에서는 수익참여대출을 통해 "실질"수익률 보장을 기대할 수 있다.

부동산투자자 참여 동기

투자자인 차입자 입장에서 수익참여대출을 통해 자금을 조달하는 목적은 무엇인가? 앞에서 언급했듯이 수익참여대출 조건은 손익분기점에서부터 시작되는 경우가 대부분이다. 따라서 초년도 및 초기에는 수익 지급액이 없거나 매우 작을 것이다. 이 기간 동안 차입자는 고정금리 대출 등과 같은 타 대출에 비해 상환액이 작을 것이다. 부동산투자자 입장에서는 초기 순 영업이익이 낮으므로 초기 상환부담이 적은 것이 상당히 바람직한데, 이는 특히 임대가 완료되지 못한 신규부동산에서 특히 더 그러하다. 따라서 부동산투자자 입장에서 수익참여대출의 경우가 일반 부채보다 초기 현금흐름이 개선된다. 초기 현금흐름이 개선되면 부채감당비율도 개선되어 초기의 채무상환능력이 개선되는 것이다.

다만, 한 가지 우려되는 점은 부동산투자자가 저금리 수익참여대출을 몇 년 후에 참가 개시하는 조건으로 조달해 놓고서는 참가 개시 전에 부동산을 매각할 수 있다는 것이다. 이 문제에 대해서는 **금지(lockout)기간**을 설정하여, 동 기간 중에는 대출자를 보호하기 위한 조기상환수수료를 납부하지 않고는 대출이 상환되거나 부동산이 매각되지 못하도록 계약을 설정하고 있다.

수익참여 예시

오피스 프로젝트의 순 영업이익은 초년도 $70,000이고 이후 매년 2%씩 상승한다. 오피스 매입가는 $1,000,000이며 건물가가 $900,000이고 감가상각 기간은 39년이며 오피스 가격은 5년의 보유기간 중에 매년 3% 상승할 것으로 예상된다. 투자자의 경상소득에 대한 세율은 35%가 적용되며, 감가상각 공제의 환수액에 대한 세율은 25%, 그리고 양도소득세는 20%를 적용한다.

대출자는 다음의 금융방안을 제시하였다.

- 전통적인 고정금리 균등분할상환대출 $700,000로서 5% 금리(월불입), 20년 만기
- 대출 총액은 $700,000, 4% 금리(월불입), 20년 만기이되 $70,000를 초과하는 순 영업이익(NOI)의 50% 및 부동산매각 차익의 45% 수익참여

두 가지 대안의 대출**금액**이 동일하다는 점에 주목하라. 본 장에서는 대출총액은 일정하다라고 가정하고 다양한 대출의 **구조**에 따른 변화만을 살펴보고자 한다.

[예 8-10]에서는 전통적인 대출의 현금흐름을 보여 주는데 초년도의 부채감당률은 1.26 수준으로 대출자들은 요구하는 최소 부채감당비율 1.2배에 조금 상회하는 수준이다. 이는 전통적인 대출을 통해서도 최소 부채감당수준을 통과할 수 있지만, 수익참여대출의 경우에는 대출기관에게 더욱 충분한 부채감당비율 수준을 제공한다.

예 8-10
전통적인 대출

	운영상의 현금흐름 추정(년)				
	1	2	3	4	5
A. BTCF(세전 현금흐름):					
순 영업이익	$70,000	$71,400	$ 72,828	$ 74,285	$ 75,770
(−)부채상환	55,436	55,436	55,436	55,436	55,436
참가 전 현금흐름	14,564	15,964	17,392	18,848	20,334
참가	0	0	0	0	0
BTCF(세전 현금흐름)	$14,564	$15,964	$ 17,392	$ 18,848	$ 20,334
B. 과세소득 또는 손실:					
순 영업이익	$70,000	$71,400	$ 72,828	$ 74,285	$ 75,770
(−)이자	34,525	33,455	32,331	31,149	29,906
참가	0	0	0	0	0
감가상각	23,077	23,077	23,077	23,077	23,077
과세소득(손실)	12,398	14,868	17,420	20,059	22,787
세금	$ 4,339	$ 5,204	$ 6,097	$ 7,021	$ 7,976
C. ATCF(세후 현금흐름):					
BTCF(세전 현금흐름)	$14,564	$15,964	$ 17,392	$ 18,848	$ 20,334
(−)세금	4,339	5,204	6,097	7,021	7,976
ATCF	$10,224	$10,760	$ 11,295	$ 11,828	$ 12,358

	5년 차의 매각으로 인한 현금흐름 추정		
매각가격			$1,104,081
(−)저당잔액			584,184
BTCFs(매각 전의 현금흐름(세전))			$ 519,897
매각 시의 세금			
매각가격		$1,104,081	
원가	$1,000,000		
감가상각누계	115,358		
미상각잔액		884,651	
자본이득		$ 219,465	
양도세			49,662
ATCFs(매각 후의 현금흐름(세후))			$ 470,234

	현금흐름 요약					
	0	1	2	3	4	5
BTCF	$−300,000	$14,564	$15,964	$17,392	$18,848	$540,231
ATCF	−300,000	10,224	10,760	11,295	11,828	482,593
세전 IRR =16.27%						
세후 IRR =12.56%						

[예 8-11]은 수익참여대출의 현금흐름을 보여주는데 그 현금흐름이 수익참여대출의 특성을 반영하여 많은 변화가 있을 것을 알 수 있다. 전통적 대출과 달리 초기에 불입액(상환액 + 참여지급액)이 적은데, 이는 수익참여대출금리가 낮은 점 및 수익참여가 2년 차가 되어야 시작한다는 점에 기인한다. 또한 채무자가 대출자에게 지불해야 하는 수익참여금액의 일부는 부동산이 매각될 때까지는 지급되지 않는

예 8-11
수익참여대출 사례

	운영상의 현금흐름추정(년)				
	1	2	3	4	5
A. BTCF(세전 현금흐름)					
순 영업이익	$70,000	$71,400	$ 72,828	$ 74,285	$ 75,770
(−)부채상환	50,902	50,902	50,902	50,902	50,902
참가 전 현금흐름	19,098	20,498	21,926	23,382	24,868
수익참여	0	700	1,414	2,142	2,885
BTCF(세전 현금흐름)	$19,098	$19,798	$ 20,512	$ 21,240	$ 21,983
B. 과세소득 또는 손실					
순 영업이익	$70,000	$71,400	$ 72,828	$ 74,285	$ 75,770
(−)이자	27,575	26,625	25,636	24,607	23,535
수익참여	0	700	1,414	2,142	2,885
감가상각	23,077	23,077	23,077	23,077	23,077
과세소득(손실)	19,348	20,998	22,701	24,459	26,273
세금	$6,772	$ 7,349	$ 7,945	$ 8,561	$ 9,196
C. ATCF(세후 현금흐름)					
BTCF(세전 현금흐름)	$19,098	$19,798	$ 20,512	$ 21,240	$ 21,983
(−)세금	$6,772	7,349	7,945	8,561	9,196
ATCF(세후 현금흐름)	$12,326	$12,448	$ 12,566	$ 12,679	$ 12,787

5년차의 매각으로 인한 현금흐름 추정

매각가격			$1,104,081
(−)저당잔액			573,466
참가 전 현금흐름			530,614
(−)매각으로 발생한 참가			46,836
BTCFs(매각 전의 현금흐름(세전))			$483,778
매각 시의 세금:			
매각가격		$1,104,081	
수익참여		46,836	
원가	$1,000,000		
감가상각누계	115,385		
미상각잔액		884,615	
자본이득		$ 172,629	
양도세			40,295
ATCFs(매각 후의 현금흐름(세후))			$ 443,483

현금흐름 요약: 투자자(연말)

	0	1	2	3	4	5
BTCF	$−300,000	$19,098	$19,798	$20,512	$21,240	$505,761
ATCF	−300,000	12,326	12,448	12,566	12,679	456,270

BTIRR = 15.73%
ATIRR = 11.75%

(계속)

예 8-11
수익참여대출
사례(계속)

현금흐름 요약: 대출자

개월	0	1~12	13~24	25~36	37~48	49~60	60
대출총액	$-700,000						
부채상환		$4,242	$4,242	$4,242	$4,242	$4,242	
수익참여		0	58	118	179	240	$ 49,721
대출잔액							573,466
합계	$-700,000	$4,242	$4,300	$4,360	$4,420	$4,482	$623,037

대출자 IRR = 5.48%

점도 고려해야 한다.

지급패턴의 차이에도 불구하고 세전 내부수익률($BTIRR_E$)은 전통적인 대출과 수익참여대출 간에 거의 같은 결과를 나타낸다.

대출기관에서 수익참여대출을 선택하기 위해서는, 실질 대출금리인 대출자의 기대수익률이 전통적인 대출수익률에 비해 높아야 할 것이다. 본 예시에서 대출자의 수익률은 상환액과 수익참여에 따른 지급액을 고려할 때 약 5.48%이다.[8] 이 내부수익률은 전통적인 대출의 수익률인 5%와 동일하다(선취이자가 없다는 가정에 따라 대출 약정이자율과 동일).

두 가지 대안에서 대출자의 수익률이 비슷하지만, 수익참여대출의 경우 초년도 부채감당률이 1.38인 반면 전통적 대출에서는 1.26에 불과하다. 일반적으로 대출기관에서 요구하는 최소 부채감당비율이 1.2 수준이므로 지분참여대출방식이 대출자 입장에서는 고려해볼 만한 대안이 된다. 부동산투자자 입장에서도 부채상환방식(이자지급 + 참가지급)이 NOI의 변화패턴과 더욱 일치하는 방식이라 할 수 있다. 인플레이션 환경에서 명목 순 영업이익의 증가는 실질 순 영업이익 증가보다 클 것이다. 앞에서 인플레이션 하에서 균등상환방식(constant payment mortgage)에 수반되는 문제점을 상기해보면 이해에 도움이 될 것이다. 수익참여대출에서는 명목상환금액이 전통적인 대출에서보다 낮은 금액설정된 후, 명목 *NOI* 상승을 반영하여 설정되므로 이러한 인플레이션에 따른 경사효과(tilt effect) 문제점을 극복할 수 있게 한다.

대출기관의 수익은 수익용 부동산의 수익창출 여부에 연동되어 있다. 그러므로 수익참여 지급액은 부동산 수익 가능성에 의존하여 대출자의 수익률을 결정하게 되므로 **조건부** 이자(contingent interest)라고 칭한다. 조건부 이자는 부동산의 투자성과 및 수익창출력에 근거하고 있고 예 8-11에 나타난 바와 같이 세금공제 대상이다. 따라서 수익참여대출의 특징으로 수익참여대출에 대한 지급액 전체가 세금공제 대상이 된다. 반면, 전통적인 대출에서는 이자지급액만이 공제대상이 된다. 하지만 대출 초기 몇 년간은 수익참여 지급액이 작으므로, 전통대출의 이자공제액의 현가가 수익참여대출의 공제액의 현가보다 크다. 이에 따라 세전 IRR_E가 동일하더라도 세후 IRR_E의 경우, 참가대출에서 전통대출에서보다 낮게 나타난다. [예 8-12]에서는 두 가지 방식에 대한 수익률 및 부채감당비율을 나타낸다.

본 절의 분석에 의해 수익참여 대출이 전통대출 못지않게 유익한 대안이라는 점이 판명되었다. 대출

[8] IRR의 계산은 대출금액 $700,000과 매년상환액($50,902) + 매년 참가지급액 + 만기수익참여지급액의 현재가치를 일치시키는 금리로서 구해진다. 수익참여 현금흐름은 매년 금액이 상이하다. 도출한 해답 5.48%는 월별로 상환 및 참가 지급이 이루어진다는 가정 하에 얻어진 것이다.

예 8-12
대출자와 투자자에 대한 수익률 요약

	세전 *IRR*	세후 *IRR*	DCR	대출자의 *IRR*
전통적인 대출	16.27%	12.56%	1.26	5.00%
수익참여대출	15.73	11.75	1.38	5.48

자가 수령하는 수익률은 동일하면서도 부채감당률은 더 높다. 부동산투자자의 세전 수익률도 양자 간 동일하되, 기대 세후 수익률만이 약간 낮다. 더구나 채무자(부동산투자자)는 낮은 부채감당비율로 인해 전통대출을 통한 대출 자체가 어려울 수도 있다.

토지의 임대차조건부 매각 *Sale-Leaseback*

본 장에서는 여러 가지 다양한 대안적인 자금조달 방법을 통해 토지와 건물을 매입하는 방식을 살펴보았다. 다만, 투자자가 토지와 건물을 별도 구분 없이 동일한 부채를 통해 필요 자금을 조달한다라고 가정하였다. 그러나 빌딩만을 담보로 하여 자금을 조달하고 토지에 대해서는 별도의 부채 또는 임대를 통한 방법으로 자금을 조달하는 방식도 가능하다. 즉 투자자는 건물을 소유하되, 토지는 다른 투자자로부터 임차할 수 있는 것이다. 투자자가 이미 투자자 소유의 토지를 소유하고 있다면, 해당 토지를 매각하여 다시 임차해 사용할 수 있다. 이러한 거래를 **토지의 임대차조건부 매각**(sale-leaseback)이라고 하며, 투자자는 토지의 임대차조건부 매각을 통해 자금을 조달할 수 있다.

예시로서 앞 절의 투자 건을 활용하여 임대차조건부 매각에 대해 살펴보자. 토지는 $100,000에 매각된 후 25년간 연 $3,500 임대료 지급조건으로 사용될 수 있다. 건물은 $630,000의 대출(건물가치의 70%)로 5%, 20년 만기지급 조건으로 대출이 이루어진다. 부동산투자자의 필요한 자기자본 투입은 총매입가 $1,000,000 − 토지가 $100,000 − 부채금액 $630,000 = $270,000이 된다. [예 8-13]이 임대차조건부 매각의 현금흐름을 보여준다. 부동산의 재매각가격은 건물 부분만 매각되기 때문에 낮게 책정되었다는 점을 주목하라.[9]

부동산투자자 입장에서 토지 임대차조건부 매각이 유리한 이유는 여러 가지가 있다. 첫째, 실질적으로 토지부분을 통해서도 100% 자금을 조달할 수 있게 된다. 예를 들어 토지와 건물 전체에 대한 70% 수준의 대출이고 가정하면 이는 토지 부분에 대해서도 70%의 대출이 이루어졌다. 임대차조건부 매각에서는 부동산투자자는 토지 매각을 통해 토지가격 100%에 해당하는 자금을 조달하게 된다. 토지에 대해서는 임대료를 지불하게 된다. 다만, 투자자가 토지임차가 끝나는 시점에 토지를 재매입하는 옵션을 갖고 있지 않고서는 건물 부분의 소유권을 상실할 수도 있다. 다만, 토지의 재매입 옵션은 권리가 행사될 시점의 시장가격에 근거를 두고 가치가 산정된다. 이러한 토지재매입 옵션을 갖고 있지 않는 경우에는 향후 건물이 토지소유주에 귀속될 가능성이 있으므로 건물 부분에 대한 가치상승분이 높지 않다.

두 번째 이유는 임대료 지급액에 대한 세금이 공제된다는 점이다. 저당대출 상환의 경우는 원금 상환

---

[9] 빌딩가치는 토지와 건물이 합쳐진 경우와 같이 동일하게 연 2%씩 상승하는 것으로 가정하였다. 실제 건물가치는 토지 없이는 상승 속도가 느려질 가능성이 크다. 이는 앞 절에서 3%의 상승률이 건물과 토지의 가중 평균상승률이었기 때문이다. 2% 상승률에 의한 건물의 매각가격은 ($900,000) × $(1.02)^5$ = $993,673이다. 위에서 언급한 바와 같이 건물분의 상승률이 토지 임대기간 만료 후에 토지소유주에게 건물 소유권이 귀속될 수 있으므로 예상보다 낮을 수 있다. 본 예제에서는 45년 후에 이러한 소유권의 변화가 발생하므로, 건물분의 상승률을 낮게 설정하지 않았다.

예 8-13
토지의 임대차조건부 매각(sale-leaseback) 계산

	운영상의 현금흐름 추정(년)				
	1	2	3	4	5
A. BTCF(세전 현금흐름):					
순 영업이익	$70,000	$71,400	$ 72,828	$ 74,285	$ 75,770
(−)부채상환	49,893	49,893	49,893	49,893	49,893
(−)토지임차료	3,500	3,500	3,500	3,500	3,500
BTCF(세전 현금흐름)	$16,607	$18,007	$ 19,435	$ 20,892	$ 22,378
B. 과세소득 또는 손실:					
순 영업이익	$70,000	$71,400	$ 72,828	$ 74,285	$ 75,770
(−)이자	31,073	30,110	29,098	28,034	26,915
토지임차료	3,500	3,500	3,500	3,500	3,500
감가상각	23,077	23,077	23,077	23,077	23,077
과세소득(손실)	12,350	14,713	17,153	19,674	22,278
세금	$ 4,323	$ 5,150	$ 6,004	$ 6,886	$ 7,797
C. ATCF(세후 현금흐름):					
BTCF(세전 현금흐름)	$16,607	$18,007	$ 19,435	$ 20,892	$ 22,378
(−)세금	4,323	5,150	6,004	6,886	7,797
ATCF(세후 현금흐름)	$12,285	$12,858	$ 13,432	$ 14,006	$ 14,580

	5년 차의 매각으로 인한 현금흐름 추정		
매각가격			$993,673
(−)저당잔액			525,766
BTCFs(매각 전의 현금흐름(세전))			$467,907
매각 시의 세금			
매각가격		$993,673	
원가	$900,000		
감가상각누계	115,385		
미상각잔액		784,615	
양도차익		$209,615	
양도세			47,581
ATCFs(매각 후의 현금흐름(세후))			$420,326

	연말 현금흐름 요약					
	0	1	2	3	4	5
세전 현금흐름	$−270,000	$16,607	$18,007	$19,435	$20,892	$490,285
세후 현금흐름	−270,000	12,285	12,858	13,432	14,006	434,907
세전 내부수익률 = 17.41%						
세후 내부수익률 = 13.44%						

www.mhhe.com/bf17e

부분이 아닌 이자지급 해당분만 세금이 공제된다는 점에 차이가 있다.

세 번째, 건물은 세법상 감가상각되지만 토지는 감가상각되지 않는다. 따라서 토지 소유여부에 관계없이, 부동산투자자는 동일한 감가상각 효과를 얻게 된다. 자본 투입은 감소되었으므로 투입자본에 대

한 감가상각의 비율은 더 커지는 결과이다.

넷째, 부동산투자자는 장기임차가 종료되는 만기시점에 토지를 재매입할 수 있는 옵션을 가질 수 있으므로, 필요한 경우 토지 소유권을 회복할 수 있다.

토지 임대차조건부 매각이 유리한지의 여부는 그 금융비용에 의해 판단되는데 명백히 임대료에 대한 판단이 선결되어야 하며, 토지가격 상승잠재력에 대한 "기회비용"도 고려되어야 한다. 즉 부동산투자자는 임대차조건부 매각 거래에 의해서 건물보유기간 만기시점에서 토지를 건물과 함께 매각할 기회를 포기한 것이다.

임대차조건부 매각의 실질금리

임대차조건부 매각의 실질금리(토지를 매입한 투자자의 세전 수익률) 계산은 다른 조달방식에서의 계산과 유사하나, 토지매각에 대한 기회비용을 고려해야 한다.

최초 임대차조건부 매각시점에서 토지가 매각될 때 건물투자자는 토지매각대금인 $100,000를 받는다. 5년간의 투자 기간 중 토지에 대한 임대료는 연 $3,500이고, 5년 경과 후 투자자는 임대차조건부 매각을 하지 않은 경우보다 $110,408만큼 덜 받게 된다(예 8-13). 즉, 임대차조건부 매각을 택하지 않았을 경우 토지와 건물을 포함한 전체 부동산은 [예 8-11]에서 $1,104,081에 팔릴 수 있었는데, 임대차조건부 매각을 선택함으로써 빌딩만을 $993,673에 팔게 되므로 $110,408의 차액이 발생한 것이다. 이에 의해 실질금리를 다음과 같이 구할 수 있다.

계산기 해법:	함수:
n = 5 × 12 또는 60, PV = $100,000	i (n, PV, PMT, FV)
PMT = $3,500/12, $\boldsymbol{FV}$ = $110,408	
답은 i = 5.32%	

위의 결과 수익률은 5.32%가 되므로 임대차조건부 매각을 택한 부동산투자자(토지 임차자)의 비용은 5.32%이다. 이는 전통적인 대출보다 32 bp 정도 더 높다. 동시에 건물 투자자의 자본이익률은 전통대출에서보다 높다. 더욱이 대출자는 건물과 토지에 대한 단순 대출에서 획득이 가능한 수익률과 동일한 5%의 수익률을 얻고 있으면서도, 토지임대가 건물대출보다 후순위라면 대출자의 위험은 단순 대출에서보다 작을 것이다.

원금거치 대출 *Interest-only Loans*

부동산대출은 때때로 원금분할상환을 일정 기간, 3~5년간 유예하는 구조로 구성될 수 있는데 이를 **원금거치**(interest-only) **대출**이라고 한다. 월불입액은 지급이자로만 구성된다. 원금이 분할상환되지 않으므로 대출원금은 시간이 가도 변화하지 않는다. 거치기간이 끝나면 원금이 잔존기간에 걸쳐 분할상환이 시작되거나 또는 원금의 **일시상환**(balloon payment)이 도래한다. 수익용 부동산을 대상으로 이러한 원금의 일시상환 대출에 대해 대출업자들은 만기전액 **일괄상환형 대출**(bullet loan)이라고 부르는데, 그 이유는 단기대출이고 원금분할상환이 이루어지지 않기 때문이다. 이러한 대출들은 대부분 만기도래 시점에서 감정평가 가치에 근거하여 상환된다.

원금거치 대출을 예시하기 위해서 앞 장에서 사용했던 예제를 살펴보자. 대출 총액은 $700,000이며 5%의 대출조건이라고 가정하자. 단 부동산투자자는 5년간 원금거치만 지급하고 원금은 5년 후에 부동산매각 시 일시상환한다. [예 8-14]는 세후 현금흐름을 나타낸다. 전통적 대출[예 8-10]과 비교할 때 세후 내부수익률은 13.58%에서 13.38%로 약간 상승한다. 이것은 5년간 부동산운영기간 중에 적은 원리금상환분으로 인해 현금유입흐름이 크고 5년 후의 매각 시에는 대출원금일시상환분이 크기 때문에 상대적으로 작은 매각현금흐름의 구조 하에서 운영기간의 현금유입분의 현재가치가 매각시점에 감소하는

예 8-14
원금거치 대출 현금흐름 추정

운영상의 현금흐름 추정(년)

	1	2	3	4	5
A. BTCF(세전 현금흐름):					
순 영업이익	$70,000	$71,400	$ 72,828	$ 74,285	$ 75,770
(−)부채상환	35,000	35,000	35,000	35,000	35,000
BTCF(세전 현금흐름)	$35,000	$36,400	$ 37,828	$ 39,285	$ 40,770
B. 과세소득 또는 손실:					
순 영업이익	$70,000	$71,400	$ 72,828	$ 74,285	$ 75,770
(−)이자	35,000	35,000	35,000	35,000	35,000
감가상각	23,077	23,077	23,077	23,077	23,077
과세소득(손실)	11,923	13,323	14,751	16,208	17,693
세금	$ 4,173	$ 4,663	$ 5,163	$ 5,673	$ 6,193
C. ATCF:					
BTCF(세전 현금흐름)	$35,000	$36,400	$ 37,828	$ 39,285	$ 40,770
(−)세금	4,173	4,663	5,163	5,673	6,193
ATCF(세후 현금흐름)	$30,872	$31,737	$ 32,665	$ 33,612	$ 34,578

5년 차의 매각으로 인한 현금흐름 추정

매각가격			$1,104,081
(−)저당잔액			700,000
$BTCF_S$(매각 전의 현금흐름(세전))			$ 404,081
매각 시의 세금:			
매각가격		$1,104,081	
원가	$1,000,000		
감가상각누계	115,385		
미상각 잔액		884,615	
자본이득		$ 219,465	
양도세			49,662
$ATCF_S$(매각 후의 현금흐름(세후))			$ 354,418

연말 현금흐름 요약

	0	1	2	3	4	5
세전 현금흐름	$−300,000	$35,000	$36,400	$37,828	$39,285	$444,851
세후 현금흐름	−300,000	30,872	31,737	32,665	33,612	388,996

세전 내부수익률 = 17.38%
세후 내부수익률 = 13.58%

매각현금흐름의 현재가치보다 크기 때문이다. 또 하나의 장점은 부채감당비율이 전통적인 대출에서 계산된 부채감당비율인 1.26배로부터 2.00배로 상승했다는 점이다. 대출자의 수익률은 계속 5%로서, 이는 대출자는 대출잔액에 대해 이 금리로 이자지급을 받기 때문이다. 물론 대출자는 5년간 분할상환이 이루어지지 않으므로 대출 위험도를 더 높게 보아 더 높은 대출금리를 요구할 수도 있다.

원금체증형 대출 *Accrual Loans*

앞 절에서 소개한 interest-only 대출은, 월불입액은 이자만으로 구성되었고 원금분할상환은 없었다. 복리대출에서는 특정 기간 동안의 불입액이 이자지급 소요액보다도 더 적게 지급되는 구조이다. 이를 **원금체증형 대출**(accural loan)이라 하는데 역 분할상환(negative amortization)이 발생한다. 이러한 대출은 주택금융에서 서술한 점증상환대출과 유사하다.

불입액의 계산은 불입액을 계산하는 **지불금리**(pay rate)를 사용하는데, 이는 부과된 이자를 함께 포함해 계산하는 **원금체증대출금리**(accrual rate)와는 상이하다. 지불이자는 월불입액을 계산할 때 이자율로 사용된다. 지불이자는 대출상수와는 상이하다. 원금체증대출금리는 채무자가 법적으로 대출에 대해 지급해야 하는 금리이다. 지불이자가 원금체증대출금리보다 낮은 경우, 동 대출은 역 분할상환 조건이 된다. 예를 들면 지불이자 5%, 원금체증대출금리와 3%인 지불이자가 있는데, 불입 부담을 낮추기 위해서 불입은 30년 분할상환 기준으로 분할하되 원금이 15년 차에 잔존원금일시상환 조건으로 구성되었다. 모든 다른 조건은 앞 절의 예에서와 동일하다. [예 8-15]가 이러한 대출의 현금흐름을 보여준다. 연간 불입액(월불입액 × 12)은 일반 대출의 $55,436에 비하여 $35,415으로 감소하였다(연간 대출상수는 5.06%으로 계산). 대출자의 수익률은 잔고에 대해 원금체증대출금리로 발생하므로 5%로서 변동이 없다. 대출자는 역 분할상환 조건이 위험하다고 판단하여 전통적인 대출에서보다 높은 원금체증대출금리를 요구할 수도 있다. 전통적인 대출의 경우 1.26배인 부채감당비율이 역 분할상환 대출에서는 1.98배로 상승하였는데, 이는 연간 불입액이 낮기 때문이다. 5년 차의 대출잔고가 역 분할상환으로 인해 $697,650으로 증가한 점에 주의해야 한다(3%의 지불이자와 5% 원금체증대출금리 차가 5% 복리로 원금에 가산되어야 하는 점을 기억하라).

많은 경우에 불입액은 분할상환 없이 지불이자에 근거하여 설정될 수 있다. 원금분할상환이 요구되든 되지 않든 간에 원금체증대출이자보다 낮은 지불이자로 대출이 구성된 경우, 불입액은 대출액에 대한 지불 의무이자액보다 낮은 결과가 발생한다. 이러한 부족액이 **역 분할상환**이 대출잔고를 증가시킨다. 그러나 대출자들은 예정된 기간이 끝나면 대출을 일시상환하도록, 또는 어느 시점부터 원금분할상환을 개시할 것을 요구할 것이다. 이러한 대출자의 요구에 부응하는 방식은 여러 가지가 있다. 역 분할상환은 7~10년까지만 허용되는 경우가 많다. 따라서 원금체증대출이자 누적분을 가산한 대출원금은 이 시점에서 상환되어야 한다. 그렇지 않은 경우는 만기가 10~15년으로 긴 경우로서, 일정 연수 경과 후부터는 지불이자가 상승하여 잔존기간 동안 원금분할상환이 개시될 수 있다. 경우에 따라서는 대출계약에서 지불이자가 정기적으로 상승하도록 하는 경우도 있다. 예를 들면, 지불이자가 초년도에는 4%로 시작하여 10년까지 연 0.5%씩 상승하여, 10년 이후부터는 8.5%로 만기까지 고정되는 경우이다.

예 8-15
역 분할상환(negative amortization) 대출

	운영상의 현금흐름 추정(년)				
	1	2	3	4	5
A. BTCF(세전 현금흐름):					
순 영업이익	$70,000	$71,400	$ 72,828	$ 74,285	$ 75,770
(−)부채상환	35,415	35,415	35,415	35,415	35,415
BTCF(세전 현금흐름)	$34,585	$35,985	$ 37,413	$ 38,870	$ 40,356
B. 과세소득 또는 손실:					
순 영업이익	$70,000	$71,400	$ 72,828	$ 74,285	$ 75,770
(−)이자*	34,990	34,969	34,946	34,922	34,897
감가상각	23,077	23,077	23,077	23,077	23,077
과세소득(손실)	11,933	13,354	14,805	16,286	17,797
세금	$ 4,176	$ 4,674	$ 5,182	$ 5,700	$ 6,229
C. ATCF(세후 현금흐름):					
BTCF(세전 현금흐름)	$34,585	$35,985	$ 37,413	$ 38,870	$ 40,356
(−)세금	4,176	4,674	5,182	5,700	6,229
ATCF(세후 현금흐름)	$30,409	$31,311	$ 32,231	$ 33,170	$ 34,127

	5년 차의 매각으로 인한 현금흐름 추정		
매각가격			$1,104,081
(−)저당잔액			697,650
$BTCF_s$(매각 전의 현금흐름(세전))			$ 406,431
매각가격:		$1,104,081	
원가	$1,100,000		
감가상각누계	115,385		
미상각잔액		884,615	
자본이득		$ 219,465	
양도세			49,662
$ATCF_s$(매각 후의 현금흐름(세후))			$ 356,769

	연말 현금흐름 요약					
	0	1	2	3	4	5
세전 현금흐름	$−300,000	$34,585	$35,985	$37,413	$38,870	$446,787
세후 현금흐름	−300,000	30,409	31,311	32,231	33,170	390,896
세전 내부수익률 = 17.35%						
세후 내부수익률 = 13.56%						

*이 표에서는 이자지급액이 세금공제가 된다고 가정한다.

목표 부채감당률에 지불이자를 맞추는 경우

역 분할상환 조건으로 대출을 구성하는 경우, 그 주 목적은 대출금액을 늘리지 않으면서 부채감당비율을 늘리기 위한 것이다. 전술했듯이 대출자들은 최소한도의 부채감당비율 충족을 요구한다. 본 절에서의 예에서 전통적인 대출의 부채감당률은 1.26에 불과했다. 대출자가 1.28배를 요구한다고 가정할 때, 역 분할상환 대출에서는 이를 초과 달성하였다. 또 하나의 불입금액 결정방식이 있는데 이것은 초년도

목표 부채감당비율에 맞추어 불입금액을 결정하는 것이다. 이를 위해서 순 영업이익을 부채감당률로 나누면 간단히 불입액을 구할 수 있다. 예를 들면, 초년도 부채감당률 1.28배를 맞추려면 $70,000 / 1.28 = $54,687.50을 불입하면 된다. 이 불입액은 역 분할상환 경우의 불입액보다 크나, 전통적 대출의 불입액보다는 작다. 이 경우 지급이자 소요액은 충당되므로 역 분할상환은 발생하지 않는다. 그러나 분할상환 기간이 대출전액을 상환할 수 있을 만큼 길지는 못하다. 원금을 완전히 분할상환하려면 만기가 30년 이상까지 길어져야 한다. 따라서 대출자가 30년째 또는 그 이전에 일시상환을 요구할 가능성이 크다. 또는 대출자는 일정 기간 경과 후부터 매년 불입액을 증가시켜 분할상환 기간을 짧게 할 수도 있다. 한 가지 가능성 있는 방법으로서 고정적인 부채감당비율을 유지하기 위해서 불입액을 매년 재계산하는 방식이 있다. 예를 들면, 위의 대출에서 2년 차의 불입액을 $71,400 / 1.28 = $55,781.25으로 하는 것이며, 대출원금이 충분히 분할상환개시 될 때까지 계속된다. 이후에는 불입액은 고정된다.

지분전환대출 *Convertible Mortgage*

지분전환대출이란 대출자에게 일정 기간 경과 후에, 부동산에 대한 전체 또는 일부의 지분을 매입할 수 있는 옵션을 부여하는 대출을 의미한다. 이 옵션은 대출자가 대출권리를 지분권으로 전환한다는 의미가 되므로 **지분전환대출**(convertible mortgage)이라고 부른다. 대출자는 이를 대출 + 콜옵션(call option)의 결합으로 인식할 수 있다.

예를 들면, 앞 절의 예대로 부동산이 $700,000 (LTV 70%)의 지분전환대출을 얻었는데, 전환 조건은 5년 차에 부동산 지분의 55%를 획득할 수 있는 권리라고 하자.[10] 대출은 매월 불입액에 의해 20년에 걸쳐 분할상환된다. 대출금리는 4.25%로서 전통적인 대출의 5%보다는 낮다. 대출자는 전환권의 대가로 저금리를 감수하는 것으로 75 bp의 차이를 옵션의 가치로 대출자가 지불하는 것으로 옵션 "가격"을 일시불로 내지 않고 금리 차에 의해 분할 지급하는 방식으로 계산된다.[11]

[예 8-16]에서는 위의 대출에 대해서 5년 후에 55% 전환권이 행사된 경우의 현금흐름을 보여준다. 대출자가 옵션을 행사할 것으로 기대하는데 그 이유는 예상매도가의 55%인 $607,244가 5년 차 대출 잔고인 $576,202보다 크기 때문이다. 즉 옵션은 행사시점에서 "수익실현가능가격(in the money)"인 것이다. 전술한 예와 비교를 위해서 부동산투자자가 부동산에 대한 잔여 45% 지분을 매각한다고 가정하였다.

지분전환대출자의 수익률

대출자의 전환권부 대출의 수익률은 대출금리 및 전환이익으로 구성된다. 만일 전환권이 행사되지 않는다면 대출수익률은 대출금리와 일치한다. 따라서 대출금리는 채무자의 채무불이행(default)이 없는 한 대출자 입장에서는 수익률의 하한선이 된다.[12] 위의 예에서 대출잔액을 주식지분으로 전환한 차익이 발생하여 대출자의 수익률은 대출금리인 4.25%를 상회한다. 출자 입장에서는 매월 $4,334.64씩을 받고,

---

[10] 일반적으로 국세청은 부채 시점 LTV가 전환비율보다 클 것을 요구한다. 그 이유는 전환비율이 더 큰 경우에 수익이 실현되는 "전환가격(in the money)"으로 보기 때문이다. 대출자는 전환권 행사를 위해서 기다려야 하지만 행사일 이전에 대출을 팔거나 양도할 가능성도 있는 것이다.

[11] 즉, 통화 옵션의 금액을 미리 지불하는 것이 아니라 대출기관이 담보대출금리를 낮게 책정하는 것이다.

[12] 물론 선취이자(포인트)가 대출금에 부과되는 경우에도 수익률이 더 높을 것이다.

예 8-16
지분전환대출

	운영상의 현금흐름 추정(년)				
	1	2	3	4	5
A. BTCF(세전 현금흐름):					
순 영업이익	$70,000	$71,400	$ 72,828	$ 74,285	$ 75,770
(−)부채상환	52,016	52,016	52,016	52,016	52,016
BTCF(세전 현금흐름)	$17,984	$19,384	$ 20,812	$ 22,269	$ 23,755
B. 과세소득 또는 손실:					
순 영업이익	$70,000	$71,400	$ 72,828	$ 74,285	$ 75,770
(−)이자	29,311	28,327	27,301	26,229	25,112
감가상각	23,077	23,727	23,077	23,077	23,727
과세소득(손실)	17,612	19,996	22,451	24,978	27,581
세금	$ 6,164	$ 6,999	$ 7,858	$ 8,742	$ 9,653
C. ATCF(세후 현금흐름):					
BTCF(세전 현금흐름)	$17,984	$19,384	$ 20,812	$ 22,269	$ 23,755
(−)세금	6,164	6,999	7,858	8,742	9,653
ATCF(세후 현금흐름)	$11,820	$12,386	$ 12,955	$ 13,526	$ 14,101

	5년 차의 매각으로 인한 현금흐름 추정		
매도가의 55% 교환*			$000,000
나머지 45%의 매각			496,836
$BTCF_S$(매각 전의 현금흐름(세전))			$496,836
매각가격:		$1,104,081	
원가	$1,000,000		
감가상각누계	115,385		
미상각잔액		884,615	
자본이득		$ 219,465	
양도세			49,662
ATCFs			$447,174

	연말 현금흐름 요약					
	0	1	2	3	4	5
세전 현금흐름	$−300,000	$17,984	$19,384	$20,812	$22,269	$520,591
세후 현금흐름	−300,000	11,820	12,386	12,955	13,526	461,275

세전 내부수익률 = 16.29%
세후 내부수익률 = 12.00%

* 대출자는 부동산 지분을 받으므로 현금 수령액은 영이다.

5년 차에 부동산에 대한 55%의 지분 가치인 $607,244을 받는다. 그의 실질수익률 계산은 다음과 같다.

계산기 해법:	함수:
$n = 5 \times 12$ 또는 60, $PV = \$700,000$	$i\ (n, PV, PMT, FV)$
$PMT = \$52,016/12$, $FV = \$607,244$	
답은 $i = 5.10$	

계산기에 의해 5.10%의 수익률을 얻는데 이것이 대출자의 세전 수익률이다.[13] 이는 또한 채무자의 세전 실질 부채금리로 해석될 수 있다.

자금조달 대안들 간의 비교

[예 8-17]은 앞에서 살펴본 각 자금조달 대안에 대한 성과측정을 요약한 것이다. 여기에서 복리대출이 세전 및 세후 기준으로 부동산투자자에게 가장 높은 수익률을 실현하며 부채감당비율도 가장 높다. 따라서 채무자 입장에서 가장 매력적인 대안으로 보일 수 있는데, 그러나 이 결과는 대출자가 전통적인 대출과 같은 금리인 5%를 받는다는 가정에 의한 것이다. 역 분할상환 대출에서 부채감당비율이 낮지만 대출잔고가 시간이 갈수록 증가하므로, 부동산투자자의 자본비중은 감소해가고 채무불이행 위험은 증가해간다. 따라서 대출자가 역 분할상환 대출에는 더 높은 금리를 요구할 것으로 예상해야 한다.

위와 같은 분석에 근거하여 원금거치 대출이 역 분할상환 대출보다 부동산투자자의 수익률이 낮지만, 전통적 대출보다는 수익률이 높게 나타나는 것을 알 수 있다. 원금거치 대출은 전통적 대출보다 불입액이 낮지만, 역 분할상환보다는 높다. 채무불이행 위험을 고려할 때 대출자들이 전통적 대출보다 원금거치 대출에 약간 더 높은 금리를 책정할 것을 예상하지만, 이 금리는 원금체증형 대출금리만큼 높지는 않다.

토지 임대차조건부 매각을 한 부동산투자자의 경우, 세전 및 세후 수익률이 두 번째로 높지만 임대차조건부 매각의 실질 비용은 전통적 대출보다 약간 높다(5.32% vs 5.00%). 그러나 토지를 소유하는 경우보다 임대하는 경우가 자본 투자 소요가 작아 $30,000 소요되는데, 그 이유는 토지임대는 100% 토지대금대출과 유사하기 때문이다. 따라서 토지에 대한 자금조달이 전통적인 대출의 경우 토지가의 70%의 대출수준에서 토지 임대차조건부 매각의 경우 토지분에 대해 100% 대출로 증가한 것이며, 이것이 재무레버리지 효과와 재무위험을 증가시킨다. 따라서 부동산투자자들은 전통적인 대출에서보다 토지 임대차조건부 매각에서 약간 더 높은 수익률을 얻을 것을 기대해야 한다.

토지 임대차조건부 매각에서 부동산투자자의 수익률이 높은 또 하나의 이유로는 토지임대의 지급액

예 8-17
자금조달 대안들 간의 비교

	$BTIRR_E$	$ATIRR_E$	DCR	IRR_D *
전통적 대출	16.27%	12.56%	1.25	5.00%
수익참여대출	15.73	11.75	1.38	5.48
임대차조건부 매각(토지)	17.41	13.44	1.26†	5.32§
원금거치 대출	17.38	13.58	2.00	5.00
원금체증형 대출	17.35	13.56	1.98	5.00
전환대출(convertible mortgage)	16.29	12.00	1.35	5.10

* 월별 현금흐름 기준.
† 토지임대료가 포함되지 않을 경우 *DCR*은 1.40임.
§ 빌딩의 수익률은 5%임.

[13] 대출잔액이 부동산의 지분으로 전환되면 차용자에게 과세 소득이 있음을 주지해야 한다. 대출기관의 세후 항목이 계산되는 경우, 이를 고려해야 한다.

이 토지대출을 실행했을 경우에 상환했어야 하는 대출 불입액보다 작다는 것이다. 더욱이 채무자에게 임대차조건부 매각 비용의 상당 부분은 토지매각의 기회 수익 또는 포기된 토지가치로 구성되는데, 이러한 기회비용은 토지가 매각될 때까지는 발생하지 않는다.

임대차조건부 매각에서 부채감당비율은 1.26으로서 전통적인 대출과 유사하다. 다른 예와 균형을 맞추기 위해서 부채감당률 계산에서 토지임대료를 대출상환불입액에 포함시켰다. 대출상환불입액과 토지리스료를 합치는 이유는 리스료가 대출상환액을 대신하기 때문이다.

수익참여대출은 대출자로 하여금 부동산 순 영업이익 증가 및 부동산 자체의 가치 상승액을 배분받을 수 있게 해준다. 따라서 부동산투자성과가 좋을 때 추가수익을 얻게 된다는 점에서 지분전환대출과 유사하다. 수익참여대출은 대출자에게 출자지분을 제공하지 않고서도 대출자의 수익률이 부동산투자성과에 연동되게 한다. 양자의 경우 모두 대출자는 잠재수익의 대가로 낮은 대출금리를 책정한다. 본 장의 예에서 지분전환대출의 경우가 수익참여대출보다 대출자에게 높은 수익률을 가져다주고, 부동산투자자에는 낮은 세후 수익률을 가져다준다. 동시에 대출자들은 지분전환대출이 참가대출보다 위험이 크다고 인식할 수 있는데, 그 이유는 수익참여대출자는는 2년 차에 순 영업이익이 증가하면 바로 수익참여대출 불입액을 수령할 수 있는 반면, 전환이익은 5년 이전에는 발생하지 않기 때문이다.

만일 지금까지 서술한 모든 대출이 비소구 조건이라면[14](실제로 대개 그러하다), 대출자는 채무불이행 발행 시 부동산을 넘겨받게 되어 추가 가격하락 위험을 부담하게 된다. 실제로 채무자들은 부동산가치가 대출잔고 밑으로 하락한 경우, 대출자에게 부동산 소유권을 이전하고 기존 미지급대출잔액에서 자유로울 수 있는 풋옵션을 갖고 있는 것이다. 따라서 지분전환대출의 경우 및 수익참여대출의 경우에는 대출자가 부동산소유에 따른 가격 상승과 하락 위험을 어느 정도 부담하는 구조이다. 따라서 각 대출의 기대수익률은 이러한 위험에 비례하여 상승하여야 한다.

상이한 조달안에 대해서 각 대안을 독립적으로 고려하는 방식을 취해왔으나, 이러한 각 대안의 특성들이 결합되는 경우가 많다. 예를 들면, 지분전환대출이 순 영업이익에 대해 수익참여형으로 구조화되었거나, 원금거치형 또는 역 분할상환형으로 불입금이 구조화될 수 있다.

본 절에서는 상이한 조달대안에 대한 위험과 수익률을 판단하는 기법을 제시했는데, 이러한 대안들은 부동산투자자와 대출자 간에 위험과 수익이 합리적으로 배분될 수 있도록 설계하여 준다. 각자의 수익률은 각자의 위험과 균형이 이루어져야 한다. 양자 간 과세 취급차이로 인해 양자에게 이득이 발생하는 구조도 있다. 예를 들면, 대출자가 부동산투자자보다 한계세율이 낮아서 감가상각의 과세 영향이 대출자보다 투자자 측에 더 유리하게 적용될 수도 있다. 따라서 부동산투자자가 부동산소유권을 갖고 감가상각을 누리는 수익참여대출을 선택하는 것이 동일한 현금흐름의 지분전환대출을 선택하는 안보다 더 바람직할 수 있다. 궁극적으로 대출자가 부동산소유권을 원하는 경우도 있다. 지분전환대출이 사용되면 부동산투자자는 대출이 출자지분으로 바뀔 때까지의 감가상각 세제 혜택을 누릴 수가 있다. 대출자는 부동산투자자에게 이러한 세제 혜택을 주고서 부동산취득 옵션을 매입함으로써, 전통적 대출보다 높은 수익률을 기대할 수 있다. 따라서 양자는 거래를 최적의 구조로 설계함으로써 이익을 누릴 수 있다.

---

14 이것은 채무자가 채무불이행 시 개인 책임을 지지 않음을 의미한다.

기타 대안적 금융수단

메자닌 대출이란 1차담보대출이 실행된 이후 자기자본투자금과의 차이를 매꾸어주는 추가대출을 얻기 위해 제2저당권을 사용하는 것을 **메자닌 대출**(mezzanine loan)이라 한다. 이는 부동산에 설정된 제1저당권과 지분투자를 연결하는 것으로 부동산에 제2저당권이 설정되는 것과는 다르다. 즉, 메자닌 대출이 채무불이행에 처하더라도 일반적인 경매절차가 아닌 메자닌 대출기관은 부동산의 지분이익에 연동되는 과정을 거친다.

메자닌 대출기관은 일반적으로 채무불이행 발생 시 제1저당권의 권리를 갖는 제1차 담보대출기관과 채권자 간 상호계약을 맺는다. 1저당권자가 계약을 맺는 이유는 상호계약을 통해 상대방이 제1담보대출과 관련 납입액을 확인할 수 있게 해줌으로써 채무불이행 발생 시 경매절차보다 신속하게 일을 처리할 수 있게 때문이다.

또 다른 금융기법으로 **우선주**(preferred equity)가 있다. 이는 부동산의 자본에 대한 이익이나 우선주의 채권자들은 해당 부동산의 일반적인 지분투자자들보다 앞서 현금흐름을 받을 권리가 있기 때문에 부채와 유사한 특징을 가진다. 예를 들어, 우선주 투자자들이 8%의 투자자본 수익을 받기로 하였다면, 일반적인 지분투자자보다 앞서 8%의 수익을 먼저 수취하는 것이다. 또한, 만약 우선주 투자자가 특정 기간에 8% 수익을 받지 못하거나 연속해서 8% 미만의 수익을 얻었을 경우 일반적인 자본투자자들이 받는 수익보다 앞서 지불해야 한다. 우선 수익을 지급한 후, 잔여수익을 우선주 투자자와 일반 자본투자자와 나누어 갖는다. 우선주 소유자는 또한 매각 후 수익금의 일정 부분을 일반 지분투자자보다 앞서 배당받는다. 이는 우선주 내부수익률(preferred IRR)이라고 하며 이는 일반 지분투자자가 배당받는 금액 이전 우선주 지분투자자가 매각을 통한 특정 내부수익률을 얻을 수 있는 수익률이다. 우선주 내부수익률은 매각차익 금액과 보유기간 동안의 현금흐름의 합으로 구한다.

우선주 지분은 앞장에서 언급한 수익참여대출과 유사하다. 자본측면에서 고려한 우선주 지분은 일반 지분투자자 입장에서 금융 레버리지를 확대할 수 있는 추가적인 수단이다.

결론

본 장은 재무 레버리지의 개념을 소개하고 세전/세후 기준으로 유리한 레버리지의 조건을 제시했다. 또한 수익률을 높이기 위해 레버리지를 늘리면 **위험을 수반한다**는 점을 보여 주었다. 즉 부채의 증가는 수익률의 표준편차를 늘리므로 위험도도 높인다. 따라서 투자자들이 레버리지를 활용할 때에는 추가되는 위험이 증가수익률과 균형이 이루어지는지를 고려해야 한다.

재무 레버리지는 부채금액의 문제를 다루었는데, 본 장에서는 수익참여대출 및 토지 임대차조건부 매각 등의 조달 대안도 제시하였다. 또한 제시된 대안들에 대해 부동산투자자의 현금흐름, 수익률, 부채감당비율에 대한 영향을 살펴보고, 각 대안별 실질비용을 계산하였다.

이러한 계산들은 어떠한 조달수단을 선택할 것인가의 의사결정에서 사용된다. 모든 조달 대안을 전부 검토하기는 불가능하지만, 본 장에서의 개념들은 실무에서 부딪히는 어떠한 경우의 분석에도 유용할 것이다.

주요용어

금지기간	비소구 조항	원금체증대출금리	정(+)의 재무 레버리지	지분수익참여대출
금지조항	손익분기이자율	원금체증형 대출	조기상환수수료	지분전환대출
메자닌 대출	역 분할상환	일시상환	조항	지불금리
부(−)의 재무 레버리지	우선주	일시상환형 대출	주택담보대출비율	토지의 임대차조건부 매각
부채감당비율	원금거치 대출	재무 레버리지	증분비용	풋옵션

질문

1. 재무 레버리지란 무엇인가? 레버리지의 효과가 유리한지 불리한지를 판단하는 데에 1년 수익률 측정이 부적절한 이유는 무엇인가?
2. 재무 레버리지의 관점에서 손익분기 저당대출금리는 무엇인가? 부동산투자자가 매입자금을 조달하면서 손익분기 금리를 지불할 것이라고 기대할 수 있는가? 그에 대한 판단 근거는 무엇인가?
3. 정(+)의 레버리지와 부(−)의 레버리지는 무엇인가? 레버리지가 커질수록 이익과 손실이 어떻게 극대화되는가? 세전 레버리지와 세후 레버리지는 어떻게 다른가?
4. 레버리지는 대출의 위험도를 어떤 방식으로 증가시키는가?
5. 수익참여대출이란 무엇인가? 대출자는 어느 부분에 참여하는 것인가? 대출자가 이러한 대출을 하는 이유는 무엇인가? 투자자 측이 이러한 대출을 받으려 하는 이유는 무엇인가?
6. 임대차조건부 매각 거래란 무엇인가? 건물주 측이 토지를 매각 후 재임차하는 목적은 무엇인가? 토지를 매입하여 재임대하는 측에는 어떠한 장점이 있는가?
7. 채무자가 이자율이 낮고 수익참여대출건이 있는 대출을 선호하는 이유는 무엇인가?
8. 대출자가 이자율이 낮고 수익참여대출조건이 있는 대출을 선호하는 이유는 무엇인가?
9. 수익참여대출이 대출의 위험도에 어떤 영향을 준다고 생각하는가?
10. 토지의 매각 후 재임차하는 동기는 무엇인가?
11. 두 가지의 자금조달 대안 중에서 선택할 때에 어떤 기준을 사용해야 하는가?
12. 시장금리보다 낮은 대출이 부동산 가치에 어떤 영향을 주는지를 파악하는 데에서 전통적인 현금등가액 접근방식(cash equivalency approach)이란 무엇인가?
13. 시장금리보다 낮은 대출이 부동산 가치에 미치는 영향을 투자자 측의 기준을 사용하여 어떻게 측정할 수 있는가?

문제

1. 어떤 투자자가 새로운 아파트 건물을 $2,200,000에 매입하려 하는데, 부채를 70% 할지 80% 할지의 결정에 직면하여 있다. 70% 비중의 대출은 25년 동안 4% 금리에 조달할 수 있다. 80% 비중의 대출은 25년간 5%에 조달할 수 있다.

   순 영업이익은 연간 $150,000이며 연간 2%씩 증가하는데 이는 부동산 가치상승률과 동일하다. 건물가치의 비중은 80%이며 39년에 걸쳐 감가상각(단순 1/39 비율로 산정) 된다. 당해 건물은 5년 후에 매각 예정이다. 투자자가 적용받는 세율은 소득세의 경우 35%, 감가상각액 회수세 25%, 양도세 20%이다.

   a. 각 부채 대안에서 매월 분할상환을 가정할 때 세전 내부수익률과 세후 내부수익률은 얼마인가?

   b. 본 사업의 손익분기이자율(BEIR)은 얼마인가?

   c. 80% 비중 대출의 한계비용은 얼마인가? 이는 무엇을 의미하는가?

   d. 각 대출은 유리한 레버리지를 제공하는가? 어느 대안을 추천하는가?

2. 당신은 쇼핑센터를 매입하려는 투자자들을 자문하고 있다. 투자자들은 투자액의 75%를 조달하려 한다. 제안된 부채는 4% 금리로서 20년에 걸쳐 매월 분할상환된다. 또한 부채상환 후의 현금흐름에 대하여 40%의 수익참여대출이 부여되며, 5년간 조기상환이 금지된다.

   매입가는 $5,500,000이며, 순 영업이익은 초년도 매출연동 임대료를 포함하여 $400,000으로 예상되며, 이후 5년간 연 2%씩 상승 예상된다. 5년 차 말의 예상 가치는 $6,250,000이다. 건물가치 비중은 80%이며, 감가상각 기간은 39년(단순 1/39 비율로 산정)이다. 투자자의 5년 보유에 따른 소득세는 35%, 감가상각회수세 25%, 양도세는 20%이다.

   a. 수익참여대출조건을 반영하여 5년 후의 세전 IRR과 세후 IRR을 구하라.

   b. 당해 사업의 손익분기이자율은 얼마인가? 수익참여대출조건부 부채의 금융비용은 얼마인가?

   c. 당해 대출에는 유리한 레버리지가 작용하는가?

3. 개발자는 $1,500,000/70%/20년/이자율 4.5% 조건으로 자본조달을 하려 한다. 이 프로젝트의 순 영업이익은 첫해 $100,000로 예상되고, 순 영업이익은 매년 2%씩 증가하리라고 예상된다. 채권자는 초기 부채감당률을 최소한 1.20 이상으로 유지하는 것을 요구한다.
   a. 채권자는 개발자에게 돈을 빌려줄 것인가? 당신의 5년간의 현금흐름표를 활용하여 주장을 뒷받침하라. 개발자의 BTIRR은 얼마가 될 것인가?
   b. a의 프로젝트에서 채권자가 빌려줄 수 있는 최대금액은 부채감당비율이 첫해 1.20일 때 얼마인가? LTV는 얼마가 될 것인가?
   c. a와 같은 조건에서, 모기지 이자율이 4.5%에서 6%로 갑자기 올랐다고 가정하자. 순 영업이익과 가치는 5%로 오를 것이다. 만약 목표 부채감당률이 1.20이라면, 채권자는 전통적인 대출을 해줄 것인가? 당신의 대답을 현금흐름표로 뒷받침하라.
4. Ace개발회사는 First National 은행으로부터 부채를 조달하려 한다. 용도는 $3,250,000의 부동산 매입이며, 초년도 순 영업이익은 $125,000이다. 대출자는 부동산 가치의 80%까지만 대출하며, 초년도 부채감당률을 최소 1.25로 요구한다. 대출상환은 월별이되, 5년 동안 매년 초에 3.5%씩 증가하는 조건이다. 약정 이자율은 5.5%이며, 대출자는 역 분할상환을 수용한다. 그러나 대출은 5년 말에 만기된다.
   a. 5년 만기 시점의 일시상환액(baloon payment)은 얼마인가?
   b. 부동산 가치가 변하지 않는다면 5년 말 시점의 LTV는 얼마인가?
5. 어떤 금융기관이 오피스 빌딩에 $1,000,000를 6% 원금체증(accrual) 이자율로 30년 만기 대출하려 한다. 이자지불은 4%(즉, 이자액은 대출금리가 4%인 것처럼 30년간 월 분할상환액이 계산된다)이다. 5년이 경과한 이후 불입금은 잔존 25년 동안에 원리금이 상환될 수 있도록 조정된다.
   a. 최초 상환지급액은 얼마인가?
   b. 초년도에 복리 누적되는 이자액은 얼마인가?
   c. 5년 후의 대출잔고는 얼마인가?
   d. 6년 차 이후의 월 상환소요액은 얼마인가?
6. 월 $100,000의 순 영업이익을 실현하는 부동산이 있다. 순 영업이익은 연 5%씩 증가 예상되며, 감정평가액은 $1,250,000로서 대출자는 5.5% 이자율에 $1,125,00의 수익참여대출을 제공할 의사가 있다. 당해 대출은 20년에 걸쳐 매월 분할상환된다. 또한 매월의 상환액에 추가하여 매년 순 영업이익이 $100,000를 초과하는 부분의 50%를 지급한다. 또한 부동산가격 상승액의 50%도 지급받는다. 당해 대출은 5년 이전에 조기상환에 대해 조기상환위약금이 있으며, 잔여대출액은 10년 차에 상환 도래한다. (만일 부동산이 팔리지 않은 경우 수익참여대출은 감정가에 의한다.) 감정평가사는 10년 차의 가치를 11년 차의 순 영업이익을 8%의 자본환원율로 나누어 평가한다고 가정하자.

   대출을 10년 동안 유지한다는 가정하에 차입자의 실질 비용을 계산하라(이는 대출자의 기대수익률과도 동일하다).
7. 문제 6을 참조하여 또 하나의 대안은 수익참여대출 대신 전환대출(convertible mortgage)로서, 대출자는 10년 차 연말에 대출잔액을 60%의 부동산지분으로 전환할 수 있다. 즉, 대출의 원금을 상환받는 대신 대출자는 부동산소유권의 60%를 획득하는 것이다. 대출액은 $1,125,000로서 이자율 6.5%이고, 20년에 걸쳐 분할상환된다. 만일 10년 차의 부동산가치가대출잔고를 하회하면 채무자는 지급불이행상황으로 가정한다.
   a. 만일 부동산이 10년 차에 동일한 가격에 팔린다면 대출자의 내부수익률은 얼마인가?
   b. 만일 부동산이 10년 차에 $1,130,000에 팔린다면 대출자의 내부수익률은 얼마인가?
   c. 만일 부동산이 10년 차에 $625,000에 팔린다면 대출자의 내부수익률은 얼마인가?
8. 채무자와 대출자 간에 $20,000,000의 원금거치 대출이 15년 만기 5% 이자율로 협상 중이다. 조기상환금지기간이 10년이며, 10년차 이후에 조기상환하는 경우 조기상환수수료(yield maintenance fee)가 부여된다. 조기상환수수료 금액은 대출의 잔존만기와 동일 만기의 국채를 선정하여 1.5%의 스프레드를 가산하여 대출자의 재투자수익률로 적용한다. 조기상환수수료는 최초 대출금리와 재투자수익률 간의 차액의 현재가치이다.
   a. 만일 대출이 13년 차 연말에 조기상환되고, 2년 국채수익률이 2%라면 조기상환수수료(YMF)는 얼마가 되는가? 2년 국채가 4%인 경우는 어떠한가?
9. **엑셀**. 본 장의 수익참여대출 예제를 참고하여 다음 문제에 답하시오. 수익참여대출이 가정은 순 영업이익 $70,000를 초과하는 금액의 25%로 낮추었다고 가정하고 대신 가치상승분의 75%로 변경하였다고 가정하다.
   a. 이 경우 투자자의 세전/세후 IRR은 얼마인가?
   b. 대출자의 IRR은 얼마인가?

CHAPTER 09

위험분석

Risk Analysis

서론

앞선 장들에서 우리는 내부수익률(internal rate of return, IRR), 순현재가치(net present value, NPV) 및 여타 투자성과의 측정방식들을 어떻게 계산하는지 논의하였다. 하지만, 여러 투자대안 중에서 선택을 해야 할 경우 각 대안들의 투자위험이 다르기 때문에 내부수익률이나 순현재가치를 비교하는 것이 보통은 가능하지 않다. 실제로 내부수익률과 순현재가치의 비교는 분석하고자 하는 대안들의 투자위험이 동일할 때만 수행이 가능하다. 이 장은 위험을 평가하는 몇 가지 기법들을 제시하여, 여러 투자대안들을 보다 철저하게 비교할 수 있도록 해 줄 것이다. 먼저 투자위험의 발생원인들에 대한 간략한 논의와 어떻게 투자대안마다 이들이 달라질 수 있는지를 설명하는 것으로 이 장을 시작하도록 하자.

투자수익률 간의 비교

논의를 시작하기 위해서, 우리는 먼저 투자자들이 특정 부동산투자대안의 수익률과 다른 부동산투자 및 여타 투자대안들의 수익률을 비교할 때 일반적으로 고려하는 사항에 대해 간략히 살펴보도록 하자.

수익용 부동산을 합리적인 수준에서 자세히 분석하고 투자수익률의 측정을 진전시킨 후에 투자자는 이 투자대안이 적정한 수익률 또는 경쟁력이 있는 수익률을 제시하는지 여부를 결정해야 한다. 이 질문에 대한 대답은 다음 네 가지에 달려 있는데; (1) 대안으로 고려 중인 부동산투자의 특성, (2) 투자자가 고려 가능한 다른 투자대안들, (3) 이들 다른 투자대안들이 산출할 것으로 기대되는 각각의 수익률, 그리고 (4) 다른 투자대안들의 투자위험과 비교하여 고려 중인 투자대안의 투자위험 차이가 해당된다.

예 9-1은 여러 투자대안들 사이의 투자위험과 수익률 간의 가상적 관계를 보여준다. 세로축은 각 투자군에 내재하는 기대수익률을 나타내며,[1] 가로축은 투자위험의 정도를 표현한다. 주목할 점은 도시된 투자위험은 각 투자군의 평균 투자위험을 나타낸다는 것이다. 즉, 각각의 투자군 내에서도 투자위험의

[1] 상호 비교 가능성을 극대화하기 위해서는 본 장 후반부에 기술하는 것처럼 수익률들을 세후 기준으로 계산하여야 한다.

예 9-1
투자대안들의
투자위험과 수익률

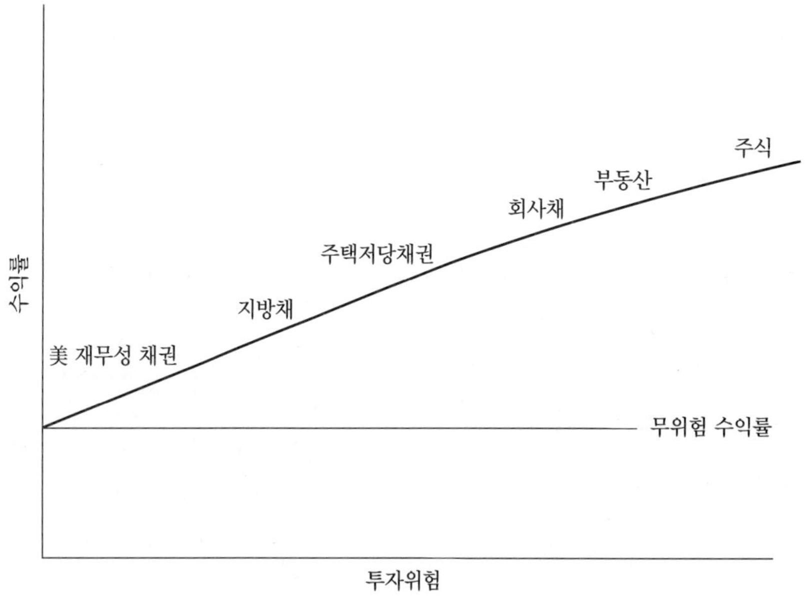

유의한 차이가 분명히 상존한다. 채권을 예로 들면, 채권이라는 일반 투자군 내에서도 어떤 채권들은 다른 채권들에 비하여 투자위험이 높을 것이다. 또한, 어떤 자산군은 그 투자수익률의 변동이 다른 자산군들의 그것에 비하여 작게 발생할 수 있다(예를 들면, 美 재무성 채권은 위험이 없다고 간주된다). (투자위험이 낮은) 어느 자산군에 속해 있는 자산들이라 할지라도 투자위험이 높은 자산군에 속해 있는 일부 자산들보다 높은 투자위험을 가질 수 있다. 사례로써, 비록 **자산군 전체**로 비교하면 주식이 채권보다 위험하다 하더라도, 어떤 채권종목들은 일부 주식종목들보다 훨씬 위험할 수 있다.

예 9-1에 표현된 투자위험은 투자자산군을 상대적 조건으로 고려한 것이다: 즉, 투자군이 수평축 우측으로 하나 이동하면 해당 투자의 위험이 높아지며 좌측으로 이동하면 투자위험이 낮아진다. 따라서, 투자위험이 높은 투자일수록 투자자에게 더 높은 수익률을 제공해야 하며 그 반대의 경우도 마찬가지이다.

예 9-1이 나타내는 투자위험–수익률의 서열에 기초할 경우 가장 낮은 수익률을 제시하는 유가증권, 즉 美 재무성 채권은 투자위험 역시 가장 낮다는 점에 주목해야 한다.[2] 그림의 위험–수익률 곡선을 타고 우측으로 이동하면, 부동산투자의 세전 기대수익률이 美 재무성 채권에 투자하는 것보다 훨씬 높은 수익률을 제시한다는 것을 발견하지만, 투자위험 역시 월등히 높아진 것을 확인할 수 있다.

투자위험의 유형

부동산에만 국한되는 투자 특성이 무엇이기에 부동산투자가 정부채권에 투자하는 것보다 위험이 높아지는 것일까? 마찬가지로, 어떤 위험특성이 부동산투자를 예 9-1에서 설명하는 다른 투자대안들(주식, 회사채, 지방채 등)과 차별화시키는 것일까? 이 질문에 답하기 위해서 우리는 여러 (투자대상) 자산군 사이에 존재하는 위험발생원인의 차이들을 고려해야 한다. 아래 설명하는 내용은 투자자들이 투자대안을 결정할 때 고려해야 하는 주요 투자위험 특성들을 간략히 요약한 것이다.

---

2 재무성 채권은 금리변동위험과 인플레이션 위험에 영향을 받기는 하지만, 채무불이행 위험(default risk)에서 자유롭다.

사업위험 *Business Risk*

부동산투자자들은 공간을 임대하는 사업에 종사한다. 경제활동의 변동은 부동산이 창출하는 소득의 변동성에 영향을 주기 때문에, 투자자들은 **사업위험**으로서 경제활동 변동으로 인하여 손실을 입게 된다. 자산유형, 입지, 기존 임대차 조건에 따라서, 종종 경제여건의 변화가 어떤 자산들에게 다른 자산들보다 더 큰 영향을 미치게 된다. 수요변화, 인구증감 등으로 인하여, 국가에 소재한 많은 지역들과 도시 내 입지한 지역들은 서로 다른 성장률을 경험한다. 다른 자산들보다 영향을 받는 정도가 더 큰 자산들은 당연히 투자위험이 더 높은 것이다. 임차인이 (편중되지 않고) 다양하게 구성된 자산은 사업위험에 적게 영향받을 가능성이 높다. 마찬가지로, 임대차계약에서 영업비용의 예기치 못한 증감에 대해 임대인을 보호하는 조항(예를 들면, 임대인 비용부담상한의 설정 및 임차인 분담의 명시)을 갖춘 자산이라면 사업위험이 상대적으로 낮아지게 된다.

재무위험 *Financial Risk*

재무적 차입과 관련하여, 타인자본의 사용은 사업위험을 증폭시킨다. 부동산투자에서 타인자본 투입금액이 증가할수록 **재무위험**은 증가한다. 또한, 재무위험의 정도는 타인자본의 조달비용과 구조에 달려있다. 예를 들면, 월부채서비스를 낮추어 주는 대신에 자산가격 상승 시 대주가 이익배당에 참여하는 대출형태는 재무위험을 낮추게 될 것이다. 앞선 8장은 재무적 차입과 (참여대출 등) 다양한 대출유형의 활용을 논의한 바 있다. 본 장 후반부는 재무위험에 대해 보다 자세히 고찰하게 될 것이다.

유동성위험 *Liquidity Risk*

유동성위험은 매수인 매도인 간 계속적 시장의 형성이 가능하지 않거나 빈번한 거래가 발생하지 않을 때 야기된다. 투자물건이 처분하기 어려울수록, 매도인은 자산을 조기에 처분하려면 매수인에게 가격을 양보해야 하는 위험이 증가한다. 부동산은 상대적으로 높은 수준의 **유동성위험**을 가지고 있다. 수익용 부동산의 매각에는 6개월에서 1년 또는 그 이상이 소요될 수 있으며, 특히 1990년대 초반과 같이 부동산에 대한 투자수요가 미약할 때에는 더 오래 걸릴 수도 있다. 특수한 용도의 부동산은 다른 용도로 쉽게 개조할 수 있는 자산에 비해 유동성위험이 훨씬 높은 경향이 있다.

인플레이션 위험 *Inflation Risk*

예상하지 못한 인플레이션은 투자물건으로부터 창출되는 수익이 물가상승 충격을 상쇄할 만큼 충분히 증가하지 않는다면, 투자자의 수익률을 감소시킬 수 있고 따라서 투자의 실질가치를 낮추게 된다. 어떤 투자대안들은 다른 투자대안들에 비하여 인플레이션에 보다 우호적인 영향을 받기도 하고 때로는 보다 해로운 영향을 받기도 한다. **인플레이션 위험**에도 불구하고, 역사적으로 부동산은 물가상승시기에 좋은 실적을 기록하였다. 이는 순 영업이익이 인플레이션으로 인한 예기치 못한 변동에 적응하도록 임대차계약을 활용한 것에 기인한 듯하다. 게다가 부동산의 대체비용은 인플레이션과 함께 증가하는 경향이 있다. 하지만 공실률이 높은 시기, 즉 공간수요가 약하고 신규건설의 타당성이 없는 시기에는 부동산에서 창출된 수익이 예상하지 못한 인플레이션과 동조하여 증가하는 것 같지는 않다.

관리위험 *Management Risk*

부동산투자에서 공간의 임차수준을 유지하고 공간을 관리하여 투자자산의 가치를 보전하는 자산관리에 대한 수요가 증가하고 있다. 투자자가 벌어들이는 수익률은 자산관리능력에 좌우될 수 있기에, 이를 **관리위험**이라 부른다. 관리위험은 자산을 관리하는 역량뿐 아니라 혁신능력, 경쟁조건에 대한 대응능력 그리고 사업활동의 효율적 운영능력에 기초하게 된다. 어떤 자산들은 다른 자산들에 비하여 훨씬 높은 수준의 관리전문성을 요구한다. 예를 들면, 고객들을 몰(mall)로 유인하는 활력 있는 임차인 구성을 위해서, 지역쇼핑몰은 몰에 대한 지속적인 마케팅과 공간 임차를 유지할 필요가 있다.

금리변동위험 *Interest Rate Risk*

금리의 변동은 모든 유가증권의 가격과 투자대안의 가격에 영향을 준다. 하지만, 상대적 만기(단기 대 장기)에 따라서 금리영향이 달라지기 때문에, 어떤 투자의 가격은 다른 투자의 그것에 비해서 금리에 보다 민감하게 반응하며, 따라서 손실 또는 이익의 가능성이 증가하게 된다. 이런 위험을 **금리변동위험**이라 부른다. 부동산은 차입의존도가 높은 편이기 때문에 자기자본투자자들이 벌어들이는 수익률은 금리변화에 크게 영향을 받을 수 있다. 설령 현재 투자자가 담보대출을 고정금리로 차입하였거나 아니면 차입이 전혀 없다손 치더라도, 금리수준의 상승은 (이 자산을 매수하려는) 후속 투자자의 지불의사가격을 낮출 수 있다. 또한, 투자자들이 부동산에 요구하는 수익률은 동일 경제권 내 전반적인 금리수준과 동조하는 경향이 있어서 상승하게 될 것이다.

제도위험 *Legislative Risk*

부동산은 세법, 임대료규제, 용도지역지구제와 같은 수많은 규제들과 정부가 부과하는 여타의 제약들에 종속된다. **제도위험**은 규제 변화가 투자의 수익성에 불리하게 영향을 줄 수 있다는 사실로부터 기인한다. 어떤 주(州) 정부들과 지방정부들은 다른 주 정부들이나 지방정부들에 비해 훨씬 엄격한 규제를 채택하는데, 특히 신규 개발사업에 대해 그러하다.

환경위험 *Environmental Risk*

부동산의 가치는 종종 환경의 변화 또는 기존 환경이 잠재적으로 위험하다는 갑작스러운 인식에 영향을 받게 된다. 예를 들면, 예전에는 건축물의 단열처리에 석면을 사용하였지만, 이제는 건축물 내 석면이 잠재적인 인체 유해물질로 인식되고 있다. 해당 토지 또는 인근 토지에 누출되었거나 이전에 매립된 유독성 폐기물에 의해서 당해 토지의 토양이 오염되었을 수 있다. **환경위험**은 위에 언급한 다른 위험들이 초래하는 손실보다 더 큰 손실을 야기할 수 있는데, 투자자는 자산가치를 크게 초과하는 정화비용에 영향을 받기 때문이다.

분석의 최종단계에서, 특정 부동산 프로젝트에 투자하려는 잠재투자자는 필히 해당 프로젝트의 기대수익률을 추정 및 계산하여야 할 것이고, 이 수익률을 반드시 다른 부동산투자의 수익률 및 여타 투자자산군의 수익률과 비교해 보아야 한다. 비교과정에서 나타나는 투자위험의 차이 또는 기대수익률의 차이는 그것이 무엇이 되었건 간에 위험보상(risk premium)과 관련하여 신중하게 검토되어야 한다. 이 과정을 거친 다음에야 투자자는 해당 투자대안이 합당한 것인지 최종결정을 내려도 될 것이다.

부동산투자위험 분석에서 자산실사 *Due Diligence*

부동산투자 업계에서는 투자자가 자산의 매입을 고려할 때 해당 투자자가 수행하는 조사과정을 설명할 때 **자산실사**(due diligence)라는 용어를 사용한다.[3] 당연히 모든 투자자들이 실사를 수행하지만, 회사가 다른 고객을 대신하여 투자할 때에는 특별히 그 중요성이 더 강조된다. 기본적으로 자산실사는 투자위험이 일련의 투자목적에 부합하는지 평가하기 위하여 필요한 정보를 찾아내는 과정이라 할 수 있다. 예 9-2는 자산실사에서 조사하는 항목들의 일반적인 체크리스트인데, 각 항목의 중요성과 관련하여 구체적인 해설을 함께 설명하고 있다. 대부분의 경우, 투자희망자는 자산실사에서 발견된 그 어떤 투자위험일

예 9-2 자산실사 체크리스트의 예시

검토영역	해설
1. 임대장부 분석	소유주가 제시하는 임대정보 및 임차인 납부실적이 정확한가를 판단하기 위해 검토 장래 임차인과 대립을 야기할 수 있는 임대인 · 임차인 간 분쟁(예를 들면, 임대료 지불유보)을 발견하기 위해 검토 임차인의 지불능력, 연체실적 및 파산여부도 중요한 검토사항
2. 임대차계약 검토 임대차갱신옵션 기간연장옵션 임차우선협상권 허용용도 불허용도 임차인 개보수 지원금 수수료 주차 간판	임차인이 갖는 옵션, 비용의 책임과 계산 등을 포함하여 임대차계약의 내용을 판단하기 위해 검토 검토내용은 임대료 · 비용 · 기간연장 등과 관련하여 장래 계약승계를 확정함에 영향을 미치게 될 것 주차, 장래 임차인 개보수 지원, 수수료 지불, 전대권(轉貸權), 간판 설치 등과 관련하여, 현 소유주가 임차인과 체결한 약정내용의 결정 기존 임대차계약에서 수정사항이 있으면 반드시 찾아서 검토할 것
3. 서비스 · 유지보수 계약의 검토 조경, 청소, 쓰레기 처리, 승강기, 보안, 빌딩시스템, 입주증명, 기계설비, 소방점검 등	건물설비 관련 문제 발생의 주기 · 정도, 문제의 치유 · 수선 · 교체를 위해 소유주가 취한 조치 등을 확인 이 항목에서 발견된 만성적인 문제는 장래 커다란 비용 발생의 징후: 보험 부보되는 문제인지 등을 확인 모든 설비의 품질보증서 역시 검토할 사항
4. 계류 중이거나 잠재위험 현안 검토	자산에 영향을 미칠 수 있는 법원 쟁송, 조세심판, 규제 관련 청원, 행정소송, 민사소송 등 검토
5. 권원 · 권리서류 검토 통한 판단항목 지상권 특성 · 정도 행위제한사항 선취특권 존치여부 • 채권 담보물권 • 공사 유치권 • 조세 압류 • 판결 선취권	자산가치로부터 혜택을 취하거나 그 가치를 손상시킬 수 있는 타인에게 승낙한 지상권을 찾아내기 위하여 권원 및 권리 관련 서류를 검토 위 검토에서 미납조세채무, 납품업체 · 공사업체와 대가지급 관련 분쟁 등으로 인하여 존치할 수 있는 선취특권을 찾아내도록 할 것
6. 자산실사 경계선 건축물 위치, 구조, 기타 지상정착물	대지경계선 침해가 존재하는지, 대지 내 물리적 정착물이 적절하게 위치하는지, 이들 정착물이 법률경계선을 준수하는지 또는 통행로, 건축선후퇴 기준 등을 포함하여 단지 규제사항을 준수하는지 등을 판단하기 위하여 검토 위 검토에서 ① 모든 통행로, 차도, 보도, 가각전제(curbcut), 유틸리티 노선, 자연천, 하천, 수로 등의 위치; 그리고 ② 단지경계에 접하면서 단지 진출입과 관련된 건축선후퇴, 모든 도로 및 가로, 고속도로 등의 위치와 관련된 이슈들 역시 강조되는 사항

(계속)

[3] 자산실사라는 용어는 기업 합병, 조합 설립 등을 추진할 때 수행하는 조사과정을 설명할 경우에도 사용한다.

예 9–2 자산실사 체크리스트의 예시(계속)

검토영역	해설
7. 규제준수 현행 용도지역지구제, 허용용도 및 승계조항의 준수 • 주차비율 • 건축후퇴선 • 고도제한 • 밀도제한 (a) 세대수 (b) 용적률 • 환경규제: 유해성 폐기물/대기질	자산의 현재 및 의도하는 용도가 용도지역지구제에서 허용되는 것인지 판단하기 위하여 검토 또한, (건축기득권) 승계조항(grandfather provision)이 현재에도 적용되는지 판단하기 위하여 검토 환경에 대한 관심은 많은 이슈를 포괄: 유해성 폐기물의 존재, 습지 · 수목 · 멸종위기종의 파괴, 사업지가 특별수해위험지역 또는 100년 빈도 홍수 범람지역에 포함되는지 여부 등 보통 환경 엔지니어링 회사가 위 검토를 수행하고 작성한 의견서를 요구 유해성 폐기물과 관련하여, 1단계 연구에는 유해성 폐기물이 존재할 가능성과 처리 방법을 결정하기 위해 토지 사용 이력에 대한 검토가 포함. 유해성 폐기물이 존재했다면 2단계 검토가 수행되며, 토양 샘플을 얻기 위한 드릴링이 포함될 수 있다. 지하수의 오염이 발견되면 토지 소유자는 자신의 비용으로 부지를 개선해야 한다. 이전 소유자로부터 보상을 요구할 수 있지만 이러한 가능성의 위험은 소유권 마감 전에 실사를 통해 발견되어야 한다.
8. 물리적 점검 수선 · 유지보수 · 품질보증 등의 관리파일	구조물의 물리적 상태 그리고 (만약 하자가 존재한다면) 품질보증으로 필요한 수선을 감당할 수 있는지를 판단하기 위해서 점검을 실시 "준공된 상태" 그대로의 도면 및 건축상세의 존재여부, 건물시스템 · 구조 · 유틸리티 · 건물기초 · 벽면의 상태, 유틸리티의 적정성 · 이용 가능성 등을 평가하는 보고서를 준비 위성안테나와 같은 통신설비의 존재, "준공된 상태" 그대로의 도면 및 건축상세에서 변경된 건축행위, 하자의 존재 등이 파악할 대상 위 검토는 건축물이 美 장애인복지법(Americans with Disabilities Act, ADA) 규제를 준수하는지도 지적하여야 할 것
9. 세제 문제 재산세 • 공시가격 • 특수목적세 부과지역 • 납세실적	모든 조세의 납부가 완료되었는지 그리고 공시가격이 현재 기준인지를 판단하고, 조세 감면 또는 특수목적의 지방세 부과지역에 해당하는지를 발견하기 위해서 검토
10. 보험증권	보험청구실적과 현 소유주에 대한 보험금 지급 거부실적에 대해 조사
11. 엔지니어링 조사 **12. 시장조사**	투자자는 시장조사, 엔지니어링 조사 등과 같이 거래와 관련되어 현 소유주가 발주한 보고서 일체를 요구할 권리를 가짐
13. 동산목록	분쟁 방지를 위하여 투자자는 부동산과 함께 양도 가능한 동산의 목록을 요구할 수 있을 것

지라도 매매의 조건으로서 현재 자산소유자가 치유해 줄 것을 주장한다.

민감도분석 *Sensitivity Analysis*

위에서 우리는 다양한 투자대안들을 평가할 때 고려해야 할 여러 유형의 투자위험을 논의하였다. 불행하게도 특정 투자대안의 위험을 측정하는 것이 쉬운 일은 아니다. 우리는 투자위험을 측정함에 있어서 다른 방법들이 상존한다는 것을 깨닫게 될텐데, 이는 분석방법이 분석자가 투자위험을 계량화하려고 시도하는 분석단계와 분석관행에 좌우되기 때문이다.

어떤 자산의 투자성과는 다른 자산의 그것에 비하여 예기치 못한 시장환경 변화에 보다 민감하게 반응할 수 있다. 예를 들면, 갑작스러운 인플레이션이 어느 자산의 순 영업이익에 미치는 효과는 임대인 비용부담상한의 설정이나 임대료 상승률의 소비자물가지수(consumer price index, CPI) 연동 등과 같은 임대차 조항에 영향을 받게 된다. 신규 개발가용지가 제한된 지역에 입지한 자산은 공급과잉의 결과로 공실률이 증가할 위험에 대하여 상대적으로 덜 민감할 것이다.

투자위험을 분석하는 가장 간단한 방법 중 하나는 투자자산의 **민감도분석** 또는 가상상황분석(what-if analysis)을 수행하는 것이다. 민감도분석은 하나 또는 그 이상의 주요 분석가정들을 변화시키는 것과 관련되는데, 자산의 투자성과가 가정변화에 얼마나 민감한지 파악하는 것이 불확실할 때 사용한다. 민감도분석에서 전형적으로 고찰하는 분석가정들은 예상되는 시장임대료, 공실률, 영업비용 및 재매각 기대가격을 포함한다.

민감도분석은 **기본상황**(base case), 즉 분석하는 일단의 가정들과 함께 시작되는데, 기본상황은 민감도분석에 사용된 인용수치들의 틀을 제공하게 된다. 이 일단의 가정들은 통상 분석자의 최선의 추정치로서 가장 실현 가능한 상황들을 나타낸다.[4]

일단 기본상황 하의 가정들을 규정하게 되면, 분석자는 이 기본가정집합을 사용하여 내부수익률, 순현재가치 및 여타 투자성과 측정치를 계산한다. 그 후, 분석자는 한 번에 하나 또는 그 이상의 가정들을 변화시키면서 각각의 변화가 투자성과에 어떻게 영향을 주는지를 관찰한다. 일반적으로 가정을 바꾸는 방법은 (1) 한 번에 한 개의 가정만 변화를 주는 방법 또는 (2) 몇 개의 시나리오를 설정하고, 각 시나리오 내에서는 하나 이상의 가정들을 동시에 변화시키는 방법이 있다.

한 번에 하나의 가정만 변화시키는 방법

이 분석 방법의 장점은 분석자로 하여금 특정한 입력가정의 영향을 (다른 가정들의 영향과) 절연하여 파악할 수 있게 해준다는 것이다. 예를 들면, 앞의 7장에서 분석한 오피스빌딩은 기본상황이라고 간주할 수 있는 일단의 특정한 가정들 하에서 세전 내부수익률이 17.16%를 달성할 것으로 추정하였다. 이 가정들 중에는 5년 후 자산을 $12,800,000에 재매각할 것이라는 추정치가 포함되어 있다. 만약 자산이 이 가격보다 높게 또는 낮게 팔리게 된다면 결과가 어떻게 달라질까? 예 9-3은 발생 가능한 재매각가격의 범주에 따라 변화하는 세전 내부수익률의 추정치를 나타낸다. 이 표는 내부수익률이 자산 재매각가격의 변화에 얼마나 민감한가를 보여주는 것이다. 예 9-4는 분석결과를 그래프로 도시한 것이다.

예 9-3
민감도분석(sensitivity analysis)

재매각가	연간변동률 *	세전 내부수익률
$ 11,000,000	−1.73%	10.37%
$ 11,600,000	−0.68%	12.82%
$ 12,200,000	0.33%	15.07%
$ 12,800,000	1.30%	17.15%
$ 13,400,000	2.23%	19.08%
$ 14,000,000	3.13%	20.88%
$ 14,600,000	4.00%	22.58%
$ 15,200,000	4.84%	24.19%
$ 15,800,000	5.66%	25.71%

* 연간변동률은 자산의 매입가격 $12,800,000이 매년 증가하는 비율로서, 복리로 계산

[4] 통계학적 의미에서, “가장 실현 가능한” 상황이란 발생확률이 가장 높은 상황이 될 것이다. 이 장 뒷부분에서 확률에 대해서 보다 자세하게 검토하도록 하자.

예 9-4
자산 재매각가격에 대한 세전 내부수익률의 민감도: 모뉴먼트 오피스빌딩 사례

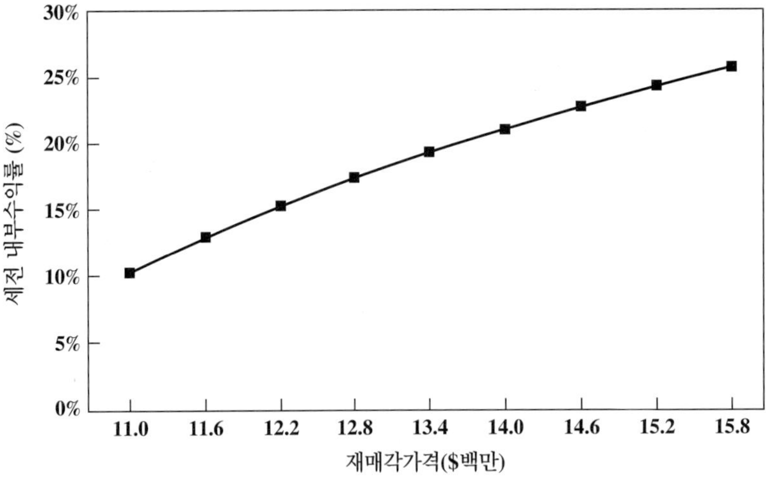

시나리오에 내 여러 변수들을 동시에 변화시키는 방법

한 번에 한 개의 변수만 변화시키는 방법에 대한 대안으로서, 여러 **시나리오**를 설정하는 접근방법이 있다. 기본상황 내 가정들은 가장 실현 가능한 시나리오라고 간주할 수 있다. 같은 맥락에서, 분석자는 비관적인 시나리오를 고안할 수 있는데, 비관적 시나리오 내 가정들은 가장 일어날 것 같은 시나리오 내 가정들처럼 일이 진행되지 않는 상황을 반영하게 된다. 예를 들면, 공실률을 더 높게 가정할 수 있다. 바꾸어 생각하면, 높은 공실률은 장래 임대료와 자산의 재매각가격을 하락시킴을 의미한다. 시나리오분석은 부정적인 가정들 또는 최악의 경우에 해당하는 가정들이 결합하였을 때 분석자로 하여금 투자성과가 얼마나 크게 영향받을 것인지를 이해할 수 있게 해준다. 마찬가지로, 모든 일이 아주 순조롭게 진행된다면 투자성과가 얼마나 좋아질지 표현하기 위해서 일단의 낙관적 가정들을 설정할 수도 있다. 시나리오의 사용은 본 장의 뒷부분에서 보다 자세히 설명하도록 하겠다.

내부수익률의 분해 *Partitioning the IRR*

우리는 부동산 프로젝트에 투자한 자기자본의 내부수익률을 추정하는 과정에 상당한 주의를 기울여 왔다. 내부수익률만으로도 투자자가 프로젝트에 투자할지 말지를 결정함에 있어서 유용한 도움을 제공하지만, 내부수익률을 분해하는 것도 수익률을 구성하는 요소들 간의 상대적 가중치에 대한 개념, 그리고 가장 큰 비중을 차지하는 수익의 수령시기에 대한 개념을 얻는 데 있어서 유용하다.

내부수익률의 분해가 어떤 의미인지를 설명하기 위해, 부동산의 자기자본투자에 대한 내부수익률은 두 가지 원천의 현금흐름으로 구성됨을 상기시키고자 한다: (1) 영업으로 인한 현금흐름; 그리고 (2) 자산 매각으로 인한 현금흐름이 바로 그들이다.

예 9-5는 7장에서 검토한 오피스빌딩의 세전 현금흐름을 '영업으로 인한 세전 현금흐름(before-tax cash-flow from operation, $BTCF_O$)과 자산 매각으로 인한 세전 현금흐름(before-tax cash-flow from sales, $BTCF_S$)으로 나누어 표현하고 있다. 먼저 보유기간 5년 동안 자기자본에 대한 세전 내부수익률이 17.16%라는 점을 상기하기 바란다. 하지만, 위에서 언급한 두 가지 원천의 현금흐름이 합쳐져서 17.16%를 산출하기 때문에, 각각의 현금흐름이 전체 내부수익률에서 어느 정도 비중을 차지하는지 알 수

예 9-5
내부수익률의 분해: 모뉴먼트 오피스빌딩 사례

영업으로 인한 세전 현금흐름(*BTCFo*)의 현재가치			
연차	세전 현금흐름	현재가치	퍼센트
1	$277,187	$236,593	
2	276,493	201,439	
3	275,774	171,491	
4	319,512	169,592	
5	337,666	152,980	
합계		$932,095	25.89%
자산 매각으로 인한 세전 현금흐름(*BTCFs*)의 현재가치			
5	$5,888,744	$2,667,905	74.11%
현재가치 합계		$3,600,000	100.00%

있는 방법이 없다. 각 현금흐름별 분해는 얼마나 많은 수익이 자산의 영업으로 인한 현금흐름으로 말미암아 구성되었는지, 그리고 얼마나 많은 수익이 자산의 재매각 수입에 기인한 것인지에 관심을 가진 투자자에게 상당히 유용할 것이다.

이 문제의 해결을 위해서, 예 9-5에서 보는 바와 같이 살짝 변형된 방식으로 영업으로 인한 현금흐름과 자산 매각으로 인한 현금흐름의 현재가치를 다시 검토하는 것이 그리 어려운 일은 아니다. 투자자가 프로젝트에서 수령할 것으로 기대하는 모든 원천의 현금흐름을 할인하면 17.16%의 세전 내부수익률을 구하게 된다는 점에 주목하기 바란다. 그렇다면, 영업으로 인한 현금흐름의 현재가치와 자산 매각으로 인한 현금흐름의 현재가치를 더하게 되면 현재가치 합계인 $3,600,000를 얻게 된다. 이제 현금흐름 합계에서 각 현금흐름이 차지하는 비율을 각각 구할 수 있게 된다. 동 비율들은 세전 내부수익률 내에서 각각의 현금흐름이 차지하는 비중을 나타내는 바, 영업으로 인한 현금흐름의 비중 30%와 5년 후 자산가격의 상승 및 매각으로 인한 현금흐름의 비중 70%로 구성되고 있는 것이다.

내부수익률의 분해가 왜 중요한 것일까? 이는 투자자가 얼마나 많은 수익이 연간 영업현금흐름에 의존하고 있으며, 또한 얼마나 많은 수익이 자산 재매각으로 인한 예측현금흐름에 종속되어 있는지를 판단하도록 지원하기 때문이다. 일반적으로 투자의 예측현금흐름이 운영기간 중에 발생할수록, (수익 발생의) 확실성이 높아진다(즉, 투자위험이 감소한다). 특히, 영업현금흐름의 일부가 기존 임대차계약에 의해 결정될 때, 그 확실성은 보다 높아질 것이다. 자산의 재매각가격은 현재 투자의 보유기간 이후에 발생할 예상 현금흐름에 의존하게 된다. 따라서, 장래 자산가격 상승에 대한 기대가 내부수익률에서 차지하는 비중이 높아질수록 투자자는 더 큰 투자위험에 직면하는 것으로 보일 수 있다. 예를 들면, 7장의 오피스빌딩 사례에서 투자수익률은 17.16%였다. 이 수익률은 약 26%가 매년 발생하는 전체 연간 현금흐름의 현재가치로 구성되고 약 74%가 매각현금흐름으로 구성된다. $3,600,000의 투자금이 필요한 또 다른 프로젝트가 있다고 가정해 보자. 이 프로젝트 역시 투자자들에게 동일한 세전 내부수익률인 17.16%를 제시하고 있다. 하지만 내부수익률을 분해할 경우, 우리는 수익의 구성비율이 완전히 상이하다는 것을 발견할 수 있다. 연간 영업현금흐름으로부터 3%가, 매각현금흐름으로부터 97%가 발생한다고 가정해 보자. 비록 두 투자대안 모두 17.16%의 세전 내부수익률을 갖지만, 두 번째 투자대안이 훨씬

높은 비중의 수익을 장래 자산가치 상승에 의존하고 있는 것이다.[5] 이런 결과가 주어지면, 투자자는 프로젝트 간 투자위험의 차이를 보다 면밀하게 비교하고 싶을 수 있다. 왜냐면 비록 두 프로젝트가 동일한 내부수익률을 산출할 것으로 추정되었다손 치더라도, 두 프로젝트 간 유의한 투자위험 차이가 실제로 발생할 가능성이 매우 높기 때문이다.

수익변동과 투자위험

사업위험, 재무위험 등 본 장에서 논의했던 많은 위험발생원인들은 수익 발생의 **변동성**을 높임으로써 부동산투자의 수익에 영향을 주게 된다. 사례로써, 여태까지 분석해 온 오피스빌딩을 고려해 보자. 또한, 우리가 투자대상으로 2개의 다른 자산(호텔과 임대주택건물)도 함께 고려한다고 가정해 보자.

예 9-6은 경제상황과 관련하여 세 개의 서로 다른 시나리오 하에서 5년의 투자기간 동안 세 자산이 산출하는 내부수익률의 추정치를 제시한다. 본질적으로, 예 9-6이 보여주는 3개 투자대안의 내부수익률 추정치는 투자기간 동안 발생할 수 있는 세 가지의 일반적인 경제 시나리오들에 종속되어 있다.[6] 즉, 투자자는 경기와 관련된 세 가지의 가정 하에서 3개 투자대안들의 임대료와 영업비용을 추정하게 된다. 그런 다음에야, 각 투자물건에 적합한 부채서비스효과(경우에 따라서는 조세효과가 추가될 수도 있다)가 주어질 경우, 보유기간 말 자산가치의 추정뿐 아니라 현금흐름을 예측하게 된다.

각 시나리오별 내부수익률을 계산한 후에, 투자자는 각 투자대안의 수익창출 가능성에 영향을 주는 경기 시나리오 각각의 발생확률을 추정할 것이다. 각 경제 시나리오가 발생할 확률을 (해당 시나리오 하에서) 추정한 내부수익률과 곱하게 되면, 각 투자수단별 기대수익률을 구하게 된다.

예 9-6에 나타난 분석결과에 기초하면, 오피스빌딩의 기대수익률 18.52%와 임대주택건물의 기대수익률 15%와 비교하였을 때 호텔자산은 가장 높은 기대수익률인 20%를 산출하고 있다. 이 결과가 오피스빌딩과 임대주택건물보다는 호텔자산을 선택해야 한다는 의미일까? 꼭 그렇지는 않다. 여기에서, 독자들은 본 장 앞부분에서 논의하였던 위험특성, 그리고 각 투자대안이 이러한 위험특성을 고려하면 어떻게 영향을 받는지를 상기해야 한다. 높은 기대수익률을 제시하는 자산은 다소 낮은 투자수익률을 제시하는 투자대안에 비해서 훨씬 위험할 수 있다.

투자대안 사이의 투자위험과 수익률을 비교함에 있어 발생하는 질적인 문제를 처리하기 위해서, 분석자들은 앞에서 논의된 정성적인 고려사항들을 보충적으로 활용하는 분석기법들을 사용할 수 있다. 여기서는, 예측된 투자위험을 보다 정량적으로 처리하는 것에 초점을 맞추도록 하자.

특정 투자대안에 국한된 모든 위험특성들을 처리하려고 시도할 때에, 어떤 연구자들과 시장분석자들은 이런 위험요인들(예를 들면, 이 장에서 논의한 사업위험, 재무위험 및 기타 위험들)이 결합하여 **프로젝트 수익률의 변동성**을 유발하는 데 일조하게 된다고 주장한다. 위의 사례에서, 호텔 프로젝트는 사실 오피스자산이나 임대주택자산보다 더 위험하다. 각 경기 시나리오에서 추정한 내부수익률을 자세히 관찰하면, 호텔자산의 발생 가능한 내부수익률의 분포범위가 다른 자산들의 그것에 비하여 **훨씬 넓다**는 사실을 발견하게 된다. 실제로도, 가능한 경제상태의 발생확률과 각 경제상태에서 예측하는 내부수익률

---

[5] 내부수익률이 양수임에도 불구하고 영업으로 인한 세전 현금흐름(*BTCFo*)이 결손인 경우가 발생할 수 있다. 따라서, 내부수익률뿐 아니라 영업현금흐름을 함께 고려하는 것이 중요하다.

[6] 오피스빌딩의 수익률을 산정함에 있어서는 예 9-3의 정보를 사용하였다. 비관적인 시나리오는 오피스빌딩이 $7,300,000에 매각됨을 가정하며, 낙관적인 시나리오에서는 동 빌딩이 $12,100,000에 매각됨을 가정한다.

예 9-6
수익률과 투자위험 (오피스, 임대주택 그리고 호텔)

오피스빌딩

	수익률	확률	수익률 × 확률	수익률 − 기대수익률	확률 × (수익률 − 기대수익률)^2
비관적	6.17%	25.00%	1.54%	−12.35%	0.3812%
가장 실현 가능한	19.64	50.00	9.82	1.12	0.0062
낙관적	28.64	25.00	7.16	10.12	0.2559
Σ 기대수익률			18.52%	분산	0.6434%
				표준편차	8.02%

임대주택

	수익률	확률	수익률 × 확률	수익률 − 기대수익률	확률 × (수익률 − 기대수익률)^2
비관적	10.00%	25.00%	2.50%	−5.00%	0.0625%
가장 실현 가능한	15.00	50.00	7.50	0.00	0.0000
낙관적	20.00	25.00	5.00	5.00	0.0625
Σ 기대수익률			15.00%	분산	0.1250%
				표준편차	3.54%

호텔

	수익률	확률	수익률 × 확률	수익률 − 기대수익률	확률 × (수익률 − 기대수익률)^2
비관적	5.00%	25.00%	1.25%	−15.00%	0.5625%
가장 실현 가능한	20.00	50.00	10.00	0.00	0.0000
낙관적	35.00	25.00	8.75	15.00	0.5625
Σ 기대수익률			20.00%	분산	1.1250%
				표준편차	10.61%

요약

자산	기대수익률	위험
오피스	18.52%	8.02%
임대주택	15.00	3.54
호텔	20.00	10.61

간의 관계를 그림으로 그리게 되면, 예 9-7에서 보는 바와 같은 유형을 도출하게 된다. 이 그림에서 저자들은 경제상태의 발생확률(Y축)과 주어진 경제상태에서 각 투자대안에 기대되는 내부수익률(X축)에 좌표를 부여하였다. 그림상 곡선은 "완만하게" 평활된 것인데, 실제 내부수익률을 추정한 특정 좌표들 사이에 존재하는 확률점들은 발생 가능성이 가장 높은 내부수익률 수치를 보간하여 그 사이를 연결한 형태이다. 이 그림에서 파악할 수 있는 중요한 시사점은 비록 호텔자산의 기대수익률이 오피스빌딩에서 산출한 기대수익률보다 높다고 하더라도 호텔자산의 기대수익률의 분포범위가 오피스빌딩의 그것보다 대단히 넓다는 점이다. 호텔자산의 결과 분포범위에 비해 오피스빌딩의 그것이 좁다는 사실은 호텔자산에 비하여 오피스빌딩의 기대수익률의 **변동성이 작다**는 것을 나타낸다. 많은 분석자들은 수익률의 **낮은 변동성**을 **낮은 투자위험**과 관련된 것으로 간주하는 반면, 높은 변동성을 높은 투자위험으로 간주한다. 분산이라는 통계측정치를 사용함으로써 투자자는 특정 투자대안의 위험 정도를 표시하게 된다.

예 9-7
내부수익률의 확률 분포(오피스, 임대주택 그리고 호텔)

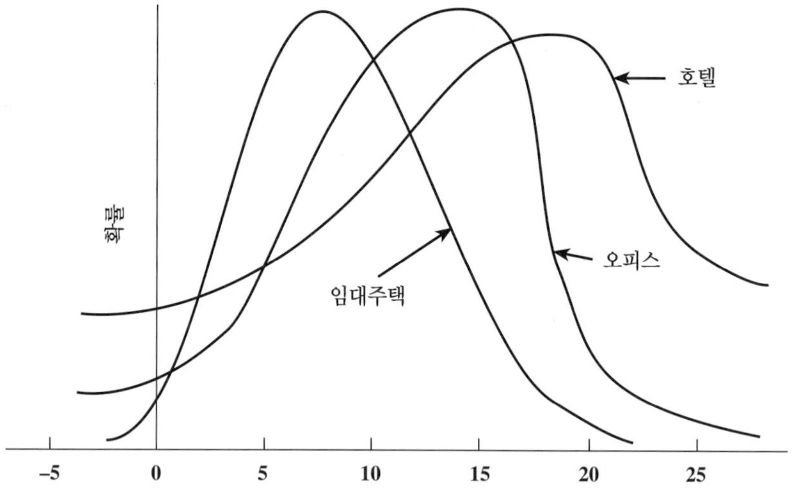

분산의 측정과 투자위험

수익률의 통계적 분산을 계산하는 과정은 간단한데, 예 9-6은 3개 자산에 대해 분산을 산출하는 과정을 보여준다. 호텔자산의 **평균수익률에 대한 표준편차**는 10.61%인데, 이는 오피스빌딩의 8.02%와 임대주택의 3.54%에 비하여 **더 큰** 편이다. **편차**에 대한 이 측정치가 우리에게 알려주는 것은 (호텔자산이나 오피스빌딩과 비교하여) 임대주택의 실현수익률은 그 기대수익률 15%에 **훨씬 가깝게 분포**할 가능성이 상당히 높다는 것이다. 반대로, 호텔자산의 표준편차는 10.61%이기 때문에 (오피스빌딩이나 임대주택건물과 비교하여) 그 실현수익률이 기대수익률 20%에 근접하여 분포할 가능성이 **상대적으로 작다**는 것이다. 따라서, 만약 수익률의 분산이 투자위험을 측정하는 좋은 지표라고 한다면, 분명히 호텔은 3개 투자대안 중에서 투자위험이 가장 높다고 할 것이다.

만약 고려하는 2개 투자대안의 내부수익률 확률분포가 정규분포를 따른다면, 각 투자대안의 수익률에 대한 표준편차 역시 매우 소중한 정보를 제공하게 된다. 표준편차는 특정한 수익률 범위를 제시하는데, 기대수익률에 관련된 이 범위 내에서 우리는 각 투자대안의 실현수익률이 분포할 것이라고 기대할 수 있다. 호텔자산을 예로 들면, 우리는 **실현**수익률이 기대수익률인 20%로부터 ±1배의 표준편차의 범위($\mu \pm \sigma$) 내에 분포할 것임을 68%의 신뢰수준에서 기대할 수 있다. 이는 호텔자산의 실현수익률이 9.39%에서 30.61% 사이에 형성될 것이라고 68%의 확률로 예측할 수 있음을 의미하는 것이다. 기대수익률 ±2배의 표준편차로 범위를 넓히면, 우리는 실현수익률이 이 범위($\mu \pm 2\sigma$) 내에 분포할 것임을 약 95.5%의 신뢰수준에서 기대할 수 있게 된다. 마찬가지로, 우리는 실현수익률이 기대수익률에서 ±3배의 표준편차의 범위($\mu \pm 3\sigma$) 내에 분포할 것임을 약 99.7%의 신뢰수준에서 기대할 수 있을 것이다. 반면에, 임대주택건물의 실현수익률은 훨씬 좁은 범위의 기대수익률 ±표준편차 구간 내에 분포하게 될 것이다. (기대수익률이 15%, 표준편차가 3.54%이므로) 기대수익률 + 표준편차는 18.54%이고 기대수익률 − 표준편차는 11.46%가 되어, 68%의 신뢰도로 임대주택의 실현수익률은 11.46~18.54%가 될 것이라고 예상할 수 있다.

투자위험과 수익

앞에서 소개한 통계 측정치들은 투자위험의 대리변수로서 편차와 분산이라는 보다 정량적인 관점을 투자자에게 제공할 뿐 아니라, 기대수익률의 단위당 투자위험 측정치를 개발하는 과정에서도 내부수익률과 관련될 수 있다. 앞선 투자대안들에 이를 적용하려면, 내부수익률의 표준편차를 내부수익률의 평균으로 나누면 된다. 오피스빌딩의 경우, 이 계산은 8.02% ÷ 18.52%이고 결과로 .433이 산출된다. 호텔자산의 계산은 10.61% ÷ 20.0%로서 .5305을 산출하며, 임대주택의 계산은 3.54% ÷ 15.0%로서 .236을 얻게 된다. **변동성계수**라고 부르는 이 통계량은 상대적인 변동성, **기대수익률의 단위당 투자위험**을 측정하는 값이다. 호텔의 경우 변동성계수가 오피스빌딩의 그것보다 상대적으로 높다. 임대주택은 3개 투자대안 중 가장 낮은 변동성계수를 나타내는데, 이는 임대주택의 수익률 단위당 투자위험이 오피스빌딩이나 호텔만큼 높지 않다는 것을 의미한다. 이런 비교결과가 반드시 투자자는 증가한 기대수익률의 반대급부로써 추가되는 투자위험을 받아들이는 결정을 해서는 안 된다는 것을 의미하지는 않는다. 모든 투자자는 **위험회피적**(risk averse)이라고 가정하는데, 이는 투자자들이 투자위험의 증가를 수용하는 것에 대한 보상으로써 보다 높은 기대수익률을 요구한다는 의미이다. 그렇다고 해서, 우리는 어느 특정 투자자에게 얼마나 많은 수익률이 제시되어야 할는지는 말할 수 없다. 우리가 분석한 3개 자산, 그 각각의 수익률은 각 자산의 시장가격에 기초하며 따라서 투자위험과 수익률 간 상쇄관계(trade-off)는 시장의 위험가격을 반영하고 있다. 이는 투자자들이 각 자산의 투자위험과 수익률 간의 특성에 근거하여 각 자산을 매입하려 할 것이라는 함의를 제시한다.

예 9-8은 상기 3개 부동산의 기대수익률과 투자위험(표준편차)을 그래프로 보여준다. 이 그래프는 모든 자산군을 대상으로 투자위험과 수익률 간 상쇄효과를 보여주는 예 9-1과 유사하다. 실제로 예 9-8에 표현된 곡선은 예 9-1의 한 작은 부분으로 볼 수 있는데, 9-1에서는 부동산 자산 전체를 묶어서 하나

예 9-8
투자위험과 수익률

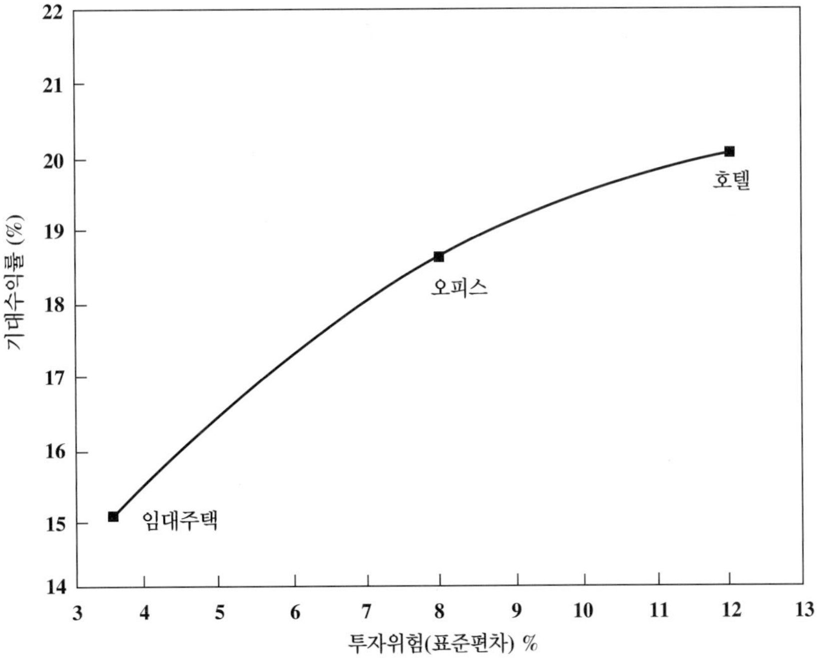

의 자산군인 부동산으로 표현하고 있다.

포트폴리오 구성이라는 고려사항

아직까지 우리는 여러 투자대안들을 하나의 **포트폴리오**로 묶으면서 투자위험, 즉 수익률의 분산을 감소시킬 수 있는 가능성에 대해서는 고려하지 않았다. **다양한** 투자대안들을, 그리고 주식과 채권을 하나의 포트폴리오로 편입시킴으로써, 투자자는 **분산투자**효과에 의해서 투자위험을 유의하게 감소시킬 수 있다. 예를 들면, 호텔자산에 있어서 비관적인 결과를 야기하는 경제현상들이 반드시 임대주택이나 오피스에 영향을 주지 않을 수도 있고, 반대로 두 자산의 비관적인 경제상황이 반드시 호텔자산에 부정적 영향을 주지는 않을 것이다. 따라서, 세 가지 투자자산의 수익률들이 완벽하게 선형상관을 이루지는 않을 것이다. 하나의 투자자산만 선택하기보다는 세 가지 투자자산에 분산하여 투자하는 것이 포트폴리오 전체의 투자위험을 감소시킬 수 있는 것이다. 포트폴리오로 섞게 되면 높은 변동성과 낮은 변동성이 서로 상쇄되기 때문에, 분산투자는 포트폴리오 내 모든 투자자산들로부터 발생하는 총 수익률의 분산을 낮추게 되고, 결과로서 전체 투자포트폴리오의 기대수익률에 대한 변동성을 감소시키게 된다. 예 9-8의 그림으로 설명하자면, 포트폴리오는 기대수익률과 분산을 곡선의 좌측부분에 형성시키게 된다. 즉, 동일한 기대위험률에 대하여 투자위험이 훨씬 작아진다는 의미이다. 투자위험을 낮춤에 있어서 분산투자의 역할은 23장에서 다시 논의하기로 하자.

판매시설 사례연구—웨스트게이트 쇼핑센터

웨스트게이트 쇼핑센터(Westgate Shopping Center)는 면적이 10만 평방피트(9,290 m^2)인 근린형 노선상가(neighborhood strip center)이다. 한 투자자가 이 자산의 매입을 고려하고 있다. 그는 5년 간 자산을 보유한 후, 보유기간 말 자본환원율(terminal cap rate) 10.5%를 6년 차 순 영업이익에 적용한 자산가격으로 매각할 것을 기대한다. 자산매각에 소요되는 비용은 재매각가격의 3%로 예상한다. 투자자는 11%의 수익률(세전, 무차입 기준)을 얻게 되기를 희망한다.

향후 5년 동안 물가상승률은 매년 3%로 예상된다. 일반적으로 유사한 쇼핑센터의 공실률은 5%이고 신용손실로 추가 1% 손실이 발생한다. 기존 임차인들은 임대차계약 만료 이전에는 아무도 나가지 않을 것으로 예상되지만, 임대차계약 종료 이전에 임차인을 상실할 위험에 대비하여 5%의 통상적인 공실률을 가정하였다.

쇼핑센터의 영업비용은 다음과 같이 추산된다:

1년 차에 부동산 자산세는 $40,000이고, 매년 2.5%씩 상승
보험료는 평방피트당 $.18이고, 매년 3%씩 상승
공용공간 유지관리비[7]는 평방피트당 $.75이고, 매년 3%씩 상승
관리비용은 유효총소득(effective gross income, EGI)의 6%씩 발생

현재 3명의 임차인이 있다.

[7] 공용공간 유지관리비는 보도, 주차장 등 공용공간을 유지관리하기 위해 발생하는 비용이다.

첫 번째 임차인은 약국으로, 25,000평방피트(2,323 m^2)를 임차하며 계약상 앞으로 5년 더 입주하게 된다. 기본임대료는 평방피트당 $12이고 순임대차(net lease) 조건으로 부동산 재산세, 보험료 및 공용공간 관리비용에 대해서 발생비용을 임대인에게 지급한다. 계약종료시점에 이 공간은 그 당시 시장임대료로 재임할 예정이다. 현재 시장임대료는 평방피트당 $12이고 재임대 시점까지 매년 3%씩 상승할 것으로 추산된다. 5년 후 체결할 임대차계약은 5년 계약기간에 임차인의 영업비용 분담금이 없을 것으로 예측된다.

두 번째 임차인은 식료품점으로, 현재 60,000평방피트(5,574 m^2)를 사용하며 향후 13년간 계약기간이 더 남아 있다. 기본임대료는 평방피트당 $8.50이고 순임대차 조건으로 부동산 재세, 보험료 및 공용공간 관리비용에 대해서 발생비용을 임대인에게 지급한다. 계약종료시점에 이 공간은 그 당시 시장임대료로 재임차할 예정이다. 현재 시장임대료는 평방피트당 $9이고 임대차 갱신시점까지 매년 3%씩 상승할 것으로 추산된다. 새로 체결할 임대차계약은 10년 계약기간에 임차인의 영업비용 분담금이 없을 것으로 예측된다.

세 번째 임차인은 음식점으로, 5,000평방피트(465 m^2)를 임차하며 계약상 3년이 남아있다. 기본임대료는 평방피트당 $15이고 순임대차 조건으로 부동산 재산세, 보험료 및 공용공간 관리비용에 대해서 발생비용을 임대인에게 지급한다. 또한, 이 임차인은 매출액에 근거하여 **비율임대차**(percentage rent)를 지불한다. **손익분기점**이 되는 매출액인 평방피트당 $225를 초과하는 매출액의 5%를 **추가임대료**(overage rent)로 지불한다. 음식점의 현재 매출액은 평방피트당 $250이다. 계약종료시점에 이 공간은 그 당시 시장임대료로 재임차할 예정이다. 쇼핑센터 내 인라인(in-line) 점포에 대한 현재 시장임대료는 평방피트당 $16이고 임대차 갱신시점까지 매년 3%씩 상승할 것으로 추산된다. 새로 체결할 임대차계약은 3년 계약기간에 임차인의 영업비용 분담금이 없을 것으로 예측된다. 인라인 임차인은 임대인이 개보수 지원금(tenant improvement, TI)을 지급할 것으로 기대하는데,[8] 현재 수준은 평방피트당 $5 수준이나 매해 3%씩 증가할 것으로 예상된다. 임대수수료는 매년 임대차계약상 기본임대료의 4%가 될 것이다.[9]

쇼핑센터 인라인 점포 중에는 현재 10,000평방피트(929 m^2)의 공실공간이 있는데, 향후 2명의 임차인에게 임대할 계획이다. 한 임대차계약은 올해에, 다른 임대차계약은 1년 후에 계약될 것으로 예상된다. 각각의 계약은 3년을 계약기간으로 한다. 인라인 점포의 현재 시장임대료는 평방피트당 $16이다. 임대수수료는 수금된 임대료의 5%이다. 새로 입주하는 임차인에게 임대인이 지급하는 개보수 지원금은 평방피트당 $10이고, 임차인은 순임대차 조건으로 부동산 재산세, 보험료 및 공용공간 관리비용에 대해서 발생비용을 임대인에게 지급한다. 3년 후 이들 임대차계약이 종료될 때에는 인라인 점포들을 대상으로 하는 전형적인 임대차계약으로 재임대될 것으로 가정하였다. 예 9-9는 주요 임차인의 가정을 요약했다.

예 9-10A는 이 프로젝트의 영업으로 인한 현금흐름을 예측한 것이다. 각 임차인에 대하여 기존 임대

---

[8] 새로운 임차인에게 공간을 임대할 경우 임차인의 공간수요에 적합하도록 실내공간을 조정 또는 "입주 맞춤(up fitting)"할 필요가 있다는 점을 상기하기 바란다. 종종 소유주는 입주 맞춤을 위한 표준기본금액을 설정하는데, 만약 임차인이 이 금액을 초과하여 개보수할 경우 임대료가 높아지거나 임차인이 초과금액을 직접 소유주에게 지불한다.

[9] 일반적으로, 새로운 임차인에게 공간을 임대할 경우, 외부 중개인이나 건물 소유회사 내 임대부서에 임대수수료를 지급할 필요가 있다. 실제 수수료를 어떻게 계산하고 또 어떻게 지급할는지에 대해서는 많은 옵션이 존재한다. 전형적으로 사용하는 방법은 첫해 임대료에 임대수수료율을 곱한 후 다시 임대기간을 곱하여 산출하는 것이다(= 임대료YR = 1 × 임대수수료율 × 임대기간).

예 9-9

주요 임차인 가정: 웨스트게이트 쇼핑센터(Westgate Shopping Center) 사례

입력값	임차인 1	임차인 2	임차인 3
이름	약국	식료품점	음식점
임대면적	25,000	60,000	5,000
임대료/평방피트	$12.00	$8.50	$15.00
최초 임대기간(년)	10	15	3
시장임대료	$12.00	$9.00	$16.00
시장임대료 연상승률	3.00%	3.00%	3.00%
매출액/평방피트			$250.00
매출액 연상승률			3.00%
손익분기점 매출액/평방피트			$225.00
추가임대료(초과매출 대비)			5.00%
잔여 임대차기간	5	13	3
재계약 시 개보수 지원금(TI)	$0.00	$0.00	$5.00
재계약 시 임대수수료	0.00%	0.00%	4.00%
개보수 지원금(TI) 연상승률	0.00%	0.00%	3.00%

차계약상 수취하는 임대료소득과 임대차계약 갱신시점에서 시장임대료에 따라 수취 가능한 임대료소득을 함께 추산하였다. 또한, 잠재총소득은 임차인의 영업비용 분담과 음식점의 추가임대료, 그리고 현재 공실공간의 임차인 모집 후 발생할 임대료소득을 포함하고 있다. 임대인의 임차인에 대한 개보수 지원금과 임대수수료 역시 인라인 공간의 음식점 갱신계약뿐 아니라 현재 공실공간의 임대인 모집에도 지불하는 것으로 계산되어야 할 것이다.

예 9-10A 영업으로 인한 현금흐름 예측: 웨스트게이트 쇼핑센터 사례

연차		1	2	3	4	5	6
임대수입							
약국	임대료	$ 300,000	$ 300,000	$ 300,000	$ 300,000	$ 300,000	$ 0
	시장임대료*	0	0	0	0	0	347,782
	영업비용 분담	33,250	34,198	36,172	36,175	37,206	0
식료품점	임대료	510,000	510,000	510,000	510,000	510,000	510,000
	시장임대료	0	0	0	0	0	0
	영업비용 분담	79,800	82,074	84,413	86,820	89,295	91,841
음식점	기본임대료	75,000	75,000	0	0	0	0
	시장임대료	0	$0	84,872	87,418	90,041	92,742
	영업비용 분담	6,650	6,840	0	0	0	0
	추가임대료	6,250	8,125	0	0	0	0
現공실1	임대료	80,000	80,000	80,000	0	0	0
	갱신 임대료	0	0	0	87,418	90,041	92,742
	영업비용 분담	6,650	6,840	7,034	0	0	0
現공실2	임대료	80,000	80,000	80,000	80,000	0	0
	갱신 임대료	0	0	0	0	90,041	92,742
	영업비용 분담	0	6,840	7,034	7,235	0	0
잠재총소득		$1,177,600	$1,189,915	$1,188,526	$1,195,066	$1,206,623	$1,227,849
공실: 現 공실공간		80,000	0	0	0	0	0
공실: 일반 공실		58,880	59,496	59,426	59,753	60,331	61,392
유효총소득		$1,038,720	$1,130,419	$1,129,100	$1,135,312	$1,146,292	1,166,457

(계속)

예 9-10A 영업으로 인한 현금흐름 예측: 웨스트게이트 쇼핑센터 사례(계속)

연차	1	2	3	4	5	6
임대수입						
관리비용	62,323	67,825	67,746	68,119	68,778	69,987
재산세	40,000	41,000	42,025	43,076	44,153	45,256
보험료	18,000	18,540	19,096	19,669	20,259	20,867
공용공간 관리비용	75,000	77,250	79,568	81,955	84,413	86,946
영업비용 합계	195,323	204,615	208,435	212,818	217,602	223,056
순 영업이익	$ 843,397	$ 925,804	$ 920,665	$ 922,494	$ 928,690	$ 943,401
TI: 現 공실공간	$ 50,000	$ 50,000	$ 0	$ 0	$ 0	
TI: 인라인 점포	0	0	26,523	27,318	28,138	
개보수 지원금(TI) 합계	$ 50,000	$ 50,000	$ 26,523	$ 27,318	$ 28,138	
임대수수료: 現 공실공간	$ 12,000	$ 12,000	$ 0	$ 0	$ 0	
임대수수료: 인라인 점포	0	0	10,185	10,490	10,805	
임대수수료 합계	$ 12,000	$ 12,000	$ 10,185	$ 10,490	$ 10,805	
영업으로 인한 현금흐름	$ 781,397	$ 863,804	$ 883,958	$ 884,686	$ 889,747	

* 시장임대료는 임대차계약 갱신에 적용된다.

예 9-10B
자산 재매각으로 인한 현금흐름 예측: 웨스트게이트 쇼핑센터 사례

자산 재매각으로 인한 현금흐름	
재매각가격	$8,984,768
매각비용	$ 269,543
순매각수입	$8,715,225

예 9-10B는 자산 재매각으로 인한 현금흐름을 나타내며, 예 9-11은 10.48%로 계산된 무차입 내부수익률을 보여준다.

할인률로서 10.48%를 사용하여, 예 9-12에서 보는 바와 같이 우리는 내부수익률을 분해할 수 있다. 이 표에 근거하면, 우리는 내부수익률의 약 38%가 영업으로 인한 현금흐름에서 발생하며, 62%가 자산 재매각으로 인한 현금흐름에서 발생함을 발견하게 된다.

예 9-11
내부수익률의 계산: 웨스트게이트 쇼핑센터 사례

연차	0	1	2	3	4	5
현금흐름 합계 :						
현금흐름	($8,5000,000)	$781,397	$863,804	$883,958	$884,686	$9,604,972
내부수익률	10.48%					

예 9-12
내부수익률의 분해: 웨스트게이트 쇼핑센터 사례

내부수익률의 분해:		
할인율로 사용된 내부수익률:		
현재가치(영업현금흐름)	$3,204,921	37.70%
현재가치(매각현금흐름)	5,295,079	62.30
현재가치 합계	$8,500,000	100.00%

웨스트게이트 쇼핑센터의 시나리오 분석

투자자는 또한 "비관적" 시나리오하에서 본인의 투자수익률이 어떻게 될는지 알고 싶을 수 있을 텐데, 이 시나리오를 구성하는 가정들은 아래와 같다:

- 기존 임차인의 계약갱신시점에 적용하게 될 시장임대료가 증가하지 않는다.
- (비율임대차를 적용하는) 음식점의 매출액이 증가하지 않는다.
- 임차인의 임대료 체납 가능성에 대비하여 일반 공실률을 5% 대신 10%로 설정한다.

주목할 점은 위의 가정들은 보유기간 말 자산의 재매각가격 역시 낮추게 되는데, 이는 자본화할 6년 차 순 영업이익이 낮아지기 때문이다.

예 9-13은 해당 시나리오의 분석결과를 보여준다. 내부수익률은 10.48%에서 7.33%로 하락하였다.

임대차 재계약의 위험

앞선 장들에서 그리고 이번 장의 웨스트게이트 쇼핑센터 사례에서, 우리는 현재 임대차계약이 종료되었을 때 기존 임차인 또는 신규 임차인이 어느 정도 임대료를 지불하려고 하는지에 대해서 가정을 세우고 접근하였다. 쉽게 말하면, 우리는 임대차계약 갱신시점에 무슨 일들이 발생하는지가 미리 확실하게 알려져 있다고 가정하는 것이다.

현실에서는 기존 임차인이 임대차계약을 갱신할 것인지 여부에 대해 불확실성이 존재한다. 어떤 임차인들은 갱신하겠으나 다른 이들은 퇴거할 것이다. 그 차이는 상당히 중요하다. 만약 기존 임차인이 계약을 갱신한다면, 임차인 퇴거로 말미암은 공실이 더 이상 발생하지 않을 것이며, 임대인은 임차인으로 하여금 계약 갱신을 유도하기 위하여 개보수 지원금을 지불할 필요가 없어질 것이다(왜냐면 그 공간은 이미 임차인의 공간수요를 충족하고 있다). 또한, 만약 임대차의 갱신을 위하여 중개인에게 지불해야 하는 수수료가 있다고 하더라도, 그 수수료율은 새로운 임차인을 찾기 위해 지불해야 하는 수수료율에 비하여 대개 낮은 편이다. 한편으로, 소유주는 (임차인 퇴거로 인해 발생하는) 이런 추가적인 비용과 공실 문제를 예방하기 위하여 기존 임차인에게 임대차계약을 갱신하도록 현재 시장임대료에서 할인된 임대료 수준을 자발적으로 제시할 수도 있다.

만약 기존 임차인이 계약을 갱신하지 않는다면, 그 공간을 임차하려는 새로운 임차인을 찾을 때까지 대개 수개월 동안 공실이 발생하게 될 것이다. 게다가, 새 임차인은 계약의 일환으로 임대인에게 개보수 지원금을 요구할 가능성이 높고, 중개인에게도 임대수수료를 지불해야 할 것이다.

7장에서 논의한 투자분석 또는 6장에서 검토한 수익용 부동산의 감정평가를 위해서 현금흐름 할인 분석을 수행하여 미래 현금흐름을 추산할 경우, 우리는 기존 임대차계약이 만료될 때 어떻게 될 것인지에 대해 가정을 세울 필요가 있다. 기존 임차인이 계약을 갱신할건지 그렇지 않을건지 알 도리가 없으므로, 실무에서 이 문제를 처리하는 방법 중 하나는 임대차계약 말의 **재계약확률**을 가정하는 것이다. 예를 들어서, 만약 재계약확률이 60%라고 한다면, 기존 임차인이 임대차계약을 갱신할 확률이 60%이고 새로운 임차인을 찾아야 할 확률이 40%라는 의미이다.

예 9-13 비관적 시나리오의 분석결과: 웨스트게이트 쇼핑센터 사례

	연차	1	2	3	4	5	6
	임대수입:						
약국	임대료	$ 300,000	$ 300,000	$ 300,000	$ 300,000	$ 300,000	$ 0
	갱신 임대료	0	0	0	0	0	300,000
	영업비용 분담	33,250	34,198	35,172	36,175	37,206	0
식료품	임대료	510,000	510,000	510,000	510,000	510,000	510,000
	갱신 임대료	0	0	0	0	0	0
	영업비용 분담	79,800	82,074	84,413	86,820	89,295	91,841
음식점	기본임대료	75,000	75,000	0	0	0	0
	갱신 임대료	0	0	80,000	80,000	80,000	80,000
	영업비용 분담	6,650	6,840	0	0	0	0
	추가임대료	6,250	6,250	0	0	0	0
現공실 1	임대료	80,000	80,000	80,000	0	0	0
	갱신 임대료	0	0	0	80,000	80,000	80,000
	영업비용 분담	6,650	6,840	7,034	0	0	0
現공실 2	임대료	80,000	80,000	80,000	80,000	0	0
	갱신 임대료	0	0	0	0	80,000	80,000
	영업비용 분담	0	6,840	7,034	7,235	0	0
	잠재총소득	$1,177,600	$1,188,040	$1,183,654	$1,180,229	$1,176,501	$1,141,841
	공실: 現 공실공간	80,000	0	0	0	0	0
	공실: 일반 공실	117,760	118,804	118,365	118,023	117,650	114,184
	유효총소득	$ 979,840	$1,069,236	$1,065,289	$1,062,206	$1,058,851	$1,027,657
	관리비용	58,790	64,154	63,917	63,732	63,531	61,659
	재산세	40,000	41,000	42,025	43,076	44,153	45,256
	보험료	18,000	18,540	19,096	19,669	20,259	20,867
	공용공간 관리비용	75,000	77,250	79,568	81,955	84,413	86,946
	영업비용 합계	191,790	200,944	204,606	208,432	212,356	214,728
	순 영업이익	$ 788,050	$ 868,292	$ 860,683	$ 853,775	$ 846,495	$ 812,929
	TI: 現 공실공간	50,000	50,000	0	0	0	
	TI: 인라인 점포	0	0	26,523	27,318	28,138	
	개보수 지원금(TI) 합계	$ 50,000	$ 50,000	$ 26,523	$27,138	$28,138	
	임대수수료: 現 공실공간	$ 12,000	$ 12,000	$0	$0	$0	
	임대수수료: 인라인 점포	0	0	9,600	9,600	9,600	
	임대수수료 합계	$ 12,000	$ 12,000	$ 9,600	$ 9,600	$ 9,600	
	영업으로 인한 현금흐름	$ 726,050	$ 806,292	$ 824,560	$ 816,857	$ 808,757	
	자산 재매각으로 인한 현금흐름						
	재매각가격					$7,742,180	
	매각비용					232,265	
	순매각수입					$7,509,915	
	연차	**0**	**1**	**2**	**3**	**4**	**5**
	현금흐름 합계						
	현금흐름	($8,500,000)	$ 726,050	$ 806,292	$ 824,560	$ 816,857	$8,318,672
	내부수익률	7.33%					

재계약확률을 활용한 임대차지표의 가정

대부분의 임대차계약은 현금흐름 할인분석에서 설정하는 보유기간 안에 종료되기 때문에, 몇몇 임대차 계약은 위에 언급한 대로 (재계약확률을 활용하여) 전망하게 된다. 한 건물 내 여러 유형의 공간에 대해서 (시장자료에 근거한) 일련의 전망치들을 선택하여 이 문제를 해결하는 것이 전형적이다. 이러한 전망치들을 **시장 임대차지표에 대한 가정**이라고 부른다. 앞선 장들에서 보았던 것처럼 시장전망을 아주 단순하게 할 수도 있다. 즉, 재계약확률은 100%라는 가정이 그것이다.

보다 복잡한 분석에서는 시장 임대차지표는 통상 신규 임차인과 갱신 임차인으로 구분한 다양한 시장임대료, 기존 임차인이 재계약에 서명하게 될 가능성을 반영한 재계약확률, 기존 임차인이 임대차를 갱신하지 않는다면 새 임차인을 찾기까지 소요되는 공실월수, 기존 또는 신규 임대차계약 체결을 위한 임대수수료 그리고 기존 및 신규 임대차계약을 위한 임대인의 임차인에 대한 개보수 지원금액 등에 대한 가정치를 포함하게 된다. 전체 자산에 대하여 하나의 시장 임대차지표 가정을 적용하기도 하고 한 집단의 임대차계약들에 대해서 또는 개별 임대차계약마다 각기 다른 시장 임대차 가정들을 적용하기도 한다.

단 하나의 시장 임대차 가정을 사용하는 방법은 모든 임대공간이 비교적 유사한 단순 오피스빌딩은 충족시킬 수 있을지 모른다. 하지만, 보다 복잡한 판매시설은 복수의 시장 임대차 가정들을 필요로 한다. 예를 들면, 커뮤니티 쇼핑센터는 대형 공간 임차인, 중형 공간 임차인 그리고 소형 공간 임차인 등으로 나누어서 각각 다른 시장 임대차 가정을 필요로 한다. (분석자가 어느 임대차계약이 독특하다고 느낀다거나 또는 분석자가 계약기간 말에 임차인의 갱신 또는 퇴거 가능성을 추산하는 데 훨씬 좋은 아이디어가 있어서) 특정 임대차계약에는 별도의 임대차 가정을 부여하는 경우에도, 단일 임대차계약에 여러 가지 다른 가정들을 설정하는 것은 상당히 이례적이라 할 수 있다.

시장임대료: 재계약확률에 의한 가중평균

재계약 가능성이 100%보다 작고 신규 임차인과 갱신 임차인 사이에 시장임대료의 차이가 존재할 경우, 양자를 함축적으로 반영하는 예상임대료는 두 임대료의 가중평균이 될 것이다. 예를 들어서, 재계약확률이 60%이고 신규 임차인에 대한 시장임대료가 $18인 반면, 기존 임차인의 갱신 임대료는 $17라고 가정해 보자. 임대차계약이 종료되는 시점에 함축적인 시장임대료는 $17.40가 될 것이다.

$$(.60 \times \$17) + (.40 \times \$18) = \$17.40$$

공실월수

임대차기간이 만료되었으나 재계약이 이루어지지 않을 경우, 대개 건축물 주인은 새로운 임차인을 찾을 때까지 어느 정도 임대중단의 고통을 겪게 되고, 따라서 일정 기간 공실을 경험하게 될 것이다. 이러한 공실을 종종 **이주공실**(turnover vacancy)이라고 부른다. 재계약확률로 100%를 선택하게 되면 예상되는 공실월수는 0이다. 재계약확률이 100%보다 작은 경우 암묵적인 **공실월수**는 [(1 − 재계약확률) × 공실기간 입력치]와 같을 것이다. 예를 들어서, 만약 재계약확률이 60%이고 임차인이 임대차계약을 갱신하지 않을 경우 공실기간이 10개월이 된다고 하면, 공실월수는 4개월이 된다.

$$10 \times (1 - .60) = 4\text{개월 공실}$$

일반적으로 계산값은 가장 가까운 정수로 반올림하면 된다.

임대수수료율

앞에서 논의한 것처럼, 임대수수료율은 신규 임차인보다는 기존 임차인의 갱신의 경우 더 낮을 수 있다. 재계약 가능성이 100%보다 작고 신규 임차인과 갱신 임차인 사이에 임대수수료율의 차이가 존재할 경우, 양자를 함축적으로 반영하는 임대수수료율은 두 수수료율의 가중평균이다. 예를 들어서, 만약 재계약확률이 60%이고 임대수수료율이 신규 임차인에게는 5%, 갱신 임차인에게는 3%가 적용된다고 하면, 암묵적인 임대수수료율은 3.8%가 된다.

$$(.60 \times 3\%) + (.40 \times 5\%) = 3.80\%$$

개보수 지원금 *Tenant Improvements*

위에서 설명한 바대로, 임대인의 임차인에 대한 개보수 지원금 비율은 신규 임대차와 갱신 임대차에 따라 달라질 수 있다. 재계약 가능성이 100%보다 작고 신규 임차인과 갱신 임차인 사이에 개보수 지원금 비율의 차이가 존재할 경우, 양자를 함축적으로 반영하는 개보수 지원금률은 두 지원금 비율의 가중평균이다. 예를 들어서, 만약 재계약확률이 60%이고 평방피트당 개보수 지원금이 신규 임차인에게는 $20, 갱신 임차인에게는 $5를 지불한다고 하면, 함축적인 평당피트당 개보수 지원금은 $11가 된다.

$$(.60 \times \$5) + (.40 \times \$20) = \$11.00$$

산업부동산 사례연구—워딩턴 유통센터 *Worthington Distribution Center*

현재 분석하는 워딩턴 유통센터는 14만 평방피트(13,006 m^2) 규모이다. 기본가정은 5년 보유기간 후 매각하는 것인데, 매각가격은 6년 차 순 영업이익에 보유기간 말 자본환원율 9.75%를 적용하여 산출한다. 매각비용은 자산 재매각가격의 5%가 될 것이다. 향후 5년간 물가상승률은 연 3%로 추산된다. 현재 센터에는 3명의 임차인들이 거주하고 있다.

첫 번째 임차인은 전자회사로 5만 평방피트(4,645 m^2)를 임차하고 있다. 현재 임대차계약의 잔여기간은 3년이고, (일체의 영업비용 분담 없이) 평방피트당 $6를 임대료로 지불하고 있다. 동 회사는 일찌감치 임대차계약 종료시점에 시장임대료로 재계약할 의사를 표시하였다.

두 번째 임차인은 42,500평방피트(3,948 m^2)를 임차하여 사용하는 간판회사로서, 계약상 잔여기간은 2년이고, (일체의 영업비용 분담 없이) 평방피트당 $6.5를 임대료로 지불한다. 이 임차인은 계약종료시점에 퇴거할 것으로 예상된다.

세 번째 임차인은 컴퓨터 유통회사로 47,500평방피트(4,413 m^2)를 사용하고 있다. 이 회사는 계약상 잔여기간을 4년 남겨두고 있고, (일체의 영업비용 분담 없이) 평방피트당 $5.75를 임대료로 지불하고 있다. 현 시점에서 동 회사가 계약종료시점에 재계약을 할건지 또는 하지 않을건지 불확실하다. 재계약확률은 70%로 추정된다.

현재 시장임대료는 신규 임차인은 평방피트당 $7로, 갱신 임차인은 평방피트당 $6.5로 형성된다. 양

자 모두 임차인의 영업비용 분담이 없는 조건이다. 시장임대료는 임대차계약 종료시점까지 매년 3%씩 증가할 것으로 예측된다. 신규이건 갱신이건 새로 체결하는 계약의 계약기간은 통상 5년이다. 임차인 개보수 지원금은 신규 임대차계약은 $5, 갱신 임대차계약은 $2이다.

임대수수료는 신규 임차인은 3%를, 갱신 임차인은 1%를 자산관리회사에 지불한다. 기존 임차인이 재계약을 하지 않을 경우, 새 임차인이 임대료를 다시 지불할 때까지 임대가 중단되는 기간은 10개월로 예상된다.

자산 운영과 관련하여 발생하는 영업비용과 자본적 지출은 아래와 같을 것으로 예측되었다.

부동산 재산세는 운영 첫해 $23,000이고, 매해 2.5%씩 증가한다.
보험료는 운영 첫해 평방피트당 $.15이고, 매해 4.0%씩 증가한다.
공동구역관리비는 평방피트당 $.20를 부과하고, 매해 3%씩 증가한다.
관리비용은 유효총소득(EGI)의 5%로 자산관리회사에 지불한다.
지붕 수선비용은 운영 1년 차에 $45,000가 발생한다.

(세전 기준) 무차입 할인율 10.5%를 적용할 때, 상기 자산의 가치는 얼마이겠는가?

예 9-14는 위에 언급한 프로젝트 개요 중에서 일부 주요 가정을 요약하여 제시한다. 임차인 1은 재계약할 것이 확실하고 임차인 2는 퇴거할 것이 확실한 반면, 임차인 3은 시장 임대차 가정에 기초한 재계약확률을 사용할 것을 가정하였다는 점에 주목하자.

예 9-15는 재계약확률에 의해 신규 및 갱신비율을 가중치로 부여하여 산출한 공실월수, 시장임대료, 임대수수료, 개보수 지원금을 정리하고 있다. 주목할 점은 가중평균의 결과값은 분석의 첫 번째 연도에만 적용된다는 것이다. 이 수치들은 물가상승률 가정에 따라 시간이 경과할수록 상승할 것이다.

예 9-16은 워딩턴 유통센터의 영업으로 인한 현금흐름의 예측을 보여준다. 각 임차인에 대해서 현재 임대차계약상 임대료와 임대차계약시점의 신규 갱신 임대료를 추산하고 있다. 이주공실은 퇴거가 확실

예 9-14
주요 가정: 워딩턴 물류센터 (Worthington Distribution Center)

건물명		워딩턴 물류센터	
주소			
도시		어느 곳이든	
국가		미국	
연면적		140,000 ft^2 (13,006 m^2)	
분석기준시점		2000년 06월 01일	
보유기간		5년	
할인율		10.50%	
보유기간 말 자본수익률		9.75%	
매각비용		3.00%	
입력값	**임차인 1**	**임차인 2**	**임차인 3**
임차인 명칭	전자회사	간판회사	컴퓨터 유통회사
임대면적	50,000	42,500	47,500
임대료($)/평방피트	$6.00	$6.50	$5.75
임차기간(년)	3	2	4
종료시점 재계약	갱신	퇴거	시장상황에 따라 가변적

예 9-15
시장 임대차지표에 대한 가정: 워딩턴 물류센터

	임대기간	재계약확률	공실월수	시장임대료	임대수수료	개보수 지원금
신규 임차인	5	70.0%	10	$7.00	3.00%	$5.00
갱신 임차인			0	6.50	1.00	2.00
가중평균			3	6.65	1.60	2.90

예 9-16 영업으로 인한 현금흐름의 추정: 워딩턴 물류센터

연차		1년	2년	3년	4년	5년	6년
임대수입:							
전자회사	임대료	$300,000	$300,000	$300,000	$ 0	$ 0	$ 0
	시장임대료	0	0	0	355,136	355,136	355,136
간판회사	임대료	276,250	276,250	0	0	0	0
	시장임대료	0	0	315,618	315,618	315,618	315,618
컴퓨터	임대료	273,125	$273,125	273,125	273,125	0	$0
유통회사	시장임대료	0	0	0	0	355,520	355,520
잠재총소득		$849,375	$849,375	$888,743	$943,879	$1,026,274	$1,026,274
이주공실		0	0	263,015	0	88,880	0
유효총소득		$849,375	$849,375	$625,728	$943,879	$ 937,394	$1,026,274
영업비용:							
관리비용		$ 42,469	$ 42,469	$ 31,286	$ 47,194	$ 46,870	$ 51,314
재산세		23,000	23,575	24,164	24,768	25,388	26,022
보험료		21,000	21,840	22,714	23,622	24,567	25,550
공용공간 관리비용		28,000	28,840	29,705	30,596	31,514	32,460
영업비용 합계		$114,469	$116,724	$107,870	$126,181	$ 128,339	$ 135,345
현금흐름:							
순 영업이익		$734,906	$732,651	$517,858	$817,698	$809,055	$ 890,929
임차인 개보수 지원금		0	0	225,441	109,273	155,039	
임대수수료		0	0	47,343	17,757	28,442	
개보수지원금 · 임대수수료 합계		0	0	272,784	127,030	183,480	
자본적 지출		45,000	0	0	0	0	
현금흐름:		$689,906	$732,651	$245,074	$690,669	$625,575	
현가할인계수		0.90498	0.81898	0.74116	0.67073	0.60700	
현재가치(영업현금흐름)		$624,350	$600,030	$181,640	$463,256	$379,724	

한 임차인 2의 공실과 임차인 3이 재계약하지 않을 30%의 확률을 반영하고 있다.

현금흐름을 계산하기 위해서는 순 영업이익에서 임차인 개보수 지원금, 임대수수료 및 지붕 교체 관련 자본적 지출을 차감해야 한다는 것에 주목하기 바란다.

끝으로 예 9-17은 자산 재매각으로 인한 현금흐름과 자산가치의 계산과정을 보여준다. 재매각가격은 6년 차 순 영업이익에 보유기간 말 자본환원율을 적용하여 산출하였고, 여기에 매각비용을 차감하면 순 매각수입은 $8,863,598에 이르게 된다. 투자자산의 가치는 영업현금흐름의 현재가치의 합과 매각현금흐름의 현재가치를 합산하면 계산할 수 있다. 자산가치는 $7,629,201로 추정된다.

예 9-17
자산 재매각으로 인한 현금흐름과 자산가치의 추정: 워딩턴 물류센터

재매각가격 산정:		자산가치:	
재매각가격	$9,137,730	현재가치(순매각수입)	$5,380,203
매각비용	274,132	현재가치(Σ 영업현금흐름)	2,248,999
순매각수입	$8,863,598	자산가치	$7,629,201
현가할인계수	0.60700		
현재가치(순매각수입)	$5,380,203		

투자위험과 부채의 차입

앞에서 논의한 것처럼, 재무위험이란 재무적 부채를 차입함으로 인하여 발생하는 투자위험의 한 유형이다. 재무적으로 차입금을 사용하는 것은 자기자본투자자의 수익률이 얼마나 될 것인지에 대하여 불확실성을 증가시킨다. 재무적 차입이 어떻게 기대수익률과 (수익률의) 표준편차에 영향을 미치는지를 사례를 통하여 설명하기로 한다.

어느 투자자산을 $100,000에 구매 가능하고 초기연도 순 영업이익은 $9,000라고 가정하자. 5년 보유기간 후, 6년 차 순 영업이익에 보유기간 말 자본환원율 10.0%를 적용하여 매각할 것을 가정하고 있다. 투자대안에 대해 다음과 같이 3개의 실현 가능한 시나리오들을 마련하였다.

시나리오	순 영업이익 증가율	확률(P)
비관적	−3.00%	30%
가장 실현 가능한	0.00	50
낙관적	3.00	20

예 9-18은 각 시나리오별 무차입 기준 내부수익률을 보여준다. 수익률의 범위는 4.33%에서 10.21% 사이에 형성된다. 예 9-19는 기대수익률이 6.98%이고 수익률의 표준편차는 2.06%임을 보여준다.

이제 투자자가 인수대금의 70% ($70,000)를 금리 6%, 25년 만기, 매년상각조건으로 차입한다고 가정해 보자. 예 9-20은 차입 시 내부수익률을 보여준다.

이제 수익률의 범위는 −.45%에서 18.59%까지로 넓어진다. 비관적 시나리오에 대응하는 무차입수익률이 4.33%였다는 것을 상기하기 바란다. 대출이자율이 6%이기 때문에, 비관적 시나리오에서는 부의 레버리지(negative leverage)가 발생하는 것이다. (바로 이전 장에서 무차입수익률이 타인자본의 조달비용보다 작을 경우 바람직하지 못한 레버리지가 발생한다고 설명했던 것을 상기하기 바란다.) 따라서, 이 시나리오에서는 차입수익률이 무차입수익률보다 낮게 나타난다.

가장 실현 가능한 시나리오에서는 무차입수익률이 7.27%였다. 따라서, (무차입수익률 7.22%가 대출이자율 6%보다 높기 때문에) 레버리지가 미약한 양의 효과를 나타내는데, 이 시나리오에서 차입수익률은 10.22%로 높아진다.

낙관적인 시나리오에서 무차입수익률은 10.21%였다. 이 시나리오에서는 타인자본의 차입이 보다 강한 정의 레버리지를 가져오는데, 차입수익률이 18.59%로 급등하게 된다.

우리는 또한 차입수익률의 기대수익률과 표준편차를 계산할 수 있는데, 예 9-21은 그 결과를 보여주고 있다.

예 9-18
각 시나리오별 무차입수익률의 계산

비관적 시나리오							
연차	**0**	**1**	**2**	**3**	**4**	**5**	**6**
인수금액	−100,000						
순 영업이익		9,000	8,730	8,468	8,214	7,968	7,729
재매각가격						77,286	
현금흐름 합계	−100,000	9,000	8,730	8,468	8,214	85,254	
내부수익률	4.33%						
가장 실현 가능한 시나리오							
연차	**0**	**1**	**2**	**3**	**4**	**5**	**6**
인수금액	−100,000						
순 영업이익		9,000	9,000	9,000	9,000	9,000	9,000
재매각가격						90000	
현금흐름 합계	−100,000	9,000	9,000	9,000	9,000	99000	
내부수익률	7.27%						
낙관적 시나리오							
연차	**0**	**1**	**2**	**3**	**4**	**5**	**6**
인수금액	−100,000						
순 영업이익		9,000	9,270	9,548	9,835	10,130	10,433
재매각가격						104,335	
현금흐름 합계	−100,000	9,000	9,270	9,548	9,835	114,464	
내부수익률	10.21%						

예 9-19
무차입수익률의 기대수익률과 표준편차

시나리오	수익률	확률	수익률 × 확률	수익률 − 기대수익률	확률 × (수익률 − 기대수익률)^2
비관적	4.33%	30%	1.30%	−2.64%	0.0210%
가장 실현 가능한	7.27	50	3.64	0.29	0.0004
낙관적	10.21	20	2.04	3.23	0.0209
		기대수익률	**6.98%**		
		분산	**0.04%**		
		표준편차	**2.06%**		

차입수익률의 기대수익률은 8.69%이고, 이 수치는 무차입수익률의 기대수익률보다 높다. 이는 무차입수익률의 기대수익률 6.98%가 대출이자율 6%보다 높기 때문이다. 8장에서 논의했던 레버리지가 기대수익률 산출에도 그대로 적용된다는 사실에 주목할 필요가 있다. 즉, **무차입수익률의 기대수익률이 타인자본의 비용을 초과한다면, 차입수익률의 기대수익률은 높아지게 될 것이다.**

또한, 예 9-21에서 차입수익률의 표준편차(6.77%)는 무차입수익률의 표준편차(2.06%)보다 대단히 높다는 사실에 주목해야 한다. 이는 부채를 사용함에 따라서 수익률의 변동성이 증가하기 때문이다. 비관적 시나리오의 수익률은 그 수치가 더 나빠지는 반면, 낙관적 시나리오의 수익률은 그 수치가 더 좋아지게 된다.

한편으로, 레버리지가 정이건 부이건 간에 차입수익률의 투자위험, 즉 표준편차는 무차입수익률의

예 9-20
각 시나리오별 차입 수익률

비관적 시나리오

연차	0	1	2	3	4	5	6
인수금액	−100,000						
대출금액	70,000						
순 영업이익		9,000	8,730	8,468	8,214	7,968	7,729
부채서비스		−5,476	−5,476	−5,476	−5,476	−5,476	
재매각가격						77,286	
대출잔액						−62,808	
현금흐름 합계	−30,000	3,524	3,254	2,992	2,738	16,970	
내부수익률	−0.45%						

가장 실현 가능한 시나리오

연차	0	1	2	3	4	5	6
인수금액	−100,000						
대출금액	70,000						
순 영업이익		9,000	9,000	9,000	9,000	9,000	9,000
부채서비스		−5,476	−5,476	−5,476	−5,476	−5,476	
재매각가격						90,000	
대출잔액						−62,808	
현금흐름 합계	−30,000	3,524	3,524	3,524	3,524	30,716	
내부수익률	10.22%						

낙관적 시나리오

연차	0	1	2	3	4	5	6
인수금액	−100,000						
대출금액	70,000						
순 영업이익		9,000	9,270	9,548	9,835	10,130	10,433
부채서비스		−5,476	−5,476	−5,476	−5,476	−5,476	
재매각가격						104,335	
대출잔액						−62,808	
현금흐름 합계	−30,000	3,524	3,794	4,072	4,359	46,181	
내부수익률	18.59%						

예 9-21
차입수익률의 기대 수익률과 표준편차

시나리오	수익률	확률	수익률 × 확률	수익률 − 기대수익률	확률 × (수익률 − 기대수익률)^2
비관적	−0.45%	30%	−0.13%	−9.14%	.25%
가장 실현 가능한	10.22	50	5.11	1.53	.01
낙관적	18.59	20	3.72	9.90	.20
		기대수익률	**8.69%**		
		분산	**0.49%**		
		표준편차	**6.77%**		

표준편차보다 항상 높다는 사실은 주목할 만한 중요성을 가진다. 다시 말해서, 설령 기대수익률만 보아서는 부의 레버리지이지만, 차입수익률의 표준편차가 아직 무차입수익률의 표준편차보다 훨씬 높다는 것이다[역자주: 평균이 낮더라도 표준편차가 크므로 경기상황이 낙관적일 때 실현수익률이 높은 수준일 수 있다는 의미이다].

몬테카를로 시뮬레이션

이전 절에서는 시나리오를 사용하여 위험분석을 설명했고 순 영업이익 증가율에 대한 세 가지(비관적, 가장 실현 가능한, 낙관적) 가능한 결과가 있다고 가정했다: 확률분포를 사용하여 비관적과 낙관적 사이의 가능한 결과 범위를 허용해 위험분석을 확장한다.

몬테카를로 시뮬레이션은 다양한 결과에 영향을 미칠 수 있는 순 영업이익 증가율과 같은 하나 이상의 입력에 대해 확률분포를 지정할 수 있는 위험분석 기술이다. 가능한 결과는 확률분포의 모양에 따라 다르다. 예를 들어, 독자들은 분포의 평균과 표준편차로 설명할 수 있는 정규 확률분포에 익숙할 것이다. 평균 순 영업이익 증가율이 3%이고 표준편차가 1%라면, 이는 순 영업이익 증가율의 약 68%가 1 표준편차 내에 있거나 2%에서 4%의 범위에 있음을 의미한다. 또한 약 순 영업이익 증가율의 95%가 2 표준편차 내에 있거나 1%에서 5% 사이에 있음을 나타낸다.

다양한 형태와 매개변수를 가진 다양한 유형의 확률분포가 존재하며, 비교적 설명하기 쉬운 것은 삼각분포이다. 삼각분포는 삼각형의 꼭짓점을 형성하는 세 가지 매개변수로 지정할 수 있다. 이러한 매개변수는 순 영업이익 증가율과 같은 입력에 대해 비관적, 가장 실현 가능한, 낙관적으로 설정할 수 있다(예 9-22).

이등변 삼각형처럼 분포의 모양이 대칭일 필요 없다. 예에 설명된 확률분포로 표시된 것처럼 가장 실현 가능한 값과 비관적인 값 사이보다 가장 실현 가능한 값과 낙관적인 값 사이에 있을 확률이 더 높을 수 있기 때문이다.

분포의 매개변수가 지정되면 분포를 사용하여 위의 예에서 순 영업이익 증가율과 같은 입력값을 얻을 수 있다. 이것은 난수를 사용하며 0과 1 사이의 난수는 순 영업이익 증가율에 대한 삼각형 분포의 값을 도출한다. 예에 있는 것과 같은 분포를 사용하면 가장 실현 가능한 값과 낙관적인 값 사이에서 더 많은 값이 선택되는 경향이 있다.

0과 1 사이의 난수(RN)의 경우 삼각분포의 값(X)은 다음과 같다.

예 9-22
삼각분포

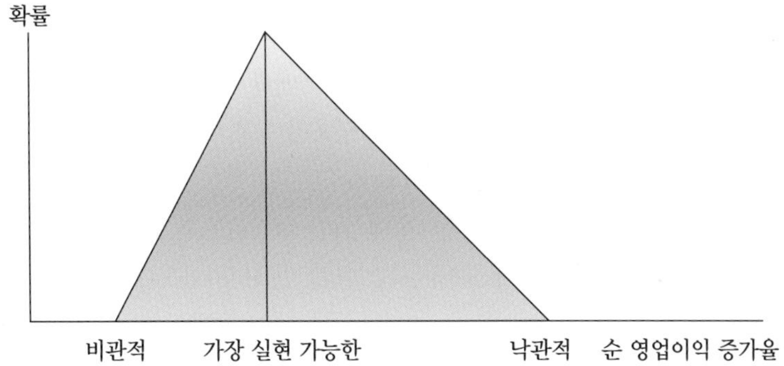

$X = P + SQRT\{RN \times (O - P) \times (M - P)\}$ IF $RN < (O - P) / (M - P)$

and

$X = O - SQRT\{(1 - RN) \times (O - P) \times (O - M)\}$ IF $RN >= (O - P) / (M - P)$

where

P = Pessimistic value(비관적인 값)

M = Most likely value(가장 실현 가능한 값)

O = Optimistic value(낙관적인 값)

예를 들어, 비관적인 순 영업이익 증가율이 1%이고, 가장 실현 가능한 순 영업이익 증가율이 3%이고, 낙관적인 순 영업이익 증가율이 4%라고 가정해 보자. 0과 1 사이의 난수의 균등 분포에서 0.5의 난수가 선택되면 순 영업이익 증가율의 값은 무엇인가?

이 난수를 바탕으로 적용되는 공식은 다음과 같다.

$X = P + SQRT\ (RN \times (O - P) \times (M - P)$

$X = 1\% + SQRT\ \{(0.5 \times (4\% - 1\%) \times (3\% - 1\%)\}$

$X = 1\% + SQRT\ (3\%) = 2.73\%$

다음은 두 번째 난수가 0.75라고 가정하면 공식은 다음과 같다.

$X = O - SQRT\ \{(1 - RN) \times (O - P) \times (O - M)\}$

$X = 4\% - SQRT\ \{(1 - 0.75) \times (4\% - 1\%) \times (4\% - 3\%)\}$

$X = 4\% - SQRT\ (3\%) = 3.25\%$

난수를 생성할 때마다 해당 순 영업이익 증가율을 알 수 있으며, 다른 증가율을 얻을 확률은 삼각분포의 모양에 따라 결정된다. 순 영업이익 증가율은 이전 절에서 했던 것처럼 시나리오를 사용하여 수익률 계산을 위한 입력값 중 하나가 될 수 있다. 그러나 이제 세 가지 수익률을 얻는 세 가지 시나리오 대신 난수를 사용할 때마다 수익률을 얻을 수 있다. 몬테카를로 시뮬레이션의 일반적인 응용 프로그램은 이 프로세스를 1,000번 반복하여 1,000개의 수익률을 얻을 수 있으며, 이를 통해 발생하는 수익의 분포와 해당 수익의 기대수익 및 표준편차에 대한 이해를 돕는다. 몬테카를로 시뮬레이션 단계에 대한 요약은 예 9-23에 나타나 있다.

예

초기 순 영업이익이 $9,000인 부동산을 $100,000에 구매할 수 있다고 가정해 보자. 5년 후에는 6년째 순 영업이익에 10%의 보유기간 말 자본환원율을 적용하여 판매될 것이다. 순 영업이익 증가율은 불확실하므로 비관적 순 영업이익 증가율은 1%이고 가장 실현 가능한 증가율은 3%이고 낙관적 증가율은 연간 4%라고 가정해 보자. 순 영업이익 증가율에 대한 삼각분포를 사용하여 몬테카를로 시뮬레이션에 적용하면 1,000개의 증가율과 1,000개의 내부수익률을 얻을 수 있으며, 이 책과 함께 제공되는 엑셀 스프레드시트에 있다.

예 9-23
몬테카를로 시뮬레이션

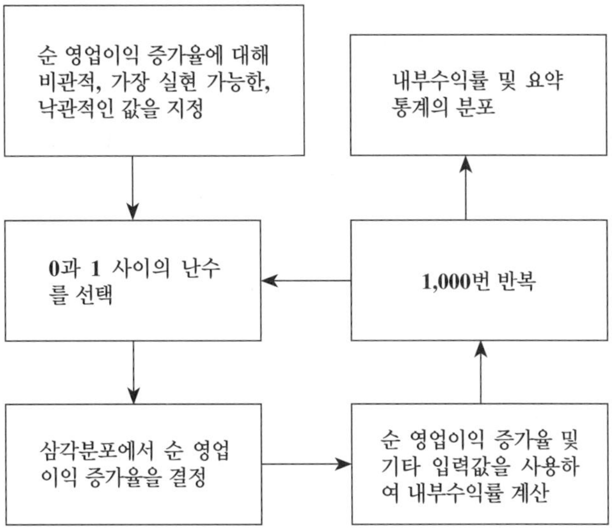

예 9-24는 선택된 난수에 따라 순 영업이익 증가율의 분포를 보여주며, 예 9-25는 1,000개의 순 영업이익 증가율 각각을 사용하여 산출된 내부수익률의 분포를 보여준다.

1,000개의 내부수익률을 사용하여 요약 통계를 산출할 수도 있다. 이 경우 다음과 같은 요약 통계 결과가 나타난다.

평균 내부수익률 9.87%
내부수익률의 표준편차 0.62%
최소 내부수익률 7.27%
최대 내부수익률 11.15%

예는 또한 내부수익률 분포는 더 높은 내부수익률 값일수록 치우쳐 있음을 보여준다. 이는 순 영업이익 증가율 분포에 대한 가정이 더 높은 증가율 쪽으로 치우친 결과이다.

예 9-24
순 영업이익 증가율의 분포

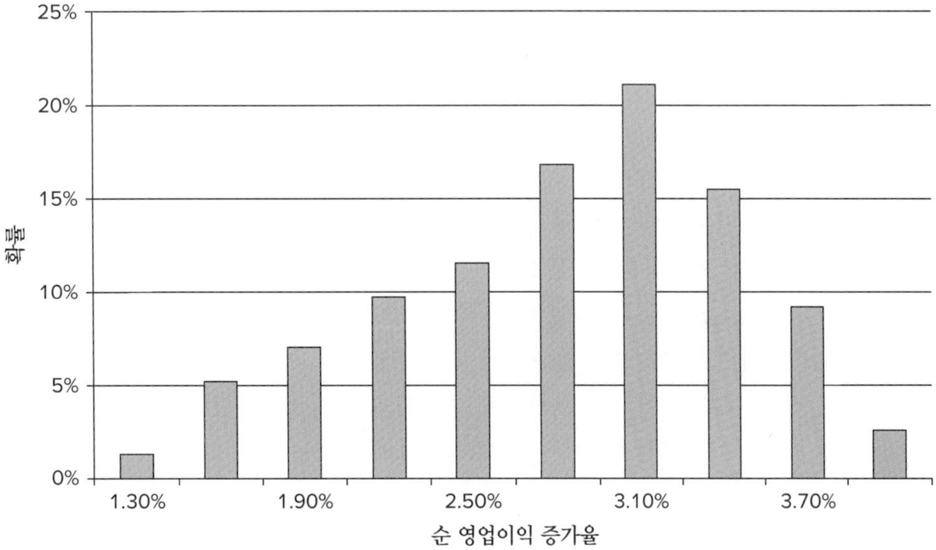

예 9-25
내부수익률의 분포

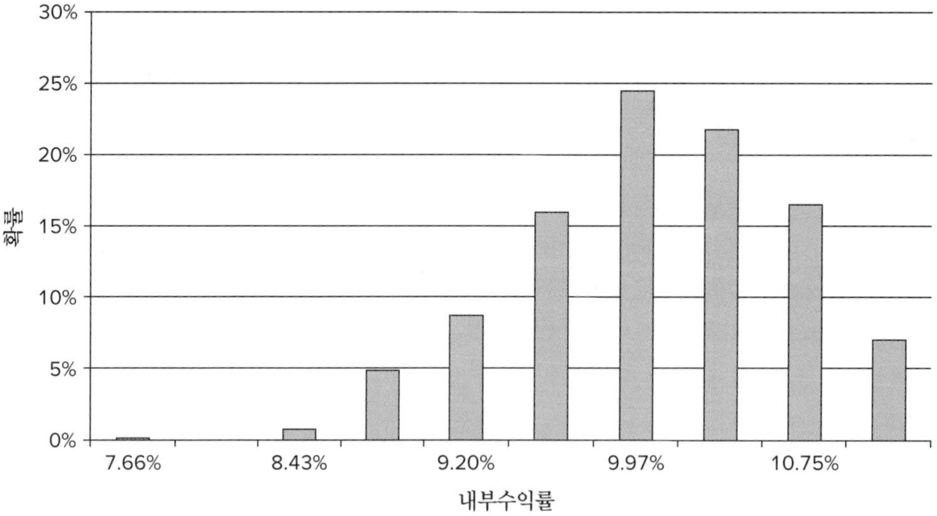

몬테카를로 시뮬레이션의 확장

이전 논의에서는 위험분석을 위한 수단으로서 몬테카를로 시뮬레이션에 대한 간략한 소개를 제공했으며, 이 예에는 순 영업이익 증가율이라는 하나의 확률적 변수만 있었다. 하지만, 상위 모델에는 여러 확률적 변수가 있을 수 있다. 예를 들어, 보유기간 말 자본환원율과 순 영업이익 증가율은 둘 다 불확실할 수 있고 각각의 확률분포를 가질 수 있다. 또한, 확률적 변수가 두 개 이상이면 둘 사이의 상관관계도 고려해야 한다. 예를 들어, 특정 시뮬레이션에서 순 영업이익 증가율이 낮으면, 전매 후에 적은 순 영업이익 증가율이 예상될 수 있으므로 보유기간 말 자본환원율이 높을 가능성이 있다. 몬테카를로 시뮬레이션을 위해 설계된 소프트웨어는 이러한 상관관계를 지정할 수 있을 뿐만 아니라 각 입력값에서 선택할 수 있는 많고 다양한 확률분포를 가능케 한다.

몬테카를로 시뮬레이션은 하나 이상의 입력이 비대칭이거나 분석에 옵션과 같은 특성이 있는 경우 정보를 제공하는 데 특히 유용하다. 예를 들어, 대출기관에 부정적인 참여 없이 순 영업이익 증가율을 제공하는 참여 대출은 순 영업이익이나 가치를 하락시킨다. 참여 대출의 이러한 콜 옵션과 같은 특성은 차입자와 투자자 모두에게 위험과 수익에 상당한 영향을 미칠 수 있다.

참여 예시

초기 NOI가 $90,000인 부동산을 $1,000,000에 사들였으며 5년 후에는 6년째 순 영업이익에 9%의 보유기간 말 자본환원율을 적용하여 판매될 것이다. $90,000를 초과하는 순 영업이익 증가분의 50%와 가치 증가분의 50%에 참여하는 8% 이자율의 참여 대출이 있다. 또한, 분석자는 비관적 순 영업이익 증가율은 –2%, 가장 실현 가능한 순 영업이익 증가율은 0%, 낙관적 순 영업이익 증가율은 4%라고 평가했다. 그렇다면, 이 매개변수를 사용하여 순 영업이익 증가율에 대한 삼각분포를 얻으면 투자자와 대출기관 모두에 대한 수익 분포를 산출할 수 있다. (이 예제에 대한 몬테카를로 시뮬레이션이 포함된 워크시트는 책과 함께 제공되는 엑셀 스프레드시트에 있다.)

패널 A부터 C까지의 예 9-26, 예 9-27, 예 9-28은 결과가 어떤지 보여준다. 특히 흥미로운 점은 참여 대출을 한 대출기관에 대한 수익 분포이다. 수익률이 8% 미만이 될 수 없다는 점이며(채무불이행이 없다고 가정), 특정 시나리오에서 참여 대출이 시작되면 수익률이 더 높을 가능성이 있다. 이 경우 고정 대출 금리가 8%라고 해도 대출기관의 내부수익률은 10.48%까지 올라갈 수 있다. (난수에 따라 결과가 약간 다를 수 있다.)

이 예제는 다른 금융 구조로 인해 비대칭 분포가 있는 경우 지분투자자와 대출기관의 위험 및 수익 프로필이 얼마나 다를 수 있는지 보여주며, 세 가지 시나리오에 대한 수익을 아는 것만으로는 가능하지 않다는 점을 알려준다. 이제 각 시뮬레이션에서 하나씩 나오는 1,000개 이상의 시나리오가 미치는 영향을 알 수 있을 것이다.

예 9-26
순 영업이익 증가율 분포

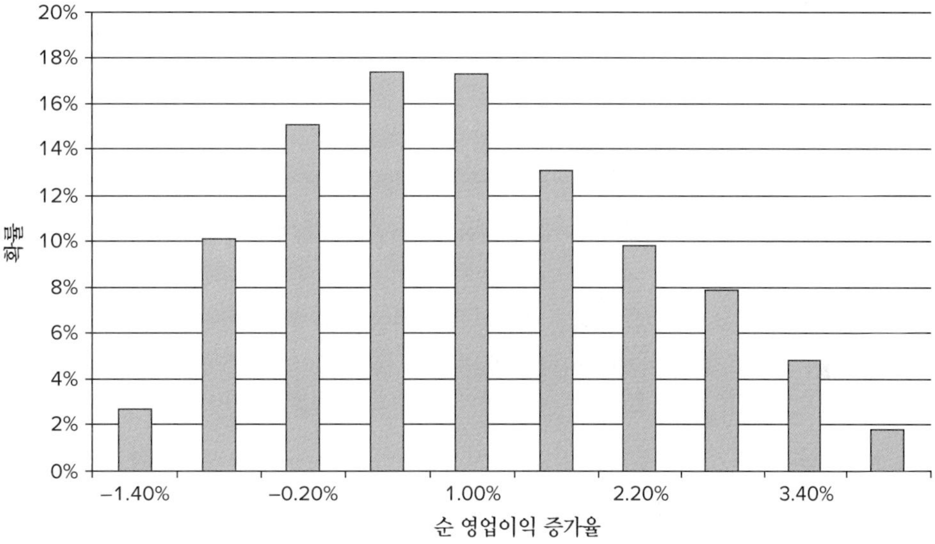

예 9-27
투자자의 레버리지 내부수익률

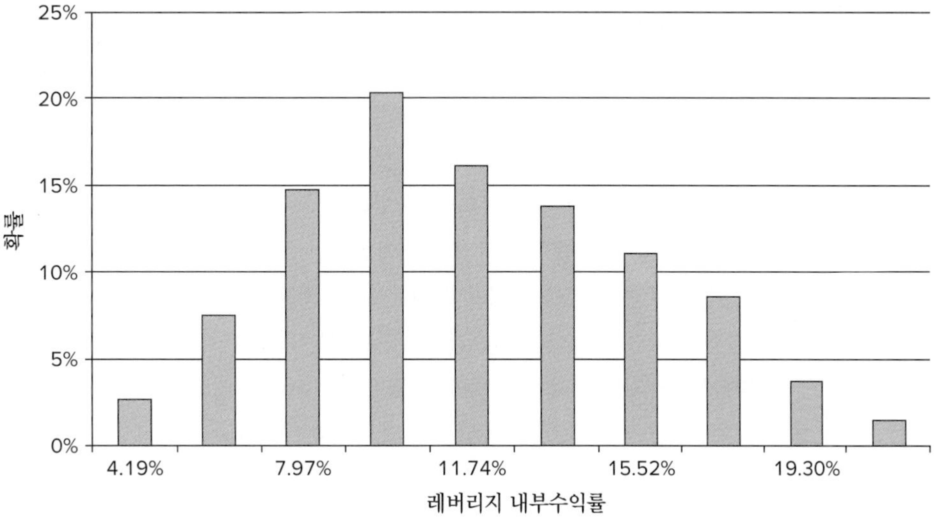

예 9-28
참여 대출기관의 내부수익률 분포

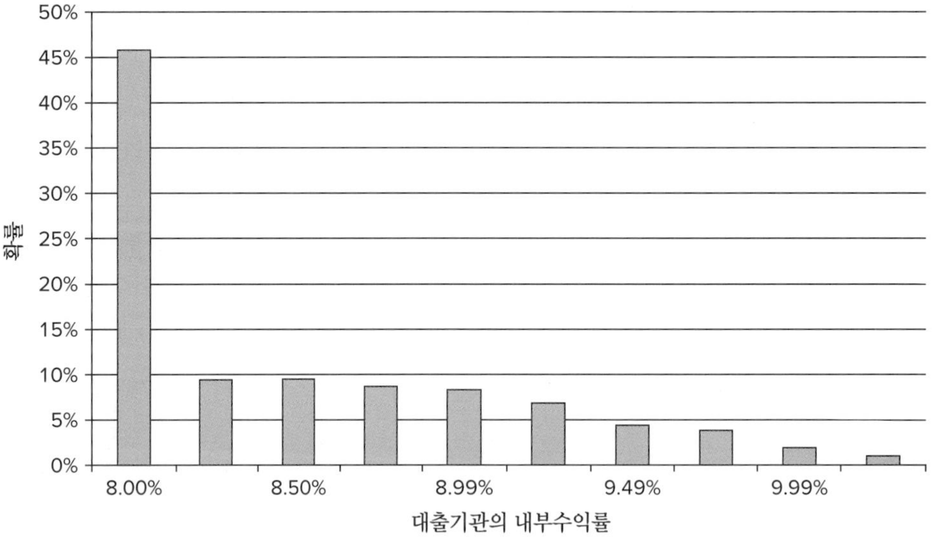

투자결정에 대한 "실물옵션"적 접근

이 장 전반부에서 우리는 서로 상이한 결과와 관련하여 확률을 고려함으로써, 어떻게 투자의 기대가치 또는 기대수익률을 계산하는지를 고찰하였다. 확률적 접근은 투자의사결정에서 미래 사건의 불확실성을 반영할 수 있게 한다. 이런 접근은 투자대안의 미래 투자성과에 대한 불확실성이 상존하는 상황에서, 오늘 우리가 특정 가격에 어느 자산을 살지 말지를 결정해야 할 때 투자대안의 기대수익률을 평가하는데 자주 사용된다.

하지만, 가끔은 우리가 어느 한 시점에 소유 자본 모두를 투자하여 전적으로 그 투자에만 매달릴 필요가 없을 때가 있다. 예를 들면, 개발사업에서 우리가 오늘 토지를 매수한다고 하더라도 건축물을 착공할건지 말건지 결정할 때까지 다소 기다릴 경우가 있다. 당장 착공해도 될 만큼 시장상황이 재무적으로 타당하지 않을 수도 있지만, 개발사업자는 내년에는 시장이 개선될 가능성이 있다거나 또는 개발사업이 타당해지는 때가 올 것이라고 생각할 수 있다. 또 한편으로는, 시장상황이 개선되지 않고 있고 따라서 건축물을 지어서는 안 될 때가 있다. 그럼에도 불구하고, 개발사업자는 시장 상황이 좋아지면 건축물을 착공할 수 있도록 토지를 묶어두기 위해서 매수작업을 진행하여 토지 매입을 희망할 수 있다. 토지의 매매는 오늘만 가능한 것이고, 따라서 개발사업자는 만약 자신이 토지를 매입하지 않는다면 다른 개발사업자가 그 땅을 매입하게 될 것을 염려할 수 있다.

이 같은 상황에서, 토지를 구매하였지만 착공여부를 결정할 때까지 기다릴 수 있는 개발사업자는 토지에 대해 **실물옵션**을 가지고 있다고 말한다. 그 옵션은 장래 건물을 짓는 행위를 말한다. 개발사업자는 반드시 건물을 짓겠다고 결심할 필요가 없다. 토지는 계속 나대지상태로 남아있을 것이며, 아마도 농부에게 임차하여 약간의 임대료를 수취할 수도 있다. 따라서, 개발사업자는 장래 경제상황에 따라서 건물을 지을지 말지를 선택할 수 있는 옵션을 가지고 있는 것이다.

지금 우리가 논의하는 사항은 개발사업자가 토지소유주로부터 미래 언젠가 토지를 사들일 수 있는 옵션을 취득하는 행위가 아니라는 점에 주목할 필요가 있다. 토지매매옵션은 자산을 실제 개발할 수 있을지 또는 없을지 불확실한 상황에 대응하기 위한 방법이고, 특히 개발사업자가 용도지역지구제의 변

경이 필요한 경우 또는 개발인허가의 취득이 확실하지 않은 경우가 이에 해당한다. 이렇게 개발사업자가 위험을 처리하는 전략으로서 토지매매옵션의 사용이 포함된다. 하지만, 여기에서 인식해야 할 중요한 사항은 토지매매옵션을 행사하지 않고 매도자로부터 바로 토지를 매수하더라도 개발사업자는 토지를 개발할건지 아니면 개발하지 않을건지를 선택할 수 있는 옵션을 확보하는 것이다. 이 옵션이 바로 **실물옵션**이라고 불리는 그것이다.

토지를 매수할 때 이 옵션이 존재함을 인지하는 것이 중요한 까닭은 이 옵션이 토지의 지불의사금액에 영향을 주기 때문이다. 사례를 들어 설명하려고 토지소유에 따른 실물옵션 측면을 무시하는 사례를 최초에 소개할 것이고, 그 이후 논의 주제를 옵션 고려의 중요성으로 다시 돌릴 것이다.

아래의 가정들을 고려해 보자:

- 착공시점의 임대료수준에서 개발이 재무적으로 타당하다면, 개발사업자는 1년 후에 건축물의 공사착공을 계획하고 있다.
- 건축물의 공사에는 $800,000의 비용이 소요될 것이다.
- 준공 후 운영 1년 차에는 순 영업이익이 $130,000가 될 확률이 50%인 반면 순 영업이익이 $70,000에 그칠 확률이 50%이다.
- 1년 차 순 영업이익이 어느 경우에 속하든지 간에, 이후 연도 순 영업이익은 1년 차의 그것에서 매년 2%씩 증가할 것으로 예상된다.

만약 개발사업자가 12%의 수익률을 원한다면, 그녀의 이 토지에 대한 지불의사금액은 얼마가 되어야 할까?

토지가치 감정평가: 전통적 접근방법

지금의 논의는 사실 5장에서 설명하였던 "최고최선의 용도(highest and best use)"와 매우 유사해 보일 수 있음에 주목하기 바란다. 이 장에서 토지가치를 구할 때는, 먼저 자산의 순 영업이익에 기초하여 자산가치를 계산한 후 건축물의 건설원가를 차감함으로써 토지잔존가치를 구하게 된다. 5장에서는 토지가치를 극대화하는 최고최선의 용도를 결정하기 위하여 대상지의 몇 가지 법적 가능(토지이용상) 용도를 적용하였다.

그러나 9장에서는 각 잠재 용도의 순 영업이익이 확실하다, 또는 그 순 영업이익을 확실하게 예상할 수 있다고 가정하였다. 물론, 서로 다른 순 영업이익 시나리오들의 확률들을 명시적으로 검토하지는 않았었다.

위 사례에서 확률을 적용한 순 영업이익의 기댓값은 아래와 같은데,

$$\text{순 영업이익의 기댓값} = (.50 \times \$130{,}000) + (.50 \times 70{,}000) = \$100{,}000$$

자본환원율은 할인율 12%에서 순 영업이익의 연 증가율 2%를 차감한 10%가 된다. 따라서, 준공 후 자산가치는 $1,000,000(= $100,000 ÷ .10)가 될 것이다. 이 값에서 공사비용 $800,000를 빼주면, 시설 준공 후 운영 개시시점의 토지가치는 $200,000가 된다. 하지만, 공사를 1년 동안 시작하지 않을 것이므로, $200,000를 할인율 12%로 한 해 더 할인해야 하고, 따라서 이 접근법으로 구한 현재의 토지가치는 $178,571(= $200,000 ÷ 1.12)이 될 것이다.

토지가치 감정평가: 실물옵션적 접근방법

위의 전통적 접근방법에서 우리가 미처 고려하지 못한 것은 1년 후에 건물을 착공할건지 말건지를 개발사업자가 오늘 결정할 필요가 없다는 것이다. 개발사업자는 토지를 매수하고 (그래서 토지를 묶어둔 후) 착공 의사결정 전까지는 그때 그때의 순 영업이익이 어느 수준인지 확인하면서 1년 동안 기다릴 가능성이 있다.

만약 1년 후 순 영업이익이 $130,000라면, 자산가치는 $1,300,000(= $130,000 ÷ .10)가 될 테고, 이는 공사비용 $800,000보다 월등히 클 뿐더러 토지가치를 $500,000에 상당하게 만든다. 하지만, 만약 1년 후 순 영업이익이 $70,000라면 자산가치는 $700,000(= $70,000 ÷ .10)에 지나지 않고, 이는 건축물의 공사비용($800,000)에도 미치지 못하며 따라서 개발이 재무적 타당성을 확보하지 못한다. 임시로 농사를 짓는다든지 하는 가정을 하지 않는다면, 토지가치는 0이 될 것이다.

따라서, 개발사업자는 실제로 아래 상황을 주시하고 있는 것이다. 50%의 확률은 순 영업이익이 $130,000가 되어서, 그녀가 건축물을 건설하여 자산가치가 $1,300,000에 이르는 상황이다. 또한, 50%의 확률은 1년 후 토지가치가 전혀 없는 상황이다. 하지만, 1년 후에도 토지가치가 음수 값을 갖지는 않을 것이다. 개발사업자가 사업부지를 계속 나대지로 두기로 결정할 것이기 때문이다. 이 경우에도 사실 개발사업자가 미래 어느 시점에 무엇인가를 건설하는 옵션을 아직 보유하고 있는 것이다. 하지만, 단순화하기 위하여 일단 토지가치가 전혀 없다고 가정하도록 하자. 아래 다이아그램은 시나리오들을 요약하여 보여준다.

실물옵션

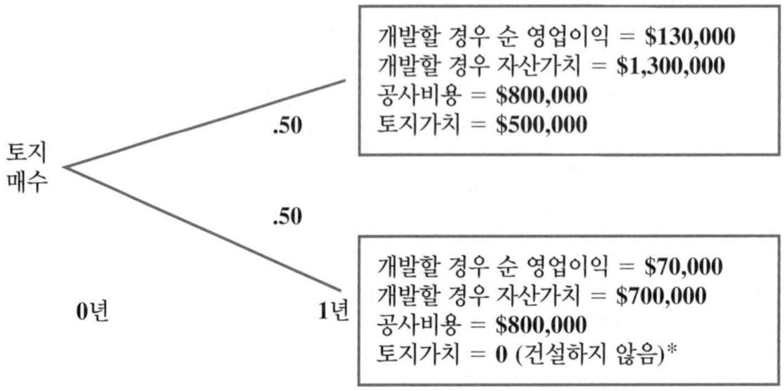

* 토지가치는 '준공 후 최대자산가치에서 공사비용을 차감한 금액' 또는 '0'

위의 시나리오들 그리고 1년 후 발생할 수 있는 서로 다른 토지가치 관련 확률들에 근거하여, 1년 후 토지가치는 아래와 같을 것이다.

토지가치 = (.50 × $500,000) + (.50 = $0) = $250,000

이 값에 할인율 12%를 적용하여 오늘의 토지가치(현재가치)로 할인하게 되면, 우리는 아래와 같이 $223,214를 구하게 된다.

$250,000/1.12 = $223,214

위의 방법으로 구한 토지가치 $223,214는 전통적인 방법으로 앞에서 검토한 $178,571보다 높다는 사실에 주목하기 바란다. 양자 간 차이는 $44,643(= $223,214 − $178,571)에 이른다. 이 차이는 건축물

공사 여부의 결정을 연장할 수 있는 옵션의 가치를 나타낸다. 즉, 장래 나대지를 개발할 수 있는 옵션이 토지소유권에 내재한 실물옵션의 가치인 것이다.

실물옵션이론의 확장 그리고 투자전략

위의 사례는 부동산투자에서 옵션 소유와 연관된 사고의 중요성을 설명하기 위해서 단순화한 것이다. 위 사례에서, 실물옵션의 존재를 고려할 경우 토지가치는 높아지게 된다. 토지를 매입한 다음 사업부지의 최고최선의 용도에 따라 개발사업을 추진할 가능성이 가장 높은 개발사업자는 바로 이 옵션의 가치를 인식하고 있는 사람이 될 것이다.

이것 말고도, 부동산투자에서 은연중에 옵션이 존재하는 경우가 많다. 추가적으로 사례를 들자면 아래와 같다.

> 최초 사용에는 필요하지 않은 사업부지를 초과 매입하는 행위는 미래 개발을 위한 옵션으로 볼 수 있다. 예를 들면, 쇼핑센터 개발사업자는 쇼핑센터와 주차시설에 소요되는 토지보다 더 넓게 토지를 매입할 수도 있다. 이 초과부지는 장래 또 다른 판매시설 또는 임대주택 또는 오피스 공간으로 개발될 수 있을 것이다.
>
> 개발사업은 사업마다 서로 다른 사업단계를 가질 수 있다. 예를 들어, 어느 사업부지가 3개의 임대주택건물 또는 아파트 동으로 구성되지만 최초에는 단 하나의 건물만 건설된다고 가정하자. 이런 경우, 개발사업자는 다른 건물들의 착공을 결정하기 이전에 최초 임대주택건물이 얼마나 잘 임대되는지 또는 최초 아파트 동이 얼마나 잘 팔리는지를 살펴보려고 기다릴 수 있을 것이다. 마찬가지로, (13장에서 보다 자세하게 설명하게 될) 토지개발사업은 1단계에만 도로·오수시설 등 기반시설에 자금을 투입한 후 1단계 필지의 판매실적이 좋은 경우에 한하여 추가자금을 투입하는 개발전략을 사용하기 위해서 사업마다 각기 상이한 사업단계를 가질 수 있다.
>
> 건축물을 레노베이트할 것인지를 결정하는 것 역시 일종의 옵션이다. 기존 건물을 꼭 레노베이트해야 할 필요는 없는 바, "현재 상태"로 사용할 수 있기 때문이다. 따라서, 소유주 또는 투자자는 자금을 투입하기 이전에 시장상황이 레노베이션을 받쳐줄 수 있는지를 살펴보려고 기다릴 수 있다. 따라서, (레노베이션 이전의) 현재 상태로 건축물을 매입하는 행위는 토지매입행위와 흡사하다.

이들은 단지 부동산투자 내에 실물옵션이 존재할 수 있는 방식들을 소개하는 몇 개의 사례에 지나지 않는다. 실물옵션에 대한 고려는 투자자가 부동산투자의 가치를 어떻게 바라볼 것인지에 중대하게 영향을 미칠 수 있다. 게다가, 명민한 개발사업자는 자주 자신이 개발전략을 수립하는 방식 내에서 옵션을 창조할 수 있다. 프로젝트의 기대가치를 극대화하고 그 투자위험을 완화하기 위해서 (위에서 설명한 단계적 개발전략의 사례처럼) 개발사업자가 미래 어느 시점에 추가로 자금을 투입할지 말지를 결정하는 옵션을 개발사업자에게 부여하도록 프로젝트를 설계하여야 할 것이다.

결론

이 장은 투자를 분석할 때 투자위험 고려의 중요성에 대하여 논의하였다. 투자대안들이 서로 상이한 수준의 위험을 가진다면 이들의 수익률을 직접 비교할 수 없다. 민감도분석, 시나리오분석, 수익률 분해

그리고 확률분포를 통한 기대수익률과 표준편차의 계산 등과 같이, 부동산투자의 위험 정도를 평가하려 할 때 사용 가능한 몇 가지 방법들을 소개하였다.

우리는 타인자본의 차입이 기대수익률과 표준편차에 어떻게 영향을 주는지 살펴봄으로써, (지난 장에서 소개하였던) 부채 차입이 투자위험에 미치는 효과에 대해서 보다 면밀하게 검토할 수 있었다. 우리는 또한 타인자본을 사용하게 되면 정의 레버리지이건 부의 레버리지이건 상관없이 표준편차가 함께 증가하는 것을 살펴보았다.

본 장에서는 두 개의 사례(물류센터와 쇼핑센터)를 소개하였는데, 위험분석을 예시로써 설명하기 위해서 그리고 부동산자산의 현금흐름을 모형화(modeling)함에 있어서 몇몇 자산별 고유특성에 대한 통찰력을 제공하려는 목적이었다. 앞선 장들에서는 임대주택과 오피스빌딩 투자를 소개한 바 있다.

재계약확률의 사용은 임차인이 임대차계약 기간 말에 재계약을 체결할 것인지에 대한 불확실성을 어떻게 처리할 것인지를 설명하기 위해서 논의하였다. 우리는 재계약확률의 사용이 임차인 개보수 지원금, 임대수수료, 그리고 임대차갱신 시점의 공실률에 어떻게 영향을 미치는지를 고찰하였다.

끝으로, 본 장은 투자자가 최초투자금을 투입한 후 프로젝트에 추가로 자금을 투입할지 말지를 결정하는 옵션을 가지고 있는 부동산투자의 가치에 대해서 생각해 보는 하나의 방법으로서 실물옵션의 개념을 소개하였다. 추가 투자자금 투입의 연기 또는 포기를 선택할 수 있는 옵션을 보유하는 것은 투자대안의 가치를 높일 수 있었다. 나대지의 활용을 예시로써 설명하였는데, 나대지를 구입하는 행위는 개발사업자에게 미래에 이 토지 위에 건축물을 짓거나 그냥 나대지 그대로 두거나를 선택하는 옵션을 제공하는 것이다.

비록 이번 장이 공식적으로 투자위험을 취급하는 유일한 장이지만, 이 장에서 소개한 개념들과 기법들은 본서의 남은 장들에서도 계속 기억하고 있는 것이 좋을 듯하다.

주요용어

공실월수
관리위험
금리변동위험
내부수익률 분해
몬테카를로 시뮬레이션
민감도분석
비율임대차
사업위험
손익분기점
시나리오
시장 임대차 지표에 대한 가정
실물옵션
유동성위험
이주공실
인플레이션 위험
자산실사
재계약확률
재무위험
제도위험
추가임대료
환경위험

질문

1. 내부수익률의 분해가 의미하는 것은 무엇인가? 왜 이 과정이 의미가 있는가?
2. 위험보상(risk premium)이란 무엇인가? 왜 부동산투자에서 담보대출 금리와 자기자본 수익률 사이에 위험보상이 존재하는 이유는 무엇인가?
3. 부동산을 분석할 때 반드시 고려해야 하는 위험유형은 어떤 것들이 있는가?
4. 사업위험(business risk)과 재무위험(financial risk) 간의 차이점은 무엇인가?
5. 왜 투자위험의 측정치로 분산(또는 표준편차)을 사용하는가? 이 위험측정치의 장점과 단점은 무엇일까?
6. **실물옵션**이 의미하는 것은 무엇인가?
7. 판매시설에서 **추가임대료**라는 단어가 의미하는 것은 무엇인가?
8. 시나리오를 사용하여 분석하는 것은 민감도분석에 대비하여 무엇이 다른가?
9. 몬테카를로 시뮬레이션을 사용하여 분석하는 것은 시나리오를 사용하는 것과 대비하여 무엇이 다른가?

문제

1. 두 투자대안은 아래 형태의 기대수익률을 갖는다.

투자대안 A

연차	1	2	3	4	4 (자산 매각)
세전 현금흐름	$5,000	$10,000	$12,000	$15,000	$120,000

투자대안 B

연차	1	2	3	4	4 (자산 매각)
세전 현금흐름	$2,000	$4,000	$1,000	$5,000	$180,000

투자대안 A는 $110,000의 지출이 필요하고, 투자대안 B는 $120,000의 지출이 필요하다.

a. 각 투자대안의 세전 내부수익률은 얼마인가?
b. 만약 세전 내부수익률을 세전 영업현금흐름과 세전 매각현금흐름으로 분해한다면, 세전 내부수익률에 대해 각각의 현금흐름이 차지하는 비중은 어떻게 되는가?
c. 각각의 비중이 의미하는 바는 무엇인가?

2. 마이크 리스크리스(Mike Riskless)는 두 개의 프로젝트를 검토하고 있다. 그는 세 개의 발생 가능한 시나리오 하에서 각 투자대안의 내부수익률을 추정하였고 발생확률을 각 시나리오별로 할당하였다.

경제상황	발생확률	추정 세전 내부수익률	
		투자대안 I	투자대안 II
낙관적	0.2	0.15	0.20
가장 실현 가능한	0.6	0.10	0.15
비관적	0.2	0.05	0.05
	1.0		

리스크리스는 투자대안 II의 수익률형태가 투자대안 I의 그것에 비하여 훨씬 매력적으로 보인다는 것을 알고 있다. 하지만, 그는 투자대안 II가 투자대안 I에 비하여 투자위험이 높을 수 있다고 믿고 있다. 그는 어떻게 하면 각 투자대안의 투자위험과 수익률 모두를 고려하면서 두 투자대안을 비교할 수 있을지를 알고 싶어 한다. 여러분들은 무엇을 권하고 싶은가?

3. 한 투자자가 어느 프로젝트에 대해 발생할 수 있는 3개의 시나리오를 아래와 같이 예측하였다.

비관적 시나리오: 영업 초기년도 순 영업이익은 $200,000이고, 이후 보유기간 5년 동안 매년 2%씩 감소할 것이다. 5년 후 자산은 $1,800,000에 매각될 것으로 예측된다.

가장 실현 가능한 시나리오: 순 영업이익이 향후 5년간 매년 $200,000로 고정될 것이며, 5년 후 자산은 $2,000,000에 매각될 것이다.

낙관적 시나리오: 영업 초기년도 순 영업이익은 $200,000이고, 이후 보유기간 5년 동안 매년 3%씩 증가할 것이다. 5년 후 자산은 $2,200,000에 매각될 것이다.

이 자산의 현재 매도호가는 $2,000,000이다. 투자자는 비관적 시나리오의 확률이 30%, 가장 실현 가능한 시나리오의 확률이 40%, 그리고 낙관적 시나리오의 확률이 30%일 것으로 판단한다.

a. 각 시나리오의 내부수익률을 계산하라.
b. 내부수익률의 기댓값을 계산하라.
c. 내부수익률의 분산과 표준편차를 계산하라.
d. 이 프로젝트가 12%의 기대수익률과 4%의 표준편차를 가진 프로젝트보다 나은 것일까?

4. 3번 문제의 정보를 다시 이용하자. 그리고, $1,500,000의 대출을 금리 10%, 만기 15년 조건으로 지금 차입한다고 가정해 보자.

a. 자기자본에 대한 내부수익률의 기댓값과 그 표준편차를 계산하라.
b. 위 (a)에서 얻은 기댓값과 표준편차를 3번 문제의 그것들과 비교해 보자. 대출이 투자위험을 증가시키는가? 이를 설명하라.

5. 개발사업자는 1년 후에 임대료수준이 개발의 재무적 타당성을 확보한다면 그 시점에 건축물을 착공할 것을 계획하고 있다. 해당 시점에 공사비용은 $1,000,000가 소요될 전망이다. 준공 후 운영 1년 차에 순 영업이익이 $150,000가 될 확률은 60%이고 $75,000가 될 확률은 40%이다. 두 경우 모두 운영 2년 차부터는 순 영업이익이 매년 전년 대비 2%씩 상승할 것으로 기대된다. 만약 개발사업자가 12%의 수익률을 원한다면, 그는 해당 토지에 얼마의 금액을 지불하려고 하겠는가?

CHAPTER 10

수익용 부동산의 처분과 레노베이션

Disposition and Renovation of Income Properties

수익용 부동산을 다룬 앞선 장들에서는 부동산투자의 수익률 측정과 자본 차입, 연방소득세 및 기타 요인들이 수익률에 어느 정도의 영향을 주는지에 관심을 기울였다. 수익률은 항상 자산의 예상 보유기간에 기초하여 계산되었다. 본 장에서는 투자자의 특정 보유기간 선택결정에 영향을 주는 요인들을 보다 자세히 살펴본다. 또한 레노베이션, 차환(refinance) 등과 같이 자산을 매각하는 것에 대한 대안들도 살펴본다.

처분에 대한 의사결정

투자자는 **예상** 보유기간 동안 수령될 것으로 기대되는 이익에 근거하여 부동산투자를 매입한다. 즉 투자자는 자산을 매입하는 시점에서의 예상에 근거하여 투자성과에 대한 다양한 측정치들을 계산한다. 하지만 자산을 매입한 후에는 실제 자산 성과에 영향을 주는 여러 요인들이 변할 수 있다. 이러한 동일한 요인들은 자산이 투자목적을 충족시키는지 여부에 대한 투자자의 결정에도 영향을 줄 수 있다. 예를 들면, 시장임대료가 당초 기대했던 것만큼 빨리 증가하지 않아서 투자자의 현금흐름이 감소할 수 있을 것이다. 조세법 역시 바뀔 수도 있다. 7장에서 살펴보았듯이 조세법은 자주 개정되는데, 이는 잠재적 신규 투자자들에게 기존 투자자들과는 다르게 영향을 미칠 수 있다. 따라서 투자자들은 지금이 **처분**, 즉 자산 매각에 적합한 시점인지를 주기적으로 평가해야 한다.

설령 자산에 대한 투자자의 예측이 정확하더라도, 어느 정도 기간이 지나면 다른 요인들이 투자자로 하여금 자산을 매각하도록 영향을 미칠 수 있다. 하나의 중요한 요인은 앞선 몇 개의 장에서 논의되었던 타인자본의 차입(leverage)과 관련된 잠재이익이다. 어느 담보대출에 대해 양의 분할상환이 되고 있다고 한다면(즉 원금이 정상적으로 상환되고 있다면), 대출잔액은 매년 감소하고 투자자의 자기자본 비중은 증가하게 된다. 이러한 **자기자본 축적**은 자산 매각 시 투자자가 더 많은 현금을 수취하게 될 것이라는 측면에서 바람직해 보일 수 있지만, 한편으로는 투자자가 매해 더 많은 자금을 당해 자산에 묶어두게 됨을 의미한다. 또한 시간의 경과에 따른 자산가치의 상승은 예상했건 예상하지 않았건 투자자의 자기

자본 축적을 증가시키는 데 기여한다[역자주: 부채총계가 고정된 상태에서 자산가치가 증가하면, 증가한 자산가치는 모두 자본총계가 된다].

자기자본 축적은 만약 현 자산이 매각된다면 다른 투자대안에 투입할 수 있는 자금을 나타낸다. 이는 자산을 **매각하지 않음**으로 인하여(즉 보유함으로 인하여) 발생하는 **기회비용**인 것이다. 자산을 매각하여 투자자가 수취할 수 있는 매각수입은 자산을 추가로 몇 년 더 **보유**하기 위해서 투입하는 자기자본투자금액으로 간주할 수 있을 것이다. 하지만 자산을 차환하지 않는다면 자산을 계속해서 운영하여 수취하는 현금유입 대비 더 높은 비중의 자기자본이 투자자산에 묶여 있는 것이다. 더욱이 담보대출의 총 상환액(부채서비스)이 동일하게 유지되는 반면 그 상환액 내에서 이자의 비중은 매년 감소하게 되어, 결국 세제상 비용공제 역시 감소하는 결과를 가져온다[역자주: 원금상환은 손비처리되지 않으나 이자는 영업외 비용으로 인정되는 점을 상기하기 바란다]. 따라서 투자자는 부채 차입의 혜택을 매년 상실하게 되는 것이다.

부동산 처분의 의사결정규칙

다음으로, 투자자가 자산을 매각할지 또는 계속 보유할지를 결정하기 위해 필히 고려해야 할 요인들에 대해 살펴보자. 이 논의는 투자자가 이러한 결정에 직면하였을 때 활용해야 하는 증분수익률(incremental return) 또는 한계수익률(marginal return) 기준에 기초하고자 한다.

자산을 보유할 것인지 또는 매각할 것인지 의사결정을 내릴 때 적용하는 기준을 예시로써 설명하기 위해서, 어느 투자자가 5년 전에 $800,000의 가격으로 작은 판매시설(리테일) 자산을 하나 취득하였다고 가정해 보자. 매입시점에 아펙스 센터(Apex Center)는 15년 된 건물이었고, 취득가격의 75%를 금리 4.75%, 30년 만기 조건으로 차입하여 조달하였다. 투자자는 취득원가의 80% ($640,000)를 건물에,

예 10-1
아펙스 센터(Apex Center)의 과년도 운영실적

	자산의 최초매입 이후 운영연차				
	1	2	3	4	5
A. 세전 현금흐름:					
임대료	$80,000	$82,400	$84,872	$87,418	$90,041
(−)영업비용	40,000	41,200	42,436	43,709	45,020
순 영업이익	40,000	41,200	42,436	43,709	45,020
(−)부채서비스	37,559	37,559	37,559	37,559	37,559
세전 현금흐름(운영)	$ 2,441	$ 3,641	$ 4,877	$ 6,150	$ 7,462
B. 과세소득 또는 손실:					
순 영업이익	$40,000	$41,200	$42,436	$43,709	$45,020
(−)이자비용	28,300	27,851	27,379	26,885	26,367
(−)감가상각	16,410	16,410	16,410	16,410	16,410
과세소득(손실)	−4,710	−3,061	−1,354	414	2,243
세금	$−1,649	$−1,071	$ −474	$ 145	$ 785
C. 세후 현금흐름:					
세전 현금흐름	$ 2,441	$ 3,641	$ 4,877	$ 6,150	$ 7,462
(−)세금	−1,649	−1,071	−474	145	785
세후 연금흐름(운영)	$ 4,090	$ 4,713	$ 5,351	$ 6,006	$ 6,677

www.mhhe.com/bf17e

예 10-2
자산 매각으로 인한 현금흐름의 추정: 오늘 매각할 경우

매각가격			$920,000
(−)매각비용(@4%)			36,800
(−)대출잔액			548,989
세전 현금흐름(매각)			$334,211
매각 당해 연도의 세금			
매각가격		$920,000	
(−)매각비용		36,800	
취득원가	$800,000		
감가상각누계	82,051		
수정원가		717,949	
양도소득		$162,251	
양도소득세			37,153
세후 현금흐름(매각)			$297,058

그리고 20%를 토지에 할당하여 전자를 정액법으로 감가상각하고 있다. 당초 취득시점에 자산은 내구연수 39년의 정액법으로 감가상각이 가능한 상태였고, 최근 5년 동안 투자자의 한계세율은 35%였다.[1] [예 10-1]은 지난 5년 동안 아펙스 센터의 운영 결과를 보여준다.

만약 오늘 아펙스 센터를 매각한다면, $920,000에 매각이 가능할 것으로 추정된다. 매각비용은 매각가격의 4%에 해당한다. [예 10-2]는 (오늘 매각될 경우) 매각으로 인한 현금흐름을 보여준다. 양도소득은 20%의 세율로 과세되며 감가상각은 25%로 인정된다. 양도소득세율과 감가상각률은 오늘 자산이 매각된다면 투자자가 지불해야 하는 금액에 대한 것이다(매각시점 당시 현행 조세법 기준). 이러한 세율은 세법의 개정으로 인해 당초 자산을 매입할 때 투자자가 기대했던 것과 다를 수 있다.

[예 10-2]의 정보를 이용하여, 오늘 자산이 매각될 경우 투자자가 지난 5년 동안 실현하였을 수익률을 계산할 수 있다. [예 10-3]은 현금흐름의 요약을 보여준다.

만약 오늘 자산이 매각된다면 투자자가 실현하는 사후적인(ex-post) 또는 역사적인(historical) 세전 내부수익률(before-tax internal rate of return, BTIRR)은 12.72%이고 세후 내부수익률(after-tax internal rate of return, ATIRR)은 10.49%라는 것을 알 수 있다. 하지만, 이 수치들이 자산 매각 여부를 결정하는 데 정말로 도움을 줄까? 예를 들어서, 당초 투자자는 세후 내부수익률로 12%를 기대했었는데, 이제 자산을 매각하면 10.49%의 수익률밖에 발생하지 않음을 알게 되었다고 가정해 보자. 당초 기대수

예 10-3
현금흐름의 요약: 오늘 매각할 경우

	자산의 최초매입 이후 운영연차(각 연도 말)					
	0	1	2	3	4	5
세전 현금흐름	$−200,000	$2,441	$3,641	$4,877	$6,150	$341,672
세후 현금흐름	−200,000	4,090	4,713	5,351	6,006	303,734
세전 내부수익률 =12.72%						
세후 내부수익률 =10.49%						

[1] 조세법은 자주 바뀐다. 이번 개정판의 출판 즈음의 조세법을 요약한 내용은 7장을 살펴보기 바란다.

익률보다 낮은 실현수익률은 자산을 매각해야 한다는 의미일까? 그렇게 말할 수는 없을 것이다. 말할 수 있는 사실은 단지 해당 자산이 당초 기대만큼 실적을 내지 못했다는 것뿐이다. 장래에는 이 자산이 좋은 투자가 될 수도 있는 것이다.

또한 위에서 계산한 역사적인 수익률이 미래성과에 대한 징조라고 한다면, 오늘 자산이 매각될 수 있는 가격에는 자산의 미래성과가 반영되어있을 가능성이 높다. 자산의 현재 매각가격은 일반적인 투자자가 기대하는 자산의 미래성과에 의존하고 있는 것이다. 하지만 자산의 미래성과가 반드시 과거 수익률과 연관되지는 않는다.

내부수익률의 비교: 자산의 보유 對 자산의 처분

투자자가 자산의 보유여부를 결정해야 한다면, 자산에 기대되는 미래성과를 평가해야 한다. 여기에서 투자자가 직면하는 핵심적인 질문은 아펙스 센터를 매각하고 그 수입을 다른 자산에 투자해야 하는가이다. 투자자는 향후 5년 동안 아펙스 센터에 대해 신뢰할 만한 전망치를 수립하였다고 가정해 보자. [예 10-4]는 향후 5년(운영 6년 차에서 10년 차) 동안 세후 현금흐름의 추정치들을 나타내고 있다. 투자자는 임대료와 운영비용이 과거 5년 동안 매년 3%씩 상승한 것과는 다르게 향후 5년간은 매년 2%씩 상승할 것으로 예측하고 있다. [예 10-4]에서 감가상각비용이 취득원가와 기존 감가상각법에 기초하여 매년 $16,410로 유지된다는 것에 주목하기 바란다. 조세법 개정 이전에 자산을 취득한 투자자는 통상 기존 감가상각법을 바꿀 필요가 없다. 또 하나 주목할 점은 담보대출 상환액과 이자비용은 여전히 기존대출에 근거한다는 것이다.

만약 예측기간으로 5년(자산 취득일로부터 10년)을 고려하고 있다면, 투자자는 기간 말 자산 매각으로 인한 세후 현금흐름(ATCFS) 역시 추산하여야 한다. 자산가격이 매년 2%씩 상승한다면, 소유자는

예 10-4
장래 운영실적의 추정: 아펙스 센터를 매각하지 않을 경우

	자산의 최초매입 이후 운영연차				
	6	7	8	9	10
A. 세전 현금흐름:					
임대료	92,742	94,597	96,489	98,418	100,387
(−)운영비용	46,371	47,298	48,244	49,209	50,193
순 영업이익	46,371	47,298	48,244	49,209	50,193
(−)부채서비스	37,559	37,559	37,559	37,559	37,559
세전 현금흐름(운영)	$8,812	$9,740	$10,686	$11,651	$12,635
B. 과세소득 또는 손실:					
순 영업이익	46,371	47,298	48,244	49,209	50,193
(−)이자비용	25,824	25,254	24,657	24,030	23,374
(−)감가상각	16,410	16,410	16,410	16,410	16,410
과세소득(손실)	4,137	5,634	7,177	8,769	10,410
세금	1,448	1,972	2,512	3,069	3,643
C. 세후 현금흐름:					
세전 현금흐름	8,812	9,740	10,686	11,651	12,635
(−)세금	1,448	1,972	2,512	3,069	3,643
세후 연금흐름(운영)	$7,364	$7,768	$ 8,174	$ 8,582	$ 8,991

예 10-5
매각으로 인한 세후 현금흐름의 계산: 5년 후 자산을 매각할 경우

매각가격			$1,015,754
(−)매각비용(@4%)			40,630
(−)대출잔액			484,335
세전 현금흐름(매각)			$ 490,790
매각 당해 연도의 세금			
매각가격		$1,015,754	
(−)매각비용		40,630	
취득원가	$800,000		
감가상각누계	164,103		
수정원가		635,897	
양도소득		$339,227	
양도소득세			76,050
세후 현금흐름(매각)			$ 414,739

아펙스 센터의 5년 후 자산가치가 $1,015,754로 증가할 것이라고 추정할 것이다. [예 10-5]는 매각으로 인한 세후 현금흐름이 얼마가 될지 그 추정치를 계산하고 있다. 담보대출잔액과 수정원가의 계산기간이 취득시점으로부터 총 10년이라는 점에 주의하기 바란다.

자산의 매각 여부를 완전하게 분석하기 위해서는 (1) 자산 매각으로 실현한 현금을 재투자할 수 있는 투자대안의 존재 여부와 (2) 기존 자산을 매각하고 신규 자산을 취득한 결과로 발생하는 세금에 대해서도 검토해야 한다. 투자자가 아펙스 센터를 매각하고 대체자산에 투자하려고 한다면, 새로운 투자는 기존 투자에서 포기하는 수익률을 보상하기에 충분할 만큼 높은 수익률을 제공하여야 한다. 여기에서 질문은 아펙스 센터를 매각하려면 대체투자의 세후 내부수익률은 얼마가 되어야 하는가이다.

만약 대체자산을 취득하기 위해서 아펙스 센터를 매각한다면, 투자자는 양도소득세와 매각비용을 지불하여야 재투자 가용재원을 확보하게 된다. 따라서 현 자산의 매각 및 타 자산의 취득을 검토할 때, 가장 우선적으로 수행해야 할 일은 재투자 가용재원이 얼마나 될 것인지를 확인하는 것이다. 향후 5년 후(운영 10년 차) 아펙스 센터의 추정 매각가격은 $920,000이다. 하지만 투자자는 담보대출잔액, 각종 세금 및 매각비용을 지불한 후에 얼마나 많은 현금이 재투자를 위해 가능할지 검토해야 한다. 이 수치는 앞서 자산이 오늘 매각될 경우에서 수행한 것과 유사하게 현재 이후 발생할 세후 현금흐름을 계산하여 구하게 된다. [예 10-2]에서 보았듯이 자산이 오늘 매각된다면 담보대출잔액의 상환, 그리고 양도소득세의 납부 이후에 투자자는 $297,058를 매각수입으로 수취할 것이다. 따라서 투자자가 지금 아펙스 센터를 매각하기로 결정한다면, $297,058가 재투자의 가용재원이 된다. 최초 5년 동안의 세율(35%의 소득세, 20%의 양도소득세, 25% 감가상각률)은 향후 5년 동안 동일하게 유지될 것으로 예상하였음에 주목하기 바란다. 매각수입을 계산할 때는 언제나 자산의 매각시점에 유효할 것으로 예상되는 조세법에 기초해야 할 것이다.

이제 소유주는 $297,058를 재투자할 경우 **아펙스 센터를 매각하지 않을 경우**에 벌어들일 수 있는 세후 내부수익률보다 더 높은 세후 내부수익률을 벌어들이게 될 것인지를 검토해야 할 것이다. 바꾸어 말하면, 계속 아펙스 센터를 보유하는 경우와 대체자산을 매입하는 경우를 무차별하게 만드는 (아펙스 센터와 동일한 위험을 가진) 대체자산의 **최소한의** 세후 내부수익률은 얼마가 되어야 하는지를 알고자 하는 것이다.

대답은 비교적 간단하다. 아펙스 센터를 매각하면 재투자 가용재원이 $297,058라는 것을 알고 있다. 또한 아펙스 센터를 매각하면, 투자자는 [예 10-4]에서 보는 향후 5년 동안의 운영으로 인한 현금흐름과 [예 10-5]에 제시한 5년 후 자산 매각으로 인한 현금흐름 $414,739를 포기하게 된다는 것을 알고 있다. 따라서 $297,058는 아펙스 센터 매각으로 상실하는 현금흐름을 충분히 상쇄할 수 있을 만큼 높은 세후 내부수익률을 창출해야 한다. 현금흐름의 요약과 수익률의 계산은 아래와 같다.

현금흐름의 요약 년						
	5	6	7	8	9	10
세후 현금흐름	$−297,058	$7,364	$7,768	$8,174	$8,582	$423,731*
내부수익률 = 9.31%						

*$414,739 + $8,901

따라서 투자자는 아펙스 센터를 처분하여 얻는 재원으로 9.31%보다 높은 세후 내부수익률을 얻어야 할 것이다. 이 재원은 아펙스 센터의 처분을 정당화할 수 있는 **동일한 위험수준**의 대체자산을 취득함에 사용되어야 한다. 만약 대체투자의 위험이 아펙스 센터와 동일하면서도 투자자가 추정하는 세후 자기자본수익률(after-tax internal rate of return on equity, $ATIRR_e$)이 9.31%를 **초과**한다면, 아펙스 센터의 매각 및 대체자산의 취득은 정당화될 것이다. 만약 대체투자의 세후 자기자본수익률이 9.31%보다 작을 것으로 예상된다면, 아펙스 센터를 보유해야 할 것이다.

신규 투자자의 수익률

현 투자자가 자산을 계속 보유하기 위한 경제적 유인(incentive)이 신규 투자자가 동 자산에 투자하기 위한 유인과 어떻게 다를 수 있는지 살펴보기 위해서(설령 둘 모두 장래 임대료 및 운영비용에 대해 동일한 전망을 가지고 있을지라도), 신규 투자자가 현재의 자산가치에 자산을 매입한다고 가정해보자. 현재 아펙스 센터의 가치는 $920,000이고, 5년 전 인수 당시에 금리 4.75%, 만기 30년, 월상환 조건으로 $600,000의 대출을 차입했다는 것을 상기하기 바란다. 현 소유주와 비교함에 있어서 (금융조건 차이로 인한) 레버리지 효과를 제거하기 위해서, 신규 투자자는 기존대출을 승계할 것이고 다른 추가차입은 하지 않을 것이라고 가정해 보자. 따라서 신규 투자자의 자기자본투자금액은 매입금액 $920,000에서 담보대출의 잔액 $548,989를 차감한 $371,011가 된다. 즉, 신규 투자자에게 달라지는 조건은 조세법에 의한 세제효과뿐일 것이다. 첫째, 신규 투자자는 자산의 감가상각 시 새로운 취득원가를 적용받는다. 건물은 5년 차에도 여전히 자산가치의 80%를 차지한다고 가정하면, 현 소유주가 취득원가 $640,000를 기준으로 상각했던 것 대비, 신규 투자자는 $920,000의 80%인 $736,000를 상각할 수 있을 것이다. 둘째, 신규 투자자는 인수시점에 유효한 세법에 근거하여 자산의 감가상각을 수행해야 한다. 세법은 매입 당시 달라지지 않았고, 따라서 신규 투자자는 39년의 내구연수로 자산가치를 상각한다고 가정하자. 다시 한번 11장에서 서술하였듯이, 부동산의 상각기간은 의회의 입법기류에 따라서 종종 짧아지기도 하고 또 길어지기도 한다.

[예 10-6]은 신규 투자자의 예상 현금흐름과 세후 자기자본수익률을 보여준다. 신규 투자자는 6.46%의 세후 자기자본수익률을 얻을 것이라는 것을 알 수 있다. 비록 이는 신규 투자자에게는 경쟁력 있는 수

예 10-6
신규 투자자를 위한 세후 현금흐름의 예측

	운영으로 인한 세후 현금흐름의 계산 자산의 최초매입 이후 운영연차				
	6	7	8	9	10
A. 세전 현금흐름:					
임대료	92,742	94,597	96,489	98,418	100,387
(−)운영비용	46,371	47,298	48,244	49,209	50,193
순 영업이익	46,371	47,298	48,244	49,209	50,193
(−)부채서비스	37,559	37,559	37,559	37,559	37,559
세전 현금흐름(운영)	$8,812	$9,740	$ 10,686	$ 11,651	$ 12,635
B. 과세소득 또는 손실:					
순 영업이익	46,371	47,298	48,244	49,209	50,193
(−)이자비용	25,824	25,254	24,657	24,030	23,374
(−)감가상각	18,872	18,872	18,872	18,872	18,872
과세소득(손실)	1,675	3,173	4,716	6,307	7,948
세금	586	1,110	1,651	2,208	2,782
C. 세후 현금흐름:					
세전 현금흐름	8,812	9,740	10,686	11,651	12,635
(−)세금	586	1,110	1,651	2,208	2,782
세후 현금흐름(운영)	$8,226	$8,629	$ 9,035	$ 9,443	$ 9,853

5년 더 운영한 후에 매각할 때 세후 현금흐름 계산

매각가격			$1,015,754
(−)매각비용(@4%)			40,630
(−)대출잔액			484,335
세전 현금흐름(매각)			$490,790
매각 당해 연도의 세금			
매각가격		$1,015,754	
(−)매각비용		40,630	
취득원가	$920,000		
감가상각누계	94,359		
수정원가		825,641	
양도소득		$ 149,483	
양도소득세			34,615
세후 현금흐름(매각)			$ 456,175

현금흐름 요약

	5	6	7	8	9	10
세후 현금흐름 (운영 + 매각)	$−371,011	$8,226	$8,629	$ 9,035	$ 9,443	$ 466,028
내부수익률 = 6.46%						

익률일 수 있지만 기회비용를 고려하면, 즉 현 소유주가 자산보유를 통해 얻게 될 9.31%보다 작다는 것을 알게 된다. 여기서 조세법의 개정은 동일한 자산이라 할지라도 기존 투자 대(對) 신규 투자 사이의 상대적 이익에 영향을 준다는 것을 언급할 필요가 있다. 1986년에 그랬던 것처럼 조세법이 비(非)우호적으로 개정되면, 기존 투자자들에게 유리해지는 경향이 있다. ACRS (accelerated cost recovery system:

조기원가회수시스템)가 통과되고 상각연수가 상당히 단축되었던 1981년과 같이 조세법이 우호적으로 개정되면, 신규 투자자들에게 유리해지는 경향이 있다. 따라서 조세법의 개정은 부동산의 거래 또는 매매에 영향을 주는 경향이 있다. 조세법이란 항상 변하기 마련이고, 이러한 변화는 신규 및 기존 투자자들의 상대적 투자위험과 수익률 기회에 영향을 준다는 개념에 대해 이해하는 것이 중요하다.

한계수익률 *Marginal Rate of Return*

앞에서 ([예 10-4]와 [예 10-5]의 현금흐름을 이용하여) 계산한 자산의 매각 대(對) 보유 결정을 위한 수익률은 자산을 추가적으로 5년 더 보유하는 것에 기초한 세후 자기자본수익률(9.31%)이었다. 5년의 기간을 선택한 이유는 자산을 매각하고 그 자금을 유사 투자대안에 투입할 때 해당 재투자 역시 5년의 보유기간에 기초해서 평가한다는 가정에 근거하였기 때문이다. 약간 다른 접근방법은 보유기간을 단지 1년만 더 연장하였을 경우의 결과로써 발생하는 수익률을 검토하는 것이다. 이 수익률은 위의 보유 대(對) 매각과 동일한 방법으로 계산할 수 있는데, 다만 1년 연장한 운영기간의 운영으로 인한 현금흐름과 1년 후 자산 매각 시 매각으로 인한 현금흐름을 예측한다. 이 1년의 세후 자기자본수익률을 **한계수익률**(marginal rate of return)이라고 지칭한다. 예를 들면, 자산의 매각을 고려하는 어느 연차에 "만약 자산을 한 해 더 보유하면 한계수익률은 얼마인가?"라고 질문할 수 있다. 그리고서 (자산을 매각하지 않았다고 가정하고) 그 한 해가 경과한 시점에서 다시 "한 해 더 자산을 보유하면 한계수익률은 얼마인가?"라고 질문한다. 이 과정은 자산이 실제 매각될 때까지(또는 레노베이션 할 때까지) 계속 반복될 수 있다.

한계수익률의 계산을 살펴보기 위해 임대료는 실질적으로 향후 10년 동안 (앞의 예측들에서 사용한 증가율과 같이) 2%씩 증가할 것이라고 가정하자. 자산의 재매각가격 역시 매년 2%씩 증가할 것이라고 가정하자. [예 10-7]은 향후 10년 동안 해당 자산의 운영으로 인한 세후 현금흐름의 예측을 보여준다. [예 10-7]은 또한 10년 동안의 각 연도마다(보유 6년 차에서 15년 차) 당해 연도 말 자산이 매각되었을 때의 세후 현금흐름의 예측을 보여준다.

[예 10-7]의 정보를 이용해서 향후 10년간 각 연도별 한계수익률을 계산할 수 있다. 매년 한계수익률은 추가적인 1년 동안 운영으로 인한 세후 현금흐름과 그 해 말에 매각으로 인한 현금흐름을 수취하는 이익에 기초한다. 이 현금흐름을 수취하기 위한 비용은 올해 말 발생할 매각으로 인한 세후 현금흐름이다. 단지 1년만 차이가 있기 때문에, 수익률 계산은 단순히 다음 수식을 따르게 된다.

$$MRR = \frac{ATCF_s\,(\text{year } t+1) + ATCF_o\,(\text{year } t+1) - ATCF_s\,(\text{year } t)}{ATCF_s\,(\text{year } t)}$$

($ATCF_s$: 매각으로 인한 세후 현금흐름

$ATCF_o$: 영업으로 인한 세후 현금흐름)

[예 10-8]은 6년 차부터 15년 차까지의 한계수익률을 나타내며, [예 10-9]는 이를 그래프로 도시한 것이다. 한계수익률은 10% 바로 밑에서 시작하여 매년 감소한다. 가격 상승으로 인한 자기자본 축적과 대출 상환으로 인해 매각하지 않는 것에 대한 기회비용인 자기자본은 매년 상승한다. 또한 세제 상 감가상각의 손비처리는 고정된 반면 순영업소득은 상승하기 때문에, 감가상각으로 인한 상대적인 세제혜택은 매해 감소한다. 결국 한계수익률은 자산을 매각하고 그 수입을 동일한 위험의 다른 자산에 재투자함으로 인해 발생하는 재투자수익률 아래로 떨어진다. [예 10-9]에서 볼 수 있듯 재투자수익률이 9%일 때, 자산은 9년 차 동안 매각되어야 한다.

예 10-7 운영 및 매각으로 인한 세후 현금흐름의 예측: 추가로 10년 동안 운영할 경우

	운영으로 인한 세후 현금흐름의 계산 자산의 최초매입 이후 운영연차									
	6	7	8	9	10	11	12	13	14	15
임대료	92,742	94,597	96,489	98,418	100,387	102,395	104,442	106,531	108,662	110,835
(−)운영비용	46,371	47,298	48,244	49,209	50,193	51,197	52,221	53,266	54,331	55,418
순 영업이익	46,371	47,298	48,244	49,209	50,193	51,197	52,221	53,266	54,331	55,418
(−)부채서비스	37,559	37,559	37,559	37,559	37,559	37,559	37,559	37,559	37,559	37,559
세전 현금흐름	8,812	9,740	10,686	11,651	12,635	13,639	14,663	15,707	16,772	17,859
순 영업이익	46,371	47,298	48,244	49,209	50,193	51,197	52,221	53,266	54,331	55,418
(−)이자비용	25,824	25,254	24,657	24,030	23,374	22,685	21,963	21,206	20,412	19,579
(−)감가상각	16,410	16,410	16,410	16,410	16,410	16,410	16,410	16,410	16,410	16,410
과세소득(손실)	4,137	5,634	7,177	8,769	10,410	12,102	13,848	15,650	17,509	19,428
세금	1,448	1,972	2,512	3,069	3,643	4,236	4,847	5,477	6,128	6,800
세전 현금흐름	8,812	9,740	10,686	11,651	12,635	13,639	14,663	15,707	16,772	17,859
(−)세금	1,448	1,972	2,512	3,069	3,643	4,236	4,847	5,477	6,128	6,800
세후 현금흐름	7,364	7,768	8,174	8,582	8,991	9,403	9,816	10,230	10,644	11,059
	자산 재매각으로 인한 세후 현금흐름의 계산									
매각가격	938,400	957,168	976,311	995,838	1,015,754	1,036,069	1,056,791	1,077,927	1,099,485	1,121,475
(−)대출잔액	537,255	524,950	512,048	498,520	484,335	469,461	453,865	437,512	420,365	402,386
(−)매각비용	37,536	38,287	39,052	39,834	40,630	41,443	42,272	42,117	43,979	44,859
세전 현금흐름	363,609	393,931	425,211	457,484	490,790	525,166	560,654	597,298	635,141	674,230
취득원가	800,000	800,000	800,000	800,000	800,000	800,000	800,000	800,000	800,000	800,000
(−)감가상각누계	98,462	114,872	131,282	147,692	164,103	180,513	196,923	213,333	229,744	246,154
수정원가	701,538	685,128	668,718	652,308	635,897	619,487	603,077	586,667	570,256	553,846
매각가격	938,400	957,168	976,311	995,838	1,015,754	1,036,069	1,056,791	1,077,927	1,099,486	1,121,475
(−)매각비용	37,536	38,287	39,052	39,834	40,630	41,443	42,272	43,117	43,979	44,859
(−)수정원가	701,538	685,128	668,718	652,308	635,897	619,487	603,077	586,667	570,256	553,846
양도소득	199,326	233,753	268,541	303,696	339,227	375,139	411,442	448,143	485,249	522,770
세전 현금흐름	363,609	393,931	425,211	457,484	490,790	525,166	560,654	597,298	635,141	674,230
(−)양도소득세	44,788	52,494	60,272	68,124	76,050	84,054	92,135	100,295	108,537	116,862
세후 현금흐름	318,821	341,437	364,939	389,361	414,739	441,112	468,520	497,002	526,604	557,369

예 10-8
향후 10년 동안의 한계수익률

매입연차	한계수익률(%)
6	9.81
7	9.53
8	9.28
9	9.04
10	8.83
11	8.63
12	8.44
13	8.26
14	8.10
15	7.94

예 10-9
보유기간 분석

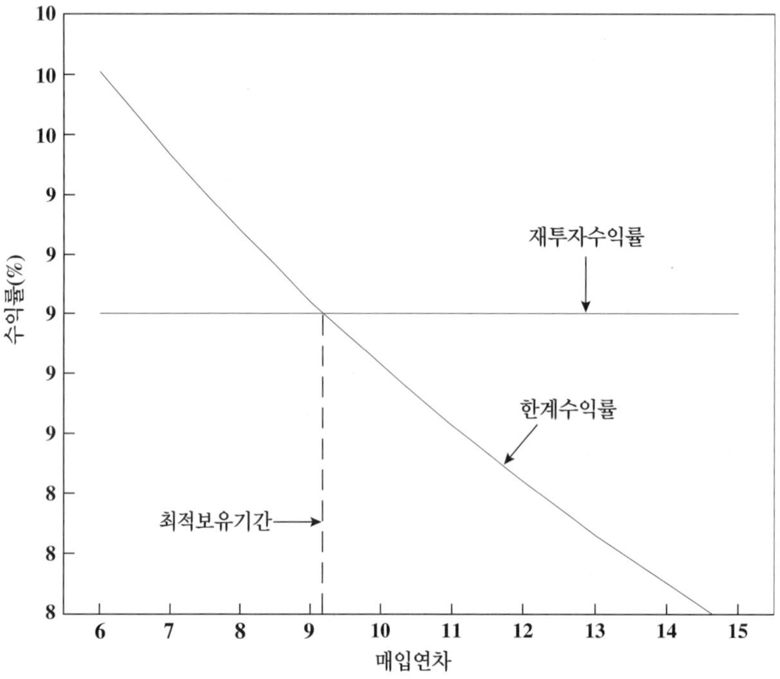

위의 분석은 **재투자수익률**은 향후 10년 동안 불변일 것이라고 가정하였다. 하지만 꼭 이러한 가정이 필요하지는 않다. 예를 들어서, 전반적인 금리수준과 대체투자수단의 수익률이 상승함으로 인하여, 시간이 지남에 따라 재투자수익률이 상승할 것으로 예상할 수도 있다. 시간경과에 따른 재투자수익률의 상승은 [예 10-10]에서 그림으로 설명하는 것처럼 최적보유기간을 변화시킬 수도 있다. 이 경우 재투자수익률의 상승으로 인하여 **최적보유기간**은 10년 정도의 시점이 될 것이다.

처분의 대안으로서의 차환 *Refinancing*

논의한 바와 같이, 투자자가 수년 동안 자산을 소유하고 있으면, 자산가치의 상승과 대출원금의 상환으로 인하여 자기자본 축적이 이루어질 수 있다. 즉 자산을 매입하던 시점에 대비하여 현 시점에서의 자

예 10-10
보유기간 분석

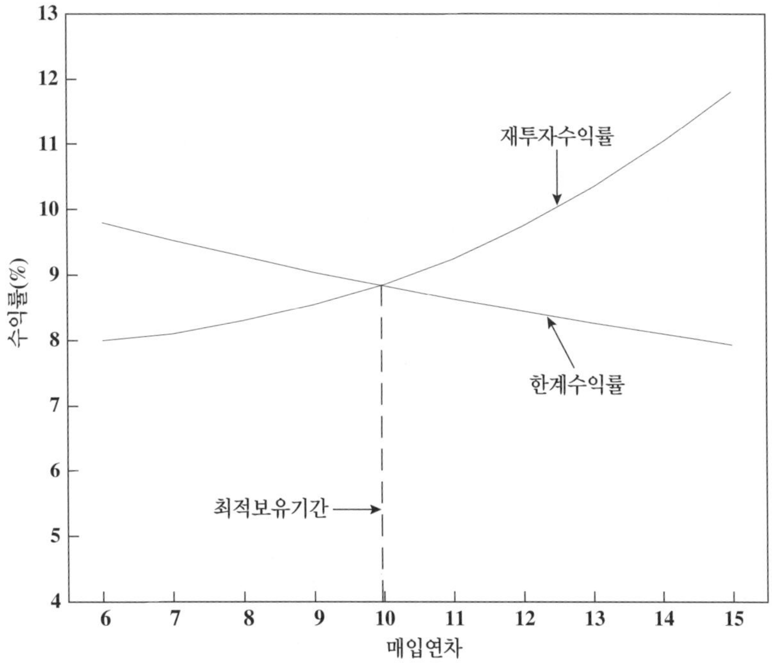

산가치 대비 대출잔액의 비율(loan-to-current-value ratio: 현 시점 담보가치비율)이 낮아질 수 있다. 이 경우 당초 담보대출을 차입하던 때보다 레버리지 효과가 낮아질 것이고, 투자자의 입장에서는 담보대출의 **차환**(refinancing)을 고려할 수 있다. 차환은 투자자가 재무적인 부채차입을 증가시키는 것을 의미한다. 보다 높은 LTV비율로의 차환은 다른 곳에 투자할 추가자금을 공급할 수 있기 때문에, 어느 정도는 자산 매각의 대안이 될 수 있다.

만약 자산가치의 상승과 기존 담보대출의 원금상환으로 인하여 투자자의 자기자본이 증가하였다면, 투자자는 **현재** 자산가치의 일정 비율에 근거하여 새로운 담보대출을 얻을 수 있을 것이다. 현재 자산가치는 보통 자산의 감정평가에 근거하게 될 것이다. 물론 신규대출을 받으려면 대출수수료, 감정평가비용 및 여타 비용이 발생할 것이다. 그러나 증액대출로 수취한 자금(대출순증금액)에 대해서는 세금이 부과되지 않는다. 반면 만약 자산을 매각하면 투자자는 세금을 납부해야 할 것이다.

투자자는 차환이 더 유리할 것인지를 어떻게 결정해야 할까? 이 질문에 답하기 위해서, 먼저 차환으로 취득하는 순증금액의 차입비용을 판단해야 한다. 이것이 바로 다음 절의 주제이다.

차환의 증분차입비용 *Incremental Cost*

4장에서 투자자가 대출금액이 다른 두 개의 대출 가운데 선택해야 할 경우, 증분차입비용(incremental borrowing cost)을 검토해야 하는 중요성이 논의되었다. 대출금액이 커질수록 금리가 높아진다면, 기존 대출 외에 추가 차입한 대출순증금액의 증분차입비용은 당초부터 많은 금액을 차입한 대출의 금리보다 더 높다는 사실을 상기하기 바란다. 이는 고금리가 단순히 대출순증금액에만 적용되는 것이 아니라, 차입금 전체에 부과되기 때문이다.

동일한 개념이 차환을 분석할 때도 적용된다. 차환을 함으로써 추가자금을 얻게 된다. 만약 신규대출의 금리가 기존대출의 금리보다 높다면, 순증금액 조달을 위해 지불하는 증분차입비용은 이 신규대출에

부과된 금리보다 더 높을 것이다. 이를 설명하기 위해 본 장의 도입부에서 소개하였던 아펙스 센터 사례로 돌아가 보자. 이제 아펙스 센터의 기존대출을 현재 자산가치의 70%까지 빌려주는 담보대출로 차환이 가능하다고 가정하자. 즉 신규대출의 대출금액은 $920,000의 70%인 $644,000가 될 것이다. 이 대출의 금리는 5%이고 만기는 30년이라고 가정하자. 차환의 증분차입비용은 아래와 같이 계산할 수 있다.

	현재 잔액	월상환액	5년 후 대출잔액
신규대출	$644,000	$3,457	$591,377
기존대출	548,989	3,130	484,335
차액	$ 95,011	$ 327	$107,043

신규대출 금액 $644,000과 기존대출의 대출잔액 $548,989 간의 차액인 $95,011은 차환으로 얻게 되는 추가자금이다. 이 자금의 증분차입비용은 차환 이후 증가한 월상환액($327)과 5년 후 증가한 대출잔액($107,043)에 의해 좌우된다. 이를 만족하는 해(解)를 구하면, 금리는 6.36%이다. 이를 **증분차입비용**이라고 부른다. 차환을 정당화하려면 투자자는 아펙스 센터의 차환으로 얻은 순증금액을 다른 사업에 재투자하여 세전 기준으로 6.36%를 초과하는 수익률을 벌어들일 수 있어야 한다. 그렇지 않다면, 아펙스 센터를 차환하여 확보한 자금은 유리한 레버리지 효과(즉 정의 레버리지)로 귀결되지 않을 것이다.

차환의 차입수익률 對 5년 추가보유

차환이 더 유리한 것인지 고찰하는 또 다른 방법은 추가로 5년을 보유하여 투자자가 얻는 수익률에 대해서 차환의 영향을 실제로 계산해 보는 것이다. 만약 자산을 추가적으로 5년 더 보유한다면, 세후 자기자본수익률이 9.31%라는 것을 이미 앞에서 살펴본 바 있다. 대출순증금액의 증분차입비용은 세전 기준으로 6.36%였는데, 이는 투자자에 대한 세율이 35% 적용되는 가정을 고려하면 세후 기준으로 6.36% × (1 − .35), 즉 4.13%에 해당한다. 투자자가 더 많은 자금을 차입하기 **이전**에 획득하는 세후 기준의 수익률이 순증금액의 차입비용보다 더 큰 것이다. 따라서 차환으로 조달한 순증금액은 유리한 레버리지 효과(즉 정의 레버리지)를 가지게 된다. 8장에서의 레버리지와 부채의 증분비용에 대한 설명을 상기해보자. 만약 추가자금을 차입하기 이전의 수익률이 추가자금의 증분차입비용보다 크다면, 대출순증금액의 차입은 정의 레버리지에 기여함을 알 수 있었다. 같은 개념이 차환을 통해 얻게 되는 자금에도 적용된다.

자산을 추가적으로 5년 더 보유하였을 때의 수익률을 계산하였던 것과 같은 방식으로 이제 차환을 하고 나서 자산을 추가적으로 5년 더 보유한다면 달성하게 되는 수익률을 계산할 수 있다. 본 장의 앞부분에서 위의 계산을 수행할 때 분석에서 사용한 "초기 투자금액"은 만약 자산을 오늘 매각한다면 수취 가능한 세후 현금흐름이었던 사실을 상기하라. 그 초기 투자금액은 **투자기준액**(investment base)이라고 언급되기도 한다.

차환의 경우, 투자기준액은 자산 재매각으로 인한 세후 현금흐름에서 차환을 통해 조달한 순증금액을 차감한 금액이다. 이 투자기준액이 차환 직후 해당 자산에 암묵적으로 투자된 자본량이 된다. 만약 차환 직후에 자산이 바로 매각된다면, 투자자는 이 투자기준액에 상당하는 금액을 수취할 것이다. 자산을 매각하지 않음으로써, 투자자는 이 금액을 자산에 투자한 셈이 되는 것이다. 아펙스 센터의 투자기준액은 아래와 같이 계산할 수 있다.

매각가격(오늘 매각할 경우)	$920,000
(−)매각비용(@4%)	36,800
(−)기존대출의 대출잔액	548,989
(−)차환으로 유입된 순증금액	95,011
(−)양도소득세(오늘 매각할 경우)	37,153
투자기준액(Investment base)	$202,047

차환을 가정하였을 때, 향후 5년 동안의 현금흐름은 아래와 같을 것이다.

	자산의 최초매입 이후 운영연차				
	6	7	8	9	10
A. 세전 현금흐름:					
임대료	92,742	94,597	96,489	98,418	100,387
(−)운영비용	46,371	47,298	48,244	49,209	50,193
순 영업이익	46,371	47,298	48,244	49,209	50,193
(−)부채서비스	41,486	41,486	41,486	41,486	41,486
세전 현금흐름(운영)	$ 4,885	$ 5,813	$ 6,759	$ 7,724	$ 8,708
B. 과세소득 또는 손실:					
순 영업이익	46,371	47,208	48,244	49,209	50,193
(−)이자비용	31,984	31,498	30,987	30,450	29,885
(−)감가상각	16,410	16,410	16,410	16,410	16,410
과세소득(손실)	(2,024)	(610)	847	2,349	3,898
세금	(708)	(213)	296	822	1,364
C. 세후 현금흐름:					
세전 현금흐름	4,885	5,813	6,759	7,724	8,708
(−)세금	(708)	(213)	296	822	1,364
세후 연금흐름(운영)	$ 5,594	$ 6,026	$ 6,462	$ 6,902	$ 7,344

추가로 5년을 더 보유한 후 자산의 매각으로부터의 현금흐름은 아래와 같다.

매각가격			$1,015,754
(−)매각비용(@4%)			40,630
(−)대출잔액			591,377
세전 현금흐름(매각)			$383,747
매각 당해 연도의 세금			
매각가격		$1,015,754	
(−)매각비용		40,630	
취득원가	$800,000		
감가상각누계	164,103		
수정원가		635,897	
양도소득		$ 339,227	
양도소득세			76,050
세후 현금흐름(매각)			$ 307,697

이제 차환 및 자산의 5년 추가보유로 발생하는 수익률을 아래와 같이 계산할 수 있다.

	자산의 최초매입 이후 운영연차					
	5	6	7	8	9	10
세전 현금흐름	$−202,047	$4,885	$5,813	$6,759	$7,724	$392,455
세후 현금흐름	−202,047	5,594	6,026	6,462	6,902	315,040
세전 내부수익률 = 16.23%						
세후 내부수익률 = 11.47%						

앞서 차환으로 얻게 되는 순증금액의 증분차입비용의 비교에 기초한 예상처럼, 세전 및 세후 자기자본 수익률 모두 뚜렷하게 증가한 것을 볼 수 있다. 만약 차환이 바람직하다면, 두 접근법 중 어느 것을 택하여도 같은 결론을 얻게 될 것이다.

기존대출보다 낮은 금리로 차환하는 경우

앞의 사례는 차환을 할 경우 투자자는 더 높은 금리를 지불해야 한다고 가정하였다. 신규대출을 더 낮은 금리로 조달하는 경우에도 분석방법은 동일할 것이다. 이 경우, 낮은 금리와 연관되어 절감한 이자비용이 차환으로 조달한 순증금액의 낮은 증분차입비용에 반영되어 있을 것이다. 예시로 설명하기 위해서, 아펙스 센터의 차환조건이 금리 4.25%, 만기 30년이라고 가정해 보자. 차환의 증분차입비용은 아래와 같을 것이다.

	현재 잔액	월상환액	5년 후 대출잔액
신규대출	$644,000	$3,168	$584,802
기존대출	548,989	3,130	484,335
차액	$ 95,011	$ 38	$100,467

이 경우, 차환의 증분차입비용은 1.60%이다. 따라서 투자자는 아펙스 센터 차환으로 얻게 되는 자금을 9.01%보다 높은 수익을 창출하는 사업에 투자함으로써 유리한 레버리지 효과(즉 정의 레버리지)를 달성하게 될 것이다.

분산투자 *Diversification*의 이익

앞에서 언급한대로, 자산을 최초 매입한 후부터 자산가치가 상승하고 대출잔액은 원금상환으로 인해 감소하기 때문에 차환에 의해 추가적인 자금을 조달할 수 있게 된다. 자산의 차환으로 얻게 된 순증금액은 또 다른 자산에 재투자되는 자기자본이 될 수 있음을 의미한다. 따라서 차환은 투자자로 하여금 소유자산의 규모를 증가시킬 수 있게 해준다. 나아가 2개 이상의 자산을 소유함으로써, 투자자는 투자를 분산하여 자산 포트폴리오를 구성할 수 있게 된다. 특히 입지여건이 다른 지역들에 다른 유형의 부동산을 취득한다면 분산투자효과는 커지게 된다. 예를 들면, 어느 투자자가 현재 $1,000,000의 가치가 있는 자산을 보유하고 있으며 기존대출의 잔액이 $500,000라고 가정해 보자. 그렇다면 이 사업에서 투자자의 자기자본은 $500,000일 것이다. LTV비율 75%인 신규대출로 차환함으로써 투자자는 또 다른 사업에 재투자할 수 있는 $250,000를 가지게 된다. 투자자가 두 번째 프로젝트 역시 LTV비율 75%의 담보대출을 조달할 수 있다고 가정하면, $1,000,000의 자산가치를 갖는 두 번째 자산을 매입할 수 있게 된다. 이 투

자자는 동일한 양의 투자된 자기자본($500,000)을 갖지만, 이는 이제 자산가치 합계가 $2,000,000인 2개의 자산을 취득하는 데 사용되고 있음에 주목하기 바란다. 이 투자자는 또한 $1,000,000의 부채를 추가로 더 지고 있다. 위에서 강조한 바를 다시 반복하면, 차환이 수익성 있는 전략이 되기 위해서는 이러한 추가부채의 실질비용이 무차입수익률보다 낮아야만 한다.

처분 관련 기타 고려사항—포트폴리오의 균형

이제까지 개별자산의 매각여부를 결정함에 있어서 해당 자산을 계속 보유한다면 달성하게 될 수익률과 매각대금을 또 다른 자산에 재투자하여 얻게 될 수익을 비교한 결과에 기초하여 분석하였다. 자산 **포트폴리오**를 관리하는 투자자는 자산의 매각이 자산유형(리테일, 오피스, 산업부동산, 아파트 등), 입지 등과 같은 요인들과 관련하여 포트폴리오 내 자산구성에 어떻게 영향을 미칠지에 대해서도 고민하여야 할 것이다.

23장에서 포트폴리오는 분산투자의 이익을 창출하면서도 포트폴리오 전체의 위험을 낮추는 방식으로 설계되는 것을 살펴보게 될 것이다. 만약 자산 매각 이후 포트폴리오의 다양성이 줄어든다면, 자산의 매각결정은 잔존 포트폴리오의 위험에 영향을 미칠 수 있다. 이는 본 장의 앞부분에서 평가했던 자산 보유로 인한 추가수익률을 들여다보는 것만으로는 잡아내기 어려운 부분이다. 포트폴리오 분석은 23장에서 심도 있게 다루어지겠으나, 여기에서는 부동산 포트폴리오를 보유한 투자자가 (자산 매각이 포트폴리오의 다각화에 미치는 영향을 포함하여) 검토하는 전략적인 고려사항들이 있다는 것을 이해하는 것이 중요하다. 예를 들면, 만약 두 개의 자산을 매각대상으로 고려하고 있고 두 자산은 보유 시 수익률이 같다고 한다면, 포트폴리오의 다양성에 덜 영향을 미치는 자산이 우선매각대상이 될 것이다. 마찬가지로 투자자는 자산을 매각하고 대체자산을 취득할 때 매각자산과 기대수익률은 동일하면서도 보다 큰 분산투자의 이익을 제시하는 자산을 선택할 것이고, 이 거래의 결과로써 포트폴리오의 투자위험은 감소하게 될 것이다. 예를 들면, 어느 투자자가 보유한 포트폴리오는 상대적으로 낮은 비중의 리테일 자산에 대비하여 오피스 자산에 과다하게 편중되어 있을 수 있다. 그렇다면, 투자자는 포트폴리오의 균형을 맞추기 위해서 오피스 자산을 줄이고 리테일 자산을 늘리기를 원할 수 있을 것이다.

다양한 지역과 다양한 자산 유형에 투자하는 것이 분산투자의 이점을 증가시키더라도, 고려해야 할 다른 요인들은 또한 상존하고 있다. 예를 들어서, 어떤 투자자는 자산의 유형이 자신의 전문성이 부족하여 관리하기가 어려운 자산이라거나 또는 자신이 효율적으로 관리할 수 있는 곳에 입지하지 않은 자산에 대해서는 투자하기를 원하지 않을 것이다. 물론 투자자가 자산의 일상적인 운영을 처리하는 자산관리자(property manager)를 고용할 수는 있지만 투자자는 어느 정도 자산관리자를 감독할 필요가 있으며 또한 자산관리자의 전문성에 전적으로 의존하기보다는 투자자 자신이 자산·입지에 대해 이해를 갖추어야 하는 장기결정사항들(예를 들면, 자산의 레노베이션 여부)에 대해서 직접 의사결정을 해야 한다. 따라서 자산의 취득과 처분에 대한 의사결정 시에는 반드시 포트폴리오의 분산투자와 효율적인 관리 사이의 균형을 고려하여야 할 것이다. 어느 투자자는 포트폴리오 내 특정 자산들이 다른 자산들보다 관리하기 어려울뿐더러 포트폴리오의 전반적인 전략과 잘 맞지 않는다고 결정할 수도 있다. 이런 자산들은 매각해야 할 것이고 경우에 따라서는 투자자의 포트폴리오 전략에 보다 잘 부합하는 자산들로 대체되어야 할 것이다.

처분 관련 세금의 이연전략

본 절에서는 자산을 처분할 때 고려할 수 있는 두 가지 세금 이연전략을 검토한다. 매각 당해 연도에 양도소득세 전체를 납부하는 대신, 美 내국세법(Internal Revenue Code, IRC)에서 인정하는 2가지 세금 이연대안들이 양도소득세를 미래로 이연하는 데 활용 가능하다. 하나의 방법은 자산을 매매한 후 (매매대금을 일시에 지급하는 것이 아니라) 매매연도 이후에 매수인이 매도인에게 매매대금을 주기적으로 나누어 지급하는 방법이다. 매매계약은 자산을 매수할 때 매수인이 전체 가격을 지급하는 대신 매수인이 상당 시간에 걸쳐서 매매대금을 나누어서 또는 할부지급하도록 규정한다. 美 내국세법에서는 이러한 거래를 **연부판매**(installment sale)라고 지칭한다.

두 번째 대안은 **유사자산(대체취득)거래**(like kind exchange) 또는 **면세거래**(tax-free exchange)라고 일컬어진다. 보통 이 대안은 자산 소유주가 기존 자산을 매각하고 다른 대체자산을 특정 기간 내에 매입하고자 할 때 사용하게 된다. 매각 당해 연도에 양도소득세를 납부하는 대신, 거래하는 자산(매각자산)에 소유주가 가지고 있는 자기자본을 확정하고 동 금액을 대체취득자산의 자기자본으로 **넘기게** 된다. 대체취득자산이 마침내 매각될 때 이연한 양도소득세를 납부한다.[2] 이 경우 **유사자산**의 대체취득은 부동산에 대해서 부동산을 교환하는 것을 지칭한다. 자산의 유형이 동일할 필요는 없다(예를 들면, 아파트 자산은 오피스 자산, 토지 또는 기타 유형의 부동산과 교환할 수 있다). 이 조세거래의 저변에 깔려 있는 보편적인 조세철학은 투자자가 이 거래 이후에도 계속해서 부동산을 소유할 것이기 때문에 법적인 소유권의 변화만으로는 **과세요건**을 구성하지 못한다는 것이다. 이는 투자자가 교환자산(매각자산)을 계속해서 보유할 수 있었음에도 불구하고 매각하였기 때문이다. 따라서 하나의 자산을 매각하고 유사자산을 대체취득 하였다는 사실은 결국 **동등한 투자**에 해당한다는 것이다.

연부판매와 세금이연거래 모두 양도소득세를 이연할뿐더러 경우에 따라서는 투자자가 자산의 양도시점에 납부했어야 할 양도소득세의 납부세액 총액을 줄이는 방법들이다. 사실 양도소득세 합계는 양도소득 과세표준이 (장래) 시간경과 후에 인식되기 때문에 만약 과세표준이 장래 자본적 손실과 결부될 경우 감소할 수 있고, 따라서 납부세액 총액을 낮추게 되어 줄어들게 될 것이다. 연부판매건 세금이연거래건, 양자의 주된 목적은 자산 재매각으로 인한 세후 현금흐름의 현재가치를 일반적인 거래의 매각현금흐름의 현재가치보다 더 높아지도록 자산처분을 구조화(그것이 연부판매를 통해서건 유사자산의 대체취득을 통해서건)하는 것이라 할 것이다.

연부판매 *Installment Sales*

연부판매를 할 때 자산은 매각된다. 하지만 당해 매각연도에 매매대금 전체를 수령하는 대신 매도인은 매각연도 이후의 과세연도에 걸쳐서 매수인으로부터 매매대금을 수령한다. 美 **내국세법 제453조 제① 항**에 따르면, 일반적으로 **연부판매**라는 용어는 매도인이 수령하는 매매대금을 적어도 1회 이상 자산처분 당해 연도 이후에 수령하는 경우에 대한 자산의 처분을 의미한다.[3]

---

2 즉 또다른 유사자산의 대체취득거래를 실행하지 않는다면 말이다[역자주: 대체취득자산의 매도시점에 다시 새로운 대체취득자산을 매입한다면 결국 양도소득세 납부시기가 재차 이연될 것이다. '이를 실행하지 않는다'는 의미는 결국 양도소득세를 납부하더라도 부동산 자산을 현금화할 것이라는 의미이다].

3 자산의 매도 또는 소유권의 이전이 (美 내국세법상) 연부판매의 요건을 충족시킬 수 있어야 함을 강조하고자 한다. 장래 특정 기간 동안 (매수인의) 소유권 이전이 발생할 때 또는 (매수인의) 소유권이 특정 사건 내지는 매도인이 받아들일 장래 고려사항에 **조건부**로 변동

연부판매는 매매대금을 일정 기간에 걸쳐서 분할하여 지급하는 거래뿐 아니라 매도인이 금융을 제공하고 대출금액에 대해 이자를 수령하는 거래를 포함한다. 납세자인 매도인이 매각 당해 회계연도에는 아무런 금전대가를 수취하지 아니하고 그 다음 회계연도가 시작되면 매매대금을 전부 수취하는 거래 역시 연부판매에 해당된다. 美 내국세법상 연부판매 보고조항은 매도인으로 하여금 자산양도에 부과된 세금의 납부시기와 양도대금의 수취시기를 일치시킬 수 있도록 허용한다. 법의 이 조항은 거래 또는 사업에 사용되는 자산이 Section 1231 자산으로 결정된 자산이거나 Section 1221 투자의 소유주에게만 적용이 가능하다.[4] 위의 법 조항은 재고자산의 특성이 있는 자산들에는 적용하지 못한다.[5]

기초 사례

예로써 다음의 사례를 고려해 보자. 어느 투자자가 오피스빌딩을 $1,000,000에 매각하는 것을 고려하고 있다. 현재 이 자산에 대해 $600,000의 담보대출잔액이 남아 있다. 그는 이 자산을 5년 동안 보유하였고, 매년 정액법에 의해서 감가상각비용을 공제하여 현재 수정원가는 $700,000가 남아 있는 상태이다. 그는 두 가지 대안을 고려 중이다. 시나리오 A는 투자자가 자산을 $1,000,000에 매각하고 담보대출잔액 $600,000를 상환하여, 매각연도에 순현금흐름으로 $400,000를 수령하는 것이다. 물론 투자자는 당해 연도에 $300,000 양도소득을 인지하고, 양도소득세를 납부하여야 할 것이다. 시나리오 B는 투자자가 자산을 $1,000,000에 매각하는 것은 동일하나, 매수인이 매도인의 담보대출잔액 $600,000를 승계하는 것이다. 매도인이 매각 당해 연도에 $400,000를 수령하는 대신에, 매수인은 올해 $25,000를 지급하고 (잔액 $375,000를) 향후 5년 동안 매해 $75,000씩 나누어서 지급하게 된다. 결국 매도인이 수령하는 현금합계는 $400,000가 될 테지만, 대금의 납부가 연부형태로 이루어지기 때문에 국세청은 양도소득 $300,000(= 매각가 $1,000,000 − 수정원가 $700,000)의 이연을 허용하게 된다. 이 경우, 매도인이 신고 및 납부하는 양도소득세는 매수인의 최초 연부금 $25,000과 향후 5년 동안 매해 지급하는 $75,000의 지급일정을 따르게 된다. 여기에서 투자자가 직면하는 질문은 "연부판매의 5년 계약기간 동안 수령하는 연부금과 지급하는 양도소득세의 현재가치가 자산의 통상거래(시나리오 A)에서 실현하는 세후 순현금흐름보다 클 것인가?"하는 것이다. 이 질문에 답하기 위해서, 이제 연부판매의 계약조건과 美 내국세법에 대해서 검토해 보도록 하자.

할 때, 이러한 매매거래는 일반적으로 연부거래의 요건을 충족하지 못한다. 특히 후자는 **환매조건부 매매계약**으로 특징지을 수 있고, 여기에서 설명하지 아니하는 다양한 조세처리에 영향을 받게 된다[역자주: 매도 시 특정 조건의 성취를 환매조건으로 걸 수 있다. 설령 매수인에게 소유권이 이전되더라도, 환매조건에 저촉되는 경우 매도인은 매매계약 상 환매대금을 지급하고 소유권을 다시 회복할 수 있다. 이런 환매조건이 부과된 매매계약의 경우 또는 이런 매매계약에 의한 (매수인으로) 소유권 이전의 경우, 진정한 매매(true sale)에 해당하지 않음은 자명하다. 현재 저자들은 이렇게 진정한 거래에 해당하지 않을 경우, 美 내국세법상 연부판매가 부인될 위험을 지적하고 있다].

[4] Section 1231 자산은 거래 또는 사업에 사용되는 자산이 기계설비, 운송수단, 임대부동산 등과 같이 감가상각이 가능한 자산이다. Section 1231 자산을 법적 요구기간 이상 보유할 경우, 양도손실은 일반손실로 손비처리가 가능하고 양도소득은 (일반소득세율보다 낮은) 양도소득세율의 적용이 가능하다. Section 1221 투자는 일반적으로 주식, 채권 등과 같은 비업무용 자산을 포함한다. 보다 자세한 사항에 대해서는 세법을 참고하기 바란다.

[5] 이는 대개의 경우 개발사업자와 건축업자들은 연부판매를 활용할 수 없음을 의미하는데, 이는 개발이 될 토지와 부동산이 일반적으로 재고자산으로 분류되기 때문이다. 따라서 모든 매매는 계약가격에 근거해서 납세신고를 해야 한다. 매매대금의 수령시기와 무관하게 모든 매매는 현(現)조세연도 내에 납세신고가 이루어져야 하며, 모든 소득은 일반소득세율의 적용을 받는다[역자주: 기업회계에서는 부동산의 보유목적에 따라 판매목적인 경우 재고자산으로, 자가사용 목적은 유형자산으로, 그리고 임대 · 양도차익 목적인 경우 투자부동산으로 각각 분류한다. 분양사업자의 경우 부동산의 판매를 목적으로 부동산을 보유하다가 판매하는 사업자로, 그 판매대상이 되는 부동산은 당연히 유형자산 · 투자부동산으로 인정될 수 없다. 재고자산을 처분하는 일상적인 영업행위는 양도소득세의 부과대상이 아니라 일반 법인세의 부과대상이 된다].

소득비율 *Profit Ratio*의 중요성

연부판매는 본질적으로 **매도자금융**(seller financing)의 한 형태이다. 자산의 매도인이 매각 당해 연도에 매수인으로부터 매매대금의 전부를 수취하지 않음으로써 매매잔금을 빌려준 셈이 된다. 매매대금의 일부 또는 전부는 할부금의 형태로 일정 기간에 걸쳐서 지급된다. 연부원금 이외에도, 일반적으로 연부잔액에 대하여 이자가 부과된다. 이 이자수입은 일반소득으로 취급된다. 매도인은 연부금을 수령하면서 양도소득을 인식시키면 된다.

연부판매의 세제상 특수한 지위 때문에, 美 내국세법은 양도소득세의 취급 및 인식의 필수 구성요인이 되는 특정 용어들에 대해서 정의를 내리고 있다. 이 용어들 중 대표적인 두 가지가 **소득비율**(profit ratio)과 **계약가격**(contract price)이다. 해당 거래가 연부판매의 납세신고 자격을 갖춘다면, 매년 납세의무가 부과되는 양도소득의 과세표준은 매년 수취하는 **분납금**(installment payment)[6]에 **소득비율**을 곱한 금액과 같다.

소득비율은 **총양도소득**을 **계약가격**으로 나눈 값으로 정의된다. 연부거래의 납세신고를 위해서, 美 내국세법은 **계약가격**을 매각가격에서 담보대출잔액, 부채 및 매수인이 승계하거나 취득하는 기타부채합계를 차감한 금액으로 정의하고 있다. 계약가격은 또한 연부판매의 계약기간 동안 원금상환의 형태로 매도인이 궁극적으로 수령하는 자기자본과 일치하게 된다. 총양도소득은 매도인이 매각 당해 연도에 납세신고하는 양도소득 과세표준(= 매각가격 − 매각비용 − 수정원가)과 같다.

$$소득비율 = \frac{총양도소득}{계약가격}$$

소득비율이 1보다 작을 때는 언제나 100%보다 작은 원금수령액을 소득으로 신고한다. 위에서 설명하였던 사례의 정보를 이용하여, 연부거래 시나리오의 소득비율을 다음과 같이 결정할 수 있을 것이다.

매각가격	$1,000,000
− 수정원가[7]	700,000
총양도소득	$ 300,000
매각가격	$1,000,000
− 매도인의 대출잔액	600,000
계약가격	$ 400,000

$$소득비율 = \$300{,}000 \div \$400{,}000 = 75\%$$

소득비율을 고려할 때, 만약 자산이 현금으로 팔렸다면 어떻게 되었을까를 검토해 보면 유용할 것이다. 현금으로 수취하였다면, 매도인은 $300,000의 양도소득 과세표준을 신고하였을 것이고, $600,000를 담보대출의 잔액을 상환하는 데 사용하게 되면, 매수인은 세전 기준으로 현금 $400,000를 수령하였을 것이다. 결과로서, 美 내국세법상의 정의에 의한 소득비율은 75%가 될 것이다(= $300,000 ÷ $400,000 = 75%).

만약 매도인이 매각시점에 현금으로 $400,000 전부를 수령하는 대신에 동 금액을 연부로 수취한다면, $300,000의 과세표준은 분납금 합계가 $400,000에 이를 때까지 (매 분납금의 75% 비율로 안분하

[6] 연부금액은 이자가 부과되기 이전의 매매잔금을 대상으로 계산한다. 이 계산법은 원금상환과 유사하다.

[7] **수정원가**는 자산의 취득가액에서 보유기간 중 공제한 감가상각누계를 차감한 금액으로 정의한다.

여) 인식될 것이다. 분납금이라는 용어를 사용할 때, 이는 매도인에게 $400,000를 상환하기 위해 사용하는 납부금액을 의미한다. 이 분납금은 원금상환으로 간주될 수 있다. 보통 매도인은 이자를 부과하려 할 것인데, 그가 사실상 매도자금융을 제공하고 있기 때문이다. 소득비율이 75%라는 의미는 매 $1의 분납금(원금상환) 중에서 75센트의 양도소득 과세표준을 인식한다는 것이다.

여기에서 지적할 사항은 만약 납세의무자의 한계세율이 분납금 납부기간 중 매년 동일하게 유지된다면, 현금거래로 인한 납부세액 합계는 연부거래로 인한 납부세액 합계와 같아질 것이다. 어느 거래에서건 매도인은 같은 금액의 양도소득 과세표준을 신고할 것이다. 하지만 화폐의 시간가치라는 개념을 사용하게 되면, 세금납부를 지연함으로 인하여 납세의무자에게 이익이 발생할 수도 있다. 만약 장래에 한계세율이 낮아지거나 자본손실이 발생해서 신고할 과세표준을 상계하게 된다면, 추가적인 이익이 발생할 수도 있다.

위의 사례에서 설명한 연부판매는 매수인이 매도인의 기존대출 $600,000를 승계하는 것에 동의하는 방식으로 구조화되었다. 매도인은 계약시점에 $25,000를 수취하고 나머지 $375,000를 향후 5년에 걸쳐서 분납금으로 수취하는 것에 동의하였다. 따라서 매수인이 승계하는 담보대출 $600,000 이외에도, 매수인은 사실상 $375,000의 매도자금융을 얻게 된다. 이 거래구조는 아래와 같이 요약된다.

계약시점 매도인으로부터의 지급금	$ 25,000
분납금 합계	375,000
매수인이 승계한 대출잔액	600,000
자산 매매대금	$1,000,000

위에서 논의한 바와 같이, 만약 매도인이 매각시점에 전체 $400,000의 자기자본을 수취하였다면, $300,000의 양도소득 과세표준은 즉각 인식되었을 것이다. 하지만 연부거래에서는 매각연도에 매도인이 수령하는 금액이 $25,000에 불과하기 때문에 인식시키는 과세표준은 동 금액의 75%인 $18,750에 지나지 않는다. 나머지 과세표준은 시간이 경과함에 따라서 연부판매로 대여해 준 $375,000의 분납금이 납입되면서 순차적으로 인식하게 될 것이다.

매도인이 $375,000을 대여해 주었기 때문에, 통상 매도인은 대여금의 상환이 완료될 때까지 대출잔액에 대해 이자를 부과하고자 할 것이다.[8] 위 사례에서 매도인이 매도자금융의 미상환잔액(즉, 연부잔액)에 대해서 7.5%의 이자를 부과하고 이 이자금액이 매년 납부하는 분납금에 가산된다고 가정해 보자. 연부거래와 통상적인 현금거래를 비교할 때 납부금액을 고려하는 것이 중요한데, 이는 연부판매에 부과되는 연부이자가 두 유형의 거래 사이에 가장 중요한 차이 중 하나이기 때문이다. 한편 연부이자에 따른 이자수입은 일반소득으로 과세될 것이다.

현금거래의 현재 세후 순매각수입 對 연부판매의 미래 세후 현금흐름

앞 사례로 논의를 계속하자면, 이제 연부거래에 의해 시간이 경과함에 따라서 매도인이 수취하게 될 세

[8] 설령 매도인이 연부이자를 부과하지 않는다 하더라도, 실제로 국세청은 이자수입을 매도인에게 간주시키고 매도인으로 하여금 (이 간주 이자수입에 대해 부과한) 일반소득세를 납부하도록 요구할 것이다. 이것은 매도인이 연부이자를 부과하는 대신 자산의 매매가격을 부풀리는 행위를 예방하려는 목적이 있다. 만약 매도인이 이런 행위를 하게 되면, 부풀린 매매대금은 사실상 선지급한 연부이자임에도 불구하고 매도인의 양도소득세는 많아지겠지만 이자수입으로 인한 일반소득세로는 과세되지 않는 결과를 야기한다. 따라서 매도인은 높은 세율의 일반소득세를 상대적으로 낮은 세율로 과세하는 양도소득세로 전환하려 할 것이다.

후 현금흐름의 규모와 현금거래에 의해 당장 매도인이 수취하게 될 순매각수입의 규모를 비교해 보도록 하자. 현금거래로 인한 세후 현금흐름은 아래와 같이 계산된다.

매각가격	$1,000,000
– 담보대출잔액	600,000
– 세금	45,000*
세후 순매각수입	$ 355,000

*$300,000의 15%. 일반적인 직접거래에서 $300,000 전체가 즉각적으로 15%의 양도소득세율로 과세된다는 것을 상기하기 바란다.

이제 연부판매로 인한 세후 현금흐름을 고려해 보자. 자산양도의 계약시점에 세후 순매각수입은 아래와 같이 계산된다.

최초 납부금	$25,000
×소득비율	0.75
과세표준(신고금액)	$18,750
×표준세율	0.15
납부세액	$ 2,813
세후 현금흐름	$22,188

마찬가지로 향후 5년간 각 연도에 분납금을 지불할 때, 납부세액과 세후 현금흐름 역시 계산해야 한다. 매도자금융에서는 향후 매도인이 연부잔액 $375,000에 대하여 7.5%를 적용한 이자수입을 수취할 것이라는 점을 상기하자. 이 이자수입은 일반소득세로 과세되고, 과세율을 32%로 가정하기로 한다. [예 10-11]은 향후 5년 동안 각 연도의 세후 현금흐름을 보여준다.

[예 10-11]은 또한 할인율 5.1%를 사용하여 계산한 세후 현금흐름의 현재가치도 제시하고 있다. 할인율을 5.1%로 선정한 근거는 매도자금융(매도인이 자산을 매각하지 않을 경우 자산 내 유지하고 있을 자기자본에 해당)에서 7.5%의 이자율이 부과되었는데, 이 이자수입에는 32%의 한계세율이 적용되므로, 결국 적정한 세후 할인율은 7.5% × (1 – .32) = 5.1%가 될 것이라고 추정하게 된다. 이 현재가치는 매각 당해 연도에 매각대금을 전부 현금수령하고 과세금액 전액을 납부하는 현금거래의 현재가치와 비교할 수 있게 된다. 앞에서 후자의 순매각수입을 $355,000로 계산한 바 있다.

이제 이 사례에서, $360,758의 연부거래 현재가치가 전액 현금거래의 현재가치 $355,000보다 크다는 것을 발견하게 된다. 후자의 순매각대금은 즉시 수령하기 때문에 할인하지 않는다. 따라서 분석결과는 투자자에게 있어서 연부거래가 낫다는 것을 나타낸다. 결과는 상당히 달라질 수 있음을 인식하기 바란다. 분석결과는 부과된 연부이자율, 투자자의 일반소득세율 및 양도소득세율, 분납금의 규모, 분납기간(연수) 등에 의해 좌우된다. 즉 연부거래 또는 현금거래가 나은지에 대한 판단은 특정 투자자의 환경 그리고 연부판매가 어떻게 구조화되어 있는지에 따라 달라진다.

세금이연거래 *Tax-Deferred Exchanges*

자산을 매각할 때 양도소득의 인식을 이연하는 또 하나의 전략은 **세금이연거래**(tax-deferred exchange)를 사용하는 것이다. 이 전략은 때로는 **면세거래** 또는 美 내국세법 Section 1031을 참조하여 1031거래라고도 불린다. 어느 투자자가 이 조항에 따라 필요한 기간 이내에 보유자산을 다른 자산으로 대체취득

예 10-11
연부판매의 세후 현금흐름

	분납연차						
	0	1	2	3	4	5	합계
A. 양도소득세의 인식							
분납금	$ 25,000	$ 75,000	$ 75,000	$ 75,000	$ 75,000	$75,000	$400,000
× 소득비율	75%	75%	75%	75%	75%	75%	
= 양도소득	$ 18,750	$ 56,250	$ 56,250	$ 56,250	$ 56,250	$56,250	$300,000
× 양도소득세율	15%	15%	15%	15%	15%	15%	
= 양도소득세	$ 2,813	$ 8,438	$ 8,438	$ 8,438	$8,438	$ 8,438	$ 45,000
B. 매도자금융에 따른 이자와 세금							
연초잔액	$400,000	$375,000	$300,000	$225,000	$150,000	$75,000	
분납금	$ 25,000	$ 75,000	$ 75,000	$ 75,000	$ 75,000	$75,000	$400,000
연말잔액	$375,000	$300,000	$225,000	$150,000	$ 75,000	$ 0	
연부이자(7.5%)		$ 28,125	$ 22,500	$ 16,875	$ 11,250	$ 5,625	$ 84,375
× 일반소득세율		32%	32%	32%	32%	32%	
일반소득세		$ 9,000	$ 7,200	$ 5,400	$ 3,600	$ 1,800	$ 27,000
C. 세후 현금흐름							
분납금	$ 25,000	$ 75,000	$ 75,000	$ 75,000	$ 75,000	$75,000	$400,000
(−)일반소득세	$0	$ 9,000	$ 7,200	$ 5,400	$ 3,600	$ 1,800	
(−)양도소득세	$ 2,813	$ 8,438	$ 8,438	$ 8,438	$ 8,438	$ 8,438	
세후 현금흐름	$ 22,188	$ 85,688	$ 81,863	$ 78,038	$ 74,213	$70,388	
할인율	5.10%						
현재가치	$360,758						

하고자 한다면, 그는 美 내국세법 Section 1031에 따른 조세처리를 선택할 수 있다. 매각연도에 통상적으로 신고해야 할 양도소득을 그 해에 신고하지 않고, 따라서 세금 역시 그 시점에서 납부하지 않는다. 대체취득으로 인해 이연된 양도소득은 취득자산을 궁극적으로 처분하는 시점에 신고하게 된다.

양도소득을 이연하는 것 이외에도, 대체취득거래는 아래와 같은 목적에서 다른 투자전략들과 결합하여 사용할 수 있다.

- 투자자 자산들의 지리적 위치 조정
- 다른 현금흐름 특성(예를 들면, 높은 임대율)을 가진 신규 자산과 기존 자산의 교환
- 포트폴리오의 분산투자를 위해서 하나의 자산을 여러 개의 자산으로 교환
- 기존 자산을 관리강도가 낮은 다른 자산으로 교환(예를 들면, 아파트 자산을 순임대차 조건의 의료오피스 빌딩으로 교환)

美 내국세법 Section 1031

곧 소개될 테지만, 투자자는 Section 1031의 대체취득전략을 사용할 것인지를 평가할 때 어느 정도 기본적으로 고려해야 할 사항들이 있다. 이 중 몇몇 고려사항은 다음과 같다.

- 국세청에서 규정하는 시간제한 내에 대체자산을 취득할 것인지를 확정해야 하고 교환거래를 완료하여야 한다.

- 교환으로 대체취득이 가능한 자산의 수는 (1) 최대 3개로 제한되거나 (2) 만약 3개보다 많을 경우, 인수하는 자산들의 가격합계가 처분하는 자산의 공정시장가치의 200%로 제한될 수 있다.
- 처분하는 자산 내 **현재 자기자본**이 대체취득하는 자산의 자기자본보다 크거나 작을 수 있다. 이 관계는 교환거래를 통해 얻을 수 있는 세제혜택을 감소시키거나 없애는 경향이 있다.
- 교환거래에 비(非)부동산(즉 동산)이 포함될 수 있다. 이 경우, 이러한 "비(非)유사자산"은 동산[**부트**(boot)라고 부른다]으로 간주되며 과세대상이 된다.

지금부터의 내용은 美 내국세법 규정에 따른 유사자산 교환에 대한 아주 간략한 설명이다.

美 내국세법 Section 1031에 따르면, 거래·산업 등의 생산적인 용도로 보유하던 자산을 매각할 때 또는 투자의 경우 생산적인 용도의 토지를 유사자산에 속하는 자산과 단순하게 교환하여 거래·산업 등의 생산적인 용도로 사용하거나 투자 용도로 보유하려 할 때 양도소득 또는 손실을 인식하지 아니한다. 강조되어야 할 점은 오직 Section 1231과 Section 1221의 자산들만 교환거래의 자격을 충족하는데, 다른 자산들의 교환은 자격을 충족하지 못한다. 거래인은 적격자산 내 자기자본만을 포기할 수 있고 또한 적격자산 내 자기자본만을 대체취득 할 수 있다. 마찬가지로, 거래인은 교환거래로 대체취득 하는 자산을 Section 1231 또는 Section 1221 자산으로만 보유할 수 있다. Section 1231 또는 Section 1221 자산으로 인정되어 보유하던 부동산은 Section 1231 또는 Section 1221 자산으로 보유하려는 거의 모든 유형의 부동산 자산과 교환할 수 있다. 예를 들면, 美 내국세법은 다수 임차인이 입주한 판매시설(리테일)을 단일 임차인이 입주한 대형 판매매장으로, 아파트빌딩을 투자용 토지로, 오피스건물을 판매시설로 또는 다수 임차인이 입주한 오피스건물을 단일 임차인이 입주한 오피스건물로 교환하는 것을 허용하고 있다.[9] 파트너십은 자신이 소유한 적격 자산을 다른 적격 자산과 교환할 수 있으며 Section 1031에서 보장하는 세금이연 혜택을 누릴 수 있다. 하지만 (파트너쉽에 참여한) 투자자들은 그들의 파트너십 지분을 Section 1031이 규정하는 세금이연의 방법으로 교환할 수 없다. 이는 투자자들이 소유한 파트너십 지분이 동산인 까닭이다. 파트너십은 부동산을 소유할 수 있다.

시간제한의 설정

美 내국세법 Section 1031은 교환자산(즉, 매각자산)의 소유권 이전일로부터 45일 이내 대체취득할 자산을 **확정**하고 180일 이내에 교환거래를 **완료**할 것을 규정하고 있다.

180일 이내에 대체취득하지 아니한 자산은 유사자산의 **대체취득으로 간주되지 아니한다**. 납세의무자가 대체취득자산을 인수해야 하는 180일의 기간은 두 개의 시기로 세분할 수 있다. 첫 번째 시기에서는 납세의무자가 교환거래로 대체취득하는 자산이 무엇인지를 확정하는 데 45일의 말미를 부여한다.

자기자본의 일치 *Balancing Equities*

성공적인 세금이연거래를 완료하기 위해서, 투자자는 사실상 (1) 기존 부동산의 자기자본을 포기하고 (2) 대체 부동산의 자기자본을 취득한다. **자기자본의 일치**(balancing equities)의 개념 하에서는 만약 포기한 자기자본의 금액이 취득하는 자기자본의 금액과 같다면 자기자본은 일치된 상태이고, 따라서 교

---

9 하지만 미국 내 부동산과 해외 부동산은 유사자산으로 간주하지 아니한다. 따라서 Section 1031의 자격을 충족하기 위해서는, 교환거래에 포함된 두 부동산 모두가 미국 내 소재하거나 두 부동산 모두 역외에 소재하고 있어야 한다.

환거래 전체는 세금이 이연된다. 예를 들면, 만약 투자자가 담보대출이 없는 상태로 $500,000의 자산을 소유하고 있으며 이 자산을 담보대출 없이 $500,000 가치의 인수자산과 교환한다면, 투자자는 인수자산의 자기자본과 같은 금액으로 처분자산의 자기자본을 포기하는 것이며 비(非)유사자산을 인수하는 것이 아닌 것이다. 이는 부동산자산의 자기자본을 부동산자산의 자기자본으로만 교환할 수 있다는 필요조건을 충족하게 될 것이다.

하지만 많은 세금이연거래에서 자기자본이 일치되지 않을 것이다. 이러한 불일치는 교환하려는 자산의 가치가 취득하려는 자산의 가치보다 크거나 작을 때 발생하게 된다. 대체취득하는 자산의 가치가 더 큰 경우, 매각자산의 양도소득이 이연되기는 하지만 취득하는 자산의 수정원가를 낮추게 된다. 그러면 **대체취득원가**(substitute basis)가 확정되고, 감가상각 원가를 정하기 위하여 대체취득원가를 토지분과 건축물분으로 할당하게 된다. 이 경우, 대체취득한 자산을 궁극적으로 매각할 때에 그 매각으로 인한 양도소득이 일반적으로 더 크게 부풀려진다. 이는 대체취득자산의 대체취득원가가 낮게 책정되었기 때문이다. 취득 부동산의 가치가 교환하려는 부동산의 가치보다 작고 그 차액이 **비(非)유사자산**(이는 현금 등의 동산을 포함한다)으로 인해 발생한 결과인 경우, 해당 비(非)유사자산은 교환 당해 연도에 양도소득으로 인식시켜야 한다. 그러면 취득자산의 대체취득원가는 교환거래에서 취득한 부동산의 가치를 기준으로 확정된다. 끝으로 많은 교환거래는 당사자 어느 일방 또는 쌍방이 부담하고 있는 담보대출의 승계를 거래의 일환으로 포함할 수 있다. 승계하는 부채금액에 차이가 발생하는 경우 일정 금액 감채(減債)가 발생한 것이고, 당사자 어느 일방이 이익을 얻게 될 것이다. 이러한 일이 발생할 경우, (해당 이익만큼의) 양도소득은 교환 당해 연도에 인식되어야 한다. 다음의 내용은 세금이연거래의 개념을 보다 잘 이해하도록 지원하려는 의도로 거래사례들에서 발췌한 것이다.

양도소득의 인식

정상적인 경우, 만약 어느 투자자가 양도소득을 목적으로 자산을 매각하게 되면, 동 소득은 매각 당해 연도에 인식시키고 양도소득세를 납부하게 된다. 하지만 어느 투자자가 상업부동산 또는 투자부동산을 현금으로 매각한 후 수령한 현금 전부를 다른 부동산의 매입에 사용하였다면, 동 투자자는 매각으로 인한 양도소득 전체를 인식시킬 필요는 없을 것이다. Section 1031은 투자자가 한 자산에 속한 자기자본을 다른 자산의 자기자본으로 **이전**할 수 있도록 하며, 따라서 양도소득의 일부 또는 전부를 미래로 이연할 수 있게 한다. 인식시키지 아니한 양도소득은 전부 미인식소득으로 남게 된다.

예를 들면, 어떤 투자자가 자산을 $400,000에 매각하고 수정원가는 $160,000라고 하면, 그 투자자는 자산의 현금판매 시 $240,000의 양도소득을 인식시킬 것이다.

매각가격	$400,000
– 수정원가	160,000
인식된 양도소득	$240,000
매각가격	$400,000
– 대출잔액	0
자기자본	$400,000

대체취득원가 Section 1031에 의해 적격한 교환거래인 경우, 이연되는 자본은 어떻게 되는 것일까? 양도자산의 처분시점에 신고하지 아니한 양도소득은 대체취득자산의 취득원가 보정항목이 된다. 세금이 연거래에서 대체취득하는 자산의 취득원가를 **대체취득원가**(substitute basis)라고 부른다.

앞의 사례에서 양도소득 인식금액 전부를 이연할 수 있도록 교환거래를 구조화하였다고 가정해 보자. 즉 교환시점에 인식하지 아니한 양도소득이 존재한다는 것이고, 이는 그 시점에는 해당 소득이 과세되지 않는다는 의미이다. 이 양도소득 미인식금액은 교환거래로 취득한 대체자산의 취득원가를 낮추게 된다. 이를 요약하면 아래와 같다.

매각자산의 시장가격	$400,000
– 공제금액	160,000
인식된 양도소득	$240,000
대체취득자산의 시장가격	$500,000
– 인식되지 않은 양도소득	240,000
대체취득원가	$260,000

취득원가의 보정효과는 대체취득하는 자산의 취득원가에 $240,000의 양도소득을 차감하는 형태로 반영된다. 예를 들어서, 신규 자산이 취득 다음날에 $500,000에 팔린다면, $240,000의 양도소득이 신고되는 것이다[역자주: 취득원가가 $500,000로 인정되는 것이 아니라 $260,000만 인정되므로, 취득원가 그대로 매도하더라도 양도소득이 "0"이 되는 것이 아니라 $240,000가 된다].

대체취득원가의 할당 위에서 설명한 대체취득원가는 감가상각 손비처리 목적으로 토지분과 건축물분으로 할당된다. 위의 사례에서 매도하는 자산은 나대지이고 대체취득하는 자산은 작은 임대주택건물이며, 25%의 토지와 75%의 건축물로 구성된다고 하면, $195,000 ($260,000의 75%)가 과세목적으로 감가상각 될 것이다.

비(非)유사자산 많은 경우에 있어서, 취득하는 자산이 정확하게 유사자산이 아닌 경우도 있다. 비(非)유사자산(unlike property 또는 boot)이라는 용어는 부동산이 아닌 자산을 의미한다. 美 내국세법 Section 1031은 교환거래가 순전하게 같은 종류의 자산들 사이에 이루어질 것을 요구한다. 만약 교환거래에서 비(非)유사자산을 포함한다면, 이는 과세요건을 구성하게 된다.

투자자가 교환거래에서 비(非)유사자산을 수령할 경우, 투자자가 부동산을 유사자산(부동산)으로 교환한 것이 아니기 때문에 양도소득이 인식될 것이다. 비(非)유사자산은 다양한 종류가 있을 수 있고 때로는 집합적으로 **부트**(boot)라고 부른다. 예를 들면, 만약 투자자가 나대지를 호텔자산과 교환하였다면, 호텔은 가구 등 다른 동산(비(非)유사자산)을 포함하고 있을 것이다. 이 경우, 호텔 취득의 한 부분으로서 취득하는 동산은 **부트**를 포함한다고 말한다.

현금 비(非)유사자산의 교환에서 수령하는 현금(cash)은 양도소득으로 신고해야 한다. 예를 들면, 어느 투자자가 아래 사실과 같이 자산의 거래를 수행한다고 가정해 보자.

매각자산의 시장가격	$400,000
– 매각자산의 대출잔액	200,000
매각자산의 자기자본	$200,000
대체취득자산의 시장가격	$300,000
– 대체취득자산의 대출잔액	200,000
대체취득자산의 자기자본	$100,000
+ 현금	100,000
대체취득자산의 자기자본 합계	$200,000

이 거래에서 투자자가 자기자본이 $100,000 적게 소요되는 자산을 취득하고 $100,000를 현금으로 수령하였다는 사실에 주목하자. 즉, 투자자는 자기자본을 맞추기 위해 $100,000의 이 비(非)유사자산을 수령한 것이다. 이 $100,000는 부트인 것이고, 이는 매각시점에 $100,000의 양도소득을 인식시켜야 한다는 것을 의미한다. 만약 당초 자산에서 **실현한 양도소득**이 $300,000라고 한다면, $100,000의 양도소득은 교환시점에 과세될 것이고 나머지 $200,000는 이연될 것이다.

담보대출 감채(減債) 만약 투자자가 부담하는 부채규모가 기존 자산보다 대체자산에서 적다고 하면, 투자자는 **담보대출 감채**(mortgage relief)의 혜택을 입는다고 간주된다. 결과적으로, 어느 투자자의 채무규모가 교환거래의 결과로 인해 감소할 경우, 자기자본을 자기자본으로만 교환한다는 요구조건이 충족되지 아니하는 것이다. 예를 들어서, 교환거래와 관련된 아래의 사실들을 가정해 보자.

매각자산의 시장가격	$400,000
– 매각자산의 대출잔액	200,000
매각자산의 자기자본	$200,000
대체취득자산의 시장가격	$300,000
– 대체취득자산의 대출잔액	100,000
대체취득자산의 자기자본	$200,000

매도자산의 자기자본금액과 취득자산의 자기자본금액이 같음에도 불구하고, 투자자가 거래 이전에 대비하여 거래 이후에 채무부담을 $100,000 줄였기 때문에 담보대출 감채를 얻은 것이다. 이 $100,000은 부트이고 따라서 설령 현금을 수령한 것이 없더라도 교환연도에 양도소득으로 신고해야 한다. 비록 같은 규모의 자기자본이 대체자산에 투입되었지만 그 자산가치가 $100,000 적고, 따라서 이는 마치 투자자가 $100,000의 기존 자산을 매각한 것과 같기 때문에 과세가 필요한 것이다.

교환거래의 결과로써 나타날 수 있는 기타 유형의 비(非)유사자산은 더 있을 수 있다. 따라서 교환계약을 약정하기 이전에 반드시 조세변호사나 회계사와 상담하여야 할 것이다.

미인식 소득 *Unrecognized Gain*

실현된 양도소득(realized gain)을 계산하고 수령한 비(非)유사자산(boot)이 있을 경우 그 금액을 확정하게 되면, 양도소득 미인식 금액을 계산할 수 있다. 계산식은 아래와 같다.

양도소득 미인식금액(unrecognized gain) = 실현소득(realized gain) – 비(非)유사자산(boot)

예를 들어서, 어느 투자자가 오늘 자산을 $700,000에 매각하게 되면 $250,000의 양도소득을 실현하

게 될 것이라고 가정해 보자. 교환거래를 통해서 투자자는 $100,000의 현금을 제외하고는 자기자본 전액을 신규 자산으로 이전하였다. 결과로서, $150,000의 양도소득은 미인식(이연)될 것이고 (수령한 비(非)유사자산 또는 부트의 금액과 동일한) $100,000의 양도소득은 인식될 것이다.

실현소득	$250,000
– 비(非)유사자산	100,000
인식되지 않은 양도소득	$150,000

교환거래의 목적은 자산처분으로 납세하게 될 미래 어느 시점까지 이연이 가능한 양도소득 미인식금액을 확보하는 것이다.

세금이연거래의 경제학

앞에서 논의한 바와 같이, 교환거래의 가장 주요한 이익은 양도소득세를 이연하는 것이다. 여기에서 질문은 두 번째 자산을 취득함에 있어서 투자자가 교환거래를 수행하는 것과 통상의 직접거래로 매입하는 것 중에서 어떤 것이 나은가 하는 것이다. 이 두 가지 대안들을 비교함에 있어서 고려해야 할 몇 가지 요인들이 있다. 첫째, 교환거래에서는 대체취득하는 두 번째 자산의 대체취득원가는 감가상각 대상금액이 된다. 이 대체취득원가는 이연하는 양도소득의 규모에 의해 낮아지게 된다. 따라서 두 번째 자산의 낮은 취득원가로 인해 매년 더 낮은 감가상각이 일어난다. 둘째, 교환자산의 양도소득이 이연되기 때문에, 두 번째 자산을 처분하는 시점에서 훨씬 더 많은 양도소득 과세표준이 포착될 것이다. 이는 이연한 양도소득이 교환으로 취득한 대체자산의 매각으로 인한 추가적인 양도소득과 함께 인식될 것이기 때문이다. 따라서 여기에서의 질문은 교환시점에 적게 지불하는 양도소득세가 거래 후 감소한 감가상각의 세제혜택과 두 번째 자산의 매도시점에 지불하는 더 높은 양도소득세 등의 현재가치에 의해 상쇄되는가 하는 것이다.

예시로 설명하기 위해, 아래의 사례를 검토해 보자. 어느 투자자가 매도를 희망하는 자산을 소유하고 있다. 그는 대체취득하고 싶은 자산을 확정하였고 이제 교환거래를 할지를 결정해야 한다.

자산은 현재 $1,000,000에 매각이 가능하다. 수정원가는 $600,000이므로 매각 시 $400,000의 양도소득이 발생하게 될 것이다. 양도소득세율이 15%라고 가정하면, 오늘 자산을 매각할 경우 양도소득세는 $60,000가 될 것이다. 이는 다음과 같이 요약된다.

매각가격	$1,000,000
수정원가	600,000
양도소득	$ 400,000
양도소득세율	15%
양도소득세	$ 60,000

교환거래에서는 거래를 통한 대체자산의 취득원가가 양도소득 이연금액만큼 낮아진다는 사실을 상기하기 바란다. 이렇게 낮아진 취득원가가 감가상각 대상금액이 되는 것이다. 위 사례에서는 교환거래를 이행함으로 인하여 연간 감가상각이 매년 $10,256 ($400,000/39)씩 감소하게 된다. 만약 투자자의 일반소득세율이 32%라고 가정한다면, 교환거래를 할 경우 감가상각으로 인한 절세금액은 매년 $3,282 ($10,256 × 32%)씩 줄어들게 될 것이다.

두 번째 자산을 매각할 때는 이연된 \$400,000의 양도소득이 인식될 것이다. 하지만, 교환거래로 인하여 두 번째 자산의 감가상각금액이 매년 적어졌기 때문에, 대체자산의 감가상각누계가 교환거래를 통하지 않고 취득하였을 때의 경우보다 낮아지게 될 것이다. 이 경우, 10년 동안 감가상각금액은 매년 \$10,256씩, 총 \$102,564 감소하게 된다. 이는 교환거래를 사용할 경우와 사용하지 않을 경우를 비교하였을 때 발생하는 양도소득의 차액을 상계하게 된다[역자주: 교환거래 사용 시에 양도소득 이연금액으로 양도소득이 증가하지만 매년 감가상각 비용공제가 감소하고, 따라서 감가상각 누계 역시 감소하게 된다. 감가상각 누계의 감소분만큼 수정원가는 증가하여, 양도소득의 과세표준을 낮추게 된다. 즉 순증가한 양도소득은 최초자산으로부터 이연된 양도소득에서 대체자산 처분시점의 감가상각누계만큼 차감하여 계산함이 타당하다]. 이러한 양도소득의 차이를 아래와 같이 정리할 수 있다.

보유자산 매각으로 발생한 양도소득의 이연	\$400,000
두 번째 자산을 교환거래 없이 취득하였을 경우의 추가적인 감가상각누계	\$102,564
= 처분시점에 대체자산에 부과된 추가적 양도소득	\$297,436
× 양도소득세율	15%
교환거래로 인한 추가적 양도소득세	\$ 44,615

이제 직접거래 대비 교환거래의 수행으로 얻게 되는 경제적 이익을 계산할 수 있다.

0년 차(교환시점)에는 교환거래를 수행함으로써 \$60,000를 절세하게 된다. 하지만 직접 신규 자산을 매입하는 대신 교환거래를 수행한 결과, 매년 \$3,282 (\$10,256 × .32)씩 감가상각 비용공제가 감소한다. 또한 두 번째 자산을 매각하는 시점에 더 높은 양도소득으로 인해 \$44,615의 추가적인 세금을 내야 한다. 계산은 다음과 같다.

$$PV = \$60{,}000$$
$$PMT = -\$3{,}282$$
$$FV = -44{,}615$$
$$n = 10$$

답은 $i = 3.26\%$

이 3.26%는 무엇을 의미할까? 사실 이는 교환거래를 통해 세금을 이연함으로써 정부로부터 \$60,000를 "차입"하는 비용이다. 이 비용이 낮아질수록, 투자자에게 교환거래는 보다 경제적이 된다. 두 번째 자산을 매각할 때까지 투자자가 투자대금에 대해 매년 3.26% 이상 벌어들일 수 있는 한, 교환거래는 바람직하다고 할 것이다.

물론 이 결과는 투자자의 일반소득세율 및 양도소득세율과 같은 가정들에 의해 달라진다. 두 번째 자산을 매각할 때 양도소득세율이 달라질 것인지도 영향을 주게 된다. 따라서 이런 가정들에 변화가 있을 경우 분석결과 역시 달라질 수 있다. 예를 들어서, 만약 투자자가 두 번째 자산을 매각하는 시점에서 양도소득세율이 낮아질 것으로 예상한다면, 교환거래의 비용은 보다 더 낮아질 것이다.

끝으로 교환거래로 취득하는 자산의 순 영업이익, 재매각가격은 고려하지 않았다는 점을 언급해 두고자 한다. 이러한 고려가 필수적이지는 않다. 두 번째 자산의 취득의 형태가 교환거래의 여부와 상관없이 순 영업이익, 재매각가격은 동일하기 때문이다. 두 가지 대안들 간에 조세처리의 차이에 초점을 맞추는 것이 더욱 타당할 것이다.

자산 처분의 대안으로서의 레노베이션 *Renovation*

다른 자산을 취득하기 위해 자산을 매각하는 것보다 투자자는 자산을 **레노베이션**하는 옵션을 고려할 수 도 있다. 예를 들면, 지역시장과 자산이 소재한 국지시장의 경제동향에 따라서 투자자는 증축에 의해서 또는 건물의 질을 높이고 영업비용을 줄일 수 있는 대규모 자본적 지출에 의해서 자산을 개선하는 것을 고려할 수 있다. 한편으로 투자자는 도시지역에 소재한 소형 다가구 주택을 소형 전문 오피스빌딩으로 변경하는 것과 같이 다른 경제적 용도를 위해 건축물을 변경하는 것도 고려할 수 있다(용도 관련 규제가 용도변경을 허용한다는 가정하에서).

여기에서 중요한 사안은 이런 레노베이션 옵션을 어떻게 적절히 분석할 것인가이다. 이를 설명하기 위해 본 장의 앞부분에서 분석하였던 아펙스 센터를 레노베이션하는 것을 고려해 보자. 아펙스 센터는 현재 15년 된 건물이고 현 소유주는 이 건물을 5년 전에 $800,00에 매입하였다. 5년 전 매입 당시, 이 자산은 금리 4.75%, 만기 30년 조건의 담보대출 $600,000를 차입하였다. 레노베이션 되지 않으면 아펙스 센터는 현재 $920,000에 매각이 가능하다([예 10-2]). 또한 만약 자산을 레노베이션 하지 않고 5년 더 보유한다면 수익률이 얼마가 될지도 알고 있다([예 10-4]와 [예 10-5]). 이제 자산을 레노베이션 하기 위한 추가투자와 관련하여 어떻게 수익률을 평가할 것인지를 살펴보게 될 것이다.

소유주는 $200,0000의 비용이 들어가는 레노베이션을 고려 중이다. 프로젝트에 내재한 투자위험 때문에 은행은 현재 대출잔액($548,989에 레노베이션 비용 $200,000의 75%를 합산한 $698,989만을 증액대환 하는 것에 동의하였다고 가정하자.[10] 신규 증액대출은 금리 4.5%, 만기 25년의 금융조건을 가진다.[11]

만약 소득세율 35% 구간에 해당하는 소유주가 시설 현대화 프로젝트에 착수하면서 투자제안서 상의 세후 내부수익률을 분석하고자 한다면, 소유주가 이에 대해 투자해야 하는 **추가적** 자기자본이 계산되어야 한다. 이 금액은 레노베이션 비용에서 추가적인 차입(레노베이션 및 기존대출 모두 포함)을 제한 것과 동일할 것이다. 이 경우, 대출자는 레노베이션 비용의 75%만을 부담하는 대출순증금액을 제공할 것이다. 하지만 레노베이션 프로젝트에서는 레노베이션 이후 전체 자산의 가치가 어떻게 될지 감정평가를 받고 그 평가가치의 일정 비율로 차입하는 것 역시 일반적이다. 이런 접근법은 투자자가 자산에서 자기자본 일부를 회수할 수 있도록 할 수도 있다[역자주: 기존에 담보대출 잔액이 없거나 과소한 경우, 준공 이후 완성가치의 일정 비율로 대출하면 대출금이 레노베이션 비용을 충당하고도 오히려 남을 수 있다. 이 금액만큼 투자자는 자기자본을 감자 등의 방법으로 회수할 수 있다].

이 경우 레노베이션 비용은 $200,000이고, 대출의 순증금액은 레노베이션 비용의 75%인 $150,000이다. 따라서 투자자의 **추가적** 자기자본투자금액은 $200,000 − $150,000 = $50,000가 된다. 투자자는 자산에 $50,000를 추가로 투자하여 얼마의 수익을 얻게 될까? 일반적으로 레노베이션은 많은 이점을 가질 수 있는데 임대료 상승, 공실 하락, 영업비용 절감, 장래 자산 가치 상승 등이 이에 해당된다.

위와 같이 시설 현대화와 차환에 대한 추정비용이 주어졌을 때, 투자자가 직면하는 중요한 요인들은 임대료, 영업비용, 자산가치 및 예상보유기간 등에 대한 추정치들이다. 분명한 점은 구상하는 레노베이

---

[10] 대출자는 흔히 기존대출이 최초 실행될 당시의 시장가치에 기초한 기존대출의 잔액보다는 자산의 현재 시장가치와 레노베이션 비용을 합산한 금액에 근거해서 대출금액을 결정한다. 이에 대해서는 다음 절에서 살펴본다.

[11] 증액차환을 하는 대신, $150,000의 두 번째 담보대출을 받을 수도 있다. 여기에서 설명하는 과정은 이에 대해서도 적용 가능하다.

션의 결과는 면밀한 시장분석과 계획이 필요한 위 수치들에 의해 달라진다는 것이다. 이 계획이 실행된다고 가정할 때, [예 10-12]는 소유주가 추정하는 레노베이션 이후 아펙스 센터의 5년간 세후 현금흐름을 보여준다.

[예 10-12]를 보면, 운영 1년 차의 순 영업이익은 레노베이션을 하지 않을 때의 $46,371([예 10-4] 참조)에서 레노베이션 계획에 기초하여 레노베이션을 하였을 때의 $56,000로 증가하였다. 레노베이션 이후 순 영업이익은 매년 2% 대신 2.5%씩 증가할 것으로 예상된다. 부채 서비스 금액은 신규담보대출의 약정금액 $698,989를 기준으로, 금리 4.5%, 대출기간 25년을 적용하여 산정하였다. 레노베이션 비용으로 감가상각 대상금액이 $200,000 증가하면서, 감가상각비용은 $21,538로 산출되었다. 당시를 기준으로 발효 중인 세법에 근거하여 레노베이션은 39년에 걸쳐 감가상각된다고 가정한다. 이는 매년 $200,000 ÷ 39 = $5,128이 감가상각되는 결과를 낳는다. 기존 건축물분 감가상각 대상금액(당초 감가상각 대상금액)은 레노베이션에 의해 영향을 받지 않는다. 따라서 감가상각 금액은 여전히 매년 $16,410이다. 당초 감가상각 금액을 레노베이션으로부터 도출되는 감가상각 금액 $5,128에 더하면 감

예 10-12
레노베이션 이후 아펙스 센터의 세후 현금흐름 예측

	운영으로 인한 세후 현금흐름의 계산 자산의 최초매입 이후 운영연차					
	6	7	8	9	10	11
순 영업이익	56,000	57,400	58,835	60,306	61,814	63,359*
(–)부채서비스	46,623	46,623	46,623	46,623	46,623	
세전 현금흐름	$9,377	$10,777	$ 12,212	$ 13,683	$ 15,191	
순 영업이익	56,000	57,400	58,835	60,306	61,814	
(–)이자비용	31,138	30,426	29,682	28,904	28,090	
(–)감가상각	21,538	21,538	21,538	21,538	21,538	
과세소득(손실)	3,324	5,435	7,614	9,863	12,185	
세금	1,163	1,902	2,665	3,452	4,265	
세전 현금흐름	9,377	10,777	12,212	13,683	15,191	
(–)세금	1,163	1,902	2,665	3,452	4,265	
세후 현금흐름	$8,214	$ 8,875	$ 9,548	$ 10,231	$ 10,926	
	자산 매각으로 인한 세후 현금흐름의 계산					
매각가격					$1,267,177	
(–)매각비용(@4%)					50,687	
(–)대출잔액					614,117	
세전 현금흐름					$ 602,373	
매각 당해 연도의 세금						
매각가격				$1,267,177		
(–)매각비용				50,687		
취득원가			$1,00,000			
감가상각누계			189,744			
수정원가				810,256		
양도소득				$ 406,234		
양도소득세					90,734	
세후 현금흐름					$ 511,639	

* 매입 10년 차 말의 매각가격 산정에는 매입 11년 차의 순 영업이익 예측치를 사용하였다.

예 10-13
레노베이션 비실행 대비 실행 시 현금흐름증가분석

	자산의 최초매입 이후 운영연차					
	5	6	7	8	9	10
세후 현금흐름(실행)		$8,214	$8,875	$9,548	$10,231	$533,565
세후 현금흐름(비실행)		7,364	7,768	8,174	8,582	423,731
현금흐름의 순증가분	$−50,000	850	1,107	1,374	1,650	98,834
현금흐름 순증가분의 내부수익률 = 16.19%						

가상각금액 합계 $21,538이 산출된다.

분석을 위해서 예상보유기간은 5년으로 하자. 재매각가격의 추정을 위해서, 투자자는 현재로부터 6년 후의 순 영업이익 예측 값에 5%의 보유기간 말 자본환원율을 적용하였다. 이 방법은 레노베이션의 이익은 미래 순 영업이익에 반영될 것이고, 5년 후(운영 10년 차)에 이 자산을 매입할 신규 투자자는 11년 차부터 시작하는 순 영업이익에 근거해서 자산을 매입할 것이라는 가정에 근거한다.

이제 레노베이션의 결과로 세후 현금흐름이 얼마나 증가하였는지 살펴보도록 한다. 즉 만약 증가하였다면, 레노베이션 이후 세후 현금흐름은 레노베이션 이전 세후 현금흐름과 비교하여 얼마나 커진 것일까? 레노베이션을 하지 않는다는 가정하에서의 세후 현금흐름은 아펙스 센터를 보유할 때의 현금흐름을 분석한 [예 10-4]와 [예 10-5]의 결과와 같다. [예 10-13]은 레노베이션을 할 경우와 하지 않을 경우의 세후 현금흐름들을 요약한다.

[예 10-13]으로부터 자산을 레노베이션 하면 처음 두 해 동안 세후 현금흐름은 실질적으로 소폭 낮은 것을 알 수 있다. 하지만 그 이후에는 세후 현금흐름이 점점 더 높아진다. 또한 만약 자산을 레노베이션 한다면 매각으로 인한 세후 현금흐름 역시 커지게 된다. 현금흐름의 순증가분을 이용하여, 자기자본의 추가투자에 대한 내부수익률 16.19%를 계산할 수 있다. 이 내부수익률은 자산을 레노베이션 하기 위해 지출한 추가적인 $50,000에 대해서 투자자가 16.19%를 얻을 것이라는 의미이다. 이것이 좋은 투자인지 아닌지는 비슷한 투자위험수준이 있는 다른 투자에서 $50,000로 어느 정도의 수익률을 얻을 수 있는지에 달려 있다.

중요하게 인지해야 할 사항은 계산된 16.19%의 수익률은 아펙스 센터 전체 투자에 대한 수익률이 아니라는 점이다. 이 수익률은 아펙스 센터가 레노베이션 하기 이전에 좋은 투자였었는지에 대해서는 전혀 말해주지 않는다. 그것은 본 장의 앞부분에 다루었던 분석의 목적이었다. 여기서는 투자자가 이미 아펙스 센터를 소유하고 있는 상태를 가정하여 이 자산을 레노베이션 하기 위해 추가적인 투자를 하는 것이 타당한 전략인지를 알고자 하는 것이다.

레노베이션과 차환

앞의 사례는 만약 자산을 레노베이션 한다면 추가적인 차입은 레노베이션 이전의 자산의 기존대출잔액과 레노베이션 비용의 75%를 합산한 금액이 될 것으로 가정하였다. 자산을 레노베이션 할 때에 투자자는 종종 이를 자산 전체를 차환하는 기회로 사용하게 된다. 예를 들면, 아펙스 센터에 설정된 기존대출의 잔액은 현재 자산가치의 60% ($548,989 ÷ $920,000)에 지나지 않는다. 따라서 투자자는 레노베이션에 필요한 금액보다 더 많은 금액을 차입할 수 있을 것이다. 특히 만약 투자자가 레노베이션 비용을

감당할 목적으로 후순위 담보대출을 받기보다는 전체 자산에 대하여 신규대출(증액대출)을 받을 계획을 가지고 있다면 더욱 그러할 것이다.

투자자가 빌릴 수 있는 금액은 통상 레노베이션이 완료된 이후 자산의 평가가치에 대해 일정 비율로 정해진다. 물론 이 자산가치는 감정평가에 기초하게 될 것이다. 만약 레노베이션으로 부가된 **가치**가 레노베이션의 **비용**과 일치한다고 가정한다면, 이 가치는 기존 자산가치 $920,000에 레노베이션 비용 $200,000를 합산한 $1,120,000와 같아질 것이다. 만약 투자자가 이 가치의 65%를 차입할 수 있다면, $728,000의 대출을 받을 수 있을 것이다. 기존대출의 잔액이 $548,989이므로, 증액대출을 통한 순증금액은 $179,011가 된다. 즉 투자자는 자산을 레노베이션하는 데 자기자본을 단지 $$20,989만 투자하면 되는 것이다. 분명하게 이는 차입비율이 높은 상태이고, 따라서 증분수익률이 뚜렷하게 높아져야 할 것이다. [예 10-14]는 금리 4.75%, 만기 25년의 금융조건으로 대출 $728,000를 얻는다는 가정 하에서 아펙스 센터의 현금흐름을 보여준다.

예 10-14
차환으로 조달한 레노베이션의 세후 현금흐름

	운영으로 인한 세후 현금흐름의 계산 자산의 최초매입 이후 운영연차					
	6	7	8	9	10	11
순 영업이익	56,000	57,400	58,835	60,306	61,814	63,359*
(–)부채서비스	49,805	49,805	49,805	49,805	49,805	
세전 현금흐름	$6,195	$7,595	$ 9,030	$ 10,500	$ 12,008	
순 영업이익	56,000	57,400	58,835	60,306	61,814	
(–)이자비용	34,244	33,489	32,697	31,866	30,995	
(–)감가상각	21,538	21,538	21,538	21,538	21,538	
과세소득(손실)	217	2,373	4,600	6,902	9,280	
세금	76	831	1,610	2,416	3,248	
세전 현금흐름	6,195	7,595	9,030	10,500	12,008	
(–)세금	76	831	1,610	2,416	3,248	
세후 현금흐름	$6,118	$6,764	$ 7,420	$ 8,085	$ 8,760	

	자산 매각으로 인한 세후 현금흐름의 계산		
매각가격			$1,267,177
(–)매각비용(@4%)			50,687
(–)대출잔액			642,263
세전 현금흐름			$ 574,227
매각 당해 연도의 세금			
매각가격		$1,267,177	
(–)매각비용		50,687	
취득원가	$1,00,000		
감가상각누계	189,744		
수정원가		810,256	
양도소득		$ 406,234	
양도소득세			90,734
세후 현금흐름			$ 483,493

* 매입 10년 차 말의 재매각가격 산정에는 매입 11년 차의 순 영업이익 예측치를 사용하였다.

예 10-15
차환을 가정한 레노베이션 여부에 따른 현금흐름증가분석

	자산의 최초매입 이후 운영연차					
	5	6	7	8	9	10
세후 현금흐름(실행)		$6,118	$6,764	$7,420	$8,085	$492,253
세후 현금흐름(비실행)		7,364	7,768	8,174	8,852	423,731
현금흐름의 순증가분	$-20,989	-1,246	-1,004	-754	-497	68,523
현금흐름 순증가분의 내부수익률 = 34.13%						

[예 10-15]는 현금흐름증가분석의 결과를 제시한다. 언급한 것처럼 단지 $20,989만이 레노베이션을 완성하는 데 투자될 필요가 있다. 하지만 신규대출이 기존대출보다 월등히 많기 때문에, 자산을 매각할 때까지 추가적인 상환액은 매년 음의 현금흐름 순증가를 야기하게 된다. 레노베이션으로 인해 자산가치가 높아지기 때문에 자산을 매각할 때 확연하게 증가한 현금흐름이 발생하게 되고, 그 결과 현금흐름 순증가분에 대한 세후 자기자본수익률은 24.13%가 된다. 즉 증액차환(부채비율의 확대)은 자산의 레노베이션으로부터 증분수익률을 뚜렷하게 증가시킨다. 하지만 알고 있듯, 부채의 증가로 투자위험 또한 높아지게 된다. 투자자는 추가수익률이 추가위험에 상응하는지 여부를 판단해야 할 것이다. 사실 대출순증금액의 일부는 기존대출의 잔액을 LTV비율 65%까지 늘림으로 인하여 발생한 것이다. 따라서 비록 레노베이션 비용만 보아서는 부채비율이 상당히 높다손 치더라도, 자산 전체에 대한 부채비율은 아직 일반적인 수준이다. 투자자는 정보에 근거한 투자의사결정을 내리기 위해서 이 모든 요인들을 고려해야 할 것이다.

재생(再生)투자에 대한 세금감면

도시재생과 관련한 특정 지출에 대해서는 해당 연도 또는 실제 지출이 일어난 때에 투자세금감면이 가능하다. 투자세금감면은 투자자의 납세의무액을 차감해준다(예를 들면, 일반적으로 $1의 세금감면은 그렇지 않을 경우 납부해야 하는 $1의 세금을 줄이게 된다). 따라서 투자자에게 있어서 $1의 세금감면은 일반적으로 $1의 추가적인 공제(예를 들면, 감가상각 비용공제)보다 더 가치가 큰데, 이는 추가공제가 투자자의 한계세율에 따라 과세되는 과세표준(과세대상금액)을 차감하지만 세금감면은 직접 세금을 상계하기 때문이다. 35%의 소득세율 구간에 있는 투자자에게 있어서, $1의 소득공제는 35센트의 세금을 줄인다. 하지만 $1의 세금감면은 $1의 세금을 줄여준다.

일반적으로 재생과 관련하여 세금감면이 가능한 내용들은 아래와 같다.

구분	감면비율
1936년 이전 사용승인된 건축물	10%
역사건축물 인증	20%

세금감면은 자산이 사용승인을 받는 해, 즉 자산이 준공되어 임차인들이 입주하는 시점에서 투자자에게 가능하다. 자산의 감가상각 대상금액은 납부세액을 감면받은 해에 세금감면분만큼 전액 감액된다. 예를 들어서, 어느 투자자가 역사건축물로 인증된 자산을 재생하는 데 $50,000를 지출하였고 **재생투자 세제감면**을 위해서 필요한 요구조건을 충족시킨다고 가정해 보자. 세금감면금액은 $10,000 ($50,000의

20%)가 될 것이다. 재생비용에 대한 감가상각 대상금액은 세금감면금액, 즉 $10,000만큼 감소해야 한다. 따라서 감가상각 대상금액은 $40,000 ($50,000 – $40,000)가 될 것이다.

인증된 역사건축물에 건물수령 제한은 없다. 하지만 건축물이 역사지구로 등록된 지구 내에 소재하여야 하고 美 내무부장관의 인가를 득하여야 한다. 또한 재생의 정도가 "상당한" 수준이어야 하는데, 이는 재생비용이 (1) 재생 전 건축물의 수정원가 또는 (2) $5,000 중에서 큰 금액을 초과하여야 한다. (이 기준은 자산을 오랫동안 소유하였고 자산의 수정원가가 낮은 투자자들에게 유리하다는 것에 주목하기 바란다.) 게다가 건축물 기존 외부벽체의 적어도 75%가 재생 이후에도 유지되어야 하며, 적어도 50%가 여전히 외부벽체로 사용되어야 한다. 또한 적어도 75%의 건축물 내부골조가 유지되어야 한다.

만약 투자자가 재생건물의 사용승인을 득한 후 재생투자 세금감면을 받고 5년 안에 자산을 처분한다면, 감면세액의 일부는 환수될 것이다. 당초 세금감면에 대비한 환수비율은 아래와 같다.

처분연도	환수비율
사용승인 후 1년 이내	100%
2년 이내	80%
3년 이내	60%
4년 이내	40%
5년 이내	20%

저소득층 주택 세금감면

1986년 세제개혁법에 의해 새로 도입된 **저소득층 주택 세금감면**은 저소득층 주택을 제공하는 임대주택 건물의 소유주가 요청할 경우 세금감면을 허용한다. 세금감면은 10년에 걸쳐서 매년 요청할 수 있다. 연 세금감면의 상한은 신축 또는 재생의 경우에는 소요비용의 9%, 기존 재고주택인 경우 매입비용의 4%이다. 자격을 갖추려면 저소득층 주택의 신축비용 또는 재생비용이 호당 $2,000를 초과하여야 한다. 세금감면을 받기 위해 적격한 자산은 (1) 프로젝트 세대수 중 적어도 20%가 해당 지역 중위소득의 50% 이하인 가구들이 입주하고 있거나 또는 (2) 프로젝트 세대수 중 적어도 40%가 해당 지역 중위소득의 60% 이하인 가구들이 입주해 있어야 한다. 저소득층 주택 세금감면금액은 (재생투자 세제감면과 달리) 프로젝트의 감가상각 대상금액을 감액하지 않는다.

결론

본 장의 가장 주요한 목적은 다음의 두 가지 질문에 답하는 것이다. (1) 자산을 언제 매각하여야 하는가 (2) 자산을 레노베이션 해야 하는가? 자산을 매입하게 되면 자산을 보유하면서 발생하는 수익률이 당초 매입 시에 추정하였던 수익률과 다를 수 있다는 것을 살펴보았다. 한계수익률의 개념은 자산을 매각할지 아니면 추가로 더 보유할 것인지 평가하는 데 도움을 준다. 한계수익률은 투자자가 오늘 자산을 매각함으로써 얻는 것에 대비하여 자산을 보유함으로써 장래에 얻는 것을 고려하게 된다.

자산 처분을 분석할 때 대안으로써 조세전략을 검토해 보아야 한다. 양도소득세의 이연을 허용하는 두 가지 중요한 전략은 연부판매와 교환거래라 할 수 있다. 자산은 일반 거래(또는 전액 현금거래)에 의

해서 매도되거나 매도자가 매매가격의 일부를 장래에 수취하는 연부판매에 의해서도 매도될 수 있다. 교환거래는 매도시점에 양도소득을 인식시키지 않으면서 하나의 자산을 다른 자산으로 교환하도록 허용한다. **면세거래**라고도 간혹 불리나 실제에 있어서는 통상 매각시점에 신고하는 양도소득을 그 해에 신고하지 아니하고, 따라서 그 연도에는 세금을 납세하지 않는 것뿐이다. 대신 교환거래로 연기한 양도소득은 대체취득한 자산을 과세처분 하는 시점에서 신고하게 된다.

자산을 레노베이션 할지 결정하기 위해서, 자산을 레노베이션하지 않을 경우 대비 레노베이션하였을 경우 증가하는 이익을 고려하였다. 이 접근방법은 투자자가 이미 자산을 소유하고 있으면서 자산을 레노베이션 하기 위하여 **추가로** 투자하는 것이 타당한지를 묻고자 할 때 적합할 것이다. 만약 투자자가 아직 자산을 보유하고 있지 않다면, 다른 접근방법을 취해야 한다. 이 경우 투자자는 자산의 인수와 레노베이션, 전 과정을 포괄한 총수익률을 알고자 할 것이다. 또한 투자자는 자산을 인수하되 레노베이션 하지 않을 때의 수익률을 알고 싶어 할 수 있는데, 이는 자산을 인수하되 레노베이션 하지 않는 것도 여전히 합리적일 수 있기 때문이다.

위의 논의로부터 투자를 분석할 때 취하는 접근방법은 대답하고자 하는 특정한 질문에 따라 달라진다는 것이 분명해 보인다. 종종 잘못된 투자의사결정이 내려지는 이유는 분석자가 올바른 질문에 답하지 않았기 때문이다.

주요용어

美 내국세법 Section 1031
美 내국세법 제453조 제①항
계약가격
대체취득원가
레노베이션
면세거래
부트
세금이연거래
소득비율
연부판매
유사자산거래
자기자본 축적
재생투자 세금감면
재투자수익률
저소득층 주택 세금감면
처분
최적보유기간
한계수익률

질문

1. 어느 투자자가 수년간 보유해 온 부동산을 처분할 것인지 결정하려 할 때, 고려해야 하는 요인들은 무엇인가?
2. 왜 자산의 실제 보유기간은 자산의 매입시점에 예측하였던 보유기간과 달라질 수 있는 것인가?
3. 한계수익률이란 무엇인가? 이것은 어떻게 계산하는가?
4. 시간이 경과함에 따라 무엇이 한계수익률을 변화하게 만드는가? 한계수익률은 자산 매각시점을 결정하기 위하여 어떻게 사용될 수 있는가?
5. 왜 신규 투자자와 이미 자산을 보유하고 있는 기존 투자자 사이에 세후 자기자본수익률이 달라질 수 있는가?
6. 자산을 레노베이션 할지 말지를 결정할 때 어떤 요인들이 고려되어야 하는가?
7. 왜 차환은 종종 레노베이션과 결합하여 일어나게 되는가?
8. 왜 차환이 자산 매각의 대안이 될 수 있는가?
9. 조세법의 변화는 어떻게 해서 투자자들이 다른 투자자들에게 자산을 매각하려는 경제적 유인을 만들어 낼 수 있는가?
10. 자산 매각을 결정함에 있어서 세금은 어느 정도나 중요한가?
11. 레노베이션을 결정할 때 세금에 대한 고려가 중요한 것인가?
12. 레노베이션의 이익은 무엇이고 비용은 무엇인가?
13. 레노베이션이 신규 투자보다 덜 위험하다고 생각하는가?
14. 차환의 **증분차입비용**은 무엇을 의미하는가?
15. 일반적으로 어떤 종류의 세제유인들이 수익용 부동산의 재생을 위해서 사용이 가능한가?
16. 왜 투자자들이 교환거래 또는 연부판매를 고려하게 되는가?

문제

1. 어느 부동산이 오늘 $2,000,000에 팔릴 수 있다. 이 자산의 대출잔액은 $1,000,000이고 만약 매각한다면 투자자는 양도소득세로 $250,000를 납부하게 될 것이다. 투자자는 만약 오늘 자산을 매각한다면 지난 5년 동안 자기자본수익률로 15%를 벌어들이게 될 것이라고 판단하였다. 만약 매각하지 않는다면, 이 자산은 내년에 $50,000의 세후 현금흐름을 창출할 것으로 기대된다. 보유기간 말에 자산가치는 $2,100,000로 상승할 것으로 기대되고 대출잔액은 $900,000로 감소할 것이며 납세하여야 할 양도소득세액은 $255,000으로 증가할 것으로 예상된다.

a. 자산을 1년 더 추가로 보유함에 따라 얻는 한계수익률은?
b. 투자자에게 어떠한 충고를 할 수 있는가?

2. 문제 1에서, 소유주는 매각하는 대신 자산을 레노베이션 한다면, 내년 세후 현금흐름은 $60,000로 증가할 것이고 1년 후에 자산은 $2,400,000에 매각할 수 있을 것으로 판단하였다. 레노베이션 비용은 $250,000가 될 것으로 추정된다. 투자자는 자산을 레노베이션 하기 위해서 추가자금은 차입하지 않으려고 한다.

a. 투자자가 자산을 레노베이션 하는 데 투자하는 추가자금에 대하여 얻게 되는 수익률은 얼마인가?
b. 자산의 레노베이션을 추천할 것인가?

3. Lonnie Carson은 2년 전에 Royal Oaks Apartment를 매입하였다. Carson에게 보다 큰 임대주택프로젝트인 Royal Palms를 인수할 수 있는 기회가 찾아왔다. Carson은 Royal Palms를 인수하기에 충분한 자기자본을 확보하기 위해서는 Royal Oaks를 매각해야만 할 것이라고 믿고 있다. 2년 전 Royal Oaks를 인수할 때 Carson은 $2,000,000를 지불하였고, 이 중에서 토지는 약 $200,000의 가치를 차지하였다. 최근 실시한 감정평가는 자산이 약 $2,200,000의 가치가 있다고 기술한다. 2년 전 매입할 때, Carson은 금리 4.75%, 만기 25년, 월 지급 조건으로 자산가치의 70%를 대출로 조달하였다. 자산은 현재 내용연수 27.5년에 기초하여 감가상각하고 있다(간단히 말해서, 매년 1/27.5로 상각한다). 내년 유효총소득은 $275,000가 될 것으로 기대되고, 영업비용은 유효총소득의 50%가 될 것으로 예측된다. Carson은 유효총소득이 매년 2%씩 증가할 것으로 예상하고 있다. 자산가치는 매년 3%씩 동일하게 상승할 것으로 예상된다. 현재 Carson은 35%의 소득세와 20%의 양도소득세를 내야 하고 감가상각으로 25%가 회수되며 이는 미래에 동일할 것으로 예상한다. Carson은 현재 과세소득을 창출하는 다른 부동산투자를 가지고 있기 때문에, Royal Oaks에 수동적 손실제한이 적용되어 Royal Oaks에서는 세금손실이 발생할 것으로 예상하지 않는다. 그가 만약 Royal Oaks를 매각한다면, 매각비용은 매각가격의 6%가 될 것이다.

a. 만약 Royal Oaks를 오늘(Carson이 자산을 매입한 후 정확히 2년이 된다) 매각한다면, 그가 수령하는 매각으로 인한 세후 현금흐름은 얼마가 될 것인가?
b. 만약 Carson이 Royal Oaks를 매각하지 않는다면, 향후 5년 동안 예상되는 영업으로 인한 세후 현금흐름은 얼마가 될 것인가?
c. 만약 오늘로부터 5년 후에 Carson이 Royal Oaks를 매각한다면, Carson이 수령하는 매각으로 인한 세후 현금흐름은 얼마가 될 것인가?
d. (a)에서 (c)까지의 결과를 이용하여, 오늘 자산을 매각하는 것에 대비하여 Royal Oaks를 추가로 5년 더 보유한다면 Carson이 벌어들일 것으로 예상할 수 있는 세후 자기자본수익률을 구하라.
e. 만약 Carson이 자산을 추가로 1년만 더 보유한다면(만약 그가 올해 자산을 매각하는 것에 대비하여 내년에 자산을 매각한다면) 한계수익률은 얼마인가?
f. 왜 위 (e)의 한계수익률이 (d)에서 계산한 세후 자기자본수익률보다 높다고 생각하는가?
g. Royal Oaks의 소유권을 유지하면서도 Roayl Palms를 매입하기 위하여 Carson이 사용할 수 있는 다른 전략들을 생각해 낼 수 있겠는가?
h. Carson에게 추천할 전략은 무엇인가?
i. 컴퓨터 사용자들을 위한 옵션. 향후 5년 동안 각 연도 한계수익률은 얼마인가? 이 계산값이 언제 Royal Oaks를 매각해야 할지 결정하는 데 어떻게 사용될 수 있을까?

4. 현재 Richard Rambo는 Marine Tower 오피스빌딩을 소유하고 있다. Marin Tower는 20년이 된 건물이고, 현재 레노베이션을 고려하고 있다. Rambo는 2년 전 이 자산을 $800,000에 매입하였고 만기 20년, LTV비율 75%, 금리 4.5% 및 월 지급 조건의 대출을 차입하였다. 감정평가사는 $800,000 중에서 토지가치가 $200,000이고 건물가치는 $600,000라고 하였다. Rambo는 내용연수 39년의 정액법을 이용하여 감가상각을 수행해 왔다 (간단히 말해서, 매년 1/39로 상각한다). 현재 Marin Tower는 순 영업이익으로 $52,000를 산출하며, 순 영업이익과 자산가치는 매년 2%씩 상승할 것으로 예상된다. 자산의 현재 시장가치는 $850,000이다. Rambo가 추정하기로는, 만약 Marin Tower 오피스빌딩을 $200,000의 비용을 들여서 레노베이션 한다면 임대료가 높아지는 반면, 영업비용이 낮아져서 내년에는 순 영업이익이 20% 높아질 것이다($62,400 vs $52,000). 또한 Rambo는 레노베이션 할 경우 순 영업이익이 매년 2%가 아닌 3%씩 상승할 것으로 기대한다. 5년 후에 신규 투자자는 Marin Tower 오피스빌딩을 지금부터 6년 후의 예상 순 영업이익을 자본환원율 6%로 자본화한 값에 근거한 가격으로 매입할 것이라고 Rambo는 믿고 있다. 매각비용은 재매각가격의 4%가 될 것이

다. Rambo는 35%의 소득세와 20%의 양도소득세를 내야 하고 감가상각으로 25%가 회수되며 이는 미래에 동일할 것으로 예상한다. 또한 그는 수동적 손실제한에 해당이 없을 것이다. 만약 Rambo가 레노베이션 한다면 그는 금리 5%, 만기 20년, 월 지급 조건으로 신규대출을 얻을 수 있을 것이라고 생각한다.

a. 만약 Rambo가 자산을 레노베이션 한다면, 그는 기존 담보대출잔액에 레노베이션 비용 75%를 가산한 금액으로 신규대출을 얻을 수 있다고 가정해보자. 레노베이션을 하지 않는 경우에 대비하여 레노베이션을 하는 경우 증분수익률(세후 자기자본수익률)은 얼마인가? 보유기간은 5년이라고 가정하자.

b. (a)번의 계산을 반복하되, 이번에는 Rambo가 얻을 수 있는 신규대출의 금액이 현재 자산가치($850,000)와 레노베이션 비용($200,000)을 합산한 금액의 75%와 같다고 가정해 보자. (이는 레노베이션 이후 자산가치가 적어도 레노베이션 비용만큼은 증가할 것이라고 가정하는 것이다.)

c. (a)와 (b)에서 계산한 수익률들 간의 차이에 대하여 설명하라. 각 금융대안과 관련하여 위험차이가 존재하는가?

d. Rambo에게 어떤 충고를 해주겠는가?

5. **Excel**. 웹사이트에서 제공하는 엑셀 워크북 안에 "Ch14 Renovation"을 참조하라. 이 워크시트는 본문에서 사례로서 설명하였듯이 아펙스 센터를 레노베이션 할 경우의 증분수익률을 계산하고 있다. 레노베이션 이후 순 영업이익이 $56,000가 아니라 $54,000라고 가정해 보자. 이 가정이 세후 증분수익률에 어떻게 영향을 주게 되는가?

6. **Excel**. 웹사이트에서 제공하는 엑셀 워크북 안에 "Ch14 MRR"을 참조하라. 순 영업이익과 자산가치 상승률을 바꾸기 위해서는 "Ch14 Return if Held"탭에서 바꿔야 함을 참고하라. 순 영업이익과 자산가치 모두 상승률이 2%가 아니라 4%라고 가정하자. 이로 인하여 1년 차에서 10년 차까지 각 연도의 한계수익률은 어떻게 변화하는가? 첫해의 한계수익률은 증가하는가 아니면 감소하는가? 시간이 경과함에 따라 한계수익률은 보다 빠르게 감소하는가 아니면 다소 늦추어져서 감소하는가?

7. 어느 투자자가 현재 수정원가가 $1,500,000인 자산을 $2,000,000에 매각하는 것을 고려하고 있다. 자산은 $1,750,000의 대출잔액을 가지고 있다. 그는 다른 매각전략들을 모색하고 있다. 모든 양도소득에 대해서는 (감가상각비용의 회수이건 가격상승이건 무관하게) 20%가 과세되고 일반소득에 대해서는 35%가 과세된다.

a. 자산을 연부판매로 매각하면서, 매수인이 그의 대출을 승계하며 매매계약 체결시점에 $50,000를, 그리고 향후 4년 동안 매년 $50,000씩 분납금을 지급한다고 가정해 보자. 매도인에게 미지급한 연부잔액에 대해서는 7%의 이자가 부과될 것이다. 이 매각조건은 현금거래보다 나은 것인가?

b. 투자자가 연부판매 대신 세금이연거래를 고려하고 있다고 가정하자. 그는 대체자산을 $4,000,000에 취득하고 $3,750,000의 기존대출을 승계할 것이다. 그는 매입가격에서 토지가 약 20%의 가치를 가지고 건축물이 약 80%의 가치를 가진다고 생각한다. 만약 그가 교환거래를 수행한다면, 그는 대체취득자산을 5년 후에 매각할 계획을 세우고 있다. 대체자산의 감가상각 내용연수는 39년이다. 과연 교환거래 전략이 현금을 수령하면서 자산을 매도한 후에 다른 자산을 매입하는 일반 거래보다 더 나은 것인가?

CHAPTER 11

기업부동산 금융

Financing Corporate Real Estate

수익용 부동산을 다룬 앞선 장들은 임차인들에게 공간을 임대하는 소유주·투자자의 관점에 초점을 맞추었다. 이 임차인들은 대개 사업 운영의 일환으로써 공간을 사용하는 회사들일 것이다. 예를 들면, 오피스 빌딩의 대표적인 사용자는 종업원들이 사용할 목적으로 공간의 일부 또는 전부를 임차하는 기업이라 할 수 있다. 즉 기업은 오피스 공간을 사용하기는 하지만 이 건물을 영업자산의 하나로 소유하지는 않는다고 할 것이다. 본 장에서는 투자자의 관점이 아니라 사업 운영의 일환으로써 부동산을 사용하는 기업의 관점에서 부동산을 분석하게 된다. 이런 "사용자 회사들"의 많은 수가 기업들이기 때문에, 이 회사들의 부동산활동을 통상 **기업부동산**이라 지칭한다.[1] 그러나 본 장의 내용은 모든 부동산자산 **사용자**들에 대한 것이며, 기업에만 한정시키지 않는다. 비록 이러한 회사들의 주된 사업영역이 부동산투자가 아니라고 할지라도, 통상 부동산이 기업영업에 있어서 필수적인 부분을 차지하기 때문에 기업들은 부동산의 사용과 관련하여 다수의 의사결정을 내려야 한다. 예를 들면 부동산은 업무공간, 물류공간, 생산장소 등의 목적으로 사용된다. 단순하게 부동산을 사용하는 것 이외에도, 기업들은 아래의 이유들을 포함하여 여러 다양한 이유에서 부동산의 소유를 결정할 것이다.[2]

- 사업 운영에 사용되는 공간을 임차하기보다는 소유
- 핵심 사업 분야의 다변화의 한 수단으로 부동산에 투자
- 이전까지 사업 운영에 사용하던 부동산을 매각하기보다는 계속 보유
- 장래 사업의 확장 또는 이전을 목적으로 부동산을 취득

위 사유들로 인하여, 기업들은 미국 내 상업부동산의 가장 중요한 사용자들이라 할 수 있다. 어떠한 추정에 따르면, 기업 사용자들은 상업부동산의 75%에 달하는 공간을 지배하고 있다. 또한 장부가격 기준으로 Fortune 500대 기업들의 총자산의 약 1/3이 부동산인 것으로 추정된다. 이렇게 기업 부(富)의 상

[1] 본 장의 여러 단락들은 William B.Brueggeman, Jeffrey D.Fisher and David M.Porter의 논문,"Rethinking Corporate Real Estate," *Journal of Applied Corporate Finance*, 1991, published by Continental Bank, Chicago에 기초하고 있다.

[2] 부동산을 "소유한다"고 표현할 때에는 자산의 소유권에 대해 요금을 지불하는 것을 의미한다. 기업이 해당 부동산에 대해서 가치 있는 임차권을 보유하는 것으로도 볼 수 있는데, 이는 기업이 시장임대료 이하로 자산을 임차하고 있는 셈이기 때문이다.

당 부분이 부동산에 집중되어 있기 때문에, 기업들 또는 부동산 사용자들이 부동산의 투자 및 금융과 관련된 의사결정을 수행하는 방식에 대하여 면밀히 살펴보는 것은 가치 있는 일이라 할 것이다.

기업 사용자에게 부동산 소유와 관련된 이익은 투자자들이 인식하는 이익과 많은 부분에서 동일하다. 예를 들면, 부동산 소유 기업은 공간을 임차하였으면 지불했어야 하는 임차료를 절약하게 되는데, 이는 투자자가 임대료 수입을 벌어들이는 것과 유사한 것이다. 또한 기업은 부동산을 소유함으로 인하여 감가상각의 과세소득 공제로 인한 세제혜택을 받게 된다. 더군다나 부동산을 소유함으로 인하여 기업은 장래 부동산을 매각할 수 있는 권리를 보유하게 된다. 장래 매각시점에서 기업이 여전히 공간을 사용할 필요가 있다면 매수인에게 이를 다시 임차할 수도 있을 것이다[소위, 매후환대차(賣後換貸借: sale and lease back)]. 하지만 핵심 사업분야가 부동산이 아닌 기업들은 추가적으로 고려할 요인들이 있다. 특히 사용자는 부동산에 투자한 자본의 기회비용, 부동산 소유가 기업 재무제표에 미칠 영향, 공간을 효율적으로 사용할 수 있는 기업역량 등에 대해서 고려해야 할 것이다. 이 사항들은 본 장에서 논의하게 될 이슈들 중 일부이다. 먼저 사업 운영에 필요한 공간을 임차할 것인지 아니면 소유할 것인지를 기업 사용자가 어떻게 분석하는가를 살펴보는 것으로 논의를 시작하도록 하자.

임차 대(對) 소유 분석

기업은 사업 운영에 필요한 공간을 임차할 수도 있고 소유할 수도 있는데, 어떤 선택이 보다 나을지 결정하기 위해서 **임차 대 소유 분석**(lease-versus-own analysis)을 수행하게 된다. 만약 기업이 공간을 소유한다면, 이는 필연적으로 부동산에 "투자"하는 것이 된다. 이런 자산들을 취득할 때, 기업은 자기자본 이외에 부동산을 담보로 대출을 얻어서 취득에 소요되는 재원을 조달할 것인지 아니면 그냥 자기자본만을 사용할 것인지 결정하게 될 것이다. 대안으로써, 사업 운영에 필요한 재원을 조달하면서 기(旣)사용 중인 타인자본의 정도에 따라서 취득재원을 주식매각 및 (내부유보 중인) 이익잉여금으로 조달한 자기자본과 무보증 회사채권을 조합하여 구성할 수도 있다.

반대로, 만약 기업이 공간을 임차한다면 기업 입장에서는 회사 자기자본의 투자 없이 공간을 사용할 수 있게 되고, 자기자본을 회사가 고려하는 다른 투자기회에 사용할 수 있는 여유를 확보한다. 이런 투자기회가 부동산에 투자하는 것보다 더 나은 것인지 여부는 부동산에 투자하는 것 대비 이런 투자기회들이 제시하는 세후수익률과 투자위험에 의해 좌우된다.

임차 대 소유 분석—사례

기업이 사업 운영에 사용할 계획으로 부동산을 임차하기보다는 소유하는 결정을 설명하기 위해 다음의 사례를 고려해보자. XYZ社는 새로운 상권에 연간 $1,500,000의 매출액을 증대시키게 될 새 영업소의 개설을 고려 중이라고 하자. 매출원가는 매출액의 50%가 될 것으로 추정되고, 영업소 공간의 취득 또는 임차에 따른 비용을 제외하고도 회사의 일반 관리비는 연간 $200,000씩 증가할 것이다. 영업소 공간의 취득 또는 임차에 따른 비용을 고려하기 전에 XYZ는 또한 영업소의 가구·설비 그리고 새 영업소 개설과 관련된 기타 초기비용 등으로 $1,500,000를 투자해야 한다.[3]

[3] 기타 초기비용은 판매원 교육비용, 직원 재배치비용 및 기타 이와 유사한 비용들이 포함된다.

XYZ는 총 $1,800,000에 단독사용을 위한 소형 오피스 건물을 매입할 수 있는데. 매입가격 중 12.5%인 $225,000는 토지가격을 나타내며, 87.5%인 $1,575,000는 건물가치를 나타낸다. 건물가치는 39년에 걸쳐서 감가상각한다.[4] XYZ는 법인세율 21% 구간에 속하고 있다.[5] 소유에 대한 대안으로, 어느 투자자가 XYZ社에 접촉하여 본인이 동일한 부동산을 인수한 후 15년 동안 XYZ에 매년 임대료 $140,000에 임대하고자 하는 의향을 표시하였다. XYZ는 모든 부동산 운영비용을 지불해야 하고(완전 순임대차), 이는 임대료의 50% 수준으로 추정된다. XYZ는 자산가격이 향후 15년 동안 지속적으로 상승하여, 15년 차 말에는 $3,000,000에 매각될 것으로 추정하였다.[6] 또한 XYZ는 만약 자산을 매입한다면 벌룬식 상환의 금리 4%, 만기 10년, 이자만 상환하는 만기일시상환 방식의 담보대출 $1,260,000(매입가격의 70%)을 차입하여 조달할 것으로 결정하였다.[7]

임차로 인한 현금흐름

[예 11-1]은 임차로 공간의 사용권을 얻어서 오피스 건물을 개설하는 경우의 세후 현금흐름 계산결과를 보여준다. 초기에 현금으로 $1,500,000를 영업소 공간을 준비하는 개업비용으로 일시에 지출해야 한다는 점을 상기하기 바란다. $268,600의 세후 현금흐름이 향후 15년 동안 매해 발생하게 된다. XYZ가 임차기간 말에 영업소를 폐점할 것이고 이 시점에 가구 및 설비는 잔존가치가 없을 것이라고 가정하자.

예 11-1

세후 현금흐름: 오피스빌딩을 임차할 경우

운영으로 인한 현금흐름	
	임대
매출액	$1,500,000
매출원가	750,000
매출총손익	750,000
(–) 운영비용	
사업	200,000
부동산*	70,000
(–) 임차료	140,000
과세소득	$ 340,000
법인세	71,400
세후소득(당기손순익)	$ 268,600
세후 현금흐름	$ 268,600

세후 현금흐름의 요약		
	최초지출	**현금흐름**
연차	0	1~15
	$ –1,500,000	$268,600
내부수익률	15.97%	

* (재산세 · 보험료와 같이) 순임대차 조건에서 임차인이 지불의 책임을 지는 부동산 관련 운영비용

4 단지 예시를 위한 것이다. 감가상각의 내구연수는 매입시점에 유효한 조세법에 의해 좌우될 것이다.

5 2017년 the Tax Cuts and Jobs 법은 35%의 법인세율 최고구간을 21%로 낮췄다.

6 기업이 여전히 공간을 사용할 필요가 있다면, 기업은 자산을 매각하고 이를 다시 임차할 수 있을 것이다. 본 장 후반부에서 매후환대차(sale-and-leaseback)를 고려하게 된다. 기업은 또한 건물을 매각하고 이 회사가 임차 또는 소유하고 있는 다른 자산으로 판매본부를 이전하기로 결정할 수도 있다.

7 본 장 후반부에서 현 회계 기준 하에서 임대가 어떻게 임차인의 재무상태표에 인식되어야 하는지 논의할 것이다.

15.97%의 세후수익률은 XYZ가 오피스 건물을 소유하기보다 임차하기로 결정하였을 경우의 기회비용, 즉 절감한 $1,500,000의 세후재투자수익률이라고 가정하였다. 이는 새로운 영업소를 개설하는 데 필요한 $1,500,000를 투자할 것인지를 XYZ가 고려할 때 같은 위험수준의 다른 투자대안과 비교할 수 있는 세후수익률이다.

XYZ가 새로운 지역 영업소를 개설하기로 생각한다고 가정한다면, 그 다음 질문은 XYZ가 새 영업 기능을 수용하는 부동산을 임차할 것인가 소유할 것인가를 결정하는 것이다. 이 질문에 답하는 방법 중 하나는 공간을 임차하기보다 소유한다고 가정하고 세후 현금흐름과 세후수익률을 계산하는 것이다.

소유로 인한 현금흐름

[예 11-2]는 새 오피스 건물을 소유한다는 가정 하에 영업소의 개설로 인한 세후 현금흐름을 보여준다. 초기 현금지출 $2,040,000는 오피스 빌딩의 자기자본으로 투자하는 $540,000와 초기에 일시불로 지출하는 개업비용 $1,500,000를 합산한 금액이다. 최초 15년 동안 매년 발생하는 세후 현금흐름은

예 11-2
세후 현금흐름: 오피스빌딩을 소유할 경우

운영으로 인한 세후 현금흐름			
매출액			$ 1,500,000
매출원가			750,000
매출총손익			750,000
(−) 영업비용			
사업			200,000
건물 또는 자산			70,000
(−) 이자			50,400
감가상각			40,385
과세소득(손실)			389,215
(−) 법인세			81,735
세후 소득(당기순손익)			307,480
(+) 감가상각			40,385
현금흐름			$ 347,865
매각으로 인한 세후 현금흐름			
재매각가격			$ 3,000,000
대출잔액			−1,260,000
매각가격	$ 3,000,000		
수정원가	−1,194,231		
양도소득	$ 1,805,769		
양도소득세			−379,212
세후 현금흐름			$ 1,360,788
내부수익률 계산의 요약			
	최초지출	현금흐름	매각
연차	0	1-15	15
현금흐름	$2,040,000	$347,865	$ 1,360,788
내부수익률	16.43%		

$347,865이다. 자산의 매각으로 인한 세후 현금흐름은 $1,360,788이다. 이 시나리오 하에서 세후 내부수익률은 16.43%이다. 이 수익률은 [예 11-1]에서 제시하는 대로, XYZ가 공간을 임차하기로 선택하였을 경우 얻게 될 세후수익률 15.97%보다 약간 높다. 이는 임차보다는 소유가 나은 선택이라는 결과를 제시한다. 하지만 15.97%의 수익률은 영업소를 개설하는 데 투자된 자금($1,500,000)과 건물을 소유하는 데 자기자본 몫으로 투자된 추가자금($540,000)을 합산한 금액에 대한 세후수익률이라는 점에 주목하기 바란다. 즉 이 수익률은 (1) 새로운 영업소를 개설하는 것과 (2) 그 오피스 건물을 소유하는 것, 이 두 가지의 투자의사결정을 결합하여 얻게 되는 수익률이다. 오피스 건물을 소유하여 얻게 되는 수익률이 임차하여 얻게 되는 수익률보다 높을지라도, 투자수단으로서 부동산을 보유함에 따른 투자위험에 연동하여 이 대안의 위험 역시 높아지게 될 것이다.[8] 이 위험을 보다 자세히 분석하기 위해서, 부동산 투자결정에 따른 세후수익률만을 따로 분리해야 할 것이다.

소유 대 임차의 현금흐름 비교

지금까지 두 가지 상호 연관된 의사결정을 취급해 왔다. 첫 번째는 기업이 추가적인 영업소 공간을 사용하기 위해 자금을 투자함으로써 영업을 확장해야 할지에 대한 결정이다. 두 번째 결정은 공간 사용에 대해 어떤 방식으로 지급해야 하는가이다. 앞선 분석에서 기업이 공간 사용에 대한 대가를 어떻게 지급할 것인가와 관련하여 두 가지 다른 가정을 가지고서 수익률을 계산하였다. 한 개 또는 두 개 대안 모두 산출하는 수익률이 기업의 투자기준을 충족시킨다고 가정하면, 해당 기업은 공간을 사용하기로 결정해야 할 것이다. 하지만 공간 사용권을 얻는 두 가지 대안들에 대해서 투자위험과 수익률이 동일할 것인지는 분명하지 않다. 이 사례에서는 두 가지 시나리오 모두 똑같은 건물을 사용하면서, 동일한 매출 가능성과 비(非)부동산 비용을 수반한다.[9]

하지만 앞에서 살펴본 것처럼, 공간 소유의 결정은 임차 시에는 필요하지 않은 (자산 취득가액 내) 자기자본의 추가적인 투자를 포함하고 있다. 소유 대 임차를 결정함에 내재해 있는 자산 취득가액 내 자기자본투자를 보다 자세히 살펴보기 위해서는, 공간을 소유하기보다는 임차하였다면 기업에게 발생하였을 현금흐름의 차이에 대해서 고려해야 한다. [예 11-3]은 임차 및 소유 시나리오 하에서 발생하는 세후 현금흐름을 되풀이해서 보여주면서, 두 대안 간 현금흐름의 차이를 계산하고 있다.

[예 11-3]의 처음 두 열은 소유와 임차로 인한 세후 현금흐름의 계산결과를 반복한다. 앞에서 논의한 것처럼, 기업에 귀속되는 이 현금흐름들은 각 대안별로 오피스 건물을 사용함으로 인하여 발생한 결과들이다. 이제 $540,000의 최초지출은 소유할 경우 자산 취득가액 내 자기자본투자금액만을 나타내게 된다. 최초 15년 동안 자산을 소유할 경우 매년 발생하는 세후 현금흐름은 $347,865이므로, 임차할 경우 매년 발생하는 $268,600과 비교하면 그 차액은 매년 $79,265가 된다. 기업이 자산의 소유를 선택하면 15년 차 말에 자산 매각으로 인한 세후 현금흐름 $1,360,788를 인식하게 될 것이다. 임차 대 소유의 결정을 내릴 때 매출규모와 그만큼의 매출을 창출하기 위해 소요되는 영업비용은 임차든 소유든 동일

---

[8] 오피스 공간 사용 여부에 대한 의사결정은 보통 공간의 임차로 인한 세후 현금흐름을 고려하여 이루어진다. 이 현금흐름이 공간 사용에 대한 의사결정이 공간 사용에 대해 시장이 결정하는 가격에 근거하였음을 확신시켜 주는 것이다. 이는 또한 공간을 소유하여 얻는 이익을 새로운 판매 오피스를 개설함으로써 얻는 이익과 구분하게 해준다.

[9] 현실에서는 임차 목적으로 접근 가능한 공간이 매입 목적으로는 접근이 불가능할 수 있다. 따라서 임차하려는 공간과 소유하려는 공간이 일치하지 않을 수도 있는 것이다. 이러한 불일치는 각 대안의 매출 가능성에 대해서 다소 상이한 가정을 유발할 수 있다. 문제를 단순화하기 위해서, 이런 매출 차이의 발생 가능성은 무시하였다.

예 11-3
소유 대 임차 분석

운영으로 인한 현금흐름			
	소유	임차	차이(소유 – 임차)
매출액	$ 1.500,000	$ 1,500,000	0
매출원가	750,000	750,000	0
매출총손익	750,000	750,000	0
운영비용			
사업	200,000	200,000	0
부동산	70,000	70,000	0
임차료	0	140,000	−140,000
이자	50,400	0	50,400
감가상각	48,385	0	40,385
과세소득(손실)	389,215	340,000	49,215
세금	81,735	71,400	10,335
세후소득(당기순손익)	307,480	268,600	38,880
(+) 감가상각	40,385	0	40,385
세후 현금흐름	$ 347,865	$ 268,600	$ 79,265
자산 매각으로 인한 현금흐름			
재매각가격(소유할 경우)			$ 3,000,000
(–) 대출잔액			−1,260,000
재매각가격	$ 3,000,000		
(–) 수정원가	−1,194,231		
양도소득 과세표준	$ 1,805,769		
(–) 양도소득세			−379,212
세후 현금흐름			$ 1,360,788
세후 현금흐름의 요약			
	최초지출	현금흐름	매각
연차	0	1~15	15
소유−임차	$–540,000	$79,265	$1,360,788
내부수익률	17.32%		

할 것이라고 가정했었던 것을 상기하기 바란다. 즉 임차 또는 소유의 결정은 두 대안 하의 현금흐름 차이에만 의존해야 할 것이다. 달리 말하면, 건물의 소유 또는 임차의 차이가 XYZ의 사업 운영에 영향을 미쳐서는 안 될 것이다. [예 11-3]의 3열은 이 현금흐름의 차이를 보여준다. 임차 대신 소유함으로 인해, XYZ는 매년 세후 기준으로 $79,625를 절약하게 된다.[10] 더욱이 만약 XYZ가 공간을 소유한다면, 15년차 말에는 오피스 빌딩의 매각을 통해 $1,360,788를 수령하게 될 것이다.

소유 대 임차의 수익률 비교

자산을 소유하기 위해 필요한 자기자본투자금액은 $540,000라는 것을 상기하기 바란다. 이 초기투자와 증분현금흐름(매년 $79,625와 15년 차 말 $1,360,788)에 기초하면, 세후 내부수익률은 17.32%로

[10] 소유보다 임차를 택함으로써, 회사는 매년 추가적인 $79,265를 지불해야 한다.

계산된다. 이 수익률이 공간을 임차하는 것 대비 소유함으로 인하여 투자하는 추가자금을 정당화하기에 충분한지 여부는 자산금액 내 자기자본투자에 대한 기회비용과 투자위험에 달려있다. 만약 XYZ가 17.32%의 세후수익률이 공간 소유와 관련된 투자위험을 정당화하기에 충분하지 않다고 생각한다면, XYZ는 공간을 소유하기보다는 임차하는 것을 선택해야 한다. 반대로, 만약 XYZ가 자산을 보유하다가 궁극적으로 15년 후 매각하는 것에 대한 투자위험을 고려하였을 때 17.32%가 적절한 수익률이라고 판단한다면, XYZ는 자산을 소유하여야 할 것이다.

부동산 잔존가치의 중요성

임차와 소유는 종종 두 개의 금융대안으로 간주되는데, 이는 앞에서 설명한 대로 임차료 지급이 부채서비스를 대신하기 때문이다. 하지만 앞의 사례에서 보듯, 임차료 채무에 대응하는 차입채무는 구매가격 중에서 자기자본이 가지는 자산의 잔여가치에 대한 권리까지 포함하지는 않는다. 즉 부동산 임차는 잔존가치가 통상 0으로 가정되는 설비 임대와는 다르다.

일반적으로 부동산의 임차 또는 소유는 설비의 임대 또는 소유와 다른데, 부동산은 상당한 잔존가치를 가지기 때문이다. 부동산 소유주는 잔존가치에 대한 권리를 가질뿐더러, 잔존가치가 매입시점의 매입가격과 달라질 수 있는 위험을 부담하게 된다. 즉 임차기간 동안 (임차인처럼) 자산의 사용권을 갖는 것과 더불어 **부동산의 소유를 선택한 기업은 자산의 잔여가치에 투자하게 되는 것이다.** 이는 자산의 임차와 소유 중에서 선택하는 결정이 단순하게 두 가지 금융대안 중에서 하나를 선택하는 것과 같지 않다는 의미이다. 비록 두 방법 모두 사용기간 동안 자산의 사용권에 자금을 조달한다는 점에서는 공통적이지만, 소유는 사용기간 말 자산의 잔여가치에 대한 권리를 포함한다는 점이 다른 것이다.[11] 임차는 자산의 잔여가치에 대해서 그 어떤 이익을 주지 않는다.[12] 부동산의 잔여가치는 사용기간 동안 그 부동산의 가치가 유지되거나 상승한다면 굉장히 큰 금액이 될 수 있는 반면, 기업의 설비는 대부분의 경우 예상되는 잔존가치가 너무 작아서 무시할 수 있는 수준이다.

부동산의 잔존가치는 사용기간 동안 부동산의 수급 변화에 영향을 받고, 대개 지불하는 계약임차료보다 더 불확실하다. 즉 소유 대 임차의 증분현금흐름을 평가할 때 사용하는 소유에 대한 요구수익률(할인율)은 통상적인 기업투자(자기자본 사용)에 사용되는 자본비용만큼 높을 필요는 없을지라도 기업부채(타인자본 사용)의 세후 금융비용보다는 높아야 할 것이다.[13]

잔존가치의 추정

잔존가치는 사용기간 말 토지 및 정착물의 회수가격을 말한다. 이 잔존가치는 임차 대 소유의 결정에서

---

11 사용된 임차 대 소유 사례에서 자산을 비소구(non-recourse) 대출로 조달한다고 가정해 보자. 조세이익을 제외하면, 소유와 임차의 차이는 사용기간 말 자산가치가 대출잔액을 초과하는 경우 부동산의 계속 보유를 선택할 수 있는 권리가 될 것이다. 만약 자산가치가 대출잔액보다 작다면, 기업은 담보대출의 채무를 이행하지 않을 것이고 자산의 소유권은 임대차기간 말 임대자산이 임대인에게 귀속되듯 대출자에게 귀속될 것이다. 이 경우 소유가 임차와 다른 것은 자산의 잔여가치에 대한 콜 옵션(call option)을 매입하기 위해서 자기자본을 투자한다는 점이다. 옵션의 행사가격은 임대차 종료시점의 대출잔액이다[역자주: 통상의 담보대출은 소구 대출이다. 경매로 회수되지 아니하는 대출채권에 대해서 차입자는 무한책임을 진다. 만약 비소구 대출이라면 자산가격과 대출잔액을 비교하여, 채무불이행을 선택할 수 있게 된다. 저자들은 이러한 경우를 자산에 대한 콜 옵션이 존재하는 것으로 해석하고 있다. 즉 대출잔액이 옵션 행사가격이 되어서 자산가치가 더 높으면 잔여채무를 이행하되, 반대의 경우 채무불이행을 선택하게 된다. 그렇다면 자산 매입 시 투자한 자기자본은 이 콜 옵션을 매입하는 비용이 될 것이다].

12 임차도 자산의 잔여가치에 대한 청구권을 보유하도록 구조화될 수 있다. 예를 들면, 지분참여형 임대차(equity lease)는 임차인에게 건물의 소유권 일부를 부여한다. 또한 임차인이 임대차기간 말에 자산을 매입할 옵션을 가지는 경우도 있다.

13 통상 기업에서 사용하는 자본비용은 기업부채의 비용과 자기자본의 비용을 가중평균한 값이다. 자기자본이 타인자본보다 더 비싸기 때문에, 자본비용의 가중평균은 타인자본의 비용보다 더 높아지게 된다(부록 참조).

중요한 부분이지만, 기업 관리자들에게 혼란을 야기하고는 한다. 어떤 분석자들은 부동산의 잔존가치는 자산의 장부가격, 즉 취득원가에서 사용기간 종료시점의 회계상 감가상각누계를 차감한 금액과 같을 것이라고 가정한다. 또 어떤 이들은 잔존가치란 존재하지 않는다는 극단적인 가정으로 치닫는다. 왜 이렇게 가정하는 걸까? 이는 기업에게는 늘 시설의 필요성이 있고, 따라서 잔존 매각가격으로 수령한 재원은 해당 시점에 새로운 임대차 또는 새로운 시설에 재투자되어야 하기 때문이다.

통상 부동산은 그 가치가 회계상 감가상각만큼 빠르게 하락하지 않고 일반적인 사용기간 동안에 그 가치가 0이 되는 경우 역시 드물기 때문에, 잔존가치가 존재하지 않는다는 가정은 임차 대 소유의 결정에서 임차 쪽으로 결론을 내리도록 편견을 야기하게 된다. 하지만 비현실적으로 높은 자산가치 상승률을 가정하는 것 역시 부정확하기 마련이어서, 분석자를 소유 쪽으로 결론을 내리도록 편견을 유발하게 된다. 정확한 접근방법은 부동산의 잔존가치, 그리고 예상가격의 불확실성에 대해서 현실적으로 추정하는 것이다. 이 추정가격은 6장에서 논의했던 것처럼, 자산의 **시장가치**를 고려해야 하는 것이지 기업 입장에서의 투자가치를 고려하는 것이 아니다.

부동산을 소유하기로 결정함으로써, 기업은 실질적으로 회사의 영업적인 성공과 완전히 무관할 수 있는 부동산의 잔존가치 변동위험을 감수하는 선택을 내린 것이다. 부동산이 여타 기업 자산들과 다른 점은 보유기간 말에 취득원가 대비 현저히 낮거나 현저히 높을 수 있는 넓은 범주의 발생 가능한 잔존가치를 가진다는 것이다. 중기 또는 장기의 임대차계약기간 중에 국지적·지역적 심지어 국제적인 경제 요인들까지 기업 부동산의 시장가치를 중대하게 변동시킬 수 있다. 공간을 임차하는 것보다 소유하기로 결정함으로써, 기업은 부동산 잔존가치의 예기치 못한 변화위험을 부담해야 하는 것이다.

어떤 분석자들은 기업이 계속 기업의 관점에서 지속적으로 공간을 사용할 필요가 있기 때문에 부동산의 잔존가치라는 것은 무관하다고 주장한다. 즉 시설에 대한 필요가 늘 상존할 것이기 때문에, 잔존가치의 매각으로 인한 유입자금은 해당 시점에 신규 시설에 재투자되어야만 할 것이다. 하지만 이런 접근은 기업이 사용기간 말에도 가치를 지닌 자산의 소유권을 계속 보유하고 있다는 사실을 간과한다. 사용기간이 종료되는 그 시점에 경영진은 해당 공간을 계속해서 **사용**할 것인지 말 것인지를 결정할 것이다. 만약 해당 부지에 최고최선 이용의 변화로 인하여 공간이 계속 사용하기에 충분하지 않다면, 기업은 영업소를 이전할 수 있는 선택권을 갖고 있는 것이다.[14] 만약 기업이 공간을 계속해서 사용하기로 결정한다면, 그 다음에는 공간을 계속 소유할 것인지 아니면 매각한 후에 임차할 것인지(매후환대차)를 결정할 수 있을 것이다.[15]

장래 기업이 무엇을 할 것인지의 결정과는 상관없이, 자산을 임차하기보다 소유하기로 한 최초 결정은 사용기간이 종료되는 시점에 예상 시장가치를 가진 자산을 기업이 보유하게 된다는 의미이다. 만약 부동산 가치가 상승하였다면, 기업은 당초 매입할 때보다 높은 가치를 지닌 자산을 소유하게 된다. 만약 부동산 가치가 하락하였다면, 매입시점보다 자산의 가치는 낮아질 것이다. 어느 경우가 되었든, 기업은 만약 임차하기로 결정하였다면 가지지 않았을 재무상태표(舊대차대조표)상의 자산을 가지게 된다. 만약 자산에 적용하는 시장 자본환원율이 비교적 일정하게 유지된다면, 자산의 시장가치의 변화와 시장 임대료는 높은 상관성을 가질 것이다[역자주: 직접환원법에서 자산가치(V)는 순 영업이익(I)을 자본환원율

14 공간의 최고최선 이용이 변화하였을 때 기업이 선택 가능한 옵션에 대해서는 본 절 후반부에서 고려하기로 한다.

15 매후환대차는 본 장 후반부에서 보다 자세하게 살펴본다.

(R)로 나눈 값이다. 즉 $V = I/R$의 관계를 갖는다. 만약 R이 고정적이라면, V와 I는 비례하게 된다]. 즉 자산을 소유함으로써 기업은 사실상 자신의 공간 임차비용 변동과 연동하여 등락하는 수익률을 가진 자산에 투자한 셈이 된다. 상술하였듯이, 이 수익률은 기업의 핵심 사업영역에서 산출하는 수익률과 상관관계를 가질 수도 있고 가지지 않을 수도 있다. 만약 시장가치와 시장임대료가 상승한다면, 공간 사용의 기회비용은 그 공간을 임차하였든 소유하였든 장래에 더 커지게 될 것이다. 단지 차이가 나는 것은 소유하기로 결정함으로써 기업은 가치가 상승하는 자산을 보유하고 있으며 부동산 가치의 상승이익을 누릴 수 있다는 점이다. 언급하였듯, 기업은 이 사후적인(또는 역사적인) 이익을 매후환대차 또는 영업소 이전 등의 방법을 통해서 실현시킬 수 있을 것이다.[16]

대안적으로 만약 기업이 공간을 임차하였다면, 기업은 여전히 더 높은 임차료비용에 직면할 수도 있지만 그 자금을 가치가 상승한 자산에 투자하거나 투자하지 않았을 수도 있다. 물론 임대료가 하락한다면 기업은 이제 더 낮은 가격에 공간을 임차할 수 있을 것이다. 또한 임차 대신 소유를 선택함으로써 기업은 부동산 가치 하락에 따른 손실을 초래하게 된다.

요점은 임차 대신 소유를 선택함으로써 기업은 국지시장의 부동산 시세에 따라 수익률이 등락하는 투자를 했다는 점이다. 임차 대 소유의 결정은 부동산투자로 인한 투자위험과 예상수익률이 기업의 전반적인 투자 및 금융전략과 어떻게 부합할 것인가를 고려해야 할 것이다.

투자자의 관점

앞선 분석에서, 소유 대 임차와 관련된 증분현금흐름을 살펴보았다. 기업의 관점에서 소유(임차의 비용)로 인한 수익률은 17.32%로 계산되었다. 만약 기업이 공간을 임차하기로 결정한다면, 이제 자산을 소유하고 이를 기업에 임대하고자 하는 투자자가 존재한다고 가정해보자. 투자자가 기대하는 수익률은 얼마나 될까? 물론 이 수익률은 투자자가 자금을 어떻게 조달하는지와 투자자의 조세입장(세율구간)에 따라 달라진다. 비교 목적으로, 투자자의 세율구간은 기업과 같은 세율구간에 있고 재원조달 역시 같은 조건을 따른다고 가정하자. [예 11-4]는 임대기간 중 자산의 운영으로 인한 예상 현금흐름과 임대기간 말 자산 매각으로 인한 예상 현금흐름을 보여준다.

임대사업자의 세후수익률은 기업의 세후수익률과 정확하게 일치한다. 놀라울 게 없는 것이 임차와 소유의 차이는 부동산에 대한 자기자본투자여부라는 것을 강조해왔기 때문이다.

프로젝트금융 *Project Financing* 에 대한 이해

앞에서 살펴본 임차 대 소유 분석에서, 기업이 자산을 담보로 대출을 얻는다고 가정하였다. 담보대출 대신에 기업은 무보증 회사채권을 사용할 수도 있었을 것이다. 기업이 일정한 비율의 부채합계(예를 들면, 부동산 담보대출, 회사채 등)를 유지하고자 한다는 가정 하에, 부동산을 담보로 활용하는 담보대출의 사용을 무보증 회사채권을 사용하는 것으로 대체해 보자. 다만 기업들은 부동산으로 담보하는 담보대출의 금리가 무보증 회사채의 신규발행에 지불하는 금리보다 낮다는 것을 발견할 수도 있다. 이는 담보대출 금리가 부동산의 위험을 반영하는 경향이 있는 반면, 무보증 회사채의 위험은 기업의 신용위험을 반영

[16] 만약 임대료뿐만 아니라 자산가치도 상승하였다면, 기업에게는 공간을 계속해서 소유하는 것이 여전히 매후환매차보다 유리할 것이다. 그렇다고 이것이 부동산을 계속해서 소유하여 얻게 되는 수익률이 회사가 자산의 소유 대신 임차를 선택하고 그 자금을 다른 사업에 투자하여 얻게 되는 수익률보다 더 크거나 반대로 더 작을 수 있다는 사실을 부정하는 것은 아니다.

예 11-4
투자분석: 기업에 부동산을 임대하는 투자자의 관점

임대료소득		$140,000
운영비용(순임대차)		0
순 영업이익		140,000
(−) 감가상각		40,385
(−) 이자		50,400
과세소득(손실)		49,215
세금		10,335
순 영업이익		140,000
(−) 부채서비스		50,400
(−) 세금		10,335
세후 현금흐름		79,265
임대기간 말 자산 매각		
매각가격		$ 3,000,000
대출잔액		−1,260,000
매각가격	$ 3,000,000	
수정원가	−1,194,231	
양도소득	$ 1,805,769	
양도소득세		−379,212
현금흐름		$ 1,360,788

현금흐름의 요약

	최초지출	세후 현금흐름	매각
연차	0	1~15	15
현금흐름	$−540,000	$79,265	$1,360,788
내부수익률	17.32%		

하기 때문이다.

신용등급이 높은 기업은 담보대출보다 무보증 회사채에 더 낮은 금리를 지불할 수도 있다. 이는 담보대출, 특히 차입자에 대해 비소구로 구조화된 담보대출의 금리는 차입자의 신용위험보다는 자산이 산출하는 현금흐름이 부채서비스를 이행하지 못하여 발생하는 채무불이행 위험을 반영하기 때문이다. 즉 비소구금융의 경우 담보대출의 금리가 대출자에게 지급하는 위험할증(risk premium)을 포함하는 바, 자산가치가 대출잔액보다 적거나 자산의 현금흐름이 부채서비스를 이행할 수 없을 때 차입자가 채무불이행을 선택할 옵션을 보유하고 있기 때문이다. 이러한 경우, 금융업계는 기업자산에 기초한 대출(기업여신)을 부동산에 기초한 대출(담보대출)보다 덜 위험하게 생각할 수 있고, 따라서 무보증 회사채의 차입금리가 단지 부동산만을 담보로 확보하는 담보대출의 차입금리보다 더 낮을 수 있는 것이다.

반대로 부동산보다 더 위험한 기업자산을 보유한 회사라면(즉 신용위험이 높은 회사라면) 부동산만을 유일한 대출담보로 제공할 때 부동산의 취득자금을 조달하는 데 이용하는 담보대출의 금리보다 무보증 회사채에 대해서 더 높은 금리를 지불해야 할 것이다.

만약 기업이 부동산 담보대출의 금리보다 낮은 금리로 무보증 회사채를 조달할 수 있다면, [예 11-2]와 [예 11-3]을 분석할 때 보다 낮은 금리를 가정하고 분석에 착수할 수 있다. 대안적으로 분석자들은 때때로 **명시적으로 부채차입을 고려하지 않으면서**(즉, 무차입으로) [예 11-3]에서처럼 임차 대 소유의 증

분현금흐름을 계산하기도 한다. 이런 유형의 분석은 [예 11-4]처럼 부동산 소유로 인한 수익률을 차입 고려 이전에 (마치 무차입처럼) 계산하는 것과 유사하다. 이 경우, 임차에 대비하여 소유로 인해 발생하는 수익률을 반드시 기업의 부채비용 및 자기자본비용의 가중평균, 즉 가중평균자본비용(weighted average cost of capital, WACC)과 비교해야 한다. 이 접근방법은 타인자본의 차입비용을 현금흐름의 계산과정에서 부채서비스 형태로 고려하는 것이 아니라 부동산 소유로 인한 요구수익률 형태로 반영할 수 있게 해준다.[17] 본 장의 부록에서 보듯, 이 접근은 기업이 부동산에 투자하여 얻는 수익률에 대한 결론을 바꾸지는 않는다. 분석자들이 종종 주장하기를, 임차 대 소유 결정에서 차입을 명시적으로 고려하지 않을 때 임차 대 소유의 증분현금흐름에 대한 수익률은 타인자본 및 자기자본의 가중평균비용과 비교할 것이 아니라 기업의 부채 차입비용과 비교함이 타당할 것이라고 한다. 이 주장은 지급할 임차료의 현재가치 합계에 기초한 임차료채무가 타인자본의 차입규모와 같고, 따라서 자산을 소유함에 있어서 추가적으로 자기자본을 투입하지 않을 것이라는 가정에 근거한다. 이 가정은 설비임차에서는 현실적일 수 있는데, 설비는 상당한 잔존가치를 갖는 경우가 없기 때문이다. 하지만 앞선 사례에서 설명하였듯 지급임차료의 현재가치 합계와 같은 금액을 차입할 수 있더라도 부동산은 잔존가치의 예상 현가(現價)로 인하여 자기자본의 추가적인 투자를 요구하게 된다.

소유 대 임차 결정에 영향을 주는 요인들

위 사례는 공간을 소유할 것인지 혹은 임차할 것인지를 결정함에 영향을 미치는 주요 재무적 요인들에 대해서 통찰력을 제공한다. 그렇지만 고려해야 할 다른 문제들도 존재한다. 어떤 문제들은 임차 대 소유 분석에 명시적으로 섞어 넣기가 쉽지 않지만, 최종결정에 영향을 줄 수는 있다.

필요한 공간의 규모

기업의 공간 소요규모가 주어진 대상지의 최적개발규모보다 한참 작을 때에는 임차가 바람직할 수 있다. 기업 사용자가 희망하는 공간의 규모가 대상지에 개발해야 할 최적 건축물 규모보다 작을 경우, 기업 사용자는 임차를 선택하고 개발업자들(그리고 그들의 투자 파트너들)이 부동산 개발의 위험을 감당하는 구조를 예상하게 된다(그리고 전형적으로 이를 발견하게 된다). 심지어 기업 임차인이 주(主)임차인이 될 경우에도 기업 임차인의 입장에서는 임차가 더 바람직할 수 있다. 예를 들면, IBM 같은 회사들은 개발업자가 개발금융을 차입할 때 자신들의 신용을 공여하면서 임대료의 간접할인 또는 개발이익의 배분을 협상할 수 있을 것이다[역자주: 신용등급이 높은 기업들의 준공 후 매입확약, 장기임대계약 등은 프로젝트의 상업위험을 헤지(hedge)하고 채권회수위험을 현저히 경감하므로, 대출의 직접적인 채무보증 못지않게 강력한 신용공여수단이 될 수 있다. 위의 방법 외에도, 국내에서는 민자역사사업 등 상업부동산개발에서 금전대차, 선수보증금, 선수임대료 등 임차인이 직접 사업비를 빌려주는 임차인금융(lessee financing)도 광범위하게 발견된다].

필요한 공간의 사용기간

또한 자산의 예상 내용연수가 기업이 예상하는 사용기간을 크게 초과할 경우, 기업은 일반적으로 비유

[17] 이 접근방법은 기업금융에서 전형적으로 취하는 방법이다. 본 장의 부록은 자본비용의 가중평균을 사용하는 접근방법에 대해서 설명하고 있다.

동자산을 매각하는 데 소요되는 비용을 감수하기보다 임차하는 쪽을 선택하게 될 것이다. 임대인들이 자산을 다른 용도로 변경하거나 다른 용도를 입주시킴에 있어서 (임차인에 비하여) 상대적으로 유리하다는 점이 이런 경향을 일부 설명할 수 있을 것이다.

위험 감수 *Risk Bearing*

앞서 부동산 잔존가치의 중요성에 대해서 논의한 바 있다. 잔존가치는 국지시장의 부동산 시세 변동에 영향을 받는다. 임차 대 소유 분석은 기업의 영업가치에 영향을 주는 요인들과 국지적인 자산시장을 주도하는 요인들 사이의 관계를 주의 깊게 고려해야 한다. 이러한 고려는 다른 부동산투자자들이 부동산 국지시장과 관련하여 위험감수의 상대적인 이점을 가지는지를 판단하려는 것이 그 목적이다. 예를 들면, 연기금들은 일반적으로 무차입의 부동산 포트폴리오를 보유하면서 자산유형별로(오피스, 물류창고 등) 그리고 지리적 입지별로 분산하여 투자한다. 이런 연기금들과 부동산투자회사들(real estate investment trusts, REITs)은 대기업을 제외한 일반기업들보다 훨씬 효율적으로 자산시장의 위험을 분산하여 투자할 수 있을 것이다. 고려하는 부동산투자가 기업의 총자산에서 높은 비중을 차지한다면, 이런 위험을 감당하는 여타 투자자들의 상대적 이점이 해당 기업으로 하여금 임차를 선호하도록 만들게 될 것이다[역자주: 부동산이 핵심 사업분야가 아닌 회사에서는 자산의 부동산 편중현상, 즉 부동산에 대한 익스포저가 높은 것이 바람직하지 않을 수 있다. 이런 경우, 해당 회사는 소유보다 임차를 선호할 것이다. 반대로 이런 위험을 감수할 수 있는 투자자들이 자산을 소유할 것이고, 이들이 해당 회사에 임대를 주면 될 것이다]. 이러한 사유들에 의한 상대적인 위험감수역량의 차이 때문에, 영업망이 폭넓게 분산된 대기업들은 영업망이 지리적으로 밀집된 소기업들보다 소유를 선호할 가능성이 높다.

관리전문성

일반적으로 부동산의 소유와 관리는 기업의 사업활동 중에서 핵심 분야라고 할 수는 없다. 따라서 기업이 부동산을 소유할 경우, 해당 기업은 부동산 관리에서 불리한 입장에 놓일 수 있다. 기업이 부동산 자산관리의 전문성을 가지고 있지 않을 수도 있다. 자산을 임차하기보다 소유할 경우, 경영진은 공간을 사용하는 실질적 비용을 인식하지 못할 수 있고, 이는 부동산의 비효율적 이용으로 귀결된다. 기업이 개발업자들이나 다른 투자자들에 비하여 부동산을 관리하고 궁극적으로 매각함에 있어서 비교우위를 가지고 있지 않다면 임차가 보다 바람직할 수 있다.

유지관리수준

기업들은 자산가치가 유지관리수준에 대단히 민감한 부동산이라면 이를 소유하려 할 것이다. 유지관리에 민감한 건물을 소유한 임대인이 유지관리 관련 강제조항으로 건물을 보호하지 않으면,[18] 임차인(특히 단기임차인)의 낮은 유지관리 이행수준이 예상될 경우 이를 보상받기 위하여 높은 임대료를 부과할 가능성이 있다. 따라서 기업 사용자들이 본인들의 이익뿐 아니라 임대인들의 이익을 위해서도 자산이 잘 관리되고 있음을 임대인들에게 확신시킬 수 있는 방법을 찾아내지 못한다면 (아마도 매우 긴 장기

[18] 심지어 임대인이 순임대차조건으로 협상을 진행하더라도, 강제조항의 실효성이 있는 계약을 체결하기가 쉽지 않다. 그 이유는 (임차인 유지관리에 대한 임대인의) 모니터링(monitoring), 불만접수(및 문제진단), (임차인의) 과(過)설비문제로 야기되는 분쟁의 해소, 잘못된 건축설계에 기인하였거나 기타 임대인 귀책으로 간주되는 여러 문제들의 해결 등에 많은 시간손실이 발생하기 때문이다.

계약 같은 것을 통해서), 기업 사용자들 입장에서는 소유하는 것이 보다 경제적이라는 것을 알게 될 것이다.

특수목적 건물들 *Special Purpose Buildings*

기업들은 특히 그 영업유형이 일반적이지 않다거나 경쟁사가 적은 경우라면, 자신들의 영업에 맞춤 설계된 건물의 경우 소유하고 싶어 할 것이다. 맞춤형 기업부동산의 사례를 예시하자면 하이테크, R&D (Research & Development) 운영 등에 최적화된 건축물들에서 일반적으로 기업들이 임차보다 소유를 선택하는 것을 보게 된다.[19] (반대로 대형 물류센터는 소유보다는 임차하려 할 것이다.) 전문적인 설비와 기계류의 높은 재배치 비용은 기업으로 하여금 임차보다 소유하는 것에 대한 분명한 동기가 된다. 단일 임차인이 사용하는 **특수목적 건물**들의 여러 사례에서 보면, 부동산의 가치는 현재 기업의 용도로 임차할 때가 고려 가능한 다른 용도로 변경하여 임차할 때보다 높을 것이다. 이런 경우는 어느 정도에 있어서 임대인이 그 가치가 거의 전적으로 기업의 영업성공에 좌우되는 기업주식을 보유한 것과 마찬가지일 것이다. 이런 경우, 기업 사용자들은 기업 고유의 위험을 감수함에 있어서 부동산투자자들에 비하여 상당한 이점을 가지게 될 것이다.

세금에 대한 고려

세금에 대한 고려는 일반적인 임차 대 소유 분석에서 오랫동안 중요한 역할을 담당하였다.

임차 대 소유 결정에서 세금관련 사항을 간단한 경험칙으로 제시하면 다음과 같다. 만약 임대인의 세율구간이 임차인의 세율구간보다 높다면, 임대제도는 감가상각이 제공하는 세금절감으로 가장 크게 이익을 볼 수 있는 어느 일방의 손에 "자산소유권"을 맡기게 된다. 2017년의 the Tax Cuts and Jobs 법 하에서, 기업의 최고법인세율은 21%인 반면 개인 최고소득세율은 37%이다. 즉, 모든 조건이 동일하다면 소유를 통한 세제 감면은 부유한 개인들에게 있어 기업들보다 더 가치 있을 것이다.

자본시장 접근성

부동산은 매우 자본집약적이다. 부동산의 소유비용은 타인자본과 자기자본을 취득하는 비용과 함수관계에 있다. 앞서 언급하였듯, 신용등급이 높은 회사들은 부동산을 소유하여 기업에 임대하고 싶어 하는 개인들과 기관투자자들에게 부과되는 자본비용보다 더 낮은 비용으로 무담보 회사채와 자기자본을 조달할 수 있을 것이다. 이런 양호한 금융조건은 기업에게 소유를 선호하게 만드는 경향이 있는데, 이는 임차할 경우 임차료가 소유주의 높은 자본비용을 감당할 만큼 높아질 것이기 때문이다. 반대로 잠재 임대인에 비해서 높은 자본비용을 갖는 기업은 소유보다 임차가 더 매력적이라는 것을 알게 될 것이다.

만약 자산이 담보로 제공된다면(즉 담보대출이라면) 대출금리는 부동산의 위험에 기초하지 차입자의 신용위험과는 무관할 것이므로, 대출금리가 기업에게나 개인 투자자에게나 동일할 것이라고 예상할 수 있을 것이다. 그러나 만약 대출이 차입자에 대해서 소구권을 행사할 수 있다면, 기업과 개인 투자자에 적용되는 담보대출금리는 달라질 수 있다[역자주: 차입자에 대한 소구권 행사란 차입자가 채무에 지

---

[19] 사실 유지관리와 전문화는 밀접한 관련이 있다. 예를 들면, 설계에서부터 특수한 하드웨어(hardware)를 요구하는 R&D시설에서는 회사가 고용하는 기술자들이 유지관리상의 문제들을 진단하고 대처함에 있어서 더 나을 수 있다. 이런 경우에는 임대차계약서에 임대인의 유지관리 관련 조항들을 복잡하게 넣어두는 것보다 오히려 기업이 직접 소유하는 편이 더 나을 것이다.

는 무한책임을 의미한다. 법원경매로도 회수하지 못하는 채권금액을 회수하기 위해서 대출자는 차입자의 모든 자산과 계좌에 대해서 채권보전조치를 실행할 것이다. 하지만 프로젝트금융에서 논의한 것처럼 비소구금융이라면 대출위험은 결국 담보위험으로 귀결될 것이고(즉 차입자의 신용위험과 절연될 것이고) 차입자가 누구인가보다는 담보가 무엇인가를 평가하게 될 것이다].

영업권 통제

기업은 앞의 사례에서 고려하지 않았던 재무적인 이유로, 자산을 소유함으로써 부동산을 통제하기를 원할 수 있다. 예를 들면, 기업은 특정한 입지에서 사업을 영위하기 때문에, 다른 입지로 이동하는 것이 곤란한 소위 영업권을 형성할 수도 있다. 만약 영업장소를 임차하였다면, 임대인은 시장에서 통용되는 임대료 수준보다 더 높은 임대료를 부과함으로써 임차인으로부터 기업 고유의 가치(영업권) 중 일부를 흡수하려고 시도할 수 있다. 부동산을 소유함으로써 기업은 합리적인 가격에 영업권을 유지할 수 있게 된다.

재무제표에 대한 영향

공간의 임차 대 소유 결정은 기업의 재무제표에 영향을 주고, 이는 다시 투자자와 대출자가 회사에 부여하는 가치에 영향을 미쳐서 결국 기업의 자본비용에 영향을 주게 된다. 이런 재무적인 고려사항들은 임차 대 소유 결정에 상당한 영향을 미칠 수 있다. 사실 다른 회사자산에 대비되는 부동산의 특성 때문에, 기업들은 종종 다른 투자자들보다 부동산을 소유함에 있어서 불리한 입장에 놓여있다.

[예 11-3]을 다시 살펴보면, 임차 대신 소유함으로써 세후 현금흐름은 $79,265 높아짐에도 불구하고 당기순이익은 최초 15년 동안 단지 $38,880 높아진다. 현금흐름과 비교할 때 회계 재무제표 상 소득은 잠재적인 문제를 야기하는데, 이는 투자자들은 단지 기업이 보고하는 주당순이익(earnings per share, EPS)만 인식할 뿐 현금흐름은 알지 못하게 될 것이라는 점이다. 게다가 이 사례에서 소유로 인한 이익의 많은 부분은 사용기간 말 부동산의 잔존가치로부터 발생한다. 이렇게 실현되지 않은 출처에서의 잠재소득은 매년 손익계산서에 반영되지 않을 것이다. 또 다른 잠재적인 문제는 기업의 재무상태표에 부동산을 장부가격으로 기재한다는 점이다. 장부가격은 취득원가에 근거하므로 최초 취득가액에서 감가상각누계를 차감한 금액과 같다. 투자업계는 기업이 보유한 부동산의 시장가치를 알지 못하거나 적어도 부동산 가치를 판단하기 쉽지 않을 것이다. 따라서 많은 분석자들은 기업의 주식가격이 기업 소유 부동산자산의 평균을 상회하는 상승분 이익은 전혀 반영하지 않을 수 있다고 주장한다.[20]

사실 부동산자산을 주기적으로 평가하지 않는 한, 기업의 경영진들은 기업 부동산의 가치가 장부가격보다 높다는 사실을 인지하지 못할 수 있다. 따라서 그들은 부동산을 비효율적으로 사용할 수 있는데, 이는 그들이 공간의 진정한 가격을 고려하지 않기 때문이다. 기업의 부동산에 대한 비효율적 이용은 부동산의 가치를 인식하고, 또한 이 부동산이 최고최선으로 이용되지 않고 있다는 사실을 알고 있는 투자자들로 하여금 기업인수를 시도하게 만들 수 있다. 이런 기업인수 이후에는 새 소유주가 부동산자산을 매각하고 영업시설을 다른 곳으로 옮기게 될 것이다.

기업의 재무상태표에서 또 다른 왜곡이 발생하는 때는 부동산 가치는 장부가격으로 기재되어 있지

---

[20] 투자자들은 부동산이 평균적으로 장부가격보다 높은 가치를 가진다는 것을 알고 있을 것이다. 하지만 특정 기업의 부동산 시장가치와 관련하여 자세한 정보를 알지 못하는 한, 그들이 할 수 있는 최선의 방법은 시장가치가 장부가격에 비해 임의로 정한 일정 금액만큼 높을 것이라고 가정하는 정도이다.

만 담보대출은 현재 시장가치에 기초하여 차입할 경우이다. 만약 이런 일이 발생하면, 시장가치로 구한 LTV비율(loan-to-market-value ratio)이 장부가격으로 구한 LTV비율(loan-to-book-value ratio)보다 낮게 계산된다. 따라서 담보대출이 (장부가격으로 기재한 자산가치에 근거하여 계산한) 기업의 전반적인 부채비율을 상승시킬 수 있다. 회사 자산의 부채비율이 실제 부채비율보다 훨씬 더 높아 보일 수 있기 때문에, 왜곡된 부채비율은 기업을 주주들에게 훨씬 위험해 보이도록 만들 수 있고 따라서 낮은 주식 가격으로 귀결될 것이다. 다수의 주장에 따르면 부채비율 왜곡이 이런 차이(장부가치와 시장가치 차이)를 알고 있는 투자자들이 기업을 인수하려 할 때 이들이 현재 시장 주가보다 더 높게 지불하는 프리미엄을 부분적으로 설명해준다고 한다.

임차인 재무보고에 대한 영향

미국의 회계 관례에 있어 Accounting Standards Codification (ASC)은 현재 일반적으로 받아들여지고 있는 유일한 회계 원리의 출처이다. 이는 FASB (Financial Accounting Standards Board: 美재무회계기준원)에 의해 유지된다. 회계의 기준은 임대차를 (1) 운용리스(operating lease)와 (2) 금융리스(finance lease) 두 가지의 분류로 구분한다.

운용리스는 소유자(임대인)가 사용자(임차인)에게 자산을 소유권의 이전 없이 자산의 경제적 연한보다 짧은 특정된 기간 동안 사용하도록 허용한다. 만약 다음의 기준 중 어느 하나라도 충족하면 이는 운영리스가 아닌 금융리스로 분류되어야 한다.

- 소유권이 임대차기간 말에 임차인에게 이전되는 경우
- 임차인이 자산이 존재하는 동안 사용될 가능성이 매우 높은 매수옵션을 가지는 경우
- 임대차기간이 임대차 자산의 경제적 연한의 상당 기간에 해당하는 경우, 즉 자산 수명의 75% 이상으로 설정된 경우
- 임차료의 현재가치가 자산가치의 상당 부분(예를 들어 90% 이상)에 해당할 경우
- 임대차 자산이 특수한 특성에 의해 기간 말 임대인에게 전환될 다른 용도가 없는 경우

1977년 1월 1일 발효된 구(舊)리스회계기준, ASC840 하에서는 (현재는 finance로 불리는) 자본리스(capital lease)는 대차대조표에 기록이 되어야 했다. 운용리스는 부외거래(off-balance-sheet transactions)로 간주되었다. 임차료와 관련 있는 비용은 손익계산서에 인식되나 재무상태표에는 아무런 영향도 끼치지 않았다. 이는 기업이 입력한 채무의 양을 이해하기 어렵게 하고, 따라서 자본리스가 아닌 다른 리스를 가지고 있는지에 따라 기업들 간의 비교를 어렵게 만들었다.

투명성 제고를 위해, FASB는 ASC842를 제정하였다. 이 새로운 기준의 한 조항은 모든 리스는 반드시 기업의 재무상태표에 인식되어야 한다는 것이다. 운용리스에 대해 구체적으로 ASC842는 임대차의 개시와 함께 자산사용권과 해당 임차부채의 인식할 것을 요구한다. 이러한 새로운 기준은 2018년 12월 15일 이후 시작되는 연간 기간부터 공공기업에 대해 발효되었고, 다른 기업들에 대해서는 2021년 12월 15일 이후 시작되는 회계연도부터 발효된다.

유효개시일에 임차인은 자산과 부채 모두에 대해 예상되는 임차료를 임대인의 내재이자율(이는 수령하게 되는 금액의 현재가치를 임대차자산의 공정가치와 동일하게 만드는) 또는 결정되지 않았다면, 임

차인의 증분차입이자율(임차인이 비슷한 금액을 대출기관으로부터 차입할 때 적용되는 이자율)로 할인한 현재가치로 측정할 것이다.

임차의 손익계산서와 재무상태표에 대한 영향

위에서 언급한대로, 새로운 회계기준은 자산과 채무 모두에 대해 운용리스와 금융리스 모두 재무상태표에 기록할 것을 요구한다. 하지만 각 유형의 리스에 대해 계산이 어떻게 이루어지는지는 약간의 차이가 있다. 이를 설명하기 위해 어느 기업이 오피스 빌딩에 대해 향후 10년간 임차에 들어갔다고 하자. 임차료는 최초 5년간 매년 $500,000가 될 것이고 이후 남은 5년 동안은 매년 $600,000가 될 것이다. 모든 운영비용은 임대인이 책임진다. 임차인의 차입금리는 연 6%이다.

임차료의 현재가치는 $3,994,816일 것이다. 금융리스로 간주되든 운용리스로 간주되든 임차인은 재무상태표에 자산사용권과 임차부채 둘 다로써 $3,994,816를 기재할 것이다. 이제 이들 잔액이 시간이 지남에 따라 어떻게 변하는지 각 리스의 유형에 대한 회계비용은 얼마인지 살펴보자.

1. 운용리스로 분류될 경우

먼저 해당 임차가 위에서 언급한 금융리스로 분류되기 위한 어떠한 조건도 충족하지 않음에 따라 운용리스로 분류되는 경우를 고려해 보자.

임차부채 임차부채가 임차기간동안 얼마나 상환되는지 계산하기 위해서 연 임차료에 내재된 이자율을 계산해야 한다. 이는 매년 초 임차부채의 잔액에 곱해야 하는 이자율로, 6%를 가정한다. 예를 들어 1년 차에는 $3,994,816의 6%인 $239,689가 된다. 1년 차에 실질임차료는 $500,000이다. 실질임차료와 이자 사이의 차이는 임차부채의 상환으로, $500,000 − $239,689 = $260,311이다. 따라서 2년 차 임차부채는 $3,994,816 − $260,311 = $3,734,505일 것이다. 2년 차 이자는 이 잔액에 기초하며 동일한 계산이 10년 말 완전한 상환이 이루어질 때까지 이루어질 것이다.

자산사용권 자산사용권 역시 임차와 동일한 이자율로 상환된다. 하지만 상환액을 계산하기 위해 실질임차료를 사용하는 대신에 "정액임차료(straight-line rent)"로 불리는 평균연임차료가 사용된다. 이 경우 10년의 임차기간 동안 임차료 총액은 $1,550,000, 즉 연간 정액임차료 $550,000가 될 것이다. 1년 차에 대해 위 계산된 $239,689의 이자를 $550,000의 정액임차료에서 제하면 $310,311을 얻게 된다. 즉, 1년 말에 사용권은 $3,994,816 − $310,311 = $3,684,505이다. 2년 차 이자는 이 잔액에 기초하여 계산될 것이고, 임차 만료 때까지 매년 과정은 반복된다.

[예 11-5]는 자산사용권과 임차채무 둘 다에 대한 매년 상환액을 보여준다. 자산사용권에 대한 잔액은 임차채무의 잔액과 다른 비율로 감소하는 것에 주목하기 바란다. 이는 매년 상환액이 다르기 때문이다(이자가 같음에도 불구하고). 양자의 총 상환액은 같고 따라서 임차 만료 시 전액 상환된다.

임차비용 재무보고를 위한 손익계산서 상의 임차비용은 매년 정액금액일 것이다. 이 경우 이는 실질임차료에 기초한 것 대비, 최초 5년 동안 더 큰 임차비용과 이후 5년 동안 더 낮은 공제를 야기할 것이다.

2. 금융리스로 분류될 경우

위 예시에 적용된 동일한 조건들을 사용하되 조건 하나를 충족하여 금융리스로 분류된 경우를 가정해보자. 예를 들어 임차인은 임차 만료 시 사용될 가능성이 매우 높은 매입옵션을 가지고 있을 수 있다.

예 11-5 자산사용권과 임차부채 상환: 운용리스

연차	임차부채	임차료	임차부채 상환	임차부채이자	자산권	평균임대료	자산권 상환
0	$3,994,816				$3,994,816		
1	3,734,505	$ 500,000	$260,311	$239,689	3,684,505	$ 550,000	$310,311
2	3,458,575	500,000	275,930	224,070	3,358,875	550,000	325,930
3	3,166,090	500,000	292,485	207,515	3,016,090	550,000	342,485
4	2,865,055	500,000	310,035	189,965	2,656,055	550,000	360,035
5	2,527,418	500,000	328,637	171,363	2,277,418	550,000	378,637
6	2,079,063	600,000	448,355	151,645	1,879,063	550,000	398,355
7	1,603,807	600,000	475,256	124,744	1,453,807	550,000	425,256
8	1,100,036	600,000	503,772	96,228	1,000,036	550,000	453,772
9	566,038	600,000	533,998	66,002	516,038	550,000	483,998
10	0	600,000	566,038	33,962	0	550,000	516,038
합계		5,500,000				5,500,000	

임차부채 임차부채의 상환 계산은 운용리스와 동일할 것이다. 이자는 임차부채의 상환되지 않은 잔액에 기초하고, 이자와 실질 임차료 사이의 차이에 의해 임차부채는 상환될 것이다.

자산사용권 자산사용권 잔액은 운용리스와는 다르게 상환될 것이다. 이 경우 상환액은 임차기간에 의해 나누어진 최초 자산사용권 잔액에 의해 계산된다. (이 잔액은 임차료의 현재가치임을 상기하라.) 즉 자산사용권의 상환액은 매년 $3,994,816/10 = $399,482이다. 자산사용권 잔액은 매년 고정된 상환액만큼 감소할 것이다. 이는 운용리스와 비교하여 매년 다른 상환율을 야기할 것이나 총 상환액은 동일하다. 즉, 잔액은 0으로 향할 것이다. [예 11-6]은 금융리스의 상환일정을 보여 준다.

임차비용 금융리스의 경우 임차비용은 자산사용권의 상환액과 이자비용의 합계가 될 것이다. 예를 들어, 1년 차 재무보고를 위한 총 비용은 $239,689 + $399,482 = $639,191가 될 것이다. 임차기간 동안 이 두 금액의 합은 원래의 임대료로 동일할 것이다.

예 11-6 자산사용권과 임차부채 상환: 금융리스

연차	임차부채	임차료	임차부채 상환	임차부채이자	자산권	자산권 상환
0	$3,994,816				$3,994,816	
1	3,734,505	$ 500,000	$260,311	$239,689	3,595,334	$399,482
2	3,458,575	500,000	275,930	224,070	3,195,853	399,482
3	3,166,090	500,000	292,485	207,515	2,796,371	399,482
4	2,856,055	500,000	310,035	189,965	2,396,890	399,482
5	2,527,418	500,000	328,637	171,363	1,997,408	399,482
6	2,079,063	600,000	448,355	151,645	1,597,926	399,482
7	1,603,807	600,000	475,256	124,744	1,198,445	399,482
8	1,100,036	600,000	503,772	96,228	798,963	399,482
9	566,038	600,000	533,998	66,002	399,482	399,482
10	0	600,000	566,038	33,962	0	399,482
합계				1,505,184		3,994,816

임차부채에 대한 이자	$1,505,184
자산사용권 상환액	$3,994,816
총 임차료	$5,500,000

즉 임차기간 동안 총 임차료 공제는 운용리스와 금융리스에 대해 동일할 것이다. 그러나 패턴은 서로 다를 것이다. 금융리스는 임차 초기로 갈수록 비용공제가 더 많을 것이고 후반부로 갈수록 덜할 것이다. 이는 실질적으로 임차가 아닌 자산이 대출 초기에 더 많은 이자가 부과되는 형태로 차입하였을 경우 더 비슷하게 발생할 것이다.

"잠복가치 *Hidden Value*"의 문제

어떤 기업부동산의 가치상승은 경영진에게 중대한 문제를 야기하기도 한다. 여러 시장관찰자들이 주장하기를 (1) 회계관행으로 기업은 부동산 자산을 저가법(lower of cost or market basis: 원가와 시장가치 중 낮은 가격을 기재하는 방법)에 기초하여 기재하고 (2) 많은 부동산자산들이 공시되는 이익에 기여하는 바가 적기 때문에 기업부동산의 가치가 (기업 내 잠복하여) 투자자들에게는 가려지며, 따라서 주가에 완전하게 반영되지 못한다고 한다. 이를 **잠복가치**의 문제라고 한다. 부동산 가치가 주가에 적정하게 반영되지 않을 경우 기업 경영은 기업 사냥꾼들의 약탈에 공격받기 쉽다. 이들은 기업을 염가에 매입할 능력이 있고, 그런 다음 저평가된 자산을 팔아치우려 할 것이다.

기업부동산의 인지된 저평가는 기업 경영진이 세심하게 부동산자산의 목록을 작성하여 이들의 대안적인 용도를 구상하도록 유도한다. 어떤 경우에는 이 과정이 주요 시설의 이전에 수반하여 자산을 처분하는 결과를 가져오기도 하고, 다른 경우에는 매후환대차를 모색하게 되며, 또 다른 경우에는 잠복가치를 잡아낼 목적의 다양한 자산담보부 차환(asset-backed refinancing)전략을 구상하게 된다. 이와 동시에 어떤 회사들은 지분참여형 임대차(equity lease)와 (임대인과) 합작법인(joint venture) 설립을 통하여 입주비용뿐 아니라 장래 잠복가치 문제의 가능성을 줄이려고 시도한다. 이런 방법들은 기업들로 하여금 그들이 주요 임차인인 부동산 프로젝트의 가치상승에 참여할 수 있게 허용하되, 부동산에 많은 자본이 투입되어 발생하는 비용문제를 피할 수 있게 해준다.

부동산의 경우 몇 가지 특수한 문제들을 나타내게 되고, 이로 인하여 주가가 저평가되는 결과를 낳는다. 그중 하나는 외부 투자자들이 이런 부동산 회사의 가치를 확신함에 소요되는 비용이 큰 폭의 주가 할인을 정당화할 만큼 클 수 있고, 특히 경영진이 (1) 자신이 보유하는 부동산의 가치를 알지 못하거나 (2) 그 가치를 알기는 하되 투자자들과 소통하는 데 실패하는 경우에 더욱 그러하다.

둘째, 투자자들은 현재 운영현금흐름을 산출하지 않는 부동산에 대해서는 미래의 기대가치를(그들이 그 기대가치를 고려하고 있다고 하더라도) 매우 과다하게 할인하려 할 것인데, 특히 그들이 생각하기로 경영진이 해당 부동산을 처분하거나 개발할 의도가 없다면 더욱 그러하다. 예를 들면, 만약 미개발 나대지의 가격이 크게 상승하였으나 경영진이 이 가치를 거두어들일 계획을 가지고 있다는 확신을 투자자들에게 심어주지 못한다면, 투자자들이 이런 장래 성장 옵션에 대해서 낮은 가격을 부과함은 타당할 것이다. 어찌되었든 투자자들은 잠복가치를 실현함에 필요한 (기업자산에 대한) 지배권을 쥐고 있지 못하고 있다.

셋째, 현재 운영 중인 부동산의 경우, 훨씬 더 높은 가치를 갖는 대안용도가 존재함에도 불구하고 경영진이 자산을 수익성이 한계에 이른 용도로의 운영을 지속하는 것은 주식가격의 상당한 저평가 사유가

될 수 있다. 즉, 자산의 처분 또는 용도변경에 대한 경영진의 의도가 시장에 신호로써 전달되지 않는다면 말이다.

부동산을 평가함에 있어서 또 하나의 잠재적인 문제는 심지어 수익용 부동산의 경우에도 대두될 수 있다. 일반적으로 회계상 감가상각비용은 진정한 의미의 경제적 감가상각 금액을 초과하기 때문에 부동산 회사의 공시이익은 대체로 운영현금흐름의 수준을 저평가한다. 만약 시장이 공시이익에 기계적으로 반응한다면, 시장은 부동산자산을 체계적으로 저평가하게 될 것이고 이는 기업을 현금흐름에만 관심이 있는 기업사냥꾼들에게 먹이로 남겨두게 된다. 하지만 시장이 학계의 연구자들이 제안하는 수준으로 당기순이익뿐 아니라 현금흐름을 자세히 살펴본다면, 회계 관행이 부동산을 저평가하도록 유도하지는 않을 것이다.

한편으로 앞에서 언급한 것처럼 부동산을 많이 가진 회사를 인수하고, 인수한 부동산의 가치를 시장에서 제대로 평가받도록 가치를 높이며, 자산가격을 [1981년 '경제회복 세제법안(Economic Recovery Tax Act)'이 제공하는] 훨씬 단축된 내용연수로 감가상각하는 일련의 기업 인수인의 능력은 분명히 1980년대 초반 기업인수 활동에 인위적인 자극을 제공하였다. 하지만 이러한 자극은 1986년 조세개혁법(Tax Reform Act)으로 인해서 사라지게 되었고, 좀 더 근래인 2017년 Tax Cuts and Jobs Act에 의해서도 이는 크게 달라지지 않았다.

요약하면, 주식가격과 인지된 부동산 가치 사이의 커다란 불일치는 시장 비효율성의 가능성뿐 아니라 정보 및 지배권 문제에서 그 원인을 찾을 수 있다. 첫째, 부동산을 분산하여 소유하는 대형 제조업체들의 경우, 투자자들에게 부동산 가치를 확신시키는 비용이 매우 크다. 둘째, 시장이 이러한 자산들의 가치를 알고 있다 하더라도 경영진이 이런 부동산 가치를 실현시키는 수단을 강구할지 그리고 언제 그런 수단을 취하게 될지에 대해 남아있는 불확실성은 투자자들로 하여금 주식가격을 결정할 때 부동산자산을 과도하게 할인하도록 유도할 수 있을 것이다.

기업 구조조정에서 부동산의 역할

사업환경은 지속적으로 변했고 광범위한 규제완화, 국제경쟁 심화, 주주행동주의의 증진 등과 같은 많은 상황들이 발생하였다. 이러한 변화들은 미국 기업들이 여러 측면에서 그들의 영업을 (어떤 경우에는 기업사냥꾼들에 대해서 경영권을 보호하기 위해서) 주주가치의 증진을 시도하도록 강요하였다. 효율성을 증진하려는 경영의 긴박성에 편승하여, 이러한 경쟁지향적인 기세는 인수합병(merges and acquisitions, M&A), 사업매각, 기업분할, 차입매수(leveraged buyout, LBO) 및 기타 재자본화(recapitalization)를 야기할 것이다. 부동산자산들은 종종 이런 구조조정의 초점이 되었다.

오늘날의 환경에서 기업 경영진은 기업이 부동산을 소유함으로 인해 비교우위를 갖는다는 전통적인 통념에 대해서 의문을 제기하는 경향이 훨씬 강할 것이다. 기업부동산은 기업 운영에서는 시설로 기능하겠지만, 한편으로 국지 및 지역 부동산시장의 한 부분이라는 것을 기억하는 것이 중요하다. 기업이 작은 국지시장에서 지배적인 경제동력이 아닌 이상, 부동산의 시장가치는 기업 영업활동의 가치를 견인하는 요인들과는 전혀 다른 요인들에 의해서 일반적으로 지배를 받게 된다. 영업에 초점을 맞춘 기업 경영진보다, 개발업자들과 부동산투자자들이 자산가치의 변화와 이 변화를 이용하는 사업기회에 훨씬 민첩하게 대응할 것이다.

매후환대차 *Sale-Leaseback*

일정 기간 부동산을 소유해 온 기업과 관련하여 추가로 분석할 사항은 기업이 그 부동산을 매각하고 새로운 소유주(매수인)에게 그 부동산을 임차해야 할 것인지에 대한 결정이다. 이러한 절차는 기업이 부동산을 매각하기를 원하되 이전하는 것은 현실적이지 않아서 계속해서 그 공간을 사용할 필요가 있는 경우에 매력적일 것이다. 예를 들면, 수년 전 타임社(Time Inc.)는 Rockefeller Center에 소재한 본사 지분의 45%를 이전 공동건물주이던 Rockefeller Group에 매도한 후 다시 이 공간을 장기임차 하였다.

왜 기업은 매후환대차로부터 이익을 얻게 될까? 매후환대차를 하게 되면, 기업은 자산매각으로 인해 현금을 수령하게 되고 아직 기업이 해당 부동산을 사용해야 할 필요가 있다고 가정하면 그 시설을 다시 임차하면서 임차료를 지급하게 된다. 또한 기업은 건축물의 장부가치에 남아 있는 감가상각 대상금액을 상실하게 된다. 하지만 매후환대차는 자산의 잔여가치와 관련된 위험 또한 제거한다.

임차 대 소유 분석에서 논의하였듯, 어느 기업이 계속해서 부동산의 투자자로 남아있는 것이 이익이 될 것인가는 **매후환대차**를 할 것인지 여부를 좌우하게 될 것이다. 사실 매후환대차 분석은 임차 대 소유 분석과 매우 흡사하다. 하나의 주요한 차이점은 기업이 이미 부동산을 소유하고 있기 때문에 만약 기업이 계속해서 자산을 소유하기로 결정한다면 이 시점에 투자자금의 규모로써 (당초의 취득원가가 아니라) 자산의 매각으로 수령하는 세후 현금흐름을 고려한다는 것이다.

만약 양도소득세를 납부해야 한다면, 매각으로 인한 세후 현금흐름은 자산의 취득원가보다 작을 것이다. 따라서 만약 기업이 매후환대차를 하지 않을 경우 자산 매각 후 수령하는 잔여자금의 수익률은 기업이 동일한 자산을 아직 소유하지 않은 상태에서 이를 소유 또는 임차하기로 결정하는 경우의 수익률보다 높을 것이다.

기업이 공간을 매후환대차할 것인지 여부를 어떻게 분석하는지 살펴보기 위해서, 앞서 임차 대 소유 분석에서 고려하였던 사례를 확장해 보도록 하자. 5년 전에 기업은 부동산을 임차하기보다는 소유하기로 결정하였다고 가정하자. 5년이 지난 현재에 경영진은 자산의 매후환대차를 고려하고 있다고 가정해 보자. 자산은 오늘 $2,000,000에 매각할 수 있고, 오늘부터 15년 동안 매년 $160,000의 임차료를 지불하는 임차로 전환할 수 있다. [예 11-7]은 오늘 자산을 매각할 경우의 세후 현금흐름을 보여주는데, 5년 전에 기업이 자산을 $1,800,000에 매입하였음을 고려한 결과이다. 지난 5년 동안 회사가 자산을 감가상각하였기 때문에 회사는 양도소득세로 $84,404를 납부하여야 하고, 결과로써 오늘 매각으로부터 세후 현금흐름은 $1,915,596가 된다. 향후 15년 동안 소유 대신 임차함으로써 경영진은 매년 세후 현금흐름으로 $244,900를 추가로 지불해야 한다.[21] 게다가 만약 자산을 오늘 매각한다면, 기업은 임대차기간 말에 (매각자산이 없으므로) 자산 매각으로 인한 현금흐름을 수령할 수 없을 것이다. 15년 임차기간 말에 자산은 $3,000,000의 가치를 가질 것으로 가정한다.

[예 11-7]에서 볼 수 있듯이, 소유 대 임차의 세후 내부수익률은 16.39%이다. 이 수익률은 임대 대신 **계속 소유하였을 경우 발생하는 수익률**이다. 한편으로, 이 내부수익률은 **매후환대차의 금융비용**으로 간주될 수 있다. 즉 오늘 자산을 매각하고 이를 다시 임차하면서 $655,596를 취득하는 것에 대한 비용인 것

[21] 반대로 자산을 계속 소유하고 있으면, 기업은 세후 현금흐름으로 $244,900를 절약하게 된다.

예 11-7
매후환대차

취득원가: (5년 전)			
토지	$ 225,000	12.50%	
건물	1,575,000	87.50%	
합계	1,800,000	100.00%	
감가상각	39년		
세율	21,00%		
오늘 매각할 경우의 세후 현금흐름:			
매각가격		$ 2,000,000	
대출잔액		−1,260,000	
매각가격	$ 2,000,000		
수정원가	−1,598,077		
양도소득	$ 401,923		
양도소득세		−84,404	
세후 현금흐름		$ 655,596	
임차료		$160,000(15년간 순임대)	
영업비용		임대료의 50.00%	
	소유	**임대**	**차이(임차 – 소유)**
매출액	$ 1,500,000	$ 1,500,000	$ 0
매출원가	750,000	750,000	0
매출총손익	750,000	750,000	0
운영비용:			
사업	200,000	200,000	0
부동산	80,000	80,000	0
임차료	0	160,000	−160,000
이자	50,400	0	50,400
감가상각	40,385	0	40,385
과세소득(손실)	379,215	310,000	69,215
법인세	79,635	65,100	14,535
세후소득(당기순손익)	299,580	244,900	54,680
(+) 감가상각	40,385	0	40,385
(−) 원금	0	0	0
현금흐름	339,965	244,900	95,065
매각가격			$ 3,000,000
대출잔액			−1,260,000
매각가격		$ 3,000,000	
수정원가		−992,308	
양도소득		$ 2,007,692	
양도소득세			−421,615
세후 현금흐름			$ 1,318,385
연차	0	1-15	15
소유 – 임차	$ −655,596	$ 95,065	$ 1,318,385
내부수익률	16.39%		

이다. 계속 소유함으로 인한 수익률은 당초 임차 대 소유 사례의 수익률보다 살짝 높다. 왜 그런 것일까? 하나의 이유는 자산을 매각한다면 양도소득세를 지불해야 하고, 이는 (그 세금만큼 절감하므로) 계속해서 소유하는 것에 대한 이익을 증가시킨다. 시장임대료가 지난 5년 동안 상승하였기 때문에 임차료 역시 이전보다 높아졌다. 이러한 상황에서 지금 당장 지급해야 하는 높은 임차료를 절약할 수 있기 때문에 소유에 따른 이익이 더 많은 것이다. 기업이 임차를 선택한다면, 더 높은 임차료가 자산을 매각하여 실현하는 자산가격 상승분을 상쇄하게 되고 따라서 (임차에 대비하여) 소유할 경우 얻는 이익을 희생시키게 된다.

또한 매후환대차는 기업의 재무제표에도 함의를 갖는다. 논의하였듯, 자산의 매각은 양도소득세를 수반하게 된다. 하지만 동시에 매후환대차는 기업으로 하여금 손익계산서상에 양도소득으로 인한 추가소득을 보고하게 해준다. 추가소득은 공시하는 주당순이익의 증가를 가져오게 된다. 경영진은 그들이 주당순이익의 증가를 보여주고 싶을 때 부동산의 매후환대차를 통해서 양도소득을 인식시키고 싶은 유인을 가질 수도 있다. 하지만 이런 이유로 추진하는 매후환대차는 반드시 기업의 최선의 이익을 보장한다고 할 수 없을 것이다.

다른 자산매각과 마찬가지로, 매후환대차는 잠재적인 기업사냥꾼들이 부동산을 조달수단으로 이용하는 옵션을 제거한다. 만약 경영진이 자산매각대금을 핵심 사업영역에 수익성 있게 재투자하거나 주주들에게 현금으로 돌려준다면, 외부 투자자들이 부동산의 매각 또는 차환을 통해서 기업인수로 이익을 볼 수 있는 기회가 봉쇄될 것이다. 게다가 만약 회사가 (매각자산을) 단기로 재임차한다면, 회사는 이전(移轉)할 수 있는 옵션을 계속 유지하게 된다. 하지만 만약 회사가 단순히 자산을 매각하고 장기로 재임차한다면, 소유권 양도는 아무런 경제적 이익을 주지 못할 것이다. 자산 매각으로 인한 자본유입은 새 소유주가 부과하는 높은 임대료에 의해서 시간이 경과함에 따라 단순하게 상쇄될 것이다. 더욱이 만약 자산 매각이 큰 규모의 조세채무를 유발한다면, 실제로 매후환대차는 주주가치를 훼손시킬 수도 있다.

하지만 기업들이 양도소득세를 회피할 수 있다고 가정하면[22] 회사의 주주들은 미국 내 기관투자자들 또는 외국 투자자가 기업 투자자들이 요구하는 수익률보다 낮은 수익률(투자위험과 차입으로 보정한 수익률)을 기꺼이 수용하는 범위 내에서 매후환대차로 이익을 볼 수 있다. 이러한 경우, 회사에 유입되는 순매각대금은 소유권 포기로 인한 절세 포기금액과 미래 지급임대료 흐름의 현재가치를 합산한 금액을 초과하게 될 것이다.

매후환대차의 또 하나의 잠재적 이익은 "시그널"로서의 역할이다. 어느 정도에 있어서 투자자들은 부동산 가치를 인식하지 못하였거나 인식하고자 하지 않았겠지만, 매후환대차는 부동산 가치를 시장에 분명하게 보이게 된다. 이에 못지않게 중요한 부분은 매후환대차가 특히 자사주 매입과 결합할 때 경영진이 주주가치 증진을 위해 더욱 노력하고 있음을 투자자들에게 설득할 수 있다는 점이다. 시장이 성숙한 산업군에 속하여 투자기회가 제한된 회사들의 경우, 주주들에 대한 대규모 배당과 함께 수행하는 매후환대차는 투자자에게 잉여자본을 돌려줌으로 인하여 주주가치를 높일 수 있다.[23]

---

22 물론 기업이 활용하고자 하는 차기이월손실(loss carry-forward)을 상계처리하기 위해서 자산의 양도소득을 이용하려는 매후환대차의 사례는 언제든지 나타날 수 있다.

23 이는 "잉여현금흐름(free cash flow)의 대리인비용"이라고 알려진 Michael Jensen의 주장의 요점이다. 이 개념의 알기 쉬운 설명과 기업 구조조정활동에 반영된 사례는 아래 논문을 참조하기 바란다. Michael Jensen,"The Takeover Controversy: Analysis and Evidence," *Midland Corporate Finance Journal*, Vol.4, No.2,(Summer 1986).

매후환대차로 인한 또 다른 잠재적 이익은 기업성장 기회에 자금을 조달하거나 기존의 고금리 부채를 차환하는 데 이용할 재원을 제공한다는 점이다. 예를 들면 Fred Meyer, Inc.는 35개 매장과 한 개의 유통센터를 매후환대차하였고, 이로 인해서 $4억의 자금을 마련하였다. 모든 매장은 20년 동안 고정임차료, 순임대차, 그리고 부외금융 처리를 허용하는 운용리스구조로 임차하였다. 이 거래는 회사로 하여금 효과적으로 부동산자산의 시장가치 전부를 흡수하게 하였고, 순매각대금을 이용하여 고금리부채의 일부를 상환하게 하였으며 또한 장기 임대차계약을 통해서 자산에 대한 통제권을 유지할 수 있게 해주었다.

차환

앞 절에서 논의한 것처럼, 기업이 매후환대차를 고려하게 되는 하나의 이유는 자본을 마련하는 것이다. 재무관리의 한 대안으로써 부동산을 담보대출로 차환(refinancing)할 수 있는데, 특히 당초 자산 매입 시에 기업의 무담보 차입재원(즉 신용대출 한도)을 사용하였을 경우 고려할 수 있는 방법이다. 앞서 설명하였듯이, 만약 기업부채가 재무상태표에 나타나고 이 부채가 기업의 부채비율을 상승시킨다면, 담보대출 차입은 기업부채의 대안이 될 수 있다. 즉 기업은 부동산 담보대출을 무보증 차입보다 낮은 이자율로 얻을 수 있는지에 대해서 고려해야 할 것이다. 기업이 사용할 수 있는 또 다른 옵션은 8장에서 설명하였듯이 하이브리드 모기지(hybrid mortgage)로 차환하는 것이다.

사업포트폴리오 다각화를 위한 부동산투자

기업들은 부동산의 소유를 자신들의 사업활동을 다각화하는 수단으로 간주할 수 있고, 이는 이들이 영업에 필요한 것보다 더 많은 부동산을 인수하는 것으로 귀결될 수 있다. 예를 들면, 기업은 사용목적에 필요한 것보다 더 큰 오피스 건물을 개발하거나 인수하도록 결정할 수도 있다. 이 경우 오피스 건물에서 기업의 자체 사용 이외의 공간은 투자로써 보유하게 되는 것이다.[24]

또한 기업이 예전에는 핵심 사업부문에 이용되다가 현재는 더 이상 필요 없게 된 공간을 소유하고 있을 수도 있다. 이런 잉여공간은 투자의 일환으로 계속 보유할 수 있을 것이다. 이러한 두 가지 모두의 경우에서 질문은 기업이 투자부동산을 소유 및 관리할 전문성을 갖추고 있는지, 회사의 주식가치가 부동산투자의 가치를 완전하게 반영하고 있는지에 대한 여부이다. 즉 같은 부동산을 부동산투자회사(real estate investment trusts, REITs)나 부동산 유한파트너십(limited partnership)과 같은 다른 형태의 투자 도관체가 보유할 경우 그 가치가 더 높아질 것인가를 묻는 것이다. 이런 투자도관체들은 나중의 장들에서 보다 자세하게 설명할 것이다. 여기에서 핵심은 부동산을 투자로서 보유하는 것이 주주들의 최대 이익이 될 수 있는가를 기업이 결정할 필요가 있다는 점이다. 주주들은 오히려 회사가 핵심 사업과 관련된 자산만을 보유하는 것을 선호할지도 모른다.

---

[24] 만약 기업이 확장할 필요가 있다면 건물의 소유는 장점이 될 수 있다. 이는 또 다른 임차인의 계약기간이 종료될 때 기업은 자신이 소유한 건물 내 공간에 대해 사실상 가장 우선하는 선택권을 가지고 있기 때문이다.

결론

본 장은 기업의 핵심 사업의 일부로서 사용되는 부동산을 소유할 것인지 임차할 것인지를 결정하는 것에 초점을 맞추었다. 이러한 부동산의 임차 대 소유의 결정은 앞선 장들에서 광범위하게 분석하였던 부동산투자결정과 유사하다는 것을 보여주었다. 하지만 핵심적인 차이는 부동산의 소유 또는 매후환대차가 기업의 재무제표에 미치는 영향이다. 어떤 특정 회사가 소유할 것인지 임차할 것인지는 기업이 다른 투자자들 또는 다른 투자도관체들에 비해 부동산의 소유에 있어서 비교우위를 갖고 있는가에 달려있다.

기업부동산이 순이익과 주가에서 차지하는 중요성을 인식하고 있는 최고재무관리자(chief financial officer, CFO)들은 기업부동산에 점점 더 많은 주의를 기울이고 있다. 오늘날의 부동산 관리자들은 투자금액을 줄이고 유연성을 높이면서도 영업통제권을 가질 수 있는 다양한 대안들과 비교하여 부동산을 소유하는 것에 대한 타당성을 제시해야 할 것이다. 영업통제 목적으로 부동산을 유지함에 있어서 소유해야 할 필요성이 감소함에 따라 기업들은 합작법인 형태의 소유뿐 아니라 다양한 형태의 임대차를 포함하는 이러한 대안들을 더욱 수용하려 할 것이다.

주요용어

기업부동산	잠복가치	운용리스	매후환대차
금융리스	임차 대 소유 분석	잔존가치	특수목적 건물

질문

1. 기업들이 부동산 소유를 선택하는 주요한 이유들은 무엇인가?
2. 어떤 요인들이 소유보다 임차를 훨씬 매력적으로 만드는 경향이 있는가?
3. 기업부동산의 재원을 조달하면서, 왜 담보대출의 비용이 무담보 회사부채의 비용보다 더 높아질 수 있는가?
4. 왜 부동산 잔존가치로부터 발생하는 현금흐름의 위험이 기업의 핵심사업으로부터 발생하는 현금흐름의 위험과 달라질 수 있는가? 무엇이 이 현금흐름들을 상호 관련되도록 만드는가?
5. 무엇이 부동산을 매입하여 기업에 임차하고자 하는 투자자의 수익률을 동일한 자산에 대해 임차하기보다 소유하기로 결정하고 추가적으로 자기자본을 투자하는 기업이 거두는 수익률과 달라지게 만드는가?
6. 왜 부동산을 임차하기보다 소유하기로 한 결정이 기업의 재무제표에 불리한 영향을 미칠 수 있는가?
7. 왜 기업부동산은 종종 투자자들에게 잠복한 가치로 간주되는 것인가?
8. 매후환대차 분석은 소유 대 임차 분석과 어떻게 다른가?
9. 왜 매후환대차의 조달비용은 본질적으로 계속 소유함으로 인한 수익률과 같은 것인가?
10. 핵심 사업영역으로부터 분산투자의 수단으로서 부동산에 투자할 때, 기업은 비교우위를 갖지 않는다는 주장은 왜 제기되는 것인가?
11. 왜 부동산은 기업 구조조정에서 종종 주요한 요인이 되는가?
12. 왜 차환을 매후환대차의 대안으로 간주할 수 있는가?
13. 어떠한 요인들이 일반적인 임대차기간 중에 부동산의 최고최선의 이용에 변화를 일으키는가?
14. 왜 기업들은 정기적으로 부동산을 재평가해야 하는가?
15. 어떤 요인들이 임대차의 가치에 영향을 주는 경향이 있는가?

문제

1. ABC社는 새로운 상권에 연간 $2,500,000의 매출액을 증대시키게 될 새 영업소의 개설을 고려하고 있다. 매출원가는 매출액의 40%가 될 것으로 추정되고, 영업소 공간의 취득 또는 임차에 따른 비용을 제외하고도 회사의 일반관리비는 연간 $300,000만큼

증가할 것이다. 영업소 공간의 취득 또는 임차에 따른 비용을 고려하는 것 이외에도, 회사는 영업소의 가구 · 설비 그리고 새 영업소 개설과 관련된 기타 초기비용 등으로 $2,500,000를 투자해야 한다.

회사는 총 $4,500,000를 지불하고 단독사용을 위한 소형 오피스 건물을 매입할 수 있다. 매입가격 $4,500,000 중에서 $900,000는 토지가격을 나타내며, $3,600,000는 건물가치를 나타낸다. 건물가치는 39년에 걸쳐서 감가상각한다. ABC社는 법인세율 21% 구간에 속하고 있다. 어느 투자자가 동일한 부동산을 인수한 후 15년 동안 ABC社에 매년 임대료 $450,000, ABC社가 모든 부동산 운영비용을 지불하는 조건(완전순임대차)으로 임대하려는 의향을 가지고 있다. 부동산 운영비용은 임대료의 50% 수준으로 추정된다. 자산가격은 향후 15년 동안 지속적으로 상승하여, 15년 차 말에는 $5,000,000에 이르게 될 것으로 추정된다. 만약 자산을 매입한다면 일시상환의 금리 4.5%, 대출만기 15년, 이자만 상환하는 만기일시상환 방식의 담보대출 $3,150,000를 차입하여 조달할 것이다.

a. 임차한다는 가정 하에서 영업소를 개설하여 발생하는 수익률은 얼마인가?
b. 소유한다는 가정 하에서 영업소를 개설하여 발생하는 수익률은 얼마인가?
c. 임차에 비하여 소유로 인한 증분현금흐름의 수익률은 얼마인가?
d. 일반적으로 임차 또는 소유를 결정하기에 앞서 기업은 어떠한 요인들을 고려하는가?

2. 문제 1에서, 5년 전에 ABC社는 부동산을 임차하기보다 소유하기로 결정했었다고 가정하자. 5년 후 현재 시점에서 경영진은 자산의 매후환대차를 고려하고 있다고 가정해보자. 오늘 자산을 매각한다면 $4,850,000에 매각하여 오늘부터 15년 동안 매년 $450,000의 임차료를 지불하는 임차로 전환할 수 있다. 5년 전에 오피스 건물은 $4,500,000에 매입하였다. 15년 임차기간 말에 자산의 가치는 $5,700,000가 될 것이라고 가정하자.

a. ABC社는 자산의 매후환대차로 인하여 얼마를 수령하게 되는가?
b. 매후환대차로 자금을 취득함에 따라서 지불하는 비용은 얼마인가?
c. 자산을 계속 소유함으로 인한 수익률은 얼마인가?
d. 기업이 매후환대차의 실행을 결정하기 위해 고려할 수 있는 다른 요인들과 대안들은 일반적으로 무엇이 있는가?

3. 문제 1에서, ABC社가 임차 대 소유의 이익은 분석전제로 수립한 여러 가정들에 민감하게 반응할 수 있다는 것을 인식하고 있다. 경영진은 가정을 다르게 수립할 경우 임차 대비 소유의 증분현금흐름으로 인한 수익률이 어떻게 영향을 받을 것인지를 알고 싶어 한다. (이 문제는 엑셀 스프레드시트를 사용하는 것이 가장 좋다.)

a. 기업의 법인세율이 0%라고 하면, 수익률은 어떻게 영향을 받게 되는가?
b. 시간이 경과함에 따라 자산가치가 상승하지 않고 그대로 머물러 있다면 수익률은 어떻게 영향을 받게 되는가?
c. 대출금리가 4.5%가 아니라 4%라고 하면, 수익률은 어떻게 영향을 받게 되는가?

4. Excel. 웹사이트에서 제공하는 엑셀 워크북 안에 "Ch15 Sale Leaseback" 탭을 참조하기 바란다. 아래 질문하는 각 사항은 임차 대비 소유의 세후 현금흐름 차이로 인한 내부수익률에 어떤 영향을 주게 되는가?

a. 자산은 $160,000가 아닌 $140,000로 임대할 수 있다.
b. 담보대출은 4%가 아닌 3.5%의 금리로 조달 가능하다.

CHAPTER 12

부동산 개발금융

Financing Project Development

개요

이 장은 수익용 부동산 개발사업의 금융을 다룬다. 임대주택, 사무실 빌딩, 창고, 쇼핑센터가 대표적인 수익용 부동산이다. 개발가는 국가경제, 지역경제, 경쟁, 입지 수요 변화를 잘 파악해야 한다. 수익용 부동산의 성공 여부에 지대한 영향을 미치는 요인들이기 때문이다. 부동산 개발사업은 토지를 확보하여 건물을 짓고 매각하거나 공간을 임대하여 수익을 거두는 일련의 과정을 거친다. 12장에서는 수익용 부동산의 개발을 단기 건설자금과 장기 자금을 활용하여 추진할 때 사업의 현금흐름을 추정하고 수익성을 평가한다.

사업의 계획과 허가

부동산 개발금융은 건축, 임대, 관리, 매각을 염두에 두고 토지취득을 위한 자금을 융통하는 과정을 지칭한다. 개발사업이 진행되려면 지방정부의 인허가를 받아야 한다. 공공의 규제와 절차는 1) 개발 규모와 비용, 2) 투자자의 토지취득비, 3) 부동산 매각비에 큰 영향을 미친다. 인허가를 받으려면 도시계획 담당 부서와 도시계획위원회와 여러 차례 협의해야 한다. 이러한 인허가는 미국 내에서 지방정부마다, 주마다 다르고, 국가마다 크게 다르다. 개발가는 사업하는 지역의 제도와 절차를 늘 점검해야 한다.

수익용 부동산의 개발

수익용 부동산에는 많은 유형이 있고, 유형마다 특징이 있지만, [예 12-1]의 다이어그램(diagram)은 모든 부동산 개발에 적용할 수 있다. 개발가는 토지를 취득하고 개발을 진행하며 마감작업을 해서 임대를 하고, 준공 후에는 자산을 관리하여 결국에는 매각한다. 매각시점은 사업전략에 달려 있다. 개발 후 해당 자산의 가치가 토지비용과 각종 비용의 합계보다 많다면 성공한 것이다. 개발가는 임차인이 높은 임

예 12-1
부동산 개발사업의 사업단계들과 프로젝트 위험

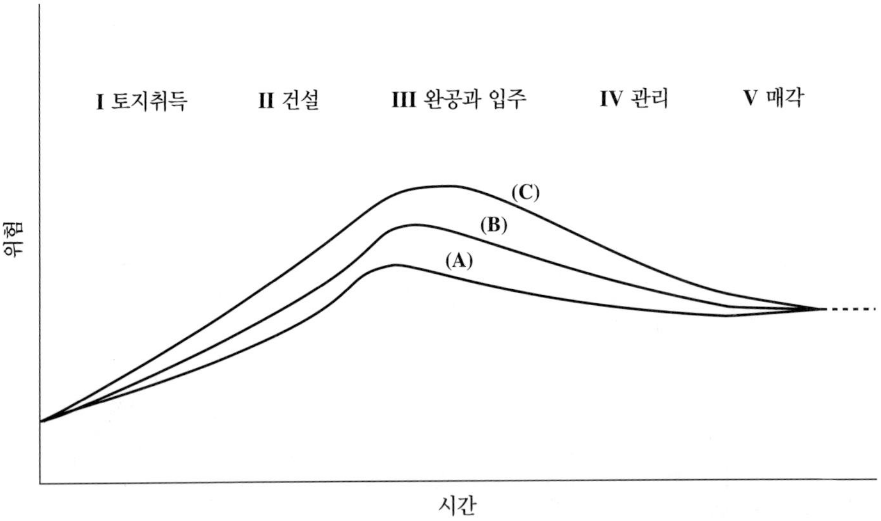

(A) 준공 이전에 정상적 수준보다 높은 사전임대율, 계획공정보다 빠른 공사기성
(B) 준공 이전에 정상적 수준의 사전임대율, 계획공정에 맞춘 공사기성
(C) 준공 이전에 정상적 수준보다 낮은 사전임대율, 계획공정에 뒤쳐진 공사기성

대료를 지불할 수 있을 만큼의 "가치를 창출한다".

개발가의 전략은 크게 세 가지이다. 첫째, 준공 후에 부동산을 소유하면서 임대를 하여, 관리하면서 이익을 향유하는 것이다. 임대와 준공 후 관리는 개발의 연장선상에서 통합적으로 이뤄진다. 둘째, 약간의 임대기간(lease-up) 이후 매각하는 것이다. 보험회사를 비롯한 기관투자자에게 매각하는 경우가 많다. 자산을 매각한 다음에도, 수수료를 받고 개발가가 해당 자산을 관리하기도 한다. 셋째, 개발가가 특정 임차인을 대상으로 꽤 넓은 면적의 토지를 대상으로 하나의 마스터플랜을 수립하여 개발하는 것이다. 대상 지역 전체를 대상으로 마스터플랜(master plan)을 수립한다. 그 임차인에게 특화된 **맞춤형 개발**(build to suit)을 하기도 한다.

대부분의 개발가는 [예 12-1]의 단계에서 각자 전문적으로 특화한 영역이 있다. 개발 후에 자산을 빨리 매각하려는 개발가는 2단계에서 5단계까지를 통과하기 위해 용역업체, 건축사, 부동산중개인, 부동산 마케팅 업체, 자산관리업체에 많이 의존해야 한다. 대형 개발회사는 위의 여러 단계를 자체적으로 소화할 수 있는 역량을 갖추고 있다. 그럼에도 개발가는 수익성만 보장된다면 어느 때건 매각할 가능성을 배제하지 않는다.

시장위험과 사업타당성

[예 12-1]은 시나리오 (B)가 대표하는 정상적인 시장에서의 위험을 보여준다. 정상적인 시장에서는 개발사업으로 최소한의 시장임대료를 확보하는 데 큰 문제가 없다. 사업의 위험은 토지취득과 함께 시작한 뒤 임차인이 입주하기 시작하면 안정적인 현금흐름이 들어오면서 위험은 감소하고 자산 관리가 시작된다. 시나리오 (A)는 공간에 대한 수요가 증가하고, 준공 이전의 사전임대율이 정상보다 높은 수준으로서, 기대 현금흐름이 증가하면서 위험이 감소한다. 기대 현금흐름의 증가는 지역경제의 활성화에 기인한다. 시나리오 (C)와 같이 시장수요가 감소하면 임차인을 구하기가 힘들고 위험은 급증한다. 공정 지연, 자재가격 상승, 금리 인상도 위험을 가중시킨다.

프로젝트가 준공되고 임차인을 구했다고 해서, 더 이상 위험이 없는 것은 아니다. 시장에서는 어느 때든 수요가 감소할 수 있고 임대료가 하락할 수 있다. 더 저렴하고 매력적인 공간이 새로 시장에 나오면 임차인은 그곳으로 향한다. 신규 개발에 의한 새로운 공간이 시장에 언젠가 넘쳐날 수도 있다. 개발가는 당연히 장기간에 걸친 시장위험을 원하지 않는다. 그렇기 때문에 도시와 지역의 경제를 깊이 이해해야 한다.

사업 규모가 크고, 여러 곳에서 사업을 하는 개발가는 지역마다 다른 경기변동과 경제 상태에 잘 대응함으로써, 위험을 분산시킬 수 있다. 이런 회사들은 개발이 종료된 후에도 임대사업과 자산관리를 계속 수행하여 수익을 유지할 수 있다. 또한 임차인들을 통해 시장의 변화하는 수요를 파악할 수 있는 강점이 있다. 임차인을 통해 다음의 세 가지 가능성을 점검하면서 시장 변화에 대응할 수 있는 것이다. (1) 기존 임차인이 시설을 확장하려고 한다. (2) 기존 임차인이 영위하는 사업이 다른 지역에서 성장기회를 엿보고 있다. (3) 한 곳에서 새로운 상품을 판매하여 그곳의 임차인 반응을 본다. 이러한 기회를 잘 활용하면 부동산 개발사업의 위험을 상당히 관리할 수 있다.

프로젝트 위험

개발사업의 위험은 입지 자체에서 비롯된다. 도시나 지역 내 다른 시설과의 접근성은 좋을수록 입지가 좋다. 좋은 위치에 있는 사업부지는 가치가 더 높다. 사업부지의 취득가격은 건축물의 질과 가격에 영향을 많이 미친다. 사업부지가 비쌀수록 건축물의 수준이 더 좋은 경우가 많다. 비용도 더 증가하기 때문에 고밀로 개발하게 된다. 도심에서 고밀로 개발하고, 도시 외곽에서 저밀로 개발하는 것은 결국 토지가격 때문이다.

부동산 개발의 비용과 질에 영향을 미치는 요인은 많다. 물리적 설계, 인테리어, 인테리어 마감 질, 사업부지의 밀도, 교통 접근성, 진출입 편리성, 편의시설, 조경, 주차, 공용 공간, 엘리베이터, 냉난방, 환기, 외장 마감을 들 수 있다. 이들 요인 하나 하나가 모여서 부동산 개발의 질과 비용을 좌우한다. 이들 요인들은 프로젝트 위험의 잠재적인 발생원인이기도 하다.

상업용 부동산 개발에서 이러한 요인을 어느 수준으로 할지를 결정할 때에는 **최종 사용자**(end users)가 원하는 공간수요를 반영하는 것이 중요하다. 최종 사용자의 성격에 따라 부동산 개발의 방향이 다르기 때문이다. 회계·전산 같은 단순 지원업무 직원이 이용하는 건물이라면 적당한 수준의 건물로 짓고, 땅값이 비싼 도심보다 저렴한 외곽으로 입지할 것이다. 고급 고객과 잦은 대면접촉을 갖는 임차인(예컨대, 법률회사, 유명 브랜드 점포)이 들어설 것으로 예상되면 수준 높은 건물을 지어야 한다. 이러한 차이는 부동산을 개발하려는 입지에 의해 결정된다. 해당 지역의 경제와 고용 특성을 이해해야 수요를 정확하게 예측하여 시장에 맞는 양과 질을 조합한 경쟁력 있는 공간을 공급할 수 있다.

부동산 개발금융의 개관

[예 12-1]의 I단계에서 개발가는 자기자본이나 타인자본으로 토지를 취득한다. 자기자본은 개발가가 제공하는 자본일 수도 있고, 개발가가 토지소유주나 투자자들과 설립한 파트너십(partnership)이 제공하는 자본일 수도 있다. 토지 취득 직후 그 다음 단계를 추진하려면 위에서 언급한 재원들을 결합하여 자기자본 필요조건을 충족시키면서 필요할 경우 대출을 받아야 한다. 대출은 **토지취득 및 개발자금**(acqui-

sition and development loan, ADL)과 **건설자금**(construction loan)으로 나눌 수 있다. 전자는 상업은행, 담보대출금융기관, 저축대부조합(savings and loans association)이 취급한다. 후자는 1) 준공 시점의 감정평가가치, 2) **직접비용**(hard cost), 3) **간접비용**(설계비, 분양대행비, 관리비)을 검토하여 대출이 결정된다. 개발가는 토지를 차입 없이 취득한 뒤, 토지를 담보로 대출받을 수 있다. 대주는 직접비용에 한정하여 대출하려고 한다. 간접비용까지 대출하면, 간접비용이 급증하거나 개발 완료 이전에 자산을 매각해야 하는 상황이 발생할 때 대출금을 회수하지 못할 수 있기 때문이다. 게다가 대부분의 간접비용은 지출을 하더라도 효과가 잘 드러나지 않기 때문에 다급하게 자산을 매각해야 하는 상황에서 비용을 지불한 만큼의 제값을 인정받기 힘들다. 반면에 설계비는 조금만 소홀히 하면 부동산 가치에 악영향을 준다. 요컨대 간접비용은 비용을 지불하더라도 그 효과를 인정받기가 쉽지 않기 때문에 대주는 신중하게 된다.

일반적으로 개발가가 부동산 개발의 금융에 활용할 수 있는 전략은 개발 후에 해당 자산을 어떻게 활용할 것인가에 따라 달라진다. 첫째는 부동산의 개발과 임차인 모집에 따른 위험을 부담스러워 하는 투자자에게 매각하는 것이다. 개발에 투입된 비용과 매각가의 차액이 개발가의 이익이다. 개발가는 단기금융을 이용한다. 둘째, 개발 후에도 매각하지 않고, 자산으로 관리하는 것이다. 임차인과 좋은 관계를 발전시키는 것이 미래에 또 다른 사업기회로 발전할 수도 있다. 개발가는 장기금융을 이용한다. 장기금융은 단기 건설자금(construction loan)과 장기담보대출(permanent loan)로 나눈다. 초기 임대가 완료되고 정상 임대율 수준이 달성된 후에 단기 건설자금은 자산매각대금 또는 장기담보대출로 얻은 자금을 통해서 상환한다. 장기 운영자금은 보험회사, 연기금, 대형 상업은행이 취급한다.

준공 후에 상환해야 하는 단기건설자금의 상환 시점을 1년 내지 2년 연장하는 것은 위의 두 가지 방식이 절충된 것이다. 이렇게 단기 자금의 상환 시점을 연기하는 것은 자산 양도(또는 매각)를 준비하거나 준공 후 현금흐름이 안정적인지를 확인하기 위해서이다. 준공 후 양호한 현금흐름을 입증한다면 대출금리를 낮출 수도 있다. (그러나 준공 이후에 시장금리가 상승할 가능성을 염두에 둬야 한다.) 개발 시작단계에서 장기담보대출의 사전확약서를 확보하고 장기대출을 이용할 경우 실제 금리보다 더 높은 금리를 지불하는 경우가 발생할 수 있다는 것을 조심해야 한다. 개발가가 자산을 장기간 보유하면서 사업하려면 건설자금의 대출확약서를 얻기 이전에 장기 운영자금의 대출확약서를 취득할 수도 있다. 개발가가 준공 직후 자산을 매각하거나 차환하려고 한다면 단기자금 대주는 장기대출 확약서나 누군가 확실하게 매수하겠다는 의사를 밝힌 서류를 요구할 수 있다. 지역경제 여건 변화가 곧 악화될 것으로 판단되면, 이러한 요건을 더욱 확실하게 요구할 것이다. 시장이 지나치게 **투기적인**(speculative) 경우에도 이러한 요구가 강해질 수 있다. 부동산 시장은 늘 경기순환적이어서, 현재 과열되어 있다면 조만간 공급 과잉 때문에 임대수입과 자산가치 하락에 이어 극단적으로는 자산압류 상황으로까지 진행될 가능성을 생각해야 하기 때문이다.

개발금융에서 대주(貸主)의 요구조건

부동산 개발의 금융에서 자금의 출처는 여러 가지가 있다. 단기자금이든 장기자금이든 공통적인 요건이 있지만, 대주에 따라 독특한 요구사항이 있다. 장기대출은 일반적으로 건물이 준공된 뒤에 시작한다. 장기담보대출 대주가 요구한 조건은 단기자금 대주의 요구조건에 영향을 준다. 많은 경우 개발가는 단기

자금을 건물 준공 직후 상환하지 않고, 그 일체를 장기대출로 전환한다. 이른바 테이크아웃(take-out) 대출이다. 테이크아웃 대출의 요구조건이 너무 엄격하면, 그에 부합하는 단기건설자금 대주를 구하는 것이 힘들 수 있다. 단기건설자금 대주를 구하지 못하면 사업은 무산된다. [예 12-2]를 보면 장기와 단기 자금의 대주의 요건을 이해할 수 있다.

[예 12-2]의 섹션 A에 있는 항목은 대부분 쉽게 이해할 수 있다. 대주에게 제출하는 최초 대출신청서에서는 프로젝트 규모, 설계, 비용, 시장 상황, 경쟁 여건, 용도지역제, 인허가 사항, 프로젝트 추진 팀, 영업수지, 개발가의 재무 역량을 서술한다. 장기대출 대주는 단기대출 대주보다 더 자세한 정보를 요구한다. 부동산 개발의 금융은 개발가와 대주 간에 여러 차례 협의를 하면서 진행된다. 개발가와 대주 간에 합의가 이뤄지면 대주는 금융제공 의향서를 발급한다. 추가로 더 상세한 정보를 서로 확인하면 대주가 대출확약서를 발급한다. 대출 후에 대주는 공사의 진행과정을 모니터링(monitoring)한다.

예 12-2 부동산 개발금융에서 대출신청 및 인출실행에 필요한 일반적 요구사항

A. 대출신청 서류의 일반적인 요구사항
1. 프로젝트 정보
   a. 프로젝트 개요: 대상지의 법률적 검토, 현지조사, 대상지 전경사진, 건축물 및 주차시설의 개략 구상, 개발전략 및 일정
   b. 단지계획 및 교통순환체계계획, 지상권 존치여부 확인, 유틸리티 이용가능성, 인접필지의 토지이용, 토질조사
   c. 건물 등 정착물 계획, 편의시설의 자세한 목록
   d. 설계사 · 시공사 · 주(主)하도급업체의 확인. 이들 이해관계자들의 근거 재무자료 및 과년도 실적, 이해관계자들 사이에 체결한 계약서의 사본. 공사 및 개발과정에 대한 개요.
2. 시장 및 재무 정보
   a. 차주 및 기타 주요한 프로젝트 실(實)차주(sponsor)의 재무제표 일체, 과년도 개발실적, 이전 프로젝트의 대출기관 목록
   b. 프로포마(pro forma) 형태의 영업수지분석표, 임차인에 제안한 임대조건의 명세서 - 기본임대료 · 인상조건 · 경비상한(expense stop) · 갱신옵션 · 공용공간 유지관리비용 배분 · 추가임대료(overage: 판매시설의 경우) · 인테리어 지원금(finish-out allowance) 및 기타 약정사항
   c. 상세한 비용내역, 아래 사항을 포함할 것:
      • 토지취득비용
      • 부지조성비용
      • 철거비용
      • 직접비용(hard cost): 토공 및 정지공사, 기초공사, 벽돌공사, 철골공사, 미장공사 또는 건식벽, 공조설비(HVAC), 배관공사, 전기공사, 승강기 및 기타 기계설비, 특수마감 또는 비품
      • 간접비용(soft cost): 설계비, 감리비, 법률자문비용, 재산세, 건설자금 이자, 개발대행수수료, 보험료 및 이행보증수수료, 추정예비비, 장기대출 예상수수료
   d. 임차예정인에게서 징구한 (구체적인 임대조건을 적시한) 임차확약서 또는 임차의향서
   e. 시장조사 및 감정평가 보고서: 유사사례, 경쟁사가 부과한 임차인별 임대료 계획(rent schedule)
   f. 대출신청서, 대출기간, 예상금리, 상환기간, (대출의) 지분전환옵션(participation option)
   g. 개발사업자 및 여타 실(實)차주가 납입할 자기자본(현금 및/또는 토지), 대출금의 인출예정 및 상환예정
3. 정부 및 규제 정보
   a. 토지이용계획확인원
   b. 재산세 납부실적, 납부방법, 재평가일자
   c. 필요한 모든 인허가의 목록, 용도지역지구 특례에 대한 승인 관련 증빙([예 17-2] 참조)
4. 법률서류
   a. 대출신청의 법인격[사업자등록증, 파트너십(partnership) 계약서]
   b. 지가(地價) 확인원, 취득을 증명하는 토지매매계약서
   c. 행위제한(deed restriction) 세부 내용 및 기타 사항([예 17-2] 참조)
   d. 후순위 대출약정([예 17-2] 참조)
   e. 불가항력(개발사업자의 통제를 벗어난 사건, 예를 들면, "Act of God") 관련 조항

(계속)

예 12-2 부동산 개발금융에서 대출신청 및 인출실행에 필요한 일반적 요구사항(계속)

B. 단기대출(interim loan) 취급에 필요한 추가 정보(단기대출 · 장기대출의 두 가지 대출이 사용될 경우)

1. 장기담보대출 대주가 발급한 장기대출 또는 대기성 여신(standby)에 대한 대출확약서 사본. 약정금액, 대출금리, 대출기간, 금융수수료, 조기상환 · 강제상환 · 지분전환 등과 관련된 옵션의 세부 내용. 개발사업자가 충족시켜야 하는 최초인출선행조건의 세부 내용(이 장 후반부에서 최초인출 선행조건을 설명하기로 한다).
2. *자세한* 건축계획 및 설계도서
3. 사업비용의 *세부* 내역
4. 위의 'Part A'에 열거한 요구사항과 관련한 자료 그리고 적절한 *갱신*(update)

(1) 위 Part A 및 B와 관련된 모든 내용을 심사한 후, 단기대출 대주가 확약서를 발급하며; (2) 개발사업자가 프로젝트를 진척시킨다고 가정한다면, 다음 단계는 단기대출의 약정 체결이 될 것이다.

C. 단기대출(interim loan) 대주의 인출실행요건(최초인출 선행조건)

1. 프로젝트 정보: *최종* 설계도면, 추정비용, 단지계획 등
2. 시장 및 재무 정보: 대출신청 이후 차주의 재무상태에 불리한 변동이 부(不)존재한다는 확인서
3. 정부 및 규제 정보: 필요한 모든 인허가, 용도지역지구 특례에 대한 정부의 통지([예 17-2] 참조)
4. 법률서류
   - *a.* 장기담보대출 대주가 Part A의 모든 정보와 Part B의 모든 갱신사항을 검토 및 승인하였음을 진술하는 서류
   - *b.* 시공사 · 설계사 · 단지계획가 · 하도급자와 체결한 계약 관련 서류 일체. 이행보증 증빙 및 모든 계약을 단기대출 대주 앞으로 조건부 양도담보(conditional assignment). (차주와 계약하는) 모든 계약 당사자들의 대출약정 준수확약서. 재산세보험 계약증명 등(토지개발금융의 인출실행요건을 다루는 [예 17-2]의 Part B 참조)
   - *c.* 단기대출의 담보로 제공되는 동산(personal property)의 목록(특히 쇼핑센터와 호텔사업에서 중요)
   - *d.* 기(旣)체결한 임대차계약 및 장기담보대출 대주의 승인서류
   - *e.* [차지(借地)하는 경우] 토지임대계약 사본, 임대인/소유주가 발급한 차지료 납부실적 확인원
   - *f.* 단기대출 대주는 차주의 기한이익 상실 시 모든 임대차계약 · 임대료 및 기타 소득의 (대주 앞) 양도 그리고 차주의 채무상환 보증(개인 연대보증)을 요구할 것이다. 상기 항목들을 검토한 이후, 단기대출 대주는 차주에게 자세한 금융조건(약정금액, 이자율, 대출기간, 수수료율, 조기상환 · 강제상환 · 지분전환 등의 옵션)을 적시한 대출확약서를 발급할 것이다. 하지만 *장기*담보대출 대주는 단기대출 대주와 대출채권양수도계약(buy-sell agreement 또는 triparty agreement: 이 장 후반부 후술)과 같은 계약을 요구할 수도 있다.

D. 장기대출(permanent loan) 대주의 인출실행요건(최초인출 선행조건)

장기대출의 인출실행요건은 다음 경우에 필요하다: (1) 개발사업자가 공사를 완료하고; (2) 장기대출 확약서의 유효기간 이내에 확약서에 포함된 모든 인출선행요건(최소임대율 달성요건 포함)을 충족시키는 경우

1. 시장 및 재무 정보
   - *a.* 차주의 재무상태에 불리한 변동이 부(不)존재한다는 확인서
   - b. 공증한 임대목록, 기(旣)체결한 임대차계약, 현재 수금 임대료를 증명하는 금반언증명(estoppel certificate, 즉 입주증명), 차주의 채무내용 일체, 개발사업자가 체결한 잔금청산계약의 지급 관련 분쟁 일체
2. 프로젝트 정보
   - *a.* 프로젝트 가치의 최종 감정평가
   - *b.* 대상지 내 건축물 최종 실사
3. 정부 및 규제 정보
   - *a.* 현행 재산세로 정보 갱신
   - *b.* 건축물 사용승인필증
   - *c.* 기타 인허가 요구사항(방화 · 안전 · 보건 등)
4. 법률서류
   - *a.* 건설자금대출의 양도(장기대출 대주가 대출채권을 양수하는 경우)
   - *b.* 설계사의 준공확인(상세한 검사내역, 최종도면 등을 함께 제출할 것)
   - *c.* 일체의 재해 및 손해보험의 보험증서에서 장기대출 대주를 새로운 보험수익자로 배서를 완료할 것
   - *d.* 권원보험(title insurance)의 보험증서 내용 갱신
   - *e.* [차지(借地)하는 경우] 차지료 납부실적 확인원의 내용 갱신
   - *f.* 차주의 개인채무 한도를 경감하는 면책약정(적용 가능한 경우에만)
   - *g.* 유치권 등 시공사의 담보권 해제, 지급이 도래한 비용의 완불증명 또는 지불계획

선분양, 대기성 여신, 그리고 선매각

개발이 진행되는 동안에는 현금흐름이 창출되지 않지만, 개발가는 각종 비용을 지불해야 한다. 토지취득 및 개발자금 대주는 이때를 가장 위험하다고 생각하기 때문에, 개발가는 위험(risk)을 낮춰야 한다. 그 한 방법이 선분양이다. 선분양에 응하는 장래의 임차인에게는 금전적, 비금전적 혜택을 주기도 한다. 두 번째 방법은 준공되기 전에 장기차환금융(take-out financing)을 구하는 것이다. 장기금융대주가 토지취득 및 개발자금을 상환하고, 개발가는 이를 장기에 걸쳐 상환하는 것이다. 당연히 장기금융 대주와 개발가는 많은 조건에 대해 합의해야 한다. 조건이 충족되지 않으면 개발가는 다른 장기대출을 찾아야 한다. 장기차환금융은 장기대출 대주가 단기건설자금을 떠안는 것이기 때문에, 건물의 완공과 임대가 무사히 진행되어야 장기 자금이 제공된다.

장기차환금융이 힘들 경우, 대안으로 대기성 여신(standby loan)을 생각할 수 있다. 대기성 여신은 토지취득 및 개발자금을 상환하는 데 사용되는 단기 자금이다. 토지취득 및 개발자금을 장기차환자금으로 전환하기 어려운 상황에서 개발가가 대기성 여신으로 자금을 조달하는 경우에 활용된다. 이 경우, 개발가는 준공 후에 자산을 매각하는 경우가 많다. 경우에 따라 대기성 여신을 빌려준 대주가 장기차환자금으로 전환하는 경우도 있다. 개발가가 자금을 조달하는 것이 여의치 않을 경우에는 준공 이전에 부동산을 매각하는 것도 고려해야 한다. 부동산의 개발과 분양에 관여하고 싶어하지 않는 투자자의 경우, 개발가가 준공과 더불어 임대까지 담당한다면 자산 인수에 관심이 있을 수 있기 때문에 그러한 투자자에게 자산을 매각할 수 있다. 아예 그 건물을 사실상 통째로 사용하고자 하는 최종이용자도 건물의 준공 이전에 매입의사가 있을 수 있기 때문에 개발가가 눈여겨봐야 할 매각대상자이다.

자금지출과 대출

건설자금은 단기적 성격의 자금이기 때문에 빠른 시간 안에 회수해야 한다. 대주는 자신의 자금에 대한 확실한 담보를 요구하며, 자신의 채권이 최우선의 선순위가 될 것을 요구한다. 자신이 융통해준 자금이 다른 용도로 쓰이는 것을 원하지 않기 때문에, 많은 경우 건설자금 대주는 공사가 진행되는 기간 동안, 매달 나눠서 자금을 빌려준다. 공사 규모가 큰 경우에 많이 쓰이는 방식이다. 이렇게 공사가 진행됨에 따라 해당 부동산의 담보가치는 상승한다. 매달 지불될 때마다 대주는 자금이 건설계획에 맞게 집행되는지 점검하게 된다. 공사에 참여하는 사람들 사이에 이 부분이 분명하게 정산되지 않으면 추후에 법적으로 유치권(留置權, 예컨대 공사대금을 받지 못한 업체가 준공 이후에 해당 부동산을 지배할 수 있는 권리) 관련한 문제가 발생할 수 있다.

금리와 수수료

건설자금은 단기자금이기 때문에 금리변동이 더 심하다. 대주는 시장의 금리 변화를 반영하는 변동금리를 선호한다. 변동금리는 미국 재무부 채권금리나 리보(London Inter-Bank Offered Rates, LIBOR)에 위험 프리미엄을 얹어서 결정한다. 리보금리는 런던 은행 간 제공금리로서 흔히 6개월 이내의 단기금리이다. 리보금리가 3%이고 시장에서 평가하는 위험 프리미엄이 2%라면, 건설자금 대출금리는 5%가 된다. 변동금리이기 때문에, 개발가는 금리변동에 따른 부담을 짊어져야 한다.

부동산 개발사업의 예시 *Project Development Illustrated*

프로젝트의 개요와 사업비용

사우스포크 개발社(Southfork Development Co.)는 롤링 메도우즈 센터(Rolling Meadows Center)를 개발하여 장기간 운영하려고 한다. 고소득 주거지에 맞는 수준 높은 쇼핑센터이다. 건설자금은 세컨드 내셔널뱅크에서 받기로 했다. [예 12-3]에는 토지 면적, 용적률, 주차장, 예상 건축비가 나와 있다. 용적률은 대지면적/총건축면적이다(우리나라에서 흔히 사용하는 용적률의 역수이다). [예 12-4]는 개발비용의 세부 내역이다. 대주는 이 세부 내역을 최근 완공된 쇼핑센터의 비용과 비교하면서 비용 추산이 적절한지 검토하여, 괜찮은 사업이라고 판단하면 대출을 한다.

대주는 토지취득 자금마저 없는 개발가에게는 대출을 꺼린다. 대출할 경우에는 확실한 담보아래 선순위채권을 요구한다. 담보가 없을 경우 감정평가액 대비 일정 비율로 대출하는 것은 선호하지 않는다. 예를 들어 감정평가가 부동산의 가치를 적정가치 대비 130%로 평가했다고 하자. 과장된 가치평가에 근거해서 80%를 대출한다면, 적정가치 대비 104%로 대출한 것이기 때문에 원금을 회수하지 못할 가능성이 있다. 대출금을 회수하지 못하는 상황을 미연에 방지하기 위해서 대주는 감정평가에 지나치게 의존하지 않아야 한다. 대출하더라도, 담보가치 대비 보수적인 범위 내에서 대출하는 것이 중요하다.

예 12-3
프로젝트 개요: 롤링 메도우즈 센터 (Rolling Meadows Center)

A. 사업부지 및 건축구상		
사업부지면적	9.5에이커	38,445.13 m^2
총건축가능면적(*GBA*)	120,000평방피트	11,148.36 m^2
총임대가능면적(*GLA*)	110,000평방피트	10,219.33 m^2
임대가능면적비율	91.67%	
용적률(= 사업부지면적/총건축가능면적)	3.45배	
주차장비율[총임대가능면적(GLA) 대비)]	5대/1,000 ft^2	5대/92.90 m^2
주차대수(= 총임대가능면적/주차비율)	550대	
B. 개발기간	12개월	
C. 단지계획		
건폐율	29%	
노상주차면적비율 (= 350 ft^2 × 550대 / 사업부지면적)	45%	
오픈 스페이스 및 조경면적비율	26%	
합계	100%	
D. 대출정보		
건설자금		
대출기간	12개월	
최초 4개월 내 인출비율	75%	
4개월 이후 인출비율	25%	
대출금리	6%	
금융수수료율(건설자금)	2%	
장기운영자금		
원금상환 계산기간	25년	
대출기간	10년	
대출금리	5%	
금융수수료율(장기운영자금)	3%	
E. 준공 후 예상보유기간	5년	

예 12-4

비용정보 요약: 롤링 메도우즈 센터

		비용	총사업비 대비 점유비율(%)	건축가능면적 (ft^2)당 비용
A. 토지 및 단지조성비용				
토지취득비용		$ 2,500,000	18.1%	$ 20.83
단지 내 · 외부 조성비용				
단지 외부 조성비용	$ 250,000			
단지(내부)조성비용:				
토공 및 정지공사	50,000			
상하수도 인입공사	150,000			
포장공사	200,000			
보도공사	100,000			
조경공사	100,000			
단지 내 · 외부 조성비용 합계		$ 850,000	6.2%	$ 7.08
B. 공사비용				
직접비용:				
골조공사	$5,925,000			
공조설비	528,500			
전기설비	613,000			
배관설비	221,580			
PM 수수료	300,250			
마감공사	1,400,600			
도로표지 및 간판	66,570			
직접비용 합계		$ 9,055,500	65.6%	$ 75.46
간접비용:				
설계 · 감리비	$ 147,000			
인허가 제반비용	24,300			
법률자문비용	26,900			
건설자금 이자	420,842			
건설자금 금융수수료	214,597			
장기운영자금 금융수수료	321,895			
임대수수료	45,300			
직접관리비용	160,000			
간접관리비용	30,800			
간접비용 합계		$ 1,391,634	10.1%	$ 11.60
총사업비용		$13,797,134	100.0%	$114.98
건설자금신청:				
단지 내 · 외부 조성비용 합계		$ 850,000		
직접비용 합계		9,055,500		
간접비용 일부		403,500		
대출대상 사업비용		10,309,000		
추정건설이자		420,842		
대출금액		10,729,842		
자기자본 소요금액		3,067,292		
총사업비용		$13,797,134		

사업 대상지 밖의 토지에 대해서는 담보권을 설정하기 힘들기 때문에, 외부 조성비용은 대주가 지원하지 않는다. 각종 수수료, 세금, 설계 비용, 인허가 비용도 개발가의 채무불이행 시에 또는 파산 시에 회수하기 힘들기 때문에 확실한 담보가 없다면 대주는 대출을 꺼린다. 대체로 부동산 가치에 직접 반영되는 직접비용(hard costs)은 대출하지만, 그렇지 않은 간접비용(soft costs)에 대해서는 대출을 꺼린다. 직접비용은 유형자산을 구축하기 위해 쓰이는 직접비용이다. 간접비용은 설계비, 수수료, 분양대행비와 같은 비용을 지칭한다. 직접비용과 간접비용의 항목은 [예 12-5]에 제시되어 있다. 대주는 일반적으로 개발된 뒤의 부동산 가치가 담보 대출한 금액보다 일정 비율 이상으로 상회할 것을 요구한다. 이 조건이 충족되지 않으면 최대한 빠른 상환을 요구할 수도 있다.

건설자금 *Construction Loan* 의 신청

[예 12-4]는 개발가의 건설자금 신청 내역이다. 이 가운데 토지자금은 대출에 포함되지 않는다. 대출신청 합계는 $10,729,842(총사업비용 추정치 $13,797,134의 75%)이다. 건축 기간에 개발가가 부담해야 하는 이자가 포함된 금액이다. 건축 중에는 개발가는 현금흐름이 없기 때문이다. [예 12-5]는 건축 기간 동안 대출금의 월별 유입 내역이다. (a)열은 직접 건축비 $10,309,000 가운데, 월별로 개발가에게 대출되는 금액이다. 그에 대한 월별 이자액의 연간 합계는 $420,842이다. 연간 6% 이자(월 단위로는 5%)를 가정했다. 매달 대출되는 직접 건축비(project costs)에 이자를 누적하여 더한 것이 (d)이다.

개발자가 신중하게 사업비를 추정하더라도, 실제 비용은 추정치와 다를 수 있다. 공정 진행과 금리 변동의 불확실성 때문이다. 하지만, 실제 건축비가 애초 추정치보다 많아도, 대주가 추가로 대출해야 할 의무는 없다. 따라서 개발가는 이런 위험에 대비하고 있어야 한다. 개발가에게 금리스왑(interest rate swap)이 도움이 될 수 있다. 추가 비용을 빌려 줄 투자자나 다른 대주를 찾아야 할지도 모른다. 이런 위

예 12-5 롤링 메도우즈 센터 프로젝트금융의 상환일정

	대출 인출				원리금상환		
월말	(a) 사업비용	(b) 이자비용	(c) 대출잔액	(d) 이자지급	(e) 건설이자	(f) 원금상환	(g) 기말잔액
0	$ 0	$ 0	$ 0	$ 0	$ 0	$ 0	$ 0
1	1,932,938	0	1,932,938	1,932,938	0	0	1,932,938
2	1,932,938	9,665	1,942,602	3,875,540	9,665	0	3,875,540
3	1,932,938	19,378	1,952,315	5,827,855	19,378	0	5,827,855
4	1,932,938	47,207	1,962,077	7,789,932	29,139	0	7,789,932
5	322,156	63,259	361,106	8,151,038	38,950	0	8,151,038
6	322,156	66,488	362,911	8,513,949	40,755	0	8,513,949
7	322,156	69,749	364,726	8,878,675	42,570	0	8,878,675
8	322,156	73,043	366,550	9,245,225	44,393	0	9,245,225
9	322,156	76,370	368,382	9,613,607	46,226	0	9,613,607
10	322,156	79,730	370,224	9,983,831	48,068	0	9,983,831
11	322,156	83,124	372,075	10,355,907	49,919	0	10,355,907
12	322,656	51,780	$ 373,936	$ 10,729,842	$ 51,780	$ 10,729,842	$ 0
합계	$ 10,309,000	$ 420,842					

예 12-6
장기운영자금의 대출조건 요약

대출금액(약정금액)	$10,729,842
원금상환 계산기간	25년
대출기간	10년
대출금리	5.00%
매월 원리금상환액	$62,726
매년 원리금상환액	$752,707
장기운영자금 금융수수료(3%)	$321,895
장기운영자금 대출수익률	6.60%

험을 극복하지 못하면 개발가는 자산압류에 직면할 수 있다.

개발가가 건설업체나 용역업체와 일하면서 비용을 정산할 때에는 기성공사 금액의 10%는 지급을 유보하고, 최종적으로 개발가가 만족하는 수준으로 공사가 마무리되는 것을 확인한 뒤에 유보한 비용이 지급된다. 이러한 관행을 알고 있는 대주들 역시 그에 맞게 대출한다. 다만, [예 12-5]는 설명의 편의상 이런 관행을 반영하지는 않고 있다.

장기담보대출의 신청

프로젝트 준공시점에서 시타델 생명보험사는 건설자금을 **장기담보대출**(permanent financing)로 대환한다. $10,729,842에 대해 3%의 수수료를 받고 10년 만기의 대출이다. 원리금은 25년간에 걸쳐 매달 균등분할상환하는 방식 아래, 매달 $62,726를 개발가는 시타델 생명보험사에 지급하는 것으로 상정하였다. 핵심은 [예 12-6]과 같다.

시장데이터와 임차인 구성

[예 12-7]은 롤링 메도우즈 센터의 임차인 및 임대 공간 구성을 보여준다. 커뮤니티 쇼핑센터개발에서 대주는 최소한 한 곳의 식료품 체인 또는 일반 편의점이 착공 전에 임차할 의사를 확실히 밝힐 것을 원한다. 그런 임차인이 많으면 대주에게 대출받기가 더 수월하다. [예 12-7]에서 볼 수 있는 미국과 해당 지역 평균치는 롤링 메도우즈 사업을 평가하는 데 도움된다. 개발가는 이러한 자료를 참고해서 임차인 구성에 대한 계획을 짜야 한다. 상점 간에 잘 어울리거나, 어울리지 않는 관계가 있다는 점을 염두에 두어야 한다. 예컨대 자동차 부품가게와 보석상은 같이 입지하기 힘들지만, 보석상과 모피상은 잘 어울린다. 또한 해당 지역의 특성에 맞지 않게 임차인을 계획하는 것은 피해야 한다. 예컨대 구매력이 떨어지는 지역에서 최고급(high-end) 브랜드의 상점을 고집하는 것은 바람직하지 않다. 이러한 자료 외에 개발가는 해당 지역의 상권, 다른 쇼핑센터들과의 경쟁, 향후 쇼핑 공간의 공급 과잉 여부를 점검하여 대주에게 정보를 제공하는 것이 필요하다. 상권 내 인구증가, 연령, 가구, 소득, 소비지출 행태에 관한 자료가 제공되면 더욱 좋다.

프로포마 *Pro Forma* 형태의 건설비용과 현금흐름 예측

장기대출 대주에게는 건설비용과 순영업이익을 추정한 프로포마(pro forma)를 제공해야 한다. [예 12-8]에는 토지취득비용, 단지조성비용, 직접비용, 간접비용에 대한 추정치가 나와 있다. 총 대출 금액은 $10,729,842이다. 여기에 $3,036,492(토지취득, 대출수수료)와 $30,800(간접관리비)를 더한

예 12-7
시장조사자료: 쇼핑 센터 임차인 정보

구분	점포 수	임차인 중 점유비율(%)*	총임대 가능 면적 (ft^2)	총임대가능 면적 점유비율(%)	미국 평균 (%)	국지시장 평균 (%)
일반 편의품	1	3.57	4,950	4.50	5.60	5.20
식료품	2	7.14	37,400	34.00	30.80	36.00
음식점	1	3.57	8,800	8.00	8.80	7.00
의류	3	10.71	7,700	7.00	5.00	6.00
신발	1	3.57	1,155	1.05	1.30	0.70
가구	1	3.57	1,100	1.00	2.60	2.30
가전	1	3.57	990	0.90	2.40	1.00
건축자재	1	3.57	1,320	1.20	3.40	2.00
자동차용품	0	0.00	0	0.00	1.70	1.50
취미	1	3.57	2,035	1.85	2.70	2.50
선물	2	7.14	2,860	2.60	2.50	2.30
보석 · 화장품	1	3.57	1,650	1.50	0.70	2.00
주류	1	3.57	1,430	1.30	1.50	1.50
약국	1	3.57	9,900	9.00	8.50	8.00
기타 판매시설	6	21.46	12,100	11.00	4.40	6.00
개인서비스	2	7.14	8,910	8.10	6.50	7.00
오락시설	1	3.57	2,200	2.00	3.50	3.00
금융기관	1	3.57	3,300	3.00	4.10	3.00
업무시설	1	3.57	2,200	2.00	4.00	3.00
합계	28	100.00	110,000	100.00	100.00	100.00

*반올림한 값

예 12-8
건설기간 중 현금흐름 프로포마

	연도별 인출		
	(0)	(1)	합계
토지취득비용	$2,500,000		$ 2,500,000
단지 내 · 외부 조성비용		$ 850,000	850,000
직접비용		9,055,500	9,055,500
간접비용		434,300	434,300
장기운영자금 금융수수료	321,895		321,895
단기건설자금 금융수수료	214,597		214,597
추정건설이자		420,842	420,8426
건설기간 중 현금유출 합계	3,039,492	10,760,642	12,797,134
(−) 인출합계(약정금액)	0	10,729,842	10,729,842
자기자본 소요금액	$3,036,492	$ 30,800	$ 3,067,292

$3,0672,292는 개발가가 자기자본으로 조달해야 한다. 장기대출 대주는 이 자료와 개발가의 재무제표를 통해 개발가의 자금 여력을 평가한다.

[예 12-9]는 롤링 메도우즈 센터의 영업수지를 보여준다. 2년 차에는 70%, 3년 차에는 90%의 임대율을 달성하는 것이 개발가의 목표이다. 기본 임대료는 제곱피트(ft^2)당 $13에서 시작한다. 연평균 2%로 예상되는 물가상승률에 맞게 새로 임대차계약을 할 때 조정될 것이다. 임대차계약은 1년에서 5년으

예 12-9 운영기간 중 현금흐름 프로포마

현금흐름(연도 말)	(2)	(3)	(4)	(5)	(6)
수입:					
기본임대료(최소임대료)	$ 1,430,000	$ 1,458,600	$1,487,772	$1,517,527	$2,083,087
초과임대료	30,000	124,800	129,792	134,984	140,383
임차인 영업비용 분담금					
부동산세(재산세)	137,500	143,000	148,720	154,669	160,856
공용공간 유지관리비	385,000	400,400	416,416	433,073	450,396
유틸리티	367,500	382,200	397,488	413,388	429,923
보험료	33,000	34,320	35,693	37,121	38,605
잠재총소득	$2,383,000	$2,543,320	$2,615,881	$2,690,761	$2,768,041
(−) 공실 및 수금손실	714,900	127,166	130,794	134,538	138,402
유효총소득	$ 1,668,100	$ 2,416,154	$ 2,485,087	$2,556,223	$2,629,639
영업비용					
자산관리 및 임대수수료	$ 104,500	$ 93,690	$ 100,112	$ 106,914	$ 111,174
일반관리비	77,000	80,080	84,033	88,615	90,079
부동산세(재산세)	137,500	143,000	150,720	158,419	160,856
공용공간 유지관리비	385,000	400,400	418,416	436,823	450,396
유틸리티	300,300	312,312	326,804	341,547	357,309
보험료	33,000	34,320	36,443	39,121	41,605
기타	27,500	28,600	30,494	32,934	35,173
영업비용 합계	$ 1,064,800	$ 1,092,402	$ 1,147,022	$ 1,204,373	$ 1,264,592
순 영업이익	$ 603,300	$ 1,323,752	$ 1,338,065	$ 1,351,850	$ 1,365,046
(−) 부채서비스	752,707	752,707	752,707	752,707	752,707
세전 현금흐름	$ −149,407	$ 571,045	$ 585,357	$ 599,142	$ 612,339
비율:					
영업비용비율		45.21%	46.16%	47.12%	48.09%
영업이익/부채비율(DCR)		1.76	1.78	1.80	1.81
총사업비 대비 영업이익률(FCR)		9.47%	9.57%	9.67%	9.76%
자기자본수익률(ROE)		17.56%	18.00%	18.42%	18.83%
공실 및 수금손실률		5.00%	5.00%	5.00%	5.00%
손익분기점 입주율		72.55%	72.62%	72.73%	72.88%

로 예상된다. 이번 개발에서는 임차인은 기본매출(breakpoint sales)을 초과하는 매출액의 5%를 초과임대료(overage rent)로 개발가가에 지불하는 방식으로 계약한다. 이렇게 하면 임차인은 매출액이 기본매출 이하에서는 저렴한 임대료를 낼 수 있다. 개발이 매우 성공적이어서 생각보다 매출이 호조를 보이면 개발가는 초과임대료를 받을 수 있다. [예 12-9]에는 개발가의 쇼핑센터 운영경비가 경비상한(expense stop)을 초과하면 임차인이 일부 분담하는 것이 반영되어 있다. 기본임대료, 초과임대료, (경비상한을 초과한) 임차인의 비용 분담(영어로는 reimbursement. 환급금이라는 뜻. 개발가가 비용을 먼저 지불한 다음에 세입자가 분담금을 지불한 것이 환급하여 개발가에게 들어온다는 의미)는 롤링 메도우즈 개발가의 수입에 포함된다.

[예 12-9]에 있는 롤링 메도우즈의 운용비용이 나와 있다. 개발가는 임대료, 초과임대료, (임차인이 개발가에게 지불하는) 환급금에서 들어오는 현금을 거두어서 운용비용을 조달해야 한다. 이들 현금유입

은 결국 임차인으로부터 나오는 것이다. 문제는 개발 초기에 임대율이 아직 충분하게 올라오지 않았을 때이다. 이때 개발가는 미래에 임차인이 다 들어온 상태에서, 임차인들이 분담해야 하는 비용을 추산한 뒤에, 준공 직후 입주한 초기 임차인과 협상을 할 수 있다. 이 사례에서는 개발사업 시작한 지 2년 차 말에 임대율이 의미있는 수준까지 올라온다고 가정한다. 여기에서 의미있다는 것은 임대료 수입이 운영상의 경비를 감당 가능한 정도인 동시에 목표 임대율이 곧 달성될 수 있다는 믿음을 줄 수 있는 수준을 의미한다.

[예 12-9] 밑의 비율은 잘 이해해야 한다. 임대율이 2년 차 말에 충분히 올라온다는 전제 아래, 3년 차 자료부터 작성한다. 장기대출 대주는 여기 있는 비율을 주의 깊게 본다. 물론, 그 비율이 신뢰할 수 있는 자료와 가정에서 나온 것인지가 중요하다. 영업비용비율(operating expense ratio)은 영업비용 합계를 유효총소득(effective gross income, EGI)으로 나눈 것이다. 여기에서는 최소 45.2%는 된다는 것을 보여준다. 영업이익/부채비율(debt coverage ratio, DCR)은 영업이익을 원리금상환액으로 나눈 값이다. 여기서는 1.76인데, 영업이익이 원리금상환액의 1.76배라는 의미이다. 총사업비 대비 영업이익률(free and clear return, FCR)은 순 영업이익을 전체 사업비로 나눈 값이다. 이 사례에서 총 건축비는 [예 12-9]에 나온 것처럼 $13,797,134이지만, 총 사업비는 $13,982,286이다[역자주: 독자들은 총 사업비가 원서 p.545의 각주 12에 작은 글씨로 명기되어 있다는 점에 유의할 것]. 3년 차의 순 영업이익이 $1,323,752이므로, 이를 $13,982,286으로 나누면 0.09467이 나온다. 여기에 100을 곱해서 9.47%가 나온다. 자기자본수익률(return on equity, ROE)은 세전 현금흐름($571,045)을 $3,067,292로 나눈 값, 즉 17.7%이다. 이상의 비율을 계산할 때에는 감가상각을 고려하지 않는다. 손익분기입주율은 원리금상환액과 영업비용을 감당할 수 있는 입주율이다. 연간 원리금상환액과 영업비용 합계를 잠재총소득(gross potential income, GPI)으로 나눈 값이다. 공실수금손실(vacancy-collection loss)은 공실이나 수금상의 문제 때문에 거두지 못하는 수입이 잠재총소득 대비 얼마나 되는지를 보여준다. 여기서는 5%로 가정했다. 잠재총소득의 95% 정도의 소득을 거두는데, 3년 차의 손익분기임대율은 72.55%이므로, 롤링 메도우즈는 현금흐름이 충분하다. 이러한 자료를 검토한 장기담보대출 대주가 대출하겠다는 의사를 밝히면, 개발가는 단기성의 건설자금 대주를 찾아 나서는 동시에 여러 자료와 사업계획을 더욱 다듬고 본격적인 사업을 준비한다.

타당성, 수익성, 그리고 위험: 추가 이슈들

세전 및 세후 수익성

이 사례에서는 개발가가 준공한 뒤에 5년간 운영하고 나서 자산을 매각할 계획한다고 하자.

[예 12-10]은 [예 12-8], [예 12-9]의 자료를 토대로 정리한 개발 및 운영기간 동안의 세전 현금흐름을 보여준다. 처음 2년의 세전 현금흐름은 지출이 더 많기 때문에 음수이다. 개발가가 자기자본으로 지불해야 비용(토지취득비, 대출 수수료, 간접관리비)과 건축비 및 (준공 후임대율 올리는 기간의) 준공 후 제비용으로 구성된다. 처음 2년 동안의 비용이다. 현금흐름은 3년차부터 양수로 바뀐다(모든 수치는 반올림한다).

[예 12-11]은 롤링 메도우즈 센터를 모니 상호부동산자문(Mony Mutual Realty Advisor)에 매각할 때의 현금흐름이다. 매각 과정에서의 제반 비용을 지불하고 대출 잔액을 시타델社에 갚고 나면, 사우스

예 12-10 롤링 메도우즈 센터에 대한 수익성 분석

	세전 현금흐름						
	연차						
	0	1	2	3	4	5	6
자기자본	$-3,036,492	$-30,800					
영업 세전 현금흐름			$-149,407	$571,045	$585,357	$599,142	$ 612,339
매각 세전 현금흐름							5,271,642
세전 현금흐름 합계	$-2,036,492	$-30,800	$-149,407	$571,045	$585,357	$599,142	$ 5,883,981
세전 자기자본수익률	17.44%						
세전 순현재가치@16%	$ 215,349						
	과세표준						
순 영업이익			$ 603,300	$1,323,752	$1,338,065	$1,351,850	$1,365,046
(−)							
이자비용			531,468	520,149	508,251	495,744	482,597
감가항목:							
자본적 지출			247,277	247,277	247,277	247,277	247,277
임차인 개보수 지원금			306,153	218,680	156,200	111,572	79,694
상각항목:							
분양대행수수료			9,060	9,060	9,060	9,060	9,060
건설자금 금융수수료		$ 214,597					
장기운영자금 금융수수료			32,190	32,190	32,190	32,190	32,190
과세표준		$-214,597	$ −522,847	$ 296,396	$ 385,087	$ 456,008	$ 514,229
세금(35%)		$ −75,109	$ −182,996	$ 103,739	$ 134,780	$ 159,603	$ 179,980
	세후 현금흐름						
세전 현금흐름 합계	$-3,036,492	−30,800	$-149,407	$571,045	$585,357	$599,142	$5,883,981
(−) 일반소득세	0	$ −75,109	$-182,996	103,739	134,780	159,603	179,980
자본이득세	—	—	—	—	—	—	828,187*
세후 현금흐름	$-3,036,492	$ 44,310	$ 33,589	$467,306	$450,577	$439,540	$4,875,814
세후 자기자본수익률	14.42%						
세후 순현재가치@12%	$ 368,462						

* 양도소득세액 1,713,304의 계산과정은 [예 12-11]을 참조할 것

포크社는 세전현금으로 $5,171,642을 갖게 된다. 자산 매각가격 $15,233,151은 총사업비($13,797,134)를 매년 2% 복리로 계산한 미래가치와 같다. [예 12-10]에서는 1년~6년 차의 현금흐름을 세전 요구수익률 16%로 할인하여 계산한 세전 순현재가치(BTNPV)가 $215,349로 나와 있다. 건설자금의 이자율은 6%, 장기대출의 이자율은 5%로 가정했기 때문에 매우 만족스러운 수익률이다.

[예 12-12]를 이용하면 과세대상소득(taxable income)을 알 수 있다. Part A에는 감가상각해야 하는 비용 목록이 있다. Part B를 보면 감가상각 대상 비용 중 90%는 39년 정액법으로 감가상각하는 자본 지출이다. 10%인 임차인 개보수 지원금은 7년간의 정액법으로 감가상각한다. 물론 이중체감법(double-declining balance method)에 의해 정액법의 두 배로 감가상각하는 것도 가능하지만, 본 서에서는 정액법을 이용했다. Part C에 있는 간접비용(soft expence, 설계비용처럼 시설설치비 같은 직접비용과

예 12-11
롤링 메도우즈 센터의 매각으로 인한 현금흐름

	세전 현금흐름
매각가격	$15,233,151
(−) :	
매각비용	456,995
대출잔액	9,504,515
매각으로 인한 세전 현금흐름	$ 5,271,642
	매각연도의 양도차익
매각가격	$15,233,151
(−) :	
매각비용	456,995
수정원가	11,267,605
자본이득 과세표준	$ 3,508,551
	세후 현금흐름
매각으로 인한 세전 현금흐름	$ 5,271,642
(−) 자본이득세(28%)	828,187
매각으로 인한 세후 현금흐름	$ 4,443,455

대비되는 비용)은 항목별로 감가상각하는 기간이 다르다. 단기건축대출 수수료는 1년 만에 감가상각을 끝낸다. 장기대출수수료는 10년, 분양대행수수료(leasing commission)는 5년에 걸쳐 정액법으로 감가상각한다.

[예 12-11]에서 자본이득세 $828,187는 [가격상승분 × 세율(20%) + 감가상각누계 × 세율(25%)]을 계산하여 구한 것이다. 가격상승분(price appreciation)은 $1,435,417 = [매각가($15,233,151) − 원가($13,797,734)]이다. 감가상각누계는 $2,422,612이다[이를 토대로 계산하면 자본이득세는 $828,187이 아니라, $892,653 ($1,435,417 × 0.2 + $2,422,612 × 0.25)이다]. 매각에 따른 세후 현금흐름은 [예 12-11]의 매각에 따른 세전 현금흐름에서 이 세금을 뺀 값이다. 세후 내부수익률(after-tax internal rate of return)인 14.42%로 나와 있다. 세후 현금흐름에 최소요구수익률을 12%를 적용하면 순현재가치(ATNPV)는 $368,462이다.

민감도분석, 투자위험 그리고 타당성분석

민감도분석은 여러 변수가 수익성에 어떻게 영향을 미치는지 검토하는 것이다. 지금까지는 시장임대료가 제곱피트당 $13라고 상정했다. 이를 $12라고 바꾸고 그 밖의 사항은 변동 없다고 할 경우, 수익성이 어떻게 바뀔까? [예 12-13]에서 Y축은 16%로 할인하여 구한 세전 순현재가치(before-tax net present value, BTNPV), X축은 임대면적(ft^2)당 시장임대료이다. 이 그림에 나온 직선이 0에 가까운 것은 시장임대료가 $12를 약간 상회할 때이다. 즉, $12에서는 사우스포크가 16%의 세전 요구수익률을 달성할 수 없다. 현재 예상임대료가 $13라고 하더라도, 시장변동에 의해 $12로 임대료가 내려가면 사우스포크는 사실상 이 사업에 발목이 잡히는 상황이 된다. 개발가가 더 많은 자본을 출자하거나 다른 투자자를 구하거나 하는 조치를 취해야만 하는 상황인 것이다. 이렇게 되면 단기대출 대주는 장기대출 대주가 이 사업에 참여하지 않을 수 있다는 불안감을 느끼게 된다. 단기대출 대주는 단기대출의 조건을 다시 협상해야

예 12-12
롤링 메도우즈 센터에 대한 감가상각계획표

A. 감가상각 대상금액:			
단지 내 · 외부 조성비용		$ 850,000	
직접비용		9,055,500	
간접비용:			
설계 · 감리비	$147,000		
인허가 제반비용	24,300		
법률자문비용	26,900		
추정건설이자	420,842		
직접관리비용	160,000		
간접관리비용	30,800		
간접비용 합계		$ 809,842	
감가상각 대상금액 합계		$10,715,342	
			감가기간
B. 감가상각 일정:			
자본적 지출(대상금액 합계의 90%)		$ 9,643,808	39년
임차인 개보수 지원금(대상금액 합계의 10%)		1,071,534	7년
		$ 10,715,342	
			상각기간
C. 상각 일정:			
건설자금 금융수수료		$ 214,597	1년
장기운영자금 금융수수료		321,895	10년
분양대행수수료		45,300	5년
감가상각비용 합계		10,715,342	
(+) 토지		2,500,000	
총사업비용		$13,797,134	

	6년 차 말의 수정원가		
항목	총비용	(−) 감가상각누계	수정원가
토지	$ 2,500,000	$ 0	$ 2,500,000
자본적 지출	9,643,808	1,236,386	8,407,422
임차인 개보수 지원금	1,071,534	765,381	306,153
장기운영자금 금융수수료	321,895	160,948	160,947
분양대행수수료	45,300	45,300	0
건설자금 금융수수료	214,597	214,597	0
합계	$13,797,134	$2,422,612	$11,374,522

할지 모른다. 어쩌면 자산압류사태가 발생할지도 모른다.

[예 12-14]는 세전 순현재가치(Y축)와 토지가격(X축)의 관계를 보여 준다. 다른 모든 변수는 앞에서 논의한 값에서 고정되어 있는 상황에서 토지가격만 변화할 때, 세전 순현재가치가 어떻게 변화하는지를 알 수 있다. 토지가격이 $2,500,000라면 세전 순현재가치가 16%의 최소요구수익률을 조금 상회하는 수익성이다. 토지가격이 $3,000,000라면 최소요구수익률인 16%를 달성하지 못한다. 즉, 할인율을 16%로 하면 토지가격이 $3,000,000에서는 순현재가치가 음수가 된다. 개발가는 이러한 **민감도분석**을 통해서 시장의 다양한 요인이 수익성에 미치는 영향을 잘 검토해야 한다.

예 12-13
임대료 변화에 따른 롤링 메도우즈 센터의 세전 순현재가치 변화

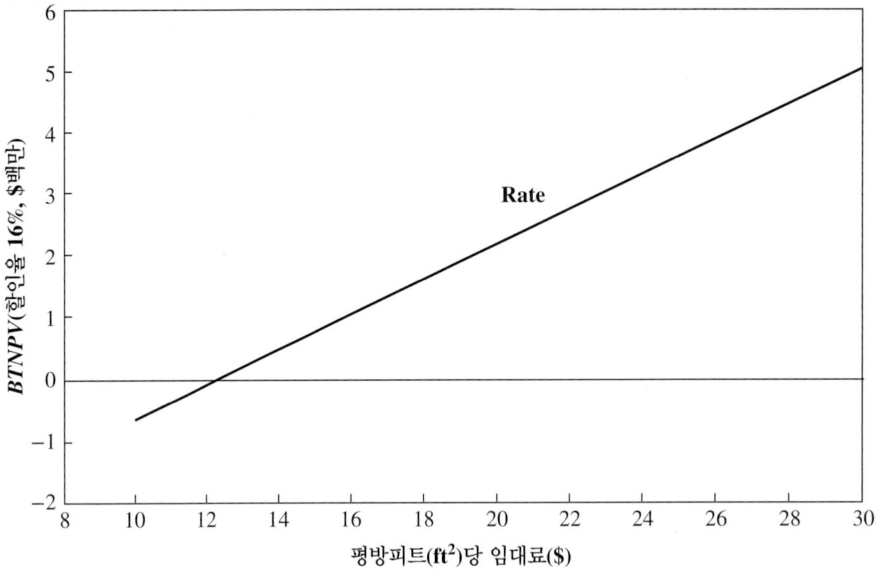

예 12-14
롤링 메도우즈 센터와 토지비용의 *BTNPV*

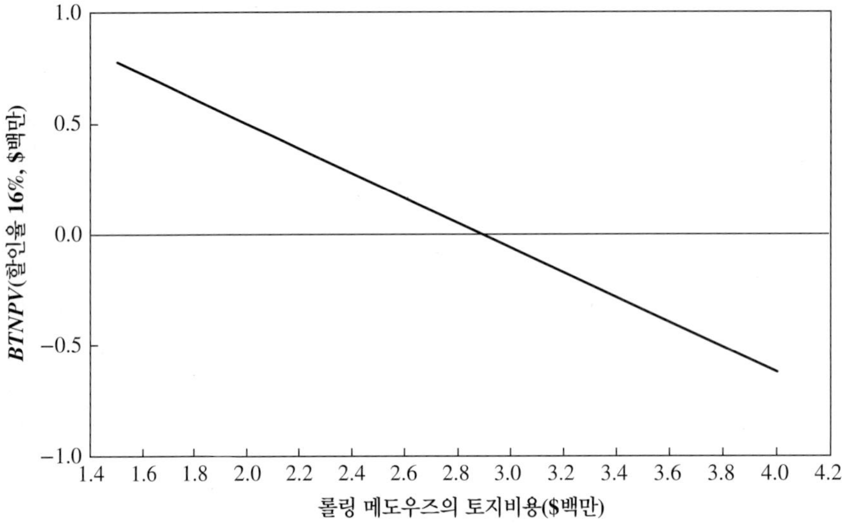

결론

수익용 부동산 개발사업에는 이 책에서 다룬 위험 외에도 많은 위험이 내포되어 있다. 개발가는 국가 경제, 지역경제, 공급 과잉 가능성, 다른 개발사업과의 경쟁 심화, 사무실 공간에 대한 수요의 변화를 늘 면밀하게 점검해야 한다. 이런 다양한 요소들이 개발가의 수익창출능력에 심대한 영향을 미친다. 이 장에서는 쇼핑센터를 사례로 하여 단기건설자금과 장기금융을 결합하여 수익성을 평가하는 방법을 다뤘다. 다음 장에서는 개발 사업의 중요한 유형인 토지개발사업과 관련 금융을 다룬다.

주요용어

간접비용
건설자금
대기성 여신
맞춤형 개발
장기담보대출
직접비용
토지취득 및 개발자금

질문

1. 개발사업과 관련하여 위험의 원인은 무엇인가?
2. 많은 개발사업자들이 사용하는 통상적인 2가지 개발전략들은 무엇인가?
3. 대출 약정에서 일반적으로 발견되는 우발 상황은 무엇인가? 왜 사용되는가? 개발사업자가 이들 조건을 충족시키지 못한다면 어떤 일이 발생하는가?
4. 대기성 여신의 **대출확약서**란 무엇인가? 이것이 언제 그리고 왜 사용되는 걸까?
5. 대출채권양수도는 테이크아웃 대출과 대동소이하다고 말한다. 만약 개발사업자가 테이크아웃 대신 대출채권양수도계약을 사용하려고 계획한다면 건설자금 대주가 관심을 가져야 할 사항은 무엇일까?
6. 자산가치를 평가하기 위해 사용하는 수익환원법과 관련하여, 건설자금 대주가 표명하는 주된 염려사항은 무엇인가? 왜 이들은 가능하다고만 하면 원가법의 사용을 선호하는 것일까? 원가법을 사용할 때, 만약 개발사업자가 개발착수 이전 5년 동안 토지를 소유하고 있었다면, 과연 원가법을 사용하는 것이 보다 효과적인 것일까? 왜 그런가? 아니면, 왜 아닐까?
7. 판매시설 임대차계약에서 추가임대료란 무엇을 의미하는가? 추가임대료는 어떻게 계산하는가?
8. 운영비용에 대한 세입자 상환을 결정할 때, gross ups는 무엇인가? 왜 사용하나?
9. **민감도분석**이란 무엇인가? 부동산 개발사업에서 민감도분석을 어떻게 이용하는가?
10. 종종 토지는 "잔존"가치를 나타낸다고 한다. 이는 건축비용은 입지에 따라서 심대하게 변동하지 않는 반면, 임대료는 입지에 따라서 상당히 달라진다는 사실을 반영하고 있다. 즉 토지가치는 입지에 따라 증감이 발생하는 임대료의 변동을 반영한다는 것이다. 이에 동의하는가 아니면 반대하는가?
11. 공사비 대출 유보란 무엇인가? 왜 유보 실행이 사용되나?

문제

1. Concept Box 16.2를 살펴보기 바란다. 자기자본 투자자이기도 한 개발사업자는 총사업비 대비 7.8%의 수익률에 만족하지 못할 수도 있다. 왜냐면 오차한도(margin for error)가 너무 위험하기 때문이다. 만약 당초 예상한 것보다 공사비용이 상승하거나 임대료가 하락한다면, 이 프로젝트는 타당하지 않을 것이다.
   a. 프로젝트가 용도지역지구제의 요구기준을 충족하고도 더 개발할 수 있는 9,360평방피트(= 869.^{57} m^2)를 가진다는 사실에 기초해서, 개발사업자는 추가로 10호, 즉 총 250호(에이커당 25호)를 허용해 달라고 계획부서에 주장할 수 있을 것이다. 이 주장이 재무적 타당성에 어떻게 영향을 미치게 되는가? 이 주장을 뒷받침하기 위해서 무엇이 포함되어야 할까? 왜 공공부문의 규제당국은 에이커당 25호로 밀도를 높이는 것에 관심을 갖게 될까? 아니라면, 왜 관심을 갖지 않게 될까?
   b. 위의 (a) 대신에, 개발사업자가 한 채에 $83,000의 비용이 소요되는 240호의 고급 임대주택단지를 건축할 수 있다고 가정해 보자. 이런 프로젝트에서 총사업비 대비 8%의 수익률을 만들기 위해서 평방피트당 임대료는 얼마가 되어야 할까? 개발사업자가 고려해야 하는 위험요인들은 무엇인가?
2. 쿠너 개발社(Kuehner Development Co.)의 대표이사는 지금 막 마케팅부 직원과 회의를 가졌는데, 이 자리에서 그는 파커 로드 플라자(Parker Road Plaza) 쇼핑센터의 신축제안과 관련한 시장조사를 보고받았다. 이 조사는 건설단계에 1년, 운영단계에 5년을 요구하고 있다. 자산은 운영 5년 차 말에 매각할 예정이다.

Part I. 건설단계

마케팅부는 위 프로젝트를 위해서 12에이커(= 48,562.^{28} m^2)의 대상지를 선정하였고, 이들은 동 부지를 $2,250,000에 취득할 수 있을 것으로 믿고 있다. 최초 조사는 이 쇼핑센터가 36.65%의 용적률과 92.11%의 임대가능 면적비율로 개발이 가능할 것으로 기술하고 있다[이는 총건축가능면적(*GBA*)이 19만 평방피트(= 17,651.^{58} m^2)이고, 총임대가능 면적(*GLA*)이 17만 5천 평방피트(= 16,258.^{03} m^2)이기 때문이다]. [역자주: 다시 한번, 용적률에 주의가 필요하다. 본문 [예 16-3]의 용적률은 국내 법정 용적률의 역수관계임에 반하여, 현재 질문에서의 용적률은 국내

프로포마 영업수지분석표: 파커 로드 플라자 프로젝트					
현금흐름(연도 말)	2	3	4	5	6
수입					
최소임대료	$3,237,500	$3,399,375	$3,569,344	$3,747,811	$3,935,201
추가임대료($200 초과 매출액의 3%)	52,500	118,650	188,769	263,095	341,881
영업비용 분담금	1,400,000	1,470,000	1,543,500	1,620,675	1,701,709
잠재총소득	$4,690,000	$4,988,025	$5,301,613	$5,631,581	$5,978,791

항목	상각일정
건설자금 금융수수료	1년
장기운영자금 금융수수료	10년
	감가상각일정
자본적 지출(감가상각 대상금액 합계의 90%)	39년(정액법)
임차인 개보수 지원금(감가상각 대상금액 합계의 10%)	7년(이중체감법)

개념과 일치하고 있다. 즉, 17,651.^{58} ÷ 48,562.^{28} = 36.65%]

쿠너의 건설본부장은 *GBA* 평방피트당 $25(= $269.^{10}/m^2)의 직접비용과 *GBA* 평방피트당 $4.5(= $48.^{44}/m^2)의 간접비용(건설이자비용 및 단 · 장기 대출수수료 제외)으로 공사를 진행할 수 있을 것이라고 대표이사에게 장담하고 있다. 건설본부는 단지조성 전체를 총도급액 $750,000에 하청을 내보내기로 결정하였다.

쇼무트 은행(Shawmut Bank)은 이 프로젝트에 단기대출을 제공하기로 합의하였다. 동 은행은 건축비용과 단지조성비용 전체를 연이자율 13%, 대출취급수수료 2%의 조건으로 자금을 대여할 것이다. 건설본부는 건설기간 첫 6개월 동안 직접비용 합계의 60%를 매월 균등하게(매월 10%씩) 인출할 것으로 추정하였다. 쿠너는 애크미 보험사(Acme Insurance Co.)로부터 연이자율 12%, 원금상환 계산기간 20년, 선납 금융수수료 2.5% 및 10년 만기의 금융조건으로 대출을 취득할 것으로 기대하고 있다. 쿠너는 부채서비스를 월주기로 수행할 것으로 예상한다.

a. 대출취급수수료와 건설이자비용을 제외한 파커 로드 플라자의 총사업비용은 얼마가 될까? 직접비용 합계는 얼마인가?

b. 파커 로드 플라자 프로젝트의 건설이자비용은 얼마가 될까? 건설이자비용을 포함하여 쿠너가 차입하여야 하는 대출총액(약정금액)은 얼마인가? 대주에게 귀속되는 건설자금의 대출수익률은 얼마인가?

c. 총사업비용은 얼마인가? 건설기간 중에 매년 프로젝트에 투입되어야 하는 자기자본은 얼마인가? (쿠너는 단기 및 장기 대출의 취급수수료를 자기자본으로 조달할 것이다.)

Part II. 운영단계 및 최종매각

쿠너는 자신들이 임대가능 면적(*GLA*) 평방피트당 $18.^{50}(= $199.^{13}/m^2)의 기본임대료 및 $200(= $2,152.^{78}/m^2)를 초과하는 총매출액에 대하여 3%의 추가임대료를 부과하는 조건으로 파커 로드 플라자를 임대할 수 있을 것으로 추정한다. 동사(同社)는 임대료가 임대기간 중 매년 5%씩 상승하고, 임차인의 영업비용 분담금이 *GLA* 평방피트당 $8(= $86.^{11}/m^2)에 달할 것이며, 이 분담금이 매년 임대료 상승률과 같은 비율로 상승할 것으로 예상하고 있다. 쿠너는 운영 첫해 동안 쇼핑센터의 70%를 임대할 것으로 기대한다. 그 이후부터 공실률은 평균하여 매년 약 5% 수준이 될 것으로 추정한다. 공실손실은 전체 잠재총소득에 비례하여 계산해야 하며, 잠재총소득은 기본임대료, 비율임대료(추가임대료) 및 임차인의 영업비용 분담금으로 구성된다. 점포들의 매출액은 운영 1년 차에는 평균하여 *GLA* 평방피트당 $210(= $2,260.^{42}/m^2)가 될 것으로 예상되고, 매년 6%씩 증가할 것이다. 영업비용은 운영 1년 차에 평균하여 *GLA* 평방피트당 $14(= $150.^{69}/m^2)가 될 것으로 예상되고, 임대료와 같은 비율로 증가하게 될 것이다. 쿠너는 관리비용 명목으로 연간 유효총소득의 5%씩을 추가로 징수하게 된다. 운영기간 말 최종매각가격은 $18,400,000가 될 것으로 기대하며, 그중 2%를 쿠너는 자산매각비용으로 지출하게 될 것이다. 두 가지 일정 계획은 프로젝트 운영단계와 관련하여 필수 정보를 제공하는데: (1) 하나는 5년 운영기간 동안 파커 로드 플라자의 잠재총소득이고, (2) 다른 하나는 프로젝트의 감가상각계획표이다.

d. 만약 파커 로드 플라자를 5년 동안 운영할 것으로 계획한다

면, (일반소득 및 양도소득에 대한 한계세율을 28%로 가정한 상태에서) 쿠너 개발社가 이 자산을 통하여 얻게 되는 세전 및 세후 현금흐름은 어떻게 되는가? 운영기간 5년 후, 쿠너가 실현하는 자산의 매각으로 인한 세전 및 세후 현금흐름은 어떻게 될까?

e. 쿠너의 세전 요구수익률이 16%라고 가정할 때, 회사는 파커로드 플라자를 개발해야 할까? 세전 순현재가치와 세전 자기자본수익률에 기초하여 여러분들의 대답이 옳다는 것을 증명해 보라.

3. 스페인 개발社(Spain Development Co.) 재무자문의 한 사람으로서, 당신에게 팀버크리크 오피스(Timbercreek office) 제안사업의 건축 및 마케팅조사 보고서가 주어졌다. 수 개의 잠재적인 대상지가 선정되었으나, 아직 최종결정은 내려지지 않은 상태이다. 당신의 책임자는 전체 사업기간에 걸쳐서 16%의 수익률이 보장되는 상태에서 토지에 대해서 얼마나 지불할 수 있는지(최대 지불 가능한 토지금액)를 파악하고자 한다.

전략계획은 1년의 건설기간과 5년의 운영기간을 요청하는데, 이 기간 후에 자산을 매각할 예정이다. 마케팅부 직원은 1.3에이커(= 5,260.^{91} m^2)의 대상지가 적합할 것이라 말한다. 왜냐면 최초 조사에서 이 정도 면적이 되어야 총임대가능 면적(*GLA*) 26,520평방피트(= 2,463.^{79} m^2)의 오피스 빌딩 건축을 뒷받침할 것으로 지적되었기 때문이다. 임대가능 면적비율을 85%로 가정할 때, 총건축가능면적(GBA)은 31,200평방피트(= 2,898.^{57} m^2)가 될 것이다. 덧붙여서, 마케팅부 직원은 공간을 평방피트당 $19(= $204.^{51}/m^2)에 임대할 수 있다고 당신에게 장담하고 있다. 건설본부장은 (건설이자비용 및 모든 금융수수료를 제외한) 직접비용 총계가 $2,400,000가 될 것이라고 주장한다.

퍼스트 스트리트 은행(The First Street Bank)이 위 프로젝트의 건설자금 대출을 제공할 것이다. 모든 공사비용과 단지조성비용, 그리고 건설이자에 대해서 연이자율 13%, 대출취급수수료 1.5%의 금융조건으로, 이 은행이 대출을 지원할 것이다. 건설본부는 직접비용을 최초 인출시점부터 6개월 동안 매월 동일한 금액으로 인출할 것으로 추정하고 있다. 프로젝트의 장기대출은 1년이 경과한 시점에 연이자율 11.5%, 선납 금융수수료 4%의 금융조건으로 릴라이어블社(Reliable Co.)로부터 차입할 것이다. 장기대출의 만기는 8년이고, 25년의 원금상환 계산기간에 기초해서 매월 부채서비스를 수행하게 될 것이다. 금융수수료는 단기 및 장기대출 모두에서 대출금액에 포함되지 않는다(즉 대출금액으로 금융수수료를 지급할 수 없으므로, 자기자본으로 지불하여야 한다). 스페인은 회사의 자기자본으로 토지취득 자금을 조달할 것이다.

스페인은 이 프로젝트의 임차인 영업비용 분담금이 평방피트당 $3.25(= $34.^{98}/m^2)이고, 운영 첫해 동안 오피스 빌딩의 75%를 임대할 것으로 기대한다. 그 이후부터 공실률은 평균하여 연(年) 잠재총소득의 약 5% 수준이 될 것으로 추정한다. 임대료, 임차인 영업비용 분담금 및 영업비용은 임대기간 동안 매년 3%씩 상승할 것으로 예상된다. 영업비용은 평방피트당 $9.^{50}(= $102.^{26}/m^2)로 예상된다. (5년 운영기간 후) 최종매각가격은 프로젝트의 6년 차 순 영업이익을 9.5%로 자본화한 금액에 기초한다(즉 보유기간 말 자본환원율은 9.5%이다). 이 중 4%는 자산매각비용으로 지출하게 될 것이다. 세전 자기자본수익률 16%를 확보해야 하는 상태에서, 스페인은 토지가격을 지불할 수 없게 될까봐 염려하고 있다(토지취득비용은 스페인의 자기자본으로 지급되어야 한다는 사실을 상기하기 바란다). [역자주: 위에 열거한 정보로 역산(逆算)한 최대 지불가능 토지금액이 토지주의 호가보다 작다면, 거래가 성사되지 않을 것이다. 즉 스페인은 프로젝트 무산을 염려한다는 의미이다.]

프로젝트의 타당성을 검토하기 위해서,

a. 건설자금의 인출일정, 건설이자비용 그리고 건축용도로 지원하는 대출총액을 추정하라. (금융수수료를 포함한) 총사업비에서 대출총액을 차감하여 사업에 필요한 자기자본 규모를 결정하라.

b. 영업 및 최종매각으로 인한 현금흐름들을 추정하라.

c. (*b*)에서 자기자본의 현금유출입을 할인하여, 양(+) 또는 음(−)의 순현재가치가 존재하는지를 입증하라.

d. 이 경우, 순현재가치가 의미하는 바는 무엇인가? 만약 토지의 호가가 $195,000이라면, 이 프로젝트는 타당성이 있을까?

4. **Excel**. 웹사이트에서 제공하는 엑셀 워크북 안에 “Ch16 Const”를 참조하기 바란다.

a. 만약 대출금액의 90%를 최초 4개월 동안 인출하고 10%를 나머지 8개월 동안 인출한다면, 대주의 대출수익률과 투자자의 세후 자기자본수익률은 어떻게 달라지는가?

b. 대출금액의 60%를 최초 4개월 동안 인출하고 40%를 나머지 8개월 동안 인출한다고 가정한 상태에서, 위의 (a)를 반복하여 계산하라.

CHAPTER 13

토지개발금융

Financing Land Development Projects

토지개발은 토지를 취득하여 평탄하게 만들고, 기반시설을 설치하여, 토지의 일부 또는 전부를 개발가나 건설업체에게 매각하는 작업이다. 본 장은 **토지개발**에 대한 기본적인 설명과 재원조달을 검토하고, 사업의 타당성을 점검하는 방법론을 논의한다. 대출 및 상환 구조가 사업 타당성에 미치는 영향도 중요하게 다룬다.

토지개발사업의 특성

토지개발을 할 때에는 (1) 개발된 토지를 활용하여 시장에 공급하고자 하는 최종상품(단독주택, 아파트, 오피스, 쇼핑몰, 공장, 물류창고 등)이 시장에서 수요가 있는지, (2) 수요에 맞는 충분한 토지를 확보할 수 있는지를 확인해야 한다. 토지개발 후에 어떻게 필지를 나눌 것인지를 사전에 계획하고 있어야 한다. 토지의 분양가격은 토지의 최종용도를 고려하여 정한다.

토지개발가는 분양 가능성이 높은 최종상품에 맞게 토지를 취득하여 토지이용 및 교통계획을 수립하고, 도로·가로등·상하수도 같은 기반시설을 설치한 다음에 필지를 나눠서 건설업체나 다른 개발가에게 판매한다. 토지개발가는 건설업자나 개발가와 같을 수도 있고, 다를 수도 있다. 대형 토지개발가라면 이 역량을 모두 갖춘 경우가 많다. 예를 들어 저가의 최초구매주택을 위한 택지를 개발하는 동시에 토지개발가가 일부 주택을 직접 건설할 수 있다. 비싼 토지의 경우, 다른 건설업자에게 매각하는 것이 타당성이 높다고 판단되면, 비싼 토지를 매입하여 고급 주택을 짓는 건설업자에게 매각할 수 있다. 토지개발가는 필요하다고 판단될 경우, 장래성이 있는 좋은 입지(고속도로에 맞닿은 좋은 토지 등)의 토지는 추후의 활용을 생각해서 보유하고 있다가 적당한 때에 자체적으로 개발하기도 한다. 토지개발가가 사업 여력이 있으면 다양한 방식을 고려할 수 있다. 예컨대, 어느 회사가 사무빌딩을 통째로 쓰려고 할 때, (1) 이 회사의 수요에 맞게 건물을 지어서 장기로 임차하는 방안, (2) 토지개발과 건물 시공 후에 이 회사에게 매각하는 대안을 검토하여 더 나은 방안으로 결정할 수 있다. 토지개발가가 토지를 분양할 때에는 최종 상품의 수준을 유지하기 위해, 토지개발가로부터 토지를 매입하는 개발가나 건설업체에게 적절한 수

준의 규제를 따라야 한다는 조건을 내건다. 이런 조건은 토지개발가와 토지매입자들 간의 협의안에 명기된다.

토지개발 산업에는 수많은 개발가가 난립해있다. 그만큼 경쟁이 치열하다. 토지개발가는 매입 가능 토지에 대한 정보를 수집하면서, (토지를 개발하여 시장에 제공하려는) 최종 상품에 대한 수요와 예상 판매가격을 조사한다. 개발하려는 토지가 정해지면 토지이용계획을 만들고, 개발비용을 추정하며, 사업 타당성이 있는지를 검토한다. 이 과정에서 많은 작업은 컨설팅업체(도시계획, 토목, 조경)가 수행한다. 토지개발가는 원래 직원을 많이 채용하지 않는다. 사업인허가를 받기 위해 도시계획 당국과 수시로 협의해야 한다.

토지개발과정—개관

[예 13-1]처럼 토지개발 과정은 토지 중개인이 토지소유주와 개발사업자를 연결하면서 시작된다. I단계에서 개발가는 대상지와 그 주변에 대해 기초 조사한 후에 관심이 있으면 토지소유주와 **옵션계약**(option agreement)을 맺는다. 장래 특정일에 정해진 가격으로 토지를 매입할 수 있는 거래이다. 토지개발가는 옵션가격을 토지소유주에게 지불한다. 이 비용은 추후의 토지매입비에 포함된다. 토지개발가가 토지를 매수하지 않기로 결정하면 그 비용은 토지소유주에게 돌아간다.

토지 취득과 옵션계획의 활용

[예 13-1]의 II단계에서 토지개발가는 가능하면 장기간의 옵션계약을 확보하려고 한다. 사업을 준비하는 동안 토지가 다른 사람에게 매각되기를 바라지 않기 때문이다. 토지개발가가 사업을 서둘러 진행하고 싶다면, 옵션기간을 짧게 하고 더 높은 옵션가격을 지불한다. 실제 옵션기간은 짧을 수도 있고(소규모 택지개발사업은 1개월), 3년 이상일 수도 있다(예를 들면 대규모 쇼핑센터). 옵션기간 동안에 토지개발가는 성토 및 절토 비용, 지형, 배수특성, 토양, 시장 수요, 시장에서의 경쟁강도를 점검해야 한다(Concept Box 13.1에서 사전 타당성 사례가 있다). 그렇지만 핵심은 토지개발을 통한 최종 상품의 가치가 비용합계(토지매입비 + 조성비 + 건축비)보다 클 것인지의 여부이다. 조성비용은 토지개발계획에 근거하여 컨설팅업체와 협업하여 추정한다. 이 계획은 시장에서의 수요변화와 도시계획 부서의 인허가 요건에 따라 여러 차례 수정된다. 계획이 어느 정도 확정되면 토지개발가는 대출을 신청한다. 대주의 대

예 13-1 토지개발사업의 진행과정

I단계 (중개인 통한) 사전접촉	II단계 옵션기간	III단계 개발기간	IV단계 판매기간
• 현장 조사	• 토양조사, 설계용역	• 토지 매입	• 마케팅 계획 실행
• 사전 시장조사	• 타당성 조사, 감정평가, 디자인 전략	• 토지개발자금 대출실행 • 단지조성공사 착공	• 주택건설업체와 추가적인 협조
• 사전 비용추정	• 건설업체 입찰 및 협상 • 인허가를 위해 계획 제출, 금융 신청 서류 제출 • 사전 분양 시작	• 재무적인 통제 실행 • 건설업체 · 컨설턴트 · 공공부문과 협조	• 주택건설업체에 설계통제 실행 • 시설관리 수행 그리고/또는 주민협의회 출범

출승인이 없으면 사업은 중단된다(Concept Box 13.2는 토지이용계획의 주요 개념 및 용어를 설명한다.)

[예 13-1]의 II단계에서는 토지개발가가 컨설팅업체와 협력하여 최대한 신속하게 진행해야 한다. 옵션기간 동안에 도시계획부서에서 인허가를 받지 못하거나, 대출기관을 못찾는다면 토지개발가는 옵션비용을 포함해서 II단계에서 발생하는 수수료와 비용을 날리게 된다. 필요하다면 옵션기간을 연장해야 한다. 옵션기간 연장에 실패하면 토지를 아예 매입하고 진행해야 한다. 이런 상황에서 인허가와 대출이 늦어지면 토지개발가는 막대한 비용 부담을 자기자본으로 감내해야 한다. 그에 따라 사업추진에 따른 위험(risk)이 급증한다.

자금조달과 개발사업

토지개발가가 II단계를 무사히 통과하면 III단계에서 토지매입, 자금조달, 토지조성을 추진한다. 토지개발가는 다양한 금융구조를 활용할 수 있다. 여기에서는 세 가지 대안만 검토한다. (1) 토지개발가가 자기 현금으로 토지를 매입하고, 조성비·건축비와 그 이자만 차입한다. (2) 토지개발가가 계약금을 지급하고, 잔금에 대하여 토지매각채권(purchase money mortgage)을 발행하여 토지소유자에게 준다. 토지개발가는 조성비만 대출받는다. 토지매각채권은 토지개발가 대출금의 후순위채권으로 설정된다. 토지개발가는 용지 분양금으로 토지조성비를 상환한 후에 토지매도인에게 토지가의 잔금을 갚는다. (3) 토지개발가는 계약금을 지급한다. 미래의 토지가치 대비 일정 비율 범위 내에서 대출받아 토지 잔금과 조성비는 조달한다.

토지개발가가 어느 대안을 택할지는 시장 여건과 토지가격에 달려 있다. 토지에 대한 수요가 강한 호황기에는 토지소유자가 현금을 요구하고, 토지매각채권은 거절한다. 호황기에는 대주가(호황기가 아니라면 하지 않는) 토지취득비마저 대출해주는 경향이 있다. 불황기에는 토지매도인이 토지매각채권을 더 잘 받아들인다. 반면에 대주는 대출에 신중을 기한다.

대주는 토지취득비를 대출하는 것은 꺼린다. 하지만, 조성비에 대한 대출은 그보다 우호적이다. 토지개발가에게는 보통 월 단위로 기성비율에 맞게 대출된다. 토지개발가는 대출을 받는 대신 개방형근저당권(open-end mortgage)을 설정한다. 대출이 진행된 이후라도 담보대출 상한까지 대출이 가능한 형태가 개방형 근저당권이다. 금리는 시장금리에 2~3%의 가산금리를 얹은 변동금리로 진행한다. 근저당권을 설정할 때, 대주는 1순위 담보권을 요구한다. 토지개발자금의 상환은 토지 분양 실적에 달려 있기 때문에 대주는 토지분양률을 판단할 수 있어야 하고, 재무제표·감정평가서·시장조사 결과를 엄밀하게 분석하며, 공사기간에는 대출약정을 위반하여 대출금이 사용되지 않도록 점검해야 한다. 토지가 분양되면 토지개발가는 유입되는 현금으로 대주에게 대출을 갚는다. 토지개발가의 대출상환은 대주와의 필지별 **담보해지일정**(release schedule) 협의에 따라 진행된다. 토지개발가가 대출을 상환하면 대주는 담보권을 철회한다는 해지확인서를 보낸다. 그러면 하자가 없는 소유권이 개발사업자로부터 용지의 수분양자에게로 이전된다. 이 단계에서 대주는 비용이 애초의 계획을 초과할 위험, 시장수요가 변화하는 데 따른 위험, 사업이 지연되는 위험, 각종 비용(대출이자, 세금 등)이 시간이 지날수록 가중되는 위험을 면밀하게 주시해야 한다.

IV단계에서는 필지분양을 한다. 토지개발가는 다양한 미디어(신문, 전문잡지 등)를 활용하여 마케팅을 한다. 건설업체와 다른 개발가는 분양받은 토지와 주변 특성을 고려하여 자신의 개발을 계획하고 진행한다.

토지개발금융에서 대주의 요구사항

앞 장에서 부동산 개발에 필요한 금융지식을 다뤘다. 그 연장선상에서 토지개발과 금융을 다루자. [예 13-2]는 (A) 대주에게 토지개발자금을 대출받기 위해 필요한 준비사항, (B) 대출신청을 승인받은 뒤, 실제로 입금받기 위한 요구사항 (C) 대출받은 뒤의 요구사항이 정리되어 있다. 물론 토지개발사업마다 독특한 요구사항이 있다. 대주가 추가 서류와 자료를 요구할 수도 있다. [예 13-2]의 요구사항은 (1) (시공업체·설계업체 등) 제3주체의 수행역량, (2) 해당 시의 도시계획 및 방침에 부합한다는 담당 공무원의 확인, (3) (Part B의 항목 4) 제3주체들이 사업위험을 감수하여 최선을 다하겠다는 의사의 확인으로 구성된다. 토지개발가가 위와 관련된 자료를 제대로 보여주지 못하면 대주는 더 신중해야 한다.

사업비용의 세부내역

토지개발가는 조성공사의 세부 계획과 예상비용을 제출해야 한다. 대주는 예상비용이 정확한지를 확인한다. 대주가 매월 자금을 대출할 때마다, 자금사용 내역을 요구한다.

도급계약과 하도급계약

대주는 개발가가 하청업체와 확정금액으로 계약을 체결하기를 원한다. 공사기간에 자재비, 인건비가 상승할 때 발생할 수 있는 위험을 미리 통제하기 위해서다.

예 13-2
토지개발금융에서 대출신청 및 인출실행에 필요한 일반적 요구사항

A. *대출신청 서류*의 일반적인 요구사항: 토지개발사업
1. 프로젝트 정보
   a. 프로젝트 개요: 토지이용계획, 항공사진, 토양보고서, 지적계획도(Plat), 교통순환체계, 편의시설, 렌더링(rendering), 환경영향평가 보고서 등과 관련된 세부사항 일체
   b. 지적선, 지상권, 공급처리시설을 보여주는 현장조사 및 법률사항
   c. 조성공사 및 시방서 관련 예비계획
   d. 사업비용 상세내역
   e. 설계사 · 토지이용계획가 · 시공사의 확인. 이들 이해관계자들의 은행 신용조회서 그리고/또는 인허가 취득 시 이들이 프로젝트를 완료할 수 있음을 나타내는 근거자료
2. 시장 및 재무 정보
   a. 희망 금융조건: 약정금액, 대출금리, 대출만기, 담보해지일정(이 장 후반부에서 다룰 예정)
   b. 차주의 재무제표(은행 신용조회서 포함)와 과년도 개발실적
   c. 타당성분석: 시장 내 유사사례, 감정평가 결과, 프로포마(pro forma) 형태의 영업수지분석표(이 장 후반부에서 다룰 예정), 추정판매가격 일람표
   d. 추정 최초인출 실행일
3. 정부 및 규제 정보
   a. 토지이용계획확인원: 용도지역지구 현황, 개발 수행 이전에 필요한 용도지역지구 변경사항 기재
   b. 재산세: 시행 예고된 부과방식의 변경, 시행 예고된 토지가치 재평가, 현재 납부현황
4. 법적 서류
   a. 법인설립허가서, 파트너십(partnership) 계약서를 포함한 법률서류(대출을 신청하여 채무가 부과되는 법인격에 일체의 모호함이 존재해서는 안 될 것)
   b. 지가(地價) 확인원, 소유증명(등기부등본) 또는 (옵션 또는 매매계약으로 증명할 수 있는) 소유권 취득예정 증빙
   c. 토지이용 관련 행위제한(deed restriction) 또는 사용제한계약(restrictive covenant)의 구체적 내용
   d. 후순위 대출약정: 토지를 취득하기 위해서 매도자금융(seller financing) 또는 부채차입을 이용하였거나 이용할 예정인 경우, 이 채권자들이 자신들의 담보권을 기꺼이 개발사업자금 대주의 그것보다 후순위가 되는 것을 받아들이겠다는 증명. 만약 신청한 개발사업 대출금액으로 기존 토지담보대출을 상환할 예정이라면, 상환예정금액이 정확하게 기재되어야 하고 기존채무 상환으로 얻는 실익(實益)이 무엇인지를 밝혀야 할 것

(계속)

예 13-2
토지개발금융에서 대출신청 및 인출실행에 필요한 일반적 요구사항(계속)

B. 토지개발금융에서 *인출실행*을 위한 일반적인 요구사항
1. 프로젝트 정보: 지적계획, 렌더링, 교통동선체계, 공공처리시설, 조경 등을 포함한 단지개발계획
2. 시장 및 재무정보: 최초 대출신청 이후 차주의 재무상태에 불리한 변동이 부(不)존재한다는 확인서
3. 정부 및 규제 정보
   a. 관련 당국 및 지자체로부터 취득한 모든 인허가의 사본: 건축허가, 용도지역지구 특례에 대한 승인, 보건, 상수, 하수, 환경영향평가 등을 포함
   b. 공급처리시설의 이용 가능성: 대상지의 이용 가능한 공급처리시설의 정도를 나타내는 시 · 군 관련 부서의 공문. 단지 외부 공급처리시설의 (단지 내로의) 인입 요구사항은 상세히 기술되어야 하고 인입비용 역시 밝혀야 할 것
4. 법률서류
   a. 시공사 및 모든 하청업체들과 체결한 계약의 상세내용(계약금액 포함)
   b. 시공사의 이행보증서와 (하도급비용) 지불보증서 취득 증빙
   c. 개발사업자의 기한이익 상실 시, 시공사 · 설계사 및 토지계획가가 대주의 지시대로 과업을 수행하겠다는 동의서
   d. 재해, 손해 및 기타 모든 보험의 보험증서에 대주를 보험수익자로 배서한 증빙
   e. 개발사업자에게 필요한 일체의 사용자배상책임보험의 부보 증빙
   f. 권원보험 가계약서

C. 대출확약서 및 대출약정
1. 대출확약서 및 금융조건: 인출 승인을 위한 대주의 요구사항, 인출 유보금액 계산방법, 조기상환 옵션 및 기한연장 약정
2. 어음의 배서, 채권금액과 대주의 권리순위를 입증하는 저당권 또는 담보신탁의 설정
3. 채무 상환에 대한 차주의 개인연대보증[역자주: 정확히는 개발회사 채무에 대한 대표이사의 개인연대보증을 지칭]
4. 차주의 기한이익 상실 시, 시공사 · 설계사 및 토지계획가와 체결한 모든 계약을 대주 앞으로 양도할 것을 내용으로 하는 조건부 양도담보계약

노무비, 자재비 지불보증서, 완공보증서

대주는 (개발가가 일을 맡기는) 용역업체가 노무비·자재비지불보증서(labor and material payment bond)와 **완공보증서**(completion bond)를 매입하기를 요구한다. 前者는 시공업체가 파산할 때, 미지급 노무비와 자재비의 지급을 보증보험회사가 보증한다. 後者는 시공업체가 파산하면 보증보험회사가 공사준공에 필요한 자금을 제공한다고 보증한다.

권원보험 *Title Insurance*

토지개발자금을 취득하려면 토지개발가는 권원보험(title insurance)을 매입해야 한다. 대주의 담보권이 최선순위임을 보장하기 위한 보험이다.

공사비대출유보 *Holdbacks*

토지개발가가 토지개발자금을 집행할 때에는 용역업체와의 계약금액 가운데 일정 비율을 유보할 수 있다. 용역업체가 모든 공사를 완전히 끝내야만 최종 대금을 받을 수 있게 하는 장치이다. 그에 따라 대주도 토지개발가에게 일정 금액은 공사 일정을 보면서 유보하게 된다.

대출연장계약 *Extension Agreement*

공사 지연과 저조한 용지분양률 때문에 대출금을 상환하지 못하면 토지개발가는 대주에게 별도의 수수료를 지불하고, 대출만기를 연장해야 한다. 상황이 안 좋으면 대주가 이 수수료조차 징수하기 힘들 수 있다. 너무 힘든 상황이 되면, 대주는 자산압류에 들어간다.

택지개발 예시

50에이커(= 202,342.82 m^2)의 그레이슨(Grayson) 부지는 [예 13-3]에 정리된 것처럼 도심에서 북쪽으로 15마일 떨어진 교외 변두리의 고속도로 가까이에 있는 농지이다. 최근에 단독주택 개발이 허용되는 토지용도로 바뀌었다. 개천과 유수지(5에이커)를 제외하면 개발 가능하다. 최대개발가능 밀도는 7,500 ft^2(= 696.77 m^2)당 한 채의 단독주택이다[개발가능 지표면적 = 부지면적 − 유수지면적 − 교통동선체계(도로·골목 등)]. 지형은 무난하다. 별도비용 없는 30일간의 매갑옵션에 매각가는 $2,00,000 정도로 예상된다. 토지개발가인 랜드코는 토지가격의 1% ($20,000)를 지불하면 매입옵션을 5개월간 더 유지할 수 있다. 개발계획을 만들고 택지수요와 시장조사를 한 뒤에, 토지가격으로 $2,000,000가 적절하다고 판단되면, 도시계획 당국의 인허가를 준비하면서 대출받기 위한 작업을 진행해야 한다.

시장 상황과 단지계획

토지개발의 금융에서 핵심은 토지개발사업의 타당성을 평가하는 것이다. [예 13-4]는 타당성을 조사하기 위해 필요한 사항들이다. 타당성 조사는 토지매입을 결정하기 전에 완료되어야 한다. 토지개발가는 어떠한 개발을 누구를 위해 할 것인지에 대한 분명한 비전이 있어야 한다. 랜드코는 수변공간에 수영장, 테니스장 같은 편의시설을 갖춘 주택용지를 개발하려고 한다. 5에이커의 개천·유수지는 개발할 수 없기 때문에, 개천·유수지 인접 토지를 저렴하게 매각하거나, 수변공간을 잘 활용해서 가치를 향상시켜야 한다. 주변의 다른 토지개발가가 준비하는 경쟁사업의 미래 물량과 예상 가격은 늘 점검해야 한다. 랜드코가 판매하고자 하는 최소한의 미래 토지가격(토지매입가 + 개발비용)이 과연 경쟁력이 있는가의 여부이다.

개발가능면적은 총 부지면적인 유수지면적과 도로 등의 면적을 뺀 것으로서, 여기에서는 전체 면적 대비 72%(= [(50 − 5) × (1 − 0.20)] ÷ 0.50)이다. 50에이커의 총 부지면적 중에서 36에이커이다. 필지수율은 에이커당 3.6필지(= 180필지 ÷ 50에이커)이다. 필지당 8,712 ft^2(= 809.37 m^2)이다(= 36에이커 × 43,560 ft^2/에이커 ÷ 180필지). 이런 수치를 잘 활용하면 다른 개발사업과 비교하기 좋다. 개발가용지가 넓은 데 비해, 1에이커당 공급되는 평균 필지 수가 적다는 것은 저밀주거지역으로 개발된다는 뜻이다. 개발가용지 내에서 지형과 지세가 문제가 되거나 장애물이 많은 곳이 있어서 실제로 1에이커당

예 13-3
그레이슨 사업부지의 기초자료

대상지 면적	50에이커(202,342.82 m^2)
매도 호가	$2,000,000
옵션	30일 동안은 "공짜 구경(free look)", 이후 5개월 동안은 $20,000 부과
현행 용도지역지구	단일가구를 위한 단독주택, 최대 평균개발밀도는 개발가능면적 기준으로 호당 7,500 ft^2 (= 696.77 m^2)
법률현황	현재 행위제한과 지상권 설정사항이 나타나지 않음. 제한물권 설정사항 없음
대상지 특성	개천과 유수지가 지표면적상 5에이커(20,234.28 m^2)를 차지. 지형은 완만한 구릉지로서 입목 상황은 중간 정도. 개천은 1사분면에 걸쳐서 흐르며 유수지는 수로와 경사가 급한 제방 사이에 형성. 토양이 안정적이어서 정상적인 투수(透水) 가능
공급처리시설	상 · 하수도, 전기, 가스 모두 용량이 적정하며 단지로 직접 인입 가능
근접성	66번 주(州)고속도로에서 1,500피트(457 m), 166번 주간(州間)고속도로에서 서쪽으로 1마일 (1.6 km), 중심업무지구(central business district, CBD)에서 북쪽으로 15마일(24.1 km)
이용현황	교외 변두리에 소재한 농지

예 13-4
시장자료 및 개발전략의 요약: 그레이손 프로젝트

A. 시장 상황	지역에서 진행 중인 3건의 토지개발사업 조사에 기초하여, 대지의 분양률은 훌륭한 것으로 보인다. 건설업체 조사는 향후 개발을 위한 택지 매수에 대한 강한 욕구를 보이고 있다. 경쟁사업들에서 평균 필지면적은 약 8,700 ft^2(= 808.26 m^2)이다.
B. 필지구성 및 개발계획	랜드코는 단지의 질을 높이기 위해서 천변(川邊)을 활용하는 계획을 수립하였는데, 개천의 양변으로 대형 필지를 수용하여 순환형으로 배치하게 된다. 단지형(cluster-type) 주택을 위한 필지들은 고속도로 전면에 인접하여 배치하며, 일종의 완충지대 성격을 갖는다. 다만 이 필지들은 조경을 강하게 하여 (고속도로 근접으로 인한 피해를) 보완할 것이다. 단지 내에 가능한 곳에서는 막다른 골목(cul-de-sac)을 활용하게 된다. 필지면적은 5,000 ft^2(= 464.52 m^2)에서 20,000 ft^2(=1,858.06 m^2) 사이에 분포하며, 평균 필지면적은 8,712 ft^2(= 809.37 m^2)이다.
C. 행위제한	사적인 행위제한을 사용하여, 각 필지에는 최소 2,000 ft^2(= 185.81 m^2) 이상의 단독주택이 건립되도록 보장하도록 한다. 건축선후퇴, 외부 마감자재(벽돌 · 목재의 비율, 지붕양식), 조경, 울타리, 그리고 건물의 장래 추가요소와 관련한 행위제한이 토지공사가 완료된 이후에도 계속 적용되어, 주거지역의 높은 질을 확보한다[역자주: 공적 행위제한인 zoning과 달리, 저자들은 private deed restriction을 지칭하고 있다].
D. 개발가용지	50에이커에서 5에이커의 개천 · 유수지를 차감하고, 다시 20%의 교통순환체계(골목, 도로, 편의시설 등)를 차감하게 되면, 36에이커(= 145,686.83 m^2)의 순개발가용지가 산출된다. 필지수율은 총지표면적 기준으로 3.6호/에이커(=1,124.13 m^2/호)가 된다. 건축선후퇴, 필지선, 도로폭 및 골목너비 그리고 공급처리시설용지는 시(市)의 규제기준 모두를 어렵지 않게 충족시킨다.
E. 편의시설	클럽하우스, 수영장 2곳, 조명시설을 갖춘 테니스장 8곳. 택지의 준공 및 분양 완료시점에 입주자연합회가 단지의 유지관리업무를 승계할 것이다.
F. 단지조성공사	도로포장, 보도 연석선, 급수본관, 소화전, 하수도 및 모든 접속시설을 시 · 군의 현행 기준에 부합하도록 건설할 것
G. 개발제한	용도지역지구제는 이 사업의 최대개발밀도를, 순개발가용지 기준으로 평균 7,500 ft^2(= 696.77 m^2)당 1필지로 규정하고 있다.

공급 가능한 필지가 적어지는 것일 수도 있다. 만약 랜드코가 생각하는 총필지수율 및 순필지수율이 인근 경쟁사보다 높거나 낮다면, 랜드코가 사업부지를 과다 또는 과소하게 개발하는 것일 수 있다.

토지개발가가 경쟁사보다 사업부지를 비싸게 샀다면, 고밀개발을 통해 비용을 회수해야 한다. 그러나 건설업자는 고밀도의 작은 주택을 밀집시키는 것을 원하지 않을 수 있다. 건설업자가 이런 토지개발 구상을 원하지 않으면 토지개발가의 분양은 성공하기 힘들다. 건설업자는 토지개발가로부터 토지를 매입하여 실제로 주택을 지어서 시장에 팔아야 하는데, 사람들이 큰 필지에 밀도가 낮은 중대형 주택을 선호한다면 애초에 고밀의 소규모주택에 맞게 개발한 토지를 매입하지 않을 것이다. 그런 상황에서 고밀로 개발하는 것은 큰 실수가 된다. 사업부지가 도심의 중심업무지구에 가깝다면 소규모 주택 중심의 고밀 개발이 적절할 수 있다. 필지수율을 잘 이용하면 토지개발가의 토지를 분양받아 실제 최종 상품을 시장에 내놓아야 하는 건설업자와 소비자의 수요를 이해하는 데 유용하다.

도시계획당국도 에이커당 필지수율을 이용하여 토지개발사업이 용도지구제를 준수하는지 판단한다. [예 13-4]의 용도지역제에서는 필지당 7,500 ft^2(= 696.77 m^2)이 개발가용지의 최대 허용밀도이다. 랜드코는 평균 8,712 ft^2(= 809.37 m^2)/호로 계획하고 있어서 문제는 없다. 반드시 용도지역제의 최대밀도까지 개발해야 하는 것은 아니다. 미국에서는 저밀의 한적하고, 혼잡이 없으며, 사생활보호에 유리한 개발을 시장에서 선호하기도 한다. 그런 단지에 소비자들이 기꺼이 더 높은 가격을 지불하는 것을 쉽게 볼 수 있다. 시장의 수요가 이러하다면 고밀개발은 오히려 주택의 최종 가격을 떨어뜨리고, 결과적으로 토지분양가격도 떨어뜨릴 수 있다.

[예 13-5]의 유사 사례를 통해 경쟁시장의 특징을 알 수 있다. A는 그레이손과 순개발밀도가 같지만,

예 13-5
그레이손 프로젝트의 경쟁분석 조사 결과

	그레이손	A	B	C
총 면적(에이커)	50	40	70	100
필지 수	180	160	210	420
밀도:				
개발가용지 비율	72%	80%	75%	80%
필지수율	3.6	4.0	3.0	4.2
필지면적의 범위	5~20,000	5~10,000	5~5,000	5~22,000
평균필지면적	8,712	8,712	10,890	8,300
교통순환체계 점유비율(%)	20%	20%	25%	20%
편의시설:				
수영장 · 탈의실	2	N/A	2	2
테니스 코트	8	N/A	10	12
실내 피트니스	N/A	N/A	1	2
클럽하우스	N/A	N/A	N/A	1
기타	개천	—	절벽	—
가격:				
단지형 주택	$19,000	N/A	$36,000	$19,000
표준형 주택	45,600	40,000	48,000	40,000
천변 · 절벽에 입지한 주택	47,500	N/A	60,000	N/A

	필지 수	가격	합계	비율(%)
단지형 주택	54	$19,000	$1,026,000	15.0
표준형 주택	90	45,600	4,104,000	60.0
천변 · 절벽에 입지한 주택	36	47,500	1,710,000	25.0
분양수입 합계(그레이손 사업)			$6,840,000	100.0%

건설기간:	6개월
인허가기간:	6개월
조달 가능한 금융조건:	토지취득가격 $2,400,000 중 $1,000,000, 조성비용의 100%(감정평가 및 타당성 분석 결과에 따라 변동). 대출금은 공사기성에 따라서 인출되고, 이자는 매월 지급한다.
대출금리:	대출금리 12%, 즉 '우대금리(prime rate) 10% + 가산금리 2%' 최초인출시점에 3%의 금융수수료 지급

편의시설이 부족하고 수변 필지가 없어서, 필지의 평균 분양가격이 싸다. B는 저밀도로 필지가 크고 교통체계가 잘 갖춰져서 모든 필지의 가격이 더 비싸다. C는 규모가 크고, 개발밀도가 더 높고, 편의시설도 더 많다. 이런 분석을 토대로 랜드코는 그레이손의 용지가격이 적절하다고 판단한다. 학교·판매시설·교회와의 접근성은 모두 같다고 가정한다.

토지개발에서는 시장 수요 추정과 최종상품의 가격 책정이 중요하다. 경쟁 사업이 비슷하면 최종상품의 가격이 비슷할 것이다. 각 사업의 속성(attribute)이 비슷하기 때문이다. 사업의 속성이 다르면 가격에 차이가 많기 때문에 가격책정에 위험이 크다. 이 경우, 각 사업별 속성의 상대적 매력도에 근거하여 가격을 책정해야 한다. 그레이손 분양용지의 시장가격은 $6,840,000으로 예상하고 있다.

개발비용과 건설이자비용의 추정

랜드코가 의뢰한 로버트 홀 앤 어소시에이츠(Robert Whole and Associates)는 토지개발사업의 비용을

[예 13-6]처럼 제시했다. 비용은 (A) 토지인수 및 개발비용(직접 및 간접공사비)과 (B) 운영비용으로 나뉜다.

토지인수 및 개발비용

토지개발사업에서 토지매입비는 비용의 일부분일 뿐이다. 토지개발사업가는 단지 조성, 일부 기반시설 설치 등의 직접비용(hard cost)과 사업부지 조사, 인허가, 이자, 대출 수수료 등의 간접비용(soft cost)을 추정해야 한다. 대주는 간접비용은 대출을 꺼리는 경향이 있다. 이는 12장에서 설명했다. 랜드코는 토지 취득과 개발에 필요한 비용을 빌릴 수 있지만, 사업 기간이 여러 해에 걸쳐 진행되기 때문에 이자가 상당할 것으로 예상된다.

예 13-6
그레이손 프로젝트의 사업비용 추정

A. 토지비용 및 개발비용		
토지취득비용		
50에이커 @ $48,000/에이커		$2,400,000
개발비용:		
직접비용:		
성절토/정지	$390,000	
포장공사	540,000	
우수공사	70,000	
오수공사	125,000	
상수도	125,000	
전기설비	120,000	
조경공사	90,000	
기타(도로표지 및 간판 등)	90,000	
편의시설(수영장, 탈의실, 테니스 코트)	390,000	
직접비용 합계		$1,940,000
간접비용:		
설계 · 감리비	$110,000	
직접관리비용(랜드코)	80,000	
인허가 제반비용	90,000	
기타 직접경비	80,000	
법률 · 회계 자문비용	100,000	
예비비	240,000	
건설이자	451,052	
건설자금 금융수수료(3%)	122,732	
간접비용 합계		$1,273,783
토지취득비용 · 직접비용 · 간접비용 합계		$5,613,783
B. 기타 개발비용:		
분양수수료 @ 5%(총분양수입 대비)	$342,000	
재산세	87,500	
일반관리비	210,000	
마케팅비용	100,000	
영업비용 합계		$ 739,500
총사업비		$6,353,283

영업비용

[예 13-6]에는 비용항목이 정리되어 있다. 랜드코는 미드 시티 저축조합(Mid City Savings Association)에서 대출받으려고 한다. 이 사업이 타당성이 있다고 판단한 미드 시티는 $1,000,000의 토지취득비용, 모든 직접비용, $700,000의 간접비용, 건설기간의 이자를 대출하기로 했다. 금리는 우대금리에 2%의 가산금리를 더하여 정했다. 이자율은 매월 말 대출잔액에 연리 12%가 사업기간 동안 유지된다. 토지분양수입이 들어오기 전까지 토지개발가에게는 현금흐름이 없지만, 미국에서는 건설기간의 이자까지 같이 대출해주는 것이 흔한 관행이다. 물론 사업의 경제성이 전체 비용, 즉 (토지취득비용 + 조성비용 + 이자비)를 감당 가능하다고 대주가 판단할 때의 경우이다.

인출금액과 분양수입의 추정

이자의 흐름은 조금 복잡하다. 사업단계에 맞게 순차적으로 대출된 잔액에 대해서만 이자가 계산된다. 각 유형의 용지는 분양수입이 다르고, 대출상환비율(필지를 분양해서 들어온 수입으로 대출원리금을 갚는 비율)은 분양 시기에 따라 다르며, 이자율이 통상 변동금리로 설정되어 있어서 금리변동에 노출된다는 것을 유념해야 한다. [예 13-7], [예 13-8], [예 13-9]는 사업기간의 이자를 보여준다.

[예 13-7A]는 **대출액**의 세부내역이다. [예 13-7B]는 랜드코에게 대출되는 일정표이다. [예 13-5]에서 단지형 택지의 필지는 30%이지만 소규모 필지들이기 때문에, 여기서 나오는 분양수입은 총 분양수입의 15%에 불과하다. 평균 조성비용도 낮은 필지들이다. 총 필지의 50% 정도인 표준형 필지에서 분양수입의 60%가 발생한다. 필지 수의 20%밖에 되지 않는 수변공간 인접 필지에서는 분양수입의 25%가 발생한다. 수변공간 인접 필지는 개별 면적이 훨씬 크고 개발비용이 더 많이 든다. 표준형과 수변공간 인접 필지를 더 늘리면 밀도는 낮아지고 수익성은 개선될 수 있지만, 필지가 큰 고급 주택에 대한 지역 내 시장수요가 충분하지 않을 가능성을 고려해야 한다. 토지개발가는 프로젝트의 가치를 극대화하는 필지와 가격의 조합을 잘 정해야 한다. 수변공간 인접 필지는 높은 가격을 받을 수 있지만, 개발 비용이 많

예 13-7A
대출금으로 조달이 가능한 사업비용의 추정

토지취득비용 조달		$1,000,000
직접비용 합계		1,940,000
간접비용 중 대출금액:		
설계 · 감리비	$110,000	
직접관리비용(랜드코)	80,000	
인허가 제반비용	90,000	
기타 직접비용	80,000	
법률 · 회계 자문비용	100,000	
예비비	240,000	
간접비용 중 대출금액 합계		700,000
직접비용 대출금액 합계		$3,640,000
건설이자([예 13-12]의 계산 참조)		448,109
대출총액(약정금액)		$4,088,109
자기자본 소요금액:		
총사업비		$6,353,283
− 대출총액		4,088,109
자기자본		$2,265,174

예 13-7B
개발비용 조달을 위한 월별 현금인출의 예상일정표

월차	인출금액	인출비율 (%)
최초인출*	$1,019,200	28%
1	655,200	18%
2	655,200	18%
3	655,200	18%
4	218,400	6%
5	218,400	6%
6	218,400	6%
총계	$3,640,000	100%

* 토지취득비용 중 $1,000,000 + 랜드코가 지불해야 하는 직접비용 중 $19,200 = $1,019,200 ($3,640,000의 28%)

예 13-7C 대출 실행 이후 추정 월분양률

월	단지형[1]	표준형[2]	천변형[3]	분양필지누계	분양수입누계	월분양수입	월분양수입비율
최초인출	0	0	0	0	$ 0	$ 0	0.000000%
1~3	0	0	0	0	0	0	0.000000
4~6	2	2	0	12	387,600	129,200	1.888889
7~12	4	3	1	60	1,949,400	260,300	3.805556
13~18	3	6	3	132	4,788,000	473,100	6.916667
19~24	1	5	2	180	6,840,000	$342,000	5.000000
합계	54	90	36	180	$6,840,000	—	100.000000%

* 필지당 가격: 1) $19,000 2) $45,600 3) $47,500

이 들 수 있다. 단지형의 소규모 필지로 고밀개발하는 곳은 비용은 적게 들지만, 가격을 좋게 받기 어려운 측면이 있다. 전체 개발밀도를 동일하게 하더라도, 최종제품의 혼합비율에 따라 사업의 타당성은 달라질 수 있다.

용지분양률과 상환비율

[예 13-7C]는 3개 범주의 필지 분양과 대출의 일정을 보여준다. 각 유형의 택지를 분양하여 창출되는 수입과 매월 분양되는 필지 수를 보여준다. 랜드코가 시장조사를 통해 추정한 분양가를 토대로 대주는 분양이 진행되는 동안 원리금을 언제 얼마를 상환받을 수 있는지 짐작할 수 있다. [예 13-8]은 월별 건설자금 대출금액과 월별 예상 분양수입 및 그 합계를 보여준다. 마지막 용지가 분양되면 대출금액의 상환이 완료될 수 있도록 사전에 잘 계획되어야 한다. 그래서 용지가 분양되고, 토지개발가가 대주에게 대출원금을 상환하면 대주는 토지에 설정한 담보권을 해지하여, 토지개발가로부터 토지를 매입한 또 다른 개발가나 건설업체가 해당 토지의 소유권을 확보하여 사업을 할 수 있도록 한다. 담보권을 해지하기 위해 토지개발가가 대주에게 지급하는 금액을 **담보해지가격**(release price)이라고 한다.

토지개발가가 사업 진행 기간에 받은 대출금액을 일일이 현재가치로 환산하여 모두 더한 값은 토지개발가가 미래에 갚아 나가는 원리금상환액을 현재가치로 환산하여 모두 더한 값과 같아야 한다. 그런데 [예 13-8]의 표에서 (맨 마지막 줄에 있는) 두 개의 현재가치는 다르다. 맨 끝의 현재가치는 분양수입의 현재가치이다. 이 가운데 일부를 원리금상환에 사용한다. 이 두 개 현재가치의 비율을 구하면 60.7%

($3,569,554/$5,880,209)이다. 마지막 용지가 분양될 때 대출원리금이 정확하게 상환되려면, 각 필지가 분양될 때마다 대주는 분양수입의 60.7%를 받아야 한다. 유형별 용지의 담보해지가격은 아래와 같다.

필지 유형	분양가격	대출상환비율	담보해지가격
단지형	$19,000	0.607045	$11,534
표준형	45,600	0.607045	27,681
천변형	47,500	0.607045	28,835

대주는 대출상환비율이 필지 분양 때마다 바뀌지 않고, 처음부터 끝까지 일관되게 적용되기를 원한다. 분양 막바지에 토지개발가가 분양을 촉진하려고 분양가격을 할인하면 대주가 난처할 수 있기 때문이다. 또한 대주와 협상하는 실제 담보해지가격은 위의 해지가격보다 높은 경우가 많다. 하지만 여기에

예 13-8
월별 건설자금 인출 금액 및 분양수입의 요약

	(a) 월차	(b) 건설자금 인출금액	(c) 분양수입(필지 판매)
	최초 인출	$1,019,200	0
	1	655,200	0
	2	655,200	0
	3	655,200	0
	4	218,400	$ 129,200
	5	218,400	129,200
	6	218,400	129,200
	7		260,300
	8		260,300
	9		260,300
	10		260,300
	11		260,300
	12		260,300
	13		473,100
	14		473,100
	15		473,100
	16		473,100
	17		473,100
	18		473,100
	19		342,000
	20		342,000
	21		342,000
	22		342,000
	23		342,000
	24		342,000
합계		$3,640,000	$6,840,000
현재가치(@ 12%)		$3,569,554	$5,880,209

서는 위의 분양가격과 담보해지비율을 따를 경우, 마지막 필지가 분양될 때, 대출이 완전히 상환되는지를 보자.

[예 13-9]에는 위의 담보해지가격에 근거한 대출상환일정이 나온다. 1월 차에서 3월 차까지 (b)열의 건설이자는 대출잔액에 월 이자율 1%(연 이자율 12%)를 적용하여 구한다. 사업기간의 이자까지 대주가 대출하는 구조이기 때문에 이자는 대출잔액에 더하여 누적된다. 대출잔액은 용지분양수입이 원리금을 상환할 수 있을 때가 되어야 비로소 감소한다(7월 차). 대출원금이 완전히 상환될 때까지 매월 이자는 전월 말 대출잔액에 기초하여 계속 지급된다.

[예 13-9]의 원금상환(d열)은 용지분양수입과 담보해지가격에 기초한다. 4월 차에는 두 개의 단지형 택지 필지가 각각 $11,534에 분양되고, 두 개의 표준형 택지 필지가 각각 $27,681에 분양되어, $78,430의 분양수입이 들어온다. 월말 대출잔액이 24개월 차에 정확하게 0이 된다.

예 13-9 대출상환일정: 필지 분양수입에 안분(按分)한 상환금액 가정

	대출 인출			부채서비스			
월차	(a) 인출금액	(b) 건설이자	(c) 인출합계	(d) 대출원금	(e) 건설이자	(f) 부채서비스	(g) 기말잔액
최초인출	$1,019,200	$ 0	$1,019,200	$ 0	$ 0	$ 0	$1,019,200
1	655,200	10,192	665,392	0	10,192	10,192	1,684,592
2	655,200	16,846	672,046	0	16,846	16,846	2,356,638
3	655,200	23,566	678,766	0	23,566	23,566	3,035,404
4	218,400	30,057	248,754	78,430	30,354	108,784	3,205,728
5	218,400	32,057	250,457	78,430	32,057	110,488	3,377,755
6	218,400	33,778	252,178	78,430	33,778	112,208	3,551,502
7	0	35,515	35,515	158,014	35,515	193,529	3,429,003
8	0	34,290	34,290	158,014	34,290	192,304	3,305,279
9	0	33,053	33,053	158,014	33,053	191,067	3,180,318
10	0	31,803	31,803	158,014	31,803	189,817	3,054,108
11	0	30,541	30,541	158,014	30,541	188,555	2,926,635
12	0	29,266	29,266	158,014	29,266	187,280	2,797,887
13	0	27,979	27,979	287,193	27,979	315,172	2,538,673
14	0	25,387	25,387	287,193	25,387	312,580	2,276,866
15	0	22,769	22,769	287,193	22,769	309,962	2,012,442
16	0	20,124	20,124	287,193	20,124	307,318	1,745,373
17	0	17,454	17,454	287,193	17,454	304,647	1,475,633
18	0	14,756	14,756	287,193	14,756	301,950	1,203,196
19	0	12,032	12,032	207,610	12,032	219,642	1,007,619
20	0	10,076	10,076	207,610	10,076	217,686	810,085
21	0	8,101	8,101	207,610	8,101	215,710	610,577
22	0	6,106	6,106	207,610	6,106	213,715	409,073
23	0	4,091	4,091	207,610	4,091	211,700	205,554
24	0	2,056	2,056	207,610	2,056	209,665	$ 0
합계	$3,640,000	$512,191	$4,152,191	$4,152,191	$512,191	$4,664,383	

담보해지일정 *Release Schedule*

위에서 살펴본 가정은 사실 현실과는 다르다. 인기 있는 필지는 빨리 분양되지만, 인기 없는 필지는 시간이 지나도 미분양인 채로 남는다. 대주들은 토지분양이 다 끝나기 훨씬 전에 대출금액이 상환되기를 요구한다. 미드 시티 저축조합은 착수단계의 자금 대부분을 최초 6개월 동안 대출하는 호의를 보였기 때문에, 그 호의를 인정하여 분양수입은 우선적으로 대출상환에 쓰이도록 토지개발가가 협조하기를 원한다. 물론 대주는 담보해지일정에 대해 토지개발가와 원만하게 합의를 도출하면, 토지분양에 따른 현금흐름이 유입될 때마다 개발사업자에게 합리적인 규모의 현금유입을 남겨줄 수 있다. 많은 경우, 총분양수입의 80~90%가 유입되면 대출상환이 완료되도록 상환비율과 담보해지일정을 정한다. 정확한 일정은 대주가 대출이 얼마나 빨리 상환되기를 원하는지, 토지개발가가 대출금으로 조달할 수 없는 비용을 지불하기 위해 필지별 분양대금에서 얼마나 많은 현금을 확보해야 하는지, 그리고 대출시장의 상황에 기초해서 협의하게 된다.

위에서는 분양대금이 100% 들어올 때, 대출상환도 100% 완료하는 것으로 가정하여 진행한 것이다. 만약 분양대금이 83.33% ($5,700,000) 들어오는 시점에서 대출상환이 100% 완료되도록 하고 싶다면, 대출금의 상환이 분양대금의 100%에서 83.33% 지점까지 16.67% (100% − 83.33%) 앞당겨지는 것이다. 담보해지금액이 20% (100/83.33 = 1.2) 상승하는 효과가 있게 된다. 즉, $1의 매출수입이 실현될 때마다 대출을 사업기간 전체에 걸쳐서 상환하는 경우보다 120% 큰 금액으로 개발사업자가 대출을 상환한다는 의미이다. 그에 따라 [예 13-10]에서 보듯이 21개월째(전체 사업기간인 24개월보다 3개월 빠른)에 모든 상환이 마무리된다.

분양필지당 담보해지가격의 추정

일반적으로 대주는 대출상환이 가능하면 빨리 되기를 원한다. 그에 따라 바로 위의 사례에서 분양수입이 100% 완료되는 시점에서 대출상환을 100% 하기 위해서 설정한 경우보다, 담보해지가격이 20%가 상향조정되어야 한다. 즉, 담보해지가격이 1.2배가 되어야 한다. 이렇게 산정한 1.2를 가속배수(acceleration factor)라고 한다. 대주와 개발사업자는 사업 시작 전에 각 필지별로 담보해지가격을 정한다. [예 13-11]은 3개 유형의 필지별 담보해지가격이 나와 있다.

예 13-10
건설자금의 대출기간 결정

				분양수입		
월차	단지형	표준형	천변형	분양수입누계($)	월분양수입($)	
4~6	6	6	0	387,600	129,200	
7~12	24	18	6	1,949,400	260,300	
13~18	18	36	18	4,788,000	473,100	
19	1	5	2	5,130,000	342,000	
20	1	5	2	5,472,000	342,000	
21	1	5	2	5,814,000	342,000	← 이 달 중에 상환완료

예 13-11
필지당 담보해지가격의 계산

용지유형	가속 이전 담보해지가격	가속배수	가속 이후 담보해지가격
단지형	$11,534	1.2	$13,840
표준형	27,681	1.2	33,217
천변형	28,835	1.2	34,602

대출신청 및 상환일정

[예 13-12]는 담보해지가격 상향 조정을 반영한 새로운 대출상환계획이다. 사업기간 동안 이자 총액 $448,109는 대출금에 포함된다. 이는 시각을 달리하면 미래 지불할 이자에 대한 충당금을 설정하는 것으로 이해할 수도 있다. 만약 분양이 여의치 못해서 원래 정한대로 상환이 되지 않는다면, 대출잔액이 급증하여 이자비용이 급증하면 이자비용 충당금 $448,109는 신속히 고갈된다. 대출잔액이 $4,088,109에 도달하면 대주는 추가대출을 하지 않는다. 이런 상황이 되면 토지개발가는 이자 지급을 위해 다른 재

예 13-12 가속한 대출상환일정: 랜드코 개발회사

	대출 인출			부채서비스			
월차	(a) 인출금액	(b) 건설이자	(c) 인출합계	(d) 대출원금	(e) 건설이자	(f) 부채서비스	(g) 기말잔액
0	$1,019,200	$ 0	$1,019,200	$ 0	$ 0	$ 0	$1,019,200
1	655,200	10,192	665,392	0	10,192	10,192	1,684,592
2	655,200	16,846	672,046	0	16,846	16,846	2,356,638
3	655,200	23,566	678,766	0	23,566	23,566	3,035,404
4	218,400	30,354	248,754	94,116	30,354	124,470	3,190,042
5	218,400	31,900	250,300	94,116	31,900	126,017	3,346,226
6	218,400	33,462	251,862	94,116	33,462	127,579	3,503,972
7	0	35,040	35,040	189,617	35,040	224,656	3,349,395
8	0	33,494	33,494	189,617	33,494	223,111	3,193,272
9	0	31,933	31,933	189,617	31,933	221,549	3,035,588
10	0	30,356	30,356	189,617	30,356	219,973	2,876,327
11	0	28,763	28,763	189,617	28,763	218,380	2,715,474
12	0	27,155	27,155	189,617	27,155	216,771	2,553,012
13	0	25,530	25,530	344,632	25,530	370,162	2,233,910
14	0	22,339	22,339	344,632	22,339	366,971	1,911,617
15	0	19,116	19,116	344,632	19,116	363,748	1,586,102
16	0	15,861	15,861	344,632	15,861	360,493	1,257,331
17	0	12,573	12,573	344,632	12,573	357,205	925,272
18	0	9,253	9,253	344,632	9,253	353,885	589,893
19	0	5,899	5,899	249,131	5,899	255,030	346,660
20	0	3,467	3,467	249,131	3,467	252,598	100,996
21	0	1,010	1,010	102,005	1,010	103,015	0
22	0	0	0	0	0	0	0
23	0	0	0	0	0	0	0
24	0	0	0	0	0	0	0
합계	$3,640,000	$448,109	$4,088,109	$4,088,109	$448,109	$4,536,218	

원을 찾아야 한다. $4,088,109는 이 사업이 완공된 뒤의 토지가치를 총 $6,840,000라고 할 때, 그 60%에 해당하는 값이다. 즉, 대주가 LTV (loan-to-value)를 60%로 관리하고자 한다는 것이다. (대부분 대주는 LTV를 70%를 넘기려고 하지 않는다.)

프로젝트의 타당성과 수익성

토지개발가의 관점에서 그레이슨 사업의 경제적 타당성은 개발 후 용지의 시장가치가 토지취득비용, 조성 및 개발비용, 이자 및 기타 비용(미드 시티가 제공하는 대출에 포함되어 있지 않은 비용항목)의 합계보다 많은가에 달려 있다. 총사업비가 나와 있는 [예 13-6]에는 랜드코가 자체 자금으로 해야 하는 토지취득비용 및 기타비용이 포함되어 있다. 이자는 대출총액 $4,088,109에 포함되어 있다. 이상의 작업을 통해서, 총사업비가 시간대별로 어떻게 투입되는지, 분양수입은 언제 얼마나 들어오는지, 대출상환은 어떻게 되는지를 한눈에 알 수 있다.

대주는 랜드코의 현금흐름과 재무상황, 그리고 사업의 타당성을 예측하고, 늘 점검해야 한다. [예 13-13]은 사업 기간에 걸쳐 랜드코의 모든 현금유입과 유출을 분기별로 요약한 것이다. 현금유입은 분양수입, 대출 인출금액과 토지개발가의 자기자본 투입(토지취득비와 각종 수수료)을 집계한 것이다. 현금유출은 직접개발비용([예 13-12]의 월별 대출일정에서 발췌), 일반관리비, 분양대행 수수료, 재산세는 분기 기준으로 추정하였다.

토지개발가는 처음 2개 분기에는 (−)의 순현금흐름을 갖는다. 그 합계는 $1,648,893이다. 이 금액은 토지개발가가 사업을 위해 투입해야 하는 자기자본 총계이다. 이렇게 사업을 진행해서, 21월 차에 대출상환을 완료하면 그 후에는 모든 분양수입은 토지개발가에게 들어간다. 대개의 경우, 토지개발가에게는 사업 후반부의 현금흐름을 자기 것으로 가져가게 된다.

그런데 사업을 성공시키기 위해서는 사업 시작부터 21개월까지, (미드 시티의 대출로 조달되지 않는) 각종 비용을 랜드코가 감당할 수 있는지는 핵심이다. 미드 시티가 대출하는 것은 토지비용의 일부, 직접비용, 건설이자에 국한되기 때문이다. 나머지는 토지개발가가 자체적으로 조달하거나, 다른 대출 창구를 확보해야 한다. 물론 미드시티의 대출금 이외의 자금은 자체 현금으로 조달하는 것이 가장 좋다.

[예 13-13]에 따르면 대출 첫 번째 분기까지 랜드코의 순현금흐름은 (−)이다. 두 번째 분기부터는 끝까지 (+)의 순현금흐름이다. 공사가 지연되거나, 실제 비용이 예상보다 많거나, 분양이 저조하다면 현금흐름은 극적으로 악화된다. 미드 시티가 더 빠른 대출상환을 요구한다면, 그래서 더 많은 분양수입이 미드 시티로 들어간다면, 랜드코에 귀속되는 현금흐름이 감소하고, 랜드코의 프로젝트 수행능력이 약화될 수 있다. 이 사업에 따른 현금흐름이 취약하다면 랜드코가 자체 재원으로 운전자본을 납입하여 위험을 나누기를 미드 시티는 원한다. 랜드코가 별도의 운전자본을 제공할 수 있는지를 분석하기 위해서 미드 시티는 랜드코의 손익계산서와 재무제표를 파악하고, 추가적인 담보나 또는 채무보증을 요구할 수 있다. 전체적으로 토지개발에서 대주는 사업 초기에 필요한 자금을 대주는 대가로 분양수입이 들어올 때마다 자신에게 최우선으로 상환되기를 희망하기 때문에, 토지개발가에게 귀속되는 수입은 사업후반부에 발생하는 구조이다. 토지개발가에 의한 사업이 잘 추진되면 사업의 부가가치가 더해지고, 그 부가가치는 대부분 사업 후반부로 이연된다.

예 13-13 개발사업자의 현금흐름

분기	최초 인출	(1)	(2)	(3)	(4)	(5)	(6)	(7)	(8)
현금유입:									
분양수입		$ 0	$ 387,600	$780,900	$780,900	$1,419,300	$ 1,419,300	$ 1,026,000	$1,026,000
건설자금 인출	$1,019,200	$1,965,600	655,200	0	0	0	0	0	0
건설이자 인출		50,604	95,717	100,466	86,274	66,985	37,687	10,375	0
현금유입 합계	$1,019,200	$2,016,204	$ 1,138,517	$881,366	$867,174	$1,486,285	$ 1,456,987	$ 1,036,375	$1,026,000
현금유출:									
토비취득비용	2,400,000								
이전비용	100,000								
금융수수료	122,643								
대출원금		$ 0	$ 282,349	$ 568,850	$568,850	$ 1,033,896	$ 1,033,896	$ 600,268	$ 0
직접비용 대출금액	19,200	1,965,600	655,200	0	0	0	0	0	0
건설이자 지급		50,604	95,717	100,466	86,274	66,985	37,687	10.375	0
일반관리비		26,250	26,250	26,250	26,250	26,250	26,250	26.250	26.250
재산세					43,750				43.750
분양비용		0	19,380	39,045	39,045	70,965	70,965	51,300	51,300
현금유출 합계	2,641,843	2,042,454	1,078,896	734,612	764,169	1,198,096	1,168,798	688.194	121.300
순현금흐름	$(1,622,643)	$ (26,250)	$ 59,621	$ 146,755	$103,005	$ 288,189	$ 288,189	$ 348,182	$ 904,700

개발사업자의 세전 자기자본수익률(*BTIRR*) = 16.64%(분기별 현금흐름으로 산출한 자기자본수익률에 4를 곱한 값)

세전 순현재가치(BTNPV) @ 15.00% = $40,056

사업의 내부수익률과 순현재가치

지금까지 그레이손 프로젝트의 경제적 타당성을 추정한 결과, 모든 용지가 분양된다면 프로젝트의 시장가치는 $6,840,000, 비용은 $6,353,283로 추정되었지만, 수입과 비용이 발생하는 시점이 일치하지 않기 때문에 **화폐의 시간가치**를 고려해야 한다. 화폐의 시간가치를 고려하기 위해서 12%의 이자율에 3%의 위험보상(risk premium)을 더한 15%를 **최소** 세전수익률로 설정하였다. 할인율을 분기별 순현금흐름에 적용하면 $40,056의 순현재가치를 얻는다. 사업이 경제적으로 타당하다는 것을 뜻한다. 랜드코는 토지취득에 $2,400,000를 지불할 수 있을 뿐 아니라, 적지 않은 순현재가치를 남길 수 있다. 내부수익률은 16.64%로서, 랜드코의 요구수익률 15%를 초과한다.

기업 이익 *Entrepreneurial Profit*

이런 추정치를 산출할 때, 개발관련 모든 비용을 다 포함해야 한다. 랜드코의 직원과 임원이 관련해서 투입한 비용, 즉 간접관리비용까지 다 포함해야 한다. [예 13-6]에서 일반 및 행정비용(general and administrative costs)이 그 보기이다. **기업이익**(entrepreneurial profit)에 대한 분석에서는 그레이손 부지의 사업에 투입되는 랜드코의 자기자본($2,265,174)에 대한 수익성이 세전수익률 기준으로 이 사업에 적용한 최소요구수익률인 15%를 충족시키는지를 분석한다. 랜드코가 이 사업에 자기자본을 할당하는 것을 정당화하기 위한 최소 수익률이기 때문이다. 그런데 많은 실무 전문가들이 이 기업이윤을 별도로 비용에 넣고, 그 상태에서 15%로 할인하여 순현재가치나 내부수익률을 계산한다. 이는 명백한 오류임을 깨달아야 한다. 이 사업의 수익성을 계산할 때 랜드코가 투입하는 모든 비용을 다 넣었기 때문이다. 그렇기 때문에 기업이윤을 별도의 비용으로 책정하는 것은 이중계산이 된다. 이 책에서 제시하는 분석의 결과인 16.64%의 수익률은 그 안에 기업이익, 즉 랜드코의 자기자본에 대한 이익(랜드코의 기업가적 능력에 대한 보상)이 이미 반영된 것임을 이해해야 한다. 토지개발금융에서 별도의 기업이익 항목을 상정하여 계산할 필요가 없다.

민감도분석 *Sensitivity Analysis*

그레이손 부지의 토지개발사업이 최소요구수익률 15%라는 조건에서 (+)의 순현재가치를 보여주기 때문에 $2,400,000의 토지가격은 정당화된다. 최소요구수익률 15%에서 (+)의 순현재가치를 보인다는 것은 랜드코가 토지매입에 좀 더 많은 비용을 지불해도 된다는 뜻이다. 그럼에도 랜드코는 사업 이전에 민감도분석을 해서 미래에 있을 수 있는 위험들(저조한 분양, 개발지연, 예상보다 더 많은 사업비용, 금리변동)에 대비해야 한다. 앞 장에서 설명한 민감도분석은 프로젝트 개발뿐 아니라 토지개발에도 적용할 수 있다.

결론

본 장은 **토지개발사업**을 다루었다. 토지개발사업은 토지를 취득하여 토지를 평탄하게 다듬고 일부 기반시설을 조성하여, 토지를 건설업체나 다른 개발가에게 분양하는 일련의 과정이다. 이 장의 설명은 여러 측면에서 12장의 연장선상에 있다. 12장과 13장을 통해 독자는 사업 과정과 자금조달 및 관리를 위한 이해가 함양되었을 것이다.

주요용어

공사비대출유보	담보해지일정	완공보증서
기업이익	연장계약	토지개발
담보해지가격	옵션계약	토지인수 및 개발비용

질문

1. 토지개발 활동은 어떻게 전문화 될 수 있을까? 이 활동이 앞 장에서 논의된 프로젝트 개발과 다른 이유는 무엇인가?
2. 옵션계약이란 무엇인가? 토지 취득에 어떻게 사용되는가? 그러한 옵션을 사용할 때, 개발자가 고려해야 할 것들은 무엇인가? 토지 옵션에는 어떤 우발 상황이 포함될 수 있을까?
3. 토지를 매입할 때, 개발자가 고려해야 할 물리적 사항은 무엇인가? 토지가를 지불해야 하는 결정을 할 때, 참작해야 할 사항을 어떻게 고려해야 하는가?
4. 토지개발 프로젝트에서, 대출기관은 왜 매출을 초과하는 대출상환율을 주장할까? **담보해지가격**이란 무엇인가?
5. 개발자와 대출기관의 관점에서 토지개발 프로젝트의 독특한 위험은 무엇인가?

문제

1. Concept Box 17.1을 참조하기 바란다. **수정된** 시장조사는 아래 사항들을 지적하는데: 아마도 표준 인테리어 필지들의 가격은 각각 $103,000이 될 것 같고, 고급 인테리어 필지들은 $118,000 그리고 코너 필지들은 $125,000이 될 것 같다. 필지당 평균 개발비용은 수정되어 $71,000에 이르고, 행정비용 등은 여전히 분양수입 합계의 12.5%를 유지한다.
   a. **총사업비순이익률**이 계속해서 동일하게 18%로 유지될 수 있는가?
   b. 개발사업자는 총사업비순이익률로 21%를 원한다고 가정해 보자. 토지에 얼마나 많은 금액을 지불할 수 있는가?

2. 트리탑 연합그룹(Treetop Associated Group, TAG)은 147개 필지 규모의 토지인수 및 개발을 위해서 금융을 물색하고 있다. 토지가격은 $1,500,000가 될 것이고, TAG는 추가로 직접개발비용 $2,700,000를 추산하고 있다. 시티연방은행(City Federal Bank)은 토지취득가격의 40%, 직접개발비용의 100%, 이자율 11%의 건설기간이자 및 대출취급 수수료 3%에 대해서 금융을 제공할 것이다.

   TAG는 택지유형을 **두 가지**, 즉 표준형과 고급형으로 나누기로 결정하였는데, 표준형 택지는 전체 147필지 중 87필지를 구성하고 있다. 또한 TAG는 고급형 택지가 표준형 택지의 분양가격, $36,000보다 $2,000 더 비싼 가격을 형성할 것이라고 생각하고 있다. 프로젝트의 분양수입 합계는 $5,412,000이다. 토지가격의 60%와 이전비용 $50,000를 지불한 이후에, TAG는 나머지 개발비용을 최초 3개월 동안은 매월 $600,000씩 인출하고 그 다음 3개월 동안은 매월 $300,000씩 인출할 것이라고 생각한다. 용지분양은 최초인출 후 4월 차 중에 시작할 것으로 예상된다. TAG는 1년 차의 남은 기간 동안에는 매월 3개의 표준형 택지와 4개의 고급형 택지를 분양하고, 2년 차에는 매월 5개의 표준형 택지와 2개의 고급형 택지를 분양할 것으로 추정하고 있다.

   TAG와 은행은 분양수입의 수령보다 20% 빠른 비율로 대출상환을 요청하는 상환일정에 동의하였다. 즉 대출원금과 건설기간이자는 모든 수입의 약 83.33%가 실현되었을 때 전부 상환될 것이다. 고려해야 하는 기타 비용은 분양비용(각 분기 동안 분양한 택지의 5% 비율로 분기마다 지급), 분기당 $7,500의 일반관리비용, 그리고 매년 말 $19,000의 재산세가 해당된다.
   a. 각 택지유형별로 담보해지가격은 어떻게 될까?
   b. 건설기간이자를 포함해서, TAG에게 제공할 대출총액을 추정하라.
   c. (b)와 대출인출패턴에 기초하여 대출상환일정을 작성하되, 언제 TAG가 대출을 완전히 상환하게 될는지를 보여라. 토지개발대출에 대한 현금지급 합계는 얼마가 되겠는가?
   d. 총사업비는 얼마가 되는가? 총사업비 대비 몇 퍼센트가 대출로 지원되는가?
   e. 만약 TAG의 세전 요구수익률이 15%라면, 이 사업의 순현재가치와 사업수익률은 얼마인가? (힌트: 사업 전 기간에 걸쳐서 분기 단위로 현금흐름표를 작성하라.)

3. 리 개발회사(Lee Development Co.)는 사업부지 한 곳을 찾아낸 바, 동 부지는 75개의 택지를 산출할 것으로 리社는 믿고 있다. 또한 동사는 토지를 $225,000에 매입할 수 있으며, 추가로 직접개발비용이 $775,000에 달할 것으로 생각하고 있다. 텍사스 최종국립은행(The Last National Bank of Texas)은 조성비용의 100%와 건설기간이자에 대해서 대출을 실행할 것이다. 대출은

취급수수료 3%와 금리 13%의 조건으로 실행될 것이다. 리社는 사업용지들을 두 유형, 즉 표준형과 고급형으로 구성하면 분양이 신속하게 마무리될 것으로 믿는데, 표준형 택지는 전체 75개 택지 중에서 57개를 차지하고 있다.

리社의 마케팅 직원은 고급형 택지들은 $24,000에 분양할 수 있는 반면, 표준형 택지들은 $13,500밖에 벌어들이지 못할 것이라고 생각한다. 리社는 직접비용 인출은 1월 차에서 4월 차까지 4개월 동안 네 번의 동일한 금액으로 인출될 것으로 추정한다. 기타 초기비용은 토지이전비용 $10,000와 3%의 대출취급수수료가 해당되며, 동 비용항목들은 대출금으로 지원되지 않는다. 리社의 분양부서 책임자는 4월 차에서부터 분양활동을 개시하여 최초 3개월 동안은 매월 5개의 표준형 용지와 4개의 고급형 용지를 분양하는 결과를 가져올 수 있다고 마케팅 직원에게 장담하고 있다. 그 다음 6개월 동안은 매월 7개의 표준형 용지와 1개의 고급형 필지를 분양하게 된다. 최종국립은행은 사업에서 자신의 대출금을 조기에 회수하고 싶어 하는데, 유입이 예상되는 분양수입보다 25% 빠른 대출상환 결과를 가져오도록 설정한 담보해지가격에 리社가 동의해 주기를 원한다. 고려해야 하는 기타 비용은 분양비용(각 분기 동안 분양한 택지의 5% 비율로 분기마다 지급), 분기당 $11,000의 일반관리비용, 그리고 $7,000의 재산세가 해당된다. 이 비용들 중 어떤 항목도 대출 지원대상이 되지 못한다.

a. 리社를 위한 월별분양일정을 전개하라. 리社의 분양수입 합계는 얼마인가? 리社가 대출을 완전히 상환하는 데에는 몇 개월이 걸리는가?

b. 대출총액으로 지원되는 건설기간이자 총액은 얼마인가? 각 유형의 택지마다 담보해지가격은 얼마씩 부과되는가? 대출상환일정을 계산하라. 리社가 최종국립은행에 지불하는 현금지급 합계는 얼마인가?

c. 리社에 요구되는 자기자본 총액은 얼마나 될까? 만약 리社의 자기자본에 대한 요구수익률이 18%라고 하면, 리社는 이 사업을 수행해야 할까? (**힌트**: 사업 전기간에 걸쳐서 분기 단위로 현금흐름분석을 수행하라.) 사업수익률은 얼마나 되는가?

4. Excel. 위의 문제 3을 참조하라. 웹사이트에서 제공하는 엑셀 워크북 안에 "Ch17 Land Dev"를 참조하기 바란다. 문제 3을 풀기 위해서 파일에 있는 가정들을 바꿔라. 그리고 난 후, 아래의 질문들에 답하라.

a. 다음의 가속상환비율에 따라서, 대출상환금을 요청하는 상환일정에 기초해서 담보해지가격을 결정하라. 분양수입수령에 대비하여 각각 0%, 10% 및 30% 빠르게 상환할 때. (**주의**: 위의 당초 문제에서는 25% 빠르게 상환하는 것으로 가정하였다.)

b. 0% 가속할 경우(즉 가속하지 않을 경우) 대출은 마지막 택지가 분양될 때 정확하게 상환이 완료된다는 것을 증명하도록 대출상환일정을 전개하라.

c. 위 (a) 문항에서 각각의 비율에 대하여 대주의 내부수익률(대출의 실질비용)을 계산하라.

CHAPTER 14

2차 저당시장: 원리금자동이체증권

The Secondary Mortgage Market: Pass-Through Securities

서론

본 장에서는 2차 저당시장의 성장에 대해 간단히 설명을 하며 시작해보겠다. 2차 저당시장의 필요성과 그 시장에 참여하고 있는 주요 조직들에 중점을 두어 다룰 것이며, 최근 다양해진 형태의 주택담보증권과 더불어 투자성격분석체계를 알아볼 것이다. 담보대출 관련 증권은 여러 가지 형태의 담보대출을 근거로 할 수 있지만, 본 장의 범위를 주택담보대출에 국한하기로 한다. 마지막으로, 두 가지 형태의 주택담보증권에 대한 가격결정 및 이러한 증권형태를 차별화시켜주는 중요한 요소에 대한 평가를 제시할 것이다. 다음 장도 이어서 같은 부분을 다룰 것인데, 다계층 증권(collateralized mortgage obligations, CMOs)과 파생상품에 대해 상세하게 분석하고 상업용 부동산 담보부 증권(commercial mortgage-backed securities)의 소개로 이어질 것이다.

주택담보대출 시장의 형성

현재의 **2차 저당시장**은 다음과 같은 요소들의 영향으로 인해 생성되었다고 보아도 무리가 없을 것이다.

1. 담보대출은행(mortgage bank) 등 주택담보 최초대출전문기관들은 대출자산을 매각하여 새로운 대출을 실행할 수 있도록 자금을 재조달할 수 있는 시장이 필요하였다.
2. 또한 지역 간에 자금의 흐름을 조정할 수 있는 시장체계가 필요하였다. 이러한 시장을 통해, 주택금융 수요가 역내 예금수신을 초과하는 지역에 소재한 대출금융기관은, 잉여 저축이 존재하는 지역에 소재하는 기관들에게 여신자산을 매각할 수 있다.
3. 1960년대 말부터 수신금융기관에 대한 규제완화로 인해 증권화가 혁신적으로 발전하였는데, 이러한 추세로 인해 저축자들은 저축구좌나 양도성예금증서 등 전통적인 저축수단에만 의존하지 않게 되었다. 더구나 개인 퇴직금 적립 계정에 세제혜택을 주는 입법조치와 미국의 고령인구 증가로 인해 연금계좌의 자금흐름이 증가되면서 투자가능 자금이 매우 큰 규모가 되었다. 따라서 주택담보대출기관들

은 유가증권을 인수하여 일반투자 및 기관 투자자에게 판매하는 증권회사들의 도움으로, 투자자금을 흡수하여 신규대출을 행하는 도전적인 과업을 수행하게 되었다. 이 도전적인 과업은 또한 투자자에게 바람직한 대출을 중심으로 하는 새로운 금융 상품의 설계에 혁신을 불러일으켰다. 이러한 상품은 이제 채권형 투자에서 주식형 투자에 이르기까지 다양하다. 이러한 혁신과 동시에 본능적 투자자뿐만 아니라 일반 대중에게 공개된 투자 펀드는 모기지 및 주택담보증권을 판매할 수 있는 시장을 제공하여 새로운 대출을 협상할 수 있는 자금의 흐름을 보충하기 위해 만들어졌다. 연방정부 측에서도 주택보유를 늘이기 위해 강력한 주택금융에 대한 지원을 하려는 의지가 오랫동안 있어 왔다.

초기의 담보대출 매수자층

과거부터도 항상 담보대출의 유통시장은 어떤 형태로든지 존재해 왔다. 1950년대 이전에는, 최초의 주택대출기관들 중에서 대출 유통시장에 참여한 계층은 주택자금 대출회사(mortgage companies) 및 저축기관(thrift institutions)이었다. 잉여자금이 있는 대형 생명보험사 및 동부지역의 저축기관을 비롯한 투자자들은 대출가능 자금에 비해 주택금융수요가 높은 지역에서의 주택자금 대출회사 혹은 지역에 소재하는 저축기관으로부터 담보대출을 매입하였다. 매입자들은 대출자산을 매입함으로써, 전쟁 후의 주택 구입 호황기에 필요한 재원을 마련하는 데에 기여하였다.

초기 유통시장이 발달한 주요인은 FHA (Federal Housing Administration: 연방주택국) 및 VA (Veterans Administration: 재향군인회) 등의 기관을 통해 보증보험 및 지급보증 프로그램을 제공하여, 투자자들을 대손위험으로부터 보호하여 주었다는 점이다. 이러한 프로그램의 성과로서, 차입자 자격을 심사하기 위한 최저 대출기준, 감정평가, 담보 건물의 규격 등에 대한 시스템이 갖추어졌다. 주택자금 대출회사들은 FHA와 VA가 요구하는 표준화된 업무처리절차를 준수하였고, 이에 따라 대규모의 신규대출을 위한 공간을 제공하며 서비스 활동을 촉진시켰다. (1) 보증보험과 지급보증이 유효하고, (2) 대출보증, 업무처리, 서비스 관련 체계가 표준화되었고, (3) 손해보험과 권원보험이 존재하였으므로, 담보대출에 대한 투자자들은 대규모 자산을 획득하여 채무불이행 위험 부담이 거의 없이 원리금을 상환받게 되었다. 채무불이행 및 연체 등 업무처리 문제는 수수료 지급조건하에 자산관리자가 수행하여 해결되었으므로, 담보대출에 대한 투자는 유가증권(債券) 투자와 유사한 것이 되었다. 담보대출을 기관투자자에게 매각하여 조달된 자금으로, 최초대출자(주로 주택자금 대출회사)는 신규대출을 할 수 있는 자금을 공급받게 되었다.

유통시장

1954년에는 의회가 **FNMA (Federal National Mortgage Association: 미 연방담보대출공사)**의 정관을 변경하여, 3가지의 독립적이고 분명한 기능을 부여하였다. (1) 연방정부 차원에서 보증보험 및 지급보증이 제공된 담보대출에 대한 유통시장 운영개선 및 발전, (2) 기 대출된 자산을 관리하며, 필요한 경우 부동산 및 채무불이행이 된 담보대출 처분, (3) 보조금을 지급받는 주택담보대출 프로그램을 포함한 특별 지원 프로그램 관리. 각각의 기능들은 독립된 기업이 운영하는 것처럼 수행되었다.

이 기간 이전부터 FHA, VA보험 및 보증 대출의 금리는 정부기구가 규제하였으며, 의회는 FHA-VA 금리를 자유화하지 않고 주택구입자에 한해 낮은 수준에 제공하였다. FNMA의 역할은 금리상승 국면

에서는 담보대출 매입을 위해 채권을 발행한 후 대출금융기관의 담보대출을 매입하여, 이들에게 자본을 지원한다. 매입한 담보대출자산은 금리가 하락한 이후에 매각되어 차익을 얻으면서, 차입금상환재원이 마련되게 된다. 따라서 FNMA는 필요시에 주택금융시장에 유동성을 공급하기 위한 기구로서, 자체 발행채권 투자자와 담보대출 매각자 간의 중개 위치에서 금리위험을 부담한다. 물론 FNMA는 금리변동 주기가 여러 번 반복되어 가면서, 평균적으로 대출자산의 금리와 채권발행금리 간의 금리 스프레드(spread)를 만들어내며, 주택금융계에 유동성을 부여할 것으로 기대되었다.[1]

FNMA 역할의 변화

시장실세금리가 점차 상승한 반면, FHA-VA 대출금리는 고착됨에 따른 금리 스프레드로 인해, FNMA를 유지하는 데 문제가 심각해졌다. 이러한 영향으로 의회는 즉각적으로 FNMA의 역할을 재검토하였고, Charter Act of 1954 (1954 선언 법안)가 입법되었다. 그러나 동 법의 내용 중에는 유통시장에 대한 정부의 참여가 점차적으로 민간기구에 의해 대체되어야 한다는 조항이 추가되어있었으며, FNMA도 장기적으로 민간조직으로 변경되어야 하는 절차가 명시되어 있었다. 신규 조직을 설립하기보다는 FNMA를 민간조직으로 변환시킴으로써, 변환 기간 중에도 FNMA의 유통시장 경험이 활용될 수 있고 궁극적으로는 전체 기능을 민간에게 맡길 수 있었다.

FNMA가 운영될 수 있는 재정기반을 제공하기 위해, Charter of Act는 무의결권 우선주와 보통주의 발행을 인가하였고, 우선주는 재무성이 인수하였다. 보통주는 FNMA에 담보대출을 매각하는 기관들에게 거래조건으로 인수시켜 자본이 조달되었고, 지분이 분산되게 되었다. 추가적인 자금조달은 채권 발행에 의해 이루어진다. 해당 법안에서는 필요시 재무성이 $2,250,000,000까지의 FNMA 발행채권을 취득할 수 있도록 지원하였다. 이러한 인수 지원은 FNMA의 수익성 및 발행채권 소화 능력이 의문시되는 경우에도, 채권투자자들에게 동 채권의 가격 및 유동성에 대한 확신을 제공하기 위한 것이다. 또한, FNMA에게 자본시장에서 차입에 대한 추가적인 지원책을 부여하였으므로, 인수 보장이 없을 때보다 채권발행 금리 면에서 유리한 위치가 확보되었다.

2008년 서브프라임 위기로 FNMA 재정에 심각한 타격을 입게 됨에 따라, FHFA (Federal Housing Finance Agency: 미 연방주택기업감독청)가 FNMA의 관리 및 운영 등에 책임을 맡게 되었고 (FHLMC: 미 연방주택대출저당공사도 정부기관 산하에 들어가게 되었음) 추가적으로 미국 재무성은 FNMA의 주택 및 담보대출 시장에 유동성을 보장하고자 $100,000,000,000의 금융지원을 실시하였다. 지속적인 경제의 불확실성 속에서 FNMA의 미래는 불투명해지고 있다. 유동성의 보장과 그 규모 때문에 FNMA는 "너무 커서 실패할 수 없을" 정도로 미국의 대형 상업은행과 거의 같은 방식으로 여겨져 왔다. FNMA의 실패는 시장과 미국 경제를 가진 미국에 치명적인 영향을 미칠 수 있다.

Government National Mortgage Association (GNMA, 미 정부국가저당공사)

GNMA (Government National Mortgage Corporation: 미 정부국가저당공사)는 다음의 세 가지 주기능을 수행하기 위하여 설립되었다. (1) FNMA가 취득했던 대출자산의 관리 및 청산: 청산은 대출자

[1] 분명히 FNMA의 전략에서의 위험은 금리상승국면에서 조달금융비용이 보유 대출자산의 금융수익을 초과할 위험이다. 이는 여러 번의 금리변동 주기에 걸쳐 자산매입대금이 자산매각대금을 초과하는 형태로 나타나게 될 것이다.

산의 회수 및 매각을 통해 이루어졌다. (2) 정부의 대출지원을 통한 특별 주택 프로그램: GNMA(또는 "Ginnie Mae")는 FHA의 다양한 주택 프로그램에서 나온 담보대출보증 권한을 부여받아 일반적인 대출이 지원되지 못하는 지역에 주택을 제공한다. (3) FHA-VA 담보대출모기지 풀에 대한 보증 조항은 주택담보증권(MBS)에 적기 원리금상환보증을 제공하는 것이다. 후자의 기능은 오늘날 저당시장의 발전을 지원하는 중요한 기능이 될 것이다.

주택담보증권 *MBS* 과 GNMA의 지급보증

GNMA지급보증 프로그램은 현재의 담보대출 유통시장에 있어서 가장 중요한 사건이었다고 할 수 있다. 근본적으로 GNMA의 기능은 FHA, FmHA (Farmers Home Administration: 미 농업주택청) 및 VA보증부 대출의 공동출자(pool)에 의해 담보되는 유가증권의 원리금의 적기 지급을 보증하는 것이다. GNMA 이전의 담보대출 유통시장의 문제 중의 하나로서, 투자자들이 FHA에 편입된 대출을 매입하여 매월마다 원금과 이자를 수령하지만 (자산관리수수료 공제 후) 투자자들은 차주의 채무불이행이 발생할 경우 매월의 수령금액이 지연되는 경우를 많이 경험하였다. 이러한 경우 자산관리자가 원금 및 연체금을 FHA 및 VA에 지급 청구하는데 그 정산과정이 시간 소모가 크며, 투자자 측에서도 추가적인 관리업무가 요구되었다.

담보대출에 투자하는 많은 투자자들이 이러한 대기 기간으로 인한 현금흐름의 불확실성 및 수익률의 감소를 반기지 않았다. GNMA는 이러한 투자자들에게 원리금을 적기에 지급할 것을 보증함으로써, 실질적으로 대출분할상환 수입에 근거한 매월의 원리금 지급 자체를 보증하고 있는 것이다. 보증의 내용은 차주가 조기상환하거나 파산하는 경우의 원금조기상환액도 포함한다. GNMA는 투자자에게 적기에 대신 지급한 후 자산관리자와 사후 정산하게 된다. 이는 투자자들이 원금 회수로 인한 업무 부담과 지체 가능성으로 인한 우려감으로부터 벗어나게 해준다. 이러한 보증의 대가로 투자자는 보증료를 납부하며, GNMA는 이를 운영 재원으로 사용하고 있다.

GNMA보증의 결과 담보대출의 유통시장은 폭발적인 확장을 이룩하게 되었으며, FHA-VA대출기관들이 담보대출을 공동출자하여 증권(원리금자동이체증권)을 발행하게 되었다. 원리금자동이체증권은 공동출자 내의 담보대출에 의해 담보되며, 투자자들이 공동출자 내의 담보대출에 대해 배분되지 않은 지분을 보유하며, 입금된 금액은 입금되는 그대로 투자자들에게 직접이전된다. 이러한 증권은 증권회사에 의해 인수되어 투자자에게 판매되는데, 이들은 증권화 혁명이 이루어지기 전에는 접근이 불가했던 투자자층이다. 자산보유자들은 원리금자동이체증권 발행에 의해 조달된 금액을 신규대출 재원으로 사용할 것이다.

FHA보험 혹은 VA보증으로 인해 채무불이행의 위험이 최소화되어 투자자들은 원리금자동이체증권에 대해 매력을 느끼게 되었다. 투자자들은 거의 무위험이나 국채에 준하는 투자상품으로 인식하였고, GNMA가 원리금의 적기 입금을 추가적으로 보증함에 따라 증권은 더욱 채권의 성격을 갖게 된 것이다(원금의 조기상환이 언제든지 일어날 수 있지만). 조기상환은 차주가 파산하거나 다른 차입 또는 자기자금으로 상환할 경우에 일어난다.[2]

---

2 조기상환은 담보부동산이 매각되면서 매입자가 대출을 승계하지 않거나, 화재 등의 재해 발생에 의한 보험금이 재건축에 사용되지 않고 대출상환에 사용되는 경우에 발생한다.

Federal Home Loan Mortgage Corporation (FHLMC, 미 연방주택대출저당공사)

70년대 초반에 들어서며 주택담보증권시장은 FHA 보증과 VA 주택담보대출의 공동출자로 FNMA와 GNMA 체제하에서 호조의 성장을 보였다. 그러나 저축기관으로부터 받은 **일반적인** 대출을 재판매할 수 있는 유통시장은 존재하지 않았는데, FHA-VA 담보대출은 전체의 21%만 차지하였고 일반적인 대출은 나머지인 79%를 차지하였다. 저축기관들이 일반적인 대출의 58%를 점유했고, 담보대출회사들은 FHA-VA 대출의 80%를 점유했다. 따라서 저축기관과 같은 최초의 대출자들에게 자금의 유입을 지속시켜 주려면 일반적인 대출을 증권화하는 방식을 찾아내야만 하는 상황이었다.

또한 1960년대 중후반대에는 간헐적으로 금리격변동이 발생하여, 저축기관들도 유동성 문제에 봉착한 상황이었다.[3] 일반부동산담보 대출시장에 자금유입이 감소됨에 따라, 의회는 1970년 Emergency Home Finance Title III(긴급주택금융3법)에 근거하여 **FHLMC (Federal Home Loan Mortgage Corporation, 미 연방주택대출저당공사** 또는 Freddie Mac이라 통칭)을 설립하게 되었다. FHLMC의 주목적은 유통시장을 만들어 주는 것으로서, FNMA와 GNMA가 FHA-VA 담보대출에 그랬듯이 일반 주택 대출업자들에게 유동성을 공급하는 것이다.

초기에는 FHLMC에게 1순위의 고정금리부 전통적 주택대출자산의 매입 및 지분참여에 대한 매입 또는 매입확약을 하도록 인가하였다. 또한 동법에 의해 FNMA에 대해서도 전통적인 대출 매입이 허용되고, FHLMC도 FHA-VA 대출자산의 취급이 승인되었다. 이러한 조항의 핵심은 양 기관이 모든 주택대출에 대해서 **경쟁**하도록 한 것이다. 그러나 FHLMC의 사업영역은 과거부터 전통적 대출 위주였으므로 앞으로도 주력부문으로 계속될 것이며, FNMA도 FHA-VA 주력이 지속될 것이다(이미 FNMA의 전통적 대출 매입액이 FHA-VA 대출 매입액을 초과했지만).

2008년 서브프라임 사태 이후 Freddie Mac에 대한 재정 어려움이 가속화됨에 따라 연방정부가 FNMA에 했던 것처럼 Freddie Mac을 직접 운영하게 되었다. 또한 2008년 FHFA는 Freddie Mac의 관리위원 역할을 맡게 되었다. FHLMC는 일반적으로 FNMA가 미국 재무부와 체결한 것과 매우 유사한 주식 구매 계약을 함으로써 불확실한 경제 시기에 유동성을 제공한다. 또한, 금융위기가 가속화됨에 따라, Freddie Mac의 미래 또한 불투명해지고 있다.

2차 저당시장의 운영

2차 저당시장(담보대출 유통시장)의 기능을 이해하기 위해서는, 이 시장의 기능이 최초대출자의 대출재원을 회복시키는 것이라는 점을 기억하자. 이 기능은 최초대출기관으로 하여금 금리상승기나 하락기에나 새로운 주택대출이 실행될 수 있도록 해준다. 최초대출기관은 이를 달성하기 위해서 대출자산을 FNMA, FHLMC 또는 다른 민간기관에 직접 매각하거나, 아니면 자산 모기지 풀을 구성해서 증권발행한다(그렇게 함으로써 담보대출에 직접 투자하지 않았을 투자자층으로부터 자금을 유치하였다). 따라서

[3] 금리자유화 이전에는 소액저축자가 저축기관이나 은행에 예금하면, 수신을 받은 기관은 다시 담보대출을 실행하여 대출자산을 보유하였다. 그러나 규제금리 시대에 저축자들은 저축을 인출하여 금융자산(증권)에 직접 투자하기 시작하였다. 이러한 변화는 개인들에 대한 퇴직구좌 개설을 허용(저축기관이 아닌)함과 맞물려 저축기관(수신으로 조달할 수 없게 된 상태의)들로 하여금 자금유치 경쟁을 해야 하는 입장으로 내몰았다.

현재의 주택금융시장의 최초대출자들의 주목적은 사업자금을 조달하는 기업처럼 더 넓은 투자자층을 접촉하여 자금원을 충족시키는 것이다.

직접 매각 프로그램

앞서 언급했듯이, 1950년대 중반 이전의 유통시장이란 FHA-VA 대출을 실행한 담보대출회사와 저축기관들이 대출자산을 생명보험사와 동부의 대형 저축기관에 매각하는 형태였다. 매입자들은 매입자금을 보험자산 및 수신으로 조달했는데, 이러한 시장은 1950년대 중반 FNMA가 최대의 FHA-VA 매입세력으로 대두함에 따라 변화하게 되었다. FHLMC는 1970년이 되어서 이 시장에 진입하여 저축기관들로 하여금 전통대출 및 FHA-VA대출을 매각할 기회를 부여하였다.

FNMA의 현행 매입 수락 프로그램에는 의무매입과 매도자 선택권부 매입의 두 가지가 있다. (1) 의무매입에서는 FNMA는 일정한 대출자산을 일정 시점에 일정 가격에 반드시 매입해야 하며, 최초대출자는 반드시 양도해야 한다. 최초대출자는 매입확약에 대한 수수료를 FNMA에게 지급한다. (2) 선택적 매입에서는 최초대출자는 FNMA에게 수수료(의무매입경우보다 높아야 한다)를 지불하며, FNMA에 양도 여부를 결정할 선택권을 갖고 있다. 의무매입 프로그램 하에서는 최초대출자는 금리가 상승하는 경우에는 유리하나, 금리가 하락하는 경우는 다른 곳에 더 비싸게 팔지 못하므로 손해를 볼 수 있다. 반면에 매도자 선택권부에서는, 최초대출자는 FNMA에 양도할 "권리는 있으나 의무는 없다." 따라서 그는 금리가 상승하면 FNMA에 양도하고, 금리가 하락하면 다른 매수자에게 더 유리한 가격에 양도할 권리(또는 FNMA와 새로운 가격을 협상할 권리)를 갖는다. 이러한 제도의 발전에 따라 최초의 대출자들은 금리위험을 FNMA에 전가시킬 수 있게 되었다(그러나 이는 수수료 지급의 대가이다). FNMA의 매입 프로그램이 너무나 성공적이어서 FHLMC도 유사한 프로그램을 도입하였다.

담보대출증권집합의 발전

전술했듯이 최초대출기관들은 투자자로의 직접 매각 프로그램과는 별도로, 담보대출집합을 담보로 다양한 증권을 발행할 수 있다는 사실을 발견했다. 투자은행의 지원 하에 대규모 대출기관들은 증권을 소액단위로 발행하여 많은 신규 투자자에게 소화시킬 수 있었다. 대출자산 규모가 작은 기관들은 대출자산을 FNMA, FHLMC에 매각하면, 이들 정부기관들이 큰 모기지 풀을 형성하여 유가증권을 발행하였다. 증권화하기 위해 만들어진 담보대출모기지 풀로 인해 저축기관들이 대출 후에 자기가 보유하거나, 담보대출회사들이 대출 후에 생보사 및 자금잉여 저축기관들에 매각하던 과거의 행태는 완전히 변화되었다. 많은 최초대출기관들은 더 이상은 예금수신액을 담보대출에 투입하여 발생하는 금리위험을 부담하려 하지 않으며, 증권화를 통해서 자금을 조달하고 금리위험은 증권투자자(금리위험 부담 의사가 있는)에게 전가시킨다.

최근 담보대출 관련 증권이 다양한 형태로 발전하였다. 최초대출기관, 증권회사 및 연방기관(FNMA, FHLMC, GNMA)들이 지속적으로 새로운 것들을 도입하고 투자자에 접근함에 따라, 새로운 형태가 계속 개발되고 있는 것이다. 본 장과 다음 장에서는 현재 활용되고 있는 주택담보증권의 주요 형태를 깊이 다룰 것이다.

(1) 담보대출담보부채권(mortgage backed bonds, MBBs)

(2) 원리금자동이체증권(mortgage pass-through securities, MPTs)
(3) 지불이체채권(mortgage pay-through bonds, MPTBs)
(4) 다계층증권(collateralized mortgage obligations, CMOs)

담보대출담보부채권 *Mortgage-Backed Bonds, MBBs*

민간의 최초대출기관(담보대출 회사, 저축은행, 상업은행)들이 신규대출재원 조달을 위해 사용한 증권화 기법 중의 하나가 **담보대출담보부채권** 발행이다. 담보대출담보부채권을 발행할 때 발행자는 담보대출모기지 풀을 형성하여(모기지 풀은 주거용이 일반적이지만 상업용과 담보대출 관련 증권도 가능) 채권을 투자자에게 발행한다. 발행자는 대출에 대한 소유권을 계속 유지하지만, 대출자산은 담보로 제공되며 제3자인 수탁자에게 예탁된다. 이 수탁자는 투자자를 위해 채권발행 계약 조건이 확실히 준수되도록 한다. 담보대출담보부채권은 회사채와 같이 고정금리 및 확정만기로 발행된다.

대출자산으로부터의 수입이 발행채권의 원리금 상환에 충분함을 보장하기 위해서 발행자는 "초과담보"를 제공하는데, 이는 발행채권 금액을 초과하는 잔존원금을 가진 담보대출을 모기지 풀에 제공함으로써 가능하다. 전통적으로 발행자들은 발행채권의 액면 대비 125% 내지 240%까지 초과담보를 제공했는데, 이러한 관행이 준수된 이유는 발행자가 파산하거나 지급을 연체할 수 있기 때문이다. 이 경우 일부 담보대출이 채무불이행 되더라도, 약정된 채권지급일정은 초과담보에 의해 준수된다. 더구나 일부 대출은 담보대출의 만기 또는 발행채권의 만기 이전에 조기상환될 수 있다. 담보대출담보부채권은 확정만기에 의해 발행되기 때문에, 초과담보 조건에서 일부 대출이 조기상환 되더라도 다른 대출들이 모기지 풀 내에 계속 존재하여 조기상환분을 대신하게 된다. 초과담보 설정의 또 하나의 이유는, 채권발행에서 수탁자가 모든 담보저당권을 시가평가하도록 의무화하고 있기 때문이다. 이 작업은 주기적으로 이루어져, 초과담보의 가치가 사전에 합의된 비율(예 125% 또는 240%) 또는 발행채권 잔존 기간 중에 합의되는 다른 비율이 유지되도록 한다. 만일 신탁된 대출자산의 시장가치가 채무불이행 과다 또는 조기상환으로 인해 약정된 초과담보 비율을 하회하는 경우, 발행자는 공동기금에 질적으로 동일한 신규대출자산을 **보완 투입**해야 한다. 만일 발행자가 보완하지 않거나 발행채권의 조건을 준수하지 않는다면, 수탁자는 채권투자자를 위해 신탁된 모든 담보물을 처분할 수 있다.

담보대출담보부채권은 다른 주택담보관련 증권처럼 증권회사에 의해 인수되며, 신용평가사[4]에 의해 신용등급이 부여되고, 일괄인수조합을 통해 매각된다.[5] 신용등급이 부여되는 기준은 다음과 같다. (1) 모기지 풀 담보대출의 내용: 그 형태 및 LTV비율, 보증보험 및 지급보증(전부 또는 일부) 조건, (2) 담보대출 증권의 지리적 다변화 정도, (3) 담보대출의 금리 수준, (4) 담보대출이 만기 이전에 조기상환될 가능성, (5) 초과담보 제공의 정도, (6) 상업용 부동산 저당의 경우 감정가 및 부채상환비율(debt coverage ratio)

명백히 담보대출모기지 풀 내의 FHA-VA 혹은 민간대출보험이 되어있는 일반담보대출들의 경우 무보험/무보증 대출보다 대손 발생 위험이 낮다. 그런데 경우에 따라서는 발행자가 제3자로부터 추가적인

---

[4] Moody's나 Standard & Poor's사와 같은 기관이다.
[5] 부동산 담보부 관련 증권들의 중요한 인수자들로는 First Boston Company, Salomon Brothers, Goldman Sachs 등이 있다.

형태의 신용보강을 받아, 대손위험에 대해 추가적으로 안전성을 확보할 수 있다. 이러한 신용보강은 은행의 보증서, 보험사로부터의 보증 및 신용도 높은 제3자로부터 수수료 지급의 대가로 받은 계약이다. 신용보강이 이루어지면, 투자자는 제3자가 보증채무를 이행할 수 있는 능력 및 발행자/제3자가 제공한 보증서의 지급조건을 평가해야 한다. 신용보강의 특성은 일반적으로 초과담보 제공 요구수준 및 발행채권의 표면금리에 영향을 미친다.

요약하면, 모기지 풀 내의 담보대출의 특성과 형태는 그 현금흐름이 발행채권의 이자지급과 최종적인 원금상환에 적절한지 결정하는 주된 결정요소이다. 이러한 속성에 의해 발행자가 채권발행의 요건을 갖추게 되고 투자자의 위험에 영향을 준다. 이 위험에 의거하여 투자자의 채권요구수익률은 결정될 것이며, 따라서 채권의 발행가도 결정된다. 이러한 가격결정 문제는 다음 절에서 상술한다.

담보대출담보부채권의 가격결정

담보대출담보부채권 발행자가 주간사 증권회사와 협상하여 발행가격을 결정하는 과정을 설명하기 위하여, $200,000,000의 담보대출담보부채권이 $300,000,000의 담보대출모기지 풀을 담보로 발행되며, 발행단위는 $10,000, 만기는 10년이라고 가정한다. 발행채권은 표면금리 8%를 매년 지급한다.[6] 담보대출에 대한 평가, 초과담보 설정 및 발행자의 신용도(신용보강 포함)에 따라 발행채권이 Aaa 또는 AAA등급을 획득한다고 본다.[7] 발행채권이 **발행일**에 투자자에게 판매되는 **가격**을 결정하기 위해서는, 미래의 이자지급과 원금상환 현금흐름을 채권투자자가 요구하는 수익률로 할인해야 한다. 이 수익률은 명백히 본 채권의 투자위험도를 반영하며, 다른 채권의 시장수익률과 비교된다.

예에서는 10년간 연 $800씩의 이자 및 10년 차 원금 $10,000의 현금흐름의 현재가치를 구하여 발행채권의 가격을 구하는데, 발행자가 주간증권사와 협의하여 채권판매를 위한 수익률을 9%에 합의했다면 가격은 다음과 같이 설정된다.

계산기 해법:	함수:
i = 9%, n = 10, PMT = $800, FV = $10,000	PV (i, n, PMT, FV)
답은 ***PV*** = $9,358	

따라서 발행채권은 $642 할인 또는 액면의 93.58%에 가격이 결정되고, 9%의 만기수익률(yield to maturity)을 갖게 된다.[8] 발행자는 발행증권을 교부하고, $187,160,000에서 주간사 수수료를 공제한 금액을 주간 증권회사로부터 수령하게 된다.[9] 반면에 만일 수익률이 7%로 결정되었다면 채권의 현재가치는 $10,702가 되거나 프리미엄 $702에 판매되므로, 발행자는 $214,400,000를 수령하게 된다. 따라서 발행채권의 가격은 발행채권의 표면금리와 시장에서 요구되는 실세 수익률과의 관계에 의해 결정된다. 시장금리가 표면금리보다 높은 경우 발행채권의 가격은 낮아진다. 예 14-1은 8% 채권이 발행되는 시점에서 채권가격과 시장수익률과의 관계를 보여주고 있다. 여기에서 채권가격과 시장 요구수익률과는 반대의 관계를 나타내는 점을 주목하자.

---

6 미국의 채권은 반년마다 이자를 지급하지만 여기에서는 단순화시킨 것이다.

7 이는 최상위 등급이다. 등급의 방식과 결정에 대한 설명은 Moody's나 Standard & Poor's에서 구할 수 있다.

8 **만기수익률**(yield to maturity)은 채권투자자들이 사용하는 용어로 내부수익률과 동일한 개념이다.

9 인수자는 발행자와 합의된 가격에 총액 인수 확약을 한다고 가정한다. 그러면 인수자는 증권딜러망을 통해 기관투자자나 공보로 증권을 재매각하는 데 따른 위험을 부담하는 여러 인수자들과 조합을 구성한다.

예 14-1
금리변동에 따른 8% 이표채와 무이표채 담보대출담보부채권의 가격변동

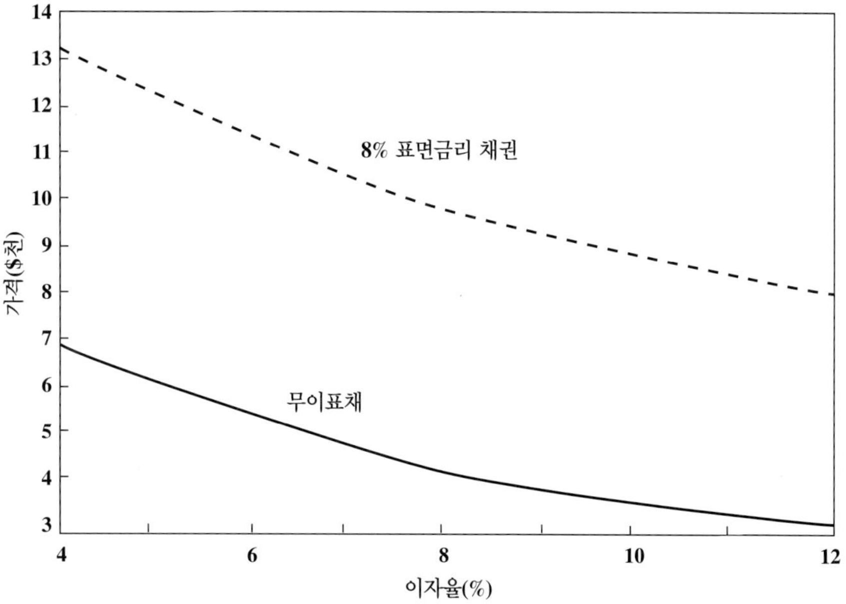

발행 후의 채권가격 형성

앞 절에서 발행된 담보대출담보부채권이 발행 후 유통되는 가격은 발행가격에 영향을 미치지 못하지만, 이러한 형성가격은 투자자 및 추가발행을 원하는 발행자에게 모두 중요하다. 예로서 발행 2년 후 시장 요구수익률이 역시 9%라고 할 때 채권의 가격은

계산기 해법:	함수:
i = 9%, n = 8, PMT = $800, FV = $10,000	PV (i, n, PMT, FV)
답은 *PV* = $9,447	

따라서 채권의 가격이 액면의 94.47%인 것을 알 수 있다. 할인액은 이제 발행시점보다 낮아졌는데 그 이유는 잔존기간이 10년이 아닌 8년으로 단축되었기 때문이다. 그 대신에 만일 2년 후의 수익률이 7%라면 채권가격은 $10,597 또는 액면의 105.97%가 된다. 따라서 프리미엄과 할인율의 폭은 만기가 10년인 경우와 8년인 경우에서 상이하게 나타난다. 그러나 잔존만기에 관계없이 시장수익률이 8%로서 표면금리와 동일하면, 채권은 항상 액면가에 거래될 것이다. 이는 직접 확인할 수 있다.

Zero Coupon 담보대출담보부채권

경우에 따라서는 채권은 표면금리 없이 발행되기도 하며, 이 채권은 만기에 원금상환을 할 때까지 이자를 경과 누적시킨다. 앞 절의 예로 설명을 하자면, 표면금리를 없애되 8%로 만기까지 경과시킨다고 하면 만기 원금은 $10,000이다. 그러나 만약 발행시점에서 투자자들이 요구하는 수익률이 8%라면, 발행가격은 다음과 같이 계산된다.

계산기 해법:	함수:
i = 8%, n = 10, PMT = $0, FV = $10,000	PV (i, n, PMT, FV)
답은 *PV* = $4,632	

이 결과에 의해 발행채권은 $4,632 또는 액면의 46.32%에 발행된다. 만일 발행시점에서 시장금리가 7.5%라면 채권의 가격은 48.52%가 된다. 예 14-1은 10년 만기로 발행된 무이자 할인채에 대해서도 시장금리와 채권가격 간의 관계를 보여준다. 8% 이표채권과 비교할 때 무이표채의 가격민감도(액면 대비 %로 나타남)는 이표채보다 훨씬 크다. 예로서 요구수익률이 4%일 때 8% 이표채는 액면의 130%에 팔리는 반면, 무이표채는 액면의 68%에 팔린다. 이표채보다 무이표채의 가격민감도가 큰 이유는 모든 이자 소득이 만기까지 지불이 유예되기 때문이다. 따라서 투자기간 중 현금흐름을 일부 되돌려 주는 이표채 대비하여 무이표채의 현재가치는 금리의 변동에 대해 민감하다.

담보대출모기지 풀의 시가평가 *Mark to market*

앞서 언급했듯이 수탁은행은 채권의 발행조건이 이행되는지를 감독하고, 신탁받은 담보물에 대해 그 가치가 약정한 초과담보 비율에 부합되는지를 주기적으로 점검해야 한다. 수탁은행이 담보가치를 측정하기 위하여 사용하는 기법은 매우 복잡한데, 그 이유는 (1) 신탁된 대출의 금리조건이 매우 다양하게 혼합되어 있고 (2) 대출이 원금분할 상환되고 (3) 대출조건이 채무자의 조기상환을 언제든지 허용하기 때문에 조기상환이 발생할 수 있고 (4) 일부 차입자는 채무불이행을 할 수 있기 때문이다. 명백히 (3)과 (4)의 요인은 모기지 풀 내의 담보대출의 금액과 건수를 감소시킬 수 있다.

모기지 풀 내 담보대출의 가치를 추정하기 위해서 수탁은행은 각 대출의 건수와 잔존원금에 의해 각 대출의 가치를 평가해야 한다. 평가는 각 대출형태별로 대출이 잔존할 것으로 기대되는 기간에 대한 가정에 근거하여(대출 약정만기가 아닌 이유는 조기상환 가능성 때문) 현재 투자자들이 시장에서 요구하는 수익률에 의해 이루어진다.[10] 따라서 평가는 어려운 작업인데, 특히 조기상환을 고려할 때 더 그러하다. 이러한 평가기법들은 원리금자동이체증권을 평가할 때에도 매우 중요하다.

원리금자동이체증권 *Mortgage Pass-Through Securities, MPTs*

1968년도에 GNMA가 주택담보보증 프로그램을 착수시켰는데, 이에 의해 투자자금을 위해 국채나 회사채와 경쟁할 수 있는 주택담보담보부 투자상품을 탄생시키기 위한 시도가 이루어졌다. 전술했듯이 극복되어야 할 가장 심각한 문제점은 안전성의 문제였다. 주택담보 관련 증권이 소득수준 및 가족형태가 상이한 수많은 개인 차주에 대한 대출을 나타내는 것이므로, 탄생되는 투자상품은 모기지 풀 내의 담보여신이 잘 이해될 수 있으면서 다른 증권과 비교가 용이한 성격을 가져야만 했다.

담보대출에서는 채무불이행 위험과 금리위험이 발생한다는 것을 알 수 있다. 기업채나 국채와 같은 고정금리채권은 금리위험이 있지만 주택담보 채무불이행 위험은 FHA보험/VA보증에 의해 제거되거나 대부분 감소된다. 투자자 측이 우려하는 또 하나의 요소는 수입금액의 예측 가능성이었다. 일반 채권의 경우는 조기상환 불가능채권(non-callable bond)이므로 상환 일정이 예측 가능하다. 반면, 전술했듯이 담보대출의 상환에서는 차주의 가족이 상환 일정을 지키지 못하거나 상환을 불이행하는 경우 연체가 발생한다. 이러한 연체발생을 제거하기 위해서 GNMA는 원금과 이자 전액을 적기에 대지급할 것을 보증하였다. GNMA의 보증은 보증보험의 역할로서 미국정부의 충분한 신뢰와 신용도에 의해 뒷받침되며,

---

[10] Sinking fund retirements나 call porvisions와 같은 원금상환 방법들도 사용될 수 있다.

이는 GNMA가 재무성으로부터 무제한으로 차입할 수 있음을 의미한다. 이러한 독보적인 보증력으로 인해 GNMA증권은 주택담보 유통시장 증권 중에서 가장 유동성이 높은 증권이 되었다.

최초의 주택담보증권인 원리금자동이체증권이 생성되기 전에는, 최초의 대출기관이 대출자산을 집합하여 매각할 수 있는 유일한 방식은 단순 매각하는 것으로서, 대출자산에 대한 소유권뿐만이 아니라 투자자들의 우려요소가 되는 속성까지 전부 양도하는 것이었다. 그러나 원리금자동이체증권의 생성 이후에는 많은 문제점들이 극복되었다. **원리금자동이체증권(MPTs)**은 최초대출기관(주로 담보대출회사 및 저축기관)들이 발행하는 것으로서, 모기지 풀 내의 담보대출에 대해 배분되지 않는 소유권을 나타낸다. 모기지 풀은 다양한 담보대출들로 구성되는데, 통상 최소한 $100,000,000로서 1,000건 이상이 된다. 모기지 풀 내에 편입된 담보대출에 대한 회수관리는 최초대출기관 또는 승인된 자산관리자에 의해 계속 수행된다. 하나의 수탁은행이 모기지 풀 내의 소유자로서 지정되어, 모든 수입금액을 채권투자자에게 지급하는 역할을 맡는다. 모기지 풀로부터 발생하는 현금흐름 수입(원금과 이자)은 자산관리수수료 및 보증료가 공제된 후 채권투자자들에게 배분된다. 현금흐름이 자산관리자로부터 투자자에게로 "직접전가(pass-through)"되기 때문에, 증권도 "pass-through(원리금자동이체)"라고 부르는 것이다.

기본적으로 담보대출이 실행된 후, 최초대출기관들은 이를 모기지 풀로 형성하거나 FNMA, FHLMC에 매각한다. 이러한 "조립자(assemblers)" 또는 풀 제작자는 증권회사의 협조를 받아서 모기지 풀이 담보하는 유가증권을 창출하는데, 증권의 매입자는 뮤츄얼펀드, 개인퇴직기금(individual retirement account 보유자), 신탁 및 연금운용자, 생명보험 및 자금잉여 지역 소재 상업용 은행과 저축기관이다. 증권화에 의해서 최초대출기관들은 궁극적으로 소액투자자에 대한 접근이 가능해졌는데, 소액투자자들은 뮤츄얼펀드를 통하거나 직접 매입에 의해 GNMA 등이 발행한 원리금자동이체증권에 투자하게 된다.[11]

담보대출모기지 풀의 중요한 속성

예 14-2는 현재 사용되는 원리금자동이체증권의 중요한 형태들을 보여주고 있다. 모든 원리금자동이체증권들은 동일한 기본구조를 갖고 있지만, 일부의 차이점을 언급하고자 한다. 이러한 차이점은 발행자들이 모기지 풀을 구성할 때와, 투자자들이 다른 투자대상과 비교하여 투자가치를 고려할 때 매우 중요하다.

모든 주택담보증권들이 똑같지는 않다. 예 14-2상의 특성을 검토할 때에는, 원리금자동이체증권의 가격이 시장금리 상황 변화에 어떻게 반응하는지를 특별히 주의해야 한다. 특정 증권의 가격 변동은 모기지 풀 내의 담보대출의 내용, 금리변화에 대한 차주들의 반응, 주택수요에 영향을 주는 차주의 행동변화 분석, 고용시장 및 다른 변수들에 의존한다. 차주들은 금리변동에 따라 기존 차입을 차환할 수도 있으며, 경기변화에 따라서 이사하거나 다른 지역으로 직장을 옮길 수도 있는데, 이러한 경우에 기존 주택대출을 상환할 가능성이 크다. 이러한 요인들은 투자가치의 판단을 위해서 현금흐름 유입시점을 추정해야 하는 투자자들에게 매우 중요하다.

---

[11] 원리금자동이체의 절차 외에도 관련된 다른 프로그램들이 개발되고 있다. 이에는 참여증명(PC) 프로그램, "swap" 프로그램 등이 있다. 또한, 참여증명 프로그램은 원리금자동이체와 동일한 조항이 많이 있다.

예 14-2 원리금자동이체증권의 특성

증권의 종류	GNMA	참여증서(Participation Certificate)	주택담보대출(MBS)
발행자	Mortgage Co, 저축기관들	FHLMC	FNMA
채무불이행 보증자	FHA, VA, FMHA	FHA-VA, 민간보증 보험	FHA-VA, 민간보증 보험
편입가능대출 종류*	*FRM, GPM, MH, ARM*	*FRM, GPM, ARM, MF*, 2순위 저당	*FRM, GPM, ARM, MF*
담보대출의 변동 금리 조건 가능여부	가능	가능	가능
2순위 저당 인정	인정	인정	인정
보증의 내용	원리금과 조기상환액에 대해 적기 지급을 보증	좌동	좌동
보증자	GNMA(정부신용)	FHLMC	FNMA

*Key
FRM: 1~4가구 30년 고정금리대출
GPM: 점증상환 담보대출
ARM: 변동금리 담보대출
MH: 조립주택담보대출
MF: 다세대주택담보대출
Seconds: 2순위 저당

증권발행자 및 보증자

예 14-2에 의하면 첫 열의 GNMA 원리금자동이체는 FHA와 VA대출을 행한 담보대출회사/저축기관/은행 및 다른 기관에 의해, 참여증명(participation certificate)은 FHLMC에 의해, 주택담보대출은 FNMA에 의해 각각 발행된다. 전술했듯이 참여증명과 주택담보대출은 FNMA와 FHLMC가 각각 최초 대출자들로부터 매입하고 적기지급에 대해 보증한 담보대출에 의해 담보되는데, 이 경우 양 기관은 소액다수의 대출 건을 매집하여 증권을 발행하는 중개기관(intermediary)의 역할을 수행한다.

보증보험

GNMA 원리금자동이체증권은 FHA-VA 대출들을 대상으로 하여 대손에 대한 보증보험/지급보증의 혜택을 받는다. 초기에는 전통적인 대출 부문에 대해서 민간 보증보험이 가능하지 않았으므로 FHA-VA 담보대출만이 그러한 혜택을 누렸었다. 현재에는 전통적 대출에 민간보증보험이 활용 가능해졌지만, 주요 발행자들은 FHA-VA대출자산과 전통적 대출을 혼합하지 않고 있다. 그 이유는 FHA-VA 쪽이 훨씬 보증 폭이 넓기 때문이다. 예 14-2에 나타나듯이, GNMA는 아직도 FHA-VA mortgage만을 대상으로 하는 반면, FNMA/FHLMC는 FHA-VA뿐만 아니라 전통적인 대출도 대상으로 한다. 양 기관은 전통적인 대출 사업부문에서, LTV가 80%를 넘는 전통적인 대출에 대해서 민간보증보험을 요구하고 있다.

모기지 풀 *Pool* 내의 담보대출의 상환패턴과 안전성

예 14-2에서 나타나듯이, 변동금리/점증상환 담보대출(ARM/GPM), 단독주택 및 다가구주택, 조립주택 및 2순위 대출까지 대부분 형태의 담보대출이 원리금자동이체증권 발행 대상이 될 수 있다. 그러나 원리금자동이체증권에 사용되는 주류는 단독주택에 대한 고정금리 대출이다.

FHA-VA 혜택을 받는 대출과 전통대출을 같은 모기지 풀에 혼합하지 않는다는 원칙은 상환패턴, 대출 안전성 및 만기에도 적용된다. 즉, 담보대출모기지 풀은 주로 다음과 같은 기준으로 나눠진다. (1) 상

환 패턴(예: 변동금리 담보대출, ARM), (2) 만기(예: 10년 만기의 2순위), (3) 안전도(예: 단독주택, 이동조립주택) 등이다. 이러한 기준의 근거는 투자자들이 수령할 것으로 기대하는 현금흐름의 패턴을 신뢰도를 가지고 예측할 수 있어야 하기 때문이다. 모기지 풀의 상환패턴이 여러 가지 상이한 패턴으로 구성된다면, 투자자들은 전체의 현금흐름 패턴을 예측하는 데에 더 큰 어려움을 겪게 된다. 개인 차주들이 고정금리 대출을 상환하는 패턴은 변동금리 담보대출 및 2순위 대출에서의 패턴과는 매우 상이할 것이다. 가격결정에 관한 절에서 서술할 것이지만, 예상되는 조기상환은 주택담보대출의 예상수익률에 대단히 큰 영향을 준다. 따라서 시장 관계자들이 따르는 일반원칙은 모기지 풀은 가능하면 동질적인 자산으로 유지하여 조기상환 성향을 추정하기 쉽도록 해야 한다는 것이다.

모기지 풀의 표면금리, 금리 및 담보대출 경과기간

FNMA와 FHLMC 보증부 원리금자동이체증권은 증권화를 위한 매집을 용이하게 하기 위해, 모기지 풀 내의 대출자산에서 **금리**조건이 상이한 부분을 혼합할 수 있도록 허용하였다. 상이한 금리조건의 혼합으로 인한 현금흐름의 불확실성보다 모기지 풀의 대형화를 통한 이득이 더 크다는 판단하에, 다른 발행자들도 이를 뒤따랐다.

FHLMC가 PC 원리금자동이체 프로그램을 도입했을 때 동일 모기지 풀 내에서 2%의 금리격차(최고금리와 최저금리 간)를 인정했으며, FNMA도 1981년 최초발행에서 2%를 허용했다. GNMA 원리금자동이체의 경우는 일부는 동일금리이고 일부에서는 1%의 격차를 인정하며, 이러한 인정범위는 각 기관에 의해 수시로 변경 가능하다.[12]

모기지 풀 내 대출자산의 다양한 금리조건은 투자자 입장에서 고려해야 하는 중요한 사항일 수 있다. 이는 투자자에게 지급이 약정되는 **표면금리**는 모기지 풀 내의 대출금리 중 **최저**금리를 적용하여 보증료와 자산관리수수료를 공제하여 설정되는 것이 일반적이기 때문이다. 이는 표면금리가 동일한 두 가지 증권 사이에서도 상이한 금리를 섞은 모기지 풀의 현금흐름이 동일금리 모기지 풀의 현금흐름보다 안정적일 것이라는 의미가 된다. 그 이유는 상이한 금리가 혼합된 모기지 풀 내의 담보대출은 조기상환의 가능성이 동일금리 모기지 풀에서보다 낮기 때문이다. 이러한 가능성이 존재하는 이유는, 한 가지의 금리는 시장금리의 하락 시에 한꺼번에 조기상환이 몰릴 가능성이 크기 때문이며, 예상 현금흐름을 더욱 불안정하게 만든다.

투자자의 현금흐름 수령액 및 수령시점에 대한 또 하나의 중요한 요소는, 모기지 풀 내 대출자산의 만기 및 "경과"대출(seasoned loan)이 얼마만큼의 비중을 차지하고 있는가이다. **경과대출**이란 대출이 모기지 풀에 편입되기 전에 존재했던 기간을 나타내는 용어이다. 원리금자동이체증권의 예정만기는 모기지 풀 내의 대출 중 최장만기로 택하는 것이 일반적으로서, 조기상환을 고려하지 않는다. 예 14-2상의 각 보증기관들은 모기지 풀 내의 경과대출 대출자산 편입에 대해 제한을 두고 있다. GNMA의 경우는 대출 후에 1년 이내의 부분만을 편입하는 반면, FNMA, FHLMC는 더 다양한 경과대출을 허용하고 있다. 경과대출에 대해 고려하는 것은 매우 중요한데, 그 이유는 대출경과 기간이 길수록 조기상환 발생 가능성도 높기 때문이다(주택매도, 전근 등의 가능성이 커짐).

반면에 채무불이행의 위험은 대출초기에 높다. 따라서 경과대출된 대출자산에서는 채무불이행으로

---

[12] GNMA I 원리금 자동이체 프로그램의 경우 모기지 풀 내 동일한 금리여야 한다.

인해 조기상환이 감소되는 경향이 있다. 그러나 경과대출로 인해 조기상환이 증감하는 정도에 따라, 현금흐름이 불안정해지고 투자자의 증권가치 평가는 어려워지게 된다. 따라서 투자자들이 증권에 대해 지불하려는 가격도 영향을 받게 된다.

담보대출건수와 지역적 분포 상황

모기지 풀 내의 담보대출의 속성으로서 대출건수와 지역적 분포상황이 있는데, 이들은 원리금자동이체증권에 대한 월별 현금흐름의 예측 가능성을 변동시키게 된다.

이 두 가지 요소가 원리금자동이체증권의 수익률 추정에 매우 중요한 요소인데, 그 이유는 원금상환에 영향을 주기 때문이다. 일반적으로 모기지 풀의 절대금액이 클수록 편입건수가 증가하고, 건수가 많을 경우 다른 조건이 동일하다는 전제 하에 현금흐름의 예측 가능성은 개선된다. 이는 몇몇 차주의 채무불이행이나 조기상환으로 인한 현금흐름의 변화 가능성은, 투자자에 대한 지급 흐름에 대해서 큰 영향을 주지 못한다는 것이다. 대부분 담보대출모기지 풀의 편입자산은 최소한 $100,000,000인데, 대출건당 금액평균이 $100,000라면 편입건수는 최소한 1천 건이어야 한다. 이 정도라면 소수 대출건에서의 변동이 전체에 미치는 영향이 미미하다는 점을 투자자들에게 충분히 보장할 수 있다.

지역적 분포가 중요한 이유는, 조기상환과 채무불이행 가능성에 영향을 주기 때문이다. 특정 지역은 경기 하락에 더 큰 영향을 받고 다른 지역에 비해 실업률이 높게 발생할 수 있어 채무불이행 비율이 높을 수 있다. 조기상환율도 차주의 연령 및 가족 상황에 따른 이주성향에 의해 특정 지역에서 높을 수가 있다. 지역적으로 분산된 모기지 풀은 이로 인한 불확실성을 감소시켜 주는 경향이 있다.

차주성향과 조기상환

본 장에서 예 14-2와 관련하여 서술한 다른 어떤 요소보다도 중요한 속성으로서, 차주의 속성 또는 사회경제학적 위치가 궁극적인 대출상환의 원천으로서 매우 중요하다. 그 이유는 다음과 같다. (1) 가계는 소득 및 가족 수, 주거성향의 변화에 따라 주거비 지출을 조정하기 위해 주택대출을 조기에 상환한다. (2) 다른 경제 주체들처럼 가계도 금리하락 경우에는 기존 차입을 차환하고 금리상승 경우에는 주택구입을 뒤로 미룬다. (3) 가계는 실업, 이혼 등의 사유로 차입 상환의무를 불이행할 수 있으며, 보증보험이 확보되어 있다 하더라도 보험청구가 되면 대출잔액 전액에 대해 조기상환이 발생한다. 따라서 이러한 성향에 의한 차주의 행동 변화가 예상되는 현금흐름과 예상 만기에도 영향을 준다. 실제로 차주의 행동에 따라 대출의 예정 만기는 큰 차이를 나타내며, 수익률도 그러하다. 불행하게도 개별차주에 대한 정보는 원리금자동이체증권 투자자에게 충분히 제공되지 못한다. 따라서 중요한 변수임에도 불구하고, 투자자에게 신뢰성 있는 정보는 제공되지 않는다.

자산관리자의 조기상환권 *Nuisance Calls*

담보대출의 조기상환으로 인해 모기지 풀 내의 대출건수 및 금액이 감소하여, 최초모기지 풀 금액의 10% 수준으로 줄어들었다면 자산관리자가 발행증권 잔액의 조기상환을 요구할 수 있다. 이러한 요구권을 **조기상환권**(nuisance call 또는 cleanup call)이라고 부르며, 자산관리 비용부담이 자산관리 수입 대비 커지는 시점에서 행사된다.

원리금자동이체증권의 가격결정을 위한 일반적인 접근방식

전술했듯이, 원리금자동이체증권(또는 어떤 주택담보증권이든지)의 가격결정에 영향을 미치는 변수는 여러 가지인데, 이를 요약하면 다음과 같다.

① **금리위험**: 예측하지 못한 금리 상승으로 인한 가치하락 위험으로서, 고정금리대출을 대상으로 한 모기지 풀에서 가장 크다.

② **대손 위험**: 채무자의 채무불이행으로 의한 손실 발생 위험으로서, 단독주택에 대해서는 FHA보증보험부, VA보증부, 민간보증보험부 대출 순으로 높아진다. 이러한 위험은 일반적으로 변동금리 담보대출(ARM) 및 변동상환 담보대출(variable payment mortgage)에서 더 높다.

③ **원리금의 연체 위험**: 이 위험은 보증자의 재무적 신용도에 의해 평가된다. 그 이유는 원리금 적기지급 보증은 보증자가 보증의무를 이행할 수 있는 능력이 있어야만 유효하기 때문이다. GNMA는 미국 정부의 전적인 신뢰와 신용도에 의해 지지되며, FNMA와 FHLMC, 두 개의 기관도 현재 연방정부 통제하에 있을 것이다.

④ **조기상환 위험**: 예상보다 많은 원금상환으로 인해 수익률이 떨어지는 위험으로서, 담보대출은 일반적으로 형식만기보다 일찍 조기상환된다. 따라서 원리금자동이체증권에 투자할 때, 투자자는 조기상환율을 분석하여 예상 현금흐름을 추정하여야 한다. 고정금리 대출 모기지 풀의 경우, 조기상환으로 인해 투자자에게 전가되는 현금흐름에 대한 영향은 다음 요소에 의해 결정된다.

a) 모기지 풀 내의 대출건수
b) 담보대출 금리조건의 분포
c) 모기지 풀 내 경과대출 대출의 수
d) 차입자의 지리적 소재지 분포
e) 차입자(가계)의 성향
f) 예측할 수 없는 사고: 홍수, 지진 등

위와 같은 위험요소들이 발행자와 투자자에게 중요하지만, 담보대출모기지 풀에 대해서 수집 가능한 정보는 통상 일반적인 채무자 및 담보대출의 속성에 대한 것으로 제한된다. 담보대출모기지 풀에 대해 유효한 정보는 다음 절에서 상술한다.

원리금자동이체율, 수익률 및 자산관리수수료

원리금자동이체율은 발행자가 투자자에게 지급할 것을 약정한 표면금리이다. 만기수익률은 내부수익률과 같은 개념으로서, 증권이 액면가에 발행된 경우에만 표면금리와 일치한다.

원리금자동이체증권에서 표면금리는 모기지 풀 내의 최저대출금리 이하로 설정된다. 대출금리와 원리금자동이체증권 표면금리와의 차이는 **자산관리수수료**로 알려져 있다. GNMA I의 경우 모기지 풀 내에 금리의 격차가 인정되지 않는데, 자산관리수수료 0.5% (50 bp)를 두고 있다. 이 수수료는 보증료와 회수관리비로 배분되는데, 모기지 풀 내의 잔존원금에 대한 일정비율로 계산된다. 예로서 GNMA는 잔존원금의 0.06% (6 bp)를 원리금적기 지급 보증료로 징구하며, 나머지 44 bp가 자산관리자에게 귀속된다. 모기지 풀 내의 담보대출 간에 금리격차가 존재하는(예: GNMA II의 경우) 경우, 표면금리는 모기지 풀 내의 최저대출금리보다 낮게 설정된다.

가중평균 표면금리 *Weighted Average Coupon*

가중평균 표면금리(weighted average coupon, WAC)는 모기지 풀 내의 담보대출들의 표면금리의 동질성을 측정하는 수단으로서, 발행일 현재 모기지 풀 내에서 각 대출금액에 의해 가중된 표면금리의 평균치이다. 가중평균 표면금리는 모기지 풀 내에 표면금리 간 격차가 존재하는 경우에만 의미가 있다. 대부분의 경우 자산관리수수료와 보증료는 원리금자동이체증권 표면금리와 가중평균 표면금리 간의 차액에 의해 근사치로서 사용된다.

모기지 풀의 형식만기

공동출자의 형식만기는 조기상환이 발생하지 않는다는 가정 하에 모기지 풀 내의 가장 긴 만기이다. 예로서 모기지 풀이 75%는 15년 대출, 나머지 25%는 20년 대출로 구성되었다면 형식만기는 20년이 된다. GNMA는 일반적으로 모기지 풀 내의 대출의 만기 격차에 대한 제한을 많이 두고 있으나, FNMA/FHLMC의 공동기금은 더욱 다양한 만기 및 경과대출을 포함할 수 있다.

가중평균만기

모기지 풀 내 담보대출의 형식만기까지 잔존기간이 조기상환 및 발행증권의 수익률에 영향을 주게 되기 때문에, **가중평균만기**(weighted average maturity, WAM) 개념이 도입되었다. 가중평균만기는 증권발행일 현재 기준으로 대출잔존원금에 의해 가중된 평균 대출잔존기간으로 계산된다.

자산관리자의 지급 시차 *Payment Delay*

주택구입자들이 지급도래액을 입금하는 시점과 자산관리자가 증권투자자에게 지급하는 시점 간에는 시차가 존재하는데, 이는 14일에서 70일까지 발생한다. 다른 증권과 마찬가지로 현금흐름의 시점이 중요하므로, 시차는 투자자가 얻는 수익률을 낮추게 된다.

모기지 풀 요소 *Pool Factor*

이는 최초 모기지 풀의 잔고에 대한 현재의 대출잔고의 비율로서, 매월 분할상환 및 조기상환이 일어남에 따라 계속 변화한다. **모기지 풀 요소**(pool factor)는 1에서부터 시작하여 감소하는 것이 일반적이다(단 마이너스 상각이 허용되는 경우에는 1을 초과할 수 있다). 모기지 풀 요소는 어떤 특정 시점에서 모기지 풀 내의 현존 대출잔고를 측정할 수 있다. 예로서 모기지 풀 요소가 .9050이고 모기지 풀 최초잔고가 $50,000였다면 현재의 잔고는 $50,000 × .9050 = $45,250가 된다. 이는 증권이 발행일 이후 거래가 될 때와 투자자들이 증권매입가를 고려할 때 중요하다. 예로서 모기지 풀 요소가 작아질수록 모기지 풀 내의 대출자산 잔고도 작아지므로, 조기상환의 가능성이 커지게 된다(다른 조건 동일 가정).

원리금자동이체증권의 지급과정 예시

예 14-3은 원리금자동이체증권을 평가할 때 중요한 현금흐름의 과정을 보여주고 있다. 이 예시에서 10% 고정금리 대출인 $1,000,000 원리금자동이체증권 발행을 위해 모기지 풀에 편입되었으며, 발행증

권의 표면금리가 9.5%이므로 금리차 0.5%는 자산관리수수료이다(잔존원금 기준으로 계산). 예시를 단순화시키기 위해서 모든 대출의 만기는 10년으로 동일하게 가정했으며, 현금유입과 유출도 연 1회 발생으로 가정하였다.[13]

개별 원리금자동이체증권 투자자에게 지급되는 현금흐름(열 g)의 도출과정은 다음과 같다. 먼저 최초 모기지 풀 잔고 $1,000,000에 의해 10%, 10년 대출의 매년 원리금상환 현금흐름(c열)을 도출한다.[14] 자산관리수수료 .5% (e열)가 직전 지급기말 잔액 기준으로 산출되어 원리금상환액으로부터 공제되면, 총 투자자에게 지급되는 연간액(f열)이 도출된다. 투자자에 대한 총 지급액(f열)은 d열이 매년 동일한 금액임에 불구하고 자산관리수수료 공제액 계산으로 인해 매년 상이한 금액이 된다.[15] 공동출자 내의 담보대출에서 조기상환이 전혀 없다면(c열), 즉 모든 대출이 형식만기까지 잔존한다면 모기지 풀의 원금잔고는 10년 말 이전에는 0에 도달하지 않는다.

위와 같은 형태의 모기지 풀이 구성되어 증권화되었을 때, 조달되는 현금 금액은 현행 시장환경하에서 투자자들이 요구하는 수익률에 따라 결정된다. 만일 시장이 요구하는 수익률이 표면금리(9.5%)와 동

예 14-3 원리금자동이체증권의 현금흐름(균등분할상환, 10년 10% 고정금리, 조기상환이 없다는 가정, 표면금리 9.5%)

연도	(a) 공동출자 풀 잔고	(b) 예정 불입액	(c) 원금조기 상환액	(d) 총 불입액* (b)+(c)	(e) 보증료 및 자산 관리수수료 (0.5%)†	(f) 투자자에게 총 지급액 (b)−(e)	(g) 개별투자자에 지급액 (f)÷40
0	$1,000,000						($25,000)
1	937,255	$162,745	$0	$162,745	$5,000	$157,745	3,944
2	868,235	162,745	0	162,745	4,686	158,059	3,951
3	792,313	162,745	0	162,745	4,341	158,404	3,960
4	708,799	162,745	0	162,745	3,962	158,784	3,970
5	616,933	162,745	0	162,745	3,544	159,201	3,980
6	515,881	162,745	0	162,745	3,085	159,661	3,992
7	404,724	162,745	0	162,745	2,579	160,166	4,004
8	282,451	162,745	0	162,745	2,024	160,722	4,018
9	147,950	162,745	0	162,745	1,412	161,333	4,033
10	0	162,745	0	162,745	740	162,006	4,050

A.	요구수익률이 9.5%일 경우, 발행자에 대한 현금흐름 가치	= $1,000,000
	9.5%에 개인투자자에 대한 현금흐름 가치	= $ 25,000
B.	8.5%(요구수익률)일 경우, 발행자에 대한 현금흐름 가치	= $1,045,219
	8.5%에 개인투자자에 대한 현금흐름가치	= $ 26,130
C.	10.5%(요구수익률)일 경우, 발행자에 대한 현금흐름 가치	= $ 957,754
	10.5%에 개인투자자에 대한 현금흐름 가치	= $ 23,944

*월지불액은 연기준
† 모기지 풀 잔고는 기말기준

[13] 대부분의 원리금자동이체증권의 경우, 실제로는 지불이 월별로 발생한다.
[14] 모기지 풀 내의 모든 담보대출이 10%, 10년 만기로 동일하므로 열 c의 상환액은 매년 균등하다.
[15] 조기상환이 없다면(열c), 해마다 투자자에게 이체되는 상환금도 상이할 것이다.

일하다면, 조달금액(투자자의 투자금액)은 $1,000,000가 된다(액면 $25,000의 채권 40매가 매각됨). 이는 표상의 연간 현금흐름을 9.5%로 할인하여 얻어지며, 발행증권은 액면가인 $25,000에 판매된다.

그러나 실제로는 투자자가 요구하는 수익률이 발행증권의 표면금리와 정확히 일치하는 경우는 드물다. 우리가 알고 있듯이 시장금리는 지속적으로 변하며, 과거에 대출이 실행되어 공동출자에 편입된 대출의 금리가 증권발행시점에서의 발행금리와 일치한다면 이는 우연일 것이다. 채무자로부터 모기지 풀에 유입되는 매년 현금흐름을 증권발행시점에서 알 수 있는 한, 증권발행자가 수령하는 발행가격은 투자자들이 수령할 현금흐름을 시장실세금리로 할인하여 결정될 것이다. 전술했듯이 할인금리는 시장금리, 기대 인플레이션율, 위험에 대한 프리미엄에 의해 결정되고, 또한 대체투자에 의해 발생된 이익에 의해서도 영향을 받는다. 담보대출이 잔존할 것으로 기대되는 기간이 증권발행가의 결정에 매우 중요하다는 점도 살펴볼 것이다.

시장실세금리가 원리금자동이체증권의 가격에 따른 결과를 살펴보기 위해서, 예 14-3에서 투자자에게 지급되는 현금흐름(열 g)을 시장금리 8.5%로 할인한다고 가정하면, 증권의 발행가는 프리미엄부인 $26,130 (B의 계산식 참조)가 된다. 만일 시장실세금리가 10.5%로 오른다면 증권의 발행가는 할인된 $23,944 (C의 계산식 참조)가 된다. 그러나 이 두 가지 계산식은 공히 원리금자동이체증권의 만기가 모기지 풀 내의 대출의 형식만기와 동일한 10년이라는 가정에 근거하고 있다. 따라서 분할상환기간은 총 10년으로서(줄어들지 않음) 조기상환을 전혀 고려하고 있지 않다.

증권의 발행가격과 시장실세금리와의 관계를 보여주기 위해 예 14-4에서는 시장금리의 변동을 가로축, 발행가격을 세로축으로 나타내고 있다(조기상환 가정은 동일). 그 결과를 보면 시장금리가 9.5%를 넘는 경우는 발행가가 할인되고, 시장금리가 하락하면 발행가가 할증된다. 시장요구수익률과 표면금리가 9.5%로 동일한 경우에만 액면 발행이 이루어진다는 점에 유의해야 한다.

예 14-4
증권가격과 요구수익률과의 관계(조기상환 0% 가정)

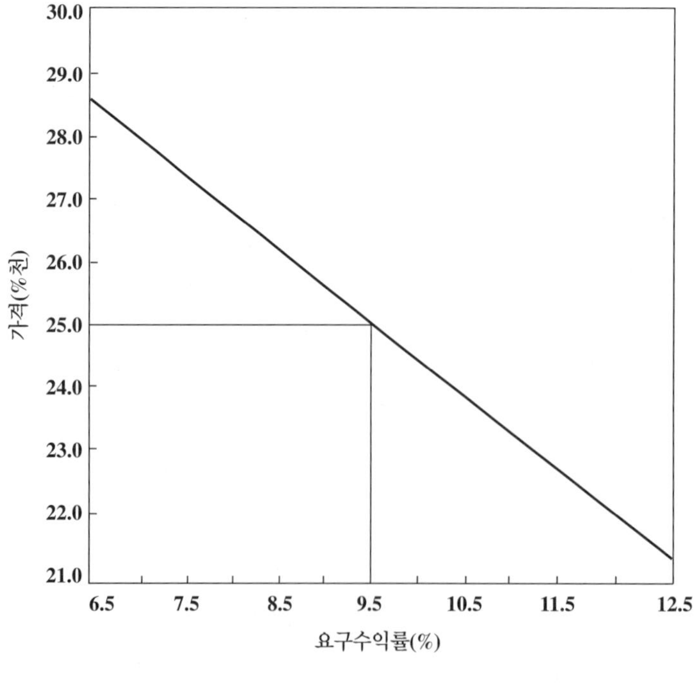

조기상환 유형과 증권 가격

증권의 발행가격에 영향을 미치면서 주택담보대출시장에서 가장 독특한 문제점은, 차입자가 잔존대출 원금을 아무 때나 (조기)상환할 수 있다는 점이다.[16] 이 점이 중요한 이유는 투자자가 원리금자동이체증권과 회사채, 국채 및 다양한 지방채를 비교 투자할 때, 다른 증권들과 비하면 원리금자동이체증권의 예정 만기는 추정하기가 대단히 어렵기 때문이다. 예로서 회사채가 발행자 조기상환 권리부로 발행될 경우(callable bond), 발행계약조건에는 매년 조기상환할 가격이 확정 기재되어 있으며, 발행사는 향후 금리 하락 시에 낮은 금리로 차환 발행하기 위해 이 조항을 확보하는 것이다.[17]

회사채 및 지방채들은 조기상환옵션 대신 발행 후 특정 연도에 걸쳐 시장금리의 변동방향에 관계없이 일정한 부분의 채권을 상환하는 계획을 설정하기도 한다.[18] 대부분의 미국 국채는 확정만기부로 발행되며, 조기상환이 불가능하다. 즉 국채는 발행 후 만기까지 존속한다.[19]

중요한 점은 다른 채권들은 원금의 상환 시점에 대해서 예측이 가능한 반면, 원리금자동이체증권에서는 그러하지 못하다. 원리금자동이체증권의 수익률을 다른 채권과 비교할 때에는 투자자들이 고려해야 하는 상환속도에 대한 불확실성이 분명히 추가적으로 존재한다.

조기상환의 가정

차입자들이 모기지 풀의 일부에 대해서는 조기상환할 것이기 때문에, 공동기금의 원금이 감소할수록 당해 금액은 투자자에게 이체된다. 조기상환액은 금리가 상승하는 기간에는 0이 되고, 금리가 하락하면 급증할 수 있다. 조기상환 급증기에는 가계는 차환을 하게 되는데, 원금이 증권투자자에게 지급되면서 기존대출은 모기지 풀로부터 제거된다.

원리금자동이체증권을 발행할 때 증권발행자는 표면금리를 정하고(앞 절의 예에서는 9.5%) 증권의 발행가를 제시하는데, 이 발행가는 액면보다 할증이거나 할인될 수 있다. 이 같은 조절은 발행시점의 시장요구금리가 표면금리인 9.5%와는 다르게 형성되어 투자자들은 다른 수익률을 요구할 수 있기 때문이다. 조기상환이 없을 것이라는 가정을 했을 때도 투자자의 시장요구금리에 의해 증권가격의 변동 폭은 매우 클 수 있다(예 14-4 참조). 그런데 투자자들이 원리금자동이체증권을 매입하여 보유하는 기간 중에도 조기상환이 일부 일어날 가능성이 크다는 것을 알고 있기 때문에, 발행자들은 발행가격 결정 과정에서 **조기상환 행태에 대한 가정**을 세워 반영하는 것이 일반적이다. 이는 모든 차입자들이 약정된 지급기일에 따라서만 상환한다는 가정에서보다 정확한 현금흐름을 추정하는 데에 필요하며(따라서 수익률도 추

---

[16] 조기상환에 영향을 주는 약간의 예외 및 추가적인 사실들을 언급하면, FHA-VA담보대출은 주택 구입자들에 의해 채무가 승계된다. 따라서 주택이 매각될 때 항상 조기상환되는 것은 아니다. 반면 전통적인 대출은 매각 시 상환(due-on-sale)조건이 붙어 있는 경우가 많아 채무를 주택구입자에게 승계시킬 수 없으므로, 주택이 매매될 경우 상환될 가능성이 크다. 전통적인 대출 중 오래된 고정금리 대출분에는 조기상환 수수료 조건이 설정되어 조기상환을 억제하는 효과를 갖는다. 최근 대출이 실행된 전통적 대출 및 ARM에는 이러한 조기상환수수료가 설정되지 않는다.

[17] 그러나 발행자가 발행계약에 이 옵션을 확보하기 위해서는 조기상환옵션 행사 시 투자자들에게 채권액면가를 할증하여 상환하는 조건을 부여함이 일반적이다. 이러한 할증액을 지급하는 이유는 (1) 금리하락으로 인해 채권의 가치가 상승하였으므로 채권을 상환받으면 투자자들은 가치상승분을 잃게 되기 때문이며 (2) 투자자들이 원래 만기까지 채권을 보유할 계획이었는데 발행사가 차환을 하면 현금흐름에 차질이 발생하고, 투자자들은 더 낮은 금리에 재투자하게 되기 때문이다.

[18] 이러한 상환액은 묵시적인 분할상환의 효과이며, 감채기금을 설정함으로써 (1) 채권의 일련번호별로 사전 계획대로 조기상환(할증 또는 할인), (2) 발행증권 중에 일부를 일련번호에 의해 무작위로 조기상환(액면 또는 할증), (3) 감채기금을 투입하여 시장에서 시가로 재매입 등의 여러 가지가 있다.

[19] 단, 국채 중에서 소수의 종목에서는 만기 전에 조기상환 가능한 경우도 있다.

정) 추정방식에는 다음과 같은 4가지가 사용된다.

① **평균 만기**: 이 방식은 예를 들어 10년 만기 대출이 모기지 풀에 편입되었으나, 공동출자한 금액은 실제로는 어느 특정 기간(5년)을 평균으로 전액이 상환된다고 본다. 따라서 발행가 및 수익률을 계산할 때, 5년간의 분할상환이 일어난 후 잔존 원금은 일시상환된다고 본다. 이 방식은 간단하고(평균 조기상환율이 모기지 풀 내의 모든 담보대출을 대표한다고 보므로), 일반적인 다른 채권과의 비교가 쉽다는 장점이 있다.

그러나 장점보다는 단점이 더 큰데, 이는 5년의 평균 만기가 조기상환 문제를 해결하는 적절한 방식이 못되고 수익률을 과대 또는 과소평가하게 되기 때문이다. 전술했듯이, 조기상환은 다양한 요소들의 부산물이므로 평균치를 사용해서는 이러한 요소들의 변화를 반영하지 못할 수 있다.

② **일정 비율의 조기상환**(constant rates of prepayments, CPR): 이 방식은 매년 공동기금의 잔고를 기준으로 **일정한 비중이 조기상환 된다는 가정**으로서, 그 장점은 이해하기 쉽고 계산도 용이하다는 것이다. 그러나 경험적 증거에 의하면 채무자 파산에 의한 조기상환은 대출 초기에 많이 일어난다. 따라서 일정 비율의 조기상환을 초기에 과소 반영하고, 후기에는 과다 반영하는 경향이 있다. 이 방식이 평균 만기 방식보다는 선호되지만, 모기지 풀의 성격을 정확히 반영하지는 못할 수 있다.

③ **FHA의 조기상환 경험치**: FHA가 수십 년 동안 실제 경험을 통해 축적한 경험적 증거로 인한 조기상환에 대한 예측은 더 정확한 추측을 위해 지침으로서 제안되고 있다. FHA는 보험 프로그램 하에 대출 종결 건에 대한 광범위한 데이터베이스를 구축하였고, 이에는 한 해 동안의 전반적인 대출 종결 건에 대한 자료들이 들어있으며, 파산 및 차환으로 인한 건도 포함한다. 많은 시장 관계자들이 FHA 경험에 근거한 조기상환 가정적용이 가능하다고 주장한다. 예로서 투자자의 기대치 차이로 인해서 조기상환이 빠르거나 느리다고 판단될 경우, FHA경험치 100%보다 크거나 낮은 조기상환율을 적용하여 얻어진 수익률을 투자자에게 제시하는 것이다.

그러나 FHA의 데이터가 결점이 없는 것이 아니다. 조기상환의 원인(금리변동, 채무자 취업 등)은 시간에 걸쳐 분석하기 어렵기 때문에 과거의 FHA 경험치를 현재의 담보대출모기지 풀에 적용할 때 많은 문제점과 봉착할 수 있다. 과거 행태가 미래에 재현된다는 보장은 없는 것이다. FHA는 조기상환 행태에 대해서 체계적인 조사가 가능할 만큼 개별 대출 및 채무자에 대해서 충분히 자세한 기록을 보존하고 있지는 못하다.

④ **PSA 조기상환모델**: PSA (Public Securities Association, 미국 공공채권업협회)가 FHA통계모델을 단순화시키기 위해 개발한 것으로서, FHA경험치와 유사한 단점을 지니고 있지만 조기상환 추측을 위한 미국의 표준방식이 되고 있어 많은 주택담보대출발행자로부터 사용되고 있다. 간단히 설명해서 이 모델은 월간 조기상환율로 표시되는데, 이는 기간 중에 변화한다. 현행 PSA 곡선(100% PSA로 불림)은 최초연도 월 0.2%로 시작한 후 30개월 차까지 매월 .2%씩 증가하다가, 그 이후는 월 .5%(또는 연 6%)로 잔존 상환기간 동안 고정된다는 것이다. 이 모델은 FHA경험치와 CPR방식을 결합한 것이다.

투자자와 발행자들은 조기상환율이 수익률에 영향을 미치는 것을 알고 있기 때문에, 증권발행시점에서 PSA모델은 투자자들에게 가격과 수익률에 대한 정보를 전달하기 위해 널리 사용된다. 예정투자자에

게 채권 발행 시 각각의 조기상환율에 대한 수익률의 민감도를 보여주기 위해서 사업설명서에 PSA조기상환율(75%, 150% 등)별로 수익률 시세표가 첨부된다.

조기상환 효과의 예시

조기상환 발생이 원리금자동이체증권 투자자에게 지급되는 현금흐름에 어떻게 영향을 주는가를 예 14-5에서 보여주고 있다. 조기상환율은 연 10%(전기말 잔고 기준)이며, g열의 금액을 조기상환율 0%를 가정한 예 14-3에서의 수치와 비교해 볼 필요가 있다. 그러나 양 표의 차이에 불구하고 g열의 수치를 9.5%로 할인하면 $1,000,000이 도출된다는 점은 동일하다(투자자당 $25,000). 이러한 결과가 나오는 이유는 10%의 조기상환으로 인해 현금흐름이 일찍 일어나지만, 금리는 9.5%로 동일하게 적용되기 때문이다. 따라서 투자자가 원금을 먼저 받더라도 대출잔고의 이자는 9.5%로 유지된다. 예 14-3과 14-5의 g열의 현재가치는 할인율이 9.5%일 경우 동일하게 $25,000이 된다.

예 14-6은 0%, 10%, 50%의 세 가지 조기상환율의 경우를 비교하여 보여주었는데, 그 비율에 따라 투자자의 현금흐름에 큰 격차가 발생한다는 것을 알 수 있다. 또한 전술했듯이 만일 시장이 요구하는 수익률과 표면금리가 일치하게 된다면 조기상환율과는 관계없이 발행가는 액면가인 $25,000이 된다.

예 14-5 원리금자동이체증권의 현금흐름(constant payment, 고정금리 10년 만기 모기지 풀, 금리 10%, 조기상환 10%, 표면금리 9.5%)

연도	(a) 공동출자 풀 잔고	(b) 예정 불입액	(c) 원금조기 상환액	(d) 총 불입액* (b)+(c)	(e) 보증료 및 자산 관리수수료 (0.5%)†	(f) 투자자에게 총 지급액 (b)−(e)	(g) 개별투자자에 지급액 (f)÷40
0	$1,000,000						($25,000)
1	837,255	$162,745	$100,000	$262,745	$5,000	$257,745	6,444
2	691,873	145,381	83,725	229,107	4,186	224,921	5,623
3	562,186	129,688	69,187	198,875	3,459	195,415	4,885
4	446,710	115,476	56,219	171,695	2,811	168,884	4,222
5	344,142	102,568	44,671	147,239	2,234	145,005	3,625
6	253,358	90,784	34,414	125,198	1,721	123,477	3,087
7	173,431	79,927	25,336	105,263	1,267	103,996	2,600
8	103,692	69,739	17,343	87,082	867	86,215	2,155
9	43,946	59,746	10,369	70,115	518	69,597	1,740
10	0	48,340	0	48,340	220	48,120	1,203

A. 요구수익률이 9.5%일 때 발행자에 대한 현금흐름가치 = $1,000,000
요구수익률이 9.5%일 때 투자자에 대한 현금흐름가치 = $ 25,000

B. 요구수익률이 8.5%일 때 발행자에 대한 현금흐름가치 = $1,033,908
요구수익률이 8.5%일 때 투자자에 대한 현금흐름가치 = $ 25,848

C. 요구수익률이 10.5%일 때 발행자에 대한 현금흐름가치 = $ 967,970
요구수익률이 10.5%일 때 투자자에 대한 현금흐름가치 = $ 24,199

* 월지불액은 연기준
† 모기지 풀 잔고는 기말기준

예 14-6
조기상환율별 원리금자동이체증권 투자자에 대한 현금흐름

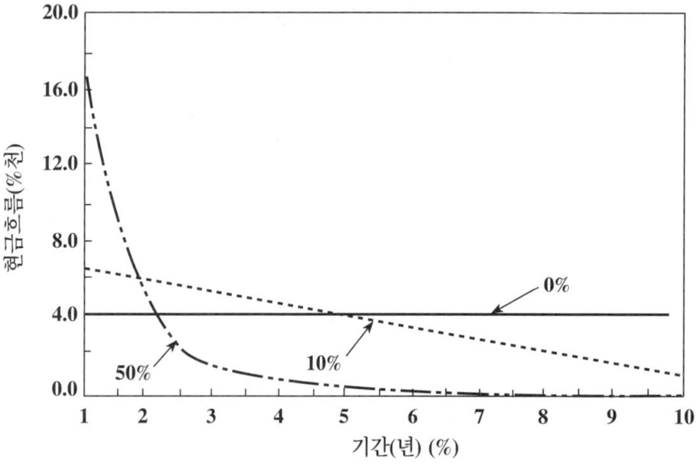

증권의 가격과 예상수익률의 관계

전술했듯이 증권발행자가 발행가를 결정할 때에는(증권회사의 조언 하에서), **동 시점**에서의 투자자측 기대수익률에 대한 판단이 서 있어야 한다. 더구나 동 기대수익률은 증권의 표면금리와는 다를 가능성이 있다. 이러한 기대수익률 측정은 (1) 투자자들이 동일한 만기의 국채에 대비 그 이상의 프리미엄 범위의 측정 혹은 (2) 시장에서 거래되는 다른 원리금자동이체증권의 현행수익률을 고려하여 이루어진다. 전자의 경우 원리금자동이체증권만기가 불확실하기 때문에 국채 대비 프리미엄을 측정하기 어렵다. 후자의 경우에는 양쪽 모기지 풀의 내용이 같다는 존재 하에 가격결정이 이루어지는 것이기 때문에 다른 원리금자동이체증권과 비교한다는 것은 어려울 수 있다. 그렇지만 증권을 투자자에게 판매하기 위해서는 발행시점에 가격결정이 이루어져야 한다.

앞 절의 사례로 돌아가서, 만약 모든 현재 및 미래의 상황을 고려했을 때 발행자가 성공적으로 모든 증권매각을 하기 위해선 8.5%의 수익률이 필요하다고 결정하였고, 조기상환율이 10%라고 했을 때 증권발행가는 예 14-5에서 g열을 8.5%로 할인한 현재가치와 동일하게 된다. 이는 $25,848의 발행가로서 $848의 할증이며(표의 B계산식 참조), "액면의 103.39% ($25,848/$25,000)"라고 표현된다. 그러나 발행자는 투자자에게 **조기상환이 더 빠르거나 늦은 경우**도 가정하여 정보를 제공한다. 이를 위해서는 증권의 발행가($25,848)를 고정시킨 후, 10%보다 높고 낮은 조기상환율 두 가지 경우의 현금흐름에 대하여 내부수익률을 구하는 것이다. 이 예시에서 조기상환이 빠른(느린) 경우에는 수익률이 낮을(높을) 것이다. 본 예에서 투자자들이 $848의 프리미엄을 지불할 의향이 있는 이유는 표면금리가 투자자 요구수익률보다 높기 때문이다. 그러나 모기지 풀 내의 담보대출이 예상보다 빨리 상환될 가능성이 크기 때문에, 투자자는 높은 표면금리의 혜택을 오랫동안 누리지 못하게 될 것이다. 따라서 프리미엄은 발행증권의 표면금리와 투자자들이 요구하는 유사한 투자 건의 시장수익률 간의 관계만을 반영해서는 안 되며, 채무자들의 상환의 속도까지도 고려해야 한다. 반면에 발행시점에 시장수익률의 가격이 조기상환율이 10%일 때 10.5%를 나타내도록 정해져야 한다면, 증권은 할인되어 발행되거나 $24,199(예 14-5의 C 계산식 참조)의 가격으로 발행된다. 이 경우는 담보대출이 조기상환될 가능성이 낮다. 따라서 예상되는 조기상환율은 감소하고 증권의 할인발행액은 표면금리와 시장금리뿐만 아니라 조기상환까지도 반영하여야 할 것이다.

예 14-7
원리금자동이체증권의 요구수익률 및 조기상환율별 분석

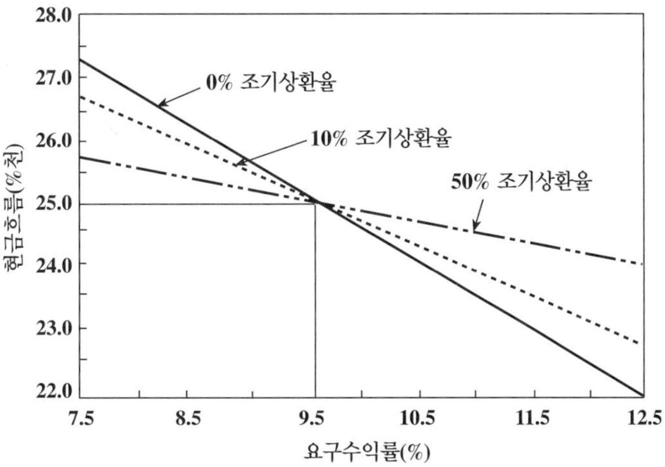

시장금리수준과 원리금자동이체증권의 가격변동 관계

시장금리의 변동과 조기상환과의 중요한 관계를 보여 주기 위한 것이 예 14-7이다. 시장금리가 7.5%로 하락할 경우, 9.5% 원리금자동이체증권을 보유한 투자자들은 **가격상승**을 누리게 된다. 더구나 조기상환이 없다고 가정할 시, 원리금자동이체증권의 가격은 $25,000에서 $27,500선까지 상승할 것이다. 그러나 채무자가 대출한 금액을 상환하기로 하여 금리가 하락하고 조기상환이 증가한다면 원리금자동이체증권의 가격은 조기상환의 상승이 애초에 일어나지 않은 것처럼 움직임이 없을 것이다. 이 관계는 조기상환 0%와 50%(시장금리 9.5% 이하)의 두 가지 극단적인 경우의 가격을 비교하여 고찰할 수 있다. 금리가 **하락**하더라도 조기상환이 50%로 급증한다면 7.5% 시장금리에서의 증권가격은 $25,000를 약간 상회할 뿐이라는 점에 주목하자(반면 9% 조기상환 경우의 가격은 약 $27,500이다). 반면, 시장금리가 표면금리보다 **높아진** 경우 원리금자동이체증권의 가격은 하락하는데, 특히 조기상환의 속도가 느려질수록 악화된다. 이것은 9.5%보다 높은 시장금리로 조기상환의 0%와 50%를 비교하여 알 수 있다. 따라서 원리금자동이체증권의 가격은 금리와 **상반된** 관계이되 금리하락에 대해서는 덜 민감한 반면 금리상승에 대해서는 더 민감한데, 그 이유는 조기상환이 금리 하락 시에는 증가하며 금리 상승 시에는 느려지기 때문이다. 이러한 불균형은 투자기간 및 채권의 **볼록성**(convexity)에 영향을 주는데, 볼록성이란 금리변동에 따른 기간(duration)의 민감도를 나타내는 척도이다. 예로서 금리가 상승하면서 조기상환이 감소될 수 있으므로 기간이 길어짐에 따라 보통 원리금자동이체증권의 볼록성은 음의 속성을 띠게 된다. 이러한 프리미엄에 대한 한계는 **가격수축**(price compression)이라고 부른다. 더구나 금리가 하락하고 조기상환이 증가하면, 투자자가 수령하는 모든 현금흐름은 낮은 시장금리에 재투자되어야 한다. 이러한 상황은 어쩌면 원리금자동이체증권 투자자가 가장 심각하다고 여기는 문제일 수 있다. 이러한 문제가 다른 요소들과 결합되어서 다계층증권의 탄생을 가져왔으며, 다계층증권는 다음 장에서 논의될 주택담보증권의 다른 형태이다.

담보대출담보부채권과 원리금자동이체증권에 대한 부언

앞서 모기지 풀 내의 담보대출이 채권발행에 충분한 초과담보 비율을 유지하는지를 판단하기 위하여,

수탁은행이 정기적으로 시가평가를 하여야 한다고 설명하였다. 앞 절에서의 원리금자동이체증권 가격 결정 기법은 수탁은행이 담보대출담보부채권을 발행할 때 모기지 풀의 가치를 측정하기 위하여 사용하는 기법이기도 하다. 더구나 담보대출담보부채권의 경우 **발행자**는 초과담보 요건으로 인해 **조기상환의 위험을 부담**하게 된다. 다시 말해서 조기상환이 발생할수록, 새로운 담보대출이 모기지 풀 내에 교체 편입되어야 한다는 것이다. 반면 원리금자동이체증권의 경우는 **채권투자자들이 조기상환 위험을 부담**하는데 그 이유는 조기상환액이 투자자에게 전가되기 때문이다. 그 의미는 (1) 담보대출담보부채권은 발행자가 조기상환 위험을 부담하므로 원리금자동이체증권보다 낮은 수익률에 의해 가격이 결정되어야 하며 (2) 시장금리가 변동하면서 담보대출담보부채권의 가격은 조기상환의 속도변화를 반영할 필요가 없어졌다는 것이다. 위의 담보대출담보부채권에 대한 특성은 예 14-7에서 나타나듯이, 원리금자동이체증권에는 해당사항이 없다. 만일 원리금자동이체증권과 담보대출담보부채권의 발행조건이 정확히 동일하다면 담보대출담보부채권의 가격 움직임은 조기상환 제로의 그래프와 동일하게 나타날 것이다.

주요용어

2차 저당시장	가중평균만기	모기지 풀 요소	미 정부국가저당공사	일정 비중 조기상환 가정
PSA 조기상환모델	가중평균 표면금리	미 연방담보대출공사	볼록성	
가격수축	담보대출담보부채권	미 연방주택대출저당공사	원리금자동이체증권	

질문

1. 2차 저당시장이란 무엇인가? 왜 그것이 중요한지 3가지 이유를 꼽는다면?
2. 1954 charter 하에서 FNMA의 3가지 중요한 활동은 무엇이었는가? 현재의 주요기능은 무엇인가?
3. FNMA가 현재 2차 저당운영을 자금조달하는 2가지 방식은?
4. GNMA는 언제 출현했는가? 원래의 기능은 무엇인가? 현재의 주기능은?
5. 왜 FHLMC 형식이 그렇게 중요했는가?
6. 부동산 담보부 관련 증권이란 무엇인가? 부동산 담보부증권과 회사채의 유사점과 차이점은 무엇인가?
7. 부동산 담보부증권의 주 형태들은? 그 형태들의 차이는 무엇인가?
8. 저당권이 2차시장에 매각될 수 있는 방법은 여러 가지가 있다. 2가지를 선택하여 매각으로부터 자금흐름의 극대화와 관련한 효율성과 거래의 상대적인 용이성을 비교하고 유통 채널의 길이를 대조해 보라.
9. 선택사양 유동약정(optional delivery commitment)은 무엇인가?
10. Mortgage swap certificate란 무엇인가?
11. 저당집합(담보대출모기지 풀)의 5가지 특성을 기술하라. 각각이 왜 중요한지 설명하라.
12. 일반적으로 시장이자율의 하락은 MPT증권 가격의 하락을 가져오는가, 상승을 가져오는가? 증권이 할인부로 발행된다면, 상승이나 하락이 더 클 수 있는가? 조기상환의 증가도 같을 수 있는가, 다를 수 있는가? 예를 들어 설명하라.

문제

1. 두 종류의 25년 만기 부동산 담보부 채권이 발행되었다. 첫 번째 채권은 액면가 $10,000에 약정금리가 연간 10.5%이고 두 번째 채권은 10%의 경과이자를 포함하여 25년 만기 시에 $10,000를 지불하는 zero coupon 채권이다. 발행 시에 투자자들의 요구수익률은 두 채권에 대하여 모두 12%이다.
   a. 각 채권의 개시 가격은 얼마인가?
   b. 양 채권의 약정 이자율이 반기 복리로 10.5%라고 가정하자. 양 채권의 개시가격은 얼마가 될 것인가?
   c. 5년 후에 시장이자율이 9.5%로 떨어진다면, 각 채권의 가치는 얼마인가(a에서처럼 매년 지불형태를 가정하라. 액면가

의 %와 실제 현금 가치를 모두 기술하라)?

2. The Green S & L은 평균잔고 $100,000인 고정금리부 담보대출의 모기지 풀을 발행하였다. 모든 담보대출은 12%의 표면이자율로 실행되었다(단순화시키기 위하여, 12% 이자율로 매년 상환이 이루어진다고 가정하자). Green은 이 모기지 풀을 FNMA에 지금 처분하고 싶다.

   a. 10%의 연간 균등조기상환(조기상환은 매년도 말의 잔액을 기준으로 가정하자)을 가정하면, 만약 시장이자율이 각각 11, 12, 9%였을 경우에 Green은 얼마를 얻을 수 있는가?

   b. a 상황의 날짜로부터 5년이 지났다고 가정하자. 어떤 모기지 풀 요소가 존재할 것인가? 만약 시장이자율이 12%였다면, 지금 Green은 얼마를 받을 수 있나?

   c. a 상황의 저당집합을 처분하는 대신에, Green은 100장의 원리금자동이체증권의 발행을 통하여 담보대출을 증권화하기로 결정했다. 표면이자율은 11.5%, 서비스와 보증수수료는 0.5%가 될 것이다. 시장수익률은 10.5%이다. Green은 원리금자동이체증권의 청약에서 얼마를 받을 수 있는가? 각 구매자는 MPT를 얼마에 매입할 것인가(a에서처럼 동일한 조기상환을 가정하라)?

   d. c 상황에서 매입한 즉시 이자율이 9%로 떨어지고 첫 번째 해의 말에 조기상환율이 연간 20%로 상승될 것으로 예상된다고 현재 가정하면, MPT 증권의 현재가치는 얼마가 될 것인가?

3. Excel. 웹 사이트에서 제공하는 Excel Workbook의 "Ch19 MPS" 탭을 참조하시오.

   a. 7.5% 요구수익률에 기반하여 발행자와 개인 투자자들을 위한 현금흐름의 가치를 찾으시오.

   b. 11.5% 요구수익률에 기반하여 발행자와 개인 투자자들을 위한 현금흐름의 가치를 찾으시오.

CHAPTER 15

2차 저당시장: 다계층증권, 부채담보부증권, 대출채권담보

The Secondary Mortgage Market: CMOs, CDOs, CLOs, and Derivative Securities

서론

본 장에서는 14장의 내용을 기본으로 하여 2차 저당시장을 구성하는 2가지 유동화 증권에 대해 알아볼 것이다. 첫째인 **지불이체채권**(mortgage pay-through bond, MPTB)은 주택저당담보부채권(mortgage-backed bond, MBB)과 원리금자동이체증권(mortgage pass-through securities, MPTs)의 요소들을 다 가지고 있다. 두 번째인 **다계층증권**(collateralized mortgage obligation, CMO)은 Freddie Mac이 주간사증권사와 함께 개발했고 Fannie Mae (FNMA)도 1987년에 발행에 동참하였다. 이러한 신상품들은 주택저당담보부채권과 원리금자동이체증권의 성공에 따른 자연스러운 발전 형태이다. 앞 장에서 논의한 원리금자동이체증권은 어느 정도 투자위험을 감소시킬 수 있었다. CMO 이후 추가적으로 증권이 개발되었다. 여기에는 CDOs(부채담보부증권) 및 CLOs(대출채권담보부증권)이 포함되며, 본 장에서 각각에 대해 다룰 것이다. 그러나 조기상환 위험이나 재투자위험은 여전히 투자자에게 전가된다. 주택저당증권(mortgage-backed security, MBS)의 발전 형태로 다계층증권과 새로운 **파생증권**들은 이러한 위험을 경감하는 일련의 수단으로 정착되었다.

지불이체채권 *Mortgage Pay-Through Bond, MPTB*

지불이체채권(mortgage pay-through bond, MPTB)은 원리금자동이체증권과 주택저당담보부채권의 성격을 혼합하고 있는 신상품이다. 지불이체채권에서도 담보대출모기지 풀(mortgage pool)을 통해서 발행되며 원리금자동이체증권에서와 같이 모기지 풀(pool)의 현금흐름은 지불이체채권 투자자들에게 자동이체(pass through)된다. 그러나 원리금자동이체증권과 달리 지불이체채권은 **채권**이며, 모기지 풀에 대한 미분할 **지분소유권**(equity ownership)과는 다르다. 주택저당담보부채권과 같이 지불이체채권은 모기지 풀을 소유하는 주체가 발행한 채권이다. 반면 원리금자동이체증권과 유사한 점은 채권투자자에게 지급되는 현금흐름은 표면금리에 의하고, 원금은 분할상환구조 및 조기상환에서 유입되는 대로 투자자

에게 자동이체 된다는 점이다. 따라서 지불이체채권은 원금을 자동이체하는 주택저당담보부채권의 형태이자 조기상환의 특징을 가진 원리금자동이체증권 형식으로 보일 수 있다.

대부분의 지불이체(pay-through)는 주택대출을 대상으로 하며, (1) 발행채권액보다 많은 저당권을 도관체에 편입시키는 **초과담보**(over-collateral) 방식을 사용하든지, (2) 국채 등 추가 담보를 제공해서 투자위험을 제거한다. 이러한 추가 담보로부터의 수입이 발행채권의 상환에 충분한 현금흐름으로 확보된다는 점을 보장한다. 주택저당담보부채권과 같이 지불이체채권도 이표채 또는 제로쿠폰채로 발행될 수 있다.

지불이체채권의 신용평가 등급은 (1) 모기지 풀 내의 저당대출의 위험성, (2) 초과담보의 수준, 그리고 (3) 추가 담보를 구성하는 국채 등의 내용 등에 좌우된다. 중점을 두는 변수로서는 모기지 풀로부터 생성되는 현금흐름 유입의 정도, 현금유입시점으로부터 지불이체채권 원리금 지급기일(통상 매 반기) 도래시점까지의 여유자금 운용기간, 초과담보로 제공된 유가증권이 있는 경우 그 내용, 그리고 지불이체채권 이자지급 일정과의 관계 등이다. 이 모든 변수들은 조기상환 위험과 비교하여 분석된다. 지불이체채권에서는 원금분할상환과 조기상환의 원리금자동이체가 일어나므로 주택저당담보부채권에서 만큼 담보가치가 중시되지 않으며, 따라서 적당한 초과담보가 유지되는 한 담보의 시가평가(mark to market)는 요구되지 않고 초과담보 수준도 주택저당담보부채권보다는 완화될 수 있다. 지불이체채권발행자는 더욱 높은 신용 등급을 확보하기 위하여 은행의 신용장이나 제3자의 보증 및 보험의 형태인 신용보완이 활용된다. 이러한 신용보완이 확보되지 못하는 경우에는 발행주체의 신용도가 매우 중요해진다. 왜냐하면 모기지 풀 내의 채무불이행과 조기상환 발생이 커지는 경우 지불이체채권 투자자들은 발행주체에 의존할 수밖에 없기 때문이다.[1]

본 장에서 지불이체채권의 상세한 분석은 생략하는데, 그 현금흐름 패턴은 14장에서의 주택저당담보부채권과 원리금자동이체증권 분석과 유사하다. 그러나 주택저당담보부채권과 달리 지불이체채권발행자는 조기상환 위험을 부담하지 않는다. 조기상환 위험은 투자자가 부담한다. 따라서 지불이체채권의 가격이 결정될 때, 원리금자동이체증권의 조기상환 패턴과 재투자율을 평가할 때 매우 중요하게 사용되는 위험은 지불이체채권에서도 똑같이 중요하다. 원리금자동이체증권과 지불이체채권에서 해결되지 못한 조기상환으로 인한 불확실성 문제가 지속됨에 따라, 주택저당담보부채권보다는 약하지만 원리금자동이체증권과 지불이체채권보다는 조기상환 위험처리가 강한 상품이 개발되었다. 이를 다계층증권이라고 하며 다음 절에서 분석하고자 한다.

다계층증권 *Collateralized Mortgage Obligation, CMOs*

다계층증권(collateralized mortgage obligation, CMOs)이 조기상환과 재투자위험을 어떻게 완화시키는가를 이해하기 위해서는 다계층증권을 지불이체채권, 원리금자동이체증권과 비교할 필요가 있다. 다계층증권도 주택저당담보부채권과 마찬가지로 담보물에 대한 담보대출의 모기지 풀을 이용하여 만들어진 채권이다. 원리금자동이체증권에서는 투자자들이 전체 모기지 풀에 대한 개별적인 지분을 보유한다. 반면, 다계층증권의 발행자는 모기지 풀에 대한 **소유권을 가지면서** 동 모기지 풀에 대해 채권을 발행하

[1] 다른 주택저당채권(mortgage) 관련 증권들과 마찬가지로 채무불이행 위험은 연방주택청(FHA), 재향 군인국(VA) 주택저당채권이나 개인 주택저당채권 보험이 있는 일반대출을 편입함으로써 감소시킬 수 있다.

는 것이다. 하지만 원리금자동이체증권과 지불이체채권에서처럼 다계층증권도 원금분할상환금과 조기상환액이 가공되어 투자자에게 전달된다는 점에서 지불이체증권(pay-through security)의 일종이다. 이는 **투자자** 측이 계속 조기상환 위험을 부담한다는 것을 의미한다. 단지 다계층증권은 그 위험이 할당되는 방식을 가공하고 변형시킨다. 모기지 풀 내의 담보가치 확보를 위해 제공된 자산액과 모기지 풀이 발행하는 채무와의 차액만큼이 발행자의 지분이 된다는 점은 주택저당담보부채권, 지불이체채권과 동일하다.

다계층증권과 다른 주택저당채권의 중요한 차이점으로서는, 다계층증권은 동일한 저당권 모기지 풀에 대해서 여러 가지의 상이한 종류의 유가증권이 발행된다는 것이다. 여러 가지 종류의 만기는 3년, 5년, 7년 등 다양하게 구성되며, 만기구성은 투자자의 투자욕구를 반영하여 발행자가 결정한다. 따라서 발행자는 기초 모기지 풀의 내용과는 상이한 만기와 현금흐름을 갖는 유가증권들을 창조하는 것이다.

다계층증권과 원리금자동이체증권 간에는 몇 가지 근본적인 차이점이 있다. 조기상환 위험(및 이에 따르는 재투자위험)을 낮추기 위해서는, 모기지 풀에서 유가증권을 발행하는 기본구조 하에서 투자자 측이 아닌 다른 주체가 조기상환 위험을 맡아 주는 구조의 도출이 필요했다. 이는 **발행자**가 모기지 풀의 소유권을 보유하면서 발행하는 채권의 계층(class)들 간에 이자와 원금의 지급 우선순위를 부여함으로써 달성되었다. 이러한 우선순위는 형식만기가 상이한 **트랜치**(tranche, 분할발행채권)를 통해 부여된다. 또한 각 트랜치의 개수 및 만기를 결정하기 위해서는, 모기지 풀로부터 발생하는 이자·원금 및 조기상환금을 다계층증권 투자자에게 지급하기 위한 우선순위 결정이 필요하다. 이러한 우선순위 설정에 의해 다계층증권의 어떤 트랜치는 전통적인 채권처럼 원리금을 상환받는 반면, 다른 트랜치 투자자들은 원리금 수령을 미루어 나중에 받게 된다. 이러한 할당 관계는 수익률을 더 높여준다면 현재 원리금자동이체증권에 투자하는 계층보다 조기상환 위험을 감수할 수 있는 투자자층에 접근을 확대하기 위한 목적이다. 다계층증권은 **다양한 계층의 지불이체증권**이라고 할 수 있다.

1983년 최초로 도입된 이래로 다계층증권은 대단히 복잡한 투자대안으로 발전하였다. 선순위 우선지급의 서열구조(예 15-1 참조)는 다계층증권 초기에 투자자의 관심을 불러일으키는 데에 크게 기여하였지만, 다양한 트랜치 구성을 창조해 낸 것은 투자자의 높은 수요와 투자자의 특별한 요구조건에 의한 것이었다. 원금상환방식 또는 표면금리계산 방식을 변형시킴으로써 증권회사들은 현재 다계층증권시장을 지배하고 있는 다양한 파생상품을 만들어냈다.[2]

다계층증권 예시 해설

예 15-1은 아주 단순화된 다계층증권 구조를 보여준다. 예시에서 “자산”측면을 보면, 채권발행의 담보가치가 되는 풀은 미 연방주택청(FHA), 미 재향군인회(VA)이거나 일반 주택저당채권으로서 금리는 10년간 11%로 고정되어 있다. 원리금자동이체증권에서와 같이 다계층증권 풀 안에 편입되는 주택저당채권은 유사한 종류의 부동산에 대한 저당권으로 구성되어 있고 유사한 지급패턴을 갖고 있다. Ginnie Mae (Government National Mortgage Association, GNMA)나 다른 원리금자동이체증권을 모기지 풀을 이

---

[2] **파생상품**이라는 의미는 근거하는 투자가치가 다른 증권, 지수, 증권의 모기지 풀에 의존한다는 것을 말한다. 예를 들어, 투자자가 S&P 500 지수의 콜 옵션을 구매한 경우, 이 콜 옵션은 가격이 S&P500 지수의 변화에 종속적이기 때문에 파생상품으로 분류할 수 있다. 모기지 모기지 풀로부터 발생하는 현금흐름 변화에 의존하는 많은 파생 – 유형의 투자가 창출되었다. 이러한 파생상품은 이 장의 후반부에서 논의할 것이다.

예 15-1
다계층증권의 우선지급 순위별 트랜치의 내용

자산 :		부채 :	추정만기(연)	표면금리(%)	발행금액	비중	가중평균금리(%)
저당대출	$75,000,000	Class A 트랜치	2-5	9.25%	$27,000,000	0.375	3.47%
(연리 11%)		Class B 트랜치	4-7	10.00	15,000,000	0.208	2.08
10년 만기		Class Z 트랜치	6-10	11.00	30,000,000	0.417	4.58%
		총부채			72,000,000	1.000	10.14%
		자본 :			3,000,000		
총자산	$75,000,000	총 부채 및 순가치			$75,000,000		

주요투자자층:
Class A – 저축기관, 상업은행, 단기금융자산투자신탁, 기업
Class B – 보험, 연기금, 신탁, 해외투자자
Class Z – 연기금, 신탁, 해외투자자, 헤지펀드

용해 다계층증권을 만들어 내는 것도 가능하다.[3] 원리금자동이체증권도 모기지 모기지 풀에 의한 증권을 나타내기 때문에 모기지 풀에 편입이 가능한 것이다.

예시의 "부채" 측면을 보면 만기와 금리가 상이한 3개 계층의 트랜치가 발행되었다. 그런데 $75,000,000의 모기지 풀에 대하여 $72,000,000의 다계층증권이 발행되었으며 차액인 $3,000,000는 초과담보로 발행자가 지분을 출자한 것이다. 이러한 초과담보 설정원인은 앞으로 다계층증권 구조를 설명하는 과정에서 명백해질 것이다. 예시에서 또한 주목해야 할 점은 자산 모기지 풀에서 얻는 11%의 금리가 채무에서 지불하는 표면금리보다 높다는 것이다(Z class만이 예외). $75,000,000에 대한 11% 수익률인 $8,250,000과 $72,000,000에 대한 **가중평균금리** 10.14%인 $7,297,500의 차액은 발행자의 이익으로서 $956,400에 달한다. 이 잔존현금이 $3,000,000의 초과담보(또는 발행자 지분)에 대한 수익금이 된다. 또한 신용보완, 자산관리 등의 역할을 발행주체가 수행하는 경우 추가 수익을 얻을 수 있다.

예 15-1에서 원하는 다계층증권 만기 구조를 도출하기 위해서는 발행조건상 표면금리가 지급기일이 도래하는 대로 모든 트랜치에 즉각 지불되지는 않는다. 이것이 **순차적지급**(sequential payment) 구조로서 이자가 A와 B의 트랜치에 지불되지만 Z에는 A와 B의 원금이 상환될 때까지 지불되지 않는다. Z트랜치의 이자는 지불되지 않고 투자원금에 계속 누적되어 가산될 뿐이다. A트랜치의 만기가 비교적 짧아지게 하기 위해 Z트랜치에서 누적 계산된 이자금액은 A트랜치에게 먼저 할당되는 것이다. 또한 pool 전체에서 얻어지는 원금분할상환액과 조기상환액도 A트랜치에 **우선적으로** 할당된다. 따라서 다계층증권 발행액에서 $27,000,000의 권리를 갖고 있는 A트랜치 채권자들은 자기금액에 대해 9.25%의 표면금리를 받을 뿐만 아니라, 모기지 풀 전체에서 발생하는 원금(정기·조기상환)과 Z트랜치에 가야했던 이자액을 우선 지급받는 것이다. A트랜치의 발행 잔존액은 모기지 풀 전체에서의 원금상환액과 Z트랜치의 이자액에 의해 계속 감소해 나간다. A트랜치의 명시된 다양한 만기(2~5년)는, (1) 모기지 풀에 대한 **조기상환이 일어나지 않았다고 가정**할 시에 class A 투자자가 원금을 되찾을 수 있는 최대한의 기간과 (2) 투자원금을 되찾을 수 있는 최소한의 기간(2년)의 **예정치**를 대표한다. 물론 해당 예정치는 **실제** 조기상환의 속도에 따라 달라질 수 있다.

B트랜치는 A트랜치가 상환될 때까지 이자만 수령하다가 A트랜치가 지급 완료된 이후부터 원금상

---
[3] 다계층증권은 앞 장에서 논의한 상이한 모기지 풀(ARMs, GPMs 등)에 기초하여 창출될 수 있다.

환액이 B트랜치에 할당된다. Z트랜치는 A와 B가 상환되는 도중에는 전혀 원금 및 이자를 받지 않는다. 대신 이자는 11%의 복리로 누적되어 투자된 $30,000,000 원금에 가산된다. A와 B의 원금지급이 완료된 후에는 Z트랜치에 이자가 현금으로 지급되고 원금상환 유입액도 Z트랜치에 할당된다. $3,000,000의 초과 저당채권은 **초과담보**로서 pool 내에 존재하는데 그 목적은 여러 가지가 있다. 첫째, 대부분의 다계층증권은 투자자에게 분기 또는 반기 지급조건을 약속한다. 하지만 모기지 풀의 수금주기는 월별이다. 발행자는 투자자들에게 지급기일이 도래하기 전까지 월별담보대출지급액을 재투자할 수 있기에, 약속된 이자지급과 원금상환의 우선을 포함하여 최소한의 운용수익률을 보장하게 된다. 따라서 금리가 급격히 하락하는 경우 조기상환 위험과는 별개의 재투자수익률 위험이 존재한다. 이 경우는 차입자들이 조기상환을 서두를 것이므로 각 트랜치는 예정만기보다 훨씬 빨리 상환된다. 또한, 발행자는 금리하락에 따라 예정된 운용수익률을 얻는 것이 불가능할 수도 있다. 이 경우 다계층증권 투자자에게 지급할 부족한 현금은 $3,000,000의 초과담보로부터 충당되게 된다. 따라서 주택저당담보부채권과 지불이체채권에서와 같이 초과담보설정 수준은 투자자들이 다계층증권 투자를 판단할 때에 평가하는 중요한 변수이다. 초과담보액이 크게 설정될수록 다계층증권의 원리금지급의 확실성은 높아진다. 반면 다계층증권투자 위험도가 낮은 것은 표면금리와 재투자수익률 목표치도 낮다는 점을 말한다.

또 하나의 중요한 점은 다계층증권 발행자가 $3,000,000의 출자액을 초과하여 채무부담을 지는가 하는 점이다. 통상 다계층증권은 회사형태의 발행자에 의해 발행되므로 채무는 발행자에게 소구권(recourse)이 있는 경우와 없는 경우가 다 설계 가능하다. 따라서 일반 회사채에서처럼 발행자가 파산하고 잔존 채무가 $3,000,000를 넘는 경우 다계층증권 투자자들이 발행주체에게 상환청구를 할 수 있을 것이다.

다계층증권의 역학

다계층증권의 현금흐름 패턴을 예 15-2에서 보여 주는데 이는 예 15-1에서의 자산의 현금흐름을 사용하고 있다. 편의상 자산의 현금흐름이 연 단위로만 발생하는 것으로 가정하여 예시했으므로 현금유입

예 15-2
다계층증권 저당 모기지 풀에 대한 연간 현금흐름(조기상환율 = 0%)

기간	(1) 모기지 풀: 10년 만기 11% 고정금리	(2) 모기지 풀에 원리금 유입액	(3) 총원금분할상환액 (조기상환 제외)	(4) 이자액	(5) 다계층증권 투자자의 권리금액
0	$75,000,000				$72,000,000
1	70,514,893	$12,735,107	$4,485,107	$8,250,000	67,514,893
2	65,536,424	12,735,107	4,978,469	7,756,638	62,536,424
3	60,010,324	12,735,107	5,526,100	7,209,007	57,010,324
4	53,876,352	12,735,107	6,133,971	6,601,136	50,876,352
5	47,067,644	12,735,107	6,808,708	5,926,399	44,067,644
6	39,509,978	12,735,107	7,557,666	5,177,441	36,509,978
7	31,120,968	12,735,107	8,389,009	4,346,098	28,120,968
8	21,809,168	12,735,107	9,311,801	3,423,307	18,809,168
9	11,473,069	12,735,107	10,336,099	2,399,008	8,473,069
10	0	12,735,107	11,473,069	1,262,038	0

시점으로부터 다계층증권 현금유출 시점까지의 기간 중 재투자수익을 고려할 필요는 없다. 먼저 조기상환율을 0%로 놓고 시작하자. 예 15-2는 모기지 풀에 유입되는 현금흐름의 구성을 보여주는 반면, 예 15-3은 각 다계층증권발행 트랜치에 배정되는 현금 지급흐름의 구성을 보여준다. 조기상환이 없다는 가정 하에서 초년도 말에 A트랜치 채권자들은 (1) $27,000,000에 대한 9.25%의 이자인 $2,497,500과 (2) 원금분할상환액 $4,485,107(예 15-2 3열 참조) 및 (3) Z트랜치에 해당하는 이자액 $330,000를 합친 총 $10,282,607를 수령한다(예 15-3 참조). 이와 같은 현금흐름 패턴이 매년 일어나서 4년 차에 A트랜치가 모두 상환완료된다. 여기에서 Z트랜치의 투자자는 이자를 전혀 현금으로 받지 않으며 복리로 누적시키고만 있다는 점을 명심해야 한다.

예 15-3은 B트랜치와 Z트랜치에 대해서도 비슷한 구성을 보여준다. B트랜치는 1년에서 3년까지 이자지급은 받고 있으나 A트랜치가 완료될 때까지는 원금상환은 받지 않고 있다는 점에 주목해야 한다. 그 이후 B트랜치는 이자와 원금분할상환액 및 Z트랜치에 해당하는 이자 상당액을 수령한다. 중요한 점은 조기상환이 전혀 없다는 가정 하에 B트랜치는 정상적인 원금분할상환 일정에 의해 5년의 만기를 가질 것이라는 점이다. Z트랜치는 5년까지 이자를 누적해가다가 현금수령을 시작한다.

예 15-4는 다계층증권에서 **잔존**지분에 대해 귀속되는 현금흐름을 보여준다. 앞 절에서 유동화 주체가 $3,000,000의 지분을 투입하여 담보로 제공했던 것을 기억하고 있다. 따라서 발행자는 모든 다계층증권채권을 상환하고 관련 수수료를 지불한 후에 잔존하는 현금에 대한 소유권을 갖는다. 여기서 현금흐름은 모기지 풀 안에 유입되는 모든 현금흐름의 합으로부터 다계층증권 트랜치들에 지급된 현금유출흐름을 공제한 금액이다. 예에서 지분 권리자들은 Z트랜치가 아무런 금액도 받지 못하고 있는 상태인 1~4년 차의 기간 중에도 잔여현금을 수령하고 있다.[4] 또한 초년도 $952,500는 $75,000,000 총액 대비 담보가치로는 1% 미만의 적은 비율에 해당한다. 이러한 잔존현금은 발행주체가 자산관리를 수행함에 따라 취득해야 하는 자산관리수수료까지도 포함한다. 이 마진은 매우 중요한 것으로 만일 증권 발행 직후 $10,000,000의 조기상환이 갑자기 일어난다면 모기지 풀에 유입되는 이자수입이 대폭 감소하게 될 뿐 아니라, $10,000,000는 A트랜치의 이자를 연말에 지급하기 위해 재투자 운용되어야 한다. 따라서 이 $952,500는 조기상환으로 상실한 대출금리와 재투자운용으로 얻는 금리의 차손발생을 보전하는 데 사용될 수 있어야 한다.

예측이 불가능한 조기상환이 발생하고 금리하향세에서 재투자 운용해야 하는 문제(금리하락이 조기상환을 다시 또 가속시킴)의 발생 가능성이 왜 $3,000,000의 초과담보가 필요한지를 대변한다. 또한 다계층증권 발행에 사용된 주택저당 대출이 FHA-VA의 보험부이거나 전통적 담보대출인 것으로 가정했는데, 어느 경우이든지 채무불이행 손실에 대해서는 보험으로 충분히 보상된다는 것을 전제로 했다. 만일 대손에 대해 충분한 보상이 확보되지 못한 경우(즉 상업용 부동산 저당이나 2순위 저당에 대해 발행된 경우), 투자자는 대손으로 인한 손실 가능성을 검토해야 한다. 따라서 이 경우 (1) 초과담보 제공 규모가 커지거나 (2) 발행자가 제3자로부터 보증보험을 획득하거나 (3) 금리하락/조기상환 증가/재투자수익률 하락 발생의 경우 발행된 다계층증권을 **조기상환 요구조항**(calamity call) 등을 요구하게 된다. 그러나 조기상환 발생이 예 15-4대로 일어난다면 발행자는 세전 내부수익률(BTIRR)인 20.19%를

[4] 다계층증권 구조에 따라서는 지분 권리자들이 이 금액을 받아가지 못하고 준비금으로 남겨 놓도록 규정하기도 한다. 이 경우에는 내부수익률은 예 15-4에서 나타난 것보다 낮아지게 된다. 그 이유는 모기지 풀이 완전 상환될 때까지 현금이 실현되지 못하기 때문이다.

예 15-3
A, B 및 Z트랜치 투자자에 대한 현금흐름 (조기상환율 = 0%)

트랜치 A(표면금리 = 9.25%; 투자금액 = $27,000,000)

기간	각기 말 다계층증권 투자자 권리액	풀의 원금 및 Z의 이자로부터의 현금가용액	표면금리	총 상환액
0	$27,000,000			
1	19,214,893	$7,785,107	$2,497,500	$10,282,607
2	10,573424	8,641,469	1,777,378	10,418,846
3	981,394	9,592,030	978,042	10,570,072
4	0	981,394	90,779	1,072,173
5	0	0	0	0
6	0	0	0	0
7	0	0	0	0
8	0	0	0	0
9	0	0	0	0
10	0	0	0	0

트랜치 B(표면금리 = 10.00%; 투자금액 = $15,000,000)

기간	각기 말 다계층증권 투자자 권리액	풀의 원금 및 Z의 이자로부터의 현금가용액	표면금리	총 상환액
0	$15,000,000			
1	15,000,000	0	$1,500,000	$1,500,000
2	15,000,000	0	1,500,000	1,500,000
3	15,000,000	0	1,500,000	1,500,000
4	5,334,240	$9,665,760	1,500,000	11,165,760
5	0	5,334,240	533,424	5,867,664
6	0	0	0	0
7	0	0	0	0
8	0	0	0	0
9	0	0	0	0
10	0	0	0	0

트랜치 Z(표면금리 = 11.00%; 투자금액 = $30,000,000)

기간	각기 말 다계층증권 투자자 권리액	경과이자액	누적경과 이자액	원금에 할당	총 지급
0	$30,000,000				
1	33,300,000	$3,300,000	$ 3,300,000		
2	36,963,000	3,663,000	3,663,000		
3	41,028,930	4,065,930	4,065,930		
4	45,542,112	4,513,182	4,513,182		
5	44,067,644	5,009,632		$1,474,468	$6,484,101
6	36,509,978	4,847,441		7,557,666	12,405,107
7	28,120,968	4,016,098		8,389,009	12,405,107
8	18,809,168	3,093,307		9,311,801	12,405,107
9	8,473,069	2,069,008		10,336,099	12,405,107
10	0	932,038		8,473,069	9,405,107

*A, B 및 Z 트랜치 투자자에 대한 현금 배분은 "낙수"와 같이 위에서 아래로 흐르는 것임.

예 15-4
잔존 현금흐름
(조기상환율 = 0%)

Residual Equity Class ($3,000,000 투자액)			
기간	모기지 풀에 유입현금	A, B, Z에 대한 지급액	Equity에 대한 잔존현금
0			($3,000,000)
1	$12,735,107	$11,782,607	952,500
2	12,735,107	11,918,846	816,261
3	12,735,107	12,070,072	665,035
4	12,735,107	12,237,933	497,174
5	12,735,107	12,351,765	383,342
6	12,735,107	12,405,107	330,000
7	12,735,107	12,405,107	330,000
8	12,735,107	12,405,107	330,000
9	12,735,107	12,405,107	330,000
10	12,735,107	9,405,107	3,330,000
잔존 내부수익률 20.19%			

$3,000,000 투자에 대해 획득하게 된다(자산관리수수료 무시). 이러한 내부수익률은 모기지 풀의 현금에 대해 우선 수령권을 갖은 다계층증권 각 트랜치의 수익률보다 훨씬 높다.

다계층증권 현금흐름과 조기상환 가정 설정

모기지 풀에서는 원금의 조기상환이 항상 있기 때문에, 각 class 증권의 예상만기가 발행자의 수익성에 영향을 미칠 것이다. 그 효과를 분석하기 위해 앞 절에서 조기상환을 0%로 보았던 것을 본 절에서는 10%씩 발생한다고 가정한다.

모기지 풀로부터 생성되는 현금흐름이 채권투자자에게 지급되는 과정이 예 15-5에 나타나 있는데, 예정된 원리금균등분할상환에 추가하여 매년 10%의 조기상환이 발생하고 있다. 예 15-6에서는 A트랜치의 투자자가 예정된 표면금리 $2,497,500과 Z트랜치 이자에 해당하는 $3,300,000과 모든 원금상환

예 15-5
다계층증권 모기지 풀로의 연간 현금흐름 유입
(조기상환율 = 10%)

기간	(1) 모기지 풀: 10년 말기 11% 고정금리	(2) 풀에 원리금 유입액	(3) 조기상환율* (10%)	(4) 총원금분할 상환액 (조기상환 제외)	(5) 이자액	(6) 다계층증권 투자자 권리금액	(7) 다계층증권 투자자에 배분가용액 (2)+(3)
0	$75,000,000					$72,000,000	
1	63,014,893	$12,735,107	$7,500,000	$4,485,107	$8,250,000	60,014,893	$20,235,107
2	52,264,447	11,380,595	6,301,489	4,448,956	6,931,638	49,264,447	17,682,084
3	42,631,009	10,156,083	5,226,445	4,406,993	5,749,089	39,631,009	15,382,527
4	34,010,368	9,046,951	4,263,101	4,357,540	4,689,411	31,010,368	13,310,052
5	26,311,218	8,039,254	3,401,037	4,298,113	3,741,141	23,311,218	11,440,291
6	19,455,296	7,119,034	2,631,122	4,224,800	2,894,234	16,455,296	9,750,156
7	13,378,894	6,270,955	1,945,530	4,130,872	2,140,083	10,378,894	8,216,484
8	8,037,865	5,474,818	1,337,889	4,003,140	1,471,678	5,037,865	6,812,708
9	3,424,664	4,693,580	803,786	3,809,415	884,165	424,664	5,497,366
10	0	3,801,377	0	3,424,664	0	376,713	3,801,377

*전년도 말의 pool 대차에 의거함.

예 15-6

A, B 및 Z트랜치에 대한 현금지급 (조기상환율 = 10%)

트랜치 A(표면금리 = 9.25% ; 투자금액 = $27,000,000)

기간	각기 말 다계층증권 투자자 권리액	풀의 원금 및 Z의 이자로부터 현금가용액	표면금리	총 상환액
0	$27,000,000			
1	11,714,893	$15,285,107	$2,497,500	$17,782,607
2	0	11,714,893	1,083,628	12,798,521
3	0	0	0	0
4	0	0	0	0
5	0	0	0	0
6	0	0	0	0
7	0	0	0	0
8	0	0	0	0
9	0	0	0	0
10	0	0	0	0

트랜치 B(표면금리 = 10.00% ; 투자금액 = $15,000,000)

기간	각기 말 다계층증권 투자자 권리액	풀의 원금 및 Z의 이자로부터 현금가용액	표면금리	총 상환액
0	$15,000,000			
1	15,000,000	0	$1,500,000	$ 1,500,000
2	12,301,447	$2,698,553	1,500,000	4,198,553
3	0	12,301,447	1,230,145	13,531,592
4	0	0	0	0
5	0	0	0	0
6	0	0	0	0
7	0	0	0	0
8	0	0	0	0
9	0	0	0	0
10	0	0	0	0

트랜치 Z(표면금리 = 11.00% ; 투자액 = $30,000,000)

기간	각기 말 다계층증권 투자자 권리액	경과이자액	누적경과 이자액	원금에 할당	총 지급
0	$30,000,000				
1	33,300,000	$3,300,000	$3,300,000		
2	36,963,000	3,663,000	3,663,000		
3	39,631,009	4,065,930	2,668,009		$ 1,397,921
4	31,010,368	4,359,411		$8,620,641	12,980,052
5	23,311,218	3,411,141		7,699,150	11,110,291
6	16,455,296	2,564,234		6,855,922	9,420,156
7	10,378,894	1,810,083		6,076,402	7,886,484
8	5,037,865	1,141,678		5,341,029	6,482,708
9	424,664	554,165		4,613,201	5,167,366
10	0	46,713		424,664	471,377

액 $4,485,107 및 조기상환 $7,500,000를 합쳐 $17,782,607를 수령한다. 이렇게 현금흐름 유입이 빨라짐에 따라 A투자자들은 이제 2년 이후에 지급받을 것이다. 이는 예 15-3에서 조기상환이 없어 4년까지 걸리던 상황과 비교된다. 이러한 이유로 인해 A트랜치는 **선순위지불채권**(fast pay tranche)이라고 불린다. 2년 차 이후에 이자만 받고 있던 B트랜치 투자자들이 Z트랜치에 해당하는 이자액과 모기지 풀 전체의 원금상환 유입액을 수령하기 시작한다. 이러한 현금수령 방식에 의해 B트랜치도 3년 차이면 모두 상환되며, 예 15-3에서의 5년 상환과 비교된다.

앞 절에서 지적했듯이 Z트랜치의 투자자들은 A와 B트랜치가 상환될 때까지 원금이나 이자를 전혀 수령하지 않으며, 예 15-6에서 보듯이 $30,000,000에 대해 이자는 11%로 복리 누적될 뿐이다. 3년 차에 11% 표면금리가 현금으로 Z투자자에게 지불되며, 이자는 경과이자가 누적된 투자원금잔고 대비 11%로 계산된다. Z트랜치는 10% 조기상환 가정에 의하면 10년 차에 완료된다.

마지막으로 발행자는 모든 다계층증권 트랜치의 완료 후에 잔존 현금흐름을 갖게 된다. 이 잔존 금액이 발행자가 초과담보(equity)에 투자하고 다계층증권을 관리해온 대가로 얻는 수익에 해당된다. 예 15-7에서 보면 잔존가치는 모기지 풀에 유입현금과 다계층증권 투자자에 대한 유출의 차액이다. 물론 이러한 계산은 10%의 조기상환 가정을 전제로 한 것이므로 조기상환율이 달라지면 잔존가치의 금액은 전혀 달라질 것이다. 10% 조기상환에서 지분 $3,000,000의 수익률은 17.25%가 되어, 역시 A, B, Z채권의 수익률은 상회한다. 또한 전체 다계층증권에서 지분의 금액이 적어질수록 레버리지(leverage) 효과로 인해 그 수익률이 상승한다.[5]

또한 세전 내부수익률이 조기상환이 없을 때의 수익률 20.19%(예 15-4)에 비해 17.25%(예 15-7)로 감소한다. 그 이유는, 조기상환 발생으로 인해 전체 모기지 풀이 수령하는 총 수입이자 금액이 감소하여 이자 수입액과 지급액 간의 차액이 작아지기 때문이다.

예 15-7
잔존 현금흐름 (조기상환율 = 10%)

잔존 자기자본 Class ($3,000,000 투자액)			
기간	**풀에 유입현금**	**A, B, Z에 대한 지급액**	**Equity에 대한 잔존현금**
0			($3,000,000)
1	$20,235,107	$19,282,607	952,500
2	17,682,084	16,997,073	685,011
3	15,382,527	14,929,513	453,014
4	13,310,052	12,980,052	330,000
5	11,440,291	11,110,291	330,000
6	9,750,156	9,420,156	330,000
7	8,216,484	7,886,484	330,000
8	6,812,708	6,482,708	330,000
9	5,497,366	5,167,366	330,000
10	3,801,377	471,377	3,330,000
잔존 내부수익률 = 17.25%			

5 다계층증권의 재무구조에서 레버리지가 부채를 지닌 수익성 부동산의 레버리지와 유사하다고 생각할 것이다. 비슷하게, 다양한 계층의 트랜치 소유자의 위험은 초과담보 금액에 따라 차이가 날 것이다.

다계층증권: 가격결정과 예상 만기

예 15-8에서 조기상환 속도의 변화에 따라 어떻게 각 트랜치에의 현금지급이 변화하는지 볼 수 있다. A 그래프에서는 조기상환이 0%인 경우의 다계층증권 투자자의 수령 현금흐름을 보여주며, B 표에서는 4가지의 현금흐름 패턴을 나타낸다. 이것이 다계층증권 발행자의 발행 목적으로서, 일반적인 원리금자동이체증권 투자자들보다는 더 특정한 만기를 요구하되 주택저당담보부채권만큼 정확한 만기를 요구하지 않는 투자자층을 포착하여, 만기별로 구분하여 접근한다는 것이다. 그러나 앞 절에서 보듯이 다계층증권이 조기상환 위험을 완전 제거하는 것이 아니다. 금리가 급락할 경우 다계층증권이 원리금자동이체증권보다는 투자자를 더 보호하지만, 그 폭은 크지 않다. 10% 조기상환의 경우를 예 15-9에서 살펴보면 다음과 같다.

일반적으로 다계층증권은 현금흐름의 우선순위 설정에 의해서 원리금자동이체증권보다는 만기의 확실성을 높여 주었다. 14장에서 원리금자동이체증권 투자자들은 조기상환에 따라 현금흐름 수령액이 기간별로 상이해지고, 10년까지 투자기간이 늘어날 수 있었던 점을 기억하라.

다계층증권은 FHA-VA 또는 전통적인 보증보험부 저당권을 대상으로 한 모기지 풀을 기초로 한 경

예 15-8
다계층증권 트랜치와 잔존지분(residual equity)에 대한 연간 현금흐름 (조기상환율 = 0%)

A 그림

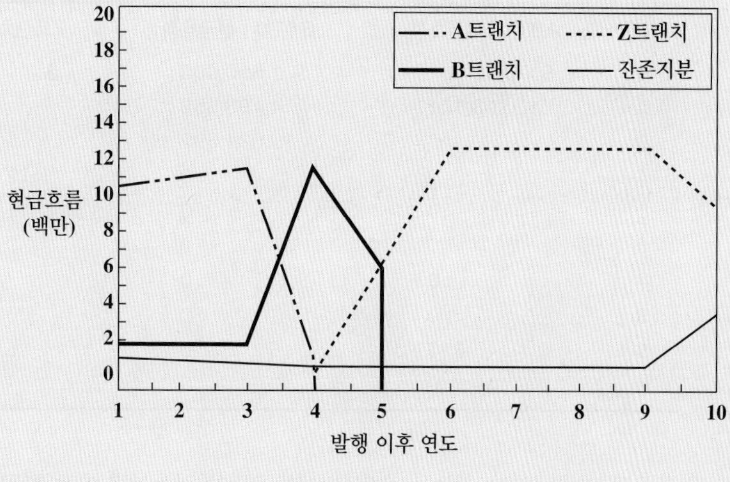

B 표

기간	A트랜치 현금흐름	B트랜치 현금흐름	Z트랜치 현금흐름	잔존 현금흐름
1	$10,282,607	$ 1,500,000	0	$ 952,500
2	10,418,846	1,500,000	0	816,261
3	10,570,072	1,500,000	0	665,035
4	1,072,173	11,165,760	0	497,174
5	0	5,867,664	$ 6,484,101	383,342
6	0	0	12,405,107	330,000
7	0	0	12,405,107	330,000
8	0	0	12,405,107	330,000
9	0	0	12,405,107	330,000
10	0	0	9,405,107	3,330,000

예 15-9

각 다계층증권 트랜치와 잔존지분에 대한 연간 현금흐름 (조기상환율 = 10%)

A 그림

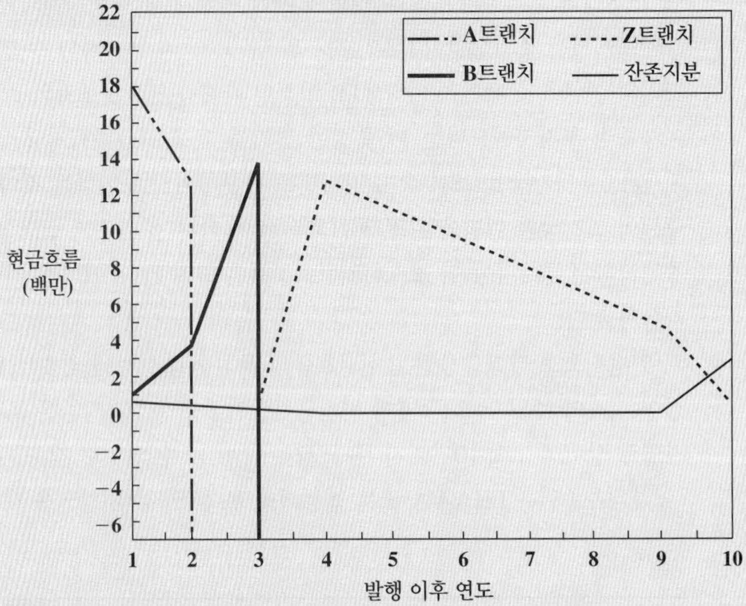

B 표

기간	A트랜치 현금흐름	B트랜치 현금흐름	Z트랜치 현금흐름	잔존 현금흐름
1	$17,782,607	$ 1,500,000	$ 0	$ 952,500
2	12,798,521	4,198,553	0	685,011
3	0	13,531,592	1,397,921	453,014
4	0	0	12,980,052	330,000
5	0	0	11,110,291	330,000
6	0	0	9,420,156	330,000
7	0	0	7,886,484	330,000
8	0	0	6,482,708	330,000
9	0	0	5,167,366	330,000
10	0	0	471,377	3,330,000

우라도 미국국채보다 높은 수익률을 제공해야 하는데,[6] 이는 현금수령시기의 불확실성 때문이다. 만일 금리하락이 예상되지 않는 경우라면 예 15-9상의 현금유입이 원리금자동이체증권을 선호해 왔던 투자자에게 더 매력적으로 보일 것이다. 특히 단기인 A트랜치(fast-pay tranche)가 단기국채와 비교하여 단기금융자산투자신탁(money market fund)에게 매력적일 것이다. B트랜치는 보험회사 및 연기금에 적합한 반면, Z트랜치는 장기투자자, 헤지펀드 등에 의해 선호될 것이다. 따라서 현금흐름의 우선순위 설정에 의해 다양한 계층의 투자자에게 원리금자동이체증권보다 구체적인 만기구조를 가지고 접근하게 된 것이다.[7]

[6] 다계층증권 투자자는 **예정된** 만기범위에 의해 투자되기 때문에, 예정만기를 사용하여 다른 투자상품과 비교 판단된다.

[7] 다계층증권이 미국지방정부 발행 비과세 감채기금채(sinking fund)와 유사하다고 생각할 수 있다. 이 경우는 일정주기로 일정금액이 조기상환되므로, 각 투자자층 간의 상이한 만기선호도에 접근한다는 점은 유사하다. 단지 Z class와 잔존지분(residual equity)을 만든 점이 다계층증권에서만 볼 수 있는 혁신적인 차이점이다.

예 15-10
다양한 조기상환율에서의 다계층증권 트랜치 만기

A 그림. 다계층증권 트랜치들의 발행잔존금액(조기상환 0%)

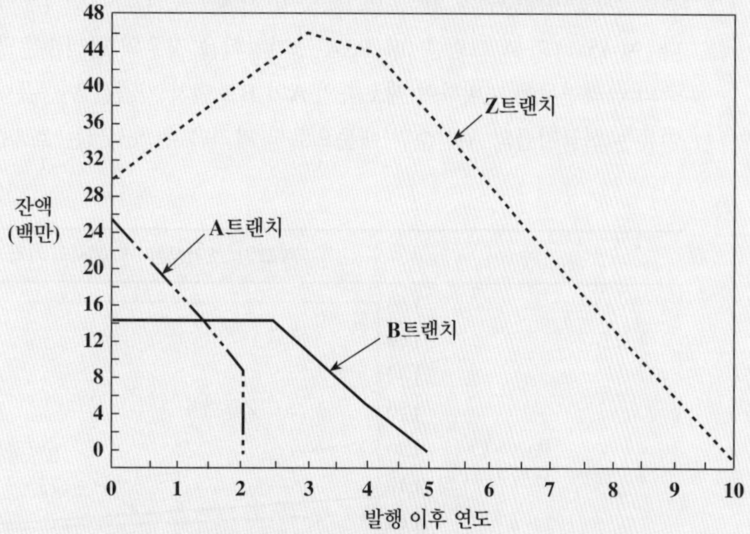

B 그림. 다계층증권 트랜치의 발행잔존금액(조기상환 10%)

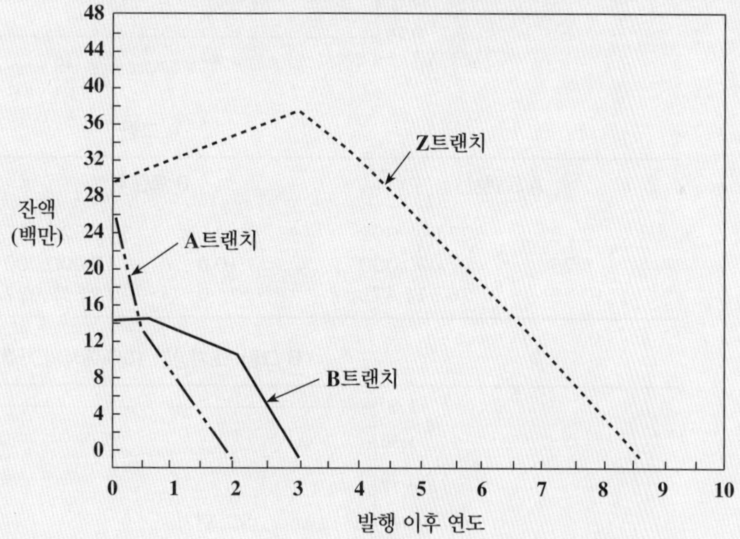

조기상환에 따른 다계층증권 예정만기의 민감도를 보기 위해 예 15-10을 보면 0% 조기상환(A그림)과 10% PSA 조기상환 경우의 발행잔존금액을 보여주고 있다. A트랜치의 잔존액은 발행 즉시부터 원리금이 상환되기 시작하는 반면, B트랜치는 현금 우선순위 유입 속도에 따라 상환이 이루어진다. 반면 Z트랜치의 잔고는 이자가 복리로 누적되는 기간 동안 급격히 늘어난다. B그림처럼 원금상환속도가 빨라지면 각각의 class 트랜치 잔액도 급격히 감소하고 모든 다계층증권 투자자들은 10년 차 이전에 투자대금을 회수해 가게 된다.

다계층증권 트랜치가격 움직임과 조기상환율

원리금자동이체증권의 가격이 그렇듯이 다계층증권 가격도 금리와 조기상환율의 변동에 따라 변화한다. 예 15-11의 A 그림은 0% PSA 조기상환율 경우의 금리수준별 각 트랜치의 가격을 나타낸다. 가로축의 금리변동에 대비하여 세로축의 A와 B트랜치 가격은 변동폭이 비교적 작은 움직임을 나타낸다. 그 이유는 현금지급의 우선순위 때문으로써 가격을 완화시키는 효과(smoothing effect)를 얻는다. 반면 Z

예 15-11
이자율과 조기상환율의 변화에 따른 다계층증권 가격의 변화

A 그림. 조기상환 0%에서의 가격

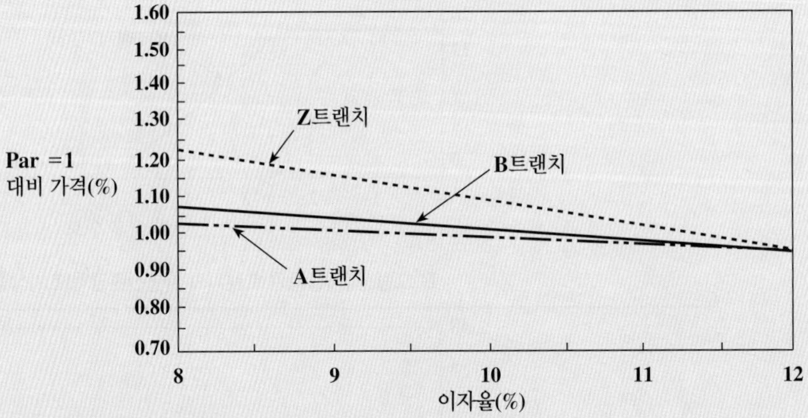

A 그림

A 트랜치		B 트랜치		Z 트랜치	
8.25%	$27,503,902	9.0%	$15,520,627	10.00%	$32,068,383
9.25	27,000,000	10.0	15,000,000	11.0	30,000,000
10.25	26,511,478	11.0	14,502,977	12.0	28,087,320

B 그림. 조기상환 10%에서의 가격

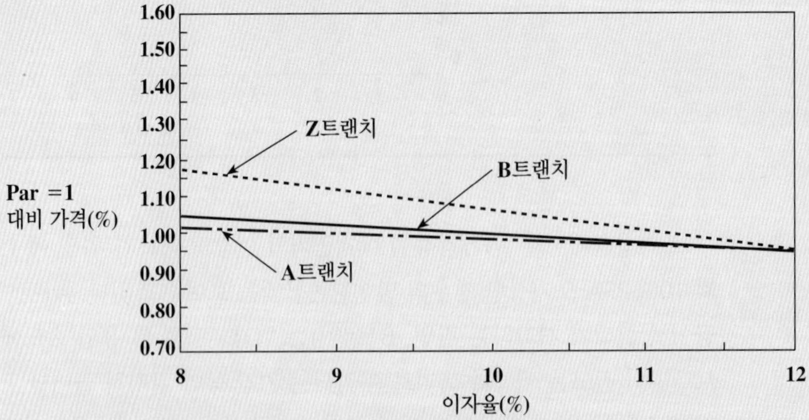

A 트랜치		B 트랜치		Z 트랜치	
8.25%	$27,349,396	9.0%	$15,358,856	10.0%	$31,576,326
9.25	27,000,000	10.0	15,000,000	11.0	30,000,000
10.25	26,658,723	11.0	14,653,174	12.0	28,521,768

트랜치와 잔존지분의 현재가치는 A와 B트랜치보다 더 변동성을 나타내는데, 이는 다계층증권 발행을 위해 A, B트랜치와 Z를 구분한 데 따른 결과이다.

예 15-11의 B 그림에서 보듯이 조기상환이 매우 많은 경우에도 다계층증권 각 트랜치의 가격은 금리변동 대비 격차가 크기 않다. 그런데 여기에서 조기상환율이 증가할수록 **예정만기**도 역시 짧아졌다는 사실을 명심해야 한다(예 15-10 참조). 따라서 다계층증권 구조는 Z트랜치와 잔존지분으로부터 A와 B트랜치로 트랜치가격의 안정성을 끌어내는 대신 모든 트랜치에 대해서 만기를 단축하는 것이다. 그러나 원리금자동이체증권과는 달리, 다계층증권의 A, B트랜치는 조기상환액을 원리금자동이체증권보다 더 많이 수령하고 트랜치가격 면에서의 보호를 더 받게 된다. 원리금자동이체증권 투자자의 경우도 조기상환이 증가할 때 현금수령액의 증가를 누리는 것은 사실이나, A, B트랜치만큼 급격한 만기의 축소효과를 누리지는 않는다. 따라서 Z트랜치를 포함하는 다계층증권을 구성하여 A와 B트랜치를 단기로 설정하면, 원리금자동이체증권 투자를 극히 혐오하고 단기물만을 선호하는 투자자층의 기호에 맞출 수 있게 된다. 가격, 수익률, 만기 간의 관계를 측정하기 위하여 사용하는 기준이 듀레이션(duration)이다. 듀레이션은 본 장의 부록에서 후술한다.

다계층증권 트랜치의 변형

앞 절에서의 예시는 다계층증권 구조를 기본적으로 이해하는 데에 유용하지만, 이러한 기본적 구조는 오늘날의 다계층증권 시장의 극히 일부에 불과하며, 실제 시장에서는 하나의 모기지 풀로부터 다양한 파생증권의 형태로 20가지의 다계층증권 트랜치가 구성되고 있다. 본 절에서는 시장에서 많이 활용되고 있는 변형된 구조를 설명하고자 한다.

원금상환액의 변형

앞서 예시에서처럼 **순차적 지불체계**(sequential pay)를 구성하는 대신 감채기금(sinking fund)을 구성하여 원금상환을 할 수 있다. 이 방식은 트랜치들이 현금흐름의 확실성을 더 갖게 된다는 장점이 있다. 여기에서는 두 개 이상의 트랜치가 지급기일에 원금상환액을 수령하게 된다. 실제 수령금액은 감채기금 설정내용 및 조기상환분 수령액에 따라 결정된다.

감채기금 구조에서는 **계획상환종류채권**(planned amortization class, PAC) **트랜치**가 가장 현금흐름의 확실성을 높여 준다. 모기지 풀의 원금상환 수령액 전부를 할당받는 것이 아닌, 계획상환종류채권에서는 일정 기간 동안 일정 폭의 조기상환 시나리오 하에서 **확정된 금액**을 수령하게 된다. 여기에서 조기상환율 **폭**(band)은 계획상환종류채권의 상환일정이 고정될 수 있도록 최대한 및 최소한의 조기상환 속도 상하한율을 설정한 것을 말한다. 한편 **목표상환종류채권**(targeted amortization class, TAC)은 단일 수치인 목표 조기상환율에 대응하는데, 이를 **가격속도**(pricing speed)라고 부른다. 두 가지 변형 모두 **동반 트랜치**(companion tranche or support tranche)를 별도로 설정하는데, 실제 조기상환율이 TAC의 가격속도를 초과하는 부분은 계획상환종류채권과 목표상환종류채권에 지불되지 않고 동반 트랜치에 지급되는 것이다. 따라서 계획상환종류채권과 목표상환종류채권이 설정된 경우 채권투자자를 조기상환 위험으로부터 보호하려는 취지가 조기상환 위험이 동반 트랜치에 전가됨으로써 가능해진 것이다.

표면금리의 변형

앞서 예시에서 나타났듯이 Z트랜치는 **복리채**(accrual bond)로서, 이자 미지급액이 자동적으로 원금에 가산되므로 그 재투자수익률은 표면금리와 동일하다. Z채의 복리채 이자가 다른 트랜치의 원금상환에 사용되므로, 발행자는 예정만기가 짧은 채권을 동반(companion)만으로 제공 가능하다.

서브프라임 주택저당증권 *Subprime MBS*

전통적으로, 다계층증권은 높은 **신용등급**(prime) 차입자들을 유인하기 위해 FHA-VA 보증을 받은 대출 또는 일반적인 대출로 구성이 되었다. 또한 이러한 증권들은 채무불이행에 따른 투자자 보호를 위해 GNMA 보증을 받을 수 있다. 불행하게도, 2000년 중반 대출기관들은 신용등급이 낮은 차입자(subprime 차입자)에게 대출을 승인하였다. **서브프라임** 차입자들은 낮은 신용등급을 가지고 있으며 대출액 상환에 대한 신뢰도가 낮은 집단들이다. 대다수의 서브프라임 차입자들의 대출형태는 3장에서 언급한 변동금리저당대출(ARM)의 저금리고정기간(teaser rate)이 있기 때문에 차입자들은 대출금을 상환할 수 있다는 환상을 가지고 있었다. 즉, 초기 이자율이 전체 대출기간 동안 이자율보다 낮기 때문에 초기에 차입자들은 대출이자를 상환할 수 있었고, 부동산가치가 계속 상승한다면 대환 그리고 주택의 자본가치로 대출금을 상환할 수 있기 때문이다. 그러나 버블 붕괴 후 주택가격이 하락면서 서브프라임 대출 차입자들은 채무불이행에 빠지게 되었다.

서브프라임 관련 증권들은 GNMA의 보증이 없기 때문에 부실이 발생한다면 투자자 또한 채무불이행 위험에 빠지게 된다. 즉, 차입자가 서브프라임 대출을 상환하지 못한다면, 낮은 이율의 다계층증권 트랜치들의 가치에 손실을 가져다준다. 여기서 더욱 상황이 악화된 점은, 낮은 이율의 다계층증권을 담보로 하여 다른 형태의 파생증권인 **부채담보부증권**(collateralized debt obligation, CDO)을 발행한 것이다. 그 결과, 서브프라임 대출로 발행된 증권을 소유한 다수의 투자자들은 예상치 못한 투자 손실을 입게 된다. 이는 은행시스템에 심각한 문제를 야기한다.

돌이켜 생각해보면, 서브프라임 대출로 파생된 증권들에 대한 위험은 투자자나 신용평가기관이 명확히 인식 못하고 있었다. 그들은 모기지 대출 지역의 다변화(즉, 미국 전역 지역의 주택담보대출을 모기지 풀 작업을 통해 지역적 위험을 줄이고자 했음)를 통해 위험을 줄일 수 있다고 믿었으나 전국적으로 집값이 하락할 경우는 고려하지 않았다.

주택담보대출을 통한 다계층증권의 개념은 아직까지 유효하다. 그러나 향후에는 대출기관들은 이러한 형태의 주택담보대출에 대해 좀 더 조심스럽게 접근하여야 하며 신용평가기관들은 서브프라임 주택담보대출을 담보로 한 증권들을 평가할 때 더 엄격한 규정을 마련하여야 한다.

파생상품의 예시 *Derivatives Illustrated*

변동금리 트랜치는 기관투자자가 변동금리 채무를 변동금리자산으로 대응시키려 하는 경우 가장 매력적인 투자상품이다. **변동금리 트랜치**에서는 특정 지표금리에 연동되어 고정 스프레드가 가산됨으로써 표면금리가 결정되고, 정기적으로 조정된다. 예로서, 변동금리채의 지표금리가 7%로부터 6.75%로 하락하였고, 스프레드가 75 bp라면, 표면금리는 7.75%로부터 7.5%로 하락하게 된다. 다계층증권 시장에서 사

용하는 지표금리로서는 **LIBOR,**[8] 11개 지역에서 조달금리 평균치, 1년 국채수익률, 양도성 예금증서(CD) 등이 있으며, 조정주기는 1~6개월에 걸쳐 설정되고 있다.

그런데 하나의 다계층증권 발행 내에서, 하나의 변동금리 트랜치의 변동지급이자액을 상쇄시키기 위해서 **역변동금리**(inverted floating rate) **트랜치**가 동일 다계층증권 내에 설정되는 경우가 많다. **역변동금리 트랜치**의 조건은 표면금리가 지표금리에 대해 반대방향으로 조정되는 것이다. 두 가지 변동금리의 표면금리의 합계가 1이 되도록 설계함으로써, 다계층증권 발행자는 두 트랜치의 가중평균수익률이 특정 지표금리 대비 항상 안정적이 될 수 있다.

변동금리 – 역변동금리 트랜치의 예를 들어 보면 다음과 같다. 각 트랜치 규모는 $10,000,000이며, 각각은 변동금리 트랜치와 역변동금리 트랜치로 구성된다. 변동금리 트랜치의 지표금리가 LIBOR와 연동하고 발행 당일 6%라 하자(6개월마다 조정). 그리고 각 트랜치별로 발행일 모기지 풀의 비중에 따른 이자 배분이 다음과 같다고 하자.

예시 1

발행일 변동금리 – 역변동금리 트랜치 금리가 LIBOR = 6%라면,

변동금리채이자: $10,000,000 × .5 × .06% =	$ 600,000
역변동금리채이자: $10,000,000 × .5 × .06% =	600,000
총 지급이자 =	$1,200,000

발행일 이후 LIBOR가 7%로 상승하는 경우, 양 투자계층의 이자 배분은 다음과 같이 될 것이다.

예시 2

변동금리채이자: $10,000,000 × .5 × .07% =	$ 700,000
역변동금리채이자: $10,000,000 × .5 × .05% =	500,000
총 지급이자 =	$1,200,000

예시 2)의 경우 총 지급이자는 $1,200,000으로 동일하되, 변동금리 트랜치와 역변동금리 트랜치 투자자 간의 이자 배분 비율은 변화되었다. 만일 LIBOR가 12%로 상승한다면, 변동금리 트랜치 투자자가 $1,200,000 전액을 차지하게 되고, 역변동금리 트랜치 투자자는 한 푼도 이자를 받지 못하게 된다. 금리가 12%를 초과하더라도 역변동금리채 투자자가 마이너스 이자를 수령(현금을 도리어 지급)할 수는 없으므로, 이에 따라 변동금리채 투자자의 수령이자에 상한선(cap)을 발행시점에서 설정해야 한다. 변동금리채 이자의 상한선은 $1,200,000/$20,000,000 = 12%의 LIBOR 수준으로 계산된다. 그러나 발행일의 변동금리채와 역변동금리채에 대한 투자수요에 따라서 상한선은 12% 아래의 다양한 수준에서 결정될 수 있다. 반대로, LIBOR가 2% 하락한다면 역변동금리 트랜치 투자자는 LIBOR 6%에 2%를 더한 8%의 금리를 지급받게 되고, 변동금리 트랜치 투자자는 LIBOR 6%에 2%를 차감한 4%의 금리를 지급받는다. 총 이자지급액은 $1,200,000가 되어야 한다. 또한, 역변동금리 트랜치 투자자에 대한 금리 하한선(floor)도 지정되어야 한다. 그런데 하한선은 기준 LIBOR와 0% 금리 사이에서 결정될 것이다. 이는 본질적으로 변동금리 – 역변동금리 구조의 목적이기도 하다. LIBOR가 상승한다면, 변동금리 트랜치 투자자가 가져가는 이자지급액의 몫은 LIBOR 상승분만큼 상승하고, 변동금리 트랜치 투자자의 몫은 그

[8] LIBOR (London Interbank Offer Rate, 런던 은행 간 거래금리)는 유로통화시장에서 활동하는 은행 간의 일별 금리를 말한다. LIBOR는 전 세계적으로 금융기관의 금리 지표로 널리 사용되고 있다.

만큼 하락할 것이다. LIBOR가 하락한다면 그 반대의 상황이 벌어질 것이다.

이러한 기본 관계에 의거해, 증권 인수자들이 시장여건의 영향을 받는 투자자의 선호를 맞추기 위해 투자구조를 어떻게 변화시키는가를 보여주는 것이 가능하다. 이는 변동금리 및 역변동금리 트랜치 투자자가 각각 받는 이자지급액의 상대적 비중의 **측정**(scaling the ratio)을 통해 할 수 있다. 예를 들어, 변동금리채 투자자가 트랜치의 60%를, 역변동금리채 투자자가 트랜치의 40%를 차지한다면 변동금리 : 역변동금리 투자자의 상대적 비중은 1.5 (60 : 40)가 될 것이다. 이 경우 발행일에 이자 배분은 다음과 같이 될 것이다.

변동금리채	60%	=	12,000,000 × .06	=	$	720,000
역변동금리채	40	=	8,000,000 × .06	=		480,000
	100%	=	20,000,000	=		$1,200,000

변동금리 – 역변동금리 트랜치의 비중이 변한다 하더라도 총 이자지급액은 $1,200,000이 될 것이다. 그런데 앞에서 변동금리 – 역변동금리 상대적 비중이 1.5이기 때문에 LIBOR가 7%로 상승한다면, 다음과 같이 될 것이다.

변동금리채	60%	=	12,000,000 × .075	=	$	840,000
역변동금리채	40	=	8,000,000 × .045	=		360,000
	100%	=	20,000,000	=		$1,200,000

변동금리 트랜치 투자자는 LIBOR에 직접 연동되어 있기 때문에 변동금리 트랜치의 금리가 7%로 상승한다. 따라서 변동금리 트랜치 투자자 $840,000를 지급받아야 한다. 그러나 두 트랜치에 대한 총 이자지급액이 $1,200,000가 되어야 하기 때문에 역변동금리 트랜치의 금리는 1.5% 하락(LIBOR 하락분 1%×상대적 비중 1.5)한 4.5%가 된다. 앞서 지적한 대로 LIBOR 상한선이 있는데, 최대 상한선은 LIBOR가 4% 상승한 10%가 된다. 이 수준에서 변동금리 트랜치는 $1,200,000의 이자를 지급받게 되고, 역변동금리 트랜치는 이자를 한 푼도 지급받지 못한다. 역변동금리 트랜치의 이론적인 하한선에서 역변동금리 트랜치의 금리는 역변동금리 트랜치 투자자가 모든 이자금액을 지급받는 수준인 15% ($1,200,000÷$8,000,000)가 된다.

예로 돌아가서, LIBOR가 4% 하락하여 2%로 떨어진다면, 다음과 같이 될 것이다.

변동금리채	60%	=	12,000,000 × .02	=	$	240,000
역변동금리채	40	=	8,000,000 × .12	=		960,000
	100%					$1,200,000

이 경우, 역변동금리 트랜치의 금리는 6% 상승(LIBOR 상승분 4%×상대적 비중 1.5)한 12%(LIBOR 6%+상승분 6%)가 되어, 이자수령액이 $960,000가 될 것이다. 기준 LIBOR로부터 금리가 4% 상승하므로 역변동금리 트랜치 투자자의 이자수령액이 100% 상승한 것이다.

이러한 간단한 예로부터 변동금리 – 역변동금리 트랜치의 비중과 금리 상·하한선을 구할 수 있다. 또한, 변동금리 – 역변동금리 트랜치의 비중이 높아질수록 역변동금리 투자자에 적용되는 레버리지는 커질 것이다. 레버리지가 커질수록 변동금리 – 역변동금리 트랜치 투자자의 현금흐름 변동성이 커지는데, 변동금리 – 역변동금리 비중을 어떻게 결정할 것인가는 투자자의 성향에 따라 달라진다. 증권 인수자와 발행자는 투자자에게 가장 적합한 구조를 결정해야 한다.

그럼 왜 투자자들은 변동금리 – 역변동금리 파생상품에 투자를 하는 것일까? 그 이유는 이들이 생각하는 향후 금리에 변동성이 있기 때문이다. 파생상품은 주택저당채권이나 채권 포트폴리오 수익률을 유지하기 위해 구매할 수 있다. 예를 들어, 투자자가 현 시장가치가 $1,000,000인 고정금리채 포트폴리오를 가지고 있고 이를 6개월 만기 사업자금대출을 위한 담보물로 활용한다면, 담보물의 가치는 이 기간 동안 $1,000,000를 유지해야 한다. 만일 금리가 상승하면 담보물 가치가 하락하게 되는데, 이 경우 투자자는 포트폴리오에 담보물을 추가해야 한다. 다른 방법으로는 투자자가 담보를 위한 채권을 추가로 구매하는 대신 6개월 만기의 변동금리 트랜치 다계층증권을 구매할 수 있다. 이 방법은 채권을 추가로 구매하여 6개월 이후 매각하는 것보다 비용이 적게 든다.[9]

금리지급액의 변화에 따라, 변동금리 – 역변동금리 트랜치의 가격은 변동성이 클 것이다. 실제로 파생증권은 일반적으로 기초증권보다 가격 변동성이 큰데, 이러한 가격 변동성 때문에 고위험 투자자의 투자처가 될 수 있다.

수익률 향상

포트폴리오의 수익률 향상을 위해서는 투자자들은 헤징을 선택하기보다는 변동금리 트랜치와 역변동금리 트랜치를 구매하기를 원할 수 있다. 예를 들어, 투자자가 위험이 낮은 투자(단기 국채 등) 포트폴리오를 보유하고 있다면, 금리 하락이 발생하더라도 단기채권을 보유한 포트폴리오의 가치에 큰 영향을 주지 않을 것이다. 증권의 만기가 돌아오면 현재의 낮은 금리로 재투자해야 한다. 예상 만기가 짧은 역변동금리 트랜치 다계층증권을 구매함으로써, 금리 하락에 따른 포트폴리오 수익률 감소를 상쇄할 수 있을 것이다. 물론 금리가 갑자기 상승한다면, 반대의 효과가 나타날 것이다.

슈퍼 변동금리 트랜치에는 표준적인 변동금리 트랜치의 특성과 역변동금리 트랜치에서 발견되는 레버리지 효과의 특성이 들어 있다. 이러한 증권의 표면금리는 방향은 같지만 변동성은 더 커지게 된다.

원금/이자분리 *IO/PO Strips*

원금한정(principal-only, PO) 트랜치는 모기지 풀 내로의 매월 불입액 중에서 대출 원금분만을 분리해 낸 것으로 제로쿠폰채와 유사하다. 지급액은 초기연도에는 작다가 기간이 경과하면서 원금분할상환과 조기상환액이 증가함에 따라 점증하게 된다. 다계층증권이 계획상환종류채권(또는 목표상환종류채권)과 원금한정 계층을 모두 가지고 있다면 원금한정은 슈퍼 원금한정으로도 불리는데, 그 이유는 계획상환종류채권으로부터 발생한 조기상환위험이 동반되는 슈퍼 원금한정의 변동성을 커지게 하기 때문이다.

이자한정(interest-only, IO)은 이자분만을 분리해 낸 것으로, 투자자에게 돌아가는 이자지급액은 초기에 많다가 시간이 경과하면서 예정분할상환과 조기상환이 증가하면서 이자지급액이 감소한다. 이자한정은 보통 원금한정과 같이 발행되므로, 분리형 주택저당증권(stripped MBS)이라고 불리며, 시장에서 매우 중요한 위치를 차지하고 있다.

---

[9] 위험을 회피하는 방법은 이외에도 많이 있다. 위험회피를 원하는 투자자는 T-bill 선물을 구매할 수 있는데, 이 역시 담보물 가치하락으로부터 헤지가 가능하다. 단순히 금리선물에 대한 풋옵션을 구매하는 것도 가능하다. 투자자가 중간에 이자수입에 연연하지 않는다면 이러한 방법들도 활용 가능하다. 변동금리 – 역변동금리 다계층증권을 구매하면 담보물 가치하락에 대한 헤지는 물론 이자수입도 받을 수 있다. 이 역시 투자자에게는 중요하다.

예 15-12는 특정한 담보대출모기지 풀에서 이자와 원금을 분리하여 만들어 낸 두 가지 유가증권(**원금한정분리**와 **이자한정분리**)을 보여주고 있다. 조기상환이 전혀 없다는 가정 하에서 투자자 요구수익률이 11%인 경우, 이자한정증권의 수령액의 현재가치는 $461,248이고 원금한정증권의 수령액 현가는 $538,752이다. 이 2가지 현재가치의 합은 명백히 $1,000,000이 되는데, 실제로 이렇게 발행하기는 어렵다.

이자한정과 원금한정증권에 대한 투자분석에서는 조기상환에 대한 위험요소에 대해 고려를 하여야 한다. 이자한정과 원금한정발행 후에 금리가 많이 하락하면, 모기지 풀 내의 저당대출이 **조기상환**될 가능성은 매우 크다. 이 경우 원금한정 투자자들은 예상보다 일찍 투자원금을 회수하게 된다. 이러한 현금유입이 금리하락과 맞물리면 원금한정증권의 가격은 상승하게 된다. 반면 조기상환에 의해 이자한정투자자들은 모기지 풀이 작아짐에 따라 수령금액이 작아진다(대출이 상환되면 이자발생도 중단되는 것이다). 극단적인 경우로서 저당대출 전액이 상환된 경우 **이자한정증권의 가치는 0이 된다**. 이자한정 투자자의 수익률은 이자수입으로만 구성되는 것이다. 조기상환이 0으로부터 20%로 **증가해감**에 따른 현금흐름이 예 15-12의 B표에 나타나 있다. 조기상환이 20%가 되면 이자한정투자자의 수령금액은 매우 작아지

예 15-12
이자한정과 원금한정증권을 만들기 위한 풀 내의 현금흐름 구분($1,000,000 담보대출, 11% 연이율, 10년 만기)

A표. 조기상환 0%의 경우

기간	기초잔액	이자한정분리의 이자	원금한정분리의 원금	원금한정 조기상환액	기말잔액
1	$1,000,000	$110.000	$ 59,801	0	$940,199
2	940,199	103.422	66,380	0	873,819
3	873,819	96,120	73,681	0	800,138
4	800,138	88,015	81,786	0	718,351
5	718,351	79,019	90,783	0	627,569
6	627,569	69,033	100,769	0	526,800
7	526,800	57,948	111,853	0	414,946
8	414,946	45,644	124,157	0	290,789
9	290,789	31,987	137,815	0	152,974
10	152,974	16,827	152,974	0	0
			$1,000,000	0	
11%로 할인한 현가 =		$461,248	$ 538,752		

B표. 조기상환 20%의 경우

기간	기초잔액	이자한정분리의 이자	원금한정분리의 원금	원금한정 조기상환액	기말잔액
1	$1,000,000	$110,000	$ 59,801	$200,000	$740,199
2	740,199	81,422	52,259	148,040	539,900
3	539,900	59,389	45,525	107,980	386,395
4	386,395	42,503	39,495	77,279	269,620
5	269,620	29,658	34,074	53,924	181,623
6	181,623	19,978	29,163	36,325	116,135
7	116,135	12,775	24,658	23,227	68,249
8	68,249	7,507	20,421	13,650	34,178
9	34,178	3,760	16,198	6,836	11,144
10	11,144	1,226	11,144	0	0
			$332,738	$667,261	
11%로 할인한 현가 =		$276,200	$222,403	$501,397	

는데, 이를 11% 수익률로 현가계산하면 A표에서의 $461,248가 B표에서의 $276,200로 감소하고, 이는 약 40%에 상당하는 $184,048의 가치를 상실하게 되는 것이다. 반면 원금한정은 B표에서처럼 더 많은 현금을 더 일찍 수령하게 된다. 원금한정 현금흐름을 11%로 현가화하면, A표 대비 34%의 가치 증가를 보이게 된다(즉, 예정된 분할상환액 $222,403 + 원금조기상환액 $501,397 = $723,806). 여기서 원금한정증권은 조기상환에 관계없이 총 수령액 $1,000,000를 수령하게 된다는 점을 주목하라.

예 15-13은 금리변동과 조기상환이 이자한정과 원금한정증권에 미치는 영향을 보여주고 있다. 조기상환이 0%에서 20%로 확대될 경우, 이자한정 현가는 어떤 수익률에서든지 현저히 하락하는 점에 주목하라. 반면 원금한정은 가치가 증가하는데, 그 이유는 금리가 불변이었던 경우에서보다 현금유입이 일찍 이루어졌기 때문이다.

이러한 비교에 의해 이자한정과 원금한정의 가격변동성이 큼을 알 수 있으며, 또한 투자자들은 이자한정과 원금한정을 고려할 때 장래의 금리변동(등락)과 조기상환율(가속 또는 둔화) 변화를 판단해야만 하는 것이다. 또한, 앞서 설명한 변동금채 – 역변동금리 트랜치 투자와 마찬가지로 이러한 파생상품 투자는 투자자가 장래에 금리가 변동할 것으로 예상하여 이를 헤지하고 싶을 때도 할 수 있다.

예 15-13
각 할인율별 이자/원금한정의 가격: 조기상환율(PPR) 0%와 20% 비교

A 그림

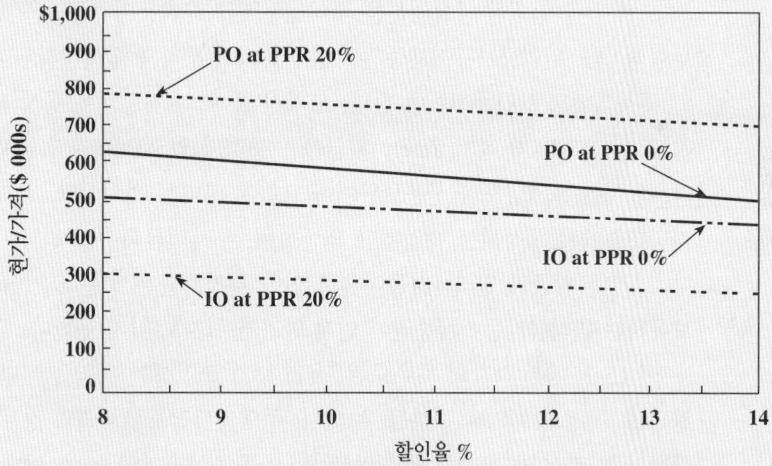

B 표

할인율	PPR=0% 이자한정현가	PPR=20% 이자한정현가	PPR=0% 원금한정현가	PPR=20% 원금한정현가
8%	511	297	628	784
9	494	290	596	763
10	477	283	566	743
11	461	276	539	724
12	446	270	513	706
13	432	264	489	688
14	419	258	467	671

볼록효과 *Convexity*

예 15-13의 A그림과 B표의 현재가치 패턴을 설명하는 유용한 방법은 원금한정이 이자한정보다 그래프상 **볼록효과**(convexity)가 크다는 용어로 표현된다. 이는 예 15-13에서 조기상환 0인 경우의 현재가치 범위를 분석하여 확인될 수 있다. 조기상환이 0인 경우 원금한정곡선은 각 할인율별로 곡선의 기울기가 이자한정곡선에서보다 크다. 그 의미는 원금한정의 가격이 이자한정보다 금리변동(할인율 변동)에 더 민감하다는 뜻이다. 즉 원금한정의 가격 볼록효과가 크다는 것이다. 그런데 조기상환율이 20%로 상승하면, 주택저당채권이 더 빨리 상환되기 때문에 원금한정의 가격은 상승하지만, 20%에 해당하는 주택저당채권 포트폴리오에서 이자지급이 중단되기 때문에 이자한정의 가격은 하락한다. 다양한 할인율 수준에서 이자한정의 가격을 평가하기 위해서는 조기상환율을 반드시 고려해야 한다. 그 결과 이자한정 가격은 조기상환과 금리 변화에 대한 민감도가 더 클 것이다.

주택저당증권 *MBS* : 요약

4가지 유형의 증권의 주요 특성에 대해 요약하면 다음과 같다. 예 15-14는 주택저당증권(mortgage-backed security, MBS) 시장에서 사용되는 주요 개념 및 용어를 요약한 표이다. 예 15-15는 4가지 증권의 중요한 성격을 보여 주는데, 그 현금흐름과 위험흡수 형태를 이해하는 데 유용한 비교표이다.

모기지 풀에 대한 공유지분을 나타내는 원리금자동이체증권을 제외한 나머지 3가지 증권은 모두 채무형태이다. 원리금자동이체증권은 증권화되어 투자자에게 매각된 후, 신탁 안에 편입되어 있는 독립적인 투자대상으로 간주되어야 한다. 모기지 풀 내의 저당권은 통상 FHA-VA 또는 보증보험부이고 발행자 또는 GNMA가 적기(timely)지급을 보증하고 있으므로, 원리금자동이체증권은 독립적인 투자대상이다. 즉 이는 초과담보나 신용보완이 필요하지 않다는 의미이다. 원리금자동이체증권 투자의 성공여부는 저당대출에서 생성되는 수입에만 의존하며, 투자대금회수는 원금분할상환 및 조기상환에 의해 결정된다. 그러나 원금의 원리금자동이체로 인해 투자자들은 모든 조기상환 및 재투자위험을 부담해야 하고, 보유하는 원리금자동이체증권이 언제 만기가 될지도 알지 못한다.

예 15-15에서 각각의 채무증권은 (1) 누가 조기상환 위험을 부담하는가와 (2) 초과담보 또는 신용보완의 요구 정도에 의해 구분될 수 있다. 주택저당담보부채권의 경우 모든 조기상환 위험을 발행자가 부담한다. 따라서 초과담보나 신용보완의 요구수준이 제일 높다. 반대로 투자자 측이 조기상환 위험을 부담하는 구조일수록(즉 원금이 투자자에게 자동이체될수록) 초과담보나 신용보완 수준은 낮아진다. 이는 지불이체채권와 다계층증권에서는 조기상환이 빨라질수록 채권의 만기가 짧아지는 반면, 주택저당담보부채권의 만기는 조기상환 속도에 관계없이 확정불변이기 때문이다. 따라서 조기상환의 가능성을 고려하여 주택저당담보부채권에서는 지불이체채권이나 다계층증권에 비하여 초과담보를 많이 쌓아야 한다. 결국 각 증권 형태의 투자 매력을 판단할 때에는, 투자자가 조기상환 위험을 어느 정도 부담하는가를 초과담보/신용보완과 비교검토하여야 하는 것이다.

마지막으로, 발행자 측면에서 주택저당담보부채권과 지불이체채권은 채무조달의 형태로 간주된다. 증권화된 주택저당채권이 신탁관리자에게 맡겨져 있지만, 이는 발행자의 대차대조표에 자산으로 남아 있고 주택저당담보부채권은 부채로 계상된다. 다계층증권의 경우에도 발행자가 잔존지분을 제3자에게 파는 경우에만 발행자는 저당대출 풀을 자산에서 제거하고 다계층증권을 부채에 계상하지 않을 수 있

예 15-14

다계층증권 및 파생증권시장 관련 주요 개념*

다계층채권(CMO)
다계층증권은 주택저당채권이나 주택저당증권에 의해 담보되는 채권 또는 차입증서이다. 모기지 풀의 현금 배분은 다양한 현금흐름 선택권과 만기 위험을 가진 원리금자동이체증권과 다계층증권 투자자에게 제공하기 위해 설계한다.

축소위험(Contraction risk)
주택저당채권 시장금리가 떨어지면 주택소유자는 차환을 하려고 한다. 계약위험은 2가지 방법으로 주택저당증권의 가격에 영향을 미친다. (1) 주택저당증권의 조기상환 위험 때문에, 국채와 같이 조기상환 위험이 없는 채권만큼 가격이 오르지 않는다. (2) 주택저당증권 투자자가 원금을 조기상환받으면, 더 낮은 시장금리로 재투자해야 한다. 이러한 2가지의 효과가 결합해서 축소위험에 반영된다.

볼록효과(Convexity)
시장금리(투자자의 할인율)의 변화에 따라 투자 가격의 변화율을 의미한다.

파생증권(Derivative security)
파생증권은 가치의 근거가 다른 증권, 지수, 금융청구권으로부터 파생된 것이다. 원리금자동이체증권과 다계층증권과 같은 주택저당증권의 가치가 모기지 풀에 기초하기 때문에 이들을 파생상품이라 부른다. 옵션, 스왑과 같은 많은 파생상품이 있다.

듀레이션(Duration)
금리 하락(상승)에 따라 조기상환율이 증가(감소)할 때, 주택저당증권의 기대 만기는 분할상환 현금흐름의 변화에 따라 짧아(길어)진다. 이러한 투자의 현재가치 뿐만 아니라 만기도 변화한다. 듀레이션은 현금흐름 수입의 시간 가중치의 측정이며, 현금흐름 수입의 현재가치 평가 도구가 될 수 있다.

확장위험(Extension risk)
확장위험은 축소위험의 반대의 경우로, 금리가 상승할 때 투자자가 직면하는 위험을 말한다. 금리 상승은 주택저당증권 투자자에게 2가지 영향을 미친다. (1) 주택저당증권의 가격은 다른 고정금리 증권과 마찬가지로 하락한다. 그러나 금리 상승으로 조기상환율이 떨어지기 때문에, 투자자에게 돌아가는 현금흐름이 줄어들고 기대 만기도 증가한다. 이것은 주택저당증권의 가격을 더욱 떨어뜨리게 된다. (2) 조기상환율이 떨어지면서, 현금흐름을 더 높은 금리에 재투자할 기회가 상실된다. 이들 2가지 효과(주택저당증권 가격이 떨어지고 재투자 수익률이 낮아짐)가 결합해서 *확장위험*으로 반영된다.

IO/PO Strips
이자/원금분리는 주택저당채권이 2개의 증권으로 쪼개질 때 발생한다. 이자한정분리 투자자들은 모기지 풀로부터 이자만 수령한다. 원금한정분리 투자자들은 원금을 수령한다. 금리가 하락할 경우 차입자들이 차환을 하면서 원금한정분리 투자자들에게 더 많은 현금이 제공되면서 원금한정분리의 가격이 상승한다. 금리가 상승할 경우 원금한정분리 투자자들의 현금흐름은 가속화된다. 금리 상승은 이자한정분리 투자자들에게 유리한데, 주택소유자들이 차환보다 현 저당대출의 유지를 선호하면서 차환율이 떨어지기 때문이다. 이자한정분리 투자자들은 예상보다 긴 기간의 이자수입을 얻게 되는 것이다.

LIBOR
LIBOR (London Interbank Offer Rate, 런던 은행 간 거래금리)는 유로통화시장에서 활동하는 은행 간의 일별 금리를 말한다.

조기상환 위험(Prepayment risk)
주택소유자들은 주택저당채권을 조기상환할 수 있다. 주택저당증권 투자자들은 투자가치를 평가할 때 주택저당채권 재상환을 예측해야 한다. 이는 현금흐름의 시기가 조기상환율에 영향을 받기 때문에 중요하다.

Tranche
트랜치는 다계층증권에서의 채권계층을 말하는데, 계층별로 현금흐름 수령의 우선순위가 다르다. *트랜치*는 프랑스어로 "자르다"는 뜻을 지니고 있다.

* 용어 검토와 원리금자동이체의 기본적 이해는 R. S. Guttery와 E. McCarthy의 "Real Estate Derivative Assets: CMOs, IOs, POs and Inverse Floaters," *Real Estate Finance*, Winter 1995, pp. 18–29.를 참조하십시오.

다. 다계층증권 발행에 이러한 불리한 점이 있으므로, 그 해소책으로서 발행자는 부동산저당대출투자회사(real estate mortgage investment conduit, REMIC)법상의 혜택을 이용하면 부외금융(off-balance-sheet)효과를 확보할 수 있다. 부동산저당대출투자회사 법상의 유동화회사제도를 활용하면 발행자는 모기지 풀을 투자자에게 매각 처리하여 부외 자금조달이 달성되며, 부동산저당대출투자회사 증권이 발행되는 시점에서 모기지 풀의 매각손익을 계상하게 된다.

예 15-15
각 주택저당증권(MBS) 형태별 특성 요약

	담보대출담보부채권	원리금자동이체증권*	지불이체채권	다계층증권
(a) 이자 취득 유형	차입	지분	차입	차입
(b) 발행되는 채권의 가짓수	단일	단일	단일	복수
(c) 원금의전가(원리금자동이체증권)	없음	있음	있음	우선순위 설정하여 있음
(d) 조기상환 위험 부담자	발행자	투자자	투자자	투자자
(e) 초과담보	있음	없음	있음	있음
(f) 담보의 시가평가	이루어짐	해당없음	안함	안함
(g) 신용보완	있음	없음	있음	없음
(h) 만기 확정여부	있음	없음	없음	없음
(i) 조기상환조항	가능	Cleanup 조항	가능	Calamity와 nuisance 조항
(j) 부외처리 가능여부	불가	가능	불가	가능(REMIC)

* GNMA/MPT, FNMA/MBS 또는 FHLMC/PC로 가정함

주택저당증권 *MBS* : 결론

지금까지 본 장의 논의를 통하여, 투자자는 채권의 특정한 만기에 대해 선호도가 강하므로 투자자층을 세분화(segmentation)할 수 있다는 사실을 명백히 알 수 있다. 투자자의 선호도는 운용자들이 부채 만기와 일치하는 자산을 요구함에 따라 결정된 것이다(예를 들어 연금자산의 경우 정년퇴직자 수 등에 의해 요구되는 연금지급 의무액에 맞추어 구성되어야 한다).

투자자가 주택저당담보부채권, 원리금자동이체증권, 지불이체채권, 다계층 증권 간에서 선택을 해야 할 경우에 각 상품에 따라 상이한 현금흐름 패턴에 직면하게 되므로, 각각의 수익률을 어떻게 계산하는가의 질문이 대두된다. 예로서 주택저당담보부채권의 경우는 일정주기로 확정이자를 받다가 만기에 원금을 일시상환받는다. 반면 원리금자동이체증권에서는 조기상환으로 인해 현금흐름이 더 가변적이다. 다계층 증권 Z채권의 경우에는 현금흐름이 만기 근처에만 집중된다. 만일 3가지 채권이 각각 동일한 수익률을 제공한다고 할 때,[10] 투자자는 각 채권을 동일시해야 할 것인가? 3가지 채권이 한 포트폴리오에 있고 지급이 측정 기간에 돌아오는 채무상환에 활용된다면, 현금흐름이 들어오는 만기와 금리 간의 관계는 어떻게 평가할 것인가? 이는 현금흐름에 의한 수익률과 만기를 구성하는 듀레이션이라는 요소에 의해 평가할 수 있는데, 듀레이션은 이 장 부록에서 다룬다.

상업용 부동산저당증권 *Commercial Mortgage-Backed Security, CMBS*

지금까지 본 장과 앞 장에서는 주택저당증권(MBS)을 다루어 왔다. **상업용 부동산저당증권(CMBS)**도 기본적으로 방법론과 구조에서 주택저당증권과 매우 유사하다. 그러나 저당권의 내용, 부동산의 수익 창출력, 상업용 저당채권 풀에 수반되는 위험 등은 주택저당증권에서와는 여러 면에서 상이하다. 이러

[10] 일반적으로 동일한 모기지 풀을 대상으로 했을 때 주택저당담보부채권, 원리금자동이체증권, 다계층증권 Z의 수익률은 상이하게 되는데, 그 이유는 주택저당담보부채권에서 발행자 측이 조기상환 위험을 부담하므로 투자자 측은 원리금자동이체증권 투자에서보다 낮은 수익률을 감수해야 하기 때문이다. Z채권의 경우는 투자자가 조기상환 위험을 부담할 뿐만 아니라, 이자도 복리로 만기에 지급받기 때문에 원리금자동이체증권보다 수익률이 높아야 한다.

한 차이를 본 절에서 살펴보고자 한다.

주택저당증권과 마찬가지로 대부분의 **상업용 부동산저당증권**은 주택저당담보부채권, 원리금자동이체증권, 다계층증권의 형태를 가진다. 주택과 상업용 저당채권 풀의 주 차이점은 **채무불이행 위험** 가능성에 집중된다. 주택의 경우 모기지 풀 내의 저당권은 FHA-VA 또는 전통적인 보증보험부인 것을 기억하고 있다. 또한 GNMA나 FNMA, FHLMC가 적기에 원리금 지급을 보장한다. 민간발행자가 주택저당담보부채권과 지불이체채권을 정부의 보증 없이 발행하기는 하지만 정부가 지원하는 공공기관 발행물이 발행규모 면에서 압도적으로 많다.

그런데 상업용 부동산저당증권은 수익을 창출하는 부동산에 대한 저당권에 근거한다. 이 부동산의 세입자들이 체결하는 임대차계약이 상업용 부동산저당증권 원리금상환을 위한 임대료수입원을 구성한다. 따라서 부동산의 질, 입지, 세입자의 신용도 등이 상업용 부동산저당증권발행 채권의 신용등급 판정에 중요한 요소가 된다. 만일 세입자들이 임차료 납부를 하지 않거나 당해 지역 부동산시장이 공급과잉으로 인해 임대료수준이 하락하는 경우, 상업용 부동산저당증권 상환재원이 되는 현금수입원이 위태로워진다. 더욱이 저당대출은 비소구(non-reconrse) 조건으로 부동산소유주에게 대출된 것이기 때문에, 상업용 부동산저당증권 투자자들은 채무불이행의 경우에도 당해 부동산의 처분가치 외에는 투자액을 회수할 원천이 없다. 상업용 부동산저당증권 발행의 여러 가지 특징을 예 15-16에서 보면 첫째, 상업용 부동산저당증권 대상자산은 5~15년의 단기가 일반적이며 현금유입은 이자한정인 경우가 많다. 즉, 국채나 회사채와 같이 원금상환은 거치되고 매월 이자만 납부하다가, 만기에 원금이 일시상환되는 조건을 말한다. 둘째, 상업용 부동산저당증권에서도 **선순위**와 **후순위채**가 발행되며 이를 각각 "A piece" 그리고 "B piece"라고 한다. 실무적으로는 각각의 주요 계층 내에 하위계층이 구성된다. 선순위, 후순위의 차이점은 모기지 풀로부터 얻은 현금흐름의 **우선청구권**의 여부이다. 즉, **선순위채**가 상환된 후의 잔존가치는 **후순위채** 또는 잔존지분 소유자에게 차례로 귀속된다. 이러한 것은 예 15-16에서 볼 수 있다.

또 다른 중요한 점은, 주거용 주택저당증권에서는 원금상환의 경우 대출만기 도래 훨씬 이전에 대출상환이 이루어질 가능성이 큰 반면, 상업용 부동산에서는 그렇지 않다. 상업용 부동산저당증권에서는 **조기상환 금지**(lockout) 조건으로 인하여 조기상환은 거의 이루어질 가능성이 없다. 이에 따라 상업용 부동산저당증권–다계층증권 투자자들의 주 관심사는 만기에 원금상환이 잘 되겠는가에 집중된다.

상업용 저당채권(mortgage)은 종종 대출이 완전히 상환되기 이전에 "일시상환(balloon payment)"되는 경우가 있다. 일시상환이 되는 경우, 채무자인 소유자는 담보로 제공된 부동산을 매각하지 않기 위해서는 차환을 해야 한다. 만일 차환이 상환 갱신(roll over)합의에 의해 이루어지는 경우라면 차환자금이

예 15-16
상업용 부동산저당증권 다계층증권 발행의 단순 예시

풀의 내용: $10,000,000 저당대출, 10% 이자율, 5년 만기

자산		부채	표면금리	
		선순위채:		
상업용 담보대출	$10,000,000	Class A 채권	8%	$ 6,000,000
		후순위채 :		
		Class B 채권	10%	3,000,000
		합계		9,000,000
		순자산(잔존지분)		1,000,000
총계	$10,000,000	합계		$10,000,000

모기지 풀의 기존대출 상환에 사용된 후, 상업용 부동산저당증권 투자자에게 재상환될 것이다. **일시상환 시점에 부동산 시장이 나쁘거나 금리가 높아진 경우**, 저당대출의 차환 가능여부에 대한 위험성이 매우 크다. 따라서 최초대출자가 갱신을 거절하거나, 갱신을 하더라도 차환대출금액을 축소하는 조건 하에서만 갱신하는 경우가 발생한다. 이 경우 저당대출만기에 상업용 부동산저당증권 만기원금도 회수할 것으로 믿고 있던 상업용 부동산저당증권 투자자들은 투자를 회수하지 못하거나, 일부만 회수가 가능한 문제에 봉착하게 된다. 상업용 부동산저당증권 투자자들은 모기지 풀 내의 저당대출이 비소구 조건의 대출로서 차입자 및 대출자(상업용 부동산저당증권발행주체)에게 대한 상환 청구권이 없으므로, 수탁 담당자가 담보물을 처분하거나 채무조정을 해주기를 기다릴 수밖에 없다. 차입자가 만기 시 차환을 하지 못하는 위험을 **확장위험**(extention risk)이라 한다. 차입자가 채무불이행을 하여 도산하는 경우, 결국 담보 부동산을 매각하여 대출잔고를 상환하는 데 사용해야 한다. 담보물을 처분하여 저당대출을 상환하는 경우에도 매각가격이 대출원리금에 미달하면 상환 부족액이 발생하여 다계층증권 투자자 중 후순위 일부는 투자손실을 입게 되므로, 투자자들은 **차입자의 신용도 분석**에 주의를 기울이고 있다.

예 15-17은 예 15-16의 조건으로 발행된 상업용 부동산저당증권에서 발생하는 상업용 부동산저당증권투자위험의 분석을 예시한 것이다. A표에서, 대출이자 수령 입금액은 먼저 A선순위(60% 비중) 채권자에게 8% 금리로 이자금액 $480,000가 지급되며, 이후 B후순위 채권자(30% 비중)에게 10% 금리로 $300,000가 지급된다. 잔존 $220,000는 $1,000,000를 투자한(10% 비중) 잔존계층(residual class)에 귀속된다. 채무불이행이 없다면 각 상업용 부동산저당증권 투자자들은 예정대로 현금흐름을 수령하여 만기인 5년 차에 원금을 회수한다.

예 15-17의 B표에서는 만기에서 채무불이행 사태가 발생하여 담보물을 처분하더라도 대출원금의 80%만이 회수되는 경우를 보여준다. 5년 차의 현금유입이 $9,000,000 [$1,000,000의 이자와 원금 $8,000,000 (80%)]에 불과하므로 선순위 A채가 이자 $480,000과 원금 $6,000,000만을 회수한다. 후

예 15-17
상업용 부동산저당증권 채권자에 대한 현금흐름 지급

A표. 채무불이행이나 조기상환이 없는 경우

기간	풀에 현금유입	선순위채	후순위채	잔존지분
1	$ 1,000,000	$ 480,000	$ 300,000	$ 220,000
2	1,000,000	480,000	300,000	220,000
3	1,000,000	480,000	300,000	220,000
4	1,000,000	480,000	300,000	220,000
5	11,000,000	6,480,000	3,300,000	1,220,000
	내부수익률 =	8%	10%	22%

B표. 채무불이행 발생, 담보처분가치가 대출잔고의 80%

기간	풀에 현금유입	선순위채	후순위채	잔존지분
1	$ 1,000,000	$ 480,000	$ 300,000	$ 220,000
2	1,000,000	480,000	300,000	220,000
3	1,000,000	480,000	300,000	220,000
4	1,000,000	480,000	300,000	220,000
5	9,000,000	6,480,000	2,520,000	−0−
	내부수익률 =	8%	5.33%	24.92%

순위 B채권자들은 이자 $300,000와 원금 $2,220,000를 회수하여 $780,000의 대손을 입게 된다. 잔존투자자들은 원금 $1,000,000를 회수하지 못한다. A채권의 수익률은 8%가 확보된 반면, B채권의 내부수익률은 10%가 아닌 5.33%로 하락한다. 잔존투자자의 수익률은 예정했던 22% (A표 참조)와는 거리가 먼 −4.92%로 떨어진다.

이와 같은 예시에서 보듯이 채무불이행 위험 가능성으로 인해 잔존투자자들이 가장 큰 위험을 부담하며, 다음으로 후순위 투자자들이 손실 가능성을 흡수한다. 이러한 이유로 채권투자자 사이에서 후순위채는 **우선손실부담포지션**으로 불린다. 투자자들이 상업용 부동산저당증권 발행 건을 검토할 때 각 계층 채권별 크기 및 대손위험 대비 지급우선순위가 가장 중요한 변수라는 것을 명확히 이해할 수 있다.

채무불이행 위험이 매우 중요하기 때문에 유동화 풀을 구성하기 위한 저당대출은 상업용 부동산 및 다가구 주택에 대출한 은행·보험사로부터 가져오게 된다. 이들 대출은 대출실행 후에 상당기간이 경과되면서 양호한 이자납부 실적을 쌓고 있다. 이는 잠재 투자자에게는 매우 중요한 정보이다. 금리 하락기에는 기초대출의 가치가 상승하게 되면서, 많은 대출자들이 대출자산 매각을 원한다. 그러나 개별 대출자산에는 유동화될 수 있는 시장이 거의 존재하지 않기 때문에(개별 건당 금액이 크고, 대출조건이 표준화되어 있지 못함) 매수자를 찾기가 매우 어렵다. 따라서 이러한 저당대출들을 모기지 풀에 모아서 이에 대해 채권을 발행함으로써, 대출자들은 다수 투자자에게 소액으로 판매하여 대출을 현금화하며 금리하락으로 인한 시세차익도 실현시킬 수 있는 것이다. 대출자 측에게 추가적인 유동화의 목적으로는 기존대출을 회수하여 신규영업자금을 더 확충하는 것이다.

따라서 상업용 부동산저당증권 풀은 단일 저당대출로서 다양한 용도의 다수 세입자용 건물일 수도 있고, 다수의 소규모 수익용 부동산 건의 혼합일 수도 있다. 그러나 일반적으로는 단일 대출자가 보유하는 풀을 대상으로 상업용 부동산저당증권이 발행되며, 모기지 풀 내의 부동산은 동일한 형태(예를 들어 오피스빌딩 또는 유통업)로서 지역적으로 분산되어 있다.

상업용 부동산저당증권의 신용평가

상업용 부동산저당증권은 독립적인 신용평가사로부터 신용등급을 획득한다. 그러나 모기지 풀 내의 저당대출 성격이 주택대출과 상이하므로 상업용 부동산저당증권 평가기준도 주택저당증권에서의 기준과 매우 상이하다. 상업용 부동산저당증권이 발행자의 신용등급에 의존하고 제3자의 보증이나 보험이 없는 경우, 모기지 풀 내의 부동산이 획득하는 현금흐름에 최악의 임대료수준, 공실률, 관리비 상황을 가정하여 채무상환능력을 판단하게 된다. 만일 대형 부동산에 대한 단일대출 또는 소수건의 대출을 유동화하는 경우라면, 이 판단은 더욱 중요하다. 다수의 저당대출이 모기지 풀에 편입되는 경우라면 대출자의 과거 대출회수실적에 중점이 부여된다. 즉 과거대출에서의 대손관리실적(현재의 모기지 풀과는 무관함)이 면밀히 검토되는 것이다. 최악의 시나리오 적용을 위해서는 부동산 소재지역별로 특정한 통계를 현금흐름모델에 입력하여 사용한다. 일반적으로 신용평가사들은 선순위 트랜치, 또는 A piece (AAA, AA 또는 A)에만 투자적격 등급을 부여하며 후순위 트랜치는 더 낮은 등급(BBB에서 B)을 부여받거나 "미등급(unrated)" 상태로 두는데, 이는 투자적격이 못되므로 연기금이나 신탁기금의 투자 대상이 될 수 없다. 예 15-18은 각각 다른 기준의 종속(subordination)에 따라 계층(채권)별 신용등급을 보여준다. 또한 이 예시에서는 각 증권에 대한 주택담보대출비율(LTV)과 부채상환계수(DSCR)를 보여준다.

예 15-18
상업용 부동산저당증권의 일반적인 채권위험 고려요소

평가액	종속* (Subordination)	DSCR†	LTV††	가격	
AAA	30%	2.00	52.50%	102	
AA	24%	1.84	57.00%	101	할증
A	18%	1.71	61.50%	100	↓
BBB	11%	1.57	66.75%	98	↓
BB	6%	1.49	70.50%	75	↓
B	3%	1.44	72.75%	65	할인
NR	0%	1.40	75.00%	35	

출처: 본 표는 Josh Marston과 Mass Financial Services에 의해 만들어지고, Charter Research에 의해 제공되었음
* 종속 퍼센트는 배후 융자의 LTV가 75%일 때 1 − (LTV / 75%)와 같다. 예를 들어 AA등급일 경우 종속 퍼센트는 1 − (57% / 75%) = 24%이다. 이것은 가장 높은 다음 평가액 구간에 손실이 발생하기 전, 얼마나 많은 융자손실이 발생할 수 있는지 나타낸다. 따라서 AA 평가액 투자자는 융자의 가치가 24%를 잃지 않는다면 손실이 발생하지 않는다.
† 부채상환계수(debt service coverage ratio)
†† 주택담보인정비율(loan-to-value ratio)

상업용 부동산저당증권 발행이 성공적이기 위해서는 발행주체가 충분한 신용보완을 제공하여 투자자 측의 채무불이행 위험을 무난한 수준까지 줄여주어야 한다. 신용보완방식은 다음과 같은 형태를 취한다.

① 발행주체 또는 제3자의 보증: 여기에는 (a) 적기지급(timely payment) 보증과 (b) 모기지 풀의 현금부족 경우에도 투자자에게 지급보증, 그리고 (c) 원금상환보증 등의 여러 형태가 있다. 이러한 보증은 금액이 제한적으로써, 발행주체가 부분보증하고 제3자가 일정금액 초과 손실을 보증하는 경우가 많다. 어느 경우든지 투자자는 발행주체 및 제3자의 보증능력을 심사한다.

② 보증증권(surety bonds) 및 신용보증서(letters of credit): 은행이나 보험회사가 수수료를 대가로 이자와 원금을 보증한다. 여기서 제3자의 보증자가 채무불이행 위험을 부담하며 앞 (1)의 보증에 중첩될 수 있다. 보증금액은 여러 가지 범위를 지닐 수 있다.

③ 선불(advance payment) 계약: 이는 발행주체가 적기지급을 보장하는 것이되 채무불이행 이후의 수 회차로의 지급에만 한정될 수 있다.

④ 저당권의 교체 및 환매수 계약: 발행주체가 결함이 있는 저당대출을 건전한 저당대출로 교환해주거나 환매수 하겠다는 계약

⑤ 임대차 양도(assignment): 이 계약은 부동산소유자가 임대차계약상의 임대료 수령권을 대출자에게 양도하고, 대출자는 이를 상업용 부동산저당증권 투자자에게 지급하는 계약이다(부동산소유주 또는 관리자가 먼저 수금받은 후에 동 금액을 대출자에게 지급하는 대신에). 이 방식은 부동산소유주 또는 관리자가 파산위험에 처했을 때, 상업용 부동산저당증권 투자자가 받을 금액을 수령하지 못할 위험을 축소시켜 준다.

⑥ 초과담보: 최초대출자는 모기지 풀이 발행하는 상업용 부동산저당증권 금액보다 많은 금액의 저당대출을 모기지 풀에 편입시킨다. 모기지 풀에는 상업용 부동산저당증권 지급현금소요액보다 많은 금액이 입금되게 된다. 채무불이행이 초과담보금액을 초과하지 않는 한 상업용 부동산저당증권 투자자는

손실을 입지 않는다. 초과담보 요구수준의 결정은 적절한 부채상환계수(DSCR)에 의해 결정된다.

⑦ **교차환수(cross-collateralization)와 연쇄지급불능조항(총괄저당)**: 모기지 풀 내에 다수의 저당대출이 단일 차입자(부동산개발업자)를 대상으로 한 경우, 각 저당대출은 전체 모기지 풀에 연대하여 담보가 제공된다는 계약이다. 따라서 하나의 저당대출이 상환불이행 되었을 때 대출자는 모든 저당대출에 대해서 기한의 이익을 상실시킬 수 있다. 따라서 하나의 저당대출에서의 대손을 계약 내의 전체 부동산에서 흡수할 수 있으므로, 그중 가격이 상승한 부동산에 대해 저당권을 실행하게 되면 차입자(부동산소유자)의 자본 지분이 높아지고, 모든 부동산을 잃지 않으면서 연체금을 완납할 수 있게 된다.[11] 따라서 이러한 총괄저당이나 교차환수 저당권은 상업용 부동산저당증권 투자자에게도 유익한 것이다.

상업용 부동산저당증권시장 성장에서 가장 중요한 것이 만기 도래 시 차환 위험이다. 주택시장은 가계가 주택을 매각하면서 새로운 집을 구매하고 FHA 등 공적보험이나 민간보험이 있어 채무불이행 위험이 적기 때문에, 유동성도 높고 차환도 가능하지만 상업용 저당채권시장에서는 이를 활용하기가 어렵다. 상업용 부동산저당증권 만기에 차환이 불가능할 경우, 상업용 부동산저당증권 투자자들은 원래 만기 이후로 기간을 연장해 주는 수밖에 없다.

이때 제3자가 보증서나 기타 보증수단을 제공하여 신용을 보완하는 경우는 채무불이행 위험이 발행자로부터 제3자에게로 이전되므로, 제3자의 보증이 기초자산 모기지 풀의 저당채권보다 더 중요해진다. 따라서 증권보유자는 보험자나 보증자 등 신용보완제공자의 신용도에 더 많은 관심을 가질 것이다.

부채담보부증권 *CDOs*

부채담보부증권이란 최근에 도입된 담보증권으로서 다양한 종류의 담보를 보다 유연하게 적용하고자 도입된 상품이다. 앞 절에서 언급한 상업용 부동산저당증권은 상업용 부동산을 담보로 하고 있으나, 부채담보부증권의 경우 보다 다양한 담보를 대상으로 하며 예를 들어 부동산투자신탁(real estate investment trusts, REITs)에서 발행된 부채나 상업용 부동산저당증권의 담보 중 위험수준이 높아 상업용 부동산저당증권에 편입이 불가능한 부채 등이 있다. 부채담보부증권 안에 편입된 다양한 종류의 담보들은 위험수준이 모두 높기 때문에 이는 고수익이면 고위험(high risk, high return)을 원하는 투자자에게 분산투자를 제공해 준다. 즉 부채담보부증권은 위험수준이 다른 담보들을 이용하여 위험수준을 낮아지게 한다. 부채담보부증권 안의 다계층 구조는 상업용 부동산저당증권과 유사하며 앞 절에서 언급하였듯이 원리금 지불 및 부채상환에 있어 선순위, 후순위 등으로 구성된다. 부채담보부증권을 구성하는 다른 형태의 담보 중 일부는 상업용 부동산저당증권 중 낮은 수익률의 채권이다.

후순위 대출의 경우 때때로 부채담보부증권 안에 포함되나 일반적으로 선순위 대출에 대한 후순위채 역할을 담당한다. 예를 들어, 선순위 설정자는 **A 노트**, **B 노트** 계층을 구조화하고 각각은 선순위 대출에 보증된다. 위험도가 높은 B 노트의 경우 부채담보부증권의 자산으로 편입되며 A 노트의 경우 낮은 위험의 상업용 부동산저당증권의 담보로 편입된다.

또 다른 부채담보부증권 안에 편입된 담보로는 상업용 부동산저당증권의 낮은 등급의 채권이다. 예

---

[11] 교환차수(cross-collateralization)는 부동산 개발업자가 기 완공된 부동산을 제공하여 신규개발자금조달에 사용하며 신규사업에 현금투입을 절감할 수 있게 한다. 대출자 측도 대출이 비소구 조건이므로 안전성을 확보하기 위해 다른 부동산의 담보가치도 활용하는 것이다.

를 들어 앞 절에서 언급하였지만, 상업용 부동산저당증권은 일반적으로 class A, class B 증권으로 발행된다. 상업용 부동산저당증권의 class B 증권을 직접 투자자에게 매각하기보단 class B 증권을 부채담보부증권 발행자에게 매각한다. 매각한 class B 증권은 부채담보부증권 내의 다른 증권과 결합하여 부채담보부증권 내의 class B 증권을 구성한다.

부채담보부증권을 구성하는 다른 형태의 담보로 **메자닌 대출**(mezzanine loan)이 있다. 메자닌 대출은 해당 부동산의 1순위 저당과 자본금을 연결하는 역할을 한다. 이는 2순위 저당과 유사하나, 해당 부동산의 담보에 보증되지 않고 부동산에 투자된 자본금에 보증된다. 따라서, 메자닌 대출의 대출기관은 해당 부동산이 채무불이행 상황이라면 일반적인 경매절차를 거치지 않고 자본수익금을 대출금과 전환하는 전환옵션을 실행한다. 또한 메자닌 대출의 대출기관은 선순위 저당권자와 대출은행 간 협약에 따라 채무불이행 발생 시 선순위 저당권을 인수할 권리를 갖는다. 부채와 자본의 전환 및 대출은행 간 협약의 조합으로 메자닌 대출 대출기관은 더욱더 신속히 부동산의 전체를 조정할 수 있게 된다. 즉, 회사나 조합의 자본금은 동산이어서, 채무불이행 시 경매절차의 진행보다 신속한 법적 절차를 통해 소유권을 획득 할 수 있기 때문이다.

마지막으로 부채담보부증권 구성 자산 중의 하나로 **우선주**(preferred equity)가 있다. 우선주는 부동산의 자본 수익이지만 다른 투자자보다 부동산으로부터 창출된 현금흐름에 최우선순위의 지위를 가지고 있기 때문에 일정 부분 부채의 성격도 가지고 있다. 예를 들어, 우선주가 투자금액 대비 8%의 수익률을 수취한다면 이는 다른 투자자가 현금배당을 받기 전 자본투자금 대비 8% 수익률을 우선하여 수취하는 것을 의미한다. 만일 우선주 투자자가 해당 연도에 8%의 수익을 받지 못할 경우 다음 연도에 부족분이 이월되어 일반 투자자가 배당받기 전 우선주 투자자는 누적금액을 수취할 수 있다. 우선 수익 지불 후, 잔존금액에 대해 때때로 우선주 투자자와 잔존자본 투자자가 나누어 수취한다. 따라서 우선주는 앞 절에서 언급한 공동참여대출(participation loan)과 유사한 구조를 가지고 있다. 이러한 매우 다양한 형태의 부동산에 설정된 우선주와 부채들로 충분히 분산된 부채담보부증권을 만들 수 있다. 또한 각각 개별화된 부채의 경우 낮은 신용등급이 예상될지라도 이러한 분산을 통해 부채담보부증권에서 발행된 class A 주식의 경우 높은 신용등급(예를 들어 AAA 또는 AA)을 받을 수 있다.

관리형 부채담보부증권 *Managed CDO*

관리형 부채담보부증권은 부채담보부증권 발행자에게 더욱 유연하게 구조를 설계할 수 있도록 도움을 준다. 관리형 부채담보부증권 발행자는 (1) 부채담보부증권을 구성하는 대체 담보를 제공하고 (2) 담보에 대한 원리금을 재투자한다. 담보물의 대체는 모기지 풀 안의 하나 또는 하나 이상의 담보가 상환 후 이루어진다. 부채담보부증권은 부채와 비슷하게 상환자금을 재투자한다. 원리금 재투자는 대출자로부터 월별 지불을 받은 후에 적용 가능하고, 또한 부채담보부증권 투자자들에게 원금을 지불하기보다는, 발행자는 원금을 다른 부채에 재투자한다. 이는 부채담보부증권 발행자가 초기 부채담보부증권 배급 이후 추가적인 투자기회를 찾을 수 있게 한다. 관리형 부채담보부증권은 건설대출(construction loan) 또는 개발대출(development loan)과 같은 다양한 재투자 기회를 제공한다.

예 15-19는 다양한 부채 및 담보물을 활용한 부채담보부증권 구조를 보여 준다. 예를 들어, $500,000,000 자산 중 $100,000,000는 자본으로 구성하고 $400,000,000는 상업용 투자은행에 선순위대출로 설정한다. 투자은행은 $400,000,000 담보대출 중 $300,000,000는 A 노트로, $100,000,000는 B 노트로 구성

예 15-19 부채담보부증권 구조 예시

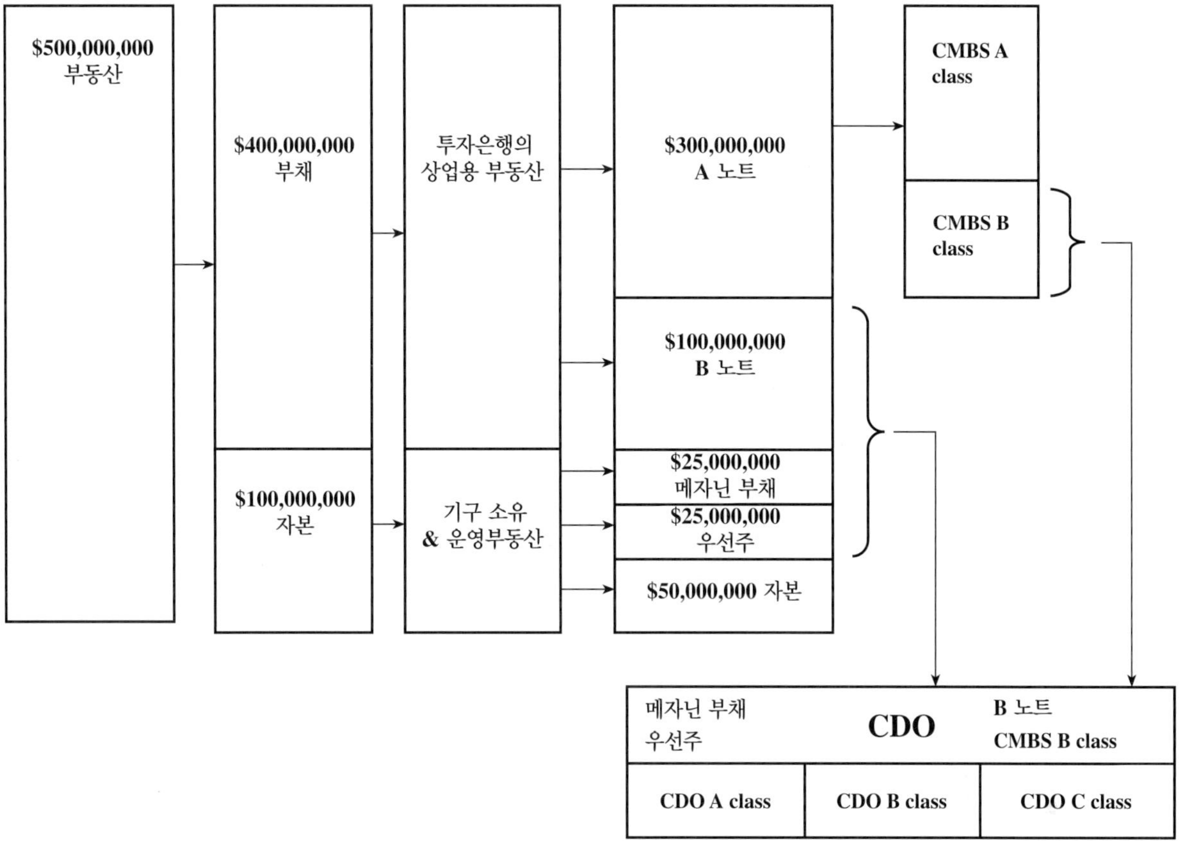

한다. 자본금 $100,000,000 중 $25,000,000는 메자닌 대출로, $25,000,000는 우선주, 그리고 나머지 $50,000,000는 일반적인 형태의 자본으로 구성한다(메자닌 부채의 경우 자본으로 전환 할 수 있는 청구권이 있으며 담보에 의해 보증되지 않는다는 사실을 명심하자).

$300,000,000의 A 노트는 상업용 부동산저당증권의 A class 및 B class로 구성되고 상업용 부동산저당증권의 B class, 메자닌 대출, 우선주는 부채담보부증권을 구성하는 담보로 편입된다. 이러한 과정을 거쳐 부채담보부증권은 증권을 발행한다(A class, B class, C class). 쉽게 설명하기 위해 본 예에서는 3가지 계층으로 이루어진 부채담보부증권을 예시하였지만 실무상으론 추가적인 계층과 다양한 신용등급으로 이루어진 증권으로 구성된다. 예 15-20은 일반적인 부채담보부증권 금융 구조를 보여준다.

최근에 부채담보부증권과 관련된 여러 가지 문제점이 표출되고 있다. 부채담보부증권은 위험이 높은 자산(B 노트, 낮은 신용등급의 상업용 부동산저당증권 채권, 메자닌 대출 등)으로 구성되어 있고 선순위 계층은 일반적으로 신용등급 A로 평가된다. 따라서 다양한 담보물(상업용 부동산저당증권 BBB 등급의 채권 등)로 구성되어 위험이 충분히 분산되어 있지만 2000년 후반처럼 부동산 가치가 동시에 하락함에 따라, 차입자가 대출금에 대한 채무불이행 그리고 낮은 신용등급의 상업용 부동산저당증권 발행 증권이 원리금 지급을 제때에 받지 못함으로써 가치가 손실된다면 심각한 문제가 발생한다. 즉, 부채담보부증권은 이러한 증권을 근간으로 발행되기 때문에 가치가 하락할 경우 부채담보부증권 가치 또한 하락한다. 따라서, 2000년 후반에 나타난 부채담보부증권의 문제점들을 살펴보면, 많은 투자자 및 신용평가기

예 15-20
전형적인 부채담보부증권 자본구조

투자자 계층	금액($)	등급	연 수익률(%)	수익률(%)
Class A	$ 75,000,000	AAA	5.60%	4.20%
Class B	3,000,000	AA	5.84	0.18
Class C	4,000,000	BBB	6.84	0.27
Class D	7,000,000	BB	7.70	0.54
Class E	2,000,000	B	8.72	0.17
총 부채	$ 91,000,000			5.36
자본	9,000,000	Not rated	15.00	1.35
서비스 및 운영에 따른 수수료				0.85
총 자산	$100,000,000			7.56%

관들은 부채담보부증권이 직면한 체계적인 위험(systematic risk)에 대해 충분한 이해를 하지 못함을 보여준다.

대출채권담보부증권 *CLOs*

1980년대 후반에 도입된 대출채권담보부증권은 상업용 부동산의 자금원으로서 사용하는 것이 2010년에 다시 증가하기 시작했으며, 이러한 관심 재개는 대부분 상당한 재무 혁신 때문이 아니라 부채담보부증권의 성과에 대한 투자자의 불만족 때문이었다. 연체, 채무불이행, 압류된 서브프라임 및 ARM 대출의 부정적인 영향으로 인해 세계금융위기 동안 상당한 변동성을 보였다. 결과적으로 대출채권담보부증권 구조와 그 유연성은 상업용 부동산을 위한 자본을 조달하려는 많은 기업에게 매력적이게 되었다.

대출채권담보부증권의 근본은 부채 및 지분 투자자로부터 자본을 조달하기 위해 부채를 담보로 사용하는 다른 "특수 목적 법인"과 동일하다. 이러한 특수 목적 법인은 은행 대출 포트폴리오를 구성하는 면세 도관이다. 여기서 대출은 이자수익뿐만 아니라 담보를 제공하여 도관의 지분 투자자에게 부채 및 현금흐름에 대한 이자를 지불하는 데 사용된다. 표면적으로 대출채권담보부증권 법인의 경영진은 대출 포트폴리오에서 발생하는 소득과 채권 보유자 및 지분 투자자에게 지급하는 수익 간에 "스프레드"를 생성할 것으로 예상하였다.

다른 부채담보부증권과 마찬가지로 대출채권담보부증권은 부채와 자본을 자본 조달 수단으로 사용한다. 부채는 이자지급을 받는 것과 관련하여 우선순위를 설정하는 데 "트랜치"를 사용하여 발행되는 반면, 자본 트랜치는 소득에서 모든 트랜치가 지불된 후 잔여금을 받는다. 자본 트랜치는 일반적으로 "최초 손실" 포지션에 있으나 대출채권담보부증권과 부채담보부증권을 구별하는 몇 가지 기능이 있다.

① 다각화를 달성하기 위해 대출채권담보부증권은 일반적으로 상업용 부동산에서 만들어진 은행 대출을 모은다. 어떤 경우는 발행자이 이전에 신디케이트했던 대출이다.

② 이자 및 원금 지급(자본배분)에 대한 우선순위를 설정하는 것 외에도 트랜치는 (a) 발행자가 제공한 신용 향상 또는 준비금, (b) 과도한 담보의 범위 내에서(포트폴리오 자산 지분의 초과 ÷ 각 트랜치에 대한 총 부채의 원금 비율), (c) 각 트랜치에 대한 이자수익 대 이자지급 비율(상환 비율)에 따라

구분될 수 있다. 이러한 성과 지표가 충족되지 않는 한, 각 트랜치에 대한 이자지급 할당이 조정될 수 있다(예: 트랜치에 대한 대출자산에서 발생한 이자수익 대비 이자지급액의 비율이 지정된 상환 비율 미만으로 떨어지면 지급 우선순위가 낮은 트랜치에 대한 이자지급이 줄어들고 요구되는 상환 비율이 복원될 때까지 지급 우선순위가 더 높은 트랜치에 재할당된다).

③ 자산 풀의 은행 대출은 은행 대출 계약에 포함된 매우 제한적인 약정의 정도에 따라 평가된다:

④ 위험 보관 규칙. 특정 대출채권담보부증권 발행자는 보관 규칙을 따라야 하며, 이에 따라 발행자는 지분 투자자의 이익과 잘 일치할 수 있도록 총 대출채권담보부증권 가치의 일정 비율을 보유해야 한다.

⑤ 조기상환. 일반적으로 대출채권담보부증권은 발급 후 2년 동안 조기상환을 하지 않을 수 있다. 이러한 조기상환은 보통 금리가 하락하고 대출채권담보부증권의 가치가 주어진 트랜치의 원금 가치를 초과할 때 이루어진다.

⑥ 초과담보: 선불수익금은 대출채권담보부증권 채무자에게 지급되는 대신 발행자가 대출 대체로 재배치할 수 있다.

⑦ 적극적인 대출채권담보부증권 포트폴리오 관리. 일반적으로 포트폴리오 관리자는 대출채권담보부증권 생성 및 구조화 초기 단계에서 대출이 (a) 클로징 전과 (b) 클로징 직후("램프업" 기간 동안) 포트폴리오 구성이 완료될 때까지 담보로 보관될 수 있는 재량권이 허용된다. 이 시점에서 재투자 기간이 (2~5년) 시작되고 관리자는 포트폴리오의 신용 품질을 높이기 위해 은행 대출 자산을 거래할 수 있다. 재투자 기간이 지나면 관리자는 대출채권담보부증권 자본배분 우선순위 조항에 따라 이자 지불 및 원금 상환에 중점을 둔다.

일반적으로 상업 은행은 대출 포트폴리오 조립자(assembler)이다. 상업 은행이 상업부동산에 대해 대출을 할 때 대출이 대출채권담보부증권 풀에서 사용될 것이라는 기대로 일부를 책정한다. 따라서 이전에 만든 대출과 인수 과정에 있는 대출 또는 근 미래에 고려하려는 대출을 조합할 수 있다.

주택저당채권 관련 증권 및 REMIC

다계층증권의 탄생 이전에는 대부분의 발행이 주택저당담보부채권 또는 원리금자동이체증권 형태로 이루어졌다. 이에 대한 미국연방 과세취급은 명쾌하였다. 주택저당담보부채권과 원리금자동이체증권에서는 위탁자 신탁 방식이 사용되어 수탁은행이 투자자의 이익을 대변한다. 다소의 변수는 있지만 연방세법이 인정하는 신탁요건이 충족되면 신탁은 법인세를 면제받고, 모기지 풀을 거쳐 가는 이자소득에 대해서는 투자자 차원에서만 과세된다. 그러한 신탁의 요건으로서는 (1) 존속기간이 설정되어 있을 것, (2) 자체적으로 청산될 것, (3) 신탁에 편입 이후는 적극적인 운용관리가 이루어지지 않을 것 등이다. 즉, 기업과 같이 영업을 하는 법인체로 간주되어 법인세 과세 대상이 되지 않으려면 신탁의 운용은 수동적(passive)인 것이어야 하는 것이다. 따라서 주택저당담보부채권과 원리금자동이체증권에서는 투자자(또는 신탁 수혜자)가 수령한 이자금액만이 과세대상이 된다.

다계층증권이 처음 발행되었을 때에 미국 국세청(International Revenue Service, IRS)은 여러 트랜치와 잔여를 구성하는 소유구조가 자금조달 목적의 회사와 유사하다고 판정했다. 실제로 다계층증권 발행주체는 수동적인 투자수익 전달역할보다는 자금조달 목적의 회사에 가까우며, 원리금자동이체증권보

다 훨씬 적극적인 재무관리 역할을 행한다. 특히 일시적인 여유자금 발생 시 운용대상 유가증권을 선정하는 기능이 문제화되었다. 따라서 미국 국세청은 모기지 풀이 발행하는 유가증권이 하나를 넘는 경우 회사로 간주하여 과세하겠다는 입장을 취했으므로, 발행자들은 신탁과 투자자 차원에서 이중과세를 당하게 되었다. 만일 이러한 세제가 적용되었다면 다계층증권은 원리금자동이체증권과 주택저당담보부채권에 대적할 만한 상품이 될 수 없었다.

1986년 세제개혁법(Tax Reform Act)에서 미국의회는 **부동산저당대출투자회사**(REMIC)에 대해 제도화하였다. 이러한 법제의 내용에는 주택저당채권이 담보된 증권을 발행할 시 여러 개의 트랜치를 발행하더라도 비과세 처리하는 조치가 있다. 법제화의 의도는 증권 발행자가 모기지 풀을 관리할 시 어느 정도 유연성을 부여하고, 신탁의 소득을 수동적으로 유지할 수 있도록 하기 위함이었다.

부동산저당대출투자회사의 제도적 규정

부동산저당대출투자회사는 조합·회사·신탁 등 법인형태의 구분이 아니라, 과세단위의 형태로서 모기지 풀에 대하여 별도의 기록을 보존해야 한다. 조합·신탁·회사·재단의 모두가 부동산저당대출투자회사가 될 수 있으며 엄격한 기준을 준수해야 한다. 예로서 모든 자산은 적격 저당채권, 유입부동산(foreclosure), 현금투자 및 적격 준비금 구좌로 구성되어야만 한다.

① **적격 저당채권**이란 직/간접으로 전체/부분에 대해 부동산(주거용, 상업용 및 기타)에 설정된 저당권을 말한다. 이 정의는 매우 광범위하며 모든 저당권/참가계약 및 원리금자동이체증권 등을 포함한다. 동산저당대출투자회사 발효일 이후에는 새로운 저당권을 사거나 팔 수 없다. 그러나 부동산저당대출투자회사 설립 2년 이후에는 하자가 있는 저당권은 교체가 가능하다.
② **유입부동산**은 모기지 풀 내의 저당대출 채무불이행으로 인한 취득부동산만 인정된다.
③ 추가적인 **현금투자**는 단기적이고 수동적인 이자소득 자산으로서 일시 여유자금의 운용을 위한 것이다.
④ **적격 준비금구좌**는 장기투자로서 투자소득을 부동산저당대출투자회사 모기지 풀 운용비용에 쓸 수 있다. 준비금은 투자자들을 모기지 풀 채무불이행으로부터 보호하기 위한 보험으로 사용되며 수동적인 투자상품, 신용보증서, 보험 및 다른 신용보완의 형태를 취할 수 있다. 준비금은 주로 FHA-VA 및 일반신용보증보험이 부보되어 있지 않는 상업용 부동산 저당대출에 대해서 더욱 중요하다.

부동산저당대출투자회사: 기타 고려사항

부동산저당대출투자회사의 원리금자동이체 성격에 따라 잔여지분(통상 증권발행자가 된다)의 보유자들은 세금문제를 해결할 수 있었다. 또한 부동산저당대출투자회사 관계규정을 준수하면 대차대조표의 공시에도 혜택을 얻을 수 있다. 이론적으로 부동산저당대출투자회사를 구성하면 대출자는 대출자산을 부동산저당대출투자회사에 양도한 것으로서 매각손익이 발생하며, 손익은 즉시 또는 부동산저당대출투자회사 만기까지에 걸쳐서 과세된다.

따라서 양도자 측은 부동산저당대출투자회사에 의해 생성된 자산과 부채를 대차대조표에 계상하지 않게 된다. 그러나 양도자가 양도 시에 차손익을 계상하기를 원하지 않는 경우는 부동산저당대출투자회사가 보유한 잔존지분을 대차대조표에 계상해야 한다. 일반적으로 부외회계처리(off-balance-sheet)는

잔존지분을 제3자에게 매각한 경우에만 인정된다.

요약하면, 미국 의회는 부동산저당대출투자회사 도입에 의해 다계층증권을 발행할 수 있는 면세 대상이 되는 도관체(conduit)를 만들어 준 것으로, 원리금자동이체증권 구조에서는 불가능하였던 다계층(multiple class) 채권을 창조한 것이다. 따라서 투자자들에게 더욱 다양한 상품선택을 제공하였고, 투자자 참여를 확대시켰다.

결론

주택저당증권시장의 확대는 최근의 가장 중요한 자본시장 혁신을 가져왔다. 주택저당증권시장의 시작은 단순한 원리금자동이체 형태로서 주택저당채권이 모기지 풀 되었고 증권이 발행되며, 투자자들은 원금과 회수금액에서 자산관리 수수료 지급 후에 잔액에 대해 안분 비례지분을 가졌다. 여기에서 예측 못한 차입자의 조기상환에 대한 투자자들의 우려가 컸으므로, 증권회사들은 다계층증권을 고안하여 발전시켰다. 다계층증권은 현금흐름이 단순히 거쳐가는 것이 아니라 모기지 풀을 담보로 하여 발행되는 것으로, 현금흐름을 각 채권 간에 지급 우선순위의 격차를 설정한다. 다계층증권 투자자들은 표면금리를 받으면서 원금분할상환과 원금조기상환을 수령할 수 있는 우선순위를 선택한다. 후순위채 설정을 통해 투자은행들은 고금리 장기 주택저당채권을 가지고 단기저금리채부터 장기고금리채까지 뽑아낼 수 있게 되었다. 이러한 구조를 통해 단순 원리금자동이체에서 보다 많은 투자자들에 접근이 가능하게 되었다. 최근의 혁신은 분할증권(stripped securities)이나 역변동금리채권(inverse floaters)과 같은 주택저당채권 파생상품으로 발전하고 있으며, 파생상품을 통해 더욱더 시장이 넓어지고 투자자에게 금리위험을 관리하고 해지할 수 있는 기회를 제공하고 있다.

주요용어

A 노트	목표상환종류채권(TAC)	역변동금리 트랜치	지불이체채권
B 노트	변동금리 트랜치	우선손실부담포지션	채무불이행 위험
LIBOR	볼록효과	우선주	측정
계획상환종류채권 트랜치(PAC)	부동산저당대출투자회사(REMIC)	원금한정분리	트랜치
관리형 부채담보부증권	부채담보부증권(CDO)	이자한정분리	파생증권
다계층증권(CMO)	상업용 부동산저당증권(CMBS)	잔존	확장위험
메자닌 대출	선순위채	조기상환 금지	후순위채

질문

1. 지불이체채권(mortgage pay-through bond)이란 무엇인가? 주택저당담보부채권과 유사한 점과 차이점은 무엇인가?
2. 지불이체채권의 초과담보 요건은 주택저당담보부채권의 경우와 유사한가?
3. 지불이체채권의 초과담보의 두 다른 방법을 설명하시오.
4. 다계층증권이란 무엇인가? 다계층증권이 금융혁명과 마케팅혁명으로 불리는 이유를 설명하시오.
5. 파생상품투자란 무엇인가?

6. 4개의 주요 주택저당채권 관련 증권에는 어떤 것이 있는가? 증권발행자로서 그중의 하나를 선택한 이유를 설명하시오.
7. 다계층증권과 다른 유형의 주택저당채권 관련 증권 간의 주요한 차이점은 무엇인가?
8. 다계층증권에는 초과담보가 왜 필요한가?
9. Accrual tranche의 목적은 무엇인가? Z등급 채권 없이 다계층증권을 발행할 수 있는가? Accrual 등급 채권이 있는 다계층증권과 없는 다계층증권 간의 차이점은 무엇인가?
10. 다계층증권에서 어떤 트랜치가 시장금리변동 대비 가격 변동이 가장 적은가? 그 이유는 무엇인가?
11. 주거용 저당채권을 근거로 발행한 주택저당채권 관련 증권과 상업용 부동산저당채권을 근거로 발행한 저당채권 관련 증권 간의 주요한 차이점에는 어떤 것이 있는가?
12. 상업용 부동산저당증권에서 신용향상을 위해 사용하는 방법들을 나열하시오.
13. 다계층증권 발행 시 변동금리채와 역변동금리채는 무엇인가?
14. 변동금리채와 역변동금리채 구조에서 scale의 역할은 무엇인가?
15. 변동금리나 역변동금리 파생상품 투자를 원하는 이유는 무엇인가?
16. 이자한정과 원금한정분리란 무엇인가?
17. 상업용 부동산저당증권이 주거용 주택저당채권을 담보로 한 다계층증권과 다른 점은 무엇인가? 상업용 부동산저당증권에서 채무불이행 위험에 더 주의를 해야 하는 이유는 무엇인가?
18. 부채담보부증권은 어떠한 점에서 상업용 부동산저당증권과 다른가?

문제

1. MZ 주택저당채권회사는 3개의 트랜치를 가진 다계층증권을 발행한다. A트랜치는 원금 $40,500,000, 8.25% 쿠폰 금리로 구성되어 있다. B트랜치는 원금 $22,500,000, 9.0% 쿠폰 금리로 구성되어 있다. Z트랜치는 원금 $45,000,000, 10.0% 쿠폰 금리로 구성되어 있다. 증권 발행의 기초가 되는 주택저당채권은 만기 10년(연간 상환)에 10% 고정금리로 이루어졌다. 증권발행자는 $4,500,000를 초과담보로 할 것이고, 발행자는 선순위 증권의 원리금상환이 끝난 잔여 현금흐름을 수령할 것이다. 선순위 상환은 A트랜치에 있고, 쿠폰이자를 포함한다. B트랜치는 A트랜치의 상환이 끝날 때까지 이자만 받고, 상환이 끝난 후 우선순위를 가진다. Z트랜치는 A와 B트랜치의 상환이 끝날 때까지 이자가 원리금에 더해지고, 상환이 끝난 후 비로서 원리금을 제공받는다.
   a. 다계층증권이 발행될 때 가중평균 쿠폰금리(WAC)는 얼마인가?
   b. 주택저당채권 조기상환이 없다고 가정하면, 각각의 트랜치의 만기는 얼마가 될 것인가?
   c. 3년도, 4년도, 8년도 말의 WAC는 얼마인가?
   d. Class A, B, Z 투자자가 각각 증권발행 시 만기 수익률로 8.5%, 9.5%, 9.75%를 요구한다고 하면, MZ mortgage회사는 증권가격으로 얼마를 요구해야 하는가? 회사는 다계층증권 발행을 통해 얼마를 받게 되는가?
   e. MZ 주택저당채권회사에 들어오는 잔여 현금흐름은 얼마인가? 지분 초과담보를 통해 들어오는 수익률은 얼마인가?
   f. 기초 풀에 있는 주택저당채권들이 연간 10% 정도 조기상환된다고 하면, (b)~(e) 질문의 답은 어떻게 변하는가?
   g. (f)의 경우에서 모든 증권의 가격이 갑자기 발행가격의 10%를 초과하여 거래된다고 가정하면, 각 증권의 만기 수익률은 얼마가 될 것인가?
2. 한 투자자가 다계층증권 발행 시 이자한정이나 원금한정분리의 구매를 고려하고 있다. 이들 트랜치를 담보되는 모기지 풀은 만기 10년에 8% 금리를 가진 주택저당채권 $1,000,000로 구성되어 있다고 한다.
   a. 연 단위 상환과 상환 위약금이 없으며, 이 트랜치의 투자자에게 지불해야 할 이자한정과 원금한정 현금흐름 일정을 준비하고 있다고 하자. 투자자의 요구수익률이 8%라면, 이자한정과 원금한정 strip의 가격은 얼마가 될 것인가?
   b. 금리가 10%로 상승하고 상환위약금은 없다고 하면, 이자한정과 원금한정분리 가격은 얼마로 변하는가? 이자한정과 원금한정분리 중에서 어떤 것이 가격 변화가 더 크게 나타나는가? 그 이유는?
   c. 투자자의 요구수익률이 6%로 떨어졌다고 가정하자. 이자한정과 원금한정분리 가격은 얼마가 될 것인가? 조기상환 위약금이 연간 20%라고 가정하면, 이자한정과 원금한정분리 가격은 얼마가 될 것인가? (20%의 조기상환 위약금을 그 전해 말의 대출잔고에 기초하여 각 연도 말에 받는다고 가정하자) (a)와 (b)를 비교할 때 이자한정과 원금한정분리 중 어떤 증권이 가격 변동이 더 크며, 그 이유는 무엇인가? 이러한 패턴을 통해 각 증권의 상대적 위험에 대해 어떤 분석이 가능한가?
3. 증권발행자는 다계층증권 발행 시 변동금리 트랜치를 구성하려고 한다. 트랜치는 8% 금리, 현 대출잔고 $2,000,000의 주택저당채권으로 담보되어 있다. 변동금리채와 역변동금리채 투자자에게 지불할 금리는 초기의 시장금리 8%를 기준으로 한다. 변동

금리채 투자자들은 기준 금리의 상승에 따른 혜택을 받고, 역변동금리채 투자자들은 기준금리의 하락에 따른 혜택을 받는다.

a. 트랜치의 변동금리채와 역변동금리채의 비중이 동일하다고 가정하면(각각 50%), 발행일 날 각 등급의 투자자들에게 돌아갈 이자는 어떻게 되는가? 변동금리채 투자자에 대한 이자상한이 있다고 한다면, 얼마가 될 것인가? 역변동금리채 투자자의 이자하한은 얼마가 될 것인가?

b. 역변동금리채 주자자가 레버리지 발행을 선호한다고 하자. 투자자의 비중이 변동금리채 투자자 60%, 역변동금리채 투자자 40%로 바뀌었다면, 증권 발행일 날 이자 할당은 어떻게 되는가? 이자 상한과 하한은 어떻게 되는가?

c. (a)와 (b) 조건을 비교하자. 다계층증권 발행 이후 즉시 금리가 기준금리인 8%에서 2%가 상승했다고 하자. 변동금리채 투자자와 역변동금리채 투자자에 대한 현금 배당은 어떻게 되는가? 금리가 기준금리에서 2% 하락했다고 하면, 현금 배당은 어떻게 되는가? 어떤 등급의 투자자들이 현금흐름의 변동성, 다시 말하면 가격 변동성을 더 많이 경험하는가? 그 이유는?

4. Excel. 웹 사이트에서 제공하는 Excel Workbook의 "Ch20 CMOr" 탭을 참조하시오. 조기상환율이 15%, 20%, 25%, 그리고 30%일 경우 남은 잔액의 수익률은?

5. Excel. 웹 사이트에서 제공하는 Excel Workbook의 "Ch20 Floater" 탭을 참조하시오. $15,000,000가 변동금리, $5,000,000가 역변동금리 트랜치라고 가정하자. LIBOR가 2%, 4% 그리고 6%일 때 역변동금리 트랜치의 수익률 변화는?

6. Excel. 웹 사이트에서 제공하는 Excel Workbook의 "Ch20 IO_PO" 탭을 참조하시오. 조기상환율이 25%와 30%일 경우 이자한정(IO)트랜치와 원금한정(PO) 트랜치의 수익률은?

7. Excel. 웹 사이트에서 제공하는 Excel Workbook의 "Ch20 CMBS" 탭을 참조하시오. 대출 잔금의 90% 금액으로 부동산이 매각되고 만기에 채무불이행이 일어났다고 가정하자. 종속 트랜치와 남은 잔액의 수익률은?

CHAPTER 16

부동산 펀드: 구조, 성과, 포트폴리오 고려사항

Real Estate Funds: Structure, Performance, Benchmarking, and Attribution Analysis

23장에서는 상업용 부동산투자에 대하여 많은 논의를 할 것이다. 논의의 대상은 개별 건물들, 임대, 가치평가, 재무지표뿐만 아니라 회계와 세무 고려사항이 중심이 될 것이다. 23장에서는 분산효과를 위하여 포트폴리오에 부동산을 편입하는 내용를 새롭게 추가하였다. 분산효과를 극대화하기 위해서는 충분한 개별 건물들이 포트폴리오에 포함되어야 하는데, 그 이유는 특정 자산의 유형, 특정한 입지, 또한 개별 부동산 고유의 요인에 의해 발생하는 수익률의 변동성을 제거하기 위해서이다.

연기금, 재단법인, 부유한 개인들과 같은 투자자들은 부동산 유형과 지리적 입지 등 잘 분산된 포트폴리오는 구축하는 데 있어 충분한 자본이 부족하고 전문적이지 못한 경우가 많다. 따라서 잘 분산된 부동산투자를 원하는 투자자들은 부동산 펀드를 통해 주로 투자를 한다. 이런 펀드들은 투자자의 특정 유형의 요구에 잘 부합하는 포트폴리오를 조성하고 관리하는 데 있어 전문성을 갖춘 투자운용회사에 의해 만들어진다.

16장에서는 이러한 **사모 부동산 펀드**의 여러 중요한 특성에 대해 살펴보도록 한다. 이 펀드들은 다양한 투자체들을 포함하고 있으며 특히 기관 투자자들에게 더욱 중요성이 커지게 되었다. 대부분의 투자 펀드들은 21장에서 살펴볼 유한책임투자(limited partnership) 구조를 활용하고 있다. 하지만, 본 장에서 언급되는 펀드들은 수많은 개별 부동산자산에 투자되어 큰 총액을 이루었다는 점에서 다소 차이가 있다. 일반적으로 이러한 대규모 사모 펀드들은 부동산투자 매니저들이 조성하는데, (1) 부동산의 유형 및 매입하고자 하는 시장의 유형, (2) 펀드 운영방법, (3) 자산 매각 시기, (4) 펀드전략과 투자자의 부동산투자 요구 사항과의 부합 여부 등을 고려하여 펀드 투자전략을 수립한다. 이 펀드들은 다음 기관 투자자들(연기금, 국부펀드, 교육기관 및 연구기관 등의 비영리법인) 및 개인 고액자산가들에게 판매된다. 이러한 투자 주체들은 일반적으로 상업용 부동산 포트폴리오에 직접 투자하고자 하는 장기 투자자들이다.

일반적으로 등록된 투자자문사들은[1] 투자자들의 다양한 투자목적에 부합한다는 점을 강조하며 이러

[1] 투자자문사들은 반드시 등록을 해야 하고 제반 규정을 준수하여야 한다고, 미증권거래위원회(Securities and Exchange Commission) 및 국가증권위원회(State Security Commissions)에서 공표하고 있다. 자문사들의 목록은 McGraw Hill & Co에서 출간된 Money Market Directory, Standard and Poor's을 참고하기 바란다.

한 펀드들을 만들고 판매하고 있다. 펀드를 구성하는 투자들 가운데에는 연기금의 수혜자(beneficiary)들을 대신해 신탁(trust)의 형태로 투자가 이루어지는 경우가 있다. 이것은 연기금을 운용하는 운용기관이 연금 수혜자들에게 **수탁자**로서의 가져야 할 의무와 책임이 부동산 펀드 투자 매니저에게 전가되는 것을 의미한다.[2] 아울러, 미국 노동부에서는 투자 매니저들과 연기금 담당자들의 관리와 감독을 수행한다.[3]

투자자의 목적 *Goals* 과 목표 *Objectives*

투자자들이 부동산 펀드 투자를 위해 펀드를 평가할 때, 투자자들은 우선 투자목표(investment objectives)를 명확하게 수립해야 한다. 여기서 투자목표란, 부동산투자를 통해 얻고자 하는 것이 무엇인지, 투자자들이 보유하고 있는 투자 포토폴리오에서 부동산의 역할은 무엇인지에 대한 명확한 대답이 될 것이다. 이러한 목표들은 투자자들이 해당 투자에 가정하고 있는 위험(risk)과 그 위험 대비 기대하는 투자수익률(investment return)로 일반적으로 나타난다. 펀드에 투자를 하고 있는 투자자들은 해당 펀드가 취득한 부동산이 투자자 포트폴리오의 목적에 부합하는지 반드시 평가를 해야 한다. 부합여부를 판단할 때에는 23장에서 논의할 바와 같이 주식, 채권 등 다른 투자자산들에 부동산을 편입하여 투자하였을 때 과연 바람직한 수준의 분산투자가 이루어졌는지 여부도 판단해야 한다. 투자자들은 또한 펀드매니저들이 해당 부동산을 취득할 수 있고, 관리할 역량이 있고, 그리고 수익성 있는 가격에 매각을 진행할 수 있을지에 대해서도 반드시 평가해야 한다. 이를 위해 펀드매니저의 과거 실적, 개인적인 및 조직 구조, 그들의 시장에서 펀드의 목적을 달성할 수 있는 전문성과 실행 능력을 포함하여 광범위한 실사와 분석이 필요하다. 펀드를 운용하기에 앞서, 펀드 수립제안서에 많은 사항들이 포함되어야 한다. 이런 조항들은 펀드 협정서에 포함되는데, 펀드협정서에는 펀드의 투자전략, 매입 예정의 투자부동산 유형과 위치, 그리고 매각 전략 등의 내용을 투자자에게 안내하는 내용이 담겨있다. 협정서에는 펀드매니저가 펀드를 운영하는 데 있어서 부동산자산을 취득하고, 운영하고, 매각하는 데 있어 펀드매니저의 재량권에 대한 정보도 투자자에게 제공한다.

[예 16-1A]는 펀드매니저들이 펀드를 조성하고 투자자 유치를 위해 홍보활동을 할 때 중요하다고 여기는 중요한 조항들을 제공한다. 펀드 조항들은 펀드운용방침, 투자매니저의 재량권의 제한, 펀드운용보수, 그리고 투자자들이 펀드매니저들에 의해 발생할 수 있는 위험에 대한 평가 시 도움이 될 만한 여러 조항들이 포함되어 있다. 펀드가 지향하는 투자목표에 따라서, 펀드협정서를 작성할 때 여러 다양한 조항들이 포함될 수 있다. 다음 예는 수많은 펀드 조항들 가운데 일부만을 설명하였다.

펀드 공모 시 *Fund Offerings* 포함되는 조항들에 관한 설명

다음에 포함된 내용은 [예 16-1]에 기술된 부동산 펀드 조항들에 대한 간단한 논의들이다.

[2] 수탁자는 신탁에 있어 (1) 자신의 이익보다 수익자의 이익을 우선하여야 한다. (2) 신탁의 수익자에 대한 이익의 모든 잠재적 분쟁을 공개하고 상기 신탁의 수익자의 이익을 대변하여야 한다.

[3] 연기금과 투자자문사들은 연방노동부 근로자퇴직소득보장법(Employment Retirement Income Secutiry Act, ERISA)의 규정을 준수하여야 한다.

예 16-1A 부동산 펀드 공모(fund offering) 시 포함되는 조항들의 예

A. 부동산/시장/매입

(A.1) 부동산 펀드 전략	(A.2) 투자가능시장	(A.3) 하위시장	(A.4) 투자부동산 유형
핵심자산(core) 핵심플러스(core-plus) 가치상승(value-add) 　신규(new) 　기존(exisiting) 기회추구형(opportunistic) 기타	글로벌(global) 국내(domestic) 관문도시(gateway) 부심도시(secondary) 소도시(tertiary)	중심상업지역(CBD) 교외 도시 틈새/시외/시내 미개발토지 기타	다가구 주택 매장용 사무용 산업용/물류시설 호텔 복합용도 기타

B. 펀드구조/특성

(B.1) 펀드구조	(B.2) 투자 진입/진출	(C.3) 부채(Debt)/차입	(D.4) 펀드 내 부동산 규모($)와 가치
혼합형(commingled) 　개방형(open) 　폐쇄형(closed) 펀드의 운영기한 　한시형 펀드갱신조건부 펀드해지	최소투자요건 신규투자자의 가입 상환: 　대기규정 재투자규정 부동산 평가: 　연간, 분기별, 내부, 위탁 이익의 전환	차입제한: 　취득 　부채의 가정 　개별 부동산에 대한 최대 LTV 비율(%) 　총펀드 가치 대비 총 최대 부채 비율(%)	예상 펀드규모($) 총 펀드 가치 대비 단일 건물의 최대 가치%(단일건물비율제한) 펀드 총 가치 대비 특정 부동산 유형 (A.4)의 최대 비율% (단일투자유형제한)

C. 펀드관리/성과/보고

(C.1) 추가적인 펀드관리 조항	(C.2) 매니저 수수료 (Manager fee)	(C.3) 성과보고	(C.4) 성과평가기준
자문위원회 공시 투자자 자본: 　투입 책무 출자	매입보수 관리보수 매각보수 장려금 일정목표달성 성과보수("catch-Up") 성과보수(carried interest)	운영결과 　수입(income) 　가치상승(appreciation) 수익률 배당(distribution) IRR과 TWR 투자승수	NCREIF 지수 ODCE 지수 "최소 실질 수익률"

Section A. 부동산 펀드들은 투자전략에 따라 구분되며, 투자전략은 해당 펀드가 노출되어 있는 위험 정도와 밀접한 관련이 있다. 펀드가 취득하고자 하는 부동산의 상태, 부동산의 입지, 해당 부동산의 건물 수명주기 등과 같은 많은 요소들이 펀드의 위험 정도에 영향을 미친다. 이에 따라 부동산 펀드는 7장에서 소개된 것과 같이 (1) 핵심자산투자형 펀드(core fund), (2) 가치상승형 펀드(value add fund), (3) 기회추구형 펀드(opportunistic fund)로 구분할 수 있다. 핵심자산투자형 펀드는 이미 안정화된 상태로 운영되고 있는 부동산에 투자하는 형태이며 주로 안정적인 현금흐름, 낮은 공실률, 그리고 주요 대도시권에 입지한 부동산 물건에 대한 투자가 여기에 속한다. 핵심자산투자형 펀드(core fund)들은 다양한 부동산 유형에 투자가 이루어지며 매우 제한적으로 차입(leverage)을 활용해 투자를 실행한다. 따라서 핵심자산투자형 펀드는 분산효과가 매우 크고, 상대적으로 위험이 낮은 펀드로 평가된다. 핵심자산투자형 펀드는 23장에서 언급될 분산효과가 뛰어난(well-diversified) 포트폴리오 구성하기 위한 방법론을 적용

하는 펀드들이다.

가치상승형 펀드(value-add fund)는 현재 일부 공실이 존재하거나, 주요 임차인의 만기연장이 다가오거나, 일부 개보수 등의 자본적 지출을 필요로 하는 부동산에 투자하는 일부 위험을 내포하고 있는 펀드이다. 가치상승형 펀드를 운용하는 투자매니저는 건물을 개보수하거나 임차인을 구해 공실을 안정화하여 부동산의 "가치를 상승(add value)"시킬 수 있다. 가치상승형 펀드는 노인주택, 주차장시설, 창고시설 등과 같은 비전통적인 부동산에 투자하는 경향이 높다. 또한 주요 부동산시장에서 다소 벗어난 외곽에 투자를 하기도 한다. 가치상승형 펀드매니저들은 핵심자산투자형 펀드보다 차입비율을 높여서 투자를 할 수 있다. 가치상승형 펀드가 비주류자산 및 시장이 기존 포트폴리오 자산들과 상관관계가 낮다면 이들 자산에 투자함으로써 분산효과를 높일 수 있지만, 가치상승형 펀드들은 핵심자산투자형 펀드보다 분산효과가 다소 낮을 가능성이 있다.

기회추구형 펀드(opportunistic fund)는 일반적으로 "개발사업 등을 수행"하며 높은 수준의 위험에 노출된다. 기회추구형 펀드는 인허가 위험, 건축지연, 초과비용, 복잡한 합작투자(JV) 관리 문제 등과 같은 건설위험에 노출되어 있기 때문이다. 기회추구형 펀드는 높은 수준의 차입을 통해 투자를 진행한다. 기회추구형 펀드들의 분산효과는 매우 낮은 수준이고, 펀드매니저의 판단에 타 시장보다 성과가 우수할 것으로 생각되는 지역과 유형에 집중되어 있다. 기회추구형 펀드의 다른 전략은 주로 "불안정 부동산(distressed properties)"을 매입하여 효율적으로 관리하여 다시 정상 시장의 기준에 부합되도록 개선하여, 부동산 가치를 상승시키는 전략이다. 기회추구형 펀드는 전략적으로 대출기관으로부터 저당된 부동산을 할인가에 매입하기도 한다. 기회추구형 펀드는 해당 대출에서 차입자가 대출상환 불능상태에 있어 저당된 부동산이 경매로 넘어가게 된 경우, 경매를 통해 해당 부동산을 구입하고 이후 다시 정상화하여 운영하거나 또는 다시 바로 매각을 하게 된다. 불안정 자산에 투자하는 많은 펀드들은 단기투자 형태로 조성되었고, 매입 부동산을 단기간에 재매각하는 경우가 있다. 기회추구형 펀드는 높은 수준의 차입을 활용한 투자를 한다. 기회추구형 펀드는 시장의 수익률을 상회하기 위해서 특정 부동산 유형과 지역에 집중투자하고 개발 기회를 포착하기 위해 노력하므로 분산효과(diverficiation)를 크게 고려하지 않는다.

펀드매니저들은 펀드 투자를 위하여 투자자들로부터 전형적인 투자의향서를 받는다. 투자 대상들이 확인되고 부동산 펀드 조성이 필요한 시점에 투자자들에게 자본투자를 "요청(called)"한다. 핵심자산투자 펀드들은 투자자산이 안정적인 부동산자산들이므로 투자자들이 신규로 펀드에 투자하고 반대로 펀드 투자금을 인출할 수 있는 개방형(open end)으로 주로 설정된다. 핵심자산투자형 펀드는 추가 자금이 확보되면 지속적으로 신규부동산을 매입하게 된다. 가치상승형 펀드와 기회추구형 펀드의 경우는 주로 폐쇄형(closed end)으로 조성되는데, 이유는 투자전략을 실행하는 데 투자기간이 소요되기 때문이다. 따라서 이런 폐쇄형의 펀드들은 일반적으로 펀드설정 초기 1~2년 정도는 투자자들의 자금 회수가 불가한 환매금지 기간(lock-up period)이 설정되어 있다. 이들 펀드들은 신규 매입을 할 수 있는 제한된 투자기간을 설정 운영하고 있다.

펀드매니저는 일반적으로 투자자의 승인 없이 부동산에 투자할 수 있는 완전한 재량권을 갖고 있다. 하지만, 일부 경우에는 투자자들이 해당 펀드의 투자전략의 변경이나, 특정 투자 실행 및 매각 등에 대해 일반적으로 위원회를 통해 승인 권한을 갖고 있기도 하다.

일반적으로 펀드매니저들은 위의 투자전략에 따라 투자를 수행하기 때문에 투자자들은 투자된 펀드

에서 무엇을 기대할 것인지 알고 있다. 하지만, 일부 경우에는 투자매니저들에게 투자유연성(flexibility)이 부여된다. 예를 들면 핵심자산투자형 부동산 펀드에서 미래에 개발된 미개발토지가 포함된 핵심자산형에 속하는 부동산을 매입할 수 있는 경우가 있다. 또 다른 경우는 **아주 뛰어난 입지조건에 위치한 조금 노후된 부동산투자**가 좋은 예이다. 이 경우에는 **경미한** 개보수 및 세련된 외관 등을 통해 해당 지역에서 시장 경쟁력을 높여서 점유율의 높은 핵심자산부동산이 **될 수 있다**. 이런 경우에 해당하는 투자를 **핵심 플러스**(core plus) 유형의 부동산투자라고 하며, 핵심자산투자형의 일부에 해당한다. 그러나 이러한 투자유형은 핵심자산형 펀드의 투자에서 중점을 두고 있는 투자의 **예외**에 해당하므로 투자 시 일정 비율 이상 투자가 제한될 수 있다. 위의 펀드는 지속적으로 핵심자산형 펀드로 분류될 것이다.

펀드의 투자전략에 따라 해당 펀드의 대상 시장, 하위 시장, 그리고 투자유형을 파악할 수 있다. 예를 들어, 펀드 투자지역에 특정 지역을 포함할 수 있고, 특정 시장(미국 지역 외의 부동산)을 투자지역에서 제외시킬 수 있다. 펀드의 운용전략을 명확히 하기 위해서 부동산을 매입하고자 지역은 대도시권역이라는 내용을 나타낼 수 있다. (예를 들어 투자는 "주요 관문이 되는 도시"에 실행되어야 한다라고 포함할 수 있는데, 이 문구는 시애틀, 샌프란시스코, LA, 샌디에이고, 시카고, 보스턴, 뉴욕, 워싱턴 D.C., 마이애미, 휴스턴, 달라스, 애틀랜타 등의 관문도시에 투자되는 것을 의미한다.) 부동산을 매입할 하위시장에 대한 내용들도 나타낼 수 있다. 예를 들어 펀드는 중심업무지와 도시에 입지한 부동산만을 대상으로 매입하는 기술이 포함될 수 있다.

펀드 전략에 따라, 부동산 유형에 대한 투자제한을 두기도 한다. 예를 들어 투자유형이 매장용, 오피스, 다세대주택, 산업용/창고 건물 등의 1~2가지 유형에만 국한될 수 있다. 그러나 투자전략에 따라서는, 투자가능유형이 호텔, 복합용도, 기숙사시설, 의료용 사무실, 노인주택, 의료시설, 주차시설 및 공장시설까지 확장될 수 있다.

Section B. 부동산 유형과 투자 시장들의 범주뿐만이 아니라 **펀드구조**도 매우 중요하다. 펀드의 규모가 크고, 펀드가 여러 지역적 입지에 혼재된 수많은 개별 부동산자산을 포함하는 경우에는, 펀드매니저들은 **혼합형**(comingled fund) **펀드**의 구조를 설정하여, 기관투자자들을 대상으로 투자 유치를 한다. 혼합형 펀드는 일반적으로 **개방형 펀드** 구조인데, 이 구조는 펀드가 설정되고 운영이 된 이후에, 새로운 투자자들은 초기 펀드의 단위 지분가치를 기준으로 펀드에 가입하게 된다. 이와 유사하게, 개방형 펀드 구조는 투자자가 펀드를 환매하는 것을 허용하고 투자자들의 지분 단위당 권리를 환수하게 된다. 일부 펀드들은 기존의 펀드 투자자의 지분 권리를 동일 펀드 내의 다른 투자자들에게 매각하는 것을 허용하기도 한다. 이 경우에는, 동일한 펀드에 가입하고 있는 기존 투자자들에게 매각이 가능하고 또는 신규 투자자들에게 매각할 수도 있다. 개방형 펀드는 전형적으로 핵심자산투자형 전략(core strategy)을 추구한다.

투자 매니저들이 펀드를 조성하는 다른 구조는 **폐쇄형 펀드**(closed-end) 구조이다. 폐쇄형 펀드는 특정 기간 동안에 특정 자금을 모집한 이후에는 새로운 투자자들을 가입시키지 않는다. 이 폐쇄형 펀드는 통상적으로 투자자들에게 상당한 규모의 최소 투자액을 요구하고 펀드에 참여하는 투자자 수를 제한하는 경향이 있다. 이 폐쇄형 구조는 단기간에 펀드를 조성하려고 시도하는 펀드관리자들에게 중요하다. 폐쇄형 펀드는 투자자들의 중도환매나 권리상환을 제한하기도 한다. 폐쇄형 펀드의 투자의 대상은 개방형 펀드들보다 더 구체적인 경우가 대부분이다. 폐쇄형 펀드 구조는 가치상승형 부동산 펀드 또는 기회추구형 부동산 펀드 전략에서 많이 활용된다. 폐쇄형 펀드는 운용 기간을 통상 기간 연장 조건부로 통상 5년에서 7년 정도 운영되는 경우가 많고 해당 펀드의 목적이 달성되거나 펀드운용 만기가 도래하면 현

예 16-1B 부동산투자 전략(스타일)

	핵심자산투자형(core)	가치상승형(value add)	기회추구형(opportunistic)
펀드구조	일반적인 개방형	대부분 폐쇄형: 일부 개방형	폐쇄형
성과평가 지수	NPI	NPI +400 BP	NP +600 BP
프로젝트 수익률	8% 이하	8%~12%	12% 이상
소득수익률(총수익률 대비 %)	70% 이상	40%~60%	0%~50%
부동산 형태	산업용, 다가구, 오피스, 판매시설	확장(즉, 시니어주택, 학생주택과 의료시설)	모든 유형 포함
건물생애주기	안정적, 임차완료	인식 가능한 결함	불안정, 개발
점유율	80% 이상	해당사항 없음	해당사항 없음
개발사업	투자불가	보통 비율 투자	상당 비율 이상 투자
차입비율	35% 미만	최대 75%까지	최대 100%
투자대상시장	주심권, 부심권, 국내	주심권/부심권/소도시권, 국내와 해외	주심권/부심권/소도시권 3권역, 국내와 해외

금 청산되는 구조이다.

[예 16-1B]에 각각의 투자전략(스타일)에 따른 주요 투자전략과 투자구조에 대한 내용이 정리되어 있다. 일단 펀드의 투자전략이 설정되면 투자자는 해당 펀드매니저들이 이 투자전략(스타일)을 추종하면서 부동산을 매입하도록 하는 것이 중요하다. 투자자들은 펀드를 선택할 때, 자신들이 감내할 수 있는 위험 수준과 어떻게 해당 펀드가 투자자의 전체적인 투자전략에 부합하는지 여부를 판단하여 선택한다. 따라서 투자자들은 펀드매니저들이 펀드설정 시 밝힌 투자전략에서 벗어나기를 바라지 않고 준수하길 바란다. 펀드매니저들이 펀드에서 기술된 전략에서 벗어나 펀드의 투자목적에 일치하지 않는 부동산에 투자하는 행위를 **스타일 이동**(style drift)이라고 하며, 이는 투자자들이 우려하는 사항이 될 수 있다. 예를 들자면, 만약 어떤 펀드가 **핵심자산투자형 부동산 펀드**라고 조성되었지만, 개보수를 위한 자본지출이 필요한 부동산을 취득한다면, 이는 펀드의 투자전략(스타일)에 중대한 변화가 발생한 것이다. 일부 경우에는, 펀드매니저들이 지수를 상회하는 높은 수익률을 추구하거나 이전의 투자 손실을 만회하기 위해 더욱 위험한 투자를 시도할 수도 있다. 펀드매니저들에게는 지수의 수익률보다 높은 수익률을 기록하게 되면 성과수수료가 지급된다. 투자매니저들은 이러한 성과수수료를 목적으로 위험한 프로젝트에 투자할 가능성이 있다. 근본적으로 펀드는 높은 수익률을 추구하려고 하지만, 동시에 더 큰 위험을 감수해야 한다. 이는 투자들이 펀드에 투자할 때 동의하였던 정도의 위험보다 더 큰 위험을 감내하게 된다.

감정평가 독자들은 부동산 펀드가 여러 가지 면에서 주식이나 채권에 투자하는 펀드와 다르다는 점을 인식해야 한다. 중요한 차이는 바로 주식과 채권에 투자한 펀드의 가치를 측정하기가 수월하다는 점이다. 이는 주식과 채권이 매우 빈번하게 거래되고, 이러한 거래된 가격이 항상 펀드 평가 시에 적용 가능하기 때문이다. 하지만, 부동산의 가치는 거래가 빈번하지도 않고, 가치산정도 쉽지 않다. 이유는 우선 부동산 거래 발생 횟수가 많이 없고, 거래가 있더라도 규모와 부동산의 상태, 입지가 상이한 경우가 대부분이다. 이러한 이유로 부동산의 가격결정이 더욱 복잡하다.

부동산에 투자를 위해 설정된 펀드일지라도, 펀드매니저들은 투자자들에게 투자부동산의 가치에 대한 정보를 주기적으로 제공하여야 하고 펀드 설정기간 전체의 성과평가에 대한 정보를 제공하여야 한다. 위에서 언급한 바와 같이 부동산의 가격결정은 쉽지가 않다. 따라서 펀드매니저들이 투자자에게 투자성과평과를 보고할 때, 감정평가를 통해 투자부동산자산에 대한 가격을 산정한다. 부동산 펀드 투자

안내 서류에는 (1) 포트폴리오에 포함된 부동산자산의 평가주기(분기별, 매년, 기타) (2) 펀드매니저에 의한 내부적인 감정평가인지 제3자를 통한 외부감정평가의 평가여부에 대한 정보가 공시된다. 펀드매니저들이 내부감정평가를 통한 평가가격을 투자자에게 때때로 제공할 수 있지만, 일반적으로 특정 기간마다 한 번씩 독립적인 제3자의 감정평가사에 의한 가치평가가 이루어질 수 있도록 규정하고 있다. 주기적인 외부감정평가기관의 감정평가는 투자자산에 대한 제3자의 의견을 제공하기 위하여 실시한다. 펀드매니저들이 펀드 투자자들에게 자산가치를 보고할 때 발생할 수 있는 분쟁을 줄여주고 자산가치 결정에 있어 객관성을 더해준다. 혼합형의 개방형 펀드의 경우, 이러한 감정평가를 통해 산정된 기준으로 신규 투자자들의 지분의 가치를 설정하는 데 도움이 되고 기존의 투자자들이 펀드 환매 시 청산 지분에 대한 가치를 산정하는 데 도움이 된다. **환매/펀드 환매보류 규정**(queing policy)은 부동산 펀드 투자안내서에 어떤 조건에서 환매가 가능한지 구체적으로 명시되어 있다. 이 정책은 펀드에 투자된 일부 투자자들의 지분이 청산되기를 원할 때 필요한 환매대금을 마련하기 위해 포트폴리오에 포함된 부동산자산을 매각해야 하는 상황에 처할 수 있기 때문에 매우 중요하다. 많은 펀드들이 이 환매조건을 채택하고 있는데, 많은 투자자들이 동시에 펀드 해지 신청을 하는 경우를 대비해서 환매 순서(환매보류)를 설정하기 위해서 필요한 제도이다.

부채/차입을 활용한 투자(Leverage) 펀드의 예상되는 위험에 따라, 부동산 펀드가 자산을 매입할 때 부채의 사용 및 금융레버리지 활용이 제한되거나 금지될 수 있다. 부동산 매입에 있어 조건이 매우 좋은 대출을 승계하여 투자할 수 있다고 할 때, 펀드 운영이 가능한 경우가 드물게 허락될 가능성은 있다. 일부 펀드들이 부동산 매입 시 대출을 활용하거나, 개별 부동산에 허용되는 (1) 부동산담보대출비율(담보인정비율)의 상한선을 설정하거나 (2) 펀드의 전체 가치에서 총 부채 비율의 상한선을 설정한다. 이러한 제한은 펀드가 부채를 이용한 자금조달의 총량과 금융리스크에 대한 펀드매니저의 재량권을 제한하기 위해 설정된다.

펀드매니저들의 재량권에 대한 다른 규제는 (1) 단일 자산에 대한 투자총액에 대한 규제이다. 즉 펀드의 총액 대비 특정 개별 건물의 투자액이 펀드의 일정 비율을 초과할 수 없도록 상한선을 설정한다(예: 어떤 개별 부동산의 투자규모가 총 펀드가치의 10% 이상을 초과할 수 없다). (2) 특정한 부동산의 유형의 투자액이 펀드 총액의 일정 비율을 초과할 수 없도록 상한선을 설정한다(예: 모든 오피스 건물에 투자된 투자총액이 전체 펀드 총액의 30%를 초과할 수 없다). 이러한 조항들은 펀드매니저들의 재량권을 제한하고 투자 펀드 포트폴리오에 일정 수준의 분산효과를 투자자에게 제공하는 데 그 목적이 있다.

Section C. 펀드관리 개방형의 혼합투자구조의 펀드(open-end commingled structure)에서는 투자자문위원회를 구성하여 펀드관리에 일정한 지침을 제공한다. 일반적으로 펀드관리에는 매입부동산의 선택, 운영, 그리고 매각에 있어 완전한 재량권(full discretion)이 주어진다. 하지만, 일부 부동산 펀드들은 자문위원회를 구성하여 펀드 운영과 관련된 자문을 제공한다. 펀드매니저들은 펀드를 운영하며 잠재적인 이해충돌이 발생할 수 있는 문제들을 자문위원회에게 공시한다. 예를 들어, 펀드매니저들이 일반적으로 건물을 직접 관리하지 않고, 제3의 회사들을 통해 관리된다. 이런 규정을 위반하거나 잠재적인 분쟁이 될만한 사안은 펀드 자문위원회에 보고된다. 일부 경우는 자문위원회가 "우선적 선택권(rights of first refusal)"을 행사할 것을 요청하기도 한다. 예를 들어 만약에 개별 부동산 건물에 대해 혼합형 펀드가 매입의사를 밝힌 상태이고, 동시에 동일한 펀드매니저가 운영하는 다른 펀드(예: 별도계정)에서 매입

의사를 밝힌 경우에는 순환매각 규정(rotation policy)이 펀드의 협약서에 포함될 수 있다. 이 규정은 펀드들이 동일한 물건을 매입하고자 협상 중일 때 해당 부동산에 대한 매수권 행사 또는 매수포기 등에 대한 일련의 따라야 할 조항들을 제공한다.

대부분의 펀드에서 투자자 자본출자약정서(capital commitment)와 투자자 자본출자(capital contribution)를 구분한다. 투자자 자본출자**약정**서는 부동산 펀드에서 일반적으로 해당 부동산을 매입하기 전에 작성하는데, 투자자 자본출자약정서는 투자자가 펀드매니저에게 해당 부동산을 매입하는 데 있어 어느 정도의 투자액을 출자할 것이라는 약정을 의미한다. 실제로 펀드가 매입절차에 들어가며, "자본출자를 요청(capital call)"하게 되며, 이후 **자본출자**가 진행된다. 자본출자약정서와 자본출자는 서로 다른 속성을 지니며, 여러 요인들에 따라 복잡해질 수 있다. 두 개념의 복잡한 특성은 펀드가 부동산 취득에 필요한 투자액을 특정 투자기간 내에 조달할 수 있는지 여부를 포함한다. 또는 처음 펀드 투자약정이 체결된 후 오랜 시간이 지나 추가 자본출자가 필요한 경우 또는 펀드 기간 후반에 추가 자본이 필요할 경우에도 발생할 수 있다. 이러한 경우에는 상황에 따라 부동산 매입이 지연될 수도 있음을 의미하고 또는 해당 펀드가 펀드의 목적에 맞게 운영하면서 자본출자액 규모를 키우면서 동시에 수수료를 수취하고 이른바 "성과보수(playing catch-up)"를 추구하고 있다고 할 수 있다. 자본출자약정서와 자본출자, 그리고 투자 자본(invested capital)의 차이는 매우 중요하다. 그 이유는 바로 펀드운영보수를 결정하는 데 영향을 주고 어떤 방식으로 투자자에 의해 운용보수가 지급되는지에 영향을 미치기 때문이다.

투자관리 수수료 투자 펀드매니저에게 지급되는 수수료의 구분은 다음과 같다.

- 매입 수수료(acquisition fee)
- 매각 수수료(disposition fee)
- 운용 수수료(management fee)
- 성과 수수료["성과보수(promotes)" 그리고 "최소성과달성 보상(carried interests)"]

매입 수수료는 부동산자산의 매입 시 발생하며 일반적으로 취득 원가의 일정 비율로 책정된다. 매각 수수료는 자산을 매각하였을 때 발생하며, 매각가에 일정 비율로 책정된다.

운용 수수료는 펀드 전체 설정기간 동안 부과되는 수수료이다. 많은 펀드들이 설정되고, 펀드매니저들 간에도 경쟁이 생기게 되자, 이러한 펀드매니저들이 책정하는 수수료의 결정도 다양하게 변화되었다. 예를 들어 핵심자산투자형 부동산 펀드의 경우 전체 부동산 가치에서 담보대출을 제외한 자기자본 투자액에 대해서 수수료가 책정되는 구조이다. 수수료는 순자산가치 대비 연기준 %로 표현된다. 일부 투자자의 경우에는 자본투자액에 따라 다른 투자자들에 비해 낮은 수수료가 책정될 수 있다. 예를 들어 자본투자액이 큰 투자자나 투자금액이 가장 큰 투자자들에게 수수료가 할인되어 책정될 수 있다.

부동산 펀드의 자본 조달과정을 3단계로 구분할 수 있다. 첫 번째 단계는 자본조성 단계로 펀드매니저들은 투자자들로부터 특정 금액의 투자금을 유치하기 위해 해당 부동산 펀드에 투자를 원하는(투자자별 최소투자금액 명시) 투자자들로부터 자본출자약정서(capital commitment)를 받는다. 펀드매니저들이 투자자들로부터 충분한 금액의 자본출자약정서를 받고, 부동산 매입준비를 마친 후에, 두 번째 단계인 펀드의 **투자기간**(investment period)이 시작된다. 이 단계는 펀드의 공식적인 설정기간이 시작되는 단계이며, 해당 펀드가 매입하고자 하는 부동산을 실질적인 매입절차에 돌입하기 위해 해당 펀드매니저

가 투자자에게 자본요청을 하게 되면 투자자는 **자본출자**(capital contribution)를 하게 된다. 이 단계는 펀드약정서에 명시된 최대 투자기간 동안 몇 년간 지속될 수 있다. 투자기간이 종료 후에 세 번째 단계에서는 투자관리와 부동산 매각, 투자자들의 투자금 반환(재투자옵션을 가진 펀드가 아닌 경우)을 포함하고 있다. 폐쇄형 펀드(closed-end funds)들은 설정기간 내에 투자부동산들을 매각해야 하는 것이 일반적이다. 하지만, 펀드매니저들의 필요에 따라 매각에 필요한 시간을 연장해주는 몇 가지 연장옵션을 부여하기도 한다. 개방형 펀드(open-end fund)는 일반적으로 펀드 투자자금을 다른 투자대상에 재투자가 이루어진다. 개방형 펀드들은 일반적으로 펀드 투자기한이 정해져 있지 않지만, 펀드경영진이 펀드 청산을 결정하게 되면 청산절차를 밟게 된다.

관리비용은 위에서 언급한 각 단계에서 달라질 수 있다. 관리비용은 일반적으로 펀드의 투자기간이 시작하며 부과된다. 수수료 책정은 투자자들의 해당 펀드에 투자하기로 약정한 **자본출자약정서**(capital commitment)에 기초하여 책정된다. 투자기간 이후에는 수수료는 실제로 부동산을 매입하기 위해서 실제로 **투자된 자본**의 총액(원가 또는 시장가치)을 기준으로 변경될 수 있다. 물론 일부 펀드는 약정된 자본총액(commited capital)을 기준으로 책정되기도 한다. 만약에 펀드매니저가 펀드에 약정된 투자금 전체를 투자할만한 기준의 투자부동산을 찾지 못한 경우에 실제로 투자된 자본의 총액이 약정된 자본출자약정서 총액보다 작은 경우가 있다.

그러나 펀드는 투자자에게 실제로 투자자가 자본출자약정(committed) 금액 이상의 투자를 요구할 수 없다.

예—자본출자약정(committed) 기반 수수료 vs 투자자본(invested capital) 기반 수수료

펀드가 투자기간 동안 **출자**자본(committed capital)에 대한 수수료를 35 bp (0.35%)를 책정하였고 투자기간 이후에는 실제 투자가 이루어진 **투자자본**(invested capital)에 근거해 50 bp (0.50%)를 책정한다. 본 예에서 투자자들의 자본출자약정서(capital comittement) 총액은 $100,000,000로 향후 2년간 자본요청(capital call)을 통해 투자가 예정되어 있다. 2년간의 투자기간이 종료되면, 펀드사는 수수료를 투자자본 총액을 기준으로 책정하게 된다. 펀드사의 예상으로는 4년 차와 5년 차에 부동산을 매각할 예정이고, 투자자에게 현금청산을 통해 투자자금을 반환하게 된다.

연도	자본출자 (capital contribution)	현금배당 (cash distributions)	투자자본 (invested capital)	자본출자 수수료 (35 bp)	투자자본 수수료 (50 bp)	수수료 총합
1	$50,000,000	$ 0	$ 50,000,000	$350,000		$350,000
2	50,000,000	0	100,000,000	350,000		350,000
3		0	100,000,000		$500,000	500,000
4		50,000,000	50,000,000		250,000	250,000
5		40,000,000	10,000,000		50,000	50,000

초기 2년간 투자기간 동안 자본출자에 대한 수수료는 전체 자본출자약정서 총액 기준 $100,000,000를 기준으로 매년 지급된다. 2년간의 투자기간이 종료되면, 수수료는 투자자본(invested capital) 총액을 기준으로 지급된다. 본 예는 다양한 수수료 구조의 한 예이다. 실무에서는 다양한 구조가 존재한다.

위에서 언급한 바와 같이, 수수료는 투자부동산에서 부채를 제외한 투자자 자기자본에 대해 부과된다. 이유는 투자자들은 부동산 취득을 위한 담보대출금액에 대해서 수수료를 지불하는 것을 원치 않기

때문이다. 일부 경우에는 전체 펀드가 관리하는 자산총액을 기준으로, 즉 부채와 자기자본투자자 금액을 합산한 총액에 부과되는 경우가 있다. 하지만, 이 경우에는 총액기준에 부과되는 수수료 요율이 자기자본 기준으로 부과되는 수수료 요율보다 일반적으로 낮다. 펀드관리 수수료와 요율은 포트폴리오의 금액의 크기에 따라 등급을 구분하여 부과될 수 있다. 일부 경우에는 수수료는 취득한 자산의 초기 비용에 기초를 두고 있다. 보통 이런 방법은 합작투자(joint venture) 또는 가치상승형 펀드에서 많이 사용하는데, 일반적으로 가치상승형 펀드는 매입부동산의 가치가 시간이 가면서 상승된다. 이 경우에 가치상승형 전략은 구현되기까지 시간이 오래 걸리고, 중간 단계의 부동산 가치평가가 매우 어렵기 때문이다.

기타 펀드관리 수수료 구조

다음과 같은 방법들을 통해서도 펀드관리 수수료 책정이 가능하다.

- 순 영업이익(NOI)의 비율(%)
- 현금 배당(cash flow distribution)의 비율(%)
- 프로젝트 수익(주거용 토지 개발프로젝트)
- 프로젝트 비용(상업용 개발프로젝트)

[예] 순 영업이익(NOI)의 비율(%) 기반 수수료

수수료의 구조를 다음과 같이 가정하자:

연간 NOI 총액 $15,000,000 이하 구간 - 6% 수수료

연간 NOI 총액 $15,000,000 초과 ~ $25,000,000 구간 - 5% 수수료

연간 NOI 총액 $25,000,000 초과 구간 - 4% 수수료

예를 들어 연간 NOI 총액이 = $3,500,000인 경우 펀드매니저에게 지급되는 수수료는 다음과 같이 계산된다.

처음 $15,000,000 NOI × 6%	= $ 900,000
다음 $10,000,000 NOI × 5%	= $ 500,000
다음 $10,000,000 NOI × 4%	= $ 400,000
수수료 총합	= $1,800,000

성과보수:

가치상승형 펀드와 기회추구형 펀드의 경우에 펀드매니저들은 일종의 **성과급**(promote) 명목의 수수료를 받을 수 있다. 이 수수료는 펀드매니저가 펀드 성과를 향상시킨 데 대한 추가적인 인센티브로 받는 것이다. 성과보수 수수료는 통상적으로 펀드가 청산될 때 지급되거나 투자자의 자본이 100% 회수되었을 때 지급된다. 이 수수료는 펀드를 개시할 때 투자자와 펀드관리자가 동의한 "최소요구수익률의 비율(huddle rate of return)"을 초과하여 얻은 수익률의 크기에 기초한다. 펀드매니저들에 대한 인센티브 수수료는 부동산의 개발, 재개발, 자산관리 향상을 통해 부동산 가치를 상승시킨 데 있어 투자매니저들이 감내했어야 하는 적절한 위험에 대한 보상으로 지급된다. 이런 전략들이 실행되기 위해서는 시간이 필요하고, 이런 부동산들은 매각될 때까지 완전한 시장가치가 실현될 수 없으므로, 펀드가 청산이 되는 시점 또는 부동산이 매각되는 시점에 투자매니저들에 대한 보상이 이루어진다.

[예] 성과보수 수수료

- 가정
  - 초기 투자 = $1,000,000
  - 최소요구수익률 = 10% 펀드관리자에 대한 성과 수수료 요율(%) = 20%
  - 부동산운영 연간 현금흐름 = $80,000
  - 3년 보유 기간
  - 부동산 매각 순수익 = $1,500,000
  - 연간 자산관리(AM)수수료는 $1,000,000의 1% 또는 $10,000

	투자현금흐름	(−) 자산관리 수수료	순현금흐름	장애물극복 적용 시 현금흐름	잔여 현금흐름	관리자에 대한 장려금	투자자에 대한 잔여 현금흐름	투자자에 대한 최종 현금흐름
시초	$−1,000,000		$−1,000,000	$−1,000,000				$−1,000,000
1차년도	$80,000	$−10,000	70,000	70,000				70,000
2차년도	$80,000	−10,000	70,000	70,000				70,000
3차년도	1,580,000	−10,000	1,570,000	1,169,300	$400,000	$82,140	$320,560	1,489,860
내부 수익률				10%				18.7%

3년 차의 투자자가 제시한 최소요구수익률 10%를 달성하기 위한 현금흐름계산은 다음과 같다.

$$\$1,000,000 = (\$70,000)\frac{1}{(1+.10)^1} + (\$70,000)\frac{1}{(1+.10)^2} + (X)\frac{1}{(1+.10)^3}$$

이를 계산하면, $(X) = \$1,169,300$

3년 차에서 $1,570,000 전체가 투자자들에게 분배될 수 있고 펀드관리 수수료로 지불 가능하다. 3년 차에 투자자가 요구한 10%의 최소요구수익을 달성하기 위한 필요한 총현금흐름은 AM 수수료, $70,000를 포함한 현가기준 $1,169,300가 필요하다. 순현금흐름에서 최소요구수익률을 달성한 금액 $1,169,300을 투자자들에게 지불하고 나면 잔여현금흐름인 $400,700가 남는다. 투자자들은 80%의 지분 또는 매니저성과급을 제외한 현금흐름인 $320,560가 지급된다. 위의 총현금흐름은 투자자에게 총금액 $1,489,860가 돌아가게 되며, 18.7%의 IRR(수수료 제외)을 투자자에게 제공한다. 펀드매니저는 20%의 해당하는 성과급, $400,700를 받게 된다.

자본계정을 활용한 성과급 계산

위 예제에서는 투자자의 우선수익률(perfered return)을 달성하기 위해서 3년 차에 부동산을 매각하는 가정을 적용하였다. 우선수익률과 성과급은 다음의 예제를 활용하여 개별 부동산 건물별로 계산이 될 수 있다. 여기서 우선수익률은 펀드가 조달한 투자금과 이후 모든 투자부동산에서 발생하는 현금흐름과 이후 매각을 한다는 가정을 바탕으로 계산된 수익률에 가정을 둘 수 있다. 예를 들어 펀드운용기간이 10

년의 폐쇄형의 펀드구조이고 $100,000,000의 투자금을 유치했다고 가정하고, 다음과 같은 현금을 매년 배당할 수 있다라고 가정하자.

연도	현금배당가능 금액
0	
1	$ 4.00
2	6.00
3	12.00
4	20.00
5	30.00
6	40.00
7	40.00
8	40.00
9	40.00
10	40.00

투자자는 8%의 우선수익률에 해당하는 수익을 먼저 지급받게 되고 이후 초과 수익에 대해서는 80%는 투자자에게, 20%는 펀드매니저에게 분배되도록 구조화되어있다. 해당 펀드는 10년 운영 후에 청산되는 폐쇄형 펀드 구조이다.

언제 투자자가 우선수익률을 달성하는지는 [예 16-2]에 나타나 있다.

투자자는 우선수익률을 달성할 때까지 발생하는 모든 현금배당금을 우선적으로 받게 된다. 실제로 실무에서 많이 활용되는 방법은 투자자들이 선호이익을 달성하기 위해 매년 얼마를 받았어야 했는지 계산하는 투자자의 자본계정을 흐름을 파악하는 방법을 많이 활용한다. 위 예에서는 초기 투자자 자본계정에 $100,000,000이 기록되어 있다. 1년 차에 8%의 우선수익률을 약정한 투자자는 1년 말 총 $108,000,000를 받아야 한다. 1년 차에 투자자는 $4,000,000를 받게 된다. 따라서 1년 말 투자자의 자본계정에는 $104,000,000의 잔액이 남게 되고, 이 금액은 2년 차 기초자본잔액으로 기록된다. 이런 현

예 16-2 투자자 우선수익률(prefered return) 계산

연도	펀드현금배당금액	기초 자본잔액	우선수익률	기초 자본잔액 + 우선수익률	자본출자금액 & 우선수익률 배당액	기말 자본잔액
0					($ 100)	
1	$ 4.00	$ 100	$8.00	$108.00	$ 4.00	$104.00
2	$ 6.00	$104.00	$8.32	$112.32	$ 6.00	$106.32
3	$12.00	$106.32	$8.51	$114.83	$12.00	$102.83
4	$20.00	$102.83	$8.23	$111.05	$20.00	$ 91.05
5	$30.00	$ 91.05	$7.28	$ 98.34	$30.00	$ 68.34
6	$40.00	$ 68.34	$5.47	$ 73.80	$40.00	$ 33.80
7	$40.00	$ 33.80	$2.70	$ 36.51	$36.51	$ 0.00
8	$40.00			**IRR**	**8.00%**	
9	$40.00					
10	$40.00					

예 16-3
성과보상금 및 펀드 전체 기간의 투자자 IRR

연도	우선수익률을 차감한 펀드 현금흐름	투자자 현금배당 총액	펀드매니저 성과보상배당	투자자 전체 현금흐름
0				($ 100)
1	$0.00	$ 4.00		4.00
2	0.00	6.00		6.00
3	0.00	12.00		12.00
4	0.00	20.00		20.00
5	0.00	30.00		30.00
6	0.00	40.00		40.00
7	3.49	39.30	$0.70	39.30
8		32.00	8.00	32.00
9		32.00	8.00	32.00
10		32.00	8.00	32.00
			IRR	15.34%

금흐름계산 과정을 투자자의 자본계정의 값이 0 또는 마이너스가 되는 시점까지 동일하게 수행한다. 금액이 0이 되는 시점은 바로 투자자가 8%의 우선수익률을 달성하는 시점이며, 표에서는 7년 차에 발생하게 된다. 해당 7년 차에는 $40,000,000의 현금배당이 이루어지는데, $36,510,000의 금액이 지급될 경우에 투자자 자본계정의 잔액이 0이 되게 된다. 해당 금액이 지급되는 시점에 정확히 8%의 내부수익률(IRR)을 나타내게 된다.

투자자의 우선수익률을 달성하게 되면 이후에는 어떻게 될 것인지 살펴보자. 7년 차에 $40,000,000가 현금배당된다. 우리는 $36,510,000가 우선수익률을 달성하기 위해 투자자에게 지급된다는 것을 확인하였다. 차액 $3,490,000이 남게 된다. 이후 우선수익률을 배당하고 남은 기간 동안에 발생하는 현금흐름은 투자자에게 80%가 지급되고 펀드매니저에게 20%가 지급된다. 이 과정은 예 16-3에 나타나 있다. 펀드가 청산되기 전까지 10년 기간 동안, 투자자의 내부수익률(IRR)은 15.34%가 된다. 투자자의 전체 기간 동안의 내부수익률이 우선수익률보다 높은데, 그 이유는 우선수익률을 달성한 이후에도 투자로부터 투자자에게 현금배당이 이루어지기 때문이다. 만약에 투자성과가 저조해 현금배당이 제대로 이루러지지 않는다면, 투자자는 우선수익률조차도 달성하지 못하게 되고, 펀드매니저들은 성과급을 지급받을 수 없다.

위의 예제를 통해 우리는 기본적인 투자자의 우선수익률 구조에 대해 살펴보았고, 초과분에 대한 80/20 구조로 배분하는 것을 살펴보았다. 실제 업계에서는 우선수익률 달성과 관련해서 두 가지 이상의 우선수익률을 책정해서 각각의 우선수익률을 달성하였을 때 다음 구간에서 배분 비율을 상이하게 책정하는 경우도 있다. 또한 “**비례보상 성과급**(catch up)” **조항**이 있는데, 이는 투자매니저들이 더욱 많은 배당을 받을 수 있는 구조이며, 위의 예제에서 80%를 투자자가 받는다고 가정하고 있는데, 이 조항을 적용하면, 매니저가 100%에 해당하는 금액만큼의 비례보상 성과급을 받을 수도 있다.

성과보상금은 개별 건물별로 지급될 수 있고, 성과보상금의 계산은 개별 건물이 매각되는 시점에 이루어질 수 있다. 그러나, 실제로 개별 부동산 매각에 따른 성과급은 해당 펀드가 보유하고 있는 모든 부동산 개별 건물을 매각한 후에 위의 예제와 같은 방법으로 “사후정산(true up)”의 과정을 취할 수 있다. 이 경우에 펀드매니저들이 초기 부동산 매각에서 성과를 나타내어 성과급을 받았고, 이후 매각에서는

예 16-4 펀드 흐름의 요약—가상의 부동산 펀드(단위: 백만 달러)

A. 펀드의 시장가치(분기 초)				B. 분기 운영 현금흐름		C. 펀드의 시장가치(분기 말)			
자산		부채		부동산 운영		자산		부채	
현금	$ 10	펀드부채	$200	부동산 순 영업이익(NOI)	$6.00	현금	$42	펀드부채	$200
부동산의 시장가치	$400	부동산 부채	$ 0	펀드수수료	$1.00	부동산 시장가치	$510	부동산 부채	$ 0
기타 투자	$100	자기자본	$310	펀드관리 수수료	$2.00	기타 투자	$100	자기자본	$452
총 자산	$510	총 부채와 자본	$510	펀드이자수입	$1.00	총 자산	$652	총 부채와 자본	$652
				펀드이자비용	$2.00				
				부동산이자비용	$0.00				
				순이익(Net Income)	$2.00				
				자본 흐름					
				투자자 출자금	$175				
				투자자 배당	$ 45				
				부동산 매입	$150				
				부동산 매각	$ 50				

이런 성과를 기록하지 못했을 때 사후정산 과정을 통해 성과급을 다시 반환해야 할 수 있다. 이를 "**성과보상금 환수**(clawback)"라고 한다. 예를 들어 펀드 초기에 부동산 매각을 통해 성과보상금을 다시 "**환수**(holdback)" 할 수 있고, 마지막 부동산 매각이 끝났고 모든 부동산 매각에 대한 사후정산을 실시할 때까지 펀드매니저에게 지급하지 않을 수 있다.

펀드성과 보고

가상의 부동산 펀드에 대한 분기 실적 보고의 예는 [예 16-4]에서 볼 수 있다. 펀드 수준의 성과는 개별 부동산건물 이외에도 펀드를 운용하는 데 필요한 다른 많은 항목들에도 많은 영향을 받고 있다는 것을 인식해야 한다. 예를 들어, 펀드를 운영하는 펀드매니저들은 유동성 확보를 위한 현금보유액이나 단기투자채 등에 접근할 수 있다. 단기부채(예: 신용대출)도 활용할 수 있다. 펀드매니저들은 부동산자산으로부터 순현금유입액과 수입을 관리해야 하며, 동시에 신규 투자자들의 추가 투자금을 관리해야 한다. 펀드매니저들은 이러한 자금들을 활용해서 부동산을 매입한다. 펀드매니저들은 또한 반드시 부동산을 매각해야 하고, 투자자에게 현금배당을 해야 한다. 따라서 펀드 수준에서 성과평가를 고려할 때, 단지 부동산을 매입하고 매각 이외에도 지속적으로 펀드는 운영하며 필요한 활동들이 존재한다.

투자수익의 측정 및 투자수익의 보고

펀드매니저에게는 정기적으로 펀드의 성과를 보고하는 일도 하나의 과제이다. 예를 들어 [예 16-4]에는 가상의 개방형의 혼합형 부동산 펀드의 재무정보들이 요약되어 있다. 예를 살펴보면, 보고기간 동안 자기자본의 시장가치(MV)는 해당분기 초(Section A) $400,000,000에서 해당분기 말(Section C) 기준 $510,000,000로 가치가 상승하였다. 또한 해당분기(Section B) 포트폴리오에 포함된 부동산에서 $6,000,000의 NOI가 발생하였다. 추가 부동산매입총액이 $150,000,000로 기록되었고, 투자자로부터

$175,000,000의 추가 투자금을 조달하였다. 이들은 신규 투자자 또는 펀드에 이미 자본을 투자한 투자자들이다. 본 펀드는 $50,000,000에 부동산을 매각하였고, $45,000,000의 현금을 투자자에게 현금배당하였다. 반면, 펀드의 현금계정에는 현금이 $42,000,000로 증가하였고, 이 금액은 향후 부동산매입을 위해 투자될 것으로 예상한다.

해당 분기 펀드 주요 활동 요약

분기 초

- 펀드는 $10,000,000의 현금과 $100,000,000의 단기투자를 포함
- 펀드는 시장가치 $400,000,000의 부동산자산을 포함
- 총 자산(시장가치) = $510,000,000
- 부채 = $200,000,000
- 자기자본(시장가치) = $310,000,000

해당 분기 동안의 활동

- 부동산 사업으로부터의 현금흐름(NOI)은 $6,000,000임
- 펀드 관리비용은 총 $2,000,000임
- 투자자에게 지급된 배당금액은 $45,000,000임
- 투자자가 분기 동안 펀드에 출자금은 $175,000,000임
- 부동산 매입 총액은 $150,000,000임
- 취득에 부채를 통한 추가차입 없음
- 부동산이 매각 총액은 $50,000,000임
- 현금 잔액은 당기 동안 $32,000,000 증가함(순수입(net income) + 투자자 자본출자 − 투자자 현금배당 + 부동산매각총액 − 부동산매입총액)
- 펀드가 지급해야 하는 다른 펀드비용은 $1,000,000임
- 다른 투자에 대한 이자수입은 $2,000,000임

분기 말

- 펀드의 현금은 총 $42,000,000이며 기타 투자액은 $100,000,000임
- 당기말 부동산의 시장가치는 $510,000,000임

어떻게 펀드의 운용성과와 투자수익을 계산해서 투자자에게 보고를 해야 하는지에 대해 살펴볼 필요가 있다. 이 과정에서 발생하는 현금흐름은 일 단위로 발생할 수 있고 월 단위로 발생할 수 있는 반면, 부동산의 매입은 보고기간 동안에 언제라도 발생할 수 있기 때문에 산정과정이 다소 복잡하다. [예 16-5]에는 펀드운영과 관련된 다양한 기능과 현금흐름의 과정이 도식화되었다. 해당 펀드의 성과평가에 부동산

수익률 이외에도 현금보유액, 펀드운용수수료, 펀드대출총액, 기타 펀드 투자 등의 요소들이 영향을 미친다. 21장에서 언급하겠지만 펀드가 합작투자(JV) 투자구조의 투자를 할 수 있다. 투자자들은 펀드로부터 해당 분기 동안에 현금배당을 받을 수 있고 또는 추가적인 자본출자도 있을 수 있다. 어떻게 펀드를 운영하는 경영진이 투자자에게 펀드성과와 관련해서 안내를 할 수 있을 것인가? 어떻게 이런 일련의 현금흐름들을 투자수익률로 전환할 수 있을 것인가? 그리고 어떻게 펀드의 수익률과 펀드가 보유하고 있는 개별 부동산자산의 수익률이 다른가에 대해 다음의 설명을 통해서 살펴보고 수익률 산출 과정에 대해 알아보고자 한다.

예에서 살펴보면, 해당 분기 말 기준 감정가기준으로 부동산의 시세가 $510,000,000이다. 해당 분기 동안 부동산 가치가 감정평가기준 $10,000,000 상승한 것으로 나타났다. (기말 부동산가격 – 기초 부동산가격 + 부동산매각금액 – 부동산매입금액; $510 – $400 + $50 – $150 = $10) 결론적으로, 분기재무정보를 투자자에게 보고하는 일은 펀드가 투자한 부동산이 감정가로 매각된다는 가정을 한 성과평가라고 볼 수 있다. 다만, 시장에서 시장가격의 급격한 변동이 있을 때 감정가는 시차를 두고 조정될 수 있다. 감정평가사들이 실제 시장 상황이 급격히 변했다고 확인이 될만한 사례들을 확보하는 데 1-2분기 정도 소요되기 때문이다.

투자자들은 해당 투자와 부동산 펀드매니저가 성과를 나타냈는지 확인하기 위해 수익률 자료를 사용하기 때문에 성과수익률(실현 또는 미실현)은 펀드 운영과 관련된 당사자 모두에게 중요하다. 특히 펀드매니저들에게 지급되는 성과보상수수료는 부분적으로 부동산 펀드의 성과에 따라 결정되므로 더욱 중요하다. 펀드매니저 수수료는 펀드매니저들이 펀드조성 초기에 투자자들에게 제공된 펀드제안서에 포

예 16-5
부동산투자 펀드 흐름

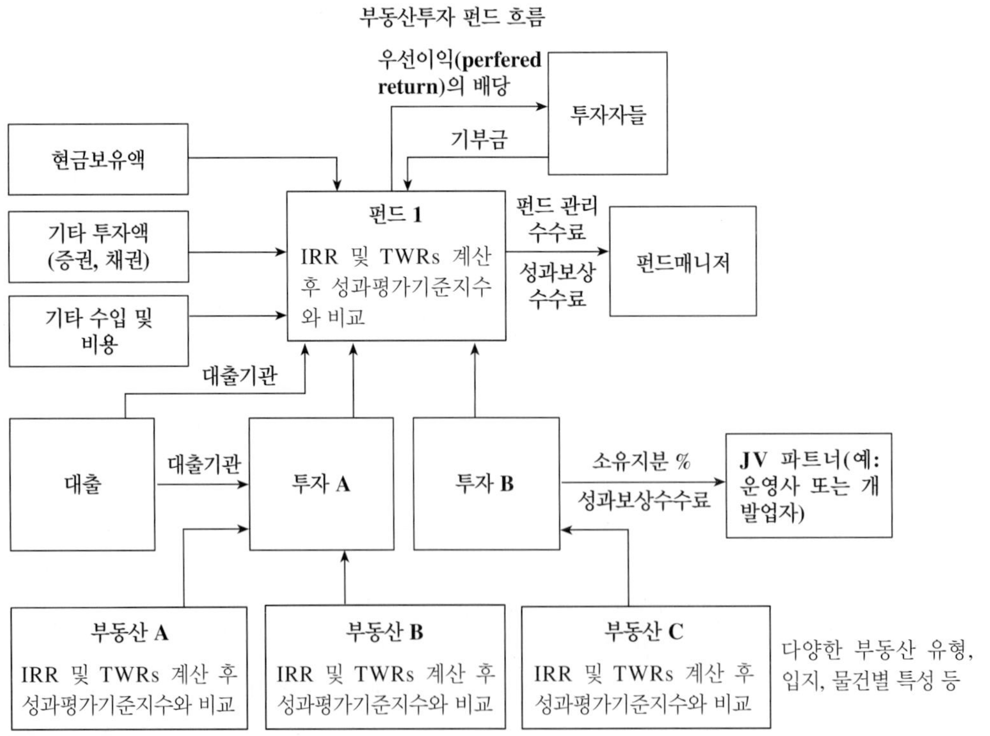

함된 목표수익률을 초과 달성하였을 때 지급된다. 산업별 컨설턴트가 투자 펀드들을 해당 고객들에게 추천을 할 때 동종산업비교를 위해 성과평가 자료들을 사용하기도 한다.

수익률 산정

일반적으로 투자의 결과는 업계 기준과 실무의 관점에서 펀드매니저가 계산하고 투자자에게 보고를 한다. 지난 30여 년 이상, 상업용 부동산 펀드의 정확한 투자결과를 제시하기 위해 투자성과표를 개발과 관련해 많은 논의가 있었다. 우리는 운영 현금흐름, 자산 매각, 자본출자, 자산매입, 투자자에게 현금배당 등이 투자기간 동안 발생할 수 있다는 것을 살펴보았다. 펀드매니저들은 비용을 지불하고, 자산의 추가매입을 위해, 그리고 기타 여러 상황을 대비하여 반드시 현금보유액 등의 유동성을 유지하고 있어야 한다. 이러한 펀드 현금흐름들은 분기 보고기간 내에 발생하기 때문에 종종 기간 내(intra-period) 현금흐름이라고 부르기도 한다.

계산을 위해서는 모든 현금흐름이 기간 초에 발생하거나 또는 기간 말에 발생한다고 가정하는 것이 바람직하다. 이 가정을 기반으로 이전 장에서 다룬 바 있는 IRR 계산도 수행할 수 있다. [예 16-4]의 예를 활용하여, 만약에 모든 현금흐름이 분기 말에 발생한 경우에 현금흐름의 특성을 다음과 같이 분석하고 내부수익률을 계산할 수 있다.

내부수익률(i)는 다음과 같은 식에 의해 계산된다.

$$i = (MVEE - MVBE + CD - CC) / MVBE$$

여기에, [예 16-4]의 값을 대입하면 다음과 같다.

$$i = (\$452 - \$310 + \$45 - \$175)/\$310 = 3.87\%$$

MV (market value) = 시장가치
BE (begining equity) = 기초 자기자본
EE (endging equity) = 기말 자기자본
CD (cash distributions) = 현금배당
CC (capital contribution) = 출자자본
i (interanal rate of return) = 내부수익률

다른 방법으로, 다음과 같은 식으로 내부수익률(i)를 계산할 수 있다.

$$i = (\text{NOI} + \text{부동산가격 상승분} + \text{이자수입} - \text{이자비용} - \text{펀드비용} - \text{펀드관리 수수료}) / \text{MVEE}$$
$$= (6 + 10 + 1 - 2 - 1 - 2) / 310 = 3.87\%$$

하지만, 실제 펀드에서는 여러 기간 동안에 걸쳐 현금흐름이 발생하므로, 위의 단순화된 예제를 통해 살펴본, 단일기간 IRR (single-period IRR)을 활용하는 것은 적절하지 않다. 실제로 현금흐름이 매 기간 말 또는 초에 발생하지 않는다. 게다가, 직관적으로 많은 금액의 양(+)의 순 현금흐름이 기간 초기에 발생하는 경우에는 IRR 계산은 더 낮게 계산되었을 가능성이 있다. 펀드의 보고 기간 동안의 현금흐름을 더욱 정확히 반영한 수익률산정 방법에 대해 살펴보도록 하자.

첫 번째로, Excel의 XIRR기능을 활용하는 방법이 있다. 이 기능은 각 분기별로 각 현금흐름에 대한 정확한 날짜 지정을 가능하게 함으로써 각 해당 분기별 총 일수를 반영하여 IRR을 계산할 수 있도록 한다. 계산과정을 통해 IRR이 도출되고 해당 IRR은 비교의 목적으로 실효분기 또는 실효 연수익률로 환산될 수도 있다.

두 번째로, IRR의 근사치로 **수정** Dietz (R_D) 수익률 공식(modified Dietz formular)을 활용하는 방법이다.[4] 각 분기별로 분기 내에 현금흐름이 발생할 때 이 수정 Dietz 공식을 IRR의 근사치로 활용할 수 있다. 수정 Dietz 공식은 엑셀 XIRR 기능 이전에 개발되어 엑셀을 통한 계산과정이 필요하지 않다. 수정 Dietz 방법은 현금이 유입된 이후 펀드 내에 유지된다라고 보고, 각 순현금흐름에 펀드보고 시까지의 잔여 날짜를 가중치로 계산한다. 공식은 다음과 같다.

$$R_D = \frac{MVEE - MVBE + \Sigma CF_j}{MVBE - CFW}$$

MVEE (market value of fund at the end of the period)는 기말의 펀드의 시장가치를 나타낸다.

MVBE (market value of fund at the beginning of the period)는 기초의 펀드의 시장가치를 나타낸다.

CFj는 j번째 일에 펀드 투자자가 받은 양(+)의 순현금흐름(배당 – 출자금)을 나타낸다.

ΣCFj는 기간 내의 모든 일 동안에 투자자에게 발생한 순현금흐름 합을 나타낸다.[5]

*CFW*는 시간가중(time-weight) 현금흐름인 $\Sigma CFj(N - j)/N$을 나타낸다. 양(+)의 순현금흐름은 기간 동안 남은 날짜에 의한 가중치 계산이 된다.

N = 해당 기간 내 총일 수

수정 Dietz (R_D) 수익률 공식에서 분모는 초기 펀드의 시장가치(*MVBE*)에 해당 기간 매일 순현금유입 또는 유출(*CFW*)을 조정하는 것으로 볼 수 있다. 펀드의 순현금흐름은 화폐의 시간가치를 반영하기 위해 보고된 기간의 잔여 기간에 따라 가중치가 반영된다. 그래서 전체 분모(denominator)를 해당 분기동안의 일별가중(day-weight) 투자로 해석할 수 있다. 중요한 것은, 양(+) 현금흐름이 해당 기간 초기에 발생하게 되면 *CFW*가 증가하게 된다는 점이다. 수익을 통해서 살펴보면, *CFW*가 증가하면 분모가 작아지게 되고, 따라서 R_D가 증가하게 된다. 이 경우는 해당 기간 동안 투자자에게 지급된 현금배당이 투자자로부터 받은 현금출자액보다 더욱 큰 경우에 해당된다.

우선 예를 통해 자세히 살펴보자. 예를 들어 (1) 모든 현금배당(CD)이 해당 분기 30일, 60일, 90일이 되는 날짜에 정확히 발생했다라고 가정하고, (2) 해당 분기의 전체 총일 수는 90일이라고 가정하자. 분기 말에 자본출자가 이루어진다고 가정한다.

$$CFW = [1/3CD \times (90 - 30)/90] + [1/3CD \times (90 - 60)/90] + [1/3CD \times (90 - 90)]$$

마지막 배당은 매 분기의 마지막 달 마지막 날짜에 발생하는 것으로 가정해서 잔여일수인 0의 가중치를

---

[4] 이 공식은 Peter O. Dietz (Univ. of Oregon 교수 및 Frank Ruseel Co. 대표)에 의해 제안되었다. 초기 Dietz 공식에서는 기간 내 현금흐름의 발생을 해당 분기의 **중간날짜**에 발생하는 것을 가정하였다. 이후 수정 Dietz 공식에서는 각 분기에 발생한 현금흐름의 정확한 날짜를 고려하였다. 이 방법은 어떤 현금흐름이 발생한 이후에 남은 펀드보고까지 남은 일자를 기준으로 가중치 적용한다. 이 현금흐름의 "날짜가중" 산정 방식은 분기 IRR을 더욱 정확하게 산정할 수 있도록 해준다. 수정 Dietz 방법은 미국 부동산 펀드사에서 분기보고 시 널리 활용되는 방법론이다.

[5] 투자자가 펀드에 현금출자(contributions)를 한 경우에는 현금흐름이 음(–)으로 표현될 수 있다.

적용하였다. 결과적으로 *CFW*에 영향을 주지 않는다.

[예 16-4]의 예제를 활용해서, 투자자들에게 해당 분기에 $45,000,000를 배당했고 이를 각 $15,000,000씩 해당 분기 30일 간격으로 맨 마지막 일에 배당하였다. 이 경우에 *CFW*는 다음과 같이 계산된다.

$$CFW = [\$15 \times (90 - 30)/90] + [\$15 \times (90 - 60)/90] + [\$15 \times (90 - 90)/90] = \$15{,}000{,}000$$

이 경우 *CFW*는 한 달의 현금흐름인 $15,000,000로 계산되었다. 이 경우는 현금흐름이 정확히 30일, 60일, 90일에 발생할 때 나타난다.

$$\Sigma CFj = \$45 - \$175 = -\$130$$

수정 Dietz의 공식을 이용해서 계산하면 다음과 같다.

$$R_D = \frac{MVEE - MVBE + \Sigma CFj}{MVBE - CFW}$$

$$R_D = (\$452 - \$310 - \$130)/(\$310 - \$15) = 0.0407 \text{ or } 4.07\%$$

위의 식에서 계산된 $R_D = 4.07\%$는 모든 현금흐름이 분기 말에 발생한다라는 가정하에 계산된 $i = 3.87\%$보다 높다. 수정 Dietz 수익률이 높게 산출된 이유는 투자자에게 배당 가능한 일부 현금흐름이 분기 초에 발생했기 때문이다. 수정 Dietz 공식을 이용한 결과가 IRR과 정확히 정확히 일치하지 않지만, 일반적으로 좋은 근사치로 활용된다. 기관투자자들 사이에서 실적을 측정하고 투자자에게 성과 보고하는 데 표준적으로 사용되고 있다.

$$R_D = \frac{NOI + App - \text{수수료} + \text{이자수입} - \text{이자비용} - \text{펀드비용}}{MVBE - CFW}$$

$$R_D = (\$6 + \$10 - \$2 + \$1 - \$2 - \$1)/(\$310 - \$15) = 0.0407 \text{ or } 4.07\%$$

부동산 가치 상승분(App)은 다음과 같이 계산이 된다.

부동산 가치 상승분(App) = 기말 부동산가격 − 기초 부동산가격 − 부동산 매각 − 부동산매입

App = $510 − $400 + $50 − $ 150 = $10으로 계산된다. 매 분기 부동산의 가치가 재산정될 때 부동산 가치 상승분이 계산된다.

개별 물건 수준에서 계산된 수익률

위에서 우리는 **펀드 수준**으로 보고된 수익률을 검토하였고, 기간 내에 현금흐름이 발생하는 경우를 대상으로 투자수익을 계산하였다.

이제 그 대상을 **개별 물건**의 수준에서 투자평가에 대한 논의를 진행하고자 한다. 펀드의 개별 부동산 물건들의 성과평가에 중점을 두고 논의를 진행한다. 이 논의에서는 대출을 활용한 레버리지 투자, 현금 유보, 단기투자, 또는 단기부채 등을 고려하지 않는다. 이런 항목들은 펀드를 운영하는 데 있어 중요한 항목들이지만, 논의의 중점을 펀드가 취득한 개별 부동산자산이 어떻게 성과를 나타냈는지 초점을 맞추고자 한다. 부동산 개별자산의 성과를 분석하기 위해서, 개별부동산 구입에 있어 대출을 고려하지 않는

다. 이는 부동산 개별자산의 성과평가를 위해서 재무구조에 영향을 받지 않는 부동산의 성과를 계산하기 위해서이다.

[예 16-4]의 A 항목을 살펴보면, 펀드의 기초의 부동산 가격이 $400,000,000로 평가되었고, 기간 동안에 $150,000,000의 부동산을 매입하였고, $45,000,000의 부동산을 매각하였다. 기말시점에 펀드의 부동산 가격이 $51,000,000로 평가되었다. 해당 기간 동안 포트폴리오에서 $6,000,000의 순 영업이익(NOI)이 발생하였다. 이 경우 포트폴리오의 부동산자산들의 성과는 어떠하였는가? 해당 기간 내에 발생한 $6,000,000의 순 영업이익(NOI)과 부동산자산가치 상승분인 $10,000,000의 현금흐름을 어떻게 평가할 것인가에 대한 논의가 필요하다. 순 영업이익(NOI)은 매월 발생한다라고 가정한다. 순 영업이익은 부동산자산에서 펀드로 지급되는 "배당(distribution)"으로 생각할 수 있다.

우리는 이 계산을 위해 IRR 근사치로 많이 활용되고 있는 수정 Dietz 공식을 이용해 계산할 수 있다.

$$R_D = \frac{NOI + App}{MVBE - CFW}$$

이 식에 순 영업이익(NOI = 6)과 가격상승분(App = \$10) (단위는 \$1,000,000)을 대입하자.

$$R_D = \frac{(\$6 + \$10)}{\$400 - CFW}$$

여기에 CFW = $2,000,000, 또는 $6,000,000의 NOI가 펀드 투자자에게 매 30일 기간 동안 3회에 걸쳐 같은 금액으로 유입된다고 하자. 이 경우 R_D는 다음과 같이 정리된다.

$$[\$2 \times (90 - 30)/90] + [\$2 \times (90 - 60)/90] + [\$2 \times (90 - 90)/90] = \$2$$

$$R_D = \frac{(\$6 + \$10)}{\$400 - \$2} = 4.02\%$$

수수료 지급 전/후 수익률

우리는 운용 수수료에 대한 논의를 진행하였다. 실무에서 수익률은 "수수료 지급 전 수익률과 수수료 지급 후 수익률"로 구분되어 계산되기도 한다. 수수료 지급 전 수익률을 "수수료 포함(gross of fee)" 수익률이라 하고 수수료 지급 후 수익률을 "순(net)"수수료라고 한다. [예 16-4]를 살펴보면, 수수료로 $2,000,000를 해당 기간 동안 지급한 것을 알 수 있다. 우리는 수수료를 지급한 후에 계산한 수익률이 4.07%임을 확인할 수 있다. 우리는 수수료 지급 전 수익률 계산을 위해 [예 16-4]에 배당액에 수수료 $2,000,000를 다시 더해서 계산을 하기로 한다. 이 경우에 현금 배당금액이 기존 $45,000,000에서 $47,000,000 증가하였고 이를 월로 표현하면 매월 $15,670,000임을 알 수 있다. 우리가 $2,000,000의 현금이 증가하였다라고 가정하고, CFW의 값이 $15,670,000로 증가하였다라고 가정하고, R_D를 다시 계산한다. 수수료 지급 전 수익률은 다음과 같이 계산된다.

$$CFW = (\$15.67 \times (90 - 30)90) + \$15.67 \times (90 - 60)/90) = \$15{,}670{,}000$$

$$R_D = (\$6 + \$10 - \$2 + \$1 - \$1)/(\$310 - \$15.67) = 4.76\%$$

펀드 수준에서의 수수료 지급 후 수익률은 4.07%였지만, 위의 계산에서와 같이 수수료 지급 전 수익률은 4.76%가 된다. 펀드 수수료 지급으로 인해 투자자 수익률의 69 pb 또는 약 0.69%의 수익률이 감소하게 되었다. 투자자에게 이는 수수료로 인한 **수수료 손실**(fee loss)분이 된다.

앞의 예제는 1개 분기를 대상으로 계산되었지만, 동일한 과정으로 시간에 따라 매 분기 각각 계산할 수 있다.

수익 비교하기: 펀드 수준 VS 부동산 수준

앞에서 우리는 기간 내에 발생한 현금흐름을 대상으로 개별 부동산 수준과 펀드 수준에서의 수익률을 계산해 보았다. 해당 분기의 펀드 수준에서의 수수료 지급 전 수익률은 4.76%인 데 반해 부동산자산 수준의 수익률은 4.02%였다(두 수익률 모두 수정 Dietz 공식을 이용). 위의 예제에서 두 수익률의 차이는 몇몇 요소들에 의해 발생한다. 먼저 대출을 활용한 레버리지 효과가 발생하여 펀드 수준의 수익률이 높게 나타났다. 다른 한편으로, 현금보유액을 계정에 두게 되면 이자가 발생하지 않게 되어, 수익률을 낮추는 요인이 된다. 이를 "**현금보유에 따른 수익률 감소현상**(cash drag)"이라 한다. 또한 펀드 수수료도 수익률을 낮추는 역할을 한다. 그리고 기타 투자금액(other investments)의 경우에도 펀드에서 투자한 부동산의 수익률보다 낮은 경우가 대부분이다. 여러 요소들을 종합해보면, 본 예제에서는 수수료를 차감한 이후에도 펀드 수준의 수익률이 부동산 수준에서의 수익률보다 높게 나타났다.

많은 펀드매니저들이 이런 요소들로 인해 수익률이 감소되는 경우를 최소화하기 위해 비용을 효율적으로 관리하고자 하는 데 많은 노력을 한다. 하지만, 한 가지 분명히 언급해야 하는 것은 개별 부동산 수준의 수익률은 차입을 통한 레버리지 투자를 가정하지 않았기 때문에 펀드 수준에서 현금 및 운용 수수료로 인한 수익률 감소가 발생했음에도, 펀드 수준에 비해 부동산 수준에서의 수익률이 낮게 계산되었다.

과거 수익률 *Historical Return* 계산

일부 부동산 펀드들은 오랜 기간 동안 설정 운영된다. 일부 잘 알려진 개방형의 혼합형태의 핵심자산투자형 펀드의 경우에는 20여 년 이상 운영되는 경우도 있다. 따라서 투자자들과 애널리스트들은 해당 펀드들이 과거에 어떻게 운영되었는지 매우 관심이 많고 이런 과거의 성과를 기반으로 미래 수익률을 예상하고 예측한다.

부동산투자의 과거 수익률을 계산하는 데는 일반적으로 두 가지 방법이 있다. 첫 번째 방법은 **시간가중 수익률**(time-weighted return, TWR)을 계산하는 것이다. 이 방법은 시계열 상에서 각각의 해당 기간의 **기초 시점**과 **기말 시점**의 가치 측정을 필요로 한다. 앞 장에서 살펴보았던, 시계열 상에서 보유기간 수익률(HPR)을 계산했던 것을 다시 살펴보자. 앞서 언급한 바와 같이 상업용 부동산의 경우에 매 분기마다 실거래가격을 구득할 수 없기 때문에 매 기초 시점과 매 기말 시점에서의 감정평가가격을 이용해 계산한다.

두 번째 방법은 앞서 많이 언급된 내부수익률(IRR)을 계산하는 것이다. 이 방법은 부동산의 최초매입가격을 고려하고, 부동산 운영기간 동안에 투자자가 수취한 모든 현금흐름을 포함하고, 부동산이 매각되었을 때 투자자가 수취하게 되는 모든 현금흐름을 포함하고, 또는 기말에 해당 부동산이 감정평가가격으로 매각이 되었다라는 가정을 기반을 두고 계산되는 방법이다.

시간가중(time-weight) 수익률은 매우 중요하며 통상적으로 부동산 펀드 성과 측정에 사용되고 있다. 특히 이 수익률은 투자자나 분석가들이 (1) 시간이 지남에 따라 펀드가 얼마나 성과를 내고 있는지,

(2) 동일 기간 동안에 다른 펀드들이나 지수들과 비교할 수 있는 지표가 필요할 때 특히 중요하다. TWR은 다음과 같은 추가적인 장점이 있다. (a) 새로 추가되거나 환매되는 투자의 규모의 영향을 받지 않으며 (b) 애널리스트들이 필요로 하는 하위 단위의 기간별로 구분하여 계산이 가능하다는 점이다.

투자자들이 많이 사용하는 내부수익률(IRR)은 일반적으로 투자자들이 특정 투자에서 수익률이 얼마였는지, 수익률이 얼마가 될지, 얼마를 얻을 수 있을 것인지 계산하는 데 많이 활용된다. 내부수익률(IRR) 계산은 투자가 이루어진 특정 일, 현금배당이 발생한 날짜들, 그리고 현금출자가 발생한 날짜, 그리고 부동산 매각이 발생한 특정 일 등에 기초해서 계산이 된다. 시간가중 수익률(TWRs)과 달리, 내부수익률 계산 시 고려되는 발생한 현금이 이런 일자들이 특정 투자보고상의 시작되는 시점과 끝나는 시점과 일치하지 않을 수 있다. 어떤 경우에는 내부수익률(IRR) 현금흐름의 달러규모에 따라 많은 영향을 받을 수 있다. [이런 이유에서 **달러가중 수익률**(dollar-weight return)이라 부르기도 함.] 일부의 경우에는 부동산이 매각되지 않을 경우에, 내부수익률(IRR) 계산을 위해 감정평가가격이 활용되기도 한다. 달리 표현하자면, 투자자가 내부수익률(IRR) 산정이 필요할 때 투자자가 감정평가가격이 부동산 가격을 정확하게 반영했다고 믿는다면 내부수익률(IRR) 산정은 감정평가가격을 기반으로 산정될 수 있다.

시간가중 수익률

분기 등과 같은 고정된 시간 기간에 수익률(HPRs)을 계산할 때, 대부분의 애널리스트들은 각 기간의 수익률을 연속적으로 연결한 후(chain link) 여기 다양한 기간(예: 1년, 3년, 5년) 간의 기하 수익률을 계산한다. 이 수익률을 **시간가중 수익률**(time-weight return)이라 한다. 이는 각 기간별 보고되는 수익률을 계산하는 과정에서 누적 기간 내에서(예: 1년) 각 해당 기간(예: 분기)에 같은 가중치를 부여하여 수익률을 계산하기 때문이다. 즉, 부동산을 취득한 첫 기간에 발생한 현금흐름과 마지막 기간에 발생된 현금흐름이 시간가중 수익률(TWR)을 계산하는 데는 동일한 영향을 준다. 앞의 장에서 가상의 포트폴리오와 여러 지수들의 기하평균을 계산한 것을 다시 생각해 보자.

주어진 각 기간별 수익률은 TWR 계산 시에서 동일한 가중치를 갖기 때문에, 계산을 할 때 특정 시기에 크거나 작은 자본의 투자가 이루어져도 결과에 영향을 미치지 않는다. 예를 들어 펀드가 1기 초에 $100,000,000를 부동산에 투자하였고, 해당 기간 동안에 $5,000,000의 수입을 얻었고, 1기 말에 부동산 가치가 $105,000,000가 되었다라고 가정하자. 이 1기의 수익률을 (105 + 5 − 100)/100 = 10%로 계산이 된다. 이후 2기 초에 투자자의 $95,000,000의 자본투자가 발생하였고, 해당 금액 모두 펀드매니저에 의해서 신규부동산에 투자되었다라고 가정한다. 이후 펀드에서는 2기 운영기간 동안 $15,000,000의 수익이 발생하였고, 2기 말에 펀드의 가치는 $215,000,000로 증가하였다. 2기 동안의 수익률을 계산하면 (215 + 15 − 200)/200 = 15%로 계산된다. 두 기간의 시간가중 수익률(TWR)을 구해보면, 1.10 × 1.15 − 1 = 26.5%로 계산이 된다. 전체 기간의 총 수익률을 계산하는 데 있어 분기별 수익률에 동일한 가중치가 부여된 것을 살펴볼 필요가 있다. 2기 동안에 1기에 비해 2배 이상의 큰 금액이 투자되었다 하더라도 이 가정은 동일하다. **기하평균**은 12.47%로 두 기간에 동일한 가중치를 두고 계산된 값이다. 이 가정에 대해서 후반부에 조금 더 자세히 기술하기로 한다.

위의 예제에서, 우리는 각 기간의 수익률에 1을 더한 후에 각 수익률을 연결하였다는 것을 살펴보아

야 한다. 이렇게 한 이유는 각 수익률이 각 기간별로 연결되며 복리효과를 발생시키는데, 바로 이 복리효과를 식에 포함하기 위해서이다. 전체 기간 동안에 평균 수익을 계산하기 위해서 연결된 수익률 계산에서 기하평균을 구하면 된다.

만약에 모든 4기간의 수익률을 계산하기 위해서는 각 수익률을 다음과 같이 연결(chain link) 계산을 하면 된다.

$$(1 + R_1) \times (1 + R_2) \times (1 + R_3) \times (1 + R_4)$$

R_1은 1년도 수익률이고 R_2는 두 번째 수익률 등을 나타낸다.

4년 동안의 대한 평균수익을 계산하는 방법은 우선 4개년의 순차적인 곱에 루트 4제곱을 취한 후 1을 빼면 계산된다. 이 결과값을 시간가중 수익률(TWR)이라 하고 연결된(chain-linked) 수익률의 기하평균(geometric mean)이라 한다. 기하평균의 중요성은 단순히 각 수익률을 합산 후 평균값을 구한 **산술평균**(arithmetic mean)값의 비교를 통해 살펴볼 수 있다. 다음의 식을 통해 두 식의 차이를 살펴볼 수 있다.

$$\text{산술평균(4개년 수익률 기준)} = (R_1 + R_2 + R_3 + R_4) / 4$$
$$\text{기하평균(4개년 수익률 기준)} = [(1 + R_1) \times (1 + R_2) \times (1 + R_3) \times (1 + R_4)]^{1/4} - 1$$

업계에 종사하는 대부분의 전문가들은 기하평균(TWR)을 성과평가에 가장 적절하다라고 생각하고 있다. 이유는 다음의 예에서 간단하게 살펴볼 수 있다. 부동산의 가치가 기초에 100의 가격으로 시작되었고 5년 후 100의 가격이 되었다라고 가정하자. 우리는 기간 내 발생하는 현금흐름은 없다라고 가정한다. 다음 예에서는 산술평균이 다소 높은 양의 값 0.16%를 나타내고 있다. 그러나 투자자 입장에서는 어떻게 부동산가격이 초기와 동일한 $100로 보유가 끝나게 되었는데, 어떻게 이 값이 나올 수 있을지 의문일 것이다. 하지만, 산술평균에서는 수익률이 정확히 0%로 계산되며 투자의 성과평과를 잘 나타내고 있다.

산술(arighmetic)평균 vs 기하(geometric)평균

연도	가격	수익률	수익률 + 1
0	100		
1	105	5.00%	1.0500
2	110	4.76%	1.0476
3	115	4.55%	1.0455
4	107	−6.96%	0.9304
5	100	−6.54%	0.9346
		Σ.81	1.0000

산술평균: .81/5 = 0.16%

기하평균: $\sqrt[5]{1.000} - 1 = 0.00\%$

실무에서는 분기수익률을 "연수익률"로 환산하여 성과보고를 하는 것이 일반적이다. 다음 예를 통해서 12개 분기, 3년 수익률을 계산하는 과정을 살펴보자.

연간 수익률 예제

분기	수익률	(1 + 수익률)	연결 곱(Chain Link)
1	2%	1.02	1.0200
2	3%	1.03	1.0506 ← (1.02) X (1.03)
3	4%	1.04	1.0926
4	2%	1.02	1.1145
5	0%	1.00	1.1145
6	−2%	0.98	1.0922
7	−4%	0.96	1.0485
8	1%	1.01	1.0590
9	2%	1.02	1.0802
10	4%	1.04	1.2267
11	5%	1.05	1.1795
12	4%	1.04	1.2267

(연결 곱 1~12분기: 지수)

$(1.2267)^{(1/12)} - 1 = .017175$ or 1.7175% 평균분기수익률
$(1.017175)^4 - 1 = .0705$ or 7.05% 연환산 수익률
빠른계산법: $(1.2267)^{(4/12)} - 1 = .0705$ or 7.05% 연환산 수익률

우리는 분기별 수익률을 연쇄적으로 곱을 한 후에 기하평균을 통해 평균 분기 수익률을 구했다. 이 경우 평균 수익률은 1.7175%이고 연환산 수익률을 구하기 위해서 4개 분기를 곱을 해야 한다. 12분기의 동안의 평균 연수익률(TVW)은 $(1.017175)^4 - 1 = 0.075$ 또는 7.05%가 된다.[6]

내부수익률 *Internal Rate of Return*

[예 16-6A]는 지난 5년간의 투자에 대한 내부수익률(IRR) 계산을 보여준다. 이전 장에서 설명한 바와 같이, IRR은 부동산에서 발생하는 운영현금흐름과 매각가격 등의 모든 현금흐름의 현재가치를 부동산 매입가격과 일치시켜주는 이자율을 말하며, 이를 내부수익률(internal rate of return)이라 한다. 다시 설명하자면, 미래에 발생하는 모든 현금흐름을 현재가치로 환산한 순현가치(net present value)의 합을 0으로 만들어주는 할인율을 말한다. 본 예제에서는 5년간의 현금흐름을 살펴보자. 부동산의 매입가격은 $500,000이고 1~5년 사이에 발생하는 현금흐름은 1년 차 $50,000, 2년 차 $40,000 3년 차 $30,000, 4년 차 $50,000, 5년 차 $60,000에 각각 발생한다. 이후 해당 부동산은 5년 차 말에 $600,000에 재매각된다. 여기서 IRR은 12.22%가 도출된다. 즉 투자자가 부동산을 매입해 5년 운영 후에 재매각하였을 때, 투자자는 해당 투자에 대해 수익률은 매년 12.22%이다. [여기서 미래 시점의 매각가격 $600,000는 미실현된 감정평가가격에 기초하여 계산되었으므로, 12.22%는 추정 IRR (estimated IRR)이다.]

내부수익률 *IRR* 과 시간가중 수익률 *TWR* 비교

내부수익률(IRR) 계산방법과 시간가중 수익률(TWR)의 계산방법이 어떤 차이가 있는지 비교하는 것은 유용하다. 위 예제에서는 5년 동안의 현금흐름을 바탕으로 내부수익률을 계산하였다. 동일한 기간에 시간가중 수익률(TWR)을 계산하기 위해서 먼저 매기간 말 시점에 해당 부동산의 가치가 추정되어야 분기별 보유기간 수익률(HPRs) 계산을 할 수 있다. 이후에 5년간의 HPRs을 통해 기하평균 수익률을 계

6 평균 연수익률은 모든 12분기 연쇄 곱(chain-linked) 수익률의 4/12를 취하거나 또는 4루트를 취하여 직접적으로 계산할 수 있다.

예 16-6A
내부수익률(IRR) 예제

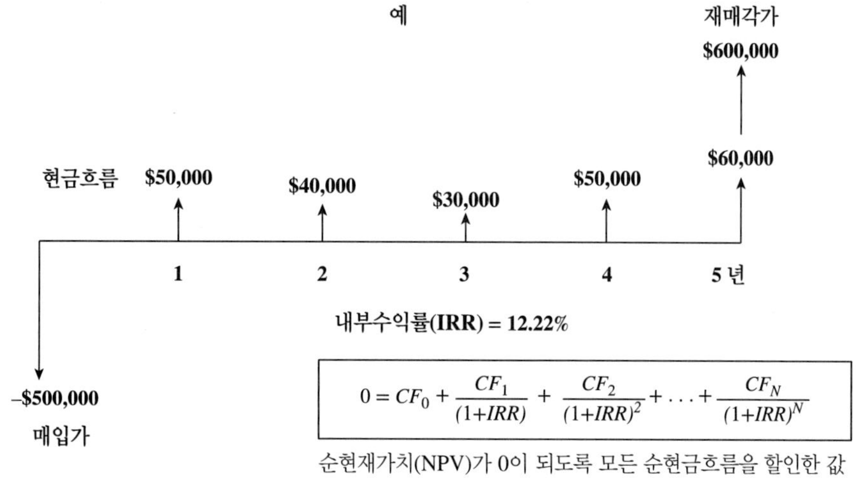

$$0 = CF_0 + \frac{CF_1}{(1+IRR)} + \frac{CF_2}{(1+IRR)^2} + \ldots + \frac{CF_N}{(1+IRR)^N}$$

순현재가치(NPV)가 0이 되도록 모든 순현금흐름을 할인한 값

산하여, 5년간의 연평균 시간가중 수익률(TWR)을 구한다.

[예 16-6B]에서 1년에서 4년 차 매기 말에 감정평가가격을 추가하였다. 매년 HPR은 각 연도별로 나타나는데, 부동산 가격의 변화에 따라 연도별로 차이가 발생하는 것을 알 수 있다. 시간가중 수익률(TWR)은 5개년의 보유기간 수익률(HPRs)의 기하평균이며, 13.49%로 계산된다. 동일한 기간에 IRR은 12.22%이다. 이 수익률의 차이는 TWR은 각 기간이 기하평균 수익률을 계산하는 데 동일한 영향을 주는 데 반해, IRR은 각 시기별로 발생하는 현금흐름을 반영하고, 초기에 유입되는 현금흐름에 가중치가 더 부여된다는 차이에 기인한다.

예 16-6B
TWR vs IRR 비교

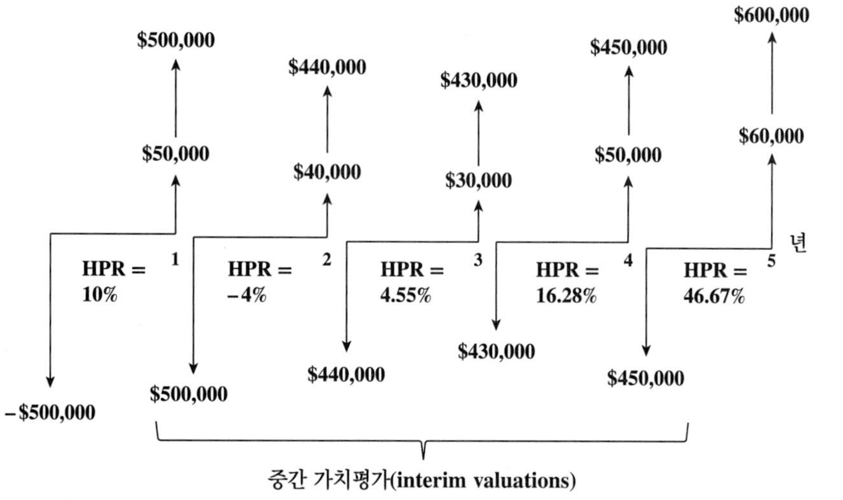

각 HPR은 각 기간별(본 예제에서는 1년) IRR 계산과정 비슷하다. 예를 들면 이 예에서 1년

TWR (HPR의 기하평균) = 13.49%
IRR = 12.22%(투자기간 5년)

투자자 수익률 vs 펀드 수익률

위의 예제를 통해 동일한 부동산에 대해서 IRR과 TWR이 어떻게 계산되는지 살펴보았다. 다음의 예에서 내부수익률이 펀드에 투자한 투자자별로 상이할 수 있는지, 펀드의 TWR과 어떤 차이가 있는지 살펴보고자 한다.

3개년간 다음의 가격 변화를 갖고 있는 펀드가 있다고 가정해보자.

연도	펀드의 가격 변화
0	
1	10.00%
2	−5.00%
3	15.00%

논의를 단순화하기 위하여, 매년 수입의 발생은 없다라고 가정한다. 여기서 수익률은 펀드기간 동안에 펀드에 투자된 금액에 발생한 수익을 나타낸다. 본 가정에서는 개방형 펀드를 가정하므로, 투자자들은 언제라도 추가적인 투자 및 펀드환매를 요청할 수 있다.

펀드의 시간가중 수익률(TWR)은 다음과 같이 계산될 수 있다.

연도	펀드의 가격 변화	(1 + 수익률)
0		1.0000
1	10.00%	1.1000
2	−5.00%	0.9500
3	15.00%	1.1500

기하평균(TWR) = 6.32%
(1.1000 × 0.09500 × 1.1500)^(1/3) − 1 = 0.0632 = 6.32%

우선, 투자자가 1년 차 말에 펀드에 $4,000의 투자를 하였고, 투자금을 돌려받는 3년 말까지 투자를 유지한다고 가정하다. 이 경우에 투자자의 IRR은 다음과 같이 계산된다.

연도	펀드 수익률	투자자본	가치	현금흐름
0		$4,000	$4,000	−$4,000
1	10.00%	0	4,400	0
2	−5.00%	0	4,180	0
3	15.00%	0	4,807	4,807

IRR = 6.32%

여기서 IRR은 위의 TWR과 동일하다. 이유는 해당 투자자본이 펀드에 투자된 이후 펀드에 추가적인 투자금이 유입되거나 현금배당이 발생하지 않았기 때문이다.

이제 투자자가 다음과 같은 다른 투자전략을 선택했다고 가정하자. 투자자가 1년 초에 $2,000의 투

자를 했고, 1년 말에 $1,000를 인출하였다. 이후 투자자는 2년 차 말(3년 차 초)에 $3,000의 신규 투자를 하였고, 3년 차에 높은 수익률을 기록하였다. 이 경우 투자자의 IRR은 다음과 같이 계산된다.

연도	펀드 수익률	투자자본	가치	현금흐름
0		$2,000	$2,000	−$2,000
1	10.00%	−1,000	1,200	1,000
2	−5.00%	3,000	4,140	−3,000
3	15.00%	0	4,761	4,761

IRR = 10.11%

이 경우 투자자는 동일한 펀드에서 10.11%의 내부수익률을 기록하게 된다. 시간가중 수익률(TWR)은 여전히 6.32%이다. 해당 투자자는 투자 적기에 투자를 한 경우이다.

마지막으로, 다음의 경우를 살펴보자. 투자자가 1년 초에 $1,000를 투자하였고, 1년 차 말에 해당 펀드에 $4,000를 투자하였다. 하지만 해당 펀드가 2년 차에 음(−)의 수익률을 기록하였고, 투자자는 $1,000를 인출하였다. 이후 펀드의 수익률이 3년 차에는 회복되었다. 이 경우 투자자의 IRR 계산은 다음과 같다.

연도	펀드 수익률	투자자본	가치	현금흐름
0		$1,000	$1,000	−$1,000
1	10.00%	4,000	5,100	−4,000
2	−5.00%	−3,000	3,845	1,000
3	15.00%	0	4,422	4,422

IRR = 4.10%

이 경우 투자자의 IRR은 다소 낮은 4.10%을 기록한다.

투자자는 투자시기가 좋지 않은 시기에 투자한 결과이다. TWR의 결과는 세 경우 모두 동일하다. 펀드매너저들의 성과를 어떻게 평가를 해야 할지 판단해야 한다. 내부수익률 10.11%와 내부수익률 4.10% 모두 펀드매니저의 성과평가가 될 수 없다. 펀드는 TWR의 수익률 6.32%의 수익을 매년 여러 다양한 투자자들이 투자한 자본의 합인 펀드 투자액의 수익으로 창출하였다. 펀드매니저들은 개인 투자자들이 펀드에 추가로 출자하고 중도에 해지하는 등의 선택에 영향을 미칠 수 없다. 이는 펀드매니저들이 투자시기를 선택할 수 없다는 것을 의미한다. 이러한 이유에서 개방형 펀드의 경우 시간가중 수익률(TWR)이 가장 최적의 성과평가 방법이다.

이와는 반대로, 해당 펀드가 폐쇄형 펀드이고, 모든 투자자가 1년도 초에 펀드에 투자를 했거나, 또는 동시에 자금출자요청(capital call)을 받아 투자가 이루어졌고, 3년 차까지 펀드에 투자를 해야 한다면(또는 모든 투자자들이 동일한 현금배당을 받았다면), 펀드매니저의 성과평가는 내부수익률(IRR)을 통해 이루어지는 것이 최적의 성과평가방법이다. 그리고 IRR이 TWR과 차이를 발생시키는 원인으로 펀드에 투자된 자금의 규모가 계산과정에 IRR에 영향을 미치는 반면에, TWR 계산 시에는 영향을 주지 못하기 때문이다.

성과평가를 위한 TWR vs IRR 비교

이전의 내용을 살펴보면, 우리는 자연스레 "펀드의 성과평과를 위한 최적의 지표는 무엇인가?"라는 질문을 하게 된다. 펀드매니저가 각 시기별 투자되는 투자금을 통제할 수 있다면, 이 경우엔 펀드매니저의 성과평가를 IRR을 통해 평가하는 것이 적절한다. 하지만, 펀드매니저가 각 시기에 펀드에 투자되는 투자금을 통제할 수 없다면, 이 경우에는 TWR을 통해서 펀드매너저의 성과를 평가하는 방볍이 더욱 적절하다.

투자자들이 펀드 투자금을 통제할 수 있는지 여부는 펀드에 종류에 따라 차이가 있다. 예를 들어 언급했듯이, **개방형 펀드**의 경우에는 투자자가 펀드에 투자하고 펀드 투자금 상환 요청의 횟수 등에 큰 제한을 두지 않는다. 이런 개방형 펀드들은 주로 분산투자가 잘 이루어진 "핵심"자산에 투자된 포트폴리오에 많이 투자한 경우가 많다. 핵심자산투자 개방형 혼합펀드(core open-end commingled fund)의 경우에는 낮은 위험과 상대적으로 낮은 수준의 차입, 높은 점유율을 보이는 우수한 입지에 위치한 물건의 경우가 대부분이다. 따라서 일반적으로 시장상황이 정상이라 가정하면, 투자자들은 펀드에 어느 정도 투자를 할지 결정하는 데 매우 유연하게 결정할 수 있다.[7] 이 경우에 펀드매니저들이 펀드의 투자자금을 통제가 거의 불가능하다. 이 경우에 해당 펀드매니저의 성과는 시간가중 수익률(TWR)을 통해 이루어져야 한다. 그 이유는 TWR의 경우에는 현금흐름의 규모에 영향을 받지 않으므로, 펀드매니저들이 TWR을 통한 성과평가는 투자자들이 선택한 펀드 투자시기 등에 영향을 받지 않는다. 투자자의 펀드 투자시기 선택에 따라 신규매입, 매각, 또는 부분매각 등의 중요한 자본의사결정에 영향을 미칠 수 있다.

폐쇄형 가치상승형(closed-end value add) 펀드와 폐쇄형 기회추구형(closed-end opportunistic fund) 펀드의 경우 투자자들이 추가로 자금을 출자하거나 투자된 자금을 회수하는 데 일반적으로 제한을 둔다. 이들 펀드들은 특화된 투자전략을 택하는 경우가 많고, 일반적으로 안정화되지 않은 부동산투자단계에 투자하는 경우가 많은 위험한 투자들을 실행한다. 예를 들어, 현재 운영상태가 부실한 부동산을 매입하여 공실을 안정화하고 대규모 수선을 통한 가치를 창출하는 전략을 택하는 투자들이 여기에 속한다. 또는 대대적인 개보수가 필요한 부동산건물을 매입하는 전략이 여기에 속한다. 마지막으로 이런 펀드들은 일반적으로 높은 수준의 차입투자(leverage)를 택한다. 펀드들이 위와 같은 투자전략을 택하는 경우에 우리는 **가치상승형 펀드**(value-add fund)라고 한다. 또는 상당한 금액의 레버리지를 활용하고, 대규모 개보수뿐 아니라 개발사업에 투자하는 경우 이 경우에 **기회추구형 펀드**(opportunistic fund)라고 한다.

가치상승형 펀드와 기회추구형 펀드의 경우 일반적으로 폐쇄형인 경우가 대부분이다. 이 경우에 펀드매니저들은 투자를 위해 투자자들에게 자금요청하는 시기를 결정할 수 있고, 또한 펀등 청산 및 부동산 매각을 통해 현금청산 시기도 결정할 수 있다. 게다가, 폐쇄형 펀드의 경우 주기적으로 감정평가를 통해 가치산정을 하는 경우가 많이 없다. 투자자들이 자금을 수시로 출자하고 인출하려고 하지 않는 이상, 펀드매니저들은 매분기 또는 매년 감정평가를 위한 비용이 발생하는 것을 원하지 않을 것이다. 결론적으로 이런 경우에는 펀드매니저들이 언제 투자를 할지, 언제 투자금을 투자자에게 돌려줄지 통제가 가능하므로, 내부수익률(IRR)을 통한 펀드매니저들의 성과평가를 시행하는 것이 적절하다. [예 16-7]은

[7] 시장 상황이 매우 악화되거나 또는 많은 투자자가 동시에 펀드 상환 요청을 하는 경우에는 투자자의 펀드자금 인출이 일반적으로 제한될 수 있다.

예 16-7
IRR vs TWR을 선택하는 경우

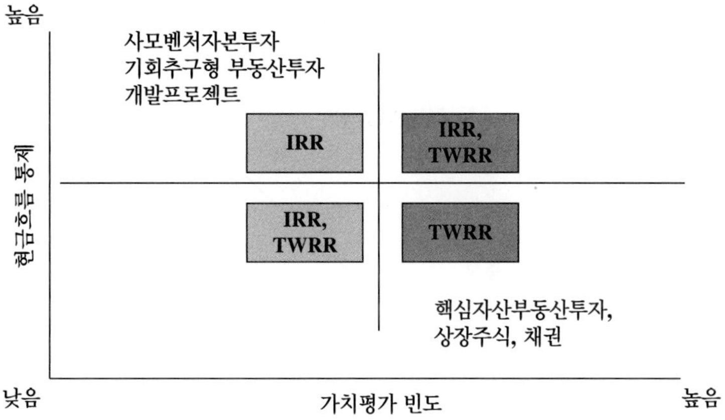

(1) 펀드매니저가 해당 펀드에 투자자들의 현금유입과 유출을 통제할 수 있는 정도와 (2) 부동산 가치평가가 필요한 정도, (3) 투자성과 평가에 있어 IRR과 TWR 중에 어느 방법이 더욱 적절할지 나타나 있다.

목표수익과 벤치마크

펀드매니저들이 투자자들에게 펀드판매와 관련된 마케팅 활동을 할 때 투자자들이 기대할 수 있는 수익률을 일반적으로 제공한다. 이 기대수익률은 펀드의 **목표수익률**이다.

이 목표수익률은 특정한 수익률, 예를 들어 "펀드가 수수료를 제외하고 10%의 투자수익률을 기대한다"라고 나타낼 수 있다. 그러나 여러 경우 목표수익률은 경제 상황에 따라 변경될 수 있다. 결과적으로 기대수익률은 이윤이나 스프레드에 의해 조정된 이미 잘 알려지고 결정된 시장지수인 **벤치마크(기준)**와 연동될 수 있다. 예를 들어, 뮤추얼 펀드 업계에서는 분산이 잘된 대형펀드의 경우 벤치마크 지수로서 S&P500을 사용하고 여기에 적극적인 펀드 운용에 대한 프리미엄을 가산하여 S&P 500보다 높은 수익률을 기록하는 포트폴리오를 운용한다.[8]

부동산 펀드의 펀드매니저들이 어떻게 벤치마크 혹은 목표수익률을 추정하는지에 대해 살펴보자. 우선 [예 16-1 A항목]에서 논의된 다양한 펀드 유형의 위험과 수익 특성을 살펴보면 이해에 도움이 된다. [예 16-8]에서는 부동산투자 펀드에 대한 개념를 그림으로 보여준다.

개념정리 [Concept Box 16.2]에서는 부동산 펀드에서 사용될 수 있는 벤치마크 지수 몇 가지를 소개되었다. 핵심자산투자형 펀드에서 NCREIF에서 제공하는 ODCE 펀드 수준의 지수가 주로 개방형 혼합펀드(open-end commingled fund)의 지표로 많이 사용된다. 핵심자산투자형 특별계정(core separate accounts)의 경우 NCREIF-NPI(자산 수준) 지수가 벤치마크 지수로 활용 가능하다. 부동산 펀드는 벤치마크에 스프레드 또는 프리미엄을 추가해서 투자자에게 펀드 투자를 통해 달성될 수 있는 기대수익률 또는 목표수익률을 제공한다. 예를 들어, 핵심자산투자형 펀드의 전략으로 핵심자산에만 투자할 수 있지만, 펀드 경영진들은 투자부동산의 속성과 위치를 선택할 때 뛰어난 능력을 가지고 있다고 판단할 때,

---

[8] **적극적 관리**(active management)라는 표현은 펀드매니저가 실제로 적극적으로 자산 관리를 연구하고 벤치마크 지수보다 높은 수익을 기록하기 위해 자산의 매입과 매매를 경우에 사용한다. **수동적** 관리는 투자 펀드매니저 없이 투자자에 의해 관리될 수 있다. 보통주의 경우, 투자자는 적극적인 관리 없이 (개별 종목을 선택하는) S&P 지수 (SPDRs)에 투자하는 수동적 관리(passive management)를 할 수 있다. 따라서 적극적인 관리를 실행하는 펀드매니저에 의해 지급되는 수수료를 정당화하기 위해 이러한 적극적 운용의 펀드는 S&P의 벤치마크를 상회하는 목표수익률을 달성할 필요가 있다.

예 16-8
부동산 투자스타일
(투자전략)

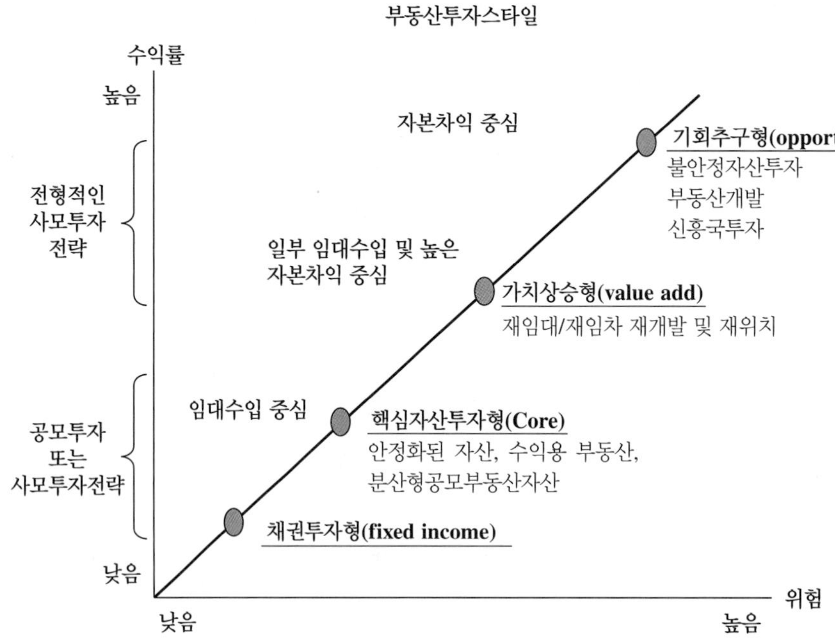

ODCE 지표에 일정 프리미엄 이상의 목표수익률을 기대할 수 있다. 유사하게 만약 펀드가 미국의 서쪽 도시 핵심 오피스 자산에만 투자하기 위해 만들어진 경우라면 펀드매니저는 벤치마크로서 ODCE를 벤치마크 지수로서 사용할 수 있지만, 해당 펀드 포트폴리오는 특화된 유형에 투자되었고 제한된 분산투자가 이루어져 이 부분에 대한 일정한 프리미엄을 더하여 목표수익률을 산정한다.

투자승수

우리는 IRRs과 TWRs을 펀드 성과를 측정하는 중요한 성과평가 수단으로 논의하였다. 또 다른 성과평가 방법으로 산정하는 방법은 비교적 단순하지만 투자자들에게 유용한 **투자승수**(investment multiple)이다. 이는 또한 자본승수(equity multiple)라 불리기도 한다. 자본승수는 다음과 같이 계산된다.

자기자본배수(Equity Multiple) = (펀드의 순 유동자산가치 + 누적배당금)/자본출자금

현재 펀드의 순유동자산가치는 이론적으로 투자자가 현재 받을 수 있는 금액을 나타내며, 누적배당금은 이미 투자자에게 지급된 배당금을 말한다. 이 두 항목의 합산금액을 투자자가 펀드에 출자한 금액으로 나누어준다. 비율이 1을 넘는다는 의미는 해당 펀드에 투자자가 투자한 금액에 비해 투자자가 펀드로부터 지급받은 금액이 크다는 의미이다.

펀드의 속성분석 *Attribution Analysis*

우리는 벤치마크, 기대수익률, 목표수익률에 대하여 간단한 설명을 하였다. 부동산 펀드의 대부분이 적극적으로 관리(active management)되는 경향이 있다. 많은 펀드의 경우, 펀드매니저들은 그들이 운용하는 펀드들의 투자 결과가 벤치마크 기준을 초과한다고 한다(일부 매니저들은 벤치마크를 초과하여 얻을 것으로 기대되는 스트레드를 추정하기도 한다). 실제 투자결과가 기대수익률을 초과하든지 또는 낮아져도 투자자들과 애널리스트들은 그 원인을 파악하고 싶어 한다.

이 경우에 펀드 속성분석(attribution analysis)을 활용해 그 원인을 찾을 수 있다. **속성분석**을 수행하기 위해서는 벤치마크를 활용해야 한다. 왜 펀드의 운용이 왜 벤치마크보다 낮거나 높은지를 설명하고자 할 때 이를 속성분석이라 한다. 속성분석은 총 투자성과를 **구분**(decomposition)하는 과정을 통해 해당 펀드를 몇 가지 요인으로 구분해서 적극적인 포트폴리오 관리 **기능**이 포트폴리오의 성과에 반영되었음을 구분하여 설명할 수 있다. 예를 들어, 부동산 펀드매니저가 10%의 펀드 수익률을 나타낼 수 있다. 이 수준 자체는 받아들일 수 있지만, 만약에 동일 투자기간 동안에 벤치마크 ODCE 지수 수익률이 12%라고 한다면, 해당 부동산 펀드매니저의 성과는 투자자들이 기대한 만큼 좋은 성과를 기록했다라고 볼 수 없을 것이다.

펀드 투자매니저들이 다음과 같은 방법으로 투자 가치를 높이게 된다. (1) 우수한 부동산자산을 선택하여 투자를 통해 투자가치를 높이게 된다. 이를 **선택**(selection)이라 한다. (2) 서로 다른 시장과 지역에 펀드를 투자하는 데 뛰어난 전략을 구사하는 방법으로, 이를 **자산배분**(allocation)이라고 한다.

부동산자산의 뛰어난 선택은 매매를 담당하는 부서, 우수한 자산관리, 건물관리와 관련된 실무경험, 효과적인 매각정책 등에 의해 그 가치가 더욱 높아질 수 있다.

우수한 자산배분은 최적의 시장선택을 통한 매입과 매매에 의해 그 가치가 더해질 수 있다.

[예 16-9]에 나타난 바와 같이, 벤치마크 지수가 2.50%를 기록하고 해당 펀드는 2.75%의 수익률을 기록한 것을 알 수 있다. 따라서 해당 펀드가 벤치마크 수익률을 **상회하였**다라고 평가할 수 있다. 그러나 두 부동산의 세부 섹터별로 **벤치마크 수익률이 더 높은** 것을 알 수 있다. 어떻게 펀드가 벤치마크 지수보다 더욱 높은 수익률을 기록할 수 있을지에 대해 살펴보자. 그 이유는 바로 펀드에서 섹터 A에 더욱 많은 투자자산을 배분하였기 때문이다. 섹터 A는 섹터 B보다 높은 수익률을 기록하였다. 따라서 펀드는 비록 개별 부동산 선택에서는 저조한 성과를 보였지만, 펀드는 부동산 섹터별 자산배분에 있어 훌륭한 성과를 보였다는 점이다. 이 경우에, 훌륭한 자산배분(부동산유형별, 지역별, 도시별) 성과가 저조한 개별 부동산선택의 성과를 상쇄하였다라고 볼 수 있다.

[예 16-10]을 살펴보면, 해당 펀드가 벤치마크에 비해 **저조한** 것을 볼 수 있다. 하지만, 펀드는 두 섹

예 16-9
예제 1 – 속성분석

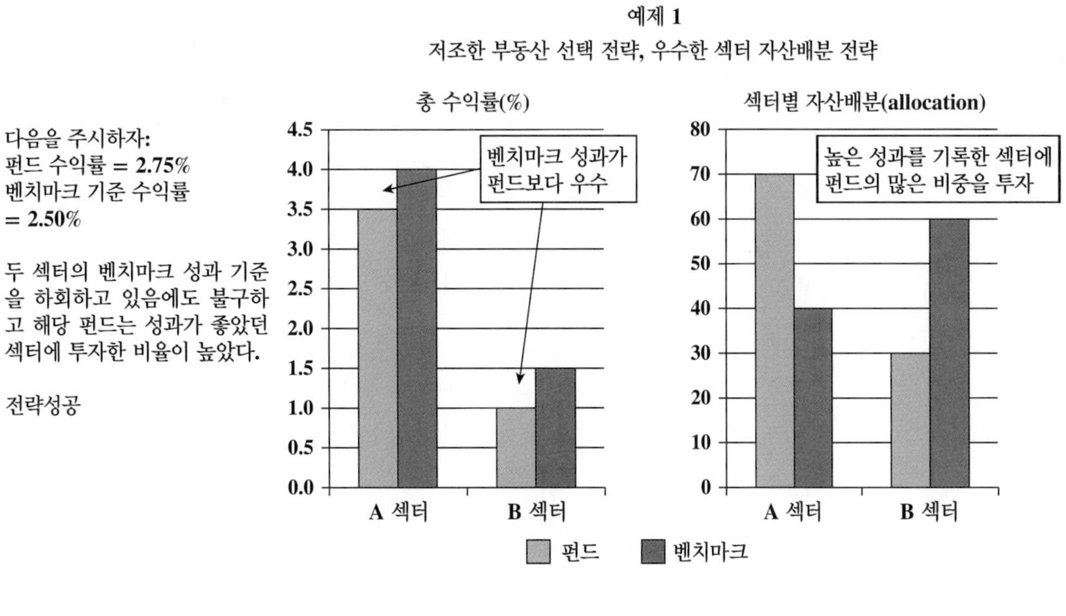

예 16-10
예제 2 - 속성분석

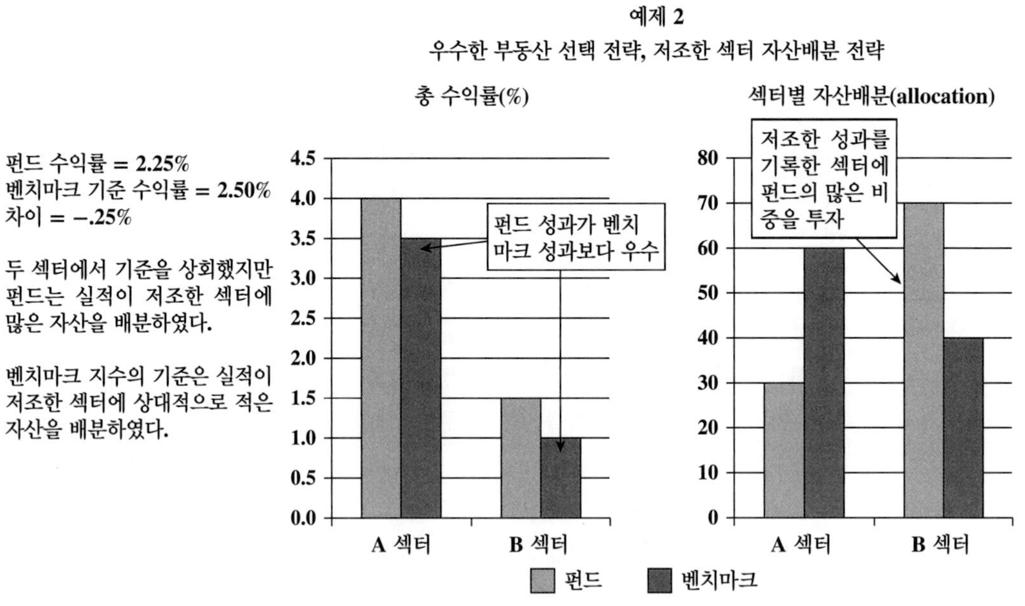

터별 투자에서 벤치마크 지수보다 성과가 좋은 것을 살펴볼 수 있다. 그 이유에 대해서 살펴보자. 이 경우 펀드매니저들은 개별 부동산 선택에 있어 우수한 선택을 하였고, 반면에 섹터별 자산배분(부동산유형별, 지역별, 도시별)에서는 저조한 성과를 보였다라고 볼 수 있다. 이 펀드의 경우 성과가 저조했던 섹터 B에 많은 투자를 한 것을 알 수 있다. 저조한 자산배분 성과가 우수한 부동산 성과를 상쇄하였다고 볼 수 있다.

펀드가 우수한 성과를 내기 위해서는 개별 부동산의 선택과 자산배분의 성과 두 가지 모두 중요하다. 펀드매니저는 펀드의 성과가 저조한 영역(부동산 선택 또는 자산배분)을 파악하는 것이 펀드의 성과를 향상시키기 위해서 반드시 필요하다.

펀드 속성분석을 위한 기본 수학적 개념

본 장에서는 속성분석에 사용된 수학적 개념들에 대해 면밀히 살펴보도록 하자.

먼저, 다음의 각 섹터를 다음의 용어로 정의한다.

R_f 섹터 i에 대한 펀드 수익률

R_b 섹터 i에 대한 벤치마크 수익률

W_f 섹터 i에 대한 펀드 가중치

W_b 섹터 i에 대한 벤치마크 가중치

각 섹터별 4가지의 중요한 용어들은 다음과 같다.

W_fR_f 펀드 총수익률에 대한 섹터 i의 기여도

W_bR_b 벤치마크 총수익률에 대한 섹터 i의 기여도

W_bR_f 펀드 내 섹터 i의 비율

W_fR_b 벤치마크 내 섹터 i의 비율

예 16-11
섹터별 특성—기본 수학적 개념

R-B =	$\Sigma(W_f R_f) - \Sigma(W_b R_b)$	총 초과수익률	
S-B	$\Sigma W_b \cdot (R_f - R_b)$	선택(selection)효과	수익률 차이에 적용되는 벤치마크의 가중치
+A-B	$\Sigma(W_f - W_b) \cdot R_b$	자산배분(allocation) 효과	가중치 차이에 적용되는 벤치마크 수익률의 차이
+(R-S)-(A-B)	$\Sigma(W_f - W_b) \cdot (R_f - R_b)$	교차효과(교차곱)	가중치의 차이 × 수익률의 차이

모든 섹터들을 합산하면 다음과 같다.

$R = \Sigma W_f R_f$ 펀드 총수익률

$B = \Sigma W_b R_b$ 벤치마크 총수익률

$S = \Sigma W_b R_f$ 펀드 수익률(벤치마크과 같이 분산투자가 된 경우)

$A = \Sigma W_f R_b$ 벤치마크 수익률(펀드와 같이 분산투자가 된 경우)

위의 수식을 표로 나타내면 다음과 같이 정리된다.

	펀드 가중치	**벤치마크 가중치**
펀드 수익률	$R = \Sigma W_f R_f$	$S = \Sigma W_b R_f$
벤치마크 수익률	$A = \Sigma W_f R_b$	$B = \Sigma W_b R_b$

여기서 펀드 수익률(R)과 벤치마크(B) 수익률의 차이가 발생하는 살펴보자. [예 16-11]에 기술된 바와 같이 차이는 $R - B$이다.

펀드 수익률과 벤치마크 수익률의 차이 $R - B$는 **선택**(selection)**효과**와 **자산배분**(asset allocation)**효과**로 구분해 살펴볼 수 있으며, 교차곱은 위 선택효과와 자산배분효과의 교차효과를 나타낸다. 일부 애널리스트들은 교차곱을 선택효과 또는 자산배분효과에 포함한다. 하지만, 교차곱은 별도의 구분되는 용어로써 선택효과와 자산배분효과의 교차효과의 결과를 나타낸다. 대부분의 그 효과가 매우 작거나 0에 가까운 경우가 많다. [예 16-11]에 분석내용이 포함되어 있다.

예제

이전 예제에 다음 공식을 활용하여 선택효과, 자산배분효과, 교차효과를 계산해보자.

R-B=		총 초과수익률	2.25% − 2.50% = −.25%
S-B	$\Sigma W_b \cdot (R_f - R_b)$	선택(selection)효과	= .60 × (4% − 3.5%) + .40 × (1.5% − 1%) = .5%
+A-B	$\Sigma(W_f - W_b) \cdot R_b$	자산배분(allocation)효과	= (.30 − .60) × 3.5% + (.7 − .4) × 1% = −.75%
(R-S)-(A-B)	$\Sigma(W_f - W_b) \cdot (R_f - R_b)$	교차효과(교차곱)	= (.3 − .6) × (4% − 3.5%) + (.7 − .4) × (1.5% − 1%) = 0%

예제 2 요약	
선택(selection)효과	.50%
+ 자산배분(allocation)효과	–.75%
+ 교차효과(교차곱)	.00%
= 총 초과수익률	–.25%

섹터별 자산배분에 대한 해석

이전의 예제를 통해 펀드와 벤치마크의 각 섹터별 서로 다른 자산배분의 차이로 인해 펀드가 0.75% 정도 낮은 수익률을 기록했다는 것을 살펴보았다. 이 차이에 대한 각 섹터별 기여도는 다음과 같다.

자산배분

섹터	펀드 가중치	벤치마크 가중치	벤치마크 수익률		가중치 차이 × 벤치마크 수익률
섹터 A	30%	60%	3.5%	=	–1.05%
섹터 B	70	40	1.0%	=	0.30%
총합	100	100			–0.75%

수익률의 차이 –0.75%는 섹터 A의 차이로부터 발생한 –1.05%의 차이와 섹터 B의 차이로부터 발생한 0.30%의 차이로 설명된다. 섹터 A의 음(–)의 차이는 벤치마크에 비해 섹터 A에 가중치를 적게 두어 발생하였다. 이와 유사하게 섹터 B의 양(+)의 차이는 벤치마크에 비해 섹터 B에 가중치를 많이 두어 발생한 결과이다. 다만 이 결과는 각 섹터별로 가중치가 어떻게 결정되었고 그것이 좋은 결과였는가 하는 단순한 정보를 제공할 뿐 그 이상의 정보를 제공하지 못한다.

각 섹터별로 총자산배분효과에 어떤 영향을 미쳤는지 더 나은 분석방법으로 Brison-Fachler (BF) 방법론이 개발되었다. 이 방법론은 속성분석에서 각 섹터별 자산배분효과를 분석하는 데 활용된다. 이전에 활용한 방법론은 Brinson-Hood-Beebower (BHB)이라 한다. 각 방법론은 방법론을 개발한 저자들의 이름의 약자를 따서 이름을 칭하는데, BHB 방법론을 계량한 것이 BF 방법론이다. 두 방법론의 차이는 다음과 같다.

초기 BHB 방법론에서는 각 섹터별 자산배분은 다음과 같이 결정된다.

$$\text{BHB 섹터 자산배분} = \Sigma(W_f - W_b) \bullet R_b$$

새로운 BF 방법론에서는 각 섹터별 자산배분은 다음과 같이 결정된다.

$$\text{BHB 섹터 자산배분} = \Sigma(W_f - W_b) \bullet (R_b - B)$$

여기서 B는 전체 벤치마크 수익률을 의미한다.

위의 두 식에서는 총자산배분효과는 동일하다. 그러나, 각 섹터별 기여도는 다르게 나타난다. 총합은 $\Sigma(W_f - W_b) \bullet B = 0$이므로 동일하다.

BF 방법론을 위의 예제에 적용해보자. 각 섹터별 효과는 다음과 같이 나타난다.

섹터	펀드 가중치	벤치마크 가중치	섹터 벤치마크 수익률 – 전체 벤치마크 수익률		가중치 차이 × 벤치마크 수익률
섹터 A	30%	60%	1.00%	=	–0.30%
섹터 B	70	40	–1.5	=	–0.45
총합	100	100			–0.75

여기서 총합은 여전히 음(–)의 값인 –0.75%이나 여기서 각 해당 섹터들의 기여도는 모두 음(–)의 값으로 나타났다. 각 개별 섹터별 음(–) 또는 양(+) 값들에 대한 해석은 다음과 같다.

- 양의 값인 경우(+): 해당 펀드가 전체 벤치마크 수익률보다 높은 섹터 벤치마크 수익률을 기록한 섹터에 높은 가중치를 둔 경우(성공한 결정)
- 양의 값인 경우(+): 해당 펀드가 전체 벤치마크 수익률보다 낮은 섹터 벤치마크 수익률을 기록한 섹터에 낮은 가중치를 둔 경우(성공한 결정)
- 음의 값인 경우(–): 해당 펀드가 전체 벤치마크 수익률보다 높은 섹터 벤치마크 수익률을 기록한 섹터에 낮은 가중치를 둔 경우(실패한 결정)
- 음의 값인 경우(–): 해당 펀드가 전체 벤치마크 수익률보다 낮은 섹터 벤치마크 수익률을 기록한 섹터에 높은 가중치를 둔 경우(실패한 결정)

BF 방법론이 BHB 방법론과 다른 점은 속성분석의 섹터별 자산배분 구성요소의 계산의 차이에 있다. 선택(selection)효과과 관련된 구성요소는 두 방법 모두 동일하다. BF 방법론의 자산배분 구성요소의 계산이 조금 더 복잡하지만, BF 방법론은 어느 섹터가 좋은 결정이었고 실패한 결정이었는지에 이해하는 데 많은 도움을 준다.

위험 차이에 대한 평가[9]

부동산 펀드의 속성분석을 통해 각 펀드들이 왜 벤치마크 지수의 수익률과 차이가 있는지 살펴보았다. 성과는 다음과 같은 요소들에 의해 차이가 발생할 수 있다.

- 위험(risk)의 차이
- 개별 부동산을 선택하는 능력의 차이
- 벤치마크 지수와 비교해볼 때, 포트폴리오의 섹터별 자산배분의 차이(부동산유형 및 입지)

속성분석을 통한 분석은 암묵적으로 펀드와 벤치마크가 **동일한 수준의 위험**을 가정한다는 점이다. 다음에 살펴볼 내용은 위험 분석과 관련된 내용이다.

포트폴리오 성과는 위험을 감수한 데 대한 보상으로 나타난다. 전체 성과는 크게 위험을 조정한 성과, 그리고 위험 프리미엄을 감안한 성과로 구분될 수 있다. 현대 자본시장이론과 포트폴리오 이론에서는 투자자의 단위당 위험에 대해 적절한 수익률 보상이 이루어져야 주장한다. 투자위험은 어느 정도 수익률의 변동성을 포함하기 때문에, 펀드의 위험을 측정하는 여러 방법들이 있다. [예 16-12]에 펀드의

[9] 이 장에서 논의되는 대부분은 투자론(investments) 교재에 포함되어 있다. 독자는 이러한 논의들을 주식, 채권 및 기타 투자와 관련해서 살펴볼 수 있다. 예) Bodie, Kane and Marcus의 Investments 제10판, McGraw Hill, 2013년을 참조.

예 16-12
펀드 위험 측정 방법

펀드 위험 측정 방법	
측정방법	**정의**
샤프비율(sharpe ratio)	(평균 펀드 수익률 − 무위험 수익률) / (펀드 수익률 − 무위험률)의 표준편차
베타(Beta)	(펀드 수익률과 벤치마크 수익률의 공분산) / (벤치마크 수익률의 분산)*
Treynor비율(T_i)	(평균 펀드 수익률 − 무위험 수익률) / 베타
추적오류(tracking error)	펀드와 벤치마크 수익률 *차이*의 표준편차
정보비율(information ratio)	펀드와 벤치마크 수익률의 평균차 / 추적오류
내부수익률	실제 펀드 수익률과 CAMP 모형으로부터 기대되는 펀드 수익률과 차이**

* 또한 벤치마크 수익률에 대한 펀드 수익률의 선형회귀분석 계수에 의해 계산된다.
** 자본자산가격결정모형(CAPM): 기대수익률 = 무위험수익률 + 베타*(시장수익률 − 무위험 수익률)

위험을 측정하는 여러 방법들이 소개되어 있다.

여러 위험측정 방법을 소개하기 위해서 [예 16-13]에 소개된 가상의 자료들을 활용하여 설명한다. 해당 자료에는 펀드의 연수익률, 벤치마크 연수익률, 무위험 수익률이 포함되어 있다. 무위험 수익률도 매년 변동되지만, 예제를 좀 더 단순화하기 위해 매년 동일한 수익률로 가정한다. 표에는 위험을 평가하는 추가적인 계산방법들도 포함되어 있다.

샤프(Sharpe)비율 샤프비율은 펀드의 초과수익률을 펀드의 초과수익률의 표준편차(standard devi-

예 16-13 위험 측정을 위한 자료

연도	펀드 수익률	벤치마크 수익률	펀드 벤치마크	무위험 수익률	펀드 초과수익률*	벤치마크 초과수익률
1	14.00%	8.00%	6.00%	3.00%	11.00%	5.00%
2	9.00	10.00	−1.00	3.00	6.00	7.00
3	16.00	12.00	4.00	3.00	13.00	9.00
4	12.00	13.00	−1.00	3.00	9.00	10.00
5	16.00	14.00	2.00	3.00	13.00	11.00
6	20.00	14.00	6.00	3.00	17.00	11.00
7	14.00	12.00	2.00	3.00	11.00	9.00
8	15.00	11.00	4.00	3.00	12.00	8.00
9	12.00	10.00	2.00	3.00	9.00	7.00
10	13.00	9.00	4.00	3.00	10.00	6.00
11	6.00	8.00	−2.00	3.00	3.00	5.00
12	8.00	5.00	3.00	3.00	5.00	2.00
13	−6.00	3.00	−9.00	3.00	−9.00	0.00
14	−8.00	1.00	−9.00	3.00	−11.00	−2.00
15	−6.00	2.00	−8.00	3.00	−9.00	−1.00
16	6.00	3.00	3.00	3.00	3.00	0.00
17	2.00	5.00	−3.00	3.00	−1.00	2.00
18	8.00	8.00	0.00	3.00	5.00	5.00
19	18.00	10.00	8.00	3.00	15.00	7.00
20	12.00	12.00	0.00	3.00	9.00	9.00
분산(VAR)	0.62	0.16	0.22		0.62	0.16
표준편차(STDV)	7.86	3.97	4.74		7.86	3.97
평균(Mean)	9.05	8.50	0.55		6.05	5.50

* 초과수익률은 무위험 수익률을 초과하는 수익률

ation)로 나눈 수치이다. 펀드의 위험(표준편차)에 대한 초과수익률의 비율을 나타낸다. 샤프비율은 위험 한 단위당 얼마만큼의 초과수익률을 얻었는지 나타내는 지표이다. 자료에서 초과수익률의 20년간 평균은 6.05%이다. 펀드 수익률의 표준편차는 7.86%이다. 펀드의 초과수익률 6.08%를 펀드의 표준편차 7.86%로 나눈 샤프비율은 .7693으로 계산된다. 이 펀드의 샤프비율은 벤치마크의 샤프비율 및 다른 비교대상 펀드의 샤프비율과 비교분석이 가능하다.

베타(Beta) Beta(베타)는 벤치마크 수익률이 등락을 보이면 변동함에 따라 펀드의 수익률이 얼마나 함께 등락을 보이는지를 나타내는 위험 지표이다. 예를 들어 베타의 값이 1이라고 한다면, 이는 벤치마크의 수익률이 증가하거나 하락하는 정도와 해당 펀드의 수익률이 증가하고 하락하는 방향과 정도가 동일하다는 것을 의미한다. 따라서, 벤치마크 수익률이 100 bp만큼 증가하였다면, 해당 펀드의 수익률도 100 bp만큼 증가할 것이다. 베타의 값이 1보다 크다는 것은 해당 펀드의 수익률이 벤치마크의 수익률의 변화보다 더욱 크게 변동하는 것을 의미한다. 반대로 베타의 값이 1보다 작다는 것은 펀드 수익률의 변화가 벤치마크 수익률의 변화보다 작다는 것을 의미한다.

펀드의 Beta(베타)는 다음과 같이 결정된다.

Beta(베타) = 공분산(펀드수익률, 벤치마크 수익률)/분산(벤치마크 수익률)

위의 예에서, 펀드 수익률과 벤치마크 수익률 사이의 공분산 값은 0.00276이다. 벤치마크 수익률의 분산은 0.001575(표에는 0.16%로 반올림)이다. 이 공분산 값에 분산값을 나누면 베타값인 1.75가 계산된다. 이 의미는 벤치마크 수익률이 100 bp 증가(감소)하였을 때, 해당 펀드는 175 bp 증가(감소)할 것이라는 것을 의미한다. 따라서, 펀드 투자가 벤치마크를 구성하는 투자보다 더욱 변동성이 높고 위험하다.

하지만, 높은 위험 수준이라 해서 반드시 나쁘다라고 할 수 없다. 즉 높은 위험에 상응하는 높은 수익률로 보상받을 수 있는지 여부가 더욱 중요하다. 이 경우 펀드의 전략은 투자자에게 높은 수익률을 돌려줄 수 있는 베타값이 높은 투자를 선택하는 전략이 될 수 있다. 예를 들어, 부동산 펀드에서 현재 공실이 많고 대규모의 보수가 필요한 성과가 저조한 부동산 물건에 차입비율이 높은 투자를 할 수 있다. 이 경우에는 높은 위험전략이고, 따라서 높은 베타값을 가질 것이나 동시에 높은 수익률을 기대할 수 있다. 다만, 여기서 중요한 것은 투자자가 투자를 결정하였을 때 해당 펀드의 위험전략이 무엇인지 이해하는지 여부가 매우 중요하다.

베타(beta)계수는 펀드의 초과수익률과 벤치마크의 초과수익률과의 선형회귀(linear regression)의 기울기 값으로 계산될 수 있다. 베타계수는 단순회귀모형에서 독립변수의 계수 값으로 계산할 수 있다(종속변수는 개별 펀드의 초과수익률이며, 독립변수는 벤치마크의 초과수익률이 된다). [예 16-14]는 수익률 자료를 활용한 회귀분석 결과를 나타낸다. 회귀식(regression)은 다음과 같이 나타낼 수 있다.

$$\text{펀드 초과수익률} = -0.0358 + (1.7508 \times \text{벤치마크 초과수익률})$$

회귀식의 기울기(벤치마크 수익률의 계수값)은 1.7508로 계산되며, 이 값이 바로 펀드의 베타(beta) 값이 된다. 회귀식의 상수항은 −.0358로 후반부에 다룰 예정인 펀드의 "알파(alpha)" 값을 나타낸다. 본 펀드의 알파 값은 음(−)의 값을 나타낸다. 알파 값은 펀드의 베타리스크를 감안한 후 해당 펀드가 얼마나 기대수익보다 높은 또는 낮은 수익을 기록했는지 나타내는 척도가 된다.

자본자산가격결정모형(Capital Asset Pricing Model) 우리는 베타가 벤치마크의 위험에 대한 개별자산의 리스크를 나타낸다는 것을 살펴보았다. 23장에서 살펴볼 자본자산가격결정모형(CAPM)은 어떤

예 16-14
회귀분석의 베타 (Beta)

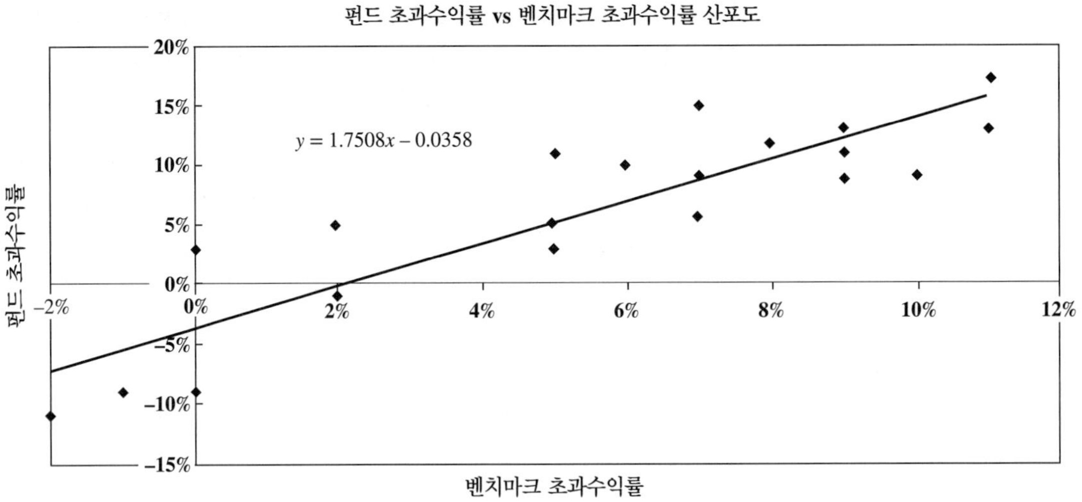

투자에 대한 기대수익률은 베타(beta)값에 의해 결정되며 이 베타를 계산하기 위해서 모든 투자 가능한 자산으로 구성된 **시장포트폴리오**가 벤치마크로서 계산과정에 포함된다. 실무에서는 시장포트폴리오의 대용으로 사용되는 지수는 S&P 500 지수이며 여기에는 REITs 형태의 부동산투자도 포함되어 있다. 그래서 부동산 펀드의 베타값의 계산은 S&P 500과의 공분산값에 기반을 둔다. 이론적으로 시장포트폴리오의 베타값은 1이다. 투자 펀드의 베타값이 1보다 크다면 시장포트폴리오에 비해 위험하다는 것을 나타내며, 1보다 작다면 시장포트폴리오보다 위험이 적음을 나타낸다.

CAPM을 활용한 펀드의 기대수익률은 다음과 같이 계산된다.

$$R_{fund} = R_{free} + (R_{Market} - R_{free}) \times Beta$$

여기서 R_{free}은 무위험 수익률을 나타내며, R_{Market}은 시장포트폴리오의 수익률을 나타내며, Beta는 시장에 대한 펀드의 베타값을 나타낸다. 젠슨의 알파(Jensen's alpah)에 대해 설명할 때 CAPM에 대해 다시 논의하기로 한다.

Treynor 비율 변동성 비율로도 알려진 Treynor 비율은 샤프비율과 유사하지만, 초과수익률을 표준편차가 아닌 베타값으로 나눈다는 점에서 차이가 있다. 그 이유는 베타가 표준편차에 비해 위험을 나타내는데 더욱 적절한 지표가 되기 때문이다. 표준편차의 경우에는 서로 다른 종류의 투자를 포함한 펀드에 분산이 잘된 포트폴리오를 보유한 경우 매년 수익률의 변동이 상쇄될 수 있기 때문이다. 하지만, 베타의 경우에는 성과평가가 이루어지는 펀드가 내재적으로 포함한 위험을 측정할 수 있기 때문이다. 따라서 Treynor 비율의 경우 해당 베타에 비해 얼마나 많은 초과수익을 나타내었는지 측정이 가능하다. 본 예제의 Treynor 비율의 값은 (.0605/1.75) 또는 0.346으로 계산된다. 해당 펀드의 Treynor 비율은 벤치마크의 Treynor 비율 또는 유사한 펀드의 Treynor 비율과 비교분석이 가능하다. 이 비교분석을 통해 어떻게 해당 펀드가 위험대비 수익률을 창출하였는지 분석 가능하다.

추적오차(Tracking Error) 추적오차(tracking error)는 포트폴리오가 벤치마크와 얼마나 유사하게 성과를 나타냈는지 측정하며, 일정 기간 동안 펀드의 수익률과 벤치마크의 수익률의 차이가 얼마나 발생하였는지 알 수 있다. 추적오차 계산은 펀드와 벤치마크 수익률의 차이의 표준편차를 계산하면 된다. 예

를 들어 어떤 펀드의 수익률이 벤치마크의 수익률보다 지속적으로 100 bp 수준으로 높았다고 가정한다면, 이 경우엔 벤치마크 지수의 움직임과 펀드의 움임이 매우 유사하게 나타났기에 추적오차는 매우 낮을 것이다. 반대로, 만약에 펀드가 변동성이 커서, 어떤 경우에는 벤치마크 지수보다 높은 수익률을 기록하고 어떤 경우에는 낮은 수익률을 기록한 경우에는 해당 펀드는 추적오차가 매우 크다라고 할 수 있다. 만약에 펀드의 벤치마크 지수가 적절하고, 펀드매니저가 펀드 운용을 잘하고 있다면, 펀드의 수익률은 지속적으로 벤치마크 수익률을 상회할 것이고, 추적오차는 매우 낮을 것이다. 하지만, 반대로 펀드매니저가 벤치마크 수익률에 비해 지속적으로 낮은 수준의 수익률을 기록하였다면, 이 경우도 매우 낮은 추적오차를 나타낼 수 있다. 그래서 항상 낮은 추적오차가 펀드매니저의 성과가 벤치마크 성과보다 뛰어나다라고 할 수 없다. 하지만, 낮은 추적오차의 의미는 펀드의 리스크가 벤치마크의 리스크와 유사한 수준임을 의미한다. [예 16-13] 하단에 나타난 바와 같이 위 펀드의 추적오차는 4.74%이다. 핵심자산투자형 펀드의 경우 상대적으로 추적오차 수준이 낮을 것이다. 그 이유는 핵심자산투자형 펀드는 벤치마크와 많이 비교되면, 펀드매니저의 운용 수수료도 벤치마크 수익률보다 높은 성과를 내기 위해 지불되기 때문이다. 기회추구형 펀드의 경우 벤치마크 지수와 동일한 움직임을 나타낼 필요가 없다. 기회추구형 펀드의 경우 벤치마크 자산 배분에서 벗어나 높은 수익을 위한 투자를 추구하기 때문이다.

정보비율(information ratio) 정보비율은 위에서 언급한 경우인 추적오차값은 적으나, 펀드 수익률이 벤치마크 수익률보다 낮은 경우와 관련한 유용한 정보를 제공해준다. 정보비율(information ratio)은 다음과 같이 계산된다.

$$\text{정보비율} = \text{평균(펀드 수익률} - \text{벤치마크 수익률)/추적오차(tracking error)}$$

정보비율은 다음 두 가지를 측정한다: (1) 펀드매니저가 벤치마크 수익률에 비해 초과수익을 나타내고 있는지 (2) 우수한/저조한 투자성과가 과연 지속적으로 발생했는지 여부를 측정한다. 정보비율은 펀드가 벤치마크 수익률보다 평균적으로 높은 수익률을 기록하였다면, 양(+)의 값으로 나타난다. 또한 낮은 추적오차의 경우에 높은 정보비율값을 나타낸다. 예에서 펀드와 벤치마크의 평균 수익률의 차이는 0.5500%이다. 이 평균 수익률의 차이를 추적오차값 4.74%로 나누어주면 양(+)의 정보비율, 0.5500%/4.74% = 0.1160이 계산된다.

젠센의 알파 *Jensen's Alpah*

펀드 위험을 측정하는 방법으로 젠센의 알파(Alpha)를 살펴보자. 젠센의 알파 또한 베타를 사용한다. 만약에 펀드의 베타가 벤치마크 베타보다 크다면, 벤치마크 수익률이 증가함에 따라 펀드수익률은 더욱 높은 수익률을 기록해야 한다. 하지만, 만약에 펀드가 벤치마크보다 더 높은 수익률을 기록하였다고 한다면, 이 경우에는 펀드매니저가 단순하게 위험을 더 감내하고 투자한 것 이외에는 다른 성과를 내지 못했다라는 의미도 될 수 있다. 투자자들이 궁극적으로 알고 싶은 것은 펀드의 위험수준을 고려할 때 펀드매니저가 기대했던 수익률보다 더욱 높은 수익률을 기록했는지 여부이다. [예 16-15]에서는 주어진 베타수준에서 펀드가 달성해야 하는 기대수익률을 나타낸다. 여기에는 펀드에 의해서 가치가 더해진 정도도 표시되는데, 이것이 바로 펀드가 달성한 "알파(alpha)"라고 한다.

예에서는 펀드가 벤치마크보다 높은 베타값을 갖고 있다. 벤치마크 수익률은 벤치마크 베타수준에서 달성되어야 할 수익률을 나타낸다. 펀드의 베타값이 벤치마크의 베타값보다 높다. 이 의미는 벤치마

예 16-15
특정 베타(Beta)수준과 펀드성과(수익)와의 관계

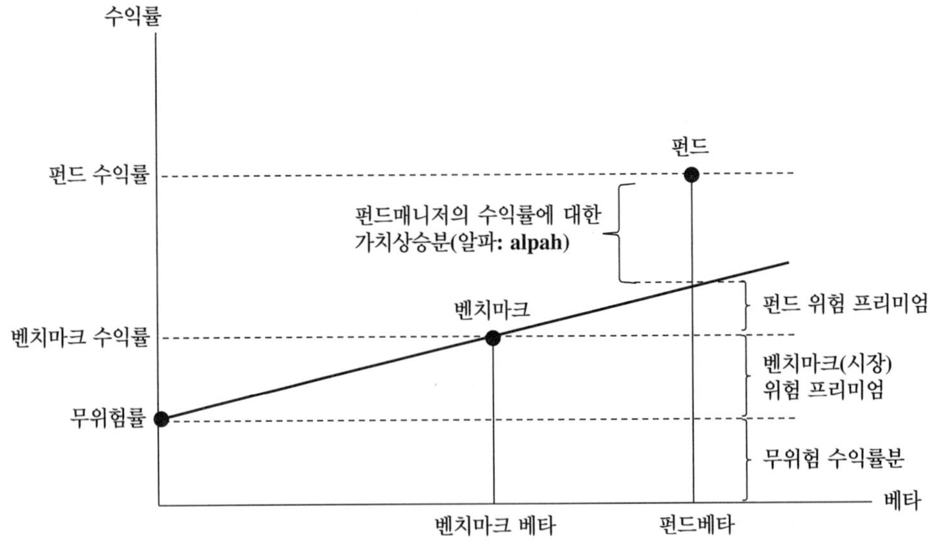

크의 위험에 비해 펀드의 더 높은 위험을 택했으므로, 펀드는 이 위험의 증가분에 해당하는 높은 수익을 기록해야 한다. 이것은 벤치마크에 대한 펀드의 리스크 프리미엄으로 생각할 수 있다. 마지막으로, 펀드매니저들이 베타위험을 감안할 때의 수익률보다 더욱 높은 수익률을 기록할 수도 있다. 이런 경우에는 펀드매니저들이 펀드 관리를 적극적으로 수행하여 높은 수익률을 달성할 수 있었다고 할 수 있다. 펀드의 베타를 감안한 정도 이상의 초과수익을 달성한 경우 펀드매니저들은 보상이 되어야 한다. 여기서 이 추가적인 수익률을 바로 **알파**라고 부른다.

펀드매니저들이 높은 수익률을 달성하는 두 가지 방법이 있다. 첫 번째는 펀드매니저는 높은 베타를 갖는 펀드에 투자를 하는 방법이다. 두 번째로 펀드매니저가 효과적인 투자전략의 구사, 투자부동산의 선별, 펀드 운영관리 등을 통한 펀드가 갖고 있는 위험으로부터 기대되는 수익률보다 더욱 높은 수익률을 달성하는, 즉 알파를 창출하는 방법이다.

이전에 논의한 바와 같이, 자본자산가격결정모형(CAPM)은 시장포트폴리오를 벤치마크로 한 주어진 베타를 감안한 투자에 대한 기대수익률을 제공한다. 펀드에 대한 CAPM 식은 다음과 같이 나타낼 수 있다.

$$R_{fund} = R_{free} + (R_{Market} - R_{free}) \times Beta$$

[예 16-13]의 자료를 바탕으로 펀드의 수익률은 다음과 같이 계산된다.

$$R_{fund} = 3\% + (8.5\% - 3\%) \times 1.751 = 12.63\%$$

펀드의 실제 평균 수익률이 9.05%임을 감안할 때, 수익률은 위험을 기준으로 한 기대수익률보다 낮았음을 알 수 있다. 여기서 젠센의 알파(Jensen's alpha)는 다음과 같이 계산된다.

$$\text{젠센의 알파(Jensen's Alpha)} = \text{실제 펀드 수익률} - \text{CAPM 기대 펀드 수익률} = 9.05\% - 12.63 = -3.58\%$$

위의 값은 [예 16-12]의 회귀식에서 계산된 알파값과 동일함을 알 수 있다. 따라서, 해당 펀드는 위험을 감안한, 베타를 감안한 기대수익률을 기록할 수 있을 정도로 펀드 운영을 잘 하지 못했다는 것을 알 수

있다. 요약하면, 펀드가 벤치마크 수익률보다 높은 수익률을 달성하였더라도, 해당 펀드가 베타만큼의 더 높은 위험을 선택한 만큼의 수익을 달성하지 못했다.

위험조정 속성분석

본 장에서는 펀드와 벤치마크를 비교하는 두 가지 방법에 대해 살펴보았다. 첫째로, 속성분석을 통해 펀드 수익률과 벤치마크 수익률의 차이를 부동산 선택효과와 자산배분효과로 구분하여 살펴보았다. 이 방법은 암묵적으로 펀드와 벤치마크와의 위험은 동일하다는 가정을 하고 있다.

두 번째로, 위험을 측정하는 샤프(sharpe)비율, Treynor 비율 등과 같이 펀드와 벤치마크의 한 단위 위험당 수익률을 측정하는 방법에 대해 살펴보았다. 또한 젠센의 알파를 통해 체계적 위험(베타)을 조정한 이후 얻어지는 알파값을 통해 펀드매니저가 벤치마크에 비해 우수한 또는 저조한 성과를 나타내었는지 알 수 있다.

우리는 위의 두 가지 방법을 함께 사용할 수 있고, 이 방법은 위험조정 속성분석(risk-adjusted attribution analysis)이라 부른다. 우선 펀드매니저의 수익률과 벤치마크의 섹터별 수익률에 대해 만약 벤치마크와 동일한 수준의 리스크를 가졌다면, 수익률이 얼마나 되어야 할지에 대해 결정하고 이를 통해 수익률을 조정한다. 몇몇 방법들이 제안되었는데, 각 방법론들은 펀드매니저들의 수익률과 벤치마크 수익률의 위험을 동일하게 해주는 데 어떤 위험평가 방법이 활용되는지에 따라 차이가 있다. 예를 들어, 한 방법으로 만약에 베타값이 1(전체 벤치마크 수익률의 베타값)이라고 할 때, 기대수익률은 얼마가 되어야 하는가와 같은 조정 방법이 있다. 다음의 식으로 나타낼 수 있다.

$$RA_P = R_S - (R_B - R_F) \times (\beta_S - 1)$$

여기서 각 용어는 다음의 의미를 나타낸다.

RA_p: 섹터별 위험조정 수익률

R_S: 섹터별 수익률

R_B: 전체 벤치마트 수익률

R_P: 무위험 수익률

β_S: 위험조정을 위한 수익률 베타

예를 들어, 벤치마크가 9%의 수익률을 기록한 섹터에서 펀드매니저가 10%의 수익률을 기록했다고 가정하자. 이 경우엔 펀드매니저가 해당 섹터에서 벤치마크보다 더욱 우수한 성과를 달성했다고 할 수 있다. 하지만, 해당 섹터 내에서 펀드매니저의 수익률의 베타값이 1.5라고 하고, 전체 벤치마크 지수가 6%이며 무위험 수익률이 2%라고 가정해보자. 섹터의 벤치마크의 베타값이 1이다. 펀드매니저의 해당 섹터의 위험조정 수익률은 다음과 같이 계산된다.

$$RA_P = 10\% - (6\% - 2\%) \times (1.5 - 1) = 8\%$$

따라서, 위험조정 수익률은 해당 섹터의 벤치마크보다 실제로 작다. 우리는 위험을 조정하지 않은 수익률인 10%의 수익률을 사용하는 대신에, 8%의 위험조정 수익률을 속성분석 계산에 사용할 수 있다. 이 계산은 우리가 계산한 선택효과 등에 영향을 미칠 것이다. 물론, 선택효과는 펀드매니저가 선택하는 섹터별 가중치에 큰 영향을 받는다.

위에서 속성분석을 실시하기 전 위험을 조정한 수익률에 대한 논의는 매니저가 어떻게 부동산 선택하였고 자산을 배분하였는지의 이해에 큰 도움이 된다. 각 섹터별 수익률은 본 장에서 논의한 속성분석 방법론을 적용하기 전 위험조정 수익률이 될 것이다.[10]

결론

본 장에서는 상업용 부동산 펀드에 대해 중점적으로 살펴보았다. 상업용 부동산 펀드는 개별 부동산으로 구성된 포트폴리오이고 기관투자자 또는 부유한 개별 투자자들이 투자 가능한 상품이다. 우리는 다양한 펀드 구조에 살펴보았고, 다양한 투자자들에게 관심을 줄 수 있는 투자전략들에 대해서도 살펴보았다. 투자자들은 투자 펀드가 다른 펀드 수익률 또는 해당 산업의 벤치마크 수익률에 비해 어떠한 성과를 기록했는지 알기를 원한다. 본 장에서는 시간가중 수익률과 같이 펀드의 성과 평과에 활용되는 여러 수익률 측정방법에 대해서도 알아보았다. 그리고 펀드의 속성분석을 통해 해당 펀드가 적극적으로 운영되면서 그 전략이 유효했는지, 벤치마크 수익률과 비교를 통해서 살펴볼 수 있다. 우리는 또한 위험을 측정하는 방법에 대해서도 살펴보았고 이를 통해 해당 펀드가 다른 펀드들과 벤치마크들과 비교해 얼마나 많은 위험 수준에 있는지에 대해서 살펴보았다. 해당 펀드의 수익률이 벤치마크 지수보다 높을 때, 위의 방법들을 활용해 펀드가 다른 일반 펀드매니저들보다 더욱 훌륭한 투자의사결정을 내린 결과로 우수한 성과를 기록하였는지, 또는 단순히 더 높은 위험성 있는 투자에 투자를 한 것인지 적절하게 평가할 수 있다.

[10] 더욱 자세한 내용은 다음 논문을 참고하기 바람. " Risk Adjusted Attribution Analysis of Real Estate Portfolio." Jeffrey D. Fisher and Joseph D'Alessandro, *Journal of Portfolio Managment*, Special Real Estate Issue, 2019.

주요용어

Treynor 비율
가치상승형 펀드
개방형 펀드
기하평균
기회추구형 펀드
목표수익률
벤치마크
비례보상 성과급 조항
산술평균
샤프비율
선택효과
성과급
성과보상금 환수
속성분석
수수료 손실
수혜자
스타일 이동
시간가중 수익률
자본자산가격결정모형
자본출자약정서
자산배분효과
정보비율
추적오차
투자기간
투자된 자본
투자승수
폐쇄형 펀드
핵심자산투자형 펀드
현금보유에 따른 수익률 감소 현상
혼합형 펀드
환매/펀드 환매보류 규정
환수

질문

1. 폐쇄형 펀드와 개방형 펀드의 차이점은 무엇인가? 투자자들이 해당 펀드에 투자를 하는 이유는 무엇인가?
2. 시간가중 수익률과 내부수익률의 차이는 무엇인가? 핵심자산투자형 펀드(core fund)에 투자한 투자자들에게 과거 투자 성과평가를 보고할 때, 어떤 수익률이 보고될 가능성이 높은가? 어떤 종류의 투자수익률이 기회추구형 펀드의 경우에 사용될 것인가?
3. 핵심투자형와 기회추구형 펀드 중에 당신은 어느 펀드에 높은 수익률을 기대하는가? 이유는 무엇인가? 두 펀드 중 높은 변동

성을 가진 펀드는 무엇인가? 이유는 무엇인가?

4. 목표수익률이 무엇을 의미하는가? 이것이 투자 벤치마크와 무슨 관계가 있는가?

5. 투자펀드를 비교할 때, 출자자본(committed capital)과 투자자본(invested capital)의 차이는 무엇인가? 왜 투자자에게 중요한 의미인가?

6. 투자 펀드를 평가할 때, 펀드수준에서의 성과평가와 개별자산수준에서의 성과평가의 차이는 무엇인가? 이 두 차이가 발생하는 이유는 무엇인가? 이 차이는 무엇이라 불리는가?

7. 펀드의 자산취득의 재량권과 관련해서 어떤 펀드 구조에서 펀드매니저에게 더욱 많은 재량권이 부여되는가? 어떤 펀드 구조하에서 펀드매니저에게 재량권이 적게 부여되는가?

8. 펀드 투자자에게 부동산 가치를 보고할 때, 어떤 펀드 유형이 일반적으로 감정평가를 자주 실시해야 하는가? 그 이유는 무엇인가?

9. 속성분석을 수행하는 목적은 무엇인가? 특성분석을 통해 펀드매니저들은 어떤 식으로 성과평가를 받게 되는가?

10. 펀드의 성과를 평가할 때, 펀드의 "스타일 이동"은 무슨 의미인가? 어떻게 이 스타일 이동이 투자수익률 및 변동성에 영향을 미치는가?

11. 왜 특성분석에 위험이 고려되어야 하는가?

12. 성과보상의 계산에서 "성과보상금 환수(calw back)" 제도는 무엇인가?

문제

1. 기관투자자가 경쟁관계에 있는 두 부동산 펀드의 운용 수수료를 비교하려 한다. 두 펀드사에는 펀드 운영을 시작할 예정이고 곧 자본출자약정서를 받을 예정이다. 펀드에서 개별 물건을 취득하기 시작하면, 투자기간 동안에 자본출자를 위한 자본출자(capital call)를 요청할 것이다. 펀드 A는 펀드투자기간이 끝난 후에 출자자본에 45 bp를, 투자자본에 60 bp의 수수료를 책정할 예정이다. 펀드 B는 출자자본에 50 bp를, 투자자본에 55 bp의 수수료를 책정할 예정이다. 두 펀드는 펀드가 개시되고 운영되는 시점에 자본출자약정금액으로 $500,000,000의 금액을 예상하고 있고 두 프로젝트는 조성 및 매입기간으로 5년의 기간을 생각하고 있다. 현금흐름은 다음과 같다.

펀드 A

연도	출자자본	자본 회수	투자 자본
1	$200,000,000	$ 0	$200,000,000
2	300,000,000	0	500,000,000
3		0	500,000,000
4		100,000,000	400,000,000
5		50,000,000	350,000,000

펀드 B

연도	출자자본	자본 회수	투자 자본
1	$300,000,000	$ 0	$300,000,000
2	200,000,000	0	500,000,000
3		0	500,000,000
4		50,000,000	450,000,000
5		100,000,000	350,000,000

a. 펀드(A)와 펀드(B) 각각의 총 수수료는 얼마인가?

b. 위의 펀드관리 수수료 형태를 살펴보았을 때 어느 형태의 수수료 형태가 펀드투자자가 부동산자산을 매각 전까지 장기로 보유하길 원하는 구조인가?

2. 펀드 운영기간 3년의 폐쇄형 구조의 혼합형 펀드가 설정되었다. 펀드는 실적이 향상될 것으로 예상되는 부동산을 취득하고 3년 종료 시에 차본차익을 위해 매각을 할 예정이다. 펀드는 투자자들에게 최소 10%의 목표수익률을 계획하고 있으며, 이 목표수익률은 운영 시의 현금배당 그리고 펀드의 만기 종료 시에 자산의 매각으로부터 발생하는 현금배당을 바탕으로 계산되었다. 기회추구형(opportunistic) 펀드매니저는 자산 매각 이후에 그리고 지분투자자들이 자신들의 10%의 목표수익률을 수령한 이후에 나머지 현금흐름의 25%에 해당되는 성과보상금을 받을 것으로 예상되고 있다. 현금흐름은 다음과 같이 예상되고 있다.

연도	지분투자	(운용 수수료 공제 이후) 지분투자자들에게 지급되는 현금배당	예상되는 매각 대금
0	$2,000,000		
1		$50,000	
2		50,000	
3		50,000	$3,000,000

a. 지분투자에 대한 10%의 총 목표수익률을 달성하기 위해서는 3년 말에 지분 투자자들에게 지급되어야 하는 현금흐름은 얼마가 되어야 하는가?

b. 펀드매니저의 25% 성과보상금을 지급받기 위해서는 펀드매니저는 부동산 매각 대금의 얼마를 받아야 하는가?

c. 지분투자자들이 10%의 목표수익률을 받고 펀드매니저가 25%의 성과보상금을 받은 이후에, 지분투자자들에게는 얼마가 배분되어야 하는가?

d. 3년 차 펀드매니저에게 성과보상금이 지급된 이후, 3년의 투자기간 동안 지분투자자들의 내부수익률(IRR)은 얼마나 될 것인가?

3. 상업용 부동산 투자 펀드는 투자자들에게 분기별 투자성과를 반드시 보고하여야 한다. (1) 분기 초 및 분기 말 자산과 자본현황 (2) 해당 분기 동안의 현금유입과 유출에 대한 내용이 다음 표에 정리되어 있다.

분기 초		해당 분기 동안	
\$50 million	현금	\$10 million	운영으로부터의 NOI
\$500 million	부동산시장가치	\$2 million	지불된 펀드관리수수료
\$20 million	기타 투자액	\$25 million	투자자 배당
\$300 million	펀드차입	\$200 million	투자자 출자금
		\$175 million	부동산 매입
		\$25	부동산 매각

기타 투자는 4%의(분기 1%) 이자를 수취하고 부동산차입은 6% 이자율(1.5% 분기)임.

분기말 부동산 감정평가액은 \$655,000,000임.

단기 채권에 대한 이자수익은 단기대출에 대한 이자율에 의해 상쇄된다고 가정한다.

a. 분기 초 자본의 가치는 얼마인가?

b. 분기말 자기자본 가치(MVEE)는 어떻게 되는가?

c. 모든 운영 현금흐름, 자본출자액, 매입금액, 그리고 현금배당이 매 분기 말 발생한다고 가정하자. 이 경우 분기 수익률(IRR)은 얼마인가?

d. 투자자들에게 지급되는 모든 현금배당이 분기 동안에 30일의 동일한 간격으로 지급된다고 가정하자(자본출자는 분기말에 발생한다고 가정.) 이 경우 수정 Dietz 방법론을 활용한 IRR은 어떻게 계산이 되는가?

e. d와 동일한 현금흐름을 가정했을때, 수수료 지급 전 수익률은 얼마인가?

f. d와 동일한 현금흐름을 가정했을때, 개별 물건 수준의 수익률은 얼마인가?

4. 투자자가 펀드에 대해 과거 성과평가를 하고자 한다. 다음과 같은 연수익률 자료가 투자자에게 제공되었다.

연도	펀드 가치
0	100
1	110
2	120
3	110
4	105
5	100

a. 매년 투자수익률을 계산하시오.

b. 산술평균 수익률(arithmetric mean return)을 계산하시오.

c. 기하평균 수익률(geometric mean return)을 계산하시오.

d. 왜 b와 c의 차이가 발생하는가?

5. 당신은 당신의 적극적 관리(active managemenet) 전략이 성공했는지를 판단하기 위해 당신이 투자한 상업용 부동산투자 펀드(블루스톤 기금)의 수익률을 벤치마크 지수를 기준으로 하여 평가하고자 한다. 투자자들은 구체적으로 당신의 펀드 성과평가를 수동적(passive) 전략 펀드와 비교하고자 한다. 수동적 투자란 지수를 구성하는 동일한 비율의 부동산비율과, 부동산입지를 단순하게 추종하여 투자를 구성하는 전략이다. 가장 최근 분기 동안에, 부동산 유형과 입지 등의 정보가 투자자에게 전달되었다.

A.

	블루스톤 펀드			산업지수		
부동산 형태	펀드 가치 %	수익률	가중 수익률	지수 가치 %	수익률	가중 수익률
Apartments	20%	14.0%	2.8%	35%	12%	4.2%
Hotel	0	16.0	0.0	10	14	1.4
Industrial	5	10.0	0.5	30	8	2.4
Office	35	4.0	1.4	10	6	0.6
Retail	40	10.0	4.0	15	8	1.2
총계	**100.0**	—	**8.7**	**100.0**	—	**9.8**

B.

	블루스톤 펀드			산업지수		
부동산 형태	펀드 가치 %	수익률	가중 수익률	지수 가치 %	수익률	가중 수익률
북	30%	11%	3.3%	35%	12%	4.2%
남	35	12	4.2	15	14	2.1
동	10	7	0.7	25	8	2.0
서	25	2	0.5	25	6	1.5
총계	**100.0**	—	**8.7**	**100.0**	—	**9.8**

a. Brinson-Hood-Beebower (BHB) 방법론을 활용하여, 블루스톤 펀드가 산업지수와 비교해 부동산 유형에 어느 정도의 높은 (또는 낮은) 가중치를 두었는지 계산하라.

b. Brinson-Hood-Beebower (BHB) 방법론을 활용하여, 블루스톤 펀드가 산업지수와 비교해 위치/지역에 어느 정도의 높은 (또는 낮은) 가중치를 두었는지 계산하라.

c. 블루스톤의 성과평가에 부동산의 선택(selection)과 자산배분(allocation)이 (a)와 관련해서 미친 효과를 설명하시오

d. 블루스톤의 성과평가에 부동산의 선택(selection)과 자산배분(allocation)이 (b)와 관련해서 미친 효과를 설명하시오

e. Brinson-Fachler (BF) 방법론을 활용하여 블루스톤 펀드와 산업지수와의 차이에서 부동산 유형의 배분에 의한 차이를 계산하시오. 어느 부동산 유형이 펀드의 성과에 도움이 되었는지, 또는 성과를 낮추었는지 설명하시오.

f. Brinson-Fachler (BF) 방법론을 활용하여 블루스톤 펀드와

산업지수와의 차이에서 입지의 배분에 의한 차이를 계산하시오. 어느 입지가 펀드의 성과에 도움이 되었는지, 또는 성과를 낮추었는지 설명하시오.

g. 블루스톤 펀드가 투자한 아파트 섹터에 대한 베타값이 1.25이다. 산업지수의 베타값이 1.0이라고 할 때, 블루펀드가 아파트 섹터에서 지수를 상회하는 성과를 기록했다고 할 수 있는가? 무위험 수익률은 1%로 가정한다.

6. 펀드는 투자자로부터 $100,000,000를 받아 투자를 수행한다. 투자자들은 8%의 우선수익률을 받게 된다. 우선수익률을 달성한 후 남은 배당금은 80%는 투자자에게 배당되고, 20%는 펀드매니저에게 배당이 된다. 일반적인 펀드 수수료를 지급하고 난 후의 배당이 가능한 현금흐름은 다음과 같다.

연도	펀드관리 수수료 지급 후 배당 가능 현금흐름(단위: $백만)
0	
1	$ 5.00
2	10.00
3	20.00
4	30.00
5	50.00
6	40.00
7	30.00
8	20.00
9	10.00
10	5.00

a. 투자자가 8%의 우선수익률을 받기까지는 몇 년이 걸리는가?

b. a가 이루어진 해에는 투자자와 펀드매니저에게 현금배당된 금액은 각 얼마인가?

c. 10년 투자기간 동안의 투자자의 IRR은 얼마인가?

d. 10년 동안 펀드매니저가 수취하는 성과보상금은 총 얼마인가?

7. 다음 자료는 펀드 보고 자료이며, 연도별 벤치마크 수익률과 무위험자산 수익률이 포함되어 있다.

연도	펀드 수익률	벤치마크 수익률	무위험 수익률
1	10%	7%	2%
2	12	9	2
3	15	12	2
4	19	14	2
5	20	14	2
6	22	15	2
7	14	12	2
8	13	11	2
9	11	9	2
10	10	9	2

a. 펀드와 벤치마크 수익률의 사프(sharpe)비율은 얼마인가?

b. 펀드의 베타(Beta) 값은 얼마인가?

c. 펀드와 벤치마크 수익률의 Treynor 비율은 얼마인가?

d. 펀드의 추적오차(tracking error)는 얼마인가?

e. 펀드의 젠센의 알파(Jensen's alpha)는 얼마인가?

d. 펀드는 벤치마크와 비교할 때 위험에 대한 당신의 결론은 무엇인가?

찾아보기

Index

ㅊ

ㅌ